MÜNCHENER UNIVERSITÄTSSCHRIFTEN

KATHOLISCH-THEOLOGISCHE FAKULTÄT

MÜNCHENER THEOLOGISCHE STUDIEN

IM AUFTRAG DER
KATHOLISCH-THEOLOGISCHEN FAKULTÄT
HERAUSGEGEBEN VON
WINFRIED AYMANS, GERHARD LUDWIG MÜLLER,
MANFRED WEITLAUFF

I. HISTORISCHE ABTEILUNG

36. BAND

Die Zisterzienserabtei Fürstenfeld
in der Reformationszeit
1496–1623

Wolfgang Lehner

Die Zisterzienserabtei Fürstenfeld in der Reformationszeit 1496–1623

Anton H. Konrad Verlag

2001

Umschlag
Kloster Fürstenfeld und Markt Bruck: das Gebiet östlich
von Bruck mit Darstellung eines Feldes, dessen Zugehörigkeit
zum Markt zwischen Kloster Fürstenfeld und Bruck strittig war.
Kolorierte Federzeichnung als »Augenschein« für einen Streit
vor dem Münchner Hofrat, um 1602.
München, Bayerisches Hauptstaatsarchiv, PLS 18593

Die Deutsche Bibliothek – CIP-Einheitsaufnahme

Lehner, Wolfgang:
Die Zisterzienserabtei Fürstenfeld in der Reformationszeit
1496–1623 / Wolfgang Lehner. – Weißenhorn : Konrad, 2001
   (Münchener theologische Studien : 1 , Historische Abteilung ; Bd. 36)
   Zugl.: München, Univ., Diss., 1999
   ISBN 3-87437-444-0

© 2001   Anton H. Konrad Verlag 89264 Weißenhorn
Herstellung   EOS Verlag + Druck St. Ottilien

Inhalt

In Dankbarkeit
meinen Eltern
und
meinem Bruder

Vorwort

Die vorliegende Arbeit wurde im Sommersemester 1999 von der Katholisch-Theologischen Fakultät der Ludwig-Maximilians-Universität München als Doktordissertation angenommen. Sie behandelt die Geschichte des Zisterzienserklosters Fürstenfeld während der Jahre 1496–1623, also der Reformationszeit im weiteren Sinne. Die Darstellung stützt sich in der Hauptsache auf handschriftliche Quellen, die in staatlichen und kirchlichen Archiven aufbewahrt werden; dazu wurde die bereits vorliegende Literatur eingearbeitet und als Vergleichsmaterial herangezogen.

Mit dieser Untersuchung wird nicht nur eine wichtige Lücke in der Fürstenfelder Klostergeschichte geschlossen – die Gründungszeit und die Zeit des 17. Jahrhunderts sind bereits aufgearbeitet –, sondern auch einem empfindlichen Mangel der bayerischen Klostergeschichte ein wenig abgeholfen: eine aus umfangreichen Quellen gearbeitete ausführliche Darstellung altbayerischen Klosterlebens während des turbulenten Reformationsjahrhunderts existierte bislang nicht.

Viele haben zum Werden und Gelingen dieser Arbeit beigetragen, ihnen allen sei gedankt: an erster Stelle Herrn Professor Dr. Manfred Weitlauff, meinem akademischen Lehrer in der Kirchengeschichte, der mir in den Jahren des Universitätsstudiums und der Vorbereitung der Dissertation nicht nur ein umsichtiger und tatkräftiger Förderer, sondern auch ein wertvoller priesterlicher Begleiter geworden ist. Gedankt sei ihm auch für die Aufnahme der Arbeit in die Historische Abteilung der »Münchener Theologischen Studien«. Ein herzlicher Dank gilt auch Herrn Professor Dr. Manfred Heim für das Zweite Gutachten, sowie Herrn Dr. Peter Pfister, Direktor des Archivs des Erzbistums München und Freising, für die stets hilfsbereite Beratung und Unterstützung. Ein weiterer Dank geht an alle meine akademischen Lehrer an der Katholisch-Theologischen Fakultät der Münchener Universität. Gedankt sei auch dem Personal der von mir benutzen Archive und Bibliotheken für die Bereitstellung des Quellenmaterials.

Sehr herzlicher Dank für Zuschüsse zur Drucklegung geht an den Hochwürdigsten Herrn Erzbischof von München und Freising, Friedrich Kardinal Wetter, und das Erzbischöfliche Ordinariat München, die Ludwig-Maximilians-

Universität München, die Adelholzener Alpenquellen GmbH, die Sparkasse Fürstenfeldbruck, die Zisterzienserabtei Wettingen-Mehrerau, die Kester-Haeusler-Stiftung in Fürstenfeldbruck sowie an den Verein der Freunde des Klosters Fürstenfeld. Gedankt sei auch Herrn Verleger Anton H. Konrad in Weißenhorn für die Aufnahme ins Verlagsprogramm. Sehr herzlich danken möchte ich schließlich meinem Vater und meinem Bruder für das mühevolle Mitlesen der Korrekturen.

Bergen, 20. August 2000
Fest des hl. Bernhard von Clairvaux   Wolfgang Lehner

Aufgabe, Quellen- und Literaturbericht

Das Zisterzienserkloster Fürstenfeld ist zwar gegenwärtig nicht von Mönchen aus dem Orden des heiligen Bernhard bewohnt, dennoch ist es seit der Säkularisation und der Vertreibung der Mönche nie der Vergessenheit anheimgefallen. Gerade in jüngerer Zeit haben Öffentlichkeit und Wissenschaft das Kloster neu entdeckt, die kunsthistorische Bedeutung seiner Klosterkirche und Gebäude, die Geschichte und ihre Wirkung auf das gesamte Ampertal rings um den Schöngeisinger Forst. Im Jahr 1988 wurde das 725-jährige Bestehen des Klosters mit großer Festlichkeit begangen, und anläßlich dieses Jubiläums erschien begleitend zu einer Ausstellung ein stattlicher Doppelband mit Beiträgen zu Geschichte und Kunst des Klosters Fürstenfeld, denen zahlreiche Forschungen vorausgegangen waren; ein wissenschaftliches Kolloquium trug gleichfalls dazu bei, die Geschichte des Zisterzienserordens weiterzuschreiben[1]. Ordnet man die historisch ausgerichteten Themen sowohl dieser Publikationen als auch der früher erschienenen Literatur entsprechend den Jahrhunderten der Klostergeschichte an, so fallen zwei Schwerpunkte der Forschung auf: die Zeit von der Klostergründung 1258/1263 bis etwa zum Tode Kaiser Ludwigs des Bayern 1347 sowie die Jahre vom Amtsantritt Abt Martin Dallmayrs (1640–1690) bis zur Auflösung des Klosters im Jahr 1803. Die beinahe drei Jahrhunderte zwischen den beiden »Eckpfeilern«, das kontrastreiche Spätmittelalter und die dramatische Reformationszeit, sind dagegen bislang nahezu unbearbeitet.

Einen Teil dieses Zeitraumes, die Jahre von 1496 bis 1623, will die vorliegende Arbeit darstellen und somit die Lücke schließen helfen. Im Jahr 1496 wurde in Fürstenfeld die sich abzeichnende Wendung hin zur Reformationszeit sichtbar: Nachdem der gelehrte Abt Leonhard Eggenhofer (1480–1496) verstorben war, regierten die auf ihn folgenden Äbte jeweils nur wenige Jahre und markieren nach dem goldenen Herbst des Humanismus den Beginn des stürmischen Jahrhunderts der konfessionellen Auseinandersetzung.

---

[1] Angelika Ehrmann, Peter Pfister, Klaus Wollenberg (Hrg.), In Tal und Einsamkeit. 725 Jahre Kloster Fürstenfeld. Die Zisterzienser im alten Bayern, Bd. 1: Katalog, Bd. 2 Aufsätze, München 1988; Bd. 3: Kolloquium, Fürstenfeldbruck 1990.

Begrenzt wird der Untersuchungszeitraum mit zwei für Kloster und Orden bedeutenden Ereignissen im Jahr 1623, in dem Herzog Maximilian zudem den Kurfürstenhut verliehen bekam: Abt Sebastian Thoma (1610–1623), der Fürstenfeld in einer Zeit großer Blüte regierte, starb; auf ihn folgte Abt Leonhard IV. Lechner (1624–1632) und mußte die Schrecken des beginnenden Dreißigjährigen Krieges miterleben. 1623 wurde aber auch die Oberdeutsche Zisterzienserkongregation vom Generalkapitel des Ordens anerkannt, eine Struktur, die den Anforderungen des politisch und religiös veränderten Mitteleuropa entsprach; mit ihrer Errichtung kann die Reformationszeit – bezogen auf die Zisterzienser im süddeutsch-österreichisch-schweizerischen Raum – im weiteren Sinn als abgeschlossen gelten.

Aufgrund der Spezialisierung der historischen Wissenschaft und der damit verbundenen Fülle der Vorgehensweisen und Zielsetzungen einer Untersuchung legt diese Arbeit ihren Schwerpunkt auf den kirchengeschichtlichen und staatskirchengeschichtlichen Bereich: In einem ersten Teil soll als Grundlage die allgemeine Klostergeschichte anhand der Äbte und ihrer Regierungen dargeboten werden. Aufbauend darauf widmet sich der zweite Teil der Verfassungsgeschichte der Klostergemeinschaft und ihren einzelnen Aspekten von den Rechtsverhältnissen im Kloster bis hin zur Seelsorge in Wallfahrtskirchen und Pfarreien. Auf eine eigene Darstellung der Grund- und Gerichtsherrschafts-, sowie der Wirtschaftsgeschichte des Klosters – diesbezügliche Notizen werden jeweils in einem größeren Zusammenhang aufgezeigt – wurde dabei aus zwei Gründen verzichtet: Zum einen ist durch Klaus Wollenberg bereits eine umfängliche Untersuchung der klösterlichen Eigenwirtschaft geleistet[2]; zum anderen liegt die weitere Erforschung der Wirtschaftsgeschichte besser in den Händen eines Wirtschafts- als eines Kirchenhistorikers. Der dritte Teil behandelt schließlich die Stellung des Klosters Fürstenfeld im Spannungsfeld zwischen den bayerischen Herzögen und dem Zisterzienserorden, auch angesichts der Beschlüsse des Konzils von Trient und der einsetzenden katholischen Reform; dabei sollen die in den vorangegangenen Kapiteln implizit dargestellten Veränderungen des Klosters und seiner Verflechtungen nach außen noch einmal verdeutlicht werden.

Eine übergreifende Fragestellung ergab sich für diese Arbeit aus der Durchsicht der bislang vorliegenden Literatur zum Thema. In ihr fiel die durchgängige Tendenz zur schematischen Wertung entsprechend den allgemeinen Zeitumständen und, verbunden damit, eine deutliche Zweiteilung auf: Bis etwa 1550 hatten demzufolge in Fürstenfeld »krisenhaft zerrüttete und disziplinäre Verhältnisse«[3] geherrscht, und das Kloster war am Rande des Zusammenbruchs gestanden; umso lichtvoller hatten sich – nach allgemeiner Über-

---

[2] Vgl. Wollenberg, Eigenwirtschaft (Literaturverzeichnis).
[3] Greipl, Glaubenskämpfe 92.

einstimmung – die späteren Jahrzehnte entwickelt, während derer glorreich regierende Äbte einander ablösten[4]. Bei der Durchsicht des Quellenmaterials ergab sich schon bald ausreichend Anlaß, die so selbstverständlich klingenden Bewertungen anzuzweifeln, schließlich teils zu bestätigen, teilweise aber deutlich zu korrigieren. Als methodische Grundlage gilt gerade in diesem Zusammenhang einer vermeintlichen Krisenzeit des Klosters, daß weder Personen und ihre Handlungen noch irgendwelche »Zustände« beschuldigt oder entschuldigt werden müssen – dies ist nicht Aufgabe eines Historikers, der über dreihundert Jahre nach den Ereignissen nur aufgrund schriftlicher Quellen und zudem mit dem nicht zu überwindenden Verständnis eines Menschen der Moderne dem Geschehen während der Reformationszeit nachforscht. Menschliches Versagen ist nicht zu verharmlosen oder zu dramatisieren, sondern objektiv und sachlich zu schildern, um dem Lauf der Dinge, seien sie bedeutend oder unbedeutend, möglichst gerecht zu werden.

Grundlage dieser Darstellung sind die handschriftlichen Quellen aus den ehemaligen Klosterarchiven in Fürstenfeld, Aldersbach, Raitenhaslach und Gotteszell, die Korrespondenzen der Klöster untereinander und mit Ordensoberen, Landesherren und anderen geistlichen und weltlichen Instanzen; dazu kamen Akten und Schriftverkehr der für Kirchenangelegenheiten zuständigen herzoglich-bayerischen Behörden. Dabei wurden nach Möglichkeit zeitgenössische Archivalien verwendet; deren teilweise große Lücken machten aber einen Rückgriff auf Materialien unvermeidbar, die im 19. Jahrhundert gesammelt und geordnet wurden und nur noch in Abschriften oder Darstellungen existieren. Aus der Zeit bis etwa 1525 sind authentische Informationen höchst spärlich überliefert; auch Ereignisse aus den Regierungsjahren Abt Johann Puels (1595–1619) wurden kaum festgehalten, so daß man für diese beiden Zeitabschnitte lediglich beschränkt auf Archivalien zurückgreifen kann.

Eine Hauptquelle für die gesamte Klostergeschichte ist das »Chronicon Fürstenfeldense«, das der bislang letzte Fürstenfelder Abt Gerard Führer (1796 bis 1803, † 1820) in den Jahren 1803 bis 1817 verfaßt und mehrmals ergänzt hat[5]. Sein bleibender Wert besteht trotz aller – bereits vom Verfasser erkannter – Unzulänglichkeiten in den vielfältigen Quellen, die Abt Führer noch benutzen konnte, nach seiner Zeit aber verschollen gingen; so wären etliche Details ohne diese Chronik für immer verloren. Für die Lebensdaten der Kon-

---

[4] Vgl. Fugger, Fürstenfeld 80–90; Röckl, Beschreibung 28–34; Schmid, Cenobium 268.

[5] Gerard Führer, »Chronikon Fürstenfeldense«, 1803–1817. BStB. Cgm 3920; siehe Anhang 4.1 in dieser Arbeit. Künftig bezeichnet als »Führer, Chronik« mit Angabe des Paragraphen. – Dazu: Klemenz, Dallmayr 310–313; dies., Abt Gerard Führer und seine Chronik, in: Angelika Ehrmann, Peter Pfister, Klaus Wollenberg (Hrg.), In Tal und Einsamkeit. 725 Jahre Kloster Fürstenfeld. Die Zisterzienser im alten Bayern, München 1988, II 355–362.

ventualen ist das Nekrologium des Klosters eine wichtige Quelle[6], wenngleich es einige Mängel aufweist; Abt Führer benutzt in seiner Chronik ein
zweites, älteres Nekrologium[7], das teilweise erheblich vom erhaltenen
Totenbuch abweicht, so daß sich hier einige Unstimmigkeiten ergeben. Ein-
zigartig ist das Tagebuch, das Abt Leonhard III. Treuttwein (1566–1595) in
den Jahren 1587 bis 1593 geführt hat[8]: Neben den täglichen Wetteraufzeich-
nungen notierte er hier unbedeutende Begebenheiten wie die Anzahl der
Gäste oder die Begleichung von Rechnungen, aber auch Konventslisten und
Visitationsrezesse, so daß für diese sieben Jahre vorzügliches Material aus
erster Hand überliefert ist.

Zwei Historiographen haben sich im 19. Jahrhundert der Aufgabe gestellt,
eine Darstellung der Klostergeschichte zu verfassen: Der Fürstenfelder Hof-
kaplan Karl Röckl veröffentlichte 1840 eine weitgehend aus den Quellen Abt
Führers schöpfende historische Beschreibung des Klosters[9], Eberhard Graf
Fugger publizierte 1884 und in zweiter Auflage 1885 eine im patriotischen
Geist gehaltene Abhandlung über Fürstenfeld[10]; wenngleich beide Werke
entsprechend dem Stil ihrer Zeit nicht besonders kritisch verfaßt sind und
die positiven Seiten der Ereignisse betonen, so erwähnen sie dennoch gelegentlich ansonsten unbekannte Details, deren Richtigkeit allerdings jeweils
verifiziert werden muß. Der lutherische Historiker Friedrich Roth unterzog
bereits 1916 beide Büchlein einer heftigen Kritik und schrieb eine Darstellung der Reformationszeit in Bruck und Umgebung aus seiner Sicht, wobei
auch er sich auf heute verlorenes Material stützen konnte[11]. Der Salzburger
Benediktiner Pirmin Lindner erstellte 1905 und 1906 einen bis heute nicht
ersetzbaren Katalog sämtlicher ihm bekannter Fürstenfelder Mönche; nur
einige wenige, während der dieser Arbeit zugrundeliegenden Archivstudien
»neu entdeckte«, Konventualen waren ihm entgangen[12]. Zwischen den
Weltkriegen ruhte die Forschung über das Kloster weitgehend; der Münche-

---

[6] Nekrologium. BStB. Clm 1057. Dieses Nekrologium hatte ein abenteuerliches Schicksal:
   Nachdem es im Zuge der Säkularisation aus dem Kloster fortgeschafft worden war, gelangte
   es vermutlich aufgrund Napoleonischer Beutezüge nach Paris, von wo es 1861 wieder
   zurückgekauft werden konnte; vgl. Mayr, Kritik 77. – Die Abfassung des Nekrologs wurde
   möglicherweise um 1520 durch Fr. Johannes Zolner begonnen (Clm 1057, fol. 34 wird er als
   Schreiber genannt) und immer wieder fortgeführt; dies kann aber kaum kontinuierlich
   geschehen sein, da teilweise so gravierende inhaltliche Fehler festzustellen sind, daß einige
   Einträge wohl erheblich später vorgenommen wurden.
[7] Führer, Chronik § 158. – Möglicherweise handelt es sich dabei um einige wenige biographi-
   sche Notizen im Missale Heinrichs von Bibrach, 1317. BStB. Clm 6915, foll. 1–7; von einem
   eigenständigen Nekrolog ist dagegen nichts mehr erhalten.
[8] Tagebuch Abt Leonhard Treuttweins, 1587–1593. BStB. Cgm 1771.
[9] Röckl, Beschreibung (Literaturverzeichnis).
[10] Fugger, Fürstenfeld (Literaturverzeichnis).
[11] Roth, Bruck (Literaturverzeichnis); die Kritik an Röckl und Fugger ebd. 170.
[12] Lindner, Beiträge (Literaturverzeichnis).

ner Historiker Edgar Krausen[13] widmete sich nach 1945 in etlichen Monographien und Beiträgen dem Zisterzienserorden in Bayern und stieß eine zweite Welle wissenschaftlicher Beschäftigung mit dem Kloster Fürstenfeld an, in deren Verlauf die Geschichte Fürstenfelds schrittweise nach historisch-kritischer Methodik aufgearbeitet wurde und wird. Für den Bereich der Reformationszeit bleibt das neuere Schrifttum – außer den erwähnten Bänden zum Jubiläumsjahr 1988 hauptsächlich kleinere Beiträge allerdings unterschiedlicher Qualität in der Heimatzeitschrift »Amperland« – spärlich und auf Teilaspekte beschränkt; wo möglich und ergiebig, wurde es in die Darstellung eingearbeitet.

---

[13] Siehe Literaturverzeichnis.

Überblick über Ideale, Geschichte und Verfassung des Zisterzienserordens

Die Zisterzienser sind ein im Zuge der hoch- und spätmittelalterlichen religiösen Erneuerungsbestrebungen entstandener Reformorden[14]. Die Hinwendung vieler Zeitgenossen zur »vita evangelica et apostolica«, Armut, Abgeschiedenheit und Einfachheit, entfachte auch in einigen Mönchen des Benediktinerordens – das einstmals mit unkonventionellen Idealen angetretene Cluniazensertum hatte sich längst etabliert – den Wunsch zur Rückkehr in ein Leben nach der Strenge der »Regula Benedicti«. Wenngleich die zisterziensische Bewegung in diesem geistigen Nährboden wurzelte, so ist doch ihre Entstehung und frühe Entwicklung nur in Umrissen bekannt.

Abt Robert (um 1027–1111), der 1075 das burgundische Reformkloster Molesme gegründet hatte, zog sich nach der Versicherung päpstlichen und weltlichen Schutzes 1098 mit einer Gruppe seiner Konventualen in die Einsamkeit der Bergwelt von Dijon zurück, um im dortigen »Novum monasterium«, wie man das neu errichtete Kloster nannte, nach einer strengen Observanz der evangelischen Räte zu leben. Da er bereits im Jahr darauf auf päpstlichen Befehl hin nach Molesme zurückkehren mußte, wurde der bisherige Prior Alberich zum neuen Abt von »Neukloster« gewählt; er konnte am 19. Oktober 1100 von Papst Paschalis II. (1099–1118) die päpstliche Konfirmation der Gründung und das Privileg der Freiheit von weltlicher und geistlicher Einflußnahme erlangen. Damit war sowohl die Unabhängigkeit von Molesme gesichert als auch die spätere Exemtion des Ordens vorgezeichnet.
In Abt Stephan Harding (1059–1134), dem Nachfolger Alberichs, erhielt Cîte-

---

[14] Zur Geschichte und Verfassung des Zisterzienserordens sind gerade in jüngerer Zeit mehrere vorzügliche Darstellungen mit reichhaltigen Literaturhinweisen erschienen; genannt seien davon: Cécile Sommer-Ramer, Einleitung. Die Zisterzienser, in: Helvetia Sacra III: Die Orden mit Benediktinerregel, Teil 1, Bern 1982, 27–66; Brigitte Degler-Spengler, Die Zisterzienserinnen, in: ebd., Teil 2, Bern 1982, 507–574; Manfred Weitlauff, Art. Zisterzienser (Literaturverzeichnis); schon älter, aber unverzichtbar: Louis Lekai/Ambrosius Schneider, Weiße Mönche (Literaturverzeichnis). Für weiterreichende Angaben sei auf das Literaturverzeichnis verwiesen.

aux einen außerordentlich befähigten Vorsteher, der sowohl die geistlichen als auch die wirtschaftlichen Verhältnisse des Klosters verbessern konnte und wesentliche Elemente der Ordensverfassung grundlegte. Befand sich das Kloster Cîteaux aufgrund seiner Strenge und seines ungesunden Klimas bislang dauernd in Sorge um ausreichenden Nachwuchs, so änderte sich dies mit dem Eintritt Bernhards von Fontaines (1090–1153)[15], dem nachmaligen Abt von Clairvaux, schlagartig; von noch größerer Bedeutung als die dreißig Gefährten, die mit ihm ins Kloster gekommen waren, war die Sogwirkung, die von ihm ausging. So wurde Cîteaux bald zu klein, 1113 begann mit dem Kloster La Ferté die lange Reihe von Tochtergründungen der Abtei, 1114 folgte Pontigny, und 1115 erhielt Bernhard mit zwölf Mönchen den Auftrag zur Gründung des Tochterklosters Clairvaux, dem er als erster Abt vorstand; im gleichen Jahr wurde mit Morimond die vierte und letzte Primarabtei des Ordens gegründet.

In ihrer Observanz vereinigten die Zisterzienser eremitische Ideale und die Spiritualität der spätmittelalterlichen Armutsbewegung, die sie in einer strengen Beobachtung der von allen cluniazensischen Zutaten gereinigten Benediktsregel verwirklichen wollten; von daher waren die Exemtion von bischöflicher Jurisdiktion und die Befreiung von weltlichen Einflüssen, wie sie Papst Lucius III. (1181–1185) 1184 garantierte, Voraussetzung für eine solche Lebensweise. Im Alltag bemühten sich die Zisterzienser um einen Ausgleich zwischen Gottesdienst, geistlicher Lesung und Handarbeit, wobei das Offizium im Gegensatz zur cluniazensischen Prachtentfaltung in aller Einfachheit begangen werden sollte; damit war auch das Fundament für die herbe Schlichtheit der zisterziensischen Architektur und Kunst gelegt. Abt Stephan Harding trug durch seine Vulgatarevision und die Suche nach den authentischen liturgischen Texten und Melodien erheblich zur ordensinternen Liturgiereform bei. Die monastische Wirklichkeit erwies sich jedoch bald schon stärker als alle asketischen Ideale: Trotz des Strebens nach Armut war eine materielle Basis für das tägliche Leben notwendig; da die Zisterzienser zusätzlich um wirtschaftliche Autarkie bemüht waren, mußten Grundbesitz und Agrarwirtschaft die Eigenständigkeit garantieren. Zeit und Arbeitskraft der Mönche genügten bald nicht mehr, so daß schon vor 1119 das Institut der Konversen, rechtlich von den Mönchen unterschiedener Laienbrüder, eingeführt wurde. Mit diesem teilweise bedeutenden Arbeitspotential konnte der Orden seine Wirtschaftsweise entwickeln und perfektionieren, aufgrund derer sich der Ruf der Zisterzienser begründete,

---

[15] Zu Bernhard von Clairvaux: Hans-Dietrich Kahl, Bernhard von Fontaines. Abt von Clairvaux, in: Gestalten der Kirchengeschichte 3, hrg. von Martin Greschat, Stuttgart u. a. 1983, 173–191; Peter Dinzelbacher, Bernhard von Clairvaux. Leben und Werk des berühmten Zisterziensers (= Gestalten des Mittelalters und der Renaissance), Darmstadt 1998.

Kulturpioniere zu sein[16]. Die Mönche wiederum nutzten den gewonnenen
Freiraum zu geistiger Tätigkeit, zu theologischer und philosophischer
Schriftstellerei, zur Verfeinerung der Buchkunst und zur Vertiefung der Spiritualität. Neben dem in seiner Zeit überragenden Bernhard von Clairvaux stehen Persönlichkeiten wie Aelred von Rievaulx († 1167), Otto von Freising
(um 1112–1158)[17] oder Joachim von Fiore (um 1135–1202) für die Blüte frühen zisterziensischen Geisteslebens.

Die Verfassung des Zisterzienserordens blieb in ihrem Kern zwar weitgehend
unverändert, wurde im Lauf der Ordensgeschichte aber immer wieder fortge-
schrieben und den Umständen angepaßt. Ihre Grundlage findet sich in der auf
Abt Stephan Harding zurückgehenden »Charta caritatis«, die in mehreren
Fassungen bekannt ist und das Ergebnis eines längeren Prozesses darstellt;
weitere Änderungen der Ordensverfassung wurden in den Dekreten der
Generalkapitel festgehalten[18]. Als Papst Alexander III. 1165 die letzte Konfirmation des Zisterzienserordens erteilte, lag ihm inhaltlich wohl die
»Charta caritatis posterior«, die dritte und letzte Version vor. Die Grundzüge
der zisterziensischen Ordensverfassung bilden zwei sich ergänzende Prinzipien, das hierarchische und das genossenschaftliche. Als Norm steht für den
gesamten Orden das Kloster Cîteaux an der Spitze des hierarchischen
Systems; sämtliche Klöster blieben über ihre Mutterabteien indirekt mit
Cîteaux verbunden, jedoch in einer Weise, die ihnen den Status einer eigenständigen Abtei und nicht wie in Cluny eines abhängigen Priorats gewährte[19]. Der Abt von Cîteaux übte seine Jurisdiktion zunächst über die vier
Primarabteien aus, wobei sich im Laufe der Zeit seine Rolle zu der eines
Generalabtes mit umfassenden Befugnissen nach Vorbild der spätmittelalterlichen zentralistischen Mendikantenorden entwickelte; ein besonderes
Aufsichtsrecht hatten die Äbte der vier Primarabteien sowohl über die von
ihnen ausgegangenen Filiationslinien inne, als auch in kollegialer Weise über
das Kloster Cîteaux[20]. Angewandt wurde die Rechtsaufsicht in der Form der

---

[16] Dies traf im deutschen Sprachraum vor allem für die in der Slawenmission tätigen Zister-
      zienser zu, die mit ihren weit nach Osten vorgeschobenen Klöstern Grundpfeiler der Koloni-
      sation und Mission waren; Theodor Fontane hat den in der Mark Brandenburg liegenden Klö-
      stern Lehnin (gegr. 1183) und Chorin (gegr. 1260) ein literarisches Denkmal gesetzt: Theodor
      Fontane, Wanderungen durch die Mark Brandenburg, Bd. 3 Havelland, hrg. von Edgar Gross,
      Frankfurt-Berlin 1990, 13–96.
[17] Zu Bischof Otto von Freising: Edgar Krausen, Bischof Otto von Freising, der Zisterzienser auf
      dem Stuhl des hl. Korbinian, in: Joseph A. Fischer (Hrg.), Otto von Freising. Gedenkgabe zu
      seinem 800. Todesjahr (= XXIII. Sammelblatt des Historischen Vereins Freising), Freising
      1958, 39–48.
[18] Vgl. Moßig, Verfassung 117.
[19] Vgl. Molitor, Rechtsgeschichte I 119–122; Moßig, Verfassung 115. – Im Vergleich dazu waren
      die Benediktinerklöster autonomer; vgl. Dammertz, Verfassungsrecht 103; Molitor, Rechts-
      geschichte I 4–5.
[20] Vgl. Exord. cist. V., in: Lekai/Schneider, Weiße Mönche 42; Molitor, Rechtsgeschichte I 171;
      Moßig, Verfassung 116.

Visitation, zu der einmal jährlich jeder Abt in allen von seinem Kloster ausgegangenen Tochtergründungen verpflichtet war[21]. Entsprechend dem hierarchischen Filiationsprinzip entwickelte der Zisterzienserorden das Kollegiali-
tätsprinzip, indem jährliche Generalkapitel aller Äbte die Entwicklung des
Ordens kontrollierten und durch Beschlüsse steuerten. Mit dieser neuartigen
Verbindung zweier an sich bekannter Verfassungselemente schufen die
Zisterzienser ein Modell, das andere Orden wie Prämonstratenser, Kartäuser
und Wilhelmiten als das modernste ihrer Zeit übernahmen[22]. Freilich ergaben sich im Lauf der weiteren Ausbreitung des Ordens massive Probleme aus
dieser Verfassungsform; die sich daraus entwickelnden Änderungen werden
im dritten Teil dieser Darstellung ausführlich behandelt.

Bereits kurz nach der Errichtung der vier Primarabteien La Ferté, Pontigny,
Clairvaux und Morimond setzte eine Welle von Neugründungen im Zisterzienserorden ein, die in den Jahren bis etwa 1150 eine explosionsartige Ausbreitung des Ordens über ganz Europa und bis in den vorderen Orient hinein
begründete: 1120 errichteten die grauen Mönche das ligurische Kloster Civi-
tacula (Tiglieto) – das erste jenseits der Alpen –, 1123 entstand in Kamp am
Niederrhein das erste deutsche, 1128 in Waverley (Hampshire) das erste englische Kloster; 1130 folgte Rein in der Steiermark, 1132 erste Niederlassungen in Belgien, 1136 in Schottland, 1138 Portugal, 1142 im irischen Mellifont
(County Louth), 1143 in Polen, Böhmen und Schweden, 1146 in Norwegen;
allein Bernhard von Clairvaux errichtete siebzig neue Klöster. Bis etwa 1250
stabilisierte sich die Anzahl der Zisterzienserklöster; ihren Höchststand
erreichte sie vor der Reformation mit siebenhundert Männer- und neunhun-
dert Frauenklöstern. Zugleich verlor der Orden seit dem späten Mittelalter
seine Anziehungskraft in dem Maße, wie die neugegründeten Bettelorden
den Herausforderungen der Zeit mit bislang ungekannter Flexibilität antworten konnten; wie dereinst die Cluniazenser, hatten sich auch die Zisterzienser etabliert und von den tragenden Idealen der Gründungsgeneration
entfernt: Heftig geführte Auseinandersetzungen zwischen den Mönchen und
den Konversen kosteten innere Kraft, die Formen der Askese waren heftig
umstritten und wurden bald gelockert, auch die ursprüngliche Schlichtheit
der Architektur wurde unter Wahrung der Buchstaben der Regel immer mehr
umgangen. Streitigkeiten über die Observanz beherrschten zunehmend die
Generalkapitel – der Orden war schlichtweg zu groß geworden, als daß die
überaus strengen Vorschriften der Gründungsgeneration, welche von einem
hohen Maß an asketischem Geist getragen waren, von allen Ordensleuten
hätten gelebt werden können. Auch die geographische Ausbreitung des

---

[21] Vgl. Exord. cist. III, in: Lekai/Schneider, Weiße Mönche 41–42; Lobendanz, Zisterzienserkongregation 78–79; Molitor, Rechtsgeschichte I 170–171.

[22] Vgl. Molitor, Rechtsgeschichte I 199–200. – Auch neuzeitliche Reformkongregationen übernahmen diese Verfassungsform; vgl. Dammertz, Verfassungsrecht 87.

Ordens, vom westirischen Kloster Boyle (County Sligo) bis zum syrischen Kloster Salvatio, beide 1161 gegründet, bedingte zu große klimatische und soziokulturelle Unterschiede, als daß die für das alte Cîteaux geltenden Regeln überall hätten verwirklicht werden können.

Nach Bayern kamen die grauen Mönche in zwei Wellen im 12. und im 13. Jahrhundert: 1133 entstand in Waldsassen das erste altbayerische Kloster als Stiftung des Markgrafen Diepold III. von Vohburg, nachdem mit dem Steigerwaldkloster Ebrach die erste im heutigen Bayern liegende Zisterze bereits sechs Jahre zuvor errichtet worden war[23]; 1143 siedelten sich Mönche aus Waldsassen in Walderbach am Regen an, wo Burggraf Otto I. von Regensburg das Kloster als Familiengrabstätte errichtet hatte[24]. Das älteste Zisterzienserkloster in Oberbayern ist Raitenhaslach an der Salzach, besiedelt von Mönchen der Bodenseeabtei Salem; 1143 wurde es von einem Wolfer de Tegerwac in Schützing an der Alz gegründet, doch drei Jahre darauf verlegte es der Salzburger Erzbischof Konrad I. von Abensberg (1105–1147) in die Salzachauen und formte es nach den Grundsätzen seiner reformfreudigen Kirchenpolitik zu einem salzburgischen Eigenkloster um. Als die bayerischen Wittelsbacher im Laufe des 13. Jahrhunderts im Salzachraum erstarkten, übernahmen sie schrittweise die Vogtei über das Kloster und eröffneten eine Grablege, in der bis 1502 neun Mitglieder des Hauses bestattet wurden[25]. Zur bedeutendsten altbayerischen Zisterze entwickelte sich das letzte Kloster der älteren Gründungswelle, das im Vilstal gelegene Aldersbach, wo schon seit dem 8. Jahrhundert eine klösterliche Ansiedlung nachweisbar ist: 1146 sandte Bischof Egilbert (1139–1146) von Bamberg auf staufische Anordnung hin, die auf eine bessere Sicherung Niederbayerns zielte, Mönche aus Ebrach ins Vilstal; sie entfalteten anstelle der bislang dort lebenden Regularkanoniker ein so blühendes monastisches Leben, daß Aldersbach das Mutterkloster sämtlicher bayerischer Zisterzen der jüngeren Generation wurde[26]. Den älteren bayerischen Zisterzienserklöstern war die Gründung durch niedere Adelige und Ministerialen sowie die Privilegierung durch die Bischöfe gemeinsam[27], die Förderung durch die bayerischen Wittelsbacher verband dagegen die jüngere Generation.

---

[23] Vgl. Krausen, Zisterzienserorden 24 (Filiationskarte); ders., Klöster 100. – Die Waldsassener Mönche kamen aus dem 1131 gegründeten thüringischen Kloster Volkenrode, das wiederum eine Tochter der Morimonder Filiation Kamp (1123) war. Ebrach wurde direkt von Morimond aus besiedelt.

[24] Vgl. Krausen, Klöster 98.

[25] Vgl. ders., Raitenhaslach 103.

[26] Zum Kloster Aldersbach: Egon Boshof, Die Anfänge der Zisterze Aldersbach, in: Klaus Wollenberg (Hrg.), Die Zisterzienser in Bayern, Franken und den benachbarten Regionen Südostmitteleuropas (= In Tal und Einsamkeit; III), Fürstenfeldbruck 1990, 48–81.

[27] Für Waldsassen erteilte Bischof Heinrich I. von Wolfratshausen (1132–1155) von Regensburg ein erstes Privileg zur Immunität (vgl. Krausen, Klöster 100); Walderbach kam zwischen 1177 und 1181 durch päpstliche Privilegierung unter den Schutz der Bamberger Bischöfe,

Das erste Kloster dieser Gründungswelle war mit der 1232 errichteten Abtei Seligenthal bei Landshut ein Frauenkloster, das als Grablege der Herzöge von Niederbayern-Landshut seit 1255 eine bedeutende familienpolitische Funktion erhielt[28]. Neben Fürstenfeld (1258/1263) engagierten sich die bayerischen Herzöge 1274 auch im Kloster Fürstenzell: Als die finanziellen Mittel des Stifters, des Passauer Domherren Hartwig, zur Neige gegangen waren, übernahm Herzog Heinrich XIII.[29] als Landesherr mit der wirtschaftlichen Sicherung des Klosters auch die Schirmvogtei und konnte somit seinen politischen Einfluß bis unmittelbar vor die Tore des Passauer Hochstiftsterritoriums erweitern[30]; wenngleich das Kloster Fürstenzell keine Familiengrabstätte des Hauses Bayern erhielt, so blieb es dennoch dauerhaft unter wittelsbachischem Einfluß. Gleiches gilt auch für das kleine Zisterzienserkloster Gotteszell im Bayerischen Wald. Zwar besaßen von den vier jüngeren Zisterzienserklöstern Seligenthal, Fürstenfeld, Fürstenzell und Gotteszell nur die ersten beiden den Status von Hausklöstern[31], dennoch waren sie alle ihrer Entstehungsgeschichte nach dem Haus Wittelsbach untrennbar verbunden.

Vom Tag ihrer Gründung an wichen die bayerischen Zisterzienserklöster beider Generationen von etlichen Idealvorstellungen der Väter von Cîteaux ab:

was eigentlich einen Verstoß gegen die Ordensverfassung bedeutete; für Raitenhaslach bemühte sich der Salzburger Erzbischof um die Mönche aus Salem; am Ordenswechsel zugunsten der Zisterzienser in Aldersbach war schließlich der Bamberger Bischof Egilbert (1139–1146) maßgeblich beteiligt. Umgekehrt siedelte Bischof Otto von Freising (um 1112 bis 1158) als einziger Zisterzienser auf dem Freisinger Bischofsstuhl keine Mönche seines Ordens an und förderte statt dessen die seelsorgeorientierten Regularkanoniker und Prämonstratenser (vgl. Maß, Mittelalter 161).

28 Zu Seligenthal: Seligenthal. Zisterzienserinnenabtei 1232–1982. Beiträge zur Geschichte des Klosters, Landshut 1982.

29 Hz. Heinrich XIII. (* 19. November 1235 in Landshut, 1253–1255 zusammen mit seinem Bruder Ludwig II. Herzog von Bayern, 1255–1290 Herzog von Niederbayern, † 3. Februar 1290 in Burghausen, □ Klosterkirche der Zisterzienserinnenabtei Seligenthal). Vgl. Rall/Rall, Wittelsbacher 39–43.

30 Vgl. Krausen, Klöster 43.

31 Damit ein Kloster als wittelsbachisches Hauskloster gelten kann, muß es vom Haus Bayern gegründet oder neufundiert sein, kontinuierlich unter der wittelsbachischen Schirmvogtei stehen, eine Stiftergrablege für Familienmitglieder beheimaten und schließlich im Gottesdienst des Herrscherhauses besonders gedenken. Die erste, von den damaligen Grafen von Scheyern-Wittelsbach begründete und im Dynastiebewußtsein tief verankerte Stiftung war das Kloster Scheyern (seit 1119); 1121 folgte Ensdorf in der Oberpfalz, 1231 das Kollegiatstift in Altötting, 1260 das Kelheimer Schottenkloster St. Johann, schließlich Seligenthal und Fürstenfeld. Neben der familiengeschichtlichen Bedeutung hatten die Hausklöster die konkrete Funktion einer Stütze spätmittelalterlicher wittelsbachischer Territorialherrschaft gegenüber den zahlreichen kleinen und kleinsten reichsunmittelbaren Herrschaften und wurden deshalb intensiv in die bayerische landesherrliche Kirchenpolitik einbezogen. Dazu: Gerhard Schwertl, Die Beziehungen der Herzöge von Bayern und Pfalzgrafen bei Rhein zur Kirche (1180–1294) (= Miscellanea Bavaria Monacensia; 9), München 1968; Störmer, Hausklöster (Literaturverzeichnis); List, Grablegen (Literaturverzeichnis).

Die bayerische Landschaft war seit dem Hochmittelalter eine kultivierte
»terra Benedictina«, so daß es »einsamen« Siedlungsraum im streng zisterziensischen Sinn nicht mehr gab, und somit das Ideal der Weltabgeschiedenheit einerseits und die Aufgabe der Bodenkultivierung andererseits entfallen
waren. Dementsprechend glich sich die Wirtschaftsform der Zisterzen an die
Rentenwirtschaft der Benediktinerklöster an; für die Grangienwirtschaft
fehlten die klostereigenen Arbeitskräfte. Auch die Rechtsverfassung der Stifte als landsässiger Klöster oder bischöflicher Eigenklöster mit eigenen Vogten – lediglich Waldsassen blieb noch längere Zeit reichsunmittelbar – entsprach nicht den ursprünglichen Vorstellungen des Ordens von Unabhängigkeit von jeder weltlichen und geistlichen Gewalt. Schließlich bewirkte die
bereits mit der Gründung der Klöster einsetzende und sich im Lauf der Zeit
verstärkende Hinwendung zur Pfarr- und Wallfahrtsseelsorge weitere Veränderungen der Ordensideale in Anpassung an die Erfordernisse von Umwelt
und Zeit.

Abriß der Geschichte des Klosters Fürstenfeld bis zum Vorabend der Reformation

1. Die Vorgeschichte: Das Eifersuchtsdrama auf Burg Mangoldstein

»Anno Domini 1256 XV. Cal[endae]. Febr[uarii]. obiit in Castro Werd Domina Maria, Ducissa Bavariae, filia Ducis de Brabant«[32]. Hinter dieser schlichten Inschrift eines Grabsteins in der Heilig-Kreuz-Kirche zu Donauwörth verbirgt sich eine der größten Ehetragödien im mittelalterlichen Bayern; sie war der Auslöser für die Gründung des Klosters Fürstenfeld und blieb dessen historisch-dynastischer Anker über Jahrhunderte hinweg. Herzog Ludwig II. der Strenge[33] hatte am 18. Januar 1256 seine Gemahlin Maria von Brabant auf Burg Mangoldstein bei Donauwörth hinrichten lassen, da er sie des Ehebruchs verdächtigte; mit diesem Ereignis, das als »Bluttat von Wörth« in die bayerischen Annalen einging, begann die Geschichte des Klosters Fürstenfeld[34].

Den Hintergrund für dieses schauerliche Geschehen bildete die landespolitische Situation. Nach dem Tode Herzog Ottos II.[35] von Bayern 1253 teilten seine Söhne das Erbe untereinander auf: Ludwig II. nahm sich die Pfalzgrafschaft bei Rhein sowie Oberbayern und einen Teil der Oberpfalz mit Mün-

---

[32] Aufgenommen in: Röckl, Beschreibung 6.

[33] Hz. Ludwig II. der Strenge (* 13. April 1229 in Heidelberg, 1253–1255 Regierung im Herzogtum Bayern zusammen mit seinem Bruder Hz. Heinrich XIII. [1235–1290], nach der Reichsteilung 1255 alleiniger Herzog in Oberbayern, † 2. Februar 1294 in Heidelberg, □ in der Klosterkirche Fürstenfeld). Vgl. Rall/Rall, Wittelsbacher 44–51; HBG II 72–75.

[34] Grundlegend für die Anfangsjahre des Klosters: Pfister, Gründung 69–90 (mit Einarbeitung der vorliegenden Quellen); Fugger, Fürstenfeld 1–37; Klemenz, Dallmayr, 15–21; Krausen, Reformorden 350; Röckl, Beschreibung 1–13; Störmer, Hausklöster 146; Clemens Böhne, Die ersten Jahre des Klosters Fürstenfeld, in: Amperland 1 (1965) 28–30. – Eine Entstehungslegende überliefert Führer, Chronik Anhang; gedruckt in: Marian Gloning, Die Gründung des Klosters Fürstenfeld. Ein Beitrag zur legendären Geschichtsschreibung, in: StMBO 32 (1911) 132–139.

[35] Hz. Otto II. (* 7. April 1206 in Kelheim, seit 1228 Pfalzgraf bei Rhein, seit 1231 Herzog von Bayern, † 29. November 1253 in Landshut, □ Klosterkirche der Benediktinerabtei Scheyern). Vgl. Rall/Rall, Wittelsbacher 34–43.

chen als Residenzstadt; sein Bruder Heinrich XIII. bekam Niederbayern und den Osten des Herzogtums mit Landshut als Hauptstadt. Ludwig, der seine Macht in der Pfalz sichern mußte, begab sich deshalb immer wieder an den Rhein. Auf einer solchen Reise begleitete im Jahr 1256 den Herzog seine junge Frau Maria von Brabant, die er am 2. August 1254 geheiratet hatte, bis zur Burg Mangoldstein bei Donauwörth; dort blieb Maria bei Elisabeth, der Schwester des Herzogs. Das Verhängnis begann nun mit der Verwechslung zweier Briefe Marias durch einen Boten: Ein rot gesiegelter Brief sollte an ihren Gemahl Ludwig gehen, ein schwarz gesiegelter an einen Grafen, dem sie das vertrauliche »Du« angeboten haben soll. Der Bote verwechselte die Briefe. Als der Herzog den an den Grafen gerichteten Brief in Händen hielt, begann dieser – so will es die Legende – in blinder Eifersucht zu rasen, ritt drei Pferde zu Tode, erreichte Donauwörth und ließ seine Gemahlin samt vier weiterer Edeldamen enthaupten[36].

Die wahren Umstände der Bluttat werden wohl für immer im Zwielicht der Legende bleiben; für eine auch nur annähernde Aufklärung der historischen Ereignisse sind die Quellen zu dürftig und zu widersprüchlich. Die bei Führer überlieferte Chronik vermutet in dem Adressaten den Grafen Heinrich von Leiningen[37], Röckl führt darüber hinaus einen Grafen Konrad von Kirchberg an und Rucho, einen Sohn des bayerischen Pfalzgrafen Otto VIII.[38] Wer letztlich der mit der Herzogin allzu vertraute Graf war, ist nicht mehr feststellbar. Legendenhaft verschwommen bleiben weiterhin die ominösen Briefe der Herzogin; auch hier gehen die Anhaltspunkte über Traditionen nicht hinaus. Wenn Röckl notiert, man hätte in den Briefen »nichts gefunden, worüber die Herzogin und Pfalzgräfin hätte erröthen müssen«[39], so stützt er sich ausdrücklich auf jüngere Chronisten. An die Stelle von Quellen traten Überlieferungen, die das Geschehen mit immer blutrünstigeren Farben und Details ausschmückten und die Sensationslust des Volkes befriedigten. Maria von Brabant wurde zunehmend idealisiert und als Opfer blinder Raserei gesehen; sie wurde »der Sage nach ihrer Frömmigkeit wegen von der ganzen Umgebung fast wie eine Heilige verehrt«[40]. Matthäus Rader schließlich nahm die junge Herzogin unter dem 18. Januar in den bayerischen Heiligenkalender auf[41]. Er vermerkte, daß neben der unglücklichen Maria noch vier weitere

---

[36] Führer, Chronik Anhang; Fugger, Fürstenfeld 1; Klemenz, Dallmayr 15; Pfister, Gründung 69–70; Röckl, Beschreibung 2–3. – Schindler erkennt in einem dieser Kammerfräulein Helke von Brennberg, eine Schwester des Minnesängers Reimar II. von Brennberg, führt dafür aber keinen Beleg an: Herbert Schindler, Reisen in Oberbayern. Kunstfahrten zwischen Donau und Alpen, München ²1989, 14–15; zu Fürstenfeld eine kunsthistorisch orientierte Schilderung ebd. 13–27.

[37] Führer, Chronik Anhang.   [39] Ebd. 4.

[38] Vgl. Röckl, Beschreibung 3–4.   [40] Röckl, Beschreibung 2.

[41] Vgl. Rader, Bavaria sancta II 310; Carsten-Peter Warncke, Bavaria Sancta. Heiliges Bayern. Die altbayerischen Patrone aus der Heiligengeschichte des Matthaeus Rader, Dortmund 1981, 194–195.

Edelfrauen der herzoglichen Raserei zum Opfer fielen, ehe der Jähzorn Ludwigs abgeklungen war[42]. Eine noch detailliertere Schilderung fand Röckl vor: Nicht vier Hofdamen wurden zugleich ermordet, sondern nur eine; dafür aber mußten der Bote der verhängnisvollen Briefe, der Schloßvogt und die Oberhofmeisterin ihr Leben lassen[43]. Unbehelligt blieb der Legende nach der allzu vertrauensselige Graf.

Die einzigen zeitgenössischen Quellen zum Hergang des Geschehens sind etliche süddeutsche Klosterannalen; sie widersprechen sich aber in Detail und Wertung teilweise so diametral, daß eine Rekonstruktion des Vorgangs aus ihnen schier unmöglich ist. Im Gegensatz zur gängigen Version, der Mord sei im Blutrausch des Herzogs geschehen, lassen die Melker Annalen der Hinrichtung ein fünfwöchiges »consilium« vorausgehen, also einen Strafrechtsprozeß wegen Verdachts auf Ehebruch mit einem Schuldspruch am Ende und der Vollstreckung des Urteils[44]; träfe diese eher unwahrscheinliche Variante des Hergangs zu, so müßte die Gründungsmotivation des Klosters als Sühneleistung Ludwigs in Frage gestellt werden. Die meisten anderen Annalen verschweigen die genauen Umstände und informieren nur über das Ereignis der Hinrichtung[45].

[42] Vgl. Rader, Bavaria Sancta II 310.

[43] Vgl. Röckl, Beschreibung 4.

[44] »Lodwicus Reni comes palatinus Mariam uxorem suam ... mulieren clarissimam, habito de nece sua per quinque septimanas consilio, per manus cuiusdam garionis apud Werdem circa noctis media decollavit, Heinrico fratre suo Bawariam gubernante«: Continuatio Mellicensis a. 1124–1564, in: MGH SS IX, hrg. v. Heinrich Pertz (Hannover 1851) Nachdruck Stuttgart 1963, 501–535, hier 509.

[45] Die Annalen Hermanns von Altaich vermerken unter 1256: »Ludwicus dux comes palatinus Rehni [!] dominam uxorem suam, ... suspectam habens de adulterio, tunc in Swevico Werde morantem, 15. Kal. Februarii precepit decollari«: Annales Altahenses, in: MGH SS XVII, hrg. v. Heinrich Pertz (Hannover 1859) Nachdruck Stuttgart 1963, 381–407, hier 396. – Salzburger Annalen berichten, daß Ludwig »ob incusationem stupri uxorem suam interfecit«: Annales Sancti Rudperti Salisburgensis a. 1–1286, in: MGH SS IX, hrg. v. Heinrich Pertz (Hannover 1851) Nachdruck Stuttgart 1963, 758–810, hier 793. – Die Continuatio Lambacensis nennt als Ursache »infamiam adulterii«: Continuatio Lambacensis a. 1197–1348, in: MGH SS IX, hrg. v. Heinrich Pertz (Hannover 1851) Nachdruck Stuttgart 1963, 556–561, hier 559. – In die Irre weisen dagegen eine Wiener Chronik (Continuatio Praedicatorum Vindobonensium a. 1025–1283, in: MGH SS IX, hrg. v. Heinrich Pertz [Hannover 1851] Nachdruck Stuttgart 1963, 724–732, hier 728), die den Vorfall ins Jahr 1255 verlegt, oder die Continuatio Sancrucensis (Continuatio Sancrucensis II a. 1234–1266, in: MGH SS IX, hrg. v. Heinrich Pertz [Hannover 1851] Nachdruck Stuttgart 1963, 637–646, hier 643), wo gar der Name der Herzogin in Margarethe verändert ist. – Zusätzlich verwirren Fehlinterpretationen: Anton Steichele, Das Bisthum Augsburg, Bd. III, Augsburg 1872, führt 849 die Ensdorfer Annalen an: »Maria ducissa *lice* occisa est« [Hervorhebung vom Verf.] – »Maria ist *zu Recht* hingerichtet worden.« Die Annales Ensdorfenses ([zusammen mit Annales Babenbergenses und Augustani minores] in: MGH SS X, hrg. v. Heinrich Pertz (Hannover 1852) Nachdruck Stuttgart 1963, 1–11, hier 5) berichten »Maria *hic* ducissa Brabancie occisa est«. Eine Deutungsmöglichkeit ergibt sich aus dieser Quelle also nicht. – Die Klosterchroniken tragen somit zur Erhellung des Geschehens nichts bei.

Der weitere Verlauf der Dinge ist demgegenüber besser belegt. Das Gewissen bedrängte den Herzog – warum auch immer –, so daß er sich für einige Zeit nach Augsburg zurückzog und sich schließlich an Papst Alexander IV. (1254 bis 1261) wandte, um die Lossprechung seiner Schuld zu erbitten[46]. Die letzte Ursache dazu bleibt zwar verborgen; fest steht aber, daß nach der knapp zweijährigen kinderlosen Ehe Ludwigs mit Maria die Erbfolge noch nicht gesichert war[47]. So mußte der Herzog erneut heiraten, um Erben zu erhalten: Damit bekommt die Bitte um Lossprechung jenseits einer nicht objektivierbaren religiösen auch eine staatspolitische Dimension zugesprochen. Die Absolution war Voraussetzung für das Weiterbestehen des Fürstenhauses. Zwischen 1258 und 1260 – somit erst zwei Jahre nach der Tat – gingen Gesandtschaften Ludwigs nach Rom; die Gesandten verhandelten über die Buße[48], die Papst Alexander IV. schließlich wie folgt festlegte: Ludwig sollte ins Heilige Land ziehen oder ein Kloster für zwölf Kartäuser stiften und zusätzlich ein von einem Dolch durchstoßenes Herz an einer Kette auf der Brust tragen[49]. Da eine Wallfahrt ins Heilige Land eine höchst gefährliche Angelegenheit war und für einen Landesherrn in der Lage Ludwigs den sicheren Verlust der Macht bedeutete, lag die Stiftung eines Klosters für den Herzog bedeutend näher, zumal Ludwig aus der Sühne politisches Kapital zu schlagen vermochte[50].

2.   Die ersten Jahre: Thal – Olching – Fürstenfeld

Ludwig stand somit in der Pflicht, ein Kartäuserkloster zu stiften; da aber im Land keine Kartäuser niedergelassen waren – so Ludwigs Begründung[51] – schienen dem Herzog die Zisterzienser am besten geeignet, seine Buße umzusetzen. Ausschlaggebend war für die Wahl der Zisterzienser freilich politisches Kalkül; im Gegensatz zu den streng kontemplativen und abgeschiedenen Kartäusern konnte mit einem Zisterzienserkloster ein wirt-

---

[46] Führer, Chronik § 6; Klemenz, Dallmayr 17; Röckl, Beschreibung 7; Pfister, Gründung 72. – Fugger, Fürstenfeld 2, und Röckl, Beschreibung 7, berichten davon, daß Ludwig selbst nach Rom gereist wäre, um die Absolution zu erlangen; die Quellen erwähnen eine solche Reise jedoch nicht.

[47] Die Genealogie in: HBG III/2 Tafel IV nach 1456, weist tatsächlich die beiden Erben Ludwigs, Rudolf I. (1274–1319) und Ludwig IV. (1283–1347), als Söhne der dritten Ehe mit Mechtild von Habsburg (ca. 1251–1304) aus, nachdem ein weiterer Sohn (Ludwig III.) schon früh verstorben war. – Eine völlig neue Spekulation wäre allerdings, den Mord in ursächlichen Zusammenhang mit der Kinderlosigkeit der ersten Ehe Ludwigs zu stellen.

[48] Vgl. Führer, Chronik Anhang; Schwertl, Beziehungen 57.

[49] Vgl. Röckl, Beschreibung 7.

[50] Der Bericht Fuggers, Fürstenfeld 2, daß Ludwig alle drei Bußen auf sich genommen habe, ist idealisiert.

[51] Vgl. Krausen, Reformmorden 350.

schaftlicher und politischer Befestigungspunkt der landesherrlichen Macht in ein »Machtvakuum« gesetzt und damit die eigene Herrschaft gestärkt werden[52]. Mit der Gründung Fürstenfelds »in campo principis« gelang dies dem Herzog zweifellos.

Doch es bedurfte noch zweier Zwischenstationen, ehe auf des Fürsten Feld ein Kloster entstand. Zunächst beteiligte sich der Herzog an einem anderen Kloster, der Zisterze in Thal, gelegen im Glonntal bei Großhöhenrain (heute Landkreis Rosenheim). Stifter dieses Klosters waren der Adelige Lienhart und seine Frau, die so ihr Seelenheil sichern wollten[53]. Vom 1146 gegründeten Kloster Aldersbach erbat sich der Ritter einige Mönche; vier Priester und zwei Konversen kamen ins Glonntal, errichteten – möglicherweise 1256[54] – das Kloster und gaben ihm entsprechend zisterziensischer Tradition den Namen »Valle salutis« – Seligental[55]. »Alß aber die Gült und Rönnt zu khlain waren, und khlankhten nit, dadurch die Convent Brüder wurden außgehalten, da gaben sie ihr Gütter dem Stifter Unseres Closters auff, damit er ein trewer mitwierker wer, ein Closter zu stifften«[56]. Tatsächlich war die Fundation des Ritters Lienhart zur Erhaltung des Klosters zu gering, so daß

---

[52] Vgl. Störmer, Hausklöster 146; Klemenz, Dallmayr 17; Pfister, Gründung 76; Wollenberg, Eigenwirtschaft 87–90.

[53] Vgl. Krausen, Thal 44. – Führer, Chronik Anhang, überliefert, daß beide in ein Kloster eingetreten seien. – Zu Thal siehe Teil II, Kap. 3.2.1.

[54] Da die zeitgenössischen Quellen zum Jahr der ersten Gründung des Klosters Thal durch den Edlen Lienhart keine Angaben machen, kann diese nur unter Vorbehalt datiert werden. 1587 schrieb der Thaler Mesner Hans Schmid an Wilhelm V., daß der Mesner der Kirche zu Thal seit 1256 zu keinen Scharwerksleistungen herangezogen worden wäre (Hans Schmid an Wilhelm V., 1587 [Konzept]. BHStAM. KL Fürstenfeld 546, prod. 1). Diese Jahreszahl ist auf verschiedene Weise herleitbar:
1. Schmid wußte das Jahr der (Neu-)gründung 1258 nicht und irrte sich schlichtweg in der Datierung; warum er ausgerechnet 1256 als Gründungsjahr angab, bleibt ungeklärt.
2. Der Thaler Mesner wollte das Traditionsargument verstärken und datierte die Gründung absichtlich früher.
3. Das Kloster Thal wurde tatsächlich 1256 gegründet; ob es damals allerdings schon einen vom Scharwerk befreiten Mesner hatte, bleibt freilich dahingestellt.
Keiner dieser Erklärungsversuche ist nach derzeitigem Quellenstand mit Sicherheit zu beweisen; ungeachtet dessen erscheint zumindest der Zeitrahmen von zwei Jahren zwischen der Erstgründung durch den Edlen Lienhart und der Neufundierung durch Ludwig den Strengen plausibel, so daß das Jahr 1256 durchaus für die Gründung des Klosters Thal in Frage kommen kann. In allen späteren Chroniken, die von der besonderen Verbundenheit gegenüber dem Haus Bayern geprägt sind, wird die Geschichte des Klosters vor der Neufundierung 1258 nur unter dem Aspekt der wirtschaftlichen Not geschildert, so daß auf diesem Hintergrund die Person Ludwigs des Strengen umso positiver in Erscheinung tritt; wie lange das Kloster Thal vor ihm bestanden hatte, wird verschwiegen.

[55] Führer, Chronik § 9 und Anhang; Gloning, Gründung 133; Röckl, Beschreibung 9; Fugger, Fürstenfeld 4; Krausen, Thal 44; Pfister, Gründung 74; Klemenz, Dallmayr 17.

[56] Verschollene Chronik, zit. bei: Röckl, Beschreibung 8. – Mayr, Kritik 103, datiert diese Quelle auf den Anfang des 16. Jahrhunderts. Röckl konnte sie noch benutzen, seitdem ist sie verschwunden. Auch in den dieser Arbeit zugrundeliegenden Archivforschungen ist sie nicht wieder aufgetaucht.

einige Mönche aus wirtschaftlicher Not wieder nach Aldersbach zurück-
kehrten[57].

Für die Interessen des Herzogs war dieser Zustand des Klosters Thal ideal:
Durch seine »Hilfe« konnte er faktisch über das Kloster bestimmen und
damit seine Bußauflage ableisten. So ist die erste urkundliche Erwähnung des
Klosters Thal ein Spendenaufruf Herzog Ludwigs an seine Ministerialen,
Beamten und Untertanen zur Unterstützung Thals vom 21. Oktober 1258[58].
Darin bestätigte der Herzog den zu seinem und zu seiner Vorfahren Seelenheil unternommenen Ausbau des Klosters[59]. Zwei weitere Urkunden belegen den Fortgang des Unternehmens: Am 9. April 1259 begabte Papst Alexander IV. das Kloster Thal mit seinem Schutz und verbot, von ihm überhöhte
Zinsen zu nehmen[60] – eine durch Ludwigs Gesandtschaften erwirkte offen-
sichtliche Unterstützung des wirtschaftlich immer noch schwachen Klöster-
chens. Der Herzog trug seinen Teil dadurch bei, daß er zwei Monate später
die Pfarrei Hollenbach samt Patronatsrecht und Gerichtsbarkeit an das Kloster schenkte[61] – aufgrund der auf dem Pfarrgebiet gelegenen späteren Wallfahrt Inchenhofen eine höchst wertvolle Dotation. Bestätigt wurde diese
Schenkung am 8. Januar 1265[62] – aber nicht den Mönchen in Thal, sondern in
Fürstenfeld. Somit war eine Verlegung des Klosters vorausgegangen, allerdings schon vor 1263, denn zu dieser Zeit konfirmierte der Freisinger Bischof
Konrad II. (1258–1279) die Klostergründung Ludwigs bereits in »Vorsten-
velt«[63]. Seit 1263 lag also das Kloster an der Amper.

Über die dazwischenliegenden Jahre berichtet die Klostertradition: 1262[64]
sei das Kloster von Thal nach Olching verlegt worden; am 15. August desselben Jahres hatten die Mönche im Beisein der Äbte von Salem und Ebrach den
Aldersbacher Cellerar Anselm zum ersten Abt des Klosters gewählt. Ursache
für die erneute Verlegung an die Amper ein Jahr später waren die bestehenden
Grundrechtsverhältnisse: Das Gut in Olching war Lehengut und nicht Allo-
dialgut des Herzogs, so daß er nicht frei darüber verfügen konnte; der Grund

---

[57] Führer, Chronik Anhang; Röckl, Beschreibung 8; Fugger, Fürstenfeld 4.
[58] Ludwig II. an seine Ministerialen, Beamten und Untertanen, 21. Oktober 1258. BHStAM.
Kurbaiern U 12965; gedruckt in: QE 5, 163; RegBoic III 118.
[59] Vgl. Pfister, Gründung 74; Wollenberg, Eigenwirtschaft 77; Klemenz, Dallmayr 19.
[60] Privileg Alexanders IV. an Abt und Konvent »de Valle salutis Cisterciensis ordinis Frisingensis dioecesis«, Anagni, 9. Februar 1259. BHStAM. KU Fürstenfeld 2/2. – Vgl. Krausen, Thal
44; Pfister, Gründung 75; Klemenz, Dallmayr 18.
[61] Schenkungsurkunde Ludwigs II., Thal, 9. April 1259. BHStAM. KU Fürstenfeld 2/3;
gedruckt in: RegBoic III 128. – Vgl. Krausen, Thal 44; Pfister, Gründung 75; Klemenz, Dallmayr 18.
[62] Konfirmationsurkunde Ludwigs II., 8. Januar 1265. BHStAM. KU Fürstenfeld 3/1.
[63] Konfirmationsurkunde Bischof Konrads II. von Freising, Freising, 3. Dezember 1263.
BHStAM. KU Fürstenfeld 3.
[64] Röckl, Beschreibung 9, datiert die Verlegung auf das Jahr 1261. Möglicherweise standen ihm
dazu heute verlorene Quellen zur Verfügung.

an der Amper war dagegen im vollen Sinn des Fürsten Feld. Der Name des
Klosters deutete bereits viel über die Rechtsbeziehungen zwischen Herzog
und Kloster an[65]. Unbestritten ist mittlerweile, daß die Initiative zur Verlegung des Klosters ins Ampertal von Ludwig dem Strengen bewußt und strategisch geplant ausging. Nicht die angeblich unwirtliche Lage in Thal war der
Grund für die Verlegung des Klosters – galten die Zisterzienser doch geradezu
als Kulturpioniere; alleine die politische und wirtschaftliche Überlegung des
Herzogs bestimmte Transferierung und Auswahl des neuen Klosterstandor-
tes: An der westlichen Grenze des wittelsbachischen Einflußbereichs, nahe
dem Bistum Augsburg, unmittelbar an den Handelsstraßen ins »Ausland«,
unweit des Marktes Bruck und angrenzend an die fischreiche Amper hätten
die geopolitischen Umstände für die Neugründung besser nicht sein können[66]. Von Anfang an war das Kloster Fürstenfeld zum Objekt und Träger
landesherrlicher Politik bestimmt.
Nachdem die Stiftung 1263 durch Bischof Konrad von Freising[67] und 1265
durch Papst Clemens IV.[68] konfirmiert worden war, stellte Herzog Ludwig
1266 das Gründungsprivileg aus[69]. Darin wurde das Kloster mit 89 Besitzti-
teln reich fundiert, zugleich aber der herzoglichen Schirmvogtei unterstellt;
auch die Ausübung des Niedergerichts wurde dem Kloster übergeben. In dieser Fundation erblickt man heute allgemein die Schaffung des Musters eines
landsässigen Klosters durch Herzog Ludwig[70]; ausgehend davon wurde über
annähernd sechs Jahrhunderte das Geschick des Klosters vom Haus Bayern
maßgeblich bestimmt. Auch nach der Fundation wuchs der Besitz weiter:
1271 wurde die Pfarrei Pfaffing-Bruck dem Kloster inkorporiert[71], und 1294
bestimmte Herzog Ludwig in seinem zweiten Testament zusätzliche Stiftungen[72]. Darüber hinaus wurden an das Kloster weitere Schenkungen und Stiftungen vermittelt. Binnen kurzer Zeit kam Fürstenfeld so zu einer ansehn-
lichen Grundherrschaft.

[65] Führer, Chronik §§ 12–13; Fugger, Fürstenfeld 5–7; Röckl, Beschreibung 9; Pfister, Gründung 75–76.
[66] Vgl. Störmer, Hausklöster 147; Krausen, Reformorden 350; Wollenberg, Eigenwirtschaft 80
bis 90; Pfister, Gründung 76; Klemenz, Dallmayr 18–19.
[67] Konfirmationsurkunde Bischof Konrads II. von Freising, Freising, 3. Dezember 1263.
BHStAM. KU Fürstenfeld 3.
[68] Konfirmationsurkunde Papst Clemens' IV., Rom, 27. November 1265. Inseriert in: Dispens-
urkunde Bischof Konrads II. von Freising, Freising, 14. Juni 1266. BHStAM. Kurbaiern
U 12985; gedruckt in: QE 5, 214.
[69] Gründungsurkunde Ludwigs II., 22. Februar 1266. BHStAM. KU Fürstenfeld 4; gedruckt in:
MB IX, Nr. 1; QE 5, 210–214. – Die Sühneleistung als eigentliche Ursache für die Klosterstiftung ist dort allerdings nicht erwähnt; begründet wird die Fundation nur allgemein mit dem
Seelenheil des Stifters und seiner Vorfahren. – Zum Gründungsprivileg: Wollenberg, Eigenwirtschaft 93–94; Pfister, Gründung 78–80.
[70] Vgl. Pfister, Gründung 82; Störmer, Hausklöster 147; Wollenberg, Eigenwirtschaft 80–84.
[71] Vgl. Pfister, Gründung 83.
[72] Vgl. ebd. 86–87.

3. Die Zeit Kaiser Ludwigs des Bayern – Blütejahre des Klosters

In Ludwig dem Bayern[73], Sohn Ludwigs des Strengen, fand Fürstenfeld den mächtigsten und freigebigsten Gönner seiner gesamten Geschichte. Er bedachte das Kloster großzügig mit Schenkungen und Privilegien, worüber noch 49 Urkunden erhalten sind[74]. Während seiner Regierungszeit erwarb Fürstenfeld die weitaus meisten Besitzungen durch Schenkung, Tausch oder Kauf; die späteren Erwerbungen rundeten die Besitzverhältnisse nur noch ab[75]. Die besondere Verbundenheit Kaiser Ludwigs mit Fürstenfeld beruhte zum einen auf der neu begründeten wittelsbachischen Grablege in der Klosterkirche, in der sein Vater Ludwig der Strenge die letzte Ruhestätte gefunden hatte. Zum anderen aber hatten ihm die Fürstenfelder Mönche im Kampf um die Macht entscheidend beigestanden: Während auf der Gickelfehenwiese bei Mühldorf am 28. September 1322 die bayerischen Truppen gegen die verfeindeten Habsburger standen, hielten die Fürstenfelder Mönche habsburgische Boten durch ihre Gastfreundschaft so lange im Kloster fest, daß Zeit blieb, um durch eigene Boten den König vor dem aus Westen anrückenden Feind zu warnen; Ludwig konnte rechtzeitig reagieren und den Kampf für sich entscheiden. Zunächst bezahlte das Kloster die Treue zum Landesherrn teuer: Abt Heinrich (1314–1324) mußte fliehen, und die geleimten Österreicher brannten aus Zorn den Hof in Puch nieder[76]. Der Dank Ludwigs an das Kloster jedoch wandelte sich in eine lebenslange Verbundenheit mit den Mönchen an der Amper. So war das Kloster Fürstenfeld zu Zeiten Ludwigs eine der bedeutendsten Stützen der privat und staatlich verstandenen »religio« des Königs und späteren Kaisers, wie überhaupt die Klöster in seiner Kirchenpolitik eine große Rolle spielten[77]. Herausgehoben wurde Fürstenfeld dadurch, daß Ludwig 1328 bei dem von ihm eingesetzten Gegenpapst Nikolaus V. für den Abt von Fürstenfeld den Titel eines »Princeps ecclesiasticus«

---

[73] Ludwig IV. der Bayer (* Februar oder März 1282 in München, seit 1294/1302 Herzog von Bayern, seit 1314 Römischer König, seit 1328 Kaiser, † 11. Oktober 1347 auf der Jagd bei Fürstenfeld, □ Liebfrauenkirche zu München). Vgl. Rall/Rall, Wittelsbacher 53–63; Gertrud Benkert, Ludwig der Bayer – Ein Wittelsbacher auf dem Kaiserthron, München 1980; Barbara Hundt, Ludwig der Bayer. Der Kaiser aus dem Hause Wittelsbach 1282–1347, Esslingen 1989; Mundorff/Wedl-Bruognolo, Kaiser Ludwig der Bayer (s. Literaturverzeichnis); mehrere Beiträge in: Die Zeit der frühen Herzöge. Von Otto I. zu Ludwig dem Bayern. Beiträge zu Bayerischen Geschichte und Kunst. 1180–1350, hrg. von Hubert Glaser (= Wittelsbach und Bayern I/1), Köln 1980.

[74] Vgl. Schmid, Cenobium 262; Klemenz, Dallmayr 21. – Krausen, Reformorden 350, spricht von 48 erhaltenen Urkunden.

[75] Vgl. Wollenberg, Eigenwirtschaft 143–155.

[76] Vgl. HBG II 148–150; Fugger, Fürstenfeld 24–27; Röckl, Beschreibung 17–18; Schmid, Cenobium 264; Pfister, Staatsfrömmigkeit 60.

[77] Vgl. Pfister, Staatsfrömmigkeit 59–66; HBG II 162.

erwirkte[78]. Eine Ehrung erfuhr das Kloster auch durch die Rast der Reichs-
kleinodien an der Amper auf ihrem Weg nach München zur Kaiserkrönung
Ludwigs[79]. Die Mönche von Fürstenfeld bedankten sich auf ihre Weise für
die vielfältigen Unterstützungen durch den Landesherrn. In der »Chronica de
gestis principum« setzt der anonyme Verfasser – vielleicht war es Heinrich
von Bibrach – König Ludwig ein literarisches Denkmal als fürsorgendem und
anteilnehmendem Landesherrn, als Förderer des Friedens und des Wohlstan-
des, wenngleich er um möglichst große Objektivität bemüht ist[80]. Das Verhältnis zwischen Kloster und Herrscher war unter Ludwig dem Bayern persönlich geprägt wie kaum zuvor und nie mehr danach.

Abseits der politischen Pfade konsolidierte sich das Kloster in diesen Jahren
des Aufbaus auch geistlich: 1314 kam die Pfarrei Jesenwang an das Kloster[81],
die Inchenhofener Leonhardswallfahrt nahm ihren ersten großen Aufschwung[82], und die Äbte Heinrich de Monaco (1314–1324)[83], Wernher
(1324–1344)[84] und Johannes I. Vischhauser (1344–1362)[85] standen im Ruf,
grundsolide Klostervorstände zu sein[86]. Auf dem Feld der Geschichtsschreibung brachte das Kloster gerade zu Anfang des 14. Jahrhunderts schließlich
einige bedeutende Leistungen hervor[87]. Als Kaiser Ludwig 1347 auf der Jagd
starb – bezeichnenderweise nahe Fürstenfeld –, war der Aufbau des Klosters
abgeschlossen; es war zu einer festen Größe in der altbayerischen Klosterlandschaft geworden. Sichtbar wird dies am Fürstenfelder Urbar von 1347: Es
weist in 210 Ortschaften insgesamt 421 Besitztitel des Klosters auf, darunter
166 Höfe, 69 Huben, 21 Mühlen und vier Stadthäuser[88].

---

[78] Sigmund von Riezler, Vatikanische Akten zur deutschen Geschichte in der Zeit Ludwigs des
Bayern, Innsbruck 1891, 386–387.
[79] Vgl. Schmid, Cenobium 264.
[80] »Chronika de gestis principum« (Kopie), 14. Jh. BStB. Clm 2691; gedruckt in: Georg Leidinger (Hrg.), Bayerische Chroniken des XIV. Jahrhunderts, Hannover-Leipzig 1918, 27–103. –
Dazu: Mayr, Kritik 121–144; Schmid, Cenobium 264–265; Böhne, Bibliothek 16; Klaus
Wollenberg, Das Kloster Fürstenfeld und die Reichsstadt Esslingen in der Zeit Ludwigs des
Bayern, in: Mundorff/Wedl-Bruognolo, Ludwig der Bayer 77–96, bes. 77–78.
[81] Vgl. Teil II, Kap. 3.3.3.1.
[82] Vgl. Teil II, Kap. 3.2.2.1.
[83] Necrol. BStB. Clm 1057, fol. 11v; Lindner, Beiträge 195, 6.
[84] Necrol. BStB. Clm 1057, fol. 48v; Lindner, Beiträge 196, 7.
[85] Necrol. BStB. Clm 1057, fol. 44v; Lindner, Beiträge 196, 8.
[86] Fugger, Fürstenfeld 19–38; Röckl, Beschreibung 16–20.
[87] Vgl. Mayr, Kritik 75–149; Schmid, Cenobium 263–264.
[88] Salbuch, 1347. BHStAM. KL Fürstenfeld 582. – Vgl. Wollenberg, Eigenwirtschaft 143.

4.   Vom Tod Ludwigs des Bayern bis zum Vorabend der Reformation

4.1   Blütezeit im ausgehenden 14. Jahrhundert

Während Kaiser Ludwig das Kloster Fürstenfeld außerordentlich stark gefördert hatte, wurde es nach dessen Tod stiller um das Kloster an der Amper,
denn sein Nachfolger, Herzog Ludwig V. der Brandenburger[89], hatte keine
besondere Beziehung mehr dorthin. Auch die Grablege der Wittelsbacher
wurde von Fürstenfeld fortgenommen; bereits Ludwig der Bayer wurde in der
Münchener Frauenkirche bestattet[90]. So nahmen während dieser Zeit auch
die Privilegien und Schenkungen ab, neu ausgestellt oder konfirmiert wurden hauptsächlich Handels- oder Salzprivilegien. Die Streitigkeiten um
Besitztümer und Rechte wurden dagegen zahlreicher. Besonders die Märkte
Bruck und Inchenhofen entwickelten sich zu hartnäckigen Gegnern der Klo-
sterherrschaft und suchten, immer mehr Gerechtigkeiten an sich zu ziehen
und sich aus der klösterlichen Gerichtsbarkeit zu lösen[91]. Um dies zu verhindern, bemühte sich das Kloster wiederholt um Konfirmationen seiner
Rechte[92]. Unter Abt Konrad (1362–1387)[93] erlangte das Kloster einen so
guten Ruf als geistliches Zentrum, daß Diözesanpriester aus Freising zu Studium und »recollectio« nach Fürstenfeld entsandt wurden[94]; die Anzahl der
Mönche soll unter ihm 47 betragen haben[95]. Gegen Ende des 14. Jahrhunderts präsentierte sich Fürstenfeld somit als solide geführte, florierende
Abtei.
Der gewachsene Wohlstand äußerte sich in einem Erweiterungsbau der Kirche: Am Weißen Sonntag 1361 wurden der erste Hochaltar im Chor und 21
Seitenaltäre durch den Freisinger Bischof Paul von Jägerndorf (1359–1377)
konsekriert[96]. Zudem konnten einige Pfarrechte erworben werden: 1366 gin-
gen die Kirchensätze der Pfarrei Höfen ganz an das Kloster über[97], 1387 die
Kirchensätze von Adelzhausen und Rieden[98], 1388 wurde die Pfarrei Aind-

---

[89] Ludwig V. der Brandenburger (* Mai 1315, 1321–1351 Markgraf von Brandenburg, 1342–1361
      Graf von Tirol, 1351–1361 Hz. von Oberbayern, † 18. September 1361 in Zorneding, □ Lieb-
      frauenkirche zu München). Vgl. Rall/Rall, Wittelsbacher 64–69.
[90] Vgl. List, Grablegen 530–531.
[91] Vgl. Heydenreuther, Markt Bruck 319–330; ders., Marktrecht 213–222.
[92] Vgl. Heydenreuther, Markt Bruck 319–320.
[93] Necrol. BStB. Clm 1057, fol. 28v; Lindner, Beiträge 196, 9.
[94] Vgl. Röckl, Beschreibung 21.
[95] Vgl. Lindner, Beiträge 196, 9.
[96] Vgl. Böhne, Spätgotische Zeit 269. – Über diese Seitenaltäre ist nichts mehr bekannt; ob sie
      mit der südlichen Kapellenreihe (siehe Anhang 3.6: Begräbnisse) übereinstimmen, ist nicht
      belegbar.
[97] Vgl. Machilek, Niederkirchenbesitz 398.
[98] Siehe Teil II, Kap. 3.3.5 in dieser Arbeit.

ling[99] dem Kloster »pleno iure« inkorporiert. Gegen Ende des 14. Jahrhunderts
erweiterte Fürstenfeld somit neben der wirtschaftlichen auch die geistliche
Macht über seine nähere Umgebung und besaß insgesamt sieben Pfarreien mit
deren Nebenkirchen. Ein persönlicher Höhepunkt im Leben des regierenden
Abtes Otto (1387–1403) war die Pilgerreise ins Heilige Land, die er zusammen
mit Herzog Stephan III. (1337–1413) unternommen hatte[100].

So sehr die bayerischen Herzöge das Kloster im Lauf der Geschichte mit
Privilegien oder Konfirmationen bedachten, so erwarteten sie auch Gegen-
leistungen. Wie alle landsässigen Klöster mußte Fürstenfeld ordentliche
und außerordentliche Abgaben entrichten, Scharwerksdienste ausführen
und die »Nachtselde«, das Übernachtungsrecht für den Herzog und seine
teilweise große Begleitung stellen[101]. Ebenso waren die Klöster verpflichtet,
den Landesherrn in Krisenzeiten finanziell zu unterstützen, und so gewährte Fürstenfeld in den bayerischen Herzogsfehden des ausgehenden 14. und
15. Jahrhunderts den Herzögen wiederholt Kredite, freilich mehr gezwungen als freiwillig[102].

4.2   Fürstenfeld in den bayerischen Herzogsfehden: Krisenjahre

In arge Bedrängnis geriet das Kloster besonders unter Abt Johannes II. Mindl
(1403–1413)[103] während der schier undurchschaubaren Herzogsfehden im
14. und 15. Jahrhundert, den Geburtswehen des Territorialstaates Bayern. Im
ersten bayerischen Hauskrieg von 1394 gingen im Aichacher Raum auch Fürstenfelder Besitzungen in Flammen auf; zusätzlich wurde allen Grundherren
die Sondersteuer des »zwanzigsten Pfennigs« auferlegt[104]. In München
revoltierten die Stände, während die Herzöge untereinander um Rechte und
Besitz stritten und Bayern in häufig wechselnde Teilherzogtümer aufspalte-
ten. Dabei wurde Fürstenfeld stark mitgenommen, denn die Besitzungen
lagen hauptsächlich im Raum um Aichach und Dachau, jenem von den Teilherzögen in Oberbayern-München, Oberbayern-Ingolstadt und Niederbayern-Landshut umkämpften Gebiet[105].

Von verschiedenen Teilherzögen bekam daher das Kloster immer wieder
Konfirmationen, die seine Rechte sichern sollten. Zugleich aber griffen die
Herzöge verstärkt in Ordnung und Verwaltung des Klosters ein, nicht nur in

99   Siehe Teil II, Kap. 3.3.9 in dieser Arbeit.
100 Lindner, Beiträge 196, 10; Necrol. BStB. Clm 1057, fol. 18v.
101 Vgl. Rankl, Kirchenregiment 158–160.
102 Vgl. Wollenberg, Eigenwirtschaft 335.
103 Necrol. BStB. Clm 1057, fol. 15v (Todesjahr 1414); Lindner, Beiträge 196, 11.
104 Vgl. HBG II 218.
105 Vgl. Fugger, Fürstenfeld 45; Röckl, Beschreibung 22.

Fürstenfeld, sondern mit dem einsetzenden landesherrlichen Kirchenregiment in allen landsässigen Klöstern, besonders aber in ihren Hausstiftungen[106]. Ungeachtet aller politischen Auseinandersetzungen bewahrte Abt Mindl sein Ansehen als kirchliche Autorität, denn zum Münchener Jubeljahr 1408 fungierte er als Vertreter des Papstes und war als »Summus Poenitentiarius« berechtigt, das Bußsakrament in Reservatsfällen zu spenden und besondere Ablässe zu vergeben[107]. Mindls Nachfolger, Johann III. Fuchs (1413 bis 1432)[108], wird als liebenswürdiger Prälat geschildert[109]. Die Errichtung einer ersten Willibaldskapelle an einem Wegstock mit einer Figur des Heiligen unweit Jesenwangs war wohl sein Verdienst; bald nahm die Wallfahrt einen so großen Aufschwung, daß die Kapelle zu klein wurde und siebzig Jahre später ein Neubau entstand[110]. Auch die Inchenhofener Leonhardi-Verehrung wuchs während der Regierungszeit von Abt Fuchs stark an.

Bedrohlich aber zogen sich bald die Wolken der schweren politischen Unwetter zusammen, welche sich über Bayern entluden. 1420 brach erneut ein bayerischer Krieg unter den Teilherzögen aus, in dessen Verlauf sich die Münchener und Landshuter Herzöge Ernst (1397–1438), Wilhelm (1397 bis 1435) und Heinrich der Reiche (1393–1450) gegen den Ingolstädter Herzog Ludwig den Gebarteten[111] vereinten. Die Auseinandersetzungen, die sich hauptsächlich zwischen Isar und Donau ereigneten und so auch Fürstenfelder Besitzungen in Mitleidenschaft zogen, endeten mit der Niederlage Ludwigs in der Schlacht von Alling am 19. September 1422[112]. Das Kloster mußte dabei immer wieder Truppen aufnehmen und versorgen, Steuern und Kriegsleistungen zahlen; schließlich plünderten Soldaten des Ingolstädters im September 1422 das Kloster[113]. Diese Vorfälle lösten eine jahrelange Auseinandersetzung mit Ludwig dem Gebarteten aus: Zunächst bemühte sich der Abt beim Bischof von Augsburg und den Herzögen um finanziellen Ausgleich[114]. Da sich Ludwig weigerte, an Fürstenfeld Ersatz für dessen Kriegsverluste zu zahlen, wandte sich das Kloster zusammen mit den ebenfalls schwer geschädigten Klöstern Scheyern, Indersdorf, Ettal, Biburg, Münchsmünster, Geisenfeld und Hohenwart an König Sigismund (1410–1437) und klagte gegen den Herzog. Nach einem weiteren Prozeß vor der päpstlichen

---

[106] Vgl. Rankl, Kirchenregiment 167–168 182.
[107] Vgl. Röckl, Beschreibung 22.
[108] Necrol. BStB. Clm 1057, fol. 46v; Lindner, Beiträge 196, 12.
[109] Vgl. Röckl, Beschreibung 22.
[110] Siehe dazu Teil II, Kap. 3.2.3.1 in dieser Arbeit.
[111] Ludwig der Gebartete oder »im Bart« (* 20. Dezember 1365, 1413–1443/47 Hz. von Oberbayern-Ingolstadt, seit 1413 Graf von Mortain Pair in Frankreich, † 1./2. Mai 1447 in Burghausen, □ Klosterkirche der Zisterzienserabtei Raitenhaslach). Vgl. Rall/Rall, Wittelsbacher 78–83; HBG II 216–267 passim.
[112] Vgl. HBG II 238–239.
[113] Vgl. Röckl, Beschreibung 23.
[114] Vgl. Fugger, Fürstenfeld 49.

Kurie wurde der Ingolstädter 1425 zwar mit dem Kirchenbann belegt, den auch das Baseler Konzil erneuerte, der aber zugleich Ludwig Zeitgewinn gab und damit die Sicherung seiner Landesherrschaft brachte. Nach weiteren Auseinandersetzungen gestand König Sigismund 1434 den Klöstern ein Ausgleichsrecht zu; Fürstenfeld bekam den Zehnten in Neuburg und Hollenbach, das Niedergericht in Inchenhofen und andere Gerechtigkeiten zugesprochen. Ludwig gab aber nicht auf und gewann in endlosen Appellationen immer mehr Zeit, während der er seine Machtansprüche sicherte[115].

Die Zerwürfnisse dieser Jahre brachten das Kloster in schwere wirtschaftliche und geistige Bedrängnis; Abt Andreas (1432–1451)[116] konnte dieser Entwicklung nicht entgegentreten. Nur als Trostpflaster mag da die Verleihung des Infulrechts 1440 durch das Baseler Restkonzil erschienen sein, die auf Betreiben der Wittelsbacher geschah[117]. Als Folge der politischen Krise traten in den Klöstern immer häufiger disziplinarische Schwierigkeiten auf; dementsprechend begannen die Landesherren einzugreifen, um die Klöster und damit ihre finanziellen Einnahmequellen und Stützen des eigenen Territorialstaates zu retten. Die Münchener Herzöge schilderten an der päpstlichen Kurie den Zustand der Klöster in düsteren Farben und verwiesen zugleich auf die andauernde Hussitengefahr – die Hussiten bedrohten bis etwa 1433 immer wieder Niederbayern und die Oberpfalz[118] –, so daß am 11. April 1426 Papst Martin V. (1417–1431) einen Visitationsauftrag erteilte, welcher formell an die Diözesanbischöfe erging, faktisch aber von den Landesherren durchgeführt wurde. Landauf, landab setzten die Visitatoren neue Äbte ein, so in Tegernsee, Scheyern und Biburg, und versuchten, die Melker Reform einzuführen[119]. Gegen den zunehmenden landesherrlichen Visitationsdruck richteten auch die Eigeninitiativen des Zisterzienserordens nichts aus; 1427[120] und 1448[121] kamen Primaräbte aus Morimond zur Visitation, konnten aber den steigenden landesherrlichen Einfluß auf das Kloster nicht verhindern.

Mit der Wahl von Paul Hertzmann zum neuen Fürstenfelder Abt (1451 bis 1454)[122] verbanden sich Hoffnungen auf eine Verbesserung der wirtschaftlichen Zustände, die jedoch schnell enttäuscht wurden. Das Urteil aus dem

---

[115] Vgl. Machilek, Niederkirchenbesitz 386; HBG II 247.

[116] Necrol. BStB. Clm 1057, fol. 2v; Lindner, Beiträge 196, 13.

[117] Infulverleihung durch das Baseler Konzil, Basel, 15. Dezember 1440. BHStAM. KU Fürstenfeld 1001; gedruckt in: MB IX, Nr. 152. – Die immer wieder erscheinende Jahreszahl 1441 für die Infulverleihung beruht auf einem Lesefehler: Die Urkunde ist ausgestellt XVIII. Kal. Jan. 1441 = 15. Dezember 1440.

[118] Vgl. Art. Melker Reform, in: Schwaiger, Mönchtum 318; HBG II 252–254.

[119] Vgl. Bauerreiss, Kirchengeschichte V 56–57; Rankl, Kirchenregiment 178–184.

[120] Vgl. Krausen, Morimond 340.

[121] Vgl. Krausen, Visitatoren 438.

[122] Necrol. BStB. Clm 1057, fol. 9v; Lindner, Beiträge 196, 14.

Rückblick über ihn klingt so hart, daß Paul Hertzmann »geradezu als ein schwarzer Punkt in der Geschichte des Klosters erscheint«[123]. Die finanzielle Lage war tatsächlich so schlecht, daß das Generalkapitel des Ordens 1451 die Kontributionen an das Kloster zurückzahlte[124]. Im Lauf der Zeit geriet die ganze Familie Hertzmann ins Zwielicht. Der Bruder Pauls, Caspar, amtierte als Kaplan des Superiorats in Inchenhofen, wo die Familie herstammte; Johannes, ein weiterer Bruder, war Leutpriester in Sulzemoos; alle drei Brüder waren wegen ihres Eigensinns und ihres Zusammenhalts bekannt. Johannes stritt jahrelang gegen den Inchenhofener Ratsbürger Georg Federlin[125] wegen eines Raufhändels in einer Frühjahrsnacht des Jahres 1455; Abt Paul Hertzmann wurde wegen schlechter Wirtschaftsführung und Hinterziehung von Geldern angeklagt. 1455 beauftragte der Primarabt von Morimond als bevollmächtigter Visitator seiner »linea«, welcher auch Fürstenfeld angehörte, die Äbte von Kaisheim und Heilsbronn, eine Untersuchung gegen ihn einzuleiten; diese endete mit der Absetzung und Inhaftierung des Abtes und wurde vom Ordenskapitel ebenso bestätigt wie von den herzoglichen Richtern. Noch lange Zeit danach prozessierte die Familie Hertzmann gegen das Kloster um Ausgleichszahlungen[126].

Von kurzer Dauer war die Regierungszeit des Abtes Michael Pistorius (1454 bis 1457); er gab nach drei Jahren sein Amt wieder auf und verließ das Kloster[127]. Unklar ist, ob die Personaldecke in Fürstenfeld so dünn geworden war, oder ob sich die Kapitularen nicht auf einen Kandidaten einigen konnten – der nächste Abt wurde aus Kaisheim postuliert: Ulrich (1457–1467)[128], der Cellerar des schwäbischen Klosters. Der Postulationsakt Ulrichs läßt eine »Krisensitzung« in Fürstenfeld vermuten. Anwesend waren der Primarabt Johann VII. aus Morimond, die Äbte aus Kaisheim und Raitenhaslach sowie der Benediktinerabtei Metten, dazu der Prior von Heilsbronn; der Aldersbacher Vaterabt Johann III. Pluer (1448–1463) fehlte[129]. Die Postulation Ulrichs erwies sich als Glücksgriff, denn Fürstenfeld überwand die tiefe Depression, in die es durch die Ungunst der Zeit und ungeschickte Äbte gera-

---

[123] Fugger, Fürstenfeld 52.

[124] Vgl. ebd.

[125] Zur Inchenhofener Bürgerfamilie Federlin: Rudolf Wagner, Ältestes Bürgergeschlecht: Die Federlins, in: Liebhart, Inchenhofen 329–342; Wilhelm Liebhart, Inchenhofen und die Fürstenfelder Krisenzeit im 15. Jahrhundert, in: Amperland 14 (1978) 383–386.

[126] Unklar ist das Jahr der Absetzung: Krausen, Visitatoren 438, nennt 1455; Fugger, Fürstenfeld 53, datiert 1456; Lindner, Beiträge 196, dagegen 1454 als Jahr der Absetzung. Auszuscheiden dürfte die Datierung 1457 durch Röckl, Beschreibung 24, sein, da dieser über den gesamten Zeitraum hin eher dürftig informiert ist.

[127] Lindner, Beiträge 196, 15. – Fraglich ist, ob er abgesetzt wurde (Lindner, Beiträge 196) oder resignierte (Fugger, Fürstenfeld 59). Röckl, Beschreibung 24, datiert ganz abweichend davon Pistorius' Amtszeit auf 1457–1460.

[128] Necrol. BStB. Clm 1057, fol. 4v (Todesdatum: 22. Januar 1467); Lindner, Beiträge 196, 16 (mit Todesdatum 22. Februar 1467).

[129] Vgl. Fugger, Fürstenfeld 60.

ten war. Zunächst konnten die Schulden getilgt und mehrere Immobilienan-
käufe getätigt werden[130]. Aber auch die geistlichen Belange verwaltete Abt
Ulrich hervorragend, so daß das mit derlei Notizen sparsame Nekrologium
über ihn vermerkte: »magnus zelator Ordinis qui valde benefecit monasterio
nostro«[131].

Abt Jodok (1467–1480)[132] wird als »trefflicher Fortsetzer«[133] von Abt Ulrichs
Leitung des Klosters gerühmt. Vom Orden erhielt er, wie später einige seiner
Nachfolger, die Vertrauensstellung, die Ordenskontributionen der bayeri-
schen Zisterzen zu erheben und nach Cîteaux weiterzuleiten[134]. Der gestiegene Ruf des Klosters wird dadurch belegt, daß das in die Krise geratene Raitenhaslach den Fürstenfelder Konventualen Fr. Johannes Holczer 1474 zum
Abt postulierte, nachdem Abt Jodok das Salzachkloster visitiert und Abt Egidius Stainer (1465–1474) zum Rücktritt bewogen hatte[135]. Auch nach
Aldersbach, Engelszell, Walderbach, Wilhering und Stams kam Abt Jodok im
Rahmen seiner Visitationstätigkeit[136]. 1478 erbaute er in Jesenwang die spätgotische Wallfahrtskirche[137], in der Klosterkirche errichtete er einen Hochaltar, von dem die »Traubenmadonna« als bedeutendstes Werk erhalten
ist[138]; 1474 konnte der Prälat durch Tausch die Pfarrei Emmering erwerben
und damit den Kranz der um das Kloster gelegenen Pfarreien schließen[139].

Ihre Fortsetzung und vielleicht ihren Höhepunkt erlebte die spätmittelalterliche Blüte des Klosters Fürstenfeld unter Abt Leonhard Eggenhofer (1480 bis
1496)[140]. Er war als Doktor der Theologie und Professor der Klosterschule für
seine Gelehrsamkeit berühmt; von seiner Vorlesungstätigkeit sind noch
zwei Konzepte erhalten[141]. Im Orden war der Abt hoch angesehen und wurde
durch das Generalkapitel 1484 zum Generalvisitator der Zisterzienserklöster in Bayern, Österreich, Steiermark, Kärnten und Krain ernannt; der
Orden anerkannte somit sowohl Abt Eggenhofers Fähigkeiten als auch den

---

[130] Vgl. ebd. 64; Wollenberg, Eigenwirtschaft 163.
[131] Necrol. BStB. Clm 1057, fol. 4v.
[132] Necrol. BStB. Clm 1057, fol. 23v; Lindner, Beiträge 196, 17.
[133] Röckl, Beschreibung 24.
[134] Vgl. Krausen, Raitenhaslach 85. – Zu den Kontributionen Teil III, Kap. 2.4 in dieser Arbeit.
[135] Vgl. Krausen, Raitenhaslach 285.
[136] Vgl. Krausen, Morimond 343.
[137] Siehe dazu Teil II, Kap. 3.2.3.1.
[138] Vgl. Ehrmann, Gotisches Kloster 170.
[139] Siehe Teil II, Kap. 3.3.7.
[140] Necrol. BStB. Clm 1057, fol. 38v; Lindner, Beiträge 197, 18. – Die Nachnamen Abt Leonhards variieren zwischen Eggen*hofer* und Eggen*dorfer*. Während Abt Leonhard in den zeitgenössischen Heidelberger Handschriften als Eggen*hofer* begegnet (BStB. Clm 6942, BStB.
Clm 7080), bezeichnet ihn die heutige Literatur als Eggen*dorfer* (TE I 448). Aufgrund der
Quellen scheint die ältere Schreibweise die richtige zu sein.
[141] Sammelhandschrift, um 1459/65. BStB. Clm 6942; vgl. TE II 300, L. III.1. – Vorlesungskonzept, um 1460. BStB. Clm 27422; vgl. TE II 302, L. III.4.

Ruf des Klosters Fürstenfeld[142]. Der Besitzstand des Klosters erreichte während seiner Regierungszeit im wesentlichen seinen Höhepunkt, denn nach 1500 wurden keine namhaften Immobilien mehr erworben[143]. Über Person und Tätigkeit Abt Eggenhofers wäre eine ausführlichere Untersuchung sicherlich lohnend, um die Eigenart der altbayerischen Klosterblüte an der Neige zur Neuzeit darzustellen; in ihm hatte Fürstenfeld – soweit übersehbar ist – einen seiner bedeutendsten und profiliertesten Äbte.

---

[142] Vgl. Röckl, Beschreibung 25.
[143] Vgl. Wollenberg, Eigenwirtschaft 162.

Teil I
Allgemeine Geschichte

1 »Gründerkreuz« des Klosters Fürstenfeld, um 1250/1300:
   Fünfblättrige Lilie mit aufgestochenem Engel. Kupfer vergoldet.
   Aus dem mittelalterlichen Fürstenfeld (Klosterkirche Fürstenfeld)
2 »Gründerkreuz« des Klosters Fürstenfeld, um 1250/1300:
   Rückseite: Kreuzmitte mit »Christus als Lehrer« vor aufgestochenem
   Grund. Kupfer, vergoldet. Aus dem mittelalterlichen Fürstenfeld

1. Von der Wahl Abt Michaels II. bis zur Amtsenthebung Abt Georg Menharts 1496–1531

1.1 Abt Michael II. (1496–1502): Letzte Blüte der Geschichtsschreibung

1.1.1 Person und Wirken Abt Michaels II.

Als im Jahr 1496 Michael als neuer Abt aus der Wahl hervorging, übernahm er eine in den wesentlichen Dingen intakte Abtei von seinem Vorgänger. Abt Leonhard Eggenhofer war ein von Orden und Herzögen geachteter Mann gewesen, hatte für solide wirtschaftliche Verhältnisse und einen guten Ruf des Klosters gesorgt; das Nekrologium notierte daher, Abt Eggenhofers Regierungszeit sei »fidelissime« gewesen[1]. Mit Abt Michael II. begannen in Fürstenfeld wieder unruhigere Jahrzehnte; die Äbte folgten rasch aufeinander, und keiner von ihnen regierte mehr als zehn Jahre. Zeitgenössische Nachrichten und Dokumente über Abt Michael II. sind spärlich und nach ihrem Informationsgehalt unergiebig; einesteils wurde zu seiner Zeit vermutlich wenig schriftlich niedergelegt – Abt Michael II. regierte auch nur kurz –, andererseits ist von dem wenigen einiges vernichtet worden, so daß man fast ausschließlich auf sekundäre Notizen und Spekulationen verwiesen ist, will man ein Bild von ihm gewinnen.

Sichere Daten über sein Leben liegen erst mit der Wahl Michaels II. zum Abt vor: Da sein Vorgänger Abt Eggenhofer am 22. September 1496 gestorben war, ist seine Wahl auf den Oktober oder November desselben Jahres anzusetzen; mangels eines erhaltenen Wahlinstrumentes ist ein genaues Datum nicht mehr nachweisbar. Herkunft, Nachname und Geburtsdatum sind ebenfalls unbekannt. Folgt man der reinen Statistik[2], so könnte Michael II. aus dem bayerisch-schwäbischen Grenzraum stammen, um das Jahr 1460 geboren und

---

[1] Necrol. BStB. Clm 1057, fol. 38v.
[2] Siehe dazu Teil II, Kap. 1.2.1. – Selbst wenn für den Beginn des 16. Jahrhunderts keine statistischen Mittelwerte vorliegen, so können doch mit Vorbehalt spätere Zahlen berücksichtigt werden.

um 1475 ins Kloster eingetreten sein. Eine Immatrikulation an einer Universität ist nicht bekannt; seine Ausbildung hat Abt Michael II. wohl an der klostereigenen Schule und Lehranstalt erhalten, die unter den gelehrten Äbten Jodok und Leonhard Eggenhofer eine überdurchschnittliche Qualität besaß. Gelehrtheit ist daher auch das hervorragende Merkmal an Abt Michael II.; darin folgte er der Tradition des Klosters Fürstenfeld. Der fünfte Fürstenfelder Abt Volkmar (1285–1314) verfaßte das heute verschollene »Chronikon Bavariae«, das die Jahre 508 bis 1314 umfaßt haben soll; Aventin stützte sich in seinen Werken stark auf die Chronik Abt Volkmars und besuchte deshalb das Kloster an der Amper[3]. Abt Michael II. sammelte die mittlerweile zerstreuten Materialien der Äbte Volkmar und Heinrich de Monaco und ordnete sie neu; zudem sicherte er den Bestand der genealogischen Tabellen des Klosters für die Nachwelt[4]. Möglicherweise geht die von Führer überlieferte Gründungstradition des Klosters auf ihn zurück[5].

Als Gelehrten interessierten Abt Michael II. eher Geschichts- als Rechnungsbücher, was sich auch in der Buchhaltung bemerkbar machte. Stiftbücher wurden zwar geführt, zu Anfang seiner Regierungszeit ausführlich, seit 1500 nur noch spärlich[6]; Rechnungsbücher der Klosterwirtschaft fehlen aus dieser Zeit völlig. Diese aus heutiger Sicht ungenügende Buchführung ist jedoch nichts Außergewöhnliches: Zum Zisterzienserkloster Raitenhaslach beispielsweise ist die Quellenlage aus dieser Zeit ebenfalls höchst dürftig[7]. Es wäre daher voreilig, von mangelhafter Buchführung auf eine schlechte Finanzlage des Klosters zu schließen. Es ist eher das Gegenteil zu vermuten, denn in den Jahren um die Jahrhundertwende war das Kloster noch in der Lage, zu Steinach (Pfarrei Emmering) eine Hofstatt zu erwerben[8]. Auch zum Grundbesitz der Nikolauskapelle in Gegenpoint wurden noch Immobilien zugekauft[9].
Eines der größten Probleme des Klosters waren die Schwierigkeiten mit den herzoglichen Jägern, die bis weit ins 15. Jahrhundert zurückreichten: Die Herzöge Ernst und Wilhelm sicherten 1413 dem Kloster zu, es auf zwanzig

---

[3] Vgl. Mayr, Kritik 95–98.

[4] Führer, Chronik § 153. – Auch der »Arbor Bavarica seu Tabulae Genealogicae ab Abbatibus Fürstenfeldensibus conscriptae«, 1644 vom spanischen Zisterzienser Caramuel y Lobkowitz in Fürstenfeld verfaßt, bezieht sich nach Führer darauf. Zu diesem Werk näheres in: Klemenz, Dallmayr 114.

[5] Führer, Chronik Anhang.

[6] Stiftbuch, 1597–1599. BHStAM. KL Fürstenfeld 55. – Stiftbuch, 1500–1501 (fragm.). BHStAM. KL Fürstenfeld 56.

[7] Vgl. Krausen, Raitenhaslach 36–37.

[8] Verkaufsurkunde Stefan Mairs an das Kloster Fürstenfeld, Steinach, 1497. BHStAM. KU Fürstenfeld 1500/2.

[9] Verkaufsurkunde der Erben des Michael Paul an den Kirchpropst von Gegenpoint, 1500. BHStAM. KU Fürstenfeld 1514.

Jahre nicht mehr mit Jägern, Falknern und ihren Knechten beschweren zu wollen[10]. 1422 begann eine Prozeßwelle gegen den Ingolstädter Teilherzog Ludwig den Gebarteten, der acht Klöster des Münchener Landesteils – darunter Fürstenfeld – zu Dienst- und Jägergeld heranzog; bis in die dreißiger Jahre hinein dauerten die Streitigkeiten, die endlich vor dem Baseler Konzil verhandelt wurden[11]. Die Lasten blieben jedoch die gleichen: Unterbringung von Jägern und ihrem Gesinde, Aufzucht und Haltung von jungen Jagdhunden und ähnliche Leistungen[12]. Da die groben Jagdgesellen in den Klöstern nicht gerade gerne gesehene Gäste waren, entstanden häufig Auseinandersetzungen um ihre Rechte. Doppeltes Pech hatte Fürstenfeld, was die Jagd anging, weil zum einen das Kloster unmittelbar vor der Residenzstadt München gelegen und zu einem Jagdausflug für den ganzen Hof schnell erreichbar war, zum andern die Laubwälder im Geisinger Forst an der Amper einen idealen Lebensraum für Wild aller Art boten und so abwechslungsreiche Jagdmöglichkeiten sicherten. Um die Qualität des heimischen Wildprets wußten aber auch die Dörfler aus der Gegend, und so sorgte die Wilderei für Dauerstreitigkeiten über Jahrhunderte hinweg[13]. Als Abt und Grundherr war Michael II. ständig in diese Probleme involviert, wurde immer wieder bei den Herzögen vorstellig, konnte aber keine Erleichterungen erreichen[14].

Probleme gab es über die Jagdselde hinaus immer wieder mit den Pflegern und Landrichtern in Dachau. Darüber informiert ein Schreiben, das auf das Ende des 15. Jahrhunderts zu datieren ist; selbst wenn es nicht von Abt Michael II., sondern von einem seiner Vorgänger stammt, wirft es doch ein bezeichnendes Licht auf die Verhältnisse zu den Beamten[15]. Auf Bitten Herzog Sigmunds[16] stellte der Abt alle Rechte und Freiheiten des Klosters und seiner Hintersassen von Schergen, Amtsleuten, Vitztumen und Pflegern zusammen. Dabei führte der Verfasser Klage, daß die »neuen« Amtsleute diese Gerechtsame nicht sehr beachteten, und verband dies mit der Bitte, dem

---

[10] Urkunde von Ernst und Wilhelm II., München, 2. Februar 1413. BHStAM. KU Fürstenfeld 752; Kopie im Privilegienakt. BHStAM. KL Fürstenfeld 362, fol. 5v.

[11] Vgl. HBG II 261.

[12] Diese Last lag jedoch auch auf anderen Klöstern und verursachte teilweise hohen direkten und indirekten wirtschaftlichen Schaden: vgl. Wittmütz, Gravamina 30–31; Krausen, Raitenhaslach 188.

[13] Vgl. Stutzer, Der Wirtschaftsbesitz des Klosters Fürstenfeld zur Zeit der Säkularisation 1803, in: Amperland 13 (1977) 252–254, hier 253.

[14] Führer, Chronik § 153.

[15] Abt Leonhard Eggenhofer oder Abt Michael II. an Albrecht IV., undatiert. BHStAM. KBÄA 4095, fol. 58r.

[16] Sigmund (* 26. Juli 1439 in Straubing, 1460–1463 zusammen mit seinem Bruder Johann Hz. in Oberbayern-München, nach dessen Tod mit seinem Bruder Albrecht, 1467 Herrschaftsverzicht, Eintritt in die Konfraternität des Klosters Fürstenfeld, † 1. Februar 1501 in Schloß Blutenburg, □ Liebfrauenkirche zu München). Vgl. Rall/Rall, Wittelsbacher 105–106.

Abhilfe zu leisten. Das Verhältnis zu den herzoglichen Beamten war also ein durchaus gespanntes.

Trotz aller Probleme blieb Abt Michael II. ein energischer Mann, wie einige Fälle zeigen, darunter ein Rechtsstreit von 1501: Martin Hangl, der Pfarrer von Hochdorf, hatte vom Kloster einen Hof zu Lehen genommen, der »ganz unpawlich und ganz erödt« war; da er selbst viel Geld in den Wiederaufbau investierte, verlangte er vom Abt eine Minderung des Mietzinses[17]. Der Abt, der ihm bereits seit drei Jahren einen Nachlaß gewährt hatte, wurde aber jetzt unnachgiebig und forderte den ganzen Zins vom Pfarrer; ansonsten würde er sich nicht scheuen, vor Gericht zu ziehen, um sein Geld zu erhalten[18]. Auch mit dem Pfarrer von Rieden stritt sich Abt Michael II. so sehr um ein Fischrecht, daß er im Brief an den Herzog die Worte nicht wiederholen wollte, die ihm Pfarrer Zächerlin gesagt habe[19]. 1498 beschwerte sich Abt Michael beim Herzog, daß der Pfarrer von Straußdorf veranlaßt hätte, den Weg zur Klostermühle in Mitterndorf zu sperren[20]; Landrichter Rasp von Schwaben wurde deshalb um eine gütliche Einigung bemüht[21]. Ebenso scheute sich Abt Michael auch nicht vor Pfändungen an Grunduntertanen zurück, die ihre Zahlungen nicht leisteten[22]. Von einer Nachlässigkeit Abt Michaels II. in der Wirtschaftsführung kann also keine Rede sein. Über die soziale Einstellung des Abtes berichtet ein kurzer Briefwechsel mit Herzog Albrecht IV. von 1501: Der Prälat hatte für seine Grunduntertanen 50 Scheffel Korn als Saatgut gekauft und ihnen »auch sunst zu Ir notturfft« gegeben, konnte oder wollte aber den Kaufpreis erst später bezahlen. So bat er den Herzog um Genehmigung, seine Getreidegilt zu einem früheren Zeitpunkt einziehen zu dürfen[23], erhielt sie aber nicht. In freundlichen Worten erklärte ihm der Herzog, daß er »wie gern wir das täten, nit willefaren« könne[24]; so blieb der Prälat vorläufig auf seinen Schulden sitzen.

---

[17] Pfr. Martin Hangl an einen anonymen Adressaten, Hochdorf, undatiert. BHStAM. KBÄA 4095, fol. 127r.

[18] Abt Michael an den hzl. »Anwalt und Statthalter«, Fürstenfeld, 25. Juni 1501. BHStAM. KBÄA 4095, fol. 128r.

[19] Abt Michael an Albrecht IV., undatiert. BHStAM. KBÄA 4095, fol. 124r.

[20] Abt Michael an Albrecht IV., undatiert. BHStAM. KBÄA 4095, fol. 111r.

[21] Caspar Rasp, Landrichter zu Schwaben, an Albrecht IV., Schwaben, 15. Juni 1498. BHStAM. KBÄA 4095, fol. 112r.

[22] Beschwerdebrief Paul Müllers an Albrecht IV. wegen der Pfändung eines Rosses, Emmering, undatiert. BHStAM. KBÄA 4095, fol. 113r. – Revers Abt Michaels an Albrecht IV., Fürstenfeld, 8. Dezember 1498. Ebd. fol. 114r.

[23] Abt Michael an Albrecht IV., München, 1501. BHStAM. KBÄA 4095, fol. 125r.

[24] Albrecht IV. an Abt Michael, undatiert. BHStAM. KBÄA 4095, fol. 126r.

1.1.2   Rücktritt und Tod

Nach knapp sechs Jahren Regierungszeit trat Abt Michael II. im Herbst 1502 zurück[25]. Welche Ursachen ihn zur Abdankung bewegt haben, ist nicht eindeutig feststellbar. Führer berichtet, daß Haß und Verleumdung gar seine Absetzung bewirkt hätten[26], nennt aber keine näheren Quellen; Röckl bezeichnet seinen Rücktritt als Resignation[27], Fugger ergänzt, daß boshafte Intrigen den Abt seinen Abschied nehmen ließen[28]. In die von Fugger angedeutete Richtung könnte eine Notiz weisen, die sich im Fürstenfelder Repertorium von 1681 erhalten hat: Darin wird eine Beschwerde des Konvents an den Herzog erwähnt, daß der Abt es gewagt habe, ohne die Zustimmung des Konvents einen Wald zum Schaden des Klosters zu verkaufen[29]. Hier zeigt sich ein starkes Mißtrauensverhältnis zwischen Abt und Konvent; ob es sich nur auf den vorliegenden Fall bezog oder grundsätzlicher Art war, ist mangels weiterer diesbezüglicher Quellen nicht mehr feststellbar. So ist zu vermuten, daß Abt Michael II. zurücktrat, entnervt von den täglichen Reibereien, denen er nicht gewachsen war. Inwieweit Druck von herzoglicher Seite auf ihn bestand, bleibt Spekulation; von einer förmlichen Absetzung durch den Landesherren ist nichts bekannt[30].

Abt Michael II. verstarb am 11. Mai 1503[31], ein halbes Jahr nach seinem Rücktritt. Fügt das Nekrologium sonst gelegentlich eine Bemerkung über ein besonderes Verdienst eines Verstorbenen an, so beschränkt es sich hier auf das Todesjahr und die Stellung Michaels als neunzehnter Abt des Klosters. Geblieben ist sein Ruf als letzter Geschichtsschreiber des spätmittelalterlichen Fürstenfeld.

---

[25] Führer, Chronik § 153. – Röckl, Beschreibung, 25; Fugger, Fürstenfeld 67.
[26] Führer, Chronik § 153.
[27] Vgl. Röckl, Beschreibung 25.
[28] Vgl. Fugger, Fürstenfeld 67.
[29] Repertorium Fürstenfeld, undatiert. BHStAM. KL Fürstenfeld 369, pag. 105, Nr. 3.
[30] Die Möglichkeit dazu hätte zweifellos bestanden; bereits 1427 wurde in Scheyern – ebenfalls einem wittelsbachischen Hauskloster – Abt Ludwig Walch auf herzogliche Anweisung hin abgesetzt; vgl. Rankl, Kirchenregiment 181, 184.
[31] Necrol. BStB. Clm 1057, fol. 20r.

1.2   Abt Petrus (1502–1505): Ein unbekannter Abt

1.2.1   *Nachrichten über seine Person*

Die Quellenlage über Abt Petrus ist noch dürftiger als die über seinen Vorgänger Abt Michael II. Unbekannt sind Herkunft, Nachname und Bildungsweg; die vorhandenen Universitätsmatrikel aus Heidelberg und Wien, den klassischen Hochschulorten der Zisterzienser, verzeichnen keinen Fürstenfelder Konventualen dieses Vornamens zur fraglichen Zeit. So ist anzunehmen, daß Abt Petrus wie schon sein Vorgänger seine theologische Bildung in Fürstenfeld erhalten hatte[32].

Nach dem Rücktritt Abt Michaels II. wurde Petrus zu seinem Nachfolger erwählt; spätestens im November 1502 bekleidete er dieses Amt, wie ein am Sonntag nach Martini 1502 ausgestellter Leihschein belegt[33]. Führer berichtet über ihn, er sei ein frommer und kluger Wirtschafter gewesen[34], Fugger bezeichnet ihn als gelehrt und tugendhaft[35]. Aber ob diese freundlichen Attribute mehr sind als Topoi, darf bezweifelt werden, da Führer selbst zugibt, nichts über Abt Petrus zu wissen[36]. Über das Wirken dieses Abtes existieren keinerlei Quellenunterlagen. Bereits nach drei Jahren trat Abt Petrus 1505 wieder zurück. Er verstarb vermutlich am 2. Dezember 1511[37].

1.2.2   *Zeitumstände, Wirtschaftssituation, Lage im Kloster*

Die drei Jahre, in denen Abt Petrus amtierte, waren voller Unruhe. Herzog Georg der Reiche von Niederbayern-Landshut (1479–1503) wollte seinen Landesteil entgegen den bayerischen Hausverträgen seinem Schwiegersohn Pfalzgraf Rupprecht vererben; Albrecht IV.[38], der bei diesem Handel übergangen worden wäre, sicherte sich die Unterstützung König Maximilians I.

---

[32] Fugger, Fürstenfeld 67, schreibt über Abt Petrus' Nachfolger Abt Johannes Scharb, »auch er war Dr. theologiae«. Sollte dieses »auch« bedeuten, daß sein Vorgänger Petrus den Doktorgrad erworben hat, so läßt sich dies nicht belegen.

[33] Leihschein von Pfr. Magnus Segenschmid und Kirchpropst Hanns Schmid von Jesenwang mit der Bestätigung, von Abt Petrus und dem Konvent 50 rhein. fl geliehen zu haben, 13. November 1502. BHStAM. KL Fürstenfeld 182½, prod. 2.

[34] Führer, Chronik § 154.

[35] Vgl. Fugger, Fürstenfeld 67.

[36] Führer, Chronik § 154.

[37] Necrol. BStB. Clm 1057, fol. 48v. – Die Unsicherheit bezüglich des Todesjahres ergibt sich aus der Tatsache, daß die beiden letzten Stellen der Zahl 1511 im Nekrolog rasiert und nachträglich eingefügt sind. Schon zur Zeit der Benutzung des Nekrologs wußte man nicht einmal mehr das Todesjahr genau.

[38] Albrecht IV. der Weise (* 15. Dezember 1447 in München, seit 1465 Hz. von Oberbayern-München, seit 1505 Hz. von Gesamt-Bayern, † 18. März 1508, ▢ Liebfrauenkirche zu München). Vgl. Rall/Rall, Wittelsbacher 110–115.

(1486–1519) und ging nach dem Tode Georgs militärisch gegen Pfalzgraf Rupprecht vor. Da dieser schon 1504 starb, konnte Herzog Albrecht das Landshuter Erbe seinem Territorium einverleiben; für die beiden unmündigen Söhne Rupprechts wurde das Teilfürstentum Neuburg gegründet, der König bekam die tirolischen Ämter Kitzbühel, Kufstein und Rattenberg. Mit dem Primogeniturgesetz von 1506 konnte den unseligen Landesteilungen erfolgreich Einhalt geboten werden[39].

Wenn auch das Kloster Fürstenfeld nicht direkt vom Krieg betroffen war[40], so begegneten sich doch König Maximilian und Herzog Albrecht IV. dort. Die Nacht vom 17. auf den 18. April 1504 verbrachte König Maximilian im Kloster, während sein zahlreiches Gefolge im Markt Bruck Quartier nahm. Am 18. April besprach er im Kloster mit dem Herzog die Lage; vermutlich einigte man sich bei diesem Treffen auf das gemeinsame Vorgehen gegen die Landshuter[41]. Die hauptsächliche Leistung des Klosters im Landshuter Erbfolgekrieg bestand in finanzieller Unterstützung für den Herzog: Albrecht IV. stellte dem Kloster 1506 einen Schuldbrief über 500 fl aus, »die sy unns zu mercklicher unnserer noturfft gelihen«[42]. Auch im Zollprivileg von 1518 erwähnte Herzog Wilhelm IV. die Verdienste des Klosters in »verganngnem Bairischen Krieg«[43]. Der wirtschaftliche Zustand des Klosters war unter der Regierung des Abtes Petrus gut, wenngleich direkte Zeugnisse darüber kaum erhalten sind. Dennoch kann man davon ausgehen, da sowohl unter seinem Vorgänger als auch unter seinem Nachfolger etliche Kaufvorgänge an das Kloster belegt sind; zudem war es dem Kloster möglich, Kredite zu vergeben[44].

---

[39] Vgl. HBG II 292–294; Doeberl, Entwicklungsgeschichte I 330; Riezler, Geschichte I 570–642.

[40] Im schwäbischen Kaisheim dagegen plünderten die Söldner Klosterbesitz (vgl. Reindl, Kaisheim 37); auch durch Niederbayern und die Oberpfalz mit ihren Klöstern Vornbach, Geisenfeld, Vohburg und Rohr ging eine Spur der Verwüstung (vgl. Paul Mai/Marianne Popp, Das Regensburger Visitationsprotokoll von 1508, in: BGBR 18 [1984] 7–316, hier 15). Der spätere Aldersbacher Abt Wolfgang Mayr, damals Pfarrvikar von Rotthalmünster, verfaßte eine Hexameterdichtung mit dem Titel »Carmen de bello Norico« (vgl. Oswald, Marius 359); in seinen »Annales« gab er eine ausführliche Schilderung der Ereignisse, auch so weit sie das Kloster betrafen: Truppen Albrechts IV. lagerten auf Aldersbacher Klostergrund und mußten versorgt werden; schließlich hatte der Abt an feindliche Söldner 100 fl zu entrichten, damit die Klosterkirche verschont würde (Annales Cap. LX, in: Hartig, Annales 58–60). – Übersetzt sind die »Annales« in: 850 Jahre Zisterzienserkloster Aldersbach 1996. Festschrift zur 850. Wiederkehr des Gründungstages des Zisterzienserklosters, Aldersbach 1996, 49–165.

[41] Vgl. Fugger, Fürstenfeld 68.

[42] Schuldbrief Albrechts IV. an Abt Johannes Scharb und den Konvent des Klosters Fürstenfeld, 13. Februar 1506. BHStAM. Kurbaiern U 13747. – Auch wenn dieser Schuldbrief erst nach Kriegsende ausgestellt wurde, steht er doch mit ziemlicher Sicherheit im Zusammenhang mit dem Landshuter Erbfolgekrieg.

[43] Zollprivileg Wilhelms IV. an das Kloster Fürstenfeld, München, 17. Juni 1518. BHStAM. KBÄA 4095, fol. 31r.

[44] Leihschein von Pfr. Magnus Segenschmid und Kirchpropst Hanns Schmid von Jesenwang mit der Bestätigung, von Abt Petrus und dem Konvent 50 rhein. fl geliehen zu haben, 13. November 1502. BHStAM. KL Fürstenfeld 182½, prod. 2.

Für das Kloster von zumindest zeitweise einschneidender Bedeutung war ein Streit um die Pfarrei Pfaffing-Bruck aus den Jahren 1502/03. Die genauen Umstände, wie Abt Petrus in den Streit verwickelt war, sind unbekannt, ebenso, worüber man stritt; vermutlich handelte es sich um die Rechte an der Pfarrei. Abt Petrus wurde jedenfalls exkommuniziert, eine zur damaligen Zeit nicht unübliche Strafe für Verfehlungen. Der Heilige Stuhl beauftragte jedenfalls Petrus Riedler (1474–1504), den Propst des Kollegiatsstiftes Isen, mit der genaueren Untersuchung, als deren Ergebnis man Abt Petrus von Exkommunikation und anderen Strafen löste[45].

Insgesamt muß auch für die Regierung des Abtes Petrus gelten, daß eine schlechte Quellenlage noch lange kein Beleg für »krisenhaft zerrüttete disziplinäre und wirtschaftliche Verhältnisse«[46] ist. Was die Wirtschaftslage betrifft, so ist die These von der Zerrüttung – verglichen mit späteren Zuständen – in jedem Fall falsch; ungleich schlechter sind die Informationen, was den inneren Zustand des Konvents betrifft. Das stärkste Argument für die gängige Zerrüttungstheorie ist der Rücktritt gleich zweier aufeinanderfolgender Prälaten nach kurzer Regierungszeit. Gestützt wird die Möglichkeit einer Konventsspaltung durch die Bemerkung Führers, unter Abt Johannes Scharb, dem Nachfolger des Abtes Petrus, sei die klösterliche Disziplin wieder aufgeblüht[47]; entspricht diese Notiz den Tatsachen, so hat die Konventsdisziplin unter Abt Petrus gelitten. Doch auch hierzu existieren keine zeitgenössischen Quellen als Belege.

---

[45] Der Propst des Isener Kollegiatsstiftes, Petrus Riedler, teilt eine Absolution Roms vom 19. Juli 1503 mit, 6. September 1503. BHStAM. KU Fürstenfeld 1524. – Wenn man die mäßige Geschwindigkeit der Kurialverfahren berücksichtigt, so kann man den Streit ins Jahr 1502 zurückverlegen.

[46] Vgl. Greipl, Glaubenskämpfe 92.

[47] Führer, Chronik § 156.

1.3 Abt Johannes IV. Scharb (1505–1513): Ruhe vor dem Sturm

1.3.1 Zur Person

Das erste schriftliche Zeugnis über Abt Johannes Scharb reicht ins Jahr 1493 zurück. In einem Notizbuch aus seiner Studienzeit steht auf der Innenseite des Einbandes der Vermerk »Fr[atr]is Joh[ann]is Scharb ex Furstenfeldt 1493«[48]. Dieses Buch wechselte später in den Besitz seines Mitbruders Johannes Lindermann, der 1520 an der Universität Heidelberg immatrikuliert war[49]. So ist anzunehmen, daß auch Scharb, dem eine vorzügliche exegetische Bildung bestätigt wurde[50], in Heidelberg studierte, obwohl er in den dortigen Matrikeln nicht nachweisbar ist; auch eine vermutete Promotion zum Doktor der Theologie ist nicht belegt[51]. Vom Studienjahr 1493 aus kann man zudem erschließen, daß Abt Scharb um oder nach 1470 geboren wurde. Seine Herkunft ist nicht überliefert; sollte Abt Johannes Scharb aber mit dem Biburger Kirchpropst Cunrat Scharb verwandt sein[52], so könnte er aus der Gegend um das Kloster stammen.

Als Abt Petrus zurückgetreten war, bot sich Johannes Scharb wohl als sein Nachfolger an, da er zu dieser Zeit das Amt des Priors verwaltet haben soll[53]; möglicherweise war er auch der Kopf der innerklösterlichen Opposition gegen Abt Petrus. Der Beginn der Regierungszeit Abt Johannes Scharbs ist in etwa erschließbar: Das Nekrolog bemißt seine Amtsdauer auf sieben Jahre und acht Monate[54]. Rechnet man vom 22. August 1513, dem Sterbedatum Abt Scharbs, zurück, so hat er seine Prälatur im Dezember 1505 oder im Januar 1506 angetreten. Legt man der Berechnung dagegen das heute verlorene Nekrolog zugrunde, das Führer in seiner Chronik verwendet[55], so hat Abt Scharb acht Jahre regiert, und somit im Sommer 1505 die Prälatur erlangt.

---

[48] Notizbuch aus der Heidelberger Studienzeit, 1493–ca. 1525. BStB. Clm 7144. – Vgl. TE I, 303, L. III.5.

[49] Vgl. Matrikel Heidelberg I 524; TE I 303, L. III.5. – Aus den Jahren 1468 bis 1500 ist kein einziger Fürstenfelder Mönch in den Heidelberger Matrikeln nachzuweisen; es ist nahezu unvorstellbar, daß über dreißig Jahre lang kein Konventuale dort studiert haben soll. Siehe Anhang 1.5: Immatrikulationslisten.

[50] Führer, Chronik § 156.

[51] Fugger, Fürstenfeld 67, und Röckl, Beschreibung 25, berichten davon; Führer, Chronik §§ 156–159, weiß davon allerdings nichts.

[52] Verkaufsurkunde des Biburger Kirchpropstes Conrad Scharb, 26. November 1521. BHStAM. KU Fürstenfeld 1610.

[53] Vgl. Fugger, Fürstenfeld 67. – Siehe Anhang 1.4: Katalog der Ämter.

[54] Necrol. BStB. Clm 1057, fol. 34v.

[55] Führer, Chronik § 158. – Führer spricht aber selbst von einem »alten« Nekrolog.

Über das Ende seiner Regierung ist wenig bekannt. Anhand der Quellen nicht nachvollziehbar ist die Notiz, Abt Johannes Scharb sei 1513 abgesetzt worden[56]; auch der über Abt Scharb insgesamt gut informierte Gerard Führer bringt darauf keinen Hinweis. Deshalb ist anzunehmen, daß er als regierender Abt verstorben ist. Unklar ist das genaue Sterbedatum Abt Johannes Scharbs: Das Nekrologium Führers benennt das Todesdatum mit dem 27. August 1513[57]; gemäß dem erhaltenen Nekrolog ist Abt Scharb dagegen bereits am 22. August verstorben[58]. Endgültige Bestätigung findet sich weder für das eine noch für das andere: Das ältere, von Führer zitierte, Nekrolog ist nicht mehr vorhanden, das neuere aber in Detail und Zahlen nicht immer zuverlässig. Da jedoch die Eintragung im neuen Nekrolog einheitlich und ohne Rasierungen erscheint, könnte sie vorzuziehen sein[59].

1.3.2   Rechtliche Absicherungen des Klosters unter Abt Johannes Scharb

Nach dem Tode Herzog Albrechts IV. übernahm 1508 gemäß dem Primogeniturgesetz sein Sohn Wilhelm IV.[60] als Alleinherrscher die Regierung über das wiedervereinigte Herzogtum, bis 1511 allerdings vertreten durch einen Regentschaftsrat, denn erst in diesem Jahr erlangte der junge Herzog die Volljährigkeit[61]. Noch kurz vor seinem Tode 1508 hatte Herzog Albrecht IV. dem Kloster seine Privilegien über das Niedergericht im Landgericht Dachau bestätigt[62]; bezahlen mußte man diese Konfirmation allerdings mit einigen Gründen bei Rottbach und einem Fischrecht[63], zusätzlich offensichtlich mit einer Gegenversicherung, keine weitergehenden Rechte in Anspruch nehmen zu wollen[64]. Diese Bestätigungen der Klosterrechte gegenüber den Dachauer Landrichtern waren nach Ausweis der Quellen immer wieder not-

---

[56] Vgl. Greipl, Glaubenskämpfe 91.
[57] Vgl. Führer, Chronik § 158: »6 Kal Septembris in octaua Bernardi« = 27. August. – Dieses Nekrologium, das Führer selbst als alt bezeichnet, ist verlorengegangen; so ist es nur aus Führers Aufzeichnungen bekannt.
[58] Necrol. BStB. Clm 1057, fol.34v.
[59] Fugger, Fürstenfeld 68, entscheidet sich für den 22. August; Lindner, Beiträge 197, 21, führt dagegen den 27. August an.
[60] Wilhelm IV. (* 13. November 1493 in München, seit 1508 Hz. von Bayern, bis 1511 unter Vormundschaft seines Onkels Hz. Wolfgang, 1511–1545 gemeinsam mit seinem Bruder Ludwig X., † 7. März 1550 in München, ☐ Liebfrauenkirche zu München). Vgl. Rall/Rall, Wittelsbacher 116–119.
[61] Vgl. HBG II 297–298.
[62] Konfirmationsurkunde Albrechts IV., 8. Februar 1508. BHStAM. KU Fürstenfeld 1545. – Kopien davon in BHStAM. KBÄA 4095, foll. 19–20 23–24.
[63] Führer, Chronik § 157.
[64] Konzept Abt Johannes Scharbs, Fürstenfeld, 8. Februar 1508. BHStAM. KBÄA 4095, fol.30.

wendig[65]. Etliche Schreiben berichteten von deren wiederholten Eingriffen in klösterliche Gerechtsame in kleineren Angelegenheiten wie Pfändungen[66], aber auch in Forderungen nach Scharwerksleistungen durch die Hintersassen[67]; gerade in der Zeit der Regentschaftsregierung nach dem Tod Herzogs Albrechts IV. suchten die Landrichter und Pfleger ihre eigenen Einflußbereiche zu vermehren. Eine Privilegienkonfirmation von Kaiser Maximilian I. erhielt Fürstenfeld am 4. Mai 1510[68]. Diese bestätigte dem Kloster allgemein die Privilegien und Rechte, erwies sich im Lauf der Zeit allerdings als wenig konkret wirksam. Auszuschließen ist nicht, daß derlei Privilegien des Kaisers mehr der Erweiterung der eigenen Interessen gelten sollten als dem Empfänger des Privilegs; gerade der Zeitpunkt der Ausstellung – während der Regierung des Regentschaftsrates – läßt dies als durchaus möglich erscheinen[69].

Die Fuhr von Salz, erleichtert durch verschiedene Zoll- und Mautprivilegien, war bereits im ausgehenden Mittelalter eine der Haupteinnahmequellen des Klosters Fürstenfeld[70]. Schon der Gründer, Herzog Ludwig der Strenge, hatte dem Kloster Freisalzfuhren[71] gewährt und damit eine lange Liste von Salzprivilegien eröffnet, mit denen das Kloster besonders in seiner Frühzeit durch das Haus Bayern bedacht wurde[72]. Keineswegs rein formal waren dabei die in den Privilegien ausgesprochenen Mahnungen an die eigenen Amtleute, diese

[65] Repertorium Fürstenfeld, undatiert. BHStAM. KL Fürstenfeld 369, pag. 456, Nr. 275: Es existieren »etliche schreiben, wie man das Closster wider seine privilegia gepfenndet hat. [...] Item umb Confirmation etlicher des Clossters privilegien bei den fürsten, sonderlich wegen der Jurisdiction [...], sonderlichen dem Landtgericht Dachau.«
[66] Beschwerdebrief Abt Michaels II.(?) an Albrecht IV.(?) wegen der unberechtigten Pfändung an einem Hintersassen des Klosters, undatiert (um 1500). BHStAM. KBÄA 4095, fol. 54r.
[67] Repertorium Fürstenfeld, undatiert. BHStAM. KL Fürstenfeld 369, pag. 456, Nr. 335.
[68] Konfirmationsurkunde Kaiser Maximilians I., Augsburg, 4. Mai 1510. BHStAM. KU Fürstenfeld 1559. – Notiz im Repertorium Fürstenfeld 1575, undatiert. BHStAM. KL Fürstenfeld 364, fol. 18r, lit. Bb.
[69] Zur Machtpolitik Kaiser Maximilians I. zu dieser Zeit HBG II 302–306; ausführlich: Hermann Wiesflecker, Kaiser Maximilian I. Das Reich, Österreich und Europa an der Wende zur Neuzeit, Bd. IV: Gründung des habsburgischen Weltreiches, Lebensabend und Tod. 1508 bis 1519, München 1981, 259–329.
[70] Zur Bedeutung des Salzes für das Kloster Fürstenfeld: Wollenberg, Eigenwirtschaft 294, 381; Clemens Böhne, Vom Salz und seiner Bedeutung für das Kloster Fürstenfeld, in: Amperland 3 (1967) 63–65. – Zum Salz im spätmittelalterlichen Herzogtum: Heinrich Wanderwitz, Die frühen wittelsbachischen Herzöge und das bayerische Salzwesen (1180–1347), in: Hubert Glaser (Hrg.), Die Zeit der frühen Herzöge. Von Otto I. zu Ludwig dem Bayern. Beiträge zur Bayerischen Geschichte und Kunst 1180–1350, München-Zürich 1980 (= Wittelsbach und Bayern I), 338–348.
[71] »Donatio decimarum« Ludwigs II., München, 6. Februar 1287. Gedruckt in: MB IX, Nr. 15.
[72] Salzprivileg Kaiser Ludwigs des Bayern, München, 14. Mai 1319. BHStAM. KU Fürstenfeld 140/1; gedruckt in: MB IX, Nr. 15. – Salzprivileg Ottos, München, 3. November 1331. BHStAM. KU Fürstenfeld 241; gedruckt in MB IX, Nr. 71. – Salzkonfirmation Ludwigs V., 30. November 1357. BHStAM. KU Fürstenfeld 438; gedruckt in: RegBoic VIII 375.

zu respektieren, denn immer wieder entstanden Streitigkeiten um das Salz.
Deshalb war das Kloster einerseits daran interessiert, von den regierenden
Herzögen Privilegienkonfirmationen zu erhalten, andererseits bewahrte
man im eigenen Archiv diese Dokumente besonders sorgsam auf[73]. Mit der
Stärkung der Rechtsstellung von Märkten und Städten gegenüber den Herzögen im beginnenden 16. Jahrhundert verlagerten sich die Schwierigkeiten
bezüglich der Salzfuhr auf die Märkte und Städte, die sich an die herzoglichen
Zoll- und Mautfreiheiten nicht gebunden fühlten und deshalb Abgaben forderten.

Fürstenfeld geriet nun mit den Städten Friedberg und Dachau und der Herrschaft Odelzhausen in Streit über die Salzfuhren. Das Kloster, an der Handelsstraße München–Augsburg gelegen, führte sein Salz auf dieser Route
westwärts nach Esslingen, wo es einen Hof besaß; auf dem Rückweg wurden
Waren aus Esslingen oder Augsburg geladen: Wein, Getreide, Mehl und andere Produkte aus der Handelsstadt. Gegen die kostenlose, auf Salzprivilegien
gestützte Fuhr protestierten die drei genannten Ortschaften; es gelang
schließlich, sich gütlich zu einigen: Das Kloster durfte jede Woche drei
Gegenfuhren transportieren, allerdings nur mit Wein, Getreide und Mehl
beladen; dabei war an den beiden Lechbrücken zu Friedberg und zu Schweinbach Zoll zu zahlen[74]. Hatte man auch noch andere Dinge geladen, so mußte
man über Odelzhausen fahren und dort alle Mautgebühren und Zölle entrichten[75]; auch mit der Stadt Dachau verglich man sich über die Frachtge-
bühren. Schließlich bestätigte Herzog Albrecht IV. im Juni 1508 dem Kloster
das Recht, die Gegenfuhr auf den drei Straßen zu führen[76]. Damit waren
offenbar nicht alle Unstimmigkeiten ausgeräumt, denn zehn Jahre danach,
im Juni 1518, konfirmierte Wilhelm IV. noch einmal diese Regelung für drei
wöchentliche Gegenfuhren[77]; vermutlich versuchten die verschiedenen Parteien immer wieder, mehr für den eigenen Säckel herauszuholen. In den
Bereich der Sicherung klösterlicher Rechte gehört auch der 1508 erzielte Vergleich des Klosters wegen zweier Fischrechte am »Graben« und in einem
Weiher zu Rottbach[78].

---

[73] So finden sich im Repertorium Fürstenfeld 1575 Vermerke über 32 numerierte Privilegien
und Konfirmationen von Salzrechten aus dem 14. und 15. Jahrhundert. BHStAM. KL Fürstenfeld 364, foll. 9–14.

[74] Wegevertrag zwischen der Stadt Friedberg und dem Kloster Fürstenfeld, 8. Januar 1508.
BHStAM. KU Fürstenfeld 1540; Repertorium Fürstenfeld, unter dem 8. Januar 1508.
BHStAM. KL Fürstenfeld 364, fol. 14v, Nr. 44. – Konfirmationsurkunde Hz. Wolfgangs,
Landsberg am Lech, 8. Januar 1508. BHStAM. KU Fürstenfeld 1541.

[75] Wegevertrag zwischen Ruprecht Auer, Domherr zu Freising, und dem Kloster Fürstenfeld,
8. Januar 1508. BHStAM. KU Fürstenfeld 1543; Repertorium Fürstenfeld, undatiert.
BHStAM. KL Fürstenfeld 364, fol. 14v, Nr. 45. – Notiz über die Bestätigung durch Hz. Wolfgang, 1508. Ebd. Nr. 46.

[76] Wegevertrag zwischen der Stadt Dachau und dem Kloster Fürstenfeld, 8. Januar 1508.
BHStAM. KU Fürstenfeld 1542; Repertorium Fürstenfeld. BHStAM. KL Fürstenfeld 364,
fol. 14r, Nr. 42. – Ausführlich berichtet Führer, Chronik § 157, über die Angelegenheit.

1.3.3 Die Errichtung des Stiftergrabmals

Eine der bleibenden Leistungen Abt Johannes Scharbs war ganz sicherlich die Errichtung eines neuen Stiftergrabmals[79]. Erst in neuerer Zeit wurde sie ihm zugeschrieben; zuvor datierte man die Entstehung entweder ins 15. Jahrhundert zurück[80] oder nannte den zweiten Nachfolger Abt Scharbs, Abt Georg Menhart (1522–1531), als dessen Erbauer[81]. Abt Leonhard Treuttwein (1566 bis 1595) allerdings, der 1591 eine Beschreibung des Stiftergrabmals verfaßte, bezeichnete Scharb als Auftraggeber des Monuments[82], so daß dies als gesichert gelten kann. Die vielfältigen Möglichkeiten, die Gestalt des Grabmals zu erschließen, hat Angelika Ehrmann in ihrem Beitrag über die gotische Klosterkirche hinreichend dargestellt[83], so daß die Rekonstruktion aus kunsthistorischer Sicht im wesentlichen abgeschlossen ist. Interessant ist hier die Frage, ob man von den Umständen der Entstehung auf das Verhältnis zwischen Kloster und Herrscherhaus zu dieser Zeit schließen kann.

In den wittelsbachischen Klostergründungen Bayerns gehören Stiftergrabmäler zur Selbstverständlichkeit. Für den Zisterzienserorden waren Begräbnisse zunächst allerdings verboten[84]; dies änderte jedoch nichts daran, daß auch Zisterzienserklöster bald Grabstätten von Gründern und Wohltätern zuließen. In Seligenthal etwa reicht das erste Hochgrab für die wittelsbachischen Stifter und einige Mitglieder der Linie Niederbayern-Landshut ins 14. Jahrhundert zurück, wenngleich es immer wieder Veränderungen erfuhr[85]. Raitenhaslach, obwohl keine wittelsbachische Stiftung, besaß ebenfalls ein Hochgrab für die verstorbenen Mitglieder der bayerischen Herrscherfamilie[86]. Fürstenfeld hatte zwar bereits vor der Errichtung des Monuments eine Grabstätte für die Stifterfamilie; das erste belegbare Stiftermonu-

---

[77] Zollprivileg Wilhelms IV. an das Kloster Fürstenfeld, München, 19. Juni 1518. BHStAM. KBÄA 4095, fol. 31r.

[78] Vergleichsbrief Abt Johannes Scharbs mit einem ungenannten Kontrahenten, 10. Februar 1508. BHStAM. Kurbaiern U 20541.

[79] Zum Stiftergrabmal ausführlich: Führer, Chronik Anhang; Ehrmann, Gotisches Kloster 182–190; List, Grablegen 527–529; Böhne, Grabmal (Literaturverzeichnis); Hans Schmid, Inschrift und Lage der Stiftergräber zu Fürstenfeld, in: Amperland 25 (1989) 256–259 (mit einigen Korrekturen zu Böhne), TE I 45–57, B. III.8–B. III.18. – Die kloster- und dynastiepolitischen Hintergründe ausführlicher in dieser Arbeit in Teil III, Kap. 1.2.1.4.

[80] Vgl. Böhne, Grabmal 42.

[81] So Führer, Chronik Anhang.

[82] Abt Leonhard Treuttwein hat 1591 eine Beschreibung des Stiftergrabmals hinterlassen, die auch gedruckt wurde: Marquard Herrgott, Taphographia Principum Austriae, II. Auctarum Diplomatum, St. Blasien 1772. BStB. 2 Geneal. 84ᶜ (4.

[83] Vgl. Ehrmann, Gotisches Kloster 182–190; TE I 45–57.

[84] Vgl. Exordium Cistercii XXIV: »... zum Begräbnis nehmen wir ... keinen Fremden an«, in: Lekai/Schneider, Weiße Mönche 46.

[85] Vgl. List, Grablegen 535–536.

[86] Vgl. Krausen, Raitenhaslach 19.

ment ist aber das unter Abt Scharb projektierte. Aufschlußreich ist dabei die
Bemühung, mit möglichst wenigen Mitteln ein repräsentatives Denkmal zu
errichten: Die Figuren des Grabmals bestehen aus Holz, nicht wie andernorts
aus Erz oder Stein; zudem sind sie künstlerisch »keine Meisterwerke der
spätgotischen Schnitzkunst«[87] wie etwa die Figuren am Hochaltar der Klosterkirche. Das bedeutet, Abt Johannes Scharb konnte oder wollte nicht allzu
viel Geld für das Monument ausgeben. Der Umbau der Kirche mit dem gotischen Hochaltar Ende des 15. Jahrhunderts war überaus teuer, auch wenn
man Herzog Sigmund als Mäzen dafür gewinnen konnte[88]. Des weiteren
schlugen die oben erwähnten Sondersteuern für den Landshuter Erbfolgekrieg zu Buche, so daß die Klosterkasse arg strapaziert war. Andererseits
konnte Abt Scharb in seiner Regierungszeit noch einige Immobilien erwerben, darunter eine Hofstatt zu Biburg[89] und ein Haus in Freising[90]; an seinen
Aldersbacher Amtsbruder Abt Johann Riemer (1501–1514) vergab Scharb
zudem einen Kredit über 100 lb dl[91]. So schlecht kann somit die Finanzlage
in diesen Jahren im Gegensatz zu Aldersbach, dessen Abt Riemer einen Berg
von 1080 fl Schulden hinterließ[92], nicht gewesen sein, denn die älteren Chronisten erwähnen zudem, daß Abt Scharb die Klosterkirche mit silbernen und
goldenen Reliquiaren geschmückt und Paramente zugekauft hat[93].
Zu vermuten ist daher eher, daß der Prälat sich für das Grabmal nicht völlig
verausgaben wollte, denn auch der herzogliche Hof hielt sich bei der Finanzierung der Grabstätte für die eigene Familie vornehm zurück. So erweckt
das ganze Projekt des Stiftergrabmals eher den Eindruck einer Pflichtübung
aus Zugzwang gegenüber den Grablegen anderer Klosterkirchen denn den
einer enthusiastischen Huldigung an das Haus Bayern. Mit dieser Vermutung stimmt auch das sonstige Verhältnis des Herrscherhauses zum Kloster
in der Zeit überein: Die großen Stiftungen sind längst vorbei, überliefert sind
hauptsächlich Reibereien mit den herzoglichen Amtsleuten; dies ergibt keinen Nährboden für eine besondere Anhänglichkeit der Fürstenfelder Mönche

---

[87] Ehrmann, Gotisches Kloster 183.
[88] Vgl. ebd. 175.
[89] Verkaufsurkunde Michael Jungs über ½ Juchert Acker an das Kloster Fürstenfeld, 24. Juli
    1508 BHStAM. KU Fürstenfeld 1547. – Verkaufsurkunde von Pfr. Bernhard Weichsner und
    den Kirchpröpsten Leonhard Pollinger und Wolfgang Schreter über eine Hofstatt und Gründe
    an das Kloster Fürstenfeld, Biburg, 17. Juni 1509. BHStAM. KU Fürstenfeld 1554.
[90] Verkaufsurkunde Wolfgang Verbers über ein Haus in Freising an das Kloster Fürstenfeld,
    28. Juni 1511. BHStAM. KU Fürstenfeld 1562.
[91] Quittung Abt Caspar Harders über die zurückerstatteten 100 lb dl, die sein Vorgänger Scharb
    an Abt Johann Riemer von Aldersbach vergeben hatte, 28. Februar 1518. BHStAM. KU
    Aldersbach 1291.
[92] Vgl. Oswald, Marius 360. – Zu seinem Vorgänger Abt Johann Riemer äußerte sich Abt Wolf-
    gang Mayr in seinen »Annales« sehr ungünstig: »Ideo forsan ad ordinis negocia minus erat
    accomodatus. [...] Adeo enim in damno iste Abbas Joannes profusus erat, ut enim croesi diui-
    tiae non satis fecissent«. Annales Cap. LVIII, in: Hartig, Annales 53–54.
[93] So Führer, Chronik § 156; Röckl, Beschreibung 25; Fugger, Fürstenfeld 68.

an ihre Stifterfamilie. Wenn Alois Schmid die Kontakte des Klosters zum Herzogshaus zu dieser Zeit als immer noch sehr eng bezeichnet[94], so trifft dies in eher negativer Weise zu: Bei einem sehr positiven Verhältnis wäre wohl ein prunkvolleres Grab entstanden. So ist begründet anzunehmen, daß die frühere emotionale Bindung des Klosters an das Haus Wittelsbach einer mehr von wirtschaftlichem und politischem Denken geprägten Beziehung gewichen ist.

1.3.4 Zur Lage der Seelsorge

Bei einer Betrachtung der religiösen Lage Altbayerns unmittelbar vor der Reformation fallen die Ergebnisse meist ungünstig aus, denn auch bei differenzierter Bewertung kann man über eine Krise nicht hinwegsehen. Im Bistum Freising bemühte sich der herausragende Fürstbischof Sixtus von Tannberg (1474–1495) an der Wende zum 16. Jahrhundert zwar um eine geistige Erneuerung von Klerus und Orden, konnte aber gegen die übermächtigen Zeitströmungen nichts ausrichten[95]. Auch die durch Fürstenfeld verwaltete und verantwortete Seelsorge stand unter diesen Vorzeichen. Zum Niederkirchenbesitz des Klosters gehörten zu Beginn des 16. Jahrhunderts die Pfarreien Hollenbach, Pfaffing, Jesenwang, Gilching, Rieden-Adelzhausen, Aindling, Höfen-Kottalting und Emmering mit ihren Filialen und Nebenkirchen, sowie die vier Wallfahrten St. Leonhard in Inchenhofen, St. Willibald in Jesenwang, Unsere Liebe Frau in Bergkirchen und zur seligen Edigna in Puch. An diesen Orten fungierten entweder Konventualen des Klosters oder Weltpriester als Seelsorger.

Quellen zur Seelsorge sind aus einer ohnehin quellenarmen Zeit eher selten, weil seelsorgerliche Anliegen als wenig überlieferungswürdig galten; immerhin wirft ein Streit über die Verrichtung der Gottesdienste im Hollenbacher Filialweiler Mainbach aus dem Jahr 1511 ein Licht auf die damalige Situation[96]. Aufschlußreich ist dabei die Argumentationsweise Abt Scharbs, mit der er sich der Verpflichtung entziehen wollte, mehr Messen dort lesen zu lassen: In seinem Antwortschreiben ging er nicht mit einem Wort auf die Seelsorgesituation ein; es klingt fast, als wundere er sich, daß die Mainbacher mehr Messen im Jahr wollten als vier oder fünf. Statt dessen war die Versorgung der Bevölkerung mit Meßfeiern für ihn ausschließlich eine Frage der Pfründe und der Besoldung, so daß er nicht einmal eine Möglichkeit aufzeigte, die Situation der Mainbacher zu verbessern, wenngleich es sich nur um eine Filialkirche handelte. Unverkennbar ist andererseits, daß die Bevölke-

---

[94] Schmid, Cenobium 267.
[95] Vgl. Maß, Mittelalter 334–341; HBG II 309, Anm. 2.
[96] Siehe dazu Teil II, Kap. 3.3.1.3; dort auch die Belegstellen.

rung unter diesen Zuständen durchaus litt. Den später umherziehenden reformatorischen Predigern wurde durch diese geistige Unterversorgung genügend Nährboden bereitet. Aus kirchenrechtlicher Sicht ist bemerkenswert, daß die Bevölkerung bereits zur damaligen Zeit den Herzog, nicht aber die Kurie des Bistums Augsburg, in dessen Gebiet die Pfarrei Hollenbach liegt, als Appellationsinstanz ansah; am Vorabend der Reformation war die landesherrliche Kirchenaufsicht zu einer eingeführten Institution geworden[97]. Zugleich kann man diesen Schriftverkehr als Beispiel für viele ähnliche Fälle ansehen; alleine aus dem Bereich des Klosters Fürstenfeld ergab sich 1522 ein ähnlicher Streit um den Gottesdienst in der Filialkirche Aich (Pfarrei Jesenwang)[98]. Hier steigerte sich allerdings die Auseinandersetzung bis hin zur Drohung der Aicher, überhaupt nicht mehr zur Messe zu gehen.

Ob das Inkorporationswesen als solches Hauptursache für die mangelhafte seelsorgerliche Betreuung der Gläubigen war, wie Barbara Kink darstellt[99], müßte genauer untersucht werden. Dieser These zufolge wären nicht inkorporierte, durch den zuständigen Bischof besetzte Pfarreien in einer besseren Verfassung gewesen; ob dem so ist, kann bezweifelt werden. Weniger die Inkorporation als solche ist ausschlaggebend für die Qualität der Seelsorge als die Voraussetzungen und die Ernsthaftigkeit, mit der die verantwortliche Institution Seelsorge betreibt. Im Fall des Abtes Scharb war offensichtlich das Gefühl für die Verantwortung gegenüber den Gläubigen nicht allzu groß, wenngleich man sich hüten muß, sein Verhalten mit dem heutigen Verständnis von Seelsorge zu beurteilen; die Auffassungen in der vortridentinischen und der nachvatikanischen Zeit darüber lassen sich nur schwer vergleichen.

Wichtigste Aufgabe der Priester war sicherlich die Verrichtung der zahlreichen Seelenmessen, Jahresgedenktage und Stiftungen, die im wesentlichen aus dem 14. und 15. Jahrhundert stammten. Dafür waren oft eigene Benefiziaten angewiesen, die von den zugehörigen Pfründen lebten. Klagen über die Vernachlässigung solcher Stiftungen im größeren Umfang sind aus diesen Jahren noch nicht bekannt.

Zentren religiösen Lebens auf dem Land waren zweifellos die zahlreichen Wallfahrtskirchen, die für die Gläubigen einen Ort sowohl der geistlichen Sammlung als auch der Erholung darstellten. Ihre Frequentation zeigte für die damalige Zeit ein relativ zuverlässiges Spiegelbild der Volksseele und ihres Befindens; in diesen Jahren vor Ausbruch der Reformation blieb die Zahl der Wallfahrer weitgehend konstant[100]. Die Lage der Seelsorge scheint insgesamt also noch stabil, wenn auch im Pfründenwesen erstarrt zu sein; deutlich ist aber bereits eine Tendenz zur religiösen Unterversorgung zu erkennen. Sie wird sich in den kommenden Jahren noch verstärken und den reformatorischen Neuerungen Vorschub leisten.

[97] Vgl. Rankl, Kirchenregiment 260–268.

1.4   Abt Caspar Harder (1513–1522): Der ungeliebte Abt

1.4.1   *Seine Person*

Caspar Harder erscheint erstmals anläßlich seiner Immatrikulation an der Universität Heidelberg: Zum Wintersemester 1503 nahm er dort die Studien auf[101]; geboren dürfte er somit um 1480 sein, seine Herkunft bleibt unbekannt. Die Zeitgenossen Abt Harders waren besonders von seiner großen Statur beeindruckt, da dies in den Chroniken eigens erwähnt wird[102]. Welche seiner Qualitäten allerdings ausschlaggebend für seine Wahl waren, ist nicht berichtet[103]. Für die Amtszeit Abt Harders ergibt sich erstmals ein tieferer Einblick in den inneren Zustand des Klosters Fürstenfeld, da die Quellenlage sich etwas bessert; in seine Regierungsjahre fällt auch der Ausbruch der Reformation in Deutschland. Ein seltsam zwiespältiges Bild ist es, das von Abt Harder überliefert wird, einerseits ein positives, das des Ordensvisitators und Bauherrn, andererseits ein negatives, in dem die wirtschaftlichen und disziplinären Mängel nicht zu übersehen sind. Auch der mysteriöse Tod Abt Caspar Harders trägt seinen Teil dazu bei, in ihm eine schillernde Figur zu vermuten.

Klostermauern sind dick, bisweilen aber nicht so dick, daß nicht manche unliebsame Information durchdringen könnte. Diese Feststellung dürfte auch auf die näheren Umstände des Todes von Abt Caspar Harder zutreffen. Abt Gerard Führer berichtet über ihn: »... sein Tod war kläglich. Wie aber? – – findet sich nichts angezeigt«[104]. In einer Anmerkung, wie verschämt unten auf der Seite seines Berichts versteckt, weiß er aber doch mehr: »So vil bewußt, ist Abt Caspar Harder von seinem aignen Kämerling umgebracht

---

98 Einwohner der Pfarrei Jesenwang an Wilhelm IV. und Ludwig X. mit der Bitte, den Abt zu häufigeren Gottesdiensten in Aich anzuweisen, 11. November 1522. BHStAM. KL Fürstenfeld 179, prod. 1., Nr. 1. – Wilhelm IV. und Ludwig X. an Abt Georg Menhart mit Übersendung von Nr. 1 und der Anweisung zur Stellungnahme, undatiert. Ebd., Nr. 2. – Kirchpropst zu Aich an Wilhelm IV. und Ludwig X. mit einer Einforderung der Antwort durch Abt Menhart und der Drohung, künftig nicht mehr zur Messe zu gehen, undatiert. Ebd., Nr. 3. – Hzl. Kanzlei an Abt Georg Menhart mit Übersendung von Nr. 3 und der Anweisung zur Stellungnahme, undatiert. Ebd., Nr. 4. – Abt Georg Menhart an Wilhelm IV. und Ludwig X. mit einer Ablehnung der Forderung aus Aich, Fürstenfeld, 17. April 1523. Ebd., Nr. 5.
99 Vgl. Kink, Täufer 83; Rößler, Bewegung 36; Hans Rößler, Wiedertäufer in und aus München, in: OA 85 (1962) 42–58.
100 Zu den Wallfahrten ausführlicher in dieser Arbeit Teil II, Kap. 3.2.
101 Vgl. Matrikel Heidelberg I 450.
102 Führer, Chronik § 160.
103 Ob es die von Führer, Chronik § 160, berichteten, nicht näher bezeichneten wissenschaftlichen Vorzüge waren, ist ungewiß. Aufgrund seines Universitätsstudiums ist dies nicht auszuschließen.
104 Führer, Chronik § 161.

worden«[105]. Diese Mordversion entsprach der Vorstellung der beiden Chronisten des 19. Jahrhunderts vom Kloster weniger, denn Röckl schreibt, es sei ein »höchst unglücklicher Zufall« gewesen, der Abt Harder das Leben geraubt habe[106]. Fugger bezweifelt gar den Wahrheitsgehalt der Geschichte aufgrund eines mangelnden Motives für den Mord; das Kloster sei nämlich sehr gut dagestanden[107]. Die Quellen weisen jedoch deutlich darauf hin, daß der Tod Abt Caspar Harders kein natürlicher war: Während sich das Nekrologium als offizielles Organ des Klosters zurückhaltend ausschweigt, war Herzog Wilhelm IV. der Vorfall eines »erschreckenlichen tödtlichen abgangs« wohl bekannt, wie er am 3. April 1522 in einer Anweisung an seinen Hofrat schrieb[108]. Man wußte also bei der Landesregierung von einem außergewöhnlichen Tod Abt Harders, ließ die Angelegenheit aber anscheinend auf sich beruhen, da die weiteren Dokumente mit keinem Wort auf einen eventuellen Mord eingingen. Wenn auch keine Beweise vorliegen, so sprechen die Indizien doch für eine Ermordung Abt Harders. Die Fuggersche These, daß das Fehlen eines bekannten Motivs identisch sei mit dem Fehlen eines Motivs überhaupt, ist zu idealistisch gedacht, ebenso sein Bild vom guten Zustand des Klosters. Im Gegenteil, die weiteren Untersuchungen belegen tiefe Spaltungen im Konvent – Motive genug für einen Mord, durch wen auch immer. Darüber, ob der Kammerherr, wenn er denn der Mörder war, aus eigenem Antrieb oder im Auftrag handelte, kann nur spekuliert werden. Absolut sicher ist dagegen das Datum des Todes: 26. März 1522. Auffälligerweise verstarb am selben Tag, dem 26. März 1522, neben Abt Harder auch ein weiter nicht bekannter Mönch namens Konrad[109]. Ob dies Zufall ist oder mit dem Mord an dem Abt zusammenhängt, ist aus den vorliegenden Quellen nicht zu erschließen; bemerkenswert bleibt es allemal.

1.4.2 Aufgaben Abt Harders im Orden

Abt Harder wurde wieder verstärkt vom Orden mit Aufgaben bedacht, nachdem schon im vorhergehenden Jahrhundert Fürstenfelder Äbte verschiedene Visitatorenämter übernommen hatten. Vier Jahre nach seiner Wahl, 1517, beauftragte das Generalkapitel Abt Caspar Harder zum ersten Mal, Visitationen vorzunehmen und die Ordenskontributionen einzuziehen. Dies geschah mittels eines förmlichen Schreibens von Generalabt Blasius Légiers von Cîteaux (1516–1517) vom 20. Mai 1517, das Anweisungen und Vollmachten

---

[105] Ebd.
[106] Vgl. Röckl, Beschreibung 26.
[107] Vgl. Fugger, Fürstenfeld 72.
[108] Wilhelm IV. an Landhofmeister und Hofrat, 3. April 1522 (Konzept). BHStAM. KBÄA 4095, fol. 181r.
[109] Necrol. BStB. Clm 1057, fol. 13v.

enthielt[110]. Zunächst wurden die an einen Visitator gestellten Anforderungen formuliert: Er sollte sowohl in geistlichen als auch in weltlichen Angelegenheiten erfahren sein, mit »diligentia« und »discretio« nach dem Rechten sehen können und das Vertrauen sowohl des Generalkapitels als auch der einzelnen Klöster genießen. Dieses Vertrauen hatte man in Abt Harder, der – allem Anschein nach – im Orden einen guten Ruf besaß. Aufgabe des Visitators war, die Beobachtung der Ordensregeln durchzusetzen, »visitandi reformandi corrigendi punendi emendandi Instituendi et Destituendi in Capitibus et In membris In spiritualibus et temporalibus omnia et singula«[111]. Darüber hinaus besaß er das Recht, Äbte und Äbtissinnen zu konfirmieren, bei ihrer Neuwahl zu präsidieren und sie gemäß den Ordensstatuten in die Insignien einzusetzen. Nicht zuletzt, was Cîteaux vor allem interessiert haben dürfte, war es seine Angelegenheit, die Ordensbeiträge der einzelnen Klöster zu erheben.

Diese umfassende Vollmacht entsprach im wesentlichen der des »Pater immediatus«, des Abtes des Mutterklosters einer Zisterze. Im streng hierarchischen Filiationssystem des Ordens nahm der Vaterabt eines Klosters die Funktion des Visitators mit umfassenden Vollmachten wahr[112]; für Fürstenfeld war dies der Abt von Aldersbach. Doch in einer Zeit der Schwächung bestehender Ordensstrukturen, wie dies am Vorabend der Reformation zutraf, mußte man neue Wege gehen. Für Bayern und die sich bildenden Territorialstaaten war der zisterziensische Zentralismus aus Frankreich ohnehin verdächtig, so daß die Herzöge sich ihrerseits bemühten, den ausländischen Einfluß zurückzudrängen und selbst die Klosterhoheit auszuüben[113]. Dementsprechend veränderte man seitens des Ordens in einem langsamen Prozeß die Visitationsstruktur von einer ausschließlich filiationsbestimmten hin zu einer regionalen und territorialen – Vorstufe für die späteren Kongregationen[114]. In der Beauftragungsurkunde von 1521 teilte der Generalabt dem Abt von Fürstenfeld ausdrücklich die Klöster zu »cuiuscumque generationis ac filiationis existant in Ducatu Bavariae situata«[115] und wandelte somit – zeitlich und räumlich begrenzt – das Filiationsprinzip zum Territorialprinzip um. Im Rahmen dieser Bevollmächtigung erhielt Abt Harder beschränkte Jurisdiktion über die Äbte von Aldersbach, Raitenhaslach, Walderbach und Fürstenzell, den Administrator von Gotteszell (das aufgrund sei-

---

[110] Generalabt Blasius Légier de Ponthémery an Abt Caspar Harder, Cîteaux, 20. Mai 1517. BHStAM. KU Fürstenfeld 1584.
[111] Ebd.
[112] Vgl. Moßig, Verfassung 116. – Dazu siehe Teil III, Kap. 2.1 und 2.2 in dieser Arbeit.
[113] Ausführlich dazu: Rankl, Kirchenregiment 169–227.
[114] Zu dieser Weiterentwicklung der Ordensstrukturen ausführlich in dieser Arbeit Teil III, Kap. 2.2.4.
[115] Generalabt Wilhelm VI. an Abt Caspar Harder, Cîteaux, 31. August 1521. BHStAM. KU Fürstenfeld 1608.

ner geringen Größe keinen Abt hatte)[116] und die Äbtissin von Seligenthal. Später wurde seine Jurisdiktion noch auf die bedeutenden Klöster Waldsassen und St. Johann in Stams erweitert[117].

Freilich bedeutete diese Ernennung nicht eine uneingeschränkte Übertragung der Visitationsrechte über die Zisterzen im Herzogtum Bayern. Abt Caspar Harder mußte natürlich die zwischen den Klöstern bestehenden Filiationsverhältnisse berücksichtigen; so trat er etwa 1518 nur als Konvisitator des Abtes Georg Wankhauser von Raitenhaslach (1507–1526) in Seligenthal auf, der als »Pater immediatus« sein Visitationsrecht über dieses Kloster nicht aufgab[118]. Vielmehr ist die Erhebung zum bayerischen Visitator eher als Notstandsermächtigung zu begreifen; Abt Harder wurde gerufen, wenn aus einem Kloster Schwierigkeiten gemeldet wurden, die intern oder innerhalb der Filiation nicht mehr zu regeln waren, oder eben als Konvisitator. Über ein Wirken Harders in den genannten Klöstern ist nichts überliefert, in Cîteaux jedenfalls war man mit ihm offensichtlich zufrieden, denn zweimal wurde die geschilderte Ermächtigung erneuert, in den Jahren 1520[119] und 1521[120]. Bleibt noch die Frage, warum der Generalabt in Cîteaux ausgerechnet Abt Harder als Visitator für das Herzogtum wählte: Der bedeutende Aldersbacher Humanistenabt Wolfgang Mayr (1514–1544)[121] war vielleicht weniger tatkräftig; der erwähnte Raitenhaslacher Abt Wankhauser wurde später wegen schlechter Wirtschaftsführung vom Herzog inhaftiert und mußte zurücktreten[122]. Fürstenzell und Gotteszell waren zu klein, Waldsassen und Stams lagen nicht im Herzogtum. So gab wohl sein Ruf, besonders tüchtig und energisch zu sein, den Ausschlag zugunsten Abt Harders.

---

[116] Generalabt Blasius Légier de Ponthémery an Abt Caspar Harder, Cîteaux, 20. Mai 1517. BHStAM. KU Fürstenfeld 1584.

[117] Generalabt Wilhelm V. du Boisset an Abt Caspar Harder, 1520. BHStAM. KU Fürstenfeld 1601.

[118] Vgl. Krausen, Raitenhaslach 291.

[119] Generalabt Wilhelm du Boisset an Abt Caspar Harder, Cîteaux, 12. Mai 1520. BHStAM. KU Fürstenfeld 1598. – Das Schreiben ist fast identisch zu BHStAM. KU Fürstenfeld 1584, so daß es sich vermutlich um eine Art Formular gehandelt hat. Eine Ergänzungsurkunde aus dem gleichen Jahr (BHStAM. KU Fürstenfeld 1601) beauftragte den Abt, die Kontributionen der Klöster einzuziehen: Gotteszell 1 fl; Fürstenzell 3 fl; Fürstenfeld, Aldersbach, Raitenhaslach je 5 fl; Waldsassen 6 fl; St. Johann in Stams 10 fl.

[120] Generalabt Wilhelm VI. an Abt Caspar Harder, Cîteaux, 31. August 1521. BHStAM. KU Fürstenfeld 1608. – Die Urkunde ist im wesentlichen identisch mit denen aus den Jahren 1517 und 1520, es fehlt allerdings die sonst übliche Aufforderung, Studenten zum Ordensstudium nach Paris zu entsenden.

[121] Briefe Mayrs aus den Jahren 1510 bis 1540 sind gesammelt in: BHStAM. KL Aldersbach 64. – Aus Mayrs Schrifttum: Marian Gloning, Aus der Gedichtesammlung des Abtes Marius von Aldersbach, in: StMBO 33 (1912) 76–89; Hartig, Annales (s. Literaturverz.). – Literatur: Josef Oswald, Die Gedichte des Abtes Wolfgang Marius von Aldersbach, in: Ostbaierische Grenzmarken 7 (1964/1965) 310–319; ders., Marius 354–357, 366–374; Hartig, Niederbayerische Stifte 152–153.

[122] Vgl. Krausen, Raitenhaslach 292.

1.4.3 Das Verhältnis von Abt und Konvent

Die Angaben der Klosterchroniken des 19. Jahrhunderts, die das Wirken Abt
Caspar Harders hervorhoben und die Zucht im Kloster als gut bezeichneten[123], müssen in Fragen des inneren Zustandes im Kloster teilweise erheblich revidiert werden, denn die Quellen sprechen eine andere Sprache.
Tatsächlich bestand zwischen Prälat und Konvent einerseits und unter den
Konventualen andererseits ein erhebliches Konfliktpotential. Zwar ist von
der Visitation 1522 nach dem Tod Abt Harders kein Bericht über die Interna
erhalten, aber einige Schriftstücke aus dem Briefverkehr mit Aldersbach
geben weitreichende Einblicke in die Verhältnisse des Klosters.
Im April 1517 erhielt Abt Caspar Harder ein Schreiben seines Vaterabtes
Mayr aus Aldersbach, in dem dieser berichtet, daß ein gewisser Fr. Georg aus
Fürstenfeld einen Brief nach Aldersbach gebracht und sich über die Verhältnisse in Fürstenfeld beklagt habe. Die Rede ist dabei von mangelnder Disziplin, fehlendem monastischem Verhalten und von der Ungerechtigkeit des
Abtes. Der Aldersbacher Prälat berichtete, er habe den Bruder beruhigt;
zudem mahnte er Abt Caspar, sich mehr an seine Pflichten zu halten[124].
Etwa zeitgleich schrieb Abt Mayr auch an den Fürstenfelder Konvent und
geißelte den Ungehorsam der Konventualen gegenüber dem Abt; im übrigen
forderte er, gemäß der Ordensregel dem Abt Reverenz zu erweisen. Nebenbei
erwähnte er, daß er auch dem Abt geschrieben und ihn zu Pflichterfüllung
und der Sorge um besseren gegenseitigen Umgang ermahnt habe[125]. Die gut-
gemeinten Schlichtungsversuche aus Aldersbach besserten aber die Lage
nicht, denn noch im gleichen Jahr flüchtete Fr. Johannes Pistorius von Fürstenfeld nach Aldersbach. Abt Mayr schrieb erneut an Abt Harder, diesmal
schon in weniger freundlichem Ton: Im Gegensatz zu den Versicherungen
Abt Harders, die Dinge stünden gut, habe er den Eindruck, die Schwierigkeiten wären nicht eben gering. Für die nächste Visitation kündigte er eine
genaue Untersuchung an, damit »clamor«, »tumultus« und »dissensio« im
Konvent beigelegt würden[126]. Der für die Einhaltung der Disziplin in seinem
Kloster als vorbildlich bekannte Abt Mayr[127] wollte auch in Fürstenfeld für
Ordnung sorgen – von einem vorreformatorischen Zerfall der Aufsicht über
sein Tochterkloster kann hier keine Rede sein. Auch die Landesherren Wilhelm IV. und Ludwig X. erfuhren von den Problemen im Fürstenfelder Klo-

---

123 So Führer, Chronik § 160. – Röckl, Beschreibung 26; Fugger, Fürstenfeld 71.
124 Abt Wolfgang Mayr von Aldersbach an Abt Caspar Harder, Aldersbach, 12. April 1517
     (Kopie in Formelbuch). BHStAM. KL Aldersbach 72a, fol. 66r.
125 Abt Wolfgang Mayr von Aldersbach an den Konvent in Fürstenfeld, Aldersbach, undatiert
     (Kopie in Formelbuch). BHStAM. KL Aldersbach 72a, fol. 68rv.
126 Abt Wolfgang Mayr von Aldersbach an Abt Caspar Harder, Aldersbach, 8. Januar 1518
     (Kopie in Formelbuch). BHStAM. KL Aldersbach 72a, foll. 68r–69v.
127 Vgl. Oswald, Marius 362–363.

ster und drangen am 19. Februar 1518 beim Aldersbacher Abt auf eine Visitation in Fürstenfeld[128]. Tatsächlich legte Abt Wolfgang für den Montag, den 22. Februar 1518, unter Berufung auf seine Vollmacht eine Visitation fest[129].

Der erhaltene Visitationsrezeß gibt einigen Aufschluß über die Zustände in Fürstenfeld[130]. Abt Mayr begann seinen Rezeß mit allgemein gehaltenen Anweisungen zu Liturgie und Disziplin im Kloster, bevor er auf die »discordiae et dissensiones« einging. Offensichtlich kam es während der Rekreation nach dem Essen häufiger zu Streitigkeiten unter den Konventualen, deren Ursachen noch zu hinterfragen sein werden; so forderte Abt Mayr seinen Amtsbruder auf: »Etiam maior cura d[omi]no Abbati sit, quam hactenus observatum fuit ut pociori cibo potusque recreati sine querela permaneant«[131]. Gravierender als der Umgang der Konventualen untereinander war allerdings das Verhalten Abt Harders gegenüber seinen Mönchen; offensichtlich beleidigte er regelmäßig seine Konventualen »verbis indiscretibus et probrosis«[132], auch in Anwesenheit von Gästen, so daß die Stimmung gegenüber dem Abt gereizt war. Das Mißtrauen Abt Mayrs gegenüber der Amtsführung Abt Harders war so stark gestiegen, daß er ihn anwies, sich vor allen Entscheidungen mit mindestens sechs erfahrenen Mönchen zu beraten, besonders auch, was die Einkerkerung vermeintlich ungehorsamer Mönche betraf; darüber hinaus sollte Harder jährlich dem Konvent Rechenschaft über seine Regierung ablegen[133]. Ganz dezidiert suchte Abt Mayr, der die Vorwürfe übergroßer Härte Abt Caspars für zutreffend erkannt hatte, den Fürstenfelder Prälaten in seiner Willkür einzuschränken und seine Entscheidungen an den Konvent rückzubinden. Er ging sogar noch einen Schritt weiter und drohte Abt Harder im Falle seiner Widerspenstigkeit die Absetzung an; die Konventualen forderte er auf, dem Abt keinen Anlaß zum Zorn zu geben. Somit waren die Spannungen im Konvent weitestgehend auf übertriebene Härte und Willkür Abt Harders zurückzuführen; damit ergibt sich auch ein Motiv

---

[128] Repertorium Aldersbach, unter 1518. BHStAM. KL Aldersbach 73, fol. 15v.

[129] Abt Wolfgang Mayr von Aldersbach an Abt Caspar Harder, Aldersbach, 25. Januar 1518 (Kopie in Formelbuch). BHStAM. KL Aldersbach 72a, fol. 69v. – Die ausdrückliche Berufung auf die jährliche Pflicht zur Visitation der Klöster erweckt den Eindruck, als wollte Abt Mayr die Unabhängigkeit seiner Entscheidung von landesherrlichen Vorgaben betonen.

[130] Visitationsrezeß Abt Wolfgang Mayrs von Aldersbach, Fürstenfeld, 22. Februar 1518. BHStAM. KU Aldersbach 1290. – Unverständlich ist, wie der Originalrezeß in den Aldersbacher Urkundenbestand gelangen konnte.

[131] Ebd.   [132] Ebd.

[133] »... mandamus, ut d[omi]n[u]s Abba[s] semper secum in monasterio ad minus sex iuratos habeat consiliarios de quorum consilio praecipua domus suae negocia disponat. Sine quorum consilio deinceps maiora monastery officia nec instituat nec destituat uel aliquem de fratribus in carcerem tradat confusibiliter puniat omittat uel eliminet. Singulis etiam annis d[omi]n[u]s Abbas integram de receptibus suis et expensis suis rationem Conuentui reddat«. Ebd.

für den später erfolgten Mord am Fürstenfelder Prälaten. Zum anderen aber erwies sich Abt Mayr hier als aufmerksamer Vaterabt und versuchte, die »dissensiones« im Kloster auszugleichen.

Trotz aller Bemühungen Abt Mayrs um eine Verbesserung des Klimas im Kloster nützte die Visitation nichts, denn der nächste Flüchtling erschien bereits im Sommer 1518 in Aldersbach: Der junge Fr. Markus klopfte in Begleitung seines Vaters mit der Bitte um Aufnahme an die Aldersbacher Klosterpforte; nach einiger Zeit teilte Abt Mayr dem Fürstenfelder Prälaten mit, er möge den Fr. Markus wieder nach Hause holen lassen. Zugleich warnte er Abt Harder wiederum davor, allzu hart mit den Brüdern umzugehen, weil ihm sonst alle Mönche davonlaufen würden[134]. Interessant ist der Begleitbrief, den Abt Wolfgang dem jungen Bruder mitgab. Darin bemerkte er, daß er Fr. Markus gemäß den Ordensregeln gestraft, dann aber absolviert habe. Wegen dessen »desperatio« habe er ihn schließlich eine Zeitlang im Kloster behalten, damit er sich beruhigen könne, »quippe tranquillam et quietam conversationem hac tempestate in monasterio vestro se habiturum omnio desperat«[135]. Offenbar hatte der Flüchtling große Angst davor, nach Fürstenfeld zurückzukehren und mußte sich zuerst erholen. Doch das Zerwürfnis war endgültig; Fr. Markus ging im Frühjahr 1519 nach Waldsassen[136]. Sicherlich ist der Fall des Fr. Markus ein besonders signifikantes Beispiel für die Zerrüttung des Vertrauensverhältnisses innerhalb eines Klosters, wenn auch nicht unbedingt ein Einzelfall. Dieser Vorfall illustriert aber eindeutig die schweren atmosphärischen Störungen zwischen dem Fürstenfelder Abt und seinem Konvent. Die massiven Schwierigkeiten bestanden aber nicht nur zwischen dem Abt und seinen Konventualen, auch innerhalb des Konvents hatten sich zwei Parteien gebildet. Damit wird eine Tendenz, wie sie schon unter den Äbten Michael II. und Petrus angedeutet war, unter Abt Johannes Scharb nicht näher bestimmt werden konnte, hier deutlich: eine offenbare Spaltung des Konvents. Sichtbar traten die Probleme allerdings erst bei der Wahl des neuen Abtes Georg Menhart zutage. Eine starke Gruppe im Konvent lehnte Menhart als Prälaten ab, konnte sich aber damit nicht durchsetzen[137].

Diese negative Situationsschilderung muß allerdings durch eine Beobachtung wieder etwas relativiert werden: In der Fassung des Klosterinventars von 1522, die im Aldersbacher Archiv lagerte, wird die Anzahl der Mönche

---

[134] Abt Wolfgang Mayr von Aldersbach an Abt Caspar Harder, Aldersbach, 10. August 1518 (Kopie in Formelbuch). BHStAM. KL Aldersbach 72a, fol. 71r.

[135] Ebd., fol. 71rv.

[136] Abt Wolfgang Mayr von Aldersbach: Begleitbrief für Fr. Markus, Aldersbach, 13. März 1519 (Kopie in Formelbuch). BHStAM. KL Aldersbach 72a, fol. 113r.

[137] Wahlinstrument Abt Georg Menharts durch Abt Wolfgang Mayr von Aldersbach, Fürstenfeld, 10. April 1522. BHStAM. KU Fürstenfeld 1612. – Ausführlicher zur Wahl Abt Menharts in dieser Arbeit Teil I, Kap. 1.5.1.

mit »Fratres professos 28 ... et 4 novicios« angegeben[138]. Leider findet sich nirgendwo eine Bestätigung dieser Zahl; zudem verzeichnet das Wahlinstrument Abt Menharts vom 10. April 1522 nur fünfzehn wahlberechtigte Professen, so daß diese Notiz nicht uneingeschränkt glaubhaft ist. Sollte sie aber zutreffend sein, so muß das Bild von der überstrengen Regierung Abt Harders und einem zerstrittenen Konvent doch relativiert werden: Ein Konvent, dessen Größe normalerweise zwischen fünfzehn und zwanzig Mönchen schwankt wie im Fall Fürstenfelds, hatte in einer Zeit des allgemein beschworenen Niedergangs zweiunddreißig Konventualen, von denen vier erst kürzlich eingetreten waren. Immerhin wurde dieser Personalstand nicht einmal unter den gerühmten Äbten an der Wende zum 17. Jahrhundert erreicht, sondern erst zur Blütezeit unter Abt Martin Dallmayr (1640 bis 1690)[139]. Dazu kommt, daß von den achtundzwanzig Profeßbrüdern erst fünfzehn nach dem Tod Abt Harders zur Neuwahl berechtigt waren[140], die anderen dreizehn nicht oder noch nicht. Gegen Ende der Prälatur Harders hatte der Personalstand – darf man der Inventarsnotiz glauben – seinen Schwerpunkt also möglicherweise bei den jungen Brüdern, die noch nicht lange im Kloster waren. Da aber ein Kloster mit schlechtem Ruf und in miserablem Zustand kaum eine solche Eintrittswelle erleben kann, müssen die Verhältnisse doch besser gewesen sein als der Briefverkehr mit Aldersbach allein glaubhaft machen könnte. Keinesfalls kann es gerecht sein, in Abt Caspar Harder allein den Hauptverantwortlichen für die auftretenden Schwierigkeiten zu sehen. Das Problem, die positiven Seiten Abt Harders angemessen darzustellen, liegt in der menschlichen Natur begründet, eher über das Negative als über das Positive zu berichten; so ist es durchaus möglich, daß die überlieferten Quellen Abt Harder ein wenig einseitig auf die Anklagebank setzen – entlastendes Material findet sich dagegen kaum.

1.4.4 Erste Begegnungen mit reformatorischen Ideen

Sucht man nach den Ursachen für die Spaltungen im Konvent, so stößt man auf eine unterschiedliche Beurteilung der Reformationswelle, welche seit 1517 sich auch nach Bayern ausgebreitet hat. Gerade in den ersten Jahren besaßen die lutherischen Ideen noch eine sehr offene Form, bedeuteten eher Aufbruch als Umsturz und gewannen deshalb Anhänger in allen Bevölke-

---

[138] Inventar, 1522. BHStAM. Aldersbach Archiv Schublade 107, fasc. 2, prod. 2.

[139] Konventliste, 1690. BHStAM. KL Fürstenfeld 1, fol. 196; gedruckt in: Klemenz, Dallmayr 406–407. Noch der Konvent 1640 bestand nur aus 19 Personen einschließlich des Abtes; vgl. ebd. 405.

[140] Wahlinstrument Abt Georg Menharts durch Abt Wolfgang Mayr von Aldersbach, Fürstenfeld, 10. April 1522. BHStAM. KU Fürstenfeld 1612.

rungsschichten[141], wobei die Bauernkriege 1524/25 schnell Ernüchterung brachten[142]. Schließlich bestimmte erst die Grünwalder Konferenz der Herzöge Wilhelm IV. und Ludwig X. von 1522 den harten antireformatorischen Kurs der bayerischen Herrscher und schwor ihre Religionspolitik für Jahrhunderte auf eine streng konfessionelle Linie ein[143]. Für die fünf Jahre zwischen 1517 und 1522, genau die zweite Hälfte der Prälatur Harders, ist es durchaus wahrscheinlich, daß Fürstenfelder Konventualen mit reformatorischen Ideen Berührung gewonnen haben. An einer Handelsstraße gelegen, herrschte in Fürstenfeld stets ein Kommen und Gehen; auch die für lutherische Gedanken offene Reichsstadt Augsburg, wohin Fürstenfeld wirtschaftliche Kontakte besaß, war nicht weit. Zudem entwickelte sich der Raum im Landgericht Landsberg in den Jahren 1527/28 zu einem Schwerpunkt des Täufertums[144]. Und tatsächlich begegneten sich in Fürstenfeld zwei Personen, die den neuen Ideen sehr aufgeschlossen gegenüberstanden: Fr. Johannes Pistorius und der Brucker Pfarrer Zacharias Weichsner.

Fr. Johannes Pistorius war dem humanistischen Ideal sehr zugetan und latinisierte deshalb auch seinen Namen Bäcker. Unzufrieden mit den Zuständen im Kloster war er 1518 nach Aldersbach geflohen, später aber wieder zurückgekehrt[145]. Vermutlich dort kam er mit kursierenden reformatorischen Ideen in näheren Kontakt; gerade in Aldersbach traten nämlich in den kommenden Jahren reformationsfreundliche Mönche auf: 1519 schrieb Abt Wolfgang Mayr an den Fürstenfelder Prälaten, es seien ihm mehrere Mönche entlaufen, vor deren Apostasie man sich in Schutz nehmen solle. Sollten sie irgendwo auftauchen, seien sie hart zu bestrafen; zugelaufen sei auch in Aldersbach ein Mönch, den man gleich inhaftiert habe[146]. 1524 war ein lutherisch gesinnter Mönch bei Nacht aus Aldersbach entsprungen: Sorgenvoll bat der Prälat den Freisinger Fürstbischof Pfalzgrafen Philipp (1498–1541), man möge nicht die Klöster samt und sonders der Häresie und der Apostasie verdächtigen[147]. Als geistige Form der Abwehr lutherischer Gedanken verfaßte Abt Mayr 1528

[141] Ausführlich dazu: Bauerreiss, Kirchengeschichte VI 43–115.

[142] Vgl. Bauerreiss, Kirchengeschichte VI 124–149; Schwaiger, Religionspolitik 32–33; Roepke, Bewegung 104–105. – Abt Mayr von Aldersbach notiert in seinen »Annales« Cap. LXIIII, daß während der Bauernkriege sechzig oberdeutsche Klöster, darunter das eigene Mutterkloster Ebrach und das oberbayerische Steingaden – von Fürstenfeld nicht allzu weit entfernt –, verwüstet und teilweise niedergebrannt worden seien; in: Hartig, Annales 69.

[143] Vgl. Ziegler, Bayern 59–60; HBG II 310; Doeberl, Entwicklungsgeschichte I 388–393; Riezler, Geschichte IV 79–81; Roepke, Bewegung 102.

[144] Vgl. Kink, Täufer 97–106; Bauerreiss, Kirchengeschichte VI 118–120.

[145] Abt Wolfgang Mayr von Aldersbach an Abt Caspar Harder, Aldersbach, 8. Januar 1518 (Kopie in Formelbuch). BHStAM. KL Aldersbach 72a, fol. 68r–69v.

[146] Abt Wolfgang Mayr von Aldersbach an Abt Caspar Harder, Aldersbach, 24. August 1517 (Kopie in Formelbuch). BHStAM. KL Aldersbach 72a, fol. 78rv. – Vgl. Kaff, Volksreligion 318.

[147] Abt Wolfgang Mayr von Aldersbach an Administrator Bischof Philipp von Freising, Aldersbach, 28. Juli 1524 (Kopie in Formelbuch). BHStAM. KL Aldersbach 72a, fol. 81rv.

den theologisch und philosophisch fundierten »Dialogus in aliquot paradoxa Lutheri«[148]. Voller Leidenschaft verteidigte der Abt die katholische Lehre, besonders aber den Ordensstand gegen die Anfeindungen Luthers und stützte sich auf den ihm wohlbekannten Erasmus von Rotterdam[149]. Dennoch konnte auch ein kluger Kopf wie Abt Mayr die durch Luther verursachte Krise in seinem Kloster nicht verhindern[150]. Fr. Johannes Pistorius, der in Aldersbach der lutherischen Lehre begegnet war, hegte Sympathien für die Reformation, zunächst eher unterschwellig, später offen und trat in freundschaftlichen Kontakt mit dem lutherisch gesinnten Pfarrer Zacharias Weichsner von Bruck. In seiner als Abt verfaßten Schrift »Dialogus de fato et fortuna« brachte Pistorius dies zum Ausdruck und formulierte kritische Gedanken bezüglich Amt und Würden[151]. Somit drang die erste reformatorische Welle, die in den zwanziger Jahren des 16. Jahrhunderts über das Land ging, auch hinter die Fürstenfelder Klostermauern, ergriff einige Mönche und sorgte für Spannungen im Konvent. Dies erleichterte die Aufgabe Abt Harders keineswegs.

1.4.5   Wirtschaftliche Verhältnisse und Bautätigkeit Abt Caspar Harders

Was die Wirtschaftslage betraf, so konnte Abt Caspar Harder besonders in den ersten Jahren seiner Regierung Erfolge verbuchen: 1517 inkorporierte Papst Leo X. (1513–1521) die Pfarrei Gilching erneut dem Kloster[152], nachdem sie bereits 1356 durch den Freisinger Fürstbischof Albrecht von Hohenburg (1349–1359) dem Kloster einverleibt worden war[153]. Im Jahr darauf errichtete Abt Caspar Harder bei dem Leprosenhaus, das zwischen dem Kloster und dem Markt Bruck gelegen war, ein Kirchlein und weihte es den Heiligen Wolfgang, Leonhard und Willibald[154]; damit wertete er das schon länger

---

[148] »Dialogus in aliquot paradoxa Lutheri«, 1528. BStB. Clm 2874. – Gedruckt wurden die ersten 14 Kapitel des Buches 1792 in Ingolstadt durch P. Stephan Wiest OCist.

[149] Vgl. Paulus, Mayer 584–586.

[150] In seinen »Annales« notiert er Cap. LXV: »Sed ferme omnium ita est querela coenobiorum, quando ex Lutherana factione, scholis vndique desertis, nemo bonis litteris amplius operam dare velit vilisque apud omnes et presbyterorum et monachorum conditio reputata est, vt nemo sit, qui hoc viuendi genus ambiat«. In: Hartig, Annales 74.

[151] Ausführlicher dazu in dieser Arbeit Teil I, Kap. 2.1.3.

[152] Inkorporationsurkunde Papst Leos X., Rom, 5. Mai 1517. BHStAM. KU Fürstenfeld 1583.

[153] Inkorporationsurkunde Bischof Albrechts von Hohenburg, Freising, 29. November 1356. BHStAM. KU Fürstenfeld 426.

[154] Führer, Chronik § 161. – Führer zieht dazu eine Gedenktafel an der Außenmauer der Kapelle heran, die bemerkt, daß Abt Caspar die Kapelle »dedicatum« hat. Für dieses bischöfliche Reservat müßte er demnach eine Ausnahmegenehmigung erhalten haben. Andererseits ist nicht überliefert, daß ein Freisinger Bischof oder Weihbischof die Wolfgangskapelle geweiht hätte.

existierende Siechenhaus auf, denn zusammen mit den Betern waren auch milde Gaben für die Armen zu erwarten. Indirekt unterstützte Harder damit die Leprosen im Siechenhaus, ohne jedoch eine direkte Verantwortung zu übernehmen[155]. Weitere Umbauten nahm Abt Harder in der Leonhardskirche in Inchenhofen vor, wo er anstelle der Flachdecke ein Deckengewölbe einziehen ließ. Auch im Kloster selbst sollen unter Harder einige Neubauten entstanden sein, die jedoch nicht näher bestimmbar sind[156].

Bei aller Bautätigkeit ist die Finanzlage im engeren Sinn dagegen unklar: Während die Inventarsliste, die an den Administrator Michael von Gotteszell als Konvisitator übergeben wurde, ein Barvermögen von 90 fl, 3 ß und 15 dl im Kloster gegenüber einem Schuldenstand von 350 fl auswies[157], berichtete der Abtvisitator Mayr über die gleiche Visitation, er habe etwa 600 fl in bar gefunden[158]. Bedenklich ist dagegen die Notiz der Visitatoren, von dem Silbergeschirr in der Abtei seien »ettliche stuckh zerbrochen«[159] und unbrauchbar; Abt Harder legte auf vornehme Repräsentation offenbar wenig Wert. Von einer Mißwirtschaft zu sprechen, wird der Amtsführung Abt Harders allerdings nicht gerecht. Die Schulden, welche später – auch auf herzogliche Veranlassung hin – die Äbte und Administratoren anhäuften, überstiegen die genannten Summen um ein Vielfaches. Auch ein Vergleich des Viehbestandes spricht zugunsten Abt Harders: 1522 hatte man im Kloster 33 Pferde, 79 Kühe, Stiere und Kälber und 121 Schweine[160]. Im Jahr 1551 belief sich das Vieh auf 29 Rosse, 69 Rinder, 13 Kälber und 64 Schweine[161]. Im wesentlichen blieb die Zahl stabil; der Schweinebestand war aber zur Zeit Abt Harders beinahe doppelt so hoch. Selbst die Zahlen aus dem Jahr 1595, als das Kloster sich wieder erholt hatte, waren insgesamt ähnlich. Der Schafbestand betrug allerdings 1595 nur noch 560 Stück[162], während 1522 in der

---

[155] Zur weiteren Geschichte des Siechenhauses in dieser Arbeit Teil I, Kap. 3.1.3.2.2 und 3.4.3.2.

[156] Führer, Chronik § 161; vgl. Paula, Wallfahrtskirche 401.

[157] Inventar, 1522 (fälschlicherweise mit 1521 bezeichnet). BHStAM. KBÄA 4096, fol. 27r.

[158] Visitationsbericht Abt Wolfgang Mayrs, Fürstenfeld, 12. April 1522. BHStAM. KBÄA 4096, fol. 33r.

[159] Inventar, 1522. BHStAM. KBÄA 4096, fol. 27v.

[160] Inventar Abt Wolfgang Mayrs von Aldersbach, Fürstenfeld, 10.–12. April 1522. BHStAM. KU Fürstenfeld 1613. – Ebenso im inhaltlich identischen, undatierten Inventar BHStAM. Aldersbach Archiv Schublade 107, fasc. 2, prod. 2.

[161] Inventar, Fürstenfeld, 13. Oktober 1551. BHStAM. KBÄA 4096, fol. 51r. – Ebenso im inhaltlich identischen, undatierten Inventar BHStAM. Aldersbach Archiv Schublade 107, fasc. 2, prod. 4.

[162] Inventar der hzl. GR Sebastian Franz und Simon Wagnereck, Fürstenfeld, 6. Oktober 1595. BHStAM. KBÄA 4095, fol. 199r. – Zu Sebastian Franz (Lic. theol. Sebastian Franz: 1574 bis 1577 Chorherr zu Unserer Lieben Frau in München, 1577–1605 Dekan ebd., 1574–1599 Hofrat und GR; 1574–1576 Dekan zu St. Peter in München, 1582 Propst zu St. Kastulus in Moosburg, 1596 Propst zu St. Martin und Kastulus in Landshut, † 1605): Pfister, München 399–400, 437, 446; Lanzinner, Zentralbehörden 340. – Zu Simon Wagnereck: Lanzinner, Zentralbehörden 340, 415.

Schäferei in Buch noch 1132 Schafe gezählt wurden[163]. Im Vergleich zu den späteren Zahlen präsentierte sich somit der Zustand der Landwirtschaft als sehr positiv. Auch wenn die Finanzlage noch stabil war, begann dennoch in diesen Jahren die Verkaufswelle der Güter. 1518 mußte Abt Caspar drei Güter zu Ingelsperg (Landgericht Schwaben) gegen Ewiggeld verkaufen und erhielt dafür 400 fl[164], ein Vorgang, den er in dieser Höhe sicherlich nicht ungezwungen tätigte. Ein massiver wirtschaftlicher Einbruch des Klosters erfolgte aber erst in den nächsten Jahren, bedingt allerdings durch andere als nur klosterinterne Faktoren.

---

[163] Visitationsbericht Abt Wolfgang Mayrs von Aldersbach, Fürstenfeld, 12. April 1522. BHStAM. KBÄA 4096, fol. 32v.
[164] Verkaufsurkunde Abt Caspar Harders an Lic. Georg Eisenreich, Dekan von St. Peter München, Hans Stipff, Innerer Rat, und Caspar Seehofer, Äußerer Rat und Kirchpropst zu St. Peter, über 3 Güter zu Ingelsperg (LG Schwaben), Fürstenfeld, 27. Oktober 1518. BHStAM. KU Fürstenfeld 1594.

1.5 Abt Georg Menhart (1522–1531): Wirtschaftskrise und innere Kämpfe

1.5.1 Die Wahl Menharts

Unter Abt Harder amtierte Georg Menhart, dessen Geburtsjahr und Herkunft unbekannt sind, als Prior und galt somit als einer der ersten Kandidaten für die Nachfolge des Verstorbenen; auch sein Universitätsstudium in Heidelberg – Menhart hatte sich am 12. April 1500 dort immatrikuliert[165] – erhöhte seine Chancen bei der Neuwahl. Tatsächlich wurde er gewählt, allerdings erst nach einigen Unstimmigkeiten im Konvent. Das Wahlinstrument, verfertigt durch den Abt Wolfgang Mayr von Aldersbach als »Pater immediatus« vom 10. April 1522 gibt genauer darüber Auskunft[166]: Nach der biblischen Exhorte, die der Vaterabt an die Brüder richtete, und sie zur Beobachtung der Ordensregel und der übrigen Statuten mahnte, entstand unter den Kapitularen ein Streit, wer wählbar sei und mit welchem Verfahren gewählt werden sollte. Eine Partei, die auch die Opposition gegen Abt Harder geschürt haben könnte, versuchte, den Wahlakt auf eine Akklamation[167] zu beschränken, was rechtlich möglich gewesen wäre, und so ihren Kandidaten zu protegieren. Die Mehrheit aber bestand auf dem sonst üblichen Wahlverfahren durch geheime Stimmabgabe; die erfolgte Wahl ergab aber, daß mehrere Kandidaten Stimmen auf sich vereinigen konnten ohne zu einer Mehrheit zu gelangen. Deshalb änderte man erneut das Wahlverfahren und bestimmte Kommissäre, die dann nach Art des Kompromisses Georg Menhart zum neuen Abt wählten.

Abt Wolfgang Mayr von Aldersbach war nicht sehr glücklich über diesen Ausgang, denn er stellte dem Neugewählten im Instrument lediglich ein ausreichendes Zeugnis aus: Abt Menhart sei »honorius bene conuersationis in sacerdotio et matura etate institutum in diuis et humanis litteris competenter instructum … in spiritualibus et temporalibus sufficienter instructum.«[168] Für einen Text, der im Regelfall den Neugewählten mit ausgesuchten Freundlichkeiten dekorierte[169], klang dies sehr zurückhaltend. Sicherlich kannte Abt Mayr die Schwächen Abt Menharts, die sich in seiner Regierung bald

---

[165] Matrikel Heidelberg I 436. – Vgl. Roth, Bruck 210–211.

[166] Wahlinstrument Abt Georg Menharts durch Abt Wolfgang Mayr von Aldersbach, Fürstenfeld, 10. April 1522. BHStAM. KU Fürstenfeld 1612. – Vgl. Roth, Bruck 210.

[167] Zu den verschiedenen Wahlverfahren bei der Abtwahl siehe in dieser Arbeit Teil II, Kap. 1.1.2.3.

[168] Wahlinstrument Abt Georg Menharts durch Abt Wolfgang Mayr von Aldersbach, Fürstenfeld, 10. April 1522. BHStAM. KU Fürstenfeld 1612.

[169] Vgl. dazu die Schilderung der Qualitäten des neugewählten Abtes Leonhard Treuttwein durch Abt Bartholomäus Mädauer von Aldersbach im Wahlinstrument, 21. Januar 1566. BHStAM. KU Fürstenfeld 2018. Hier reichen die Superlative kaum aus, um Abt Leonhard Treuttwein zu rühmen. Siehe Teil I, Kap. 3.2.1.1.

offenbaren würden[170]. Auch Herzog Wilhelm IV. wußte, daß die Kandidaten
für die Neuwahl nicht alle geeignet waren, denn er bemerkte gegenüber seinen
Räten, die Fürstenfelder würden sich hoffentlich einen »geschickhten prelaten« aussuchen[171].

1.5.2 Die ersten Jahre der Regierung Abt Georg Menharts

Der Beginn der Regierung Abt Georg Menharts war geprägt von dem Vertrau-
en, das sein Vorgänger Abt Harder seinem Kloster in Cîteaux erworben hatte.
Kurz nach seiner Wahl erhielt Abt Menhart vom Generalabt Wilhelm die
Vollmacht, drei Ordenspersonen beiderlei Geschlechts zu rehabilitieren,
ohne daß dabei konkrete Fälle genannt wurden[172]. Da dieses Privileg bereits
sieben Tage nach der Wahl Abt Menharts eintraf, ist sicher anzunehmen, daß
es eigentlich noch seinem Vorgänger zugedacht war; zum Visitator für das
Herzogtum Bayern bestellte der Generalabt den neuen Fürstenfelder Prälaten
bereits nicht mehr.
Statt dessen forderten die bayerischen Herzöge die Unterstützung des Fürstenfelder Abtes im Kampf gegen das sich ausbreitende Luthertum an. Papst
Hadrian VI. (1522–1523) erteilte 1522 den Landesherren die Vollmacht, über
die Kirche im Herzogtum die Aufsicht auszuüben. Infolgedessen richteten
diese eine geistliche Kommission zur Wahrung der Glaubenseinheit und
Glaubensreinheit ein, in die neben den Äbten von Tegernsee, Niederaltaich
und Aldersbach, dem Propst von Polling, dem Dekan der Universität Ingolstadt auch der Abt von Fürstenfeld berufen wurde[173]. 1523 sprach man dem
Fürstenfelder Prälaten seitens der Herzöge wiederum das Vertrauen aus,
indem man ihm zusammen mit dem Propst des Liebfrauenstiftes zu München die Aufsicht über die Wahrung des Nominationsrechtes übertrug, das
der Papst den bayerischen Herzögen über vierundzwanzig Pfarreien zugesprochen hatte[174]. Tatsächlich trat Abt Georg im April 1524 als Richter in
einem Prozeß über die Collation nicht näher genannter Kanonikate auf[175].

---

[170] Ungleich positiver die Beurteilungen Abt Menharts durch die Chronisten des 19. Jahrhunderts. Führer, Chronik § 162, nennt ihn einen »Mann von sonderheitlicher Frömmigkeit,
  deßen Tugenden und kenntnissen ihn dises Amts würdig machten.« – Röckl, Beschreibung
  26, lobt seine Frömmigkeit, Demut und sein anspruchsloses Benehmen. Fugger, Fürstenfeld 74, rühmt Menharts »argloses Gemüth, Frömmigkeit und Herzensgüte«.
[171] Wilhelm IV. an Landhofmeister und Hofrat, 3. April 1522 (Konzept). BHStAM. KBÄA 4095,
  fol. 181r.
[172] Generalabt Wilhelm VI. an Abt Georg Menhart, Cîteaux, 17. Mai 1522. BHStAM. KU Fürstenfeld 1616.
[173] Breve Papst Hadrians VI. an die genannten Prälaten zur Unterstützung Wilhelms IV. und
  Ludwigs X., Rom, 31. August 1522. BHStAM. Kurbaiern U 423.
[174] Vgl. Rankl, Kirchenregiment 81, Anm. 1; Schmid, Cenobium 267.
[175] Prozeßprotokoll, Fürstenfeld, 12. April 1524 (Kopie). BHStAM. KL Fasc. 230/7, pagg. 1–6.

Doch offensichtlich erfüllte Abt Menhart die vom Landesherrn in ihn gesetzten Erwartungen nicht: Im Juni 1523 erhielten die Herzöge von Papst Hadrian VI. durch die Bulle »De judicibus cleri« die erweiterte Ermächtigung, im Notfall durch eine Prälatenkommission gegen häretische oder straffällige Geistliche vorzugehen[176], die sogenannte konkurrierende Strafgerichtsbarkeit; dieser Kommission gehörte der Abt von Fürstenfeld nicht mehr an. Da die Äbte aber nach territorialen Gesichtspunkten ausgewählt wurden und verstärkt Stifte an den Außengrenzen des Herzogtums vertraten, hätte sich eigentlich angeboten, den Prälaten des an der Grenze zum lutherfreundlichen Augsburg liegenden Klosters Fürstenfeld ebenfalls in die Kommission zu berufen; warum dies unterblieb, ist unbekannt, kann aber mit einem Schwund in das Vertrauen zu Abt Menhart erklärt werden. Wie stark das Kloster Fürstenfeld in den Jahren nach 1525 mit lutherischem Gedankengut konfrontiert wurde, ist aus dem Zustand der bayerischen Klöster annähernd erschließbar. Zunehmend nervös reagierte etwa Abt Mayr von Aldersbach auf die Zustände in den Klöstern, bezeichnete sie als Vorsehung Gottes und mahnte in fast beschwörendem Ton seinen Fürstenfelder Mitbruder, die Einheit zu wahren und streng gegen die neue Lehre vorzugehen[177]; aus eigener Erfahrung wußte der Vaterabt zu gut um die Auswirkungen der lutherischen Ideen auf ein Kloster. Im Gegenzug dazu informierte Abt Menhart seinerseits das Kloster Aldersbach, denn im dortigen Repertorium wurde über die Korrespondenz zwischen Ampertal und Vilstal vermerkt, Abt Menhart berichte »item von den Praepositionibus Martini Luther ... notatu digno – in octobri schickt er neue Zeitungen vom Reichstag zu Augspurg«[178]. Ob Abt Menhart über die lutherische Lehre nur unterrichtet war oder ihr auch nahestand, geht aus den Quellen nicht hervor; seine Absetzung damit in Zusammenhang zu bringen, entbehrt ebenfalls der gesicherten Grundlage.

1.5.3 Die wirtschaftliche Lage

Wie sich bereits gegen Ende der Prälatur Harders abgezeichnet hatte, verschlimmerte sich die finanzielle Lage Fürstenfelds zusehends. Waren es unter Abt Harder noch einzelne Objekte, die veräußert wurden, so begann während der Regierungszeit Abt Menharts die Serie der Immobilienverkäufe zugunsten des Landesherrn, die das Kloster finanziell ins Bodenlose rissen.

---

[176] Breve Papst Hadrians VI. an die Prälaten und Pröpste von Niederaltaich, Prüfening, Weihenstephan, Wessobrunn, Raitenhaslach, Moosburg, München und Altötting, Rom, 12. Juni 1523. BHStAM. Kurbaiern U 418. – Dazu: Pfeilschifter, Acta I 159–160; Jesse, Religionsmandate 257; Rankl, Kirchenregiment 80; Schwaiger, Religionspolitik 37.

[177] Abt Wolfgang Mayr von Aldersbach an Abt Georg Menhart, Aldersbach, 20. Februar 1526 (Kopie in Formelbuch). BHStAM. KL Aldersbach 72a, foll. 84v–85r.

[178] Repertorium Aldersbach, unter 1530. BHStAM. KL Aldersbach 73, fol. 15v.

Als äußerer Anlaß können dabei die zahlreichen Kriege nach 1525 gelten, die den herzoglichen Haushalt zunehmend belasteten; abgesehen von den Konfessionskämpfen war das Abendland erneut durch die gegen Wien vorrückenden Türken gefährdet, was ein gemeinsames Vorgehen der politischen Kräfte gegen sie erforderte. Im Zuge der erhöhten Kriegsgefahr wurden auch die zahlreichen bayerischen Klöster in Mitleidenschaft gezogen; ihr wirtschaftliches Schicksal verknüpfte sich immer enger mit der landesherrlichen Politik. Wenigstens die herzoglich-bayerischen Klöster blieben von den Bauernaufständen dieser Jahre verschont; die Kaisheimer Mönche dagegen mußten vor den aufständischen Rotten nach Donauwörth fliehen[179].

Die lange Liste der Verkäufe begann 1525 mit der Veräußerung dreier Höfe zu Hohenried, Schönbach und Hollenbach an Martin Hinttkircher[180], deren Erlöse aber noch nicht der Begleichung einer herzoglichen Sondersteuer diente, sondern eigenen Zwecken. Im Sommer 1525 erteilten die Herzöge Wilhelm IV. und Ludwig X. dem Kloster aufgrund der ihm auferlegten Sonderabgaben die »Erlaubnis«, liegende Güter zu verkaufen oder zu versetzen[181]. Doch diese »Erlaubnis« bedeutete nichts anderes als einen massiven Eingriff in die Substanz des Klosters unter Inkaufnahme des wirtschaftlichen Ruins, wie sich später zeigen sollte. Von diesem Zeitpunkt an begann eine bislang beispiellose Serie von Immobilienverpfändungen: Am 22. Juli 1525 versetzte das Kloster an den Münchener Bürger Andre Reyttmair Hof und Gut zu Moching für 300 fl zu einem Ewiggeld von 15 fl[182]. Am 2. September wurde eine Gilt für 300 fl an Hanns Vleuher veräußert[183]. An den Aichacher Richter Stephan Cramer versetzte der Abt mehrere Zehnte aus der Pfarrkirche Hygenhausen und von Sainbach für 441 fl, die an den Herzog entrichtet wurden[184]. 1527 – mit Einforderung der herzoglichen Sondersteuer zur Türken-

---

[179] Vgl. Reindl, Kaisheim 45–48.

[180] Verkaufsurkunde Abt Johannes Scharbs (!) an Martin Hinttkircher über drei Höfe, Fürstenfeld, 12. März 1525 (Kopie). BHStAM. KU Fürstenfeld 1631. – Seltsam an der Urkunde ist die Tatsache, daß sie nicht inseriert ist und Datum und Abt eindeutig sind: 1525 war Georg Menhart Abt – entweder ist das Verkaufsdatum oder der verkaufende Abt falsch; ein Hinweis, daß der Verkauf zu Zeiten Abt Johannes Scharbs geschehen sein könnte, findet sich nicht. Bemerkenswert ist der Verkauf des Hofs zu Hollenbach auch noch in der Hinsicht, daß man bemüht war, den Besitz in bestimmten Schwerpunktsorten zu arrondieren; das Herausbrechen eines Objektes aus einem größeren Besitzzusammenhang ist dagegen eher ungewöhnlich.

[181] Wilhelm IV. und Ludwig X. an Abt Georg Menhart mit der Erlaubnis, aufgrund »Irer mercklichen notturfft« und besonderer Lasten, Immobilien zu verkaufen, München, 12. Juli 1525. BHStAM. KU Fürstenfeld 1633.

[182] Verkaufsurkunde Abt Georg Menharts an Andre Reyttmair über einen Hof und ein Gut zu Moching, 22. Juli 1525 (Kopie). BHStAM. KU Fürstenfeld 1634.

[183] Verkaufsurkunde Abt Georg Menharts an Hanns Vleuher von Weichshofen über eine Ewiggilt, 2. September 1525 (Kopie). BHStAM. KU Fürstenfeld 1636.

[184] Verkaufsurkunde Abt Georg Menharts an Stephan Cramer, Richter zu Aichach, über drei Zehnte, 14. Oktober 1525. BHStAM. KU Fürstenfeld 1638.

abwehr – gingen die Verpfändungen weiter: zwei Höfe zu Puch und Gilching für 500 fl[185], ein Eigenhof zu Roggenstein[186], noch ein Eigenhof zu Roggenstein[187], der Eigenhof zu Wegleisriedt (Landgericht Dachau)[188], der Eigenhof zu Webling (Landgericht Dachau)[189], eine Hofstatt zu Mosach[190], schließlich ein weiterer Hof zu Wegleisriedt (Landgericht Dachau)[191]. All diese Verkäufe erbrachten die nicht unbedeutende Summe von 2581 fl, die allerdings nicht im Kloster verblieben, sondern in die herzogliche Kriegskasse wanderten. Als »Trost« für diese immensen Kriegsopfer konnte der Aldersbacher Abt nach der erfolgreich abgewehrten Belagerung Wiens durch die Türken 1529 wenigstens einen farbenfrohen Siegesbericht überschicken[192].

Abt Menhart dachte jedoch nicht daran, sämtliche Erlöse als Kriegssteuern abzuführen, sondern behielt einen Teil des Geldes für sich zurück. Der Verkauf einiger Zehnter zu Hygenhausen und zu Sainbach an den Aichacher Richter Cramer erbrachte laut Verkaufsurkunde 441 fl, und die wurden an die herzogliche Kriegskasse überwiesen[193]. Zusätzlich existierte aber noch ein Schuldbrief Richter Cramers, in dem dieser bekannte, an das Kloster 100 fl bezahlen zu müssen, sobald die Pfarrei Hygenhausen erledigt sei[194] – davon aber wußten die Herzöge nichts. Drei Jahre dauerte es, bis man in München diesen Betrug bemerkte. Wilhelm IV. und Ludwig X. beschwerten sich über die Unterschlagung dieses zusätzlichen Schuldbriefes und forderten eine genaue Auflistung der Verkäufe[195]. Abt Menhart versuchte zu tak-

---

[185] Verkaufsurkunde Abt Georg Menharts an Hans Rorer, fürstlicher Hofkellner zu München, über zwei Höfe, 10. Januar 1527. BHStAM. KU Fürstenfeld 1649.

[186] Verkaufsurkunde Abt Georg Menharts an Anna Reitmair über einen Eigenhof zu Roggenstein, 28. März 1527. BHStAM. KU Fürstenfeld 1652.

[187] Verkaufsurkunde Abt Georg Menharts an die Kinder des seligen Wolfgang Koler über einen Eigenhof zu Roggenstein, 29. März 1527. BHStAM. KU Fürstenfeld 1653.

[188] Verkaufsurkunde Abt Georg Menharts an Leonhard Anckner über einen Eigenhof zu Wegleisriedt, 17. Oktober 1527. BHStAM. KU Fürstenfeld 1660.

[189] Verkaufsurkunde Abt Georg Menharts an den Mitterndorfer Pfarrer Thomas Lempl über einen Eigenhof zu Webling, 22. September 1528. BHStAM. KU Fürstenfeld 1672.

[190] Verkaufsurkunde Abt Georg Menharts an die Ligsalz'sche Meßstiftung in der Liebfrauenkirche in München, 23. Februar 1530. BHStAM. KU Fürstenfeld 1687. – Dieser Verkauf wurde von den Landesherren mit der ausdrücklichen Weisung eines baldigen Rückkaufes genehmigt.

[191] Verkaufsurkunde Abt Georg Menharts an Melchior Klingenschmid über einen Hof, 14. März 1531. BHStAM. KU Fürstenfeld 1696.

[192] Abt Wolfgang Mayr von Aldersbach an Abt Georg Menhart, Aldersbach, 5. Oktober 1529 (Kopie in Formelbuch). BHStAM. KL Aldersbach 72a, fol. 86r. – Aufgenommen hat Abt Mayr seine Nachrichten über die Türkenkriege auch in seine »Annales« Kap. 64, 65; in: Hartig, Annales 68–77.

[193] Verkaufsurkunde Abt Georg Menharts an Stephan Cramer, Richter zu Aichach, über drei Zehnte, 14. Oktober 1525. BHStAM. KU Fürstenfeld 1638.

[194] Schuldbrief Stephan Cramers an Abt Georg Menhart über 100 fl, 16. Oktober 1525 (Kopie). BHStAM. KU Fürstenfeld 1639.

[195] Wilhelm IV. und Ludwig X. an Abt Georg Menhart, undatiert. BHStAM. KL Fürstenfeld 389, prod. 2.

tieren und sandte einen Bericht nach München, aus dem sich die Sachlage
eher verdunkelte als erhellte. Empört forderten die Herzöge vehement, daß
das ganze »nochmals verstenndigklich und lautter berichtet und hievon
nichts verhaltet« werde[196]. Der Abt mußte schließlich nachgeben und bestätigte, daß an den Aichacher Richter um 101 fl Zehnte zu Hygenhausen, weitere Gründe und Zehnte zu Thallhoff, Purgelspach, Hindthausen und Würmerstarff verkauft worden seien[197]. Neben der fälligen Nachzahlung brachte
die Affäre für Abt Menhart einen großen Ansehensverlust, da sich sogar die
Landschaft 1528 mit dem Finanzgebaren des Klosters beschäftigte, wie sich
der Abt noch lange erinnert haben soll[198]. Auch seitens der herzoglichen
Regierung dürfte man die finanziellen Aktivitäten des Prälaten künftig
genauer kontrolliert haben.

Die weitgehende Überwachung der Finanzen des Klosters und seiner
Geschäfte ist kennzeichnend für das landesherrliche Kirchenregiment zu
dieser Zeit; Fürstenfeld hatte seine wirtschaftliche Autonomie bereits vollkommen verloren und konnte nicht einmal mehr einen Obstgarten ohne
Genehmigung des Herzogs verkaufen. Die natürliche Gegenreaktion von
Abt und Konvent auf diese Versuche totaler Kontrolle ließen aber nicht auf
sich warten und offenbarten sich in Form der allgemeinen Wirtschaftsverwaltung: Für die Zeit Ende der 1520er Jahre liegen erstmals Rechnungsbücher vor, die den Anspruch erhoben, eine Haushaltsabrechnung des Klosters zu sein[199]. Auch bei geringen Erwartungen an deren Qualität müssen
diese Bücher als unzureichend bezeichnet werden, besonders die aus den Jahren 1526 bis 1528 stammenden. Die meisten Positionen sind höchst summarisch und gerundet aufgeführt, Einzelabrechnungen fehlen fast völlig; oft
befindet sich unter den Postenüberschriften nur eine Gesamtsumme. Ausgaben unter 1 fl sind kaum berücksichtigt, ebenso fehlen Angaben über Ausgaben für Abtei und Konvent. Summen finden sich selten, wenn ja, dann sind
sie häufig falsch berechnet; eine Gesamtsummierung am Ende und die Darstellung von Überschuß oder Defizit sind ebenfalls unterblieben. Nicht nur
nach heutigem Maßstab ist die Buchhaltung als »außerordentlicher Schlendrian«[200] zu bezeichnen, bereits zeitgenössische Kommissare äußerten ähnlich vernichtende Urteile[201].

---

[196] Wilhelm IV. und Ludwig X. an Abt Georg Menhart, München, 13. November 1528.
BHStAM. KL Fürstenfeld 389, prod. 3.

[197] Abt Georg Menhart an Wilhelm IV. und Ludwig X., undatiert (Konzept). BHStAM. KL Fürstenfeld 389, prod. 4.

[198] Nachtrag im Visitationsrezeß Wilhelms IV. 1529 mit anonymer Handschrift, undatiert.
BHStAM. Aldersbach Archiv Schublade 107, fasc. 3, prod. 1.

[199] Rechnungsbücher für die Jahre 1526–1529. BHStAM. KL Fürstenfeld 317 1/8, foll. 1–24 (Jahr
1526), foll. 25–49 (Jahr 1527), foll. 50–70 (Jahr 1528). BHStAM. Aldersbach Archiv Schublade 107, fasc. 3, prod. 4 (Jahr 1529).

[200] So Stutzer, Wirtschaftsbesitz 254.

[201] Vgl. Wollenberg, Eigenwirtschaft 350.

Mit Sicherheit ist anzunehmen, daß man mit gutem Willen die Bücher ordentlich hätte führen können; das Urbar von 1347/50[202] beweist ein mögliches Buchführungsniveau. Statt dessen stand hinter der schlampigen Verwaltung die unausgesprochene Absicht, die herzoglichen Kommissare zu täuschen und im unklaren über die tatsächliche Finanzsituation zu lassen. Gerade der Abt brauchte für private Aufwendungen Gelder, die nicht unbedingt in Rechnungsbüchern auftauchen sollten, aber auch in Kriegszeiten wurde ein schlechter veranschlagtes Kloster weniger zur Kasse gebeten; auf diese Weise hielt sich Fürstenfeld ein wenig schadlos am Hofrat. Die Undurchsichtigkeit der Finanzverwaltung öffnete natürlich andererseits dem klosterinternen Mißbrauch alle Wege: Die Brüder und zahlreichen Angestellten samt Anhang konnten so einige Gelder und Naturalien für sich abzweigen, die für sich genommen nicht auffällig, in der Summe aber doch umfänglich waren.

Bemüht man sich um ein gerechtes Urteil über die Wirtschaftsführung Abt Menharts, so sind zwei Faktoren zu berücksichtigen: persönliche Schwäche und Nachlässigkeit einerseits sowie die vom Landesherrn auferlegten Lasten andererseits. Den Anstoß zu den Güterverpfändungen gab die herzogliche Genehmigung 1525; von da an wurde die Substanz des Klosters angegriffen, ohne daß das Kloster selbst Nutzen daraus zog. Die Güter wurden versetzt, die Hauptsummen verschwanden nach München, und das Kloster hatte auch noch den Zins von fünf Prozent zu zahlen[203]. Dadurch wurde der labile Abt sicherlich indirekt ermutigt, auch selbst im Umgang mit den Klostergütern großzügiger zu sein. Auf diese Weise bildeten ungünstige Zeitumstände und persönliche Schwäche eine fatale Symbiose für die Wirtschaft des Klosters.

1.5.4 Fürstenfeld im Spiegel der Visitation von 1529

Nach internen Schwierigkeiten und diversen Klagen wurde für das Jahr 1529 eine Visitation anberaumt. »In diesem Jahr wurde herr Abbt zu Fürstenfeld in vilen puncten angeclagt, dahero visitiert und eine ganze reformation mit zusthimmung des Herzogens vorgenommen«[204]. Die erwähnte Zustimmung des Herzogs war allerdings eher eine Aufforderung zur Visitation, da herzogliche Beamte eine maßgebliche Rolle in ihr übernahmen. Visitatoren waren Abt Mayr von Aldersbach[205] als »Pater immediatus« und ein unge-

---

[202] Urbar, 1347/50. BHStAM. KL Fürstenfeld 582.

[203] Bei einer gesamten Hauptsumme von 2581 fl immerhin fast 130 fl pro Jahr.

[204] Repertorium Aldersbach, unter 1529. BHStAM. KL Aldersbach 73, fol. 15v.

[205] Er ist zwar nirgends ausdrücklich genannt; da aber die Akten im Aldersbacher Archiv gelagert worden sind, ist anzunehmen, daß er der Visitation vorstand. Ob ihn, wie öfter, der Administrator von Gotteszell begleitete, ist unbekannt.

nannter herzoglicher Rat[206], der besonders auf die Verwaltung der »temporalia« achtete. Was die personelle Besetzung der Visitation betraf, waren somit Orden und Landesherr gleichermaßen beteiligt; die Eindrücke der Visitatoren waren alles andere als erfreulich, wie die Akten erkennen lassen.

Dies vermittelt der geistlich-disziplinarische Teil des Visitationsrezesses[207]:

1. »Erstlich sollen alle horn kanonice, auch die gothliche Ampt von den Conuent bruedern wie von alter her khumen zw yetlicher Zeit mit andacht un guter Ordnung gesungen und gelesen werden.

2. Unnd nach dem der Prelath auß ursache daß der brueder yetz wenige zugelassen, an den werchtagen die Metn zu peten, aber an den Sontagen un andern gemain feyrtagen den erstn Nocturn und die Laudes zusingen, un zu den grossen festn die Mettn wie von altern unnd alweg gehalten gesungen werden Laste sein fürstlich ge diser Zeit piß der prueder mere werden [...] –

3. Und als in der visitation befunden daß zu dism Closter khain diacon / Subdiacon un Noviz ist, daraus volgt daß die Junge priester selbst pern andereleüthen schetziger arbait thun müessn. Ist hochpedachts unseres hl hern ernstlich beuelh unnd mainung daß der prelath sambt den zugeordneten etlich geschickt knaben auß den Schulen oder wo man die selbigen sünst uber khummen mag auffneme, die solln durch auch Novizen Maister mit gut zucht un in gramatica auch der regel des ordens getreülichen mid bueledichter vermainung unterweisen und gelernt werden«.

4. Weltliche Personen sollen das Kloster nur mit besonderer Erlaubnis des Abtes betreten dürfen, da sie zu sehr die Andacht zerstreuen und die Hoffart fördern.

5. Es folgt eine Einschärfung, daß kein Konventuale privates Eigentum besitzen dürfe. Werde doch solches bei ihm gefunden, so solle er von Abt oder Prior gestraft werden.

6. Der Abt oder Prior sollen darauf achten, daß die Brüder ihre Zeit nicht unziemlich mit Würfeln und Kartenspiel vertreiben. Vielmehr sollen sie fromme Bücher lesen oder etwas schreiben. Ebenso solle auf das Stillschweigen geachtet werden.

7. Auch soll nach der Komplet keine »session« mit Geschwätz mehr gehalten werden.

8. Eifriger soll der Artikel der Regel beachtet werden, demzufolge die Brüder außer dem Brotmesser kein Werkzeug haben dürfen; auch dürfen sie vor dem Abt nichts wegschließen.

---

[206] Die Begriffe des Geistlichen Rates bzw. der Geistlichen Räte als Mitglieder des Gremiums können für diesen Zeitraum noch nicht verwendet werden. Das eigentliche landesherrliche Gremium des Religions- und Geistlichen Lehensrates wurde erst 1556 gegründet und 1570 erneuert, um die Gegenreformation im Herzogtum zu organisieren. Dennoch übten schon zuvor herzogliche Beamte ohne bischöfliche Mandate Kirchenaufsicht aus; seit der päpstlichen Ermächtigung von 1523 konnte der Herzog eine förmliche herzogliche Visitationskommission ernennen. Aus dieser Kommission, deren Gestalt sich immer wieder veränderte, wurden Mitglieder zu Klostervisitationen entsandt. Dazu: Pfister, Generalabt 438 bis 440; HBG II 583; Heyl, Lehenrat 10.

[207] Hauptquelle ist der Visitationsrezeß Wilhelms IV., 1529. BHStAM. Aldersbach Archiv Schublade 107, fasc. 3, prod. 1; dazu auch das Konzept. Ebd., prod. 5.

9. Der Abt wird besonders gemahnt, daß er zu »den heiligen Zeiten«, den Hochfesten, den Apostel- und Marienfeiertagen »zu der Mettn gee seine Ampter souil Im auff gesetzt, selber sing und mit andacht verpring, damit seine Conuent brueder ain gut ebn pild endpfahen, und desto williger Im gotz dienst seyen als er auch seine standt nach schuldig ist zethun«.
10. Ebenso wird befohlen, »das die Conuent brueder so zu Sumber Zeit spatieren geen, das zue vierzehen tagen ungefärlich geschechn sol«. Außerdem sollen sie sich züchtig aufführen und in guter Ordnung bleiben. Wenn der Herzog darüber klagen hört, wird er Strafen festsetzen.

Auch die Wirtschaftsführung des Abtes wurde scharf kritisiert:
1. Der Abt hat das Jahr über 13 fl Rh veruntreut.
2. Der Abt verkauft das Getreide viel zu billig für 1 fl das Scheffel, und dann wundere man sich, daß man kein Getreide mehr im Kasten habe.
3. Er rechnet Reichungen an den Konvent viel zu hoch ab.
4. Ohne Wissen anderer verkauft und verschreibt er Besitzungen, so etwa einen Karpfenteich.
5. Er gibt aus, was er will, und rechnet es nicht ab.
6. Sei der Abt »vast alle tag vol und truncken«, so daß er vergißt zu notieren, wenn ein armer Mann seine Gilt gebracht hat, und dann später die Gilt von ihm einfordert.
7. Der Abt vergißt alles, was er versprochen habe, grundsätzlich wieder. »Zu pruk sind die solichs von Im offenlich clagn und sagen was er ainem gehiess oder mit wemb er zu schaffen hat derft man alweg prieff unnd und (!) sigl von Im.«
8. Er hat eine »piebing« sitzen, die im Melkhaus wohne und des nachts zu ihm komme, »Sy helt sych auch zu pruck im pad und mit ander dingen wol aber herlich als die pest purgerin zu Munchen«. Dazu hilft ihm auch der Torwärtl, der die Dame immer entläßt.
9. Zudem komme aber auch die Vetternwirtschaft: »auch vast alle seine ambter Im kloster und auf dem land durch sy mit yren freunten besetzt, die Im mit solicher unerlichkait raten und helfen des gleichs Ir man mit wissen und mit guetem willen verhengt und zu sicht durch sein gros reich mernn das er von tag zu tag thuet es get auch die melchkann tagliches alls mit grossem gelt und guet umben« und in ihre Taschen.
10. Der Abt läßt sich nichts raten, was Kauf oder Verkauf betrifft: »alles das er Im kopf fast das mues sein und kain anders es sey guet oder pos«.
11. Er setzt die Ämter im Kloster ein oder ab, wie es ihm gerade beliebt, auch den »pursthner«; so daß der hzl. Administrator davon gar nichts erfährt.
12. Auch der Scherge, den der Abt eingesetzt hat, rät ihm zu allerlei »pieberei«.
13. »So hat der abt ein prediger Zu sandlienhart gehabt und auch durch sich selbs gesetzt der dan ainem schuelmaister zu sand linhart gerat und geholfen damit er dem federlenn sein weib in gros uner und schaden ist pracht auch dar durch der freidhof zu sand linhart entertist worden dan der schuelmaister vom federlinn vast hat gestorben ist worden er hat auch der abt dem mynych gen fürstenfeld flechnen myessn er wolt im sunst der federlen ob dem altar erstorben haben ...«
14. Schließlich habe der Abt genügend untaugliche Helfer, deren Taten man zwar nicht alle aufzählen kann, von denen man aber doch täglich höre.

1.5.4.1   Die Lebensweise Abt Georg Menharts

Folgt man den Visitationsakten, so hat Abt Menhart das Leben eines
»Renaissanceabtes« geführt, wie es dem gängigen Bild voll und ganz ent-
spricht. Entgegen dem romantischen Ideal, das die Chronisten des 19. Jahr-
hunderts von ihm aufbauten, wenn sie von seiner Weltabgewandtheit und
Frömmigkeit berichteten[208], sieht man bei genauerer Betrachtung in diesem
Abt einen den weltlichen Freuden ganz und gar nicht abgeneigten Mann.
Dies begann bei Tisch: Der Prälat pflegte eine überaus reichhaltige und großzügige Tafel, bei der »warlich vil auff geen mueß«[209], wie der herzogliche
Kommissar über die überhöhten Essenskosten verwundert vermerkte. Übli-
cherweise speiste der Prälat nicht zusammen mit dem Konvent, sondern
hielt sich eine eigene Tischgesellschaft aus Vertrauten, Verwaltern, Bekannten und Verwandten; für sie sorgte ein eigener Herrenkoch[210]. Dem Alkohol
war Abt Georg Menhart ebenfalls nicht abgeneigt; aufgrund der Besitzungen
von Weinbergen in Esslingen und der vielfältigen Weinfuhren war der Weinkeller stets gefüllt. Der Prälat sprach dem Rebensaft teils so stark zu, daß er
»vast alle tag vol und truncken«[211] gewesen sei und vergessen habe, es zu
notieren, wenn ein armer Mann seine Gilt gebracht habe; später hätte er sie
dann von ihm eingefordert. Abt Menhart gewährte entsprechend allgemei-
nem Brauch zahlreichen Laien Zutritt zum Kloster; teilweise wohnten sie
samt ihren Familien auch in den Gebäuden. Für öffentliches Ärgernis sorgte
dabei die Konkubine des Abtes, die im Melkhaus wohnte und des nachts vom
»Torwärtl« eingelassen wurde. »Sy helt sych auch zu pruck im pad und mit
ander dingen wol aber herlich als die pest purgerin zu Munchen«[212], so lau-
tete die Feststellung der Visitatoren. Als Abt war Menhart nur an sehr wenigen Festtagen verpflichtet, das Chorgebet zusammen mit seinem Konvent zu
verrichten. Über die Erfüllung dieser Pflicht wurden zwar keine massiven
Beschwerden laut, aber der Prälat erhielt doch die Weisung, daß er zu den
festgesetzten Zeiten, den Hochfesten und Apostelfesten sowie den Marienfeiertagen selbst im Chor zugegen sein und seine Ämter singen solle. Gerade
sein Beispiel sei für die Konventualen sehr wichtig[213].

---

[208] Etwa Fugger, Fürstenfeld 74. Auch Führer, Chronik § 162, glorifiziert Menhart zu sehr.
[209] Visitationsrezeß Wilhelms IV., 1529. BHStAM. Aldersbach Archiv Schublade 107, fasc. 3,
       prod. 1.
[210] Dieser ist zwar nicht belegt, was nicht verwundert, weil Ausgaben für die Abtei überhaupt
       nicht dokumentiert sind; das Rechnungsbuch von 1526 kennt aber einen Gesindekoch
       (BHStAM. KL Fürstenfeld 317 1/8), so daß mindestens ein weiterer Koch anzunehmen ist.
       Belegt ist ein Herrenkoch ab der 2. Hälfte des 16. Jh.
[211] Visitationsbericht, 1529 (Konzept). BHStAM. Aldersbach Archiv Schublade 107, fasc. 3,
       prod. 5, Nr. 6.
[212] Ebd., Nr. 8.
[213] Visitationsrezeß Wilhelms IV., 1529. BHStAM. Aldersbach Archiv Schublade 107, fasc. 3,
       prod. 1, Nr. 9.

Auch der Nepotismus war in das Kloster eingezogen: Massive Beschwerden gingen gegen Abt Menharts Verwandte und Freunde ein, mit denen er »vast alle seine ambter Im kloster und auf dem land durch sy mit yren freundten besetzt«[214] halte. Daß dies alles nicht zum Vorteil des Klosters geschah, liegt auf der Hand. Nepotismus, Konkubinat und Schlemmerei waren allgemeine Zeiterscheinungen, die damals anders als heute bewertet wurden, so daß sie für die Beurteilung Abt Menharts durch seine Zeitgenossen nicht ausschlaggebend waren. Was man ihm aber wirklich verübelte, war sein persönliches wankelmütiges Verhalten gegenüber der Umwelt, denn in der Amtsführung ließ sich der Prälat offensichtlich von seiner Tageslaune leiten. Nach Gutdünken setzte er Verwalter ein oder ab, ließ sich in der Ökonomie nicht raten und tat nach seinem Willen, »es sey guet oder pos«[215]. Ohne Wissen von Prior oder Cellerar verkaufte Abt Menhart Besitzungen und rechnete die Einnahmen nicht ab[216]. Schließlich galt im Kloster und im Markt Bruck sein Wort nichts mehr; man verlangte für jedes Geschäft und jede Zusicherung Brief und Siegel, da er grundsätzlich alle Versprechen vergaß[217].

1.5.4.2 Zustand des Konventes

Nicht nur gegenüber dem Prälaten, auch gegenüber dem Konvent fanden die Visitatoren einige Punkte, die sie für verbesserungswürdig hielten. Im Laufe der Prälatur Menharts hatten etliche Mönche das Kloster verlassen; fand man 1522 noch achtundzwanzig Professen vor, so waren es 1529 so wenige, daß das Chorgebet teilweise nicht mehr nach den Ordensregeln gesungen werden konnte, sondern gesprochen werden mußte[218]; ein wenig hilflos klingt da die Mahnung, sich um Ordensnachwuchs zu kümmern. Das Verhältnis zwischen Abt und Konvent war nicht sonderlich freundlich, wie die Aussagen über den Abt zeigen. Verursacht wurden die Animositäten neben der Wankelmütigkeit des Abtes unter anderem dadurch, daß er die Reichungen an den Konvent zu hoch abrechnete, damit weniger geben mußte[219] und überhaupt den Konvent knapp an Lebensmitteln hielt[220]. Auch innerhalb des Konventes entsprach die Disziplin nicht den Vorstellungen der Visitatoren:

---

[214] Visitationsbericht, 1529 (Konzept). BHStAM. Aldersbach Archiv Schublade 107, fasc. 3, prod. 5, Nr. 9.

[215] Ebd., Nr. 10, 11.   [217] Ebd., Nr. 7.

[216] Ebd., Nr. 4, 5.

[218] Visitationsrezeß Wilhelms IV., 1529. BHStAM. Aldersbach Archiv Schublade 107, fasc. 3, prod. 1, Nr. 2.

[219] Visitationsbericht, 1529 (Konzept). BHStAM. Aldersbach Archiv Schublade 107, fasc. 3, prod. 5, Nr. 3.

[220] Visitationsrezeß, 1529 (Konzept). BHStAM. Aldersbach Archiv Schublade 107, fasc. 3, prod. 6.

Das Stillschweigen wurde wenig beachtet; die Brüder besaßen Privateigen-
tum, das sie vor dem Abt wegschlossen; nach der Komplet fanden »sessio-
nes« mit allerlei Geschwätz statt. Bei den Spaziergängen außerhalb des Klosters führten sich die Mönche unanständig auf und gaben Anlaß zu Ärgernis;
in ihrer Freizeit unterhielten sie sich mit Würfel- und Kartenspiel. Die zahlreichen weltlichen Personen, die das Kloster betraten, förderten die Hoffart
und zerstreuten die Andacht[221], ermittelten die Kommissare.

So forderten die Visitatoren, alle diese Abweichungen von der Regel zu unter-
binden; besonders Abt und Prior wurden zu besserer Aufsicht gemahnt. Daß
der Abt nicht zu einer Disziplinarverschärfung zu gewinnen war, wußten
auch die Visitatoren; also setzten sie ihre Hoffnungen auf den Prior, zur
damaligen Zeit war es wohl Fr. Johannes Pistorius[222]; an ihm war es, den
Konvent zu führen und das monastische Leben aufrecht zu erhalten. Wenn
auch keine näheren Angaben zu seiner Tätigkeit existieren, so handelte er
offensichtlich doch zur Zufriedenheit der herzoglichen Räte; nach der Absetzung Abt Menharts wurde er immerhin unter Mitbestimmung der landesherrlichen Kommission zum Administrator ernannt und später zum Abt
gewählt.

1.5.4.3   Konsequenzen aus der Visitation

Als erstes konkretes Ergebnis der Visitation wurde ein Rechnungsheft mit
Einnahmen und Ausgaben des Klosters erstellt, das aber unvollständig
blieb[223]; vermutlich konnten die Administratoren nicht alle Zahlen in Erfahrung bringen. Weit einschneidender war demgegenüber die Neuregelung der
Kompetenzen im Kloster, die eine faktische Entmachtung des Abtes für den
Bereich der Temporalien bedeutete: In ihrem Visitationsrezeß nahmen die
herzoglichen Räte Bezug auf den durch die Visitatoren erfahrenen großen
»Abfal«, infolge dessen das Kloster eigentlich nicht mehr lebensfähig sei, und
erließ für die Dauer eines Jahres eine Notverordnung mit folgenden Bestimmungen:

1. Die Essenskosten sind zu senken; deshalb soll der Abt mit den Brüdern im
   Refektorium oder mit Gästen in den Gasträumen speisen.
2. Zur Kontrolle der Ausgaben wird dem Bursar ein Küchenmeister beigestellt.

[221] Visitationsrezeß Wilhelms IV., 1529. BHStAM. Aldersbach Archiv Schublade 107, fasc. 3,
    prod. 1., Nr. 1–10.
[222] Gesichert ist dies für das Jahr 1527, wo er in drei Verkaufsurkunden als Prior erscheint:
    BHStAM. KU Fürstenfeld 1649, 1652 und 1653. Der neue Prior Leonhard Sartorius begegnet
    erst 1531 (BHStAM. KU Fürstenfeld 1698/1 vom 17. Mai 1531). Siehe dazu Anhang 1.4:
    Katalog der Ämter.
[223] Einnahmen- und Ausgabenrechnung, 1529. BHStAM. Aldersbach Archiv Schublade 107,
    fasc. 3, prod. 4, mit dem Dorsalvermerk, daß die Jahreszahl ungesichert sei.

3. Der Bursar soll an Prälat, Prior und Küchenmeister jeweils nach drei Wochen Rechenschaft über Einnahmen und Ausgaben ablegen.
4. Die oben genannten vier Personen sollen über die Ansprüche der Hintersassen genau Buch führen.
5. Bursar und Küchenmeister sollen das Getreide auf dem Kasten genauer überwachen.
6. Der Bursar soll dem Küchenmeister Fleisch, Käse und Kerzen zum täglichen Gebrauch zuteilen und darüber auch den Prior informieren.
7. Über die Weinvorräte soll genau Buch geführt werden.
8. Ohne herzogliche Genehmigung darf nichts verkauft, versetzt, vertauscht oder verpfändet werden, auch wenn sich die Konventualen einig sind. Der Prälat soll dabei von Prior, Subprior, Bursar, Küchenmeister und zwei weiteren geeigneten Konventualen beraten werden.
9. Am Anfang eines neuen Jahres sollen die oben genannten sechs Personen einen Jahresabschluß des vergangenen Jahres erstellen[224].

Mit dieser Verordnung griff der Herzog unmittelbar in die Geschicke der Abtei ein; nachdem man über Jahrzehnte hinweg über die Finanzsituation des Klosters im Unklaren gelassen worden war, war er entschlossen, mit Hilfe seiner Kommissare den tatsächlichen finanziellen Zustand Fürstenfelds festzustellen und das klösterliche Wirtschaftsgebaren zu kontrollieren. Eine Notiz im Aldersbacher Repertorium bestätigt die Durchführung dieser Verordnung; die Geschäfte des Klosters wurden fortan vom Bursar geführt[225]. Für Abt Georg Menhart bedeutete diese Visitation den Beginn seiner Absetzung, die »auf Raten« geschah. Nachdem man in München durch die Verkaufsaffäre 1525/28 hellhörig geworden war, erbrachte die Untersuchung im Kloster selbst genügend Anlaß, Abt Menhart zunächst die »temporalia« weitestgehend zu entziehen.

1.5.5 Das Ende der Regierung Abt Georg Menharts

Das Datum der endgültigen Amtsenthebung Abt Georg Menharts ist durch Quellen nicht gesichert; am 17. Mai 1531 allerdings unterzeichnete Fr. Johannes Pistorius als »Prouisor Abbaciae« eine Verpfändungsurkunde[226]. Damit ist Führers Notiz widerlegt, die den Rücktritt Abt Menharts auf 1532 datiert und im Anschluß an das Nekrolog feststellt, er habe neun Jahre und

---

224 Visitationsrezeß Wilhelms IV., 1529. BHStAM. Aldersbach Archiv Schublade 107, fasc. 3, prod. 1.
225 Repertorium Aldersbach, unter Juli 1530. BHStAM. KL Aldersbach 73, fol. 15v.
226 Verpfändungsurkunde Administrator Fr. Johannes Pistorius' an Johann Prieler, Propst der Eichstätter Frauenkirche, Fürstenfeld, 17. Mai 1531. BHStAM. KU Fürstenfeld 1698/1.

acht Monate regiert[227]. Abt Menhart wurde spätestens im Mai 1531 der Ausübung seines Amtes enthoben; zudem hatte die Amtsenthebung Abt Menharts nicht die Rechtsform der Resignation[228], sondern der Absetzung[229].
Hätte er resigniert, wäre damit der Weg für eine Neuwahl geebnet worden; so
aber mußte man warten, bis er verstorben war. Um den Spannungen in Fürstenfeld zu entgehen, begab sich Abt Georg Menhart nach Raitenhaslach, das
er 1526 visitiert hatte[230]; dort verstarb er am 30. Dezember 1538[231].
Der Anlaß der Absetzung Abt Menharts wurde zum Gegenstand vielfältiger
Spekulation: Während Fugger und Röckl in Menhart ein »Opfer niederträch-
tiger Verleumdungen«[232] erblickten, vermutete Gerard Führer sogar lutherische Umtriebe als Auslöser der herzoglichen Entscheidung[233]; übereinstim-
men könnte damit die bereits erwähnte Aldersbacher Notiz über die guten
Informationen des Abtes über Vorkommnisse bei den Lutheranern[234]. In eine
andere Richtung weisen dagegen die Vermutungen Roths, der in der mangelhaften Wirtschaftsführung Abt Menharts den Grund zu seiner Absetzung
sah[235]. Die entscheidenden Ursachen dafür waren wohl mehrere: die Untersuchungsergebnisse der Visitation von 1529, die Erkenntnis, daß sich unter
Abt Menhart die Dinge nicht verbessern würden, und eventuell eine zu große
Nähe des Abtes zum Protestantismus. Im Rahmen der herzoglichen Kirchenpolitik war diese Absetzung schließlich weder Ausnahme- noch Einzelfall[236].

---

[227] Führer, Chronik § 164.
[228] So Lindner, Beiträge 197, 23.
[229] Führer, Chronik § 164
[230] Bestätigung der Inventur des Klosters durch Abt Georg Menhart, 26. Februar 1526.
       BHStAM. KU Raitenhaslach 969. – Wahlinstrument Abt Christoph Fürlaufs von Raitenhas-
       lach durch Abt Georg Menhart, 26. Februar 1526. BHStAM. KU Raitenhaslach 971. – Vgl.
       Krausen, Raitenhaslach 86.
[231] Necrol. BStB. Clm 1057, fol. 52v. – Bemerkenswert ist der Eintrag im Fürstenfelder Nekro-
       log deshalb, weil das Wort »obiit« mit drei waagerechten Linien durchgestrichen ist. Was
       der unbekannte Schreiber damit ausdrücken wollte, ist nicht mehr festzustellen.
[232] Fugger, Fürstenfeld 74. – Ähnlich Röckl, Beschreibung 26.
[233] Führer, Chronik § 164.
[234] Repertorium Aldersbach, unter 1530. BHStAM. KL Aldersbach 73, fol. 15v.
[235] Vgl. Roth, Bruck 213.
[236] Vgl. Rankl, Kirchenregiment 184, 212–214.

1.6 Charakterisierung des Ersten Abschnittes

Die Literatur über Fürstenfeld ist sich im Urteil über die Zeit von etwa 1500 bis 1530 weitgehend einig: Das Kloster zerfällt. Es kämpft teilweise nur noch »um die bloße Existenz«[237] und »wird ... in den Niedergang hineingezogen, der für viele bayerische Klöster gegen die Mitte des 16. Jahrhunderts hin kennzeichnend ist«[238]. Das charakterisierende Schlagwort für die Klosterlandschaft dieser Jahre ist Niedergang[239]. Zweifellos konnte sich Fürstenfeld weder den Zeitumständen noch deren Begleiterscheinungen entziehen; es stand nicht im geschichtsleeren Raum. Dennoch kann die Niedergangstheorie nicht schlichtweg alleine als zutreffend gelten; vielmehr wurde anhand der dargestellten Quellen überprüft, ob und auf welche Weise in Fürstenfeld Krisen aufgetreten sind. Bevor aber eine Beurteilung vorgenommen werden kann, soll zunächst der Niedergangsbegriff geklärt werden. Da es nicht Aufgabe des Historikers ist, Vergehen und Versagen zu werten[240], sondern Fakten und Entwicklungen darzustellen, muß vom Begriff des Niedergangs jeder idealtypische Anklang genommen werden. Wer von Niedergang oder gar Verfall spricht, geht von einem zeitlos gültigen Ideal aus, ohne zu berücksichtigen, daß dieses Ideal selbst zeitbedingt ist. Die bestehenden monastischen Verhältnisse im Fürstenfeld des frühen 16. Jahrhunderts nach den Kriterien der Zeit nach dem Tridentinum oder des ausgehenden 20. Jahrhunderts zu beurteilen, wäre methodisch völlig verfehlt. Von Niedergang zu sprechen, soll hier deshalb grundsätzlich vermieden werden. Die Entwicklungen einer Epoche müssen vielmehr aus deren Umständen und nicht aus einem Ideal heraus gewertet und beurteilt werden; nur auf diese Weise sind die Vorgänge der Zeit wirklich verstehbar. Etwas freier kann demgegenüber der Begriff der Krise gebraucht werden, da dieser den Zustand innerhalb einer an sich gegebenen Ordnung bezeichnet, die nicht als solche in Frage gestellt wird; im Gegensatz zum Begriff des Niedergangs, der sich an einem Ideal orientiert, ist der Krisenbegriff von jeder Wertung unter dem Anspruch der Allgemeingültigkeit unbelastet und um mehr Objektivität und Zeitbezogenheit in der Darstellung bemüht. Auch hier gilt der Grundsatz einer Orientierung an der Zeit und ihren Umständen; eine Krise ist immer relativ.

Um deshalb eine ausgewogene Bewertung der Verhältnisse Fürstenfelds zu Beginn des 16. Jahrhunderts zu bieten, wurden nach Möglichkeit Vergleiche mit anderen Klöstern der Zeit gesucht; dadurch werden viele Einzelheiten in ein größeres Ganzes eingeordnet, das schließlich als Grundlage der Bewer-

---

[237] Greipl, Glaubenskämpfe 91.

[238] Schmid, Cenobium 267.

[239] Vgl. Ziegler, Klosterauflösung 590; Erwin Iserloh, Vom Mittelalter zur Reformation, in: HKG III/2, Freiburg-Basel-Wien 1968, 693.

[240] Vgl. Reinhardt, Weingarten 3.

tung dienen soll. Somit gilt es zu fragen, wo Indizien für krisenhafte Zustän-
de aus zeitgenössischen Quellen gesichert werden können; die Aussagen
Führers, Röckls und Fuggers sind nur mit gewisser Vorsicht heranziehbar.
Eine weitere Frage ist, ob in einem Teilbereich des Klosterlebens beginnende
Schwierigkeiten sich auf das gesamte Kloster Fürstenfeld ausbreiten und
andere Teilbereiche erfassen konnten. Schließlich folgt die Frage nach ihren
Ursachen, ob sie intern begründet sind oder stark von außen an das Kloster
herandringen. Um diese Fragen zu beantworten, sei nochmals ein kleiner
Überblick über die ersten dreißig Jahre des 16. Jahrhunderts versucht.

1.6.1   *Entwicklungsstränge von 1496 bis 1531*

1.6.1.1   *Die Äbte*

Persönlichkeiten, Begabungen und Schwächen der Vorsteher des Klosters in
diesen Jahren waren höchst unterschiedlich: Abt Michael II. war Gelehrter,
ebenso wie Abt Johannes IV. Scharb; Abt Caspar Harder beeindruckte durch
große Strenge gegenüber seinem Konvent auch den Orden; Abt Georg Menhart schließlich erweckt den Eindruck eines sehr willkürlich regierenden
Abtes. Fast alle diese Prälaten hatten mit Schwierigkeiten in ihrem Konvent
oder mit den Landesherren zu kämpfen; die Äbte Michael und Petrus traten
deshalb bald wieder zurück. Insgesamt aber existieren bis hin zur Prälatur
Menharts zu wenige Quellen, um diese Schwierigkeiten und ihre Ursachen
näher darzustellen. Die Quellenlage bis etwa 1520 ist grundsätzlich das
größte Problem für die Darstellung der Vorkommnisse, so daß nur ein sehr
unzureichendes Bild von Kloster Fürstenfeld gezeichnet werden kann.
Erst aus der Zeit seit den Äbten Harder und Menhart sind hinreichend Dokumente überliefert, die bessere Einblicke in die Abtei gestatten; auch die Äbte
werden jetzt erst profilierter darstellbar. Über Abt Menhart wurden die Klagen einer übertriebenen Hofhaltung laut, verbunden mit persönlicher Unzu-
verlässigkeit und mangelnder Wirtschaftsführung, wobei die Vorstellungen
von den Pflichten eines Abtes zu Beginn des 16. Jahrhunderts allerdings andere waren als in den folgenden Jahrhunderten; der Prälat galt weniger als geistlicher Vorstand seines Klosters denn als Grund-, Gerichts- und Klosterherr
mit den entsprechenden Aufgaben und Möglichkeiten der Repräsentation.
Die geistliche Leitung lag ohnehin stärker in den Händen des Priors, als dies
nach der Rezeption der ordensinternen Reformen im 16. Jahrhundert der Fall
war. Sicherlich trafen die zeitgenössischen Beschwerden gegen die Amtsführung Abt Menharts zu, so daß seine persönliche Schwäche als Ursache für die
unerfreulichen Zustände in Fürstenfeld gelten kann. Zugleich entlastend für
ihn ist aber die Tatsache, daß die rapide Finanzkrise – sie kann ab 1525 wirklich als solche bezeichnet werden – durch das herzogliche Mandat ausgelöst

wurde, zur Deckung der Kriegssteuern Güter zu versetzen. Die Regierungen der Äbte wurden in ihrer Freiheit zunehmend durch das landesherrliche Kirchenregiment eingeschränkt; herzogliche Kommissare waren bei allen relevanten Entscheidungen zumindest beteiligt, wenn sie diese nicht sogar selbst trafen. So wuchs im Laufe dieser Zeit die Abhängigkeit Fürstenfelds von den bayerischen Herzögen immer mehr. Die Freisinger Fürstbischöfe, in deren geistlichem Gebiet das Kloster lag, traten mit Ausnahme von Fragen, die von Fürstenfeld aus verwaltete Pfarreien betrafen, überhaupt nicht belegbar in Erscheinung; ihr Einfluß auf das Kloster war höchst gering.

1.6.1.2 Der Konvent

Ein Konvent ist in einem Kloster, weitgehend unabhängig von seiner Größe, eine inhomogene Kommunität. Deshalb treten natürliche Spannungen auf; die Leistung einer Klostergemeinschaft besteht infolgedessen darin, solche Reibungen zu kultivieren und im Klosterleben nicht beherrschend werden zu lassen. Unter dieser Rücksicht sind die innerklösterlichen Schwierigkeiten aus den Jahren der ersten Äbte weder außergewöhnlich noch Anlaß zur Dramatisierung. Probleme brechen in größerem Maße erst in der Regierungszeit Abt Caspar Harders auf; persönliche Schwächen und vor allem das Eindringen lutherischer Gedanken geben den Schwierigkeiten im Konvent eine ganz andere, grundsätzlichere Qualität. Ähnlich waren die Probleme unter Abt Menhart; doch hier beschränkten sich die objektiv begründeten Beschwerden weitgehend auf seine Willkür und die knappe Reichung von Lebensmitteln. Trotz aller Klagen der Visitatoren von 1529 sind Disziplin und Beobachtung der Regeln im Konvent zu dieser Zeit keineswegs verfallen: Weltliche Personen im Kloster, gelegentlich ausgerissene Mönche, gebrochenes Stillschweigen – all das sind vergleichsweise harmlose Regelverstöße; sie begegnen auch später immer wieder, zu Zeiten, in denen niemand Krisen vermutet. Von Niedergang zu sprechen, was Disziplin oder Regelbeobachtung angeht, ist nach vorliegenden Quellen nicht gerechtfertigt. Unrühmlicher Höhepunkt dieses ersten Zeitabschnitts ist zweifellos der Mord an Abt Caspar Harder. Trotz des schrecklichen Schicksals des Prälaten ist daraus kein genereller Verfall der Klosterzucht ableitbar; zu ungewiß sind Ursachen und Hergang des Mordes.

Aufgrund der bekannten Inhomogenität eines Konvents wäre es jedoch zu einfach, eine lineare Spaltung Abt gegen Konvent anzunehmen, da die Trennlinien hier oft diffus und wandelbar verlaufen. Einzelne Fraktionen innerhalb des Konvents festzustellen, gelingt allerdings erst bei den Wahlen der Äbte Harder und Menhart.

Eine strukturelle Belastung für die Konventualen bringt schließlich die Reformation mit sich: Durch lutherische Einflüsse verunsichert, entlaufen

vermehrt auch Fürstenfelder Mönche. Dieses Phänomen, das ab etwa 1525
gehäuft – in allen Klöstern – auftritt, kann allerdings als Teil einer monastischen Krise bewertet werden.

1.6.1.3 Die wirtschaftliche Entwicklung

Ein Fehler wäre es, bei der Betrachtung der wirtschaftlichen Entwicklung
Fürstenfelds von der Qualität der Haushalts- und Buchführung auf die tatsächliche Wirtschafts- und Finanzkraft des Klosters schließen zu wollen. Wie
bereits gezeigt und in den nächsten Perioden noch häufiger nachweisbar, versuchten die Äbte sich in dem gleichen Maße der Kontrolle herzoglicher
Kommissare zu entziehen, wie diese im Kloster auftraten; die Haushaltsab-
schlüsse waren das Papier nicht wert, auf dem sie standen. Hinter dieser
Tarnschicht zeigt sich eine Wirtschaftskraft, die bis in die zwanziger Jahre
herein nicht schlecht war. Wenn auch die Äbte keine Finanzgenies waren,
führten sie das Kloster doch grundsolide, konnten die eine oder andere
Immobilie erwerben und vor allem eines: hohe Schulden vermeiden. Die
350 fl Schulden von 1521[241] nehmen sich gegenüber den später angehäuften
Außenständen von mehreren tausend Gulden höchst bescheiden aus.
Ein – dann aber dramatischer – Wandel in der Wirtschaftssituation Fürstenfelds vollzog sich während der Regierung Abt Menharts. Unter Harder wurden als erste Vorboten gelegentlich Immobilien veräußert, während der
Prälatur Menharts brach schließlich der Damm, und es ereignete sich eine
wahre Verpfändungsflut. Bemerkenswerterweise aber fiel der Zeitpunkt des
wirtschaftlichen Desasters zusammen mit den stark vermehrten herzoglichen Geldforderungen, die aus den häufigen Kriegen ab 1525 herrührten;
die Wirtschaftsmisere, die während der nächsten dreißig Jahre das Kloster
unter ständigem Druck hielt, lag also nur zu einem Teil an der schlechten
Klosterökonomie.

1.6.1.4 Vergleich mit anderen Klöstern

Um die Erscheinungen, die aus Fürstenfeld bekannt sind, besser einordnen
und gewichten zu können, ist es hilfreich, hinter andere Klostermauern zu
schauen. Leider gibt es nicht allzuviele ausführliche Darstellungen über Klöster in der Reformationszeit, aber einige interessante Beobachtungen lassen
sich doch anstellen. In Aldersbach, dem Mutterkloster Fürstenfelds, begannen Schwierigkeiten wesentlich früher: Abt Simon Kastner (1486–1501)
wirtschaftete so schlecht, daß am Ende seiner Regierung drei Verwalter seine

[241] Inventar, 1521. BHStAM. KBÄA 4096, fol. 27r.

Ökonomie überwachten. Sein Nachfolger Abt Johannes Riemer (1501–1514) baute neue Prälaturgebäude und überschuldete das Kloster völlig. Einen großen Aufschwung nahm Aldersbach endlich unter Abt Wolfgang Mayr (1514 bis 1544), einem der gelehrtesten bayerischen Äbte der Zeit[242].

Raitenhaslach, das Kloster an der waldreichen Salzach, nahm dagegen eine ähnliche Entwicklung wie Fürstenfeld. Unter den Äbten Georg II. Lindmair (1483–1497), Johann VI. Guotgeld (1498–1502) und Ulrich III. Molczner (1503–1506) erlebte Raitenhaslach eine große kulturelle und kleinere wirtschaftliche Blüte, in die allerdings der Landshuter Erbfolgekrieg einbrach. Abt Georg III. Wankhauser (1507–1526) endlich brachte das Kloster herunter, stürzte es in Schulden und mußte zurücktreten. Sein Nachfolger Abt Christoph Fürlauf (1526–1553) regierte zwar nicht schlecht, litt aber ebenso unter der enormen Schuldenlast, zu der nicht zuletzt ebenfalls die landesherrlichen Geldforderungen beigetragen haben[243]. Eine einheitliche Entwicklung aller größerer Zisterzen Altbayerns – Fürstenzell und Gotteszell sind aufgrund ihrer geringen Größe zu einem Vergleich nur sehr bedingt brauchbar – läßt sich also nicht feststellen; in gleicher Weise stiegen für alle Klöster dagegen die Schulden infolge herzoglicher Kriegssteuern.

1.6.2   Fürstenfeld 1496–1531: ein allgemeiner Niedergang?

Auf dem Hintergrund dieser Entwicklungen können die oben skizzierten Fragen in den Grundzügen beantwortet werden, wenn auch Details aufgrund der unzureichenden Quellen oftmals offen bleiben müssen. Eine über Jahrzehnte anhaltende Krise in der Disziplin und der Regelbeobachtung durch den Konvent ist nicht festzustellen. Einzelne Vergehen, deren Höhepunkt die Ermordung Abt Harders bildet, sind ebensowenig Belege für eine Krisenperiode oder gar einen langsamen strukturellen Niedergang wie die Spannungen zwischen Abt und Konvent. Grundsätzliche Probleme, die Mönchtum und Kloster in ihrem Bestand anfragten, wurden erst in den letzten Jahren der Regierung Abt Menharts sichtbar: Vermehrt kamen Mönche mit reformatorischen Gedanken in Berührung und entliefen aus dem Kloster. Etwa zeitgleich zur Reformationskrise trat die Wirtschaftskrise in Fürstenfeld ein. Begünstigt durch schlechte Ökonomie, in ihrer Dimension aber durch herzogliches Mandat ausgelöst, stürzte sie Fürstenfeld in jahrzehntelange Schwierigkeiten, die zu einer echten Gefahr für das Kloster wurden. In ihrer Massivität brachen die Probleme, die immer wieder sichtbar wurden, ab 1525

---

[242] »Annales« Abt Wolfgang Mayrs von Aldersbach, Cap. 58, in: Hartig, Annales 53–55. – Vgl. Hartig, Niederbayerische Stifte 152–154.
[243] Vgl. Krausen, Raitenhaslach 286–295.

hervor, stärker in der wirtschaftlichen, weniger stark in der disziplinären Dimension. Ab diesen Jahren kann man von krisenhaften Zuständen sprechen, was zuvor nur sehr eingeschränkt möglich war. Was die Ursachen betrifft, so treffen endogene und exogene Faktoren zusammen. Sicherlich bewirkten persönliche Schwächen der Äbte immer wieder Schwierigkeiten in Disziplin und Wirtschaftslage; zumindest unter Abt Harder und Abt Menhart läßt sich dies feststellen. Zum Dauerzustand wurden die Unstimmigkeiten allerdings erst durch von außen auf das Kloster eindringende Strömungen: Die Reformation bewirkte zunehmende Unruhe unter den Mönchen, die Kriege des Landesherrn forderten vom Kloster hohe finanzielle Opfer. Den umstrittenen Äbten aus den Jahren 1496 bis 1531 können die Probleme in Fürstenfeld somit nur zu einem gewissen Teil zugeschrieben werden; den Zeitumständen, die sich zunehmend ungünstig entwickelten, konnte auch Fürstenfeld nicht entgehen.

3 *Muttergottes mit Kind, Sandstein, um 1340/50. Nach mündlicher Tradition eine Stiftung Kaiser Ludwigs des Bayern. Fürstenfeld, Klosterkirche*

2. Von der Administratur Johannes Pistorius' bis zur Administratur Stephan Dorfpecks: 1531–1554

2.1 Johannes Albrecht Pistorius (1531–1547): Humanist und Querdenker

2.1.1 Seine Person

Johannes Albrecht Pistorius wurde wohl um 1490 geboren[1], immatrikulierte sich 1510 an der Universität Heidelberg[2] und erwarb 1523 den Titel des »Magister artium« in Ingolstadt[3]. Sein Eintritt ins Kloster lag wohl vor seiner Studienzeit; Quellen dazu sind aber nicht überliefert. Die teilweise großen Spannungen im Fürstenfelder Konvent schlugen dem sensiblen jungen Mönch aufs Gemüt, so daß er zu Anfang des Jahres 1518 zu Abt Wolfgang Mayr nach Aldersbach flüchtete[4]. Dort blieb er einige Zeit, kehrte aber später wieder in sein Profeßkloster zurück, wo er bei der Abtwahl 1522 als jüngster Wahlberechtigter erscheint[5]. In den schwierigen Jahren unter Abt Menhart war Fr. Johannes Pistorius einer der verantwortungsvollsten Mönche und hatte 1527 das Amt des Priors inne[6]. Nach der einschneidenden Visitation 1529, die das Ende der Ära Abt Menharts einläutete, lag es besonders an ihm,

---

[1] 1552 bezeichnet er sich als über 53-jährig: Resignationserklärung Abt Johannes Albrecht Pistorius', Aichach, 16. Juli 1552. BHStAM. Aldersbach Archiv Schublade 107, fasc. 20 (BHStAM. ehem. KL Fasc. 228/2). – Damit irrte sich Pistorius jedoch, da er schon einige Jahre älter war. Im anderen Falle hätte er sich als Zehnjähriger immatrikulieren müssen, was aber auszuschließen ist. Roth, Bruck 213, nimmt an, daß Pistorius 1500 nach Fürstenfeld eingetreten wäre, liefert dazu aber keinen Beleg. So ist sein Klostereintritt etwas später zu datieren, um 1507.

[2] Matrikel Heidelberg I 473, unter dem 7. Januar 1510; vgl. Roth, Bruck 213.

[3] Vgl. Roth, Bruck 214; Führer, Chronik § 166. – Der Titel des Dr. theol., den Röckl, Beschreibung 27, Johannes Pistorius zuspricht, ist dagegen nicht belegt.

[4] Abt Wolfgang Mayr von Aldersbach an Abt Caspar Harder, Aldersbach, 8. Januar 1518 (Kopie in Formelbuch). BHStAM. KL Aldersbach 72a, foll. 68r–69v.

[5] Wahlinstrument Abt Georg Menharts durch Abt Wolfgang Mayr von Aldersbach, Fürstenfeld, 10. April 1522. BHStAM. KU Fürstenfeld 1612.

[6] Erwähnt in der Verkaufsurkunde Abt Georg Menharts an Hans Rorer, fürstlicher Hofkellner zu München, über zwei Höfe, 10. Januar 1527. BHStAM. KU Fürstenfeld 1649. – In weiteren Urkunden unterschreibt Fr. Pistorius als Prior.

den Konvent zu leiten; dies gelang ihm offensichtlich, denn er wurde an Stelle des abgesetzten Abtes Menhart zum Administrator erhoben. 1531 unterzeichnete Johannes Albrecht als »Prouisor Abbaciae« eine Verpfändungsurkunde[7]; dazu hatte er das Recht, das Siegel von Abt Menhart zu benutzen. Eine Urkunde mit der förmlichen Ernennung Fr. Johannes Pistorius' zum Administrator existiert allerdings nicht, so daß unbekannt bleibt, von wem die Einsetzung Pistorius' ausging, dem Vaterabt Mayr oder dem Landesherrn; zumindest indirekt war der Herzog daran beteiligt[8].

Fr. Johannes Pistorius war ein an den Idealen der klassischen Antike gebildeter und in klassischen Werken belesener Mann; zu deren Studien bot ihm neben der Universitätsstadt Heidelberg die Fürstenfelder Klosterbibliothek ausreichend Gelegenheit, da sie mit lateinischer Literatur außergewöhnlich gut bestückt war. So stand er in einer Reihe mit anderen altbayerischen Humanistenäbten wie dem Raitenhaslacher Abt Ulrich Molczner (1503 bis 1506)[9] oder dem Aldersbacher Abt Wolfgang Mayr (1514–1544). Zusätzlich zu seiner literarischen Bildung dichtete Fr. Pistorius im Geschmack des Humanismus selbst: An lateinischen Vorbildern in Form und Sprache orientiert, behandelte er die ihm interessant erscheinenden Themen seiner Zeit; in Fürstenfeld stand dabei immer wieder die Erinnerung an die Geschichte und ihr Hereinholen in die Gegenwart auf dem Programm. Erhalten sind von seinem Schaffen zwei Werke aus mehreren, die sich noch bis ins 19. Jahrhundert erhalten hatten und von Abt Gerard Führer in seiner Chronik überliefert wurden[10]. Fr. Pistorius nennt das erste Werk »Carmen De Fundatore nostri Monasterii Campi Principum & de Ducibus Bauariae ibidem sepultis«. In fünfundsiebzig Versen besingt er die Gründung des Klosters Fürstenfeld als ruhmreiche Tat des Hauses Bayern, stellt den Gründerherzog Ludwig den Strengen als tugendhaften Mann dar, nimmt durch den glorreichen Kaiser Ludwig direkten Bezug auf das antike Rom und endet mit einem Lobpreis auf den jüngst verstorbenen Herzog Albrecht IV. und die regierenden Herzöge Wilhelm IV. und Ludwig X. Im besten Sinn kann man dieses Werk als epigonale höfische Geschichtsschreibung verstehen, die ganz bewußt die Herzöge in eine Reihe mit dem verehrten Kaiser Ludwig stellte. Verfaßt hatte Fr. Pistorius das Gedicht 1517 als junger Mann, und es brachte ihm früh schon einige Berühmtheit ein, denn es wurde auf eine Tafel geschrieben oder

---

[7] Verpfändungsurkunde Administrator Johannes Pistorius' an Johann Prieler, Propst der Eichstätter Frauenkirche, Fürstenfeld, 17. Mai 1531. BHStAM. KU Fürstenfeld 1698/1. – Fr. Johannes Pistorius siegelt dabei mit dem Siegel Abt Georg Menharts.

[8] Roth, Bruck 213, geht von einer Wahl Fr. Pistorius' zum Administrator durch den Konvent aus, was aber nicht belegbar ist; die kirchenpolitischen Umstände deuten vielmehr auf eine herzogliche Einflußnahme hin.

[9] Vgl. Krausen, Raitenhaslach 289–291.

[10] Führer, Chronik § 165.

in Stein gehauen und sichtbar im Kloster angebracht[11]. Ein zweites überliefertes Gedicht beschreibt einen Blitzschlag, der 1542 den Turm der Wallfahrtskirche in St. Leonhard in Inchenhofen in Brand setzte und zwei Glocken
schmelzen ließ[12].

Eine Bemerkung verdient noch der Name Johannes Albrecht Pistorius: In dieser dreigliedrigen Form erscheint er nirgendwo; entweder wird Fr. Johannes
mit dem Nachnamen Albrecht oder mit dem Nachnamen Pistorius bezeichnet, der auch mit Peck variieren kann. In der Wahlurkunde Abt Menharts von
1522 wird Johannes Pistorius genannt[13], 1527 heißt der geschäftsführende
Prior Johannes Albrecht[14], als »Prouisor Abbaciae« 1531 nennt er sich Peck –
also Bäcker[15], später vereinheitlicht sich sein Nachname auf Pistorius. Fugger[16] und Röckl[17] benennen Johannes als Albrecht, Führer bemerkt, daß
Johannes unter dem Namen Pistorius bekannt geworden sei[18]; tatsächlich
bezeichnen alle die gleiche Person damit. Da Johannes zwar den Namen
Peck-Pistorius variierte und sich mit ihm schmückte, den Namen Albrecht
aber völlig ablegte, hatte sein Familienname wohl Albrecht gelautet, sein
sekundärer »Künstlername« aber Pistorius. Denkbar ist, daß Johannes in seiner humanistischen Begeisterung entsprechend dem Geschmack der Zeit
nach einem latinisierbaren Namen suchte und entweder auf den Beruf seines
Vaters oder den Geburtsnamen seiner Mutter zurückgriff; vielleicht stammte so Pistorius zumindest indirekt aus einer Bäckerfamilie.

2.1.2 Die Administration unter Fr. Pistorius und seine Wahl zum Abt

Da, wie oben gezeigt, das Hauptinteresse der Herzöge der Wirtschaftsführung
Fürstenfelds galt, war die wichtigste Aufgabe des neuen Administrators die
wirtschaftliche Konsolidierung des Stiftes. Daneben standen aber auch innere Aufgaben an, wie etwa die Beruhigung der konventsinternen Spannungen.

---

[11] Ebd. § 165, Gedicht Vv 76 f, in dem bemerkt wird, daß Abt Sebastian Thoma im Jahr 1616 das
Gedicht renovieren habe lassen; es war also – an einem unbekannten Ort – aufgestellt.

[12] Ausführlicher dazu in Teil II, Kap.3.2.2.2. – Gedicht bei Führer, Chronik § 166; abgedruckt
im Anhang 4.1: Chronik.

[13] Wahlinstrument Abt Georg Menharts durch Abt Wolfgang Mayr von Aldersbach, Fürstenfeld, 10. April 1522. BHStAM. KU Fürstenfeld 1612.

[14] Verkaufsurkunde Abt Georg Menharts an Hans Rorer, fürstlicher Hofkellner zu München,
über zwei Höfe, 10. Januar 1527. BHStAM. KU Fürstenfeld 1649.

[15] Verpfändungsurkunde Administrator Johannes Pistorius' an Johann Prieler, Propst der Eichstätter Frauenkirche, Fürstenfeld, 17. Mai 1531. BHStAM. KU Fürstenfeld 1698/1.

[16] Vgl. Fugger, Fürstenfeld 77.

[17] Vgl. Röckl, Beschreibung 27.

[18] Führer, Chronik § 166.

2.1.2.1   Die wirtschaftliche Entwicklung des Klosters

Nach der großen Verkaufswelle der Klosterbesitzungen in den Jahren 1525 bis 1530 verlangsamten sich die Verpfändungen, so daß für die Administratur unter Fr. Pistorius nur ein Verkauf bekannt ist: ein Hof zu Wegleisriedt im Landgericht Dachau wurde mit herzoglicher Genehmigung für 200 fl an den Münchener Melchior Klingenschmid verkauft[19]. Allerdings mußten die eingenommenen Gelder sofort wieder zur Schuldentilgung verwandt werden. Zudem wurde alles Entbehrliche liquidiert, so daß sogar das Haus in Freising, das erst 1511 angekauft worden war, für eine Jahresmiete von 6 fl an den Freisinger Bräu Bartholomäus Kircher verdingt werden mußte[20]. Ob die herzogliche Notverordnung bezüglich der Finanzverwaltung von 1529 noch in Kraft war, ist unbekannt, eindeutig erkennbar ist allerdings die bessere Bilanzierung zu Beginn der Administration Fr. Pistorius'. Dabei führte aber der Administrator, der als Literat wohl nicht den rechten Sinn für trockene Buchhaltung besaß, die Rechnungen nicht selber, sondern ließ sie durch den Klosterkastner erstellen; seit Ende der dreißiger Jahre war dies Fr. Sigismund Eisenberger[21].

Das Rechnungsbuch, das die Jahre 1531 bis 1545 umfaßt[22], gibt über die Finanzsituation des Klosters Fürstenfeld insgesamt sehr gut Auskunft: Zwar werden die einzelnen Posten nicht detailliert aufgeführt, aber es wurden durchgehend Summierungen vorgenommen, die es ermöglichen, zumindest die Haushaltsbilanzen grob zu umreißen[23]. Wesentlich detaillierter ist das Kastenregister für die Jahre 1532 bis 1541 angelegt[24]: Nach Jahren geordnet wird zunächst die Einnahmeseite an den einzelnen Getreidesorten aufgelistet, dann die Ausgabenseite. Über Jahre hinweg läßt sich verfolgen, daß mehr Getreide abgegeben als eingenommen wurde; Mißwirtschaft ist in die-

---

[19] Genehmigung Wilhelms IV. an das Kloster Fürstenfeld, dem Melchior Klingenschmid in München einen Hof zu Wegleisriedt zu verpfänden, 14. März 1531. BHStAM. KU Fürstenfeld 1696.

[20] Leibgedingsbrief Administrator Johannes Pistorius' an Bartholomäus Kircher, Bräu in Freising, über das Fürstenfelder Haus in Freising, Fürstenfeld, 10. August 1532. BHStAM. KU Fürstenfeld 1709.

[21] Vgl. Wollenberg, Eigenwirtschaft 351. – Wollenberg führt über den gesamten Zeitraum der Klosterrechnungen Fr. Eisenberger als Kastner an; da Fr. Eisenberger erst etwa 1535 ins Kloster eintrat, muß vor ihm noch ein anderer Kastner die Bücher geführt haben. Siehe Anhang 1.3: Katalog der Mönche.

[22] Küchenregister, 1531–1545. BHStAM. KL Fürstenfeld 317 1/84.

[23] Wollenberg, Eigenwirtschaft 350, bezeichnet die Angaben für diese Zeit als nicht besonders stichhaltig; dabei bezieht er sich aber nicht auf das Rechnungsbuch BHStAM. KL Fürstenfeld 317 1/84, das er nicht erwähnt. Unter Vorbehalt von Ungenauigkeiten im Rechnungsbuch sollen diese Zahlen herangezogen werden. – Die genauen Bilanzen siehe Anhang 2.1: Rechnungsbücher.

[24] Kastenregister, 1532–1541. BHStAM. KL Fürstenfeld 317 1/85.

sem Bereich unverkennbar, denn ein Ausgleich der Getreidebilanz geht aus
dem Buch nicht hervor.

Zu Beginn der Administratur Fr. Pistorius' waren laut Rechnungsbuch leichte Bilanzüberschüsse zu verzeichnen, die sich auf 6 fl bis 87 fl beliefen. 1536
aber, nach fünf Jahren, begann die Bilanz zu kippen: Jahr für Jahr stiegen die
Fehlbeträge, bis sie 1542/43 mit 596 fl, 6 ß und 2 dl fast 50 % des Gesamt-
haushaltes erreichten. Wieder einmal stand das Kloster vor dem Ruin[25]. So
wurde die Ökonomie abermals neu geordnet, und zum 1. Mai 1542 begann
ein neues Rechnungsheft, untypisch deshalb, weil die Rechnungen sich bislang am Kalenderjahr orientierten. Im nächsten Rechnungsabschnitt 1543
bis 1544 verzeichnet eine Rubrik »Gesamtschulden an den Verwalter« Ausstände von 700 fl[26]. Ob mit diesem »Verwalter« Fr. Pistorius oder ein unbekannter herzoglicher Kommissar bezeichnet ist, bleibt unbekannt; mangels
anderer Hinweise ist weiterhin Pistorius als Verwalter auch der Temporalien
zu vermuten.

Insgesamt zeigte sich die Wirtschaftsführung im Kloster auch unter Fr. Pistorius nicht sonderlich solide und beständig; zudem war das Kloster schon zu
dieser Zeit hoch verschuldet, was dessen Wirtschaftskraft sowie seine Verwalter einfach überforderte. Bereits 1531, also noch zu besseren Zeiten, hatten Zinsen und Schuldtilgung bereits knapp 25 % des Ausgabenvolumens
ausgemacht, ein Prozentsatz, der sich bis 1544/45 deutlich erhöhte. Die
Haushaltsbilanzen blieben bis zum Ende des Rechnungsbuches gravierend
negativ: 1547 blieb bei einem Ausgabenvolumen von 4217 fl eine Unterdek-
kung von 629 fl, also annähernd 15 % Defizit[27]. Nicht nur im Kloster, auch
im Esslinger Pfleghof standen die Dinge nicht zum besten. Nachdem etwa
1532 der Verwalter des Pfleghofes verstorben war, hatte man seinen Posten
lange nicht besetzt, sondern ohne eigentlichen Pfleger gewirtschaftet, was
der Ökonomie massiv schadete. Wiederum mußten die Herzöge eingreifen:
Sie erklärten 1533 die gesamte Pfleghofsverwaltung für abgesetzt und verlangten vom Administrator, für neue Verwalter zu sorgen[28].

2.1.2.2 Krisensymptom: Der Streit um Adelzhausen

Ein ungünstiges Licht auf die persönliche Integrität des Administrators
Fr. Pistorius warf der Streit um die Pensionszahlungen für die Pfarrei Adelz-
hausen: Die Rechte zu Investitur und Possesseinweisung gehörten dem
Propst der Eichstätter Frauenkirche, Johann Prieler, das Präsentationsrecht

[25] Siehe Anhang 2.1: Rechnungsbücher.
[26] Rechnung, 26. Juli 1543–2. Februar 1544. BHStAM. KL Fürstenfeld 317 1/84.
[27] Rechnung, 2. Februar 1544–2. Februar 1545. BHStAM. KL Fürstenfeld 317 1/84.
[28] Wilhelm IV. und Ludwig X. an die Verwalter des Esslinger Pfleghofes, München, 22. Februar
1533. BHStAM. KBÄA 4095, fol. 218r.

darauf besaß das Kloster Fürstenfeld. Diese Gerechtsame verpfändete das Kloster 1531 für 1500 fl an den Propst und verpflichtete sich, ihm jährlich 75 fl für die Leibgedingssumme zu reichen – unterzeichnet von Fr. Johannes Pistorius[29]. Doch er erwies sich als schlechter Zahler: Bereits 1534 sammelten sich die Schulden auf 150 fl an, die das Kloster laut Gerichtsurteil binnen eines Jahres zu begleichen hatte[30]; zwei Jahre später versuchte Fr. Pistorius, die Zahlung der 75 fl auf den dortigen Pfarrer abzuwälzen, was aber vom Gericht abgelehnt wurde[31]. Nun wollte er die Summe der angestauten Schulden drücken; tatsächlich ließ sich Propst Johann Prieler gutgläubig auf einen Vergleich und eine Summe von 135 fl Schulden ein, die in einer für das Kloster günstigen Modalität zahlbar waren[32].

Bereits 1537 beglich der Administrator seine Verpflichtungen wieder nicht. Diesmal bemühte man sogar den Augsburger Bischof Christoph von Stadion (1517–1543), der als Ordinarius der Pfarrei einen neuen Vergleichsvertrag vermittelte[33], allerdings vergeblich. Der Administrator versuchte nunmehr, Herzog Wilhelm IV. für seine Sache zu gewinnen und teilte ihm mit, die Pension sei unter Abt Georg Menhart vereinbart worden und schade dem Kloster nur[34], wobei er geflissentlich vergaß, daß er selbst als Administrator den Vertrag unterschrieben hatte. Der Herzog, der für Einsparmaßnahmen Fürstenfelds ein offenes Ohr hatte, erkundigte sich daraufhin bei Bischof Stadion, ob diese Pensionsvereinbarung überhaupt rechtens, da unter Abt Menhart zustandegekommen sei, der, »wie wir erfarung haben nit wol gehausst« hatte[35]. Der Augsburger Bischof versprach dem Herzog eine Untersuchung und setzte die Zahlungsverpflichtung vorübergehend aus[36]; Pistorius hatte sein Ziel vorläufig erreicht: Zeit und Geld zu gewinnen.

---

[29] Genehmigung Wilhelms IV. zur Verpfändung der Pfarrei, 1. Mai 1531. BHStAM. KU Fürstenfeld 1698. – Verpfändungsurkunde Administrator Fr. Johannes Pistorius' an Johann Prieler, Propst der Eichstätter Frauenkirche, Fürstenfeld, 17. Mai 1531. BHStAM. KU Fürstenfeld 1698/1. – Aufgrund der »pensio« von 75 fl, die im Regelfall 5 % der Hauptsumme betrug, läßt sich diese auf 1500 fl berechnen.

[30] Gerichtsurteil des Weilheimer Landrichters Dr. Augustin Resch zur Zahlung der »pensio« an vier Terminen binnen eines Jahres, Weilheim, 30. Oktober 1534. BHStAM. KU Fürstenfeld 1722.

[31] Urteil der hzl. Kanzlei mit der Verpflichtung Fürstenfelds, die 75 fl zu bezahlen, München, 4. April 1536. BHStAM. KU Fürstenfeld 1731.

[32] Vergleichsvertrag, vermittelt und besiegelt durch das Augsburger Geistliche Gericht, Augsburg, 15. November 1536. BHStAM. KU Fürstenfeld 1734.

[33] Vergleichsvertrag, vermittelt durch den Augsburger Bischof Christoph von Stadion, bestätigt durch die herzogliche Kanzlei, 12. Juli 1537. BHStAM. KU Fürstenfeld 1735. – Zu Bischof Stadion ausführlich: Zoepfl, Augsburg II 1–172.

[34] Administrator Fr. Johannes Pistorius an Wilhelm IV., undatiert. BHStAM. KBÄA 4095, fol. 147r.

[35] Wilhelm IV. an Bischof Christoph von Stadion, München, 24. Oktober 1538. BHStAM. KBÄA 4095, fol. 148r.

[36] Bischof Christoph von Stadion an Wilhelm IV., 25. Oktober 1538. BHStAM. KBÄA 4095, fol. 149r.

Für einige Jahre verliert sich der Faden; das Untersuchungsergebnis ist aber bekannt und für Fürstenfeld verheerend: 1544 lag der Fall beim Augsburger Generalvikar. Nach etlichen Aufforderungen hatte Fürstenfeld die Pension ebensowenig bezahlt wie die ausstehenden Schulden. Deshalb wurden unter Datum vom 5. März 1544 mit päpstlicher Vollmacht und herzoglicher Einwilligung Johannes Pistorius – inzwischen Abt geworden – und sein Konvent »a omnis divinis« suspendiert. Die Gläubigen durften in Fürstenfeld weder Messe noch Predigt hören, bis der Konvent samt Abt wieder absolviert wäre[37]. Das Kloster war isoliert, der Ruf Fürstenfelds hatte durch diese Affäre stark gelitten. Auch für Abt Johannes Pistorius hatte sich die Angelegenheit äußerst peinlich entwickelt, war er es doch, der seinen Landesherrn vor dem Augsburger Bischof blamierte, indem er wider besseres Wissen eine vermeintliche Unrechtmäßigkeit des Vertrages behauptet hatte.

2.1.2.3 Die Führung des Konventes und Abtwahl

Im Vergleich zu den zahlreichen Informationen über die wirtschaftliche Lage sind Nachrichten aus dem Leben des Konvents und seiner Führung durch den Abt naturgemäß spärlicher gesät, Details und Einzelheiten bringt erst die Visitation von 1547/49 zum Vorschein. Aussagekräftig ist aber die Tatsache, daß der Administrator Fr. Johannes Albrecht Pistorius nach dem Tod Abt Georg Menharts im Raitenhaslacher Exil am 30. Dezember 1538 im Jahr darauf zum Abt gewählt wurde.

Wenn die einzige Quelle – ein Aldersbacher Repertorium – zur Wahl Pistorius' recht berichtet, so fand diese nach Ordensrecht irregulär statt und war eigentlich ungültig: Am 14. April 1539 wurde der Raitenhaslacher Abt Christoph Fürlauf (1526–1553) von seinem alternden Aldersbacher Amtsbruder Mayr gebeten, der Neuwahl in Fürstenfeld vorzustehen, da er sie selbst »ob varios languores« nicht mehr leiten könne. Aus verschiedenen Gründen sah sich auch Abt Fürlauf verhindert. Die Aldersbacher Notiz fährt fort: »Hinc per Delegatos Principis Wilhelmi negotium electionis perfectum est«[38]. Dem zufolge war Fr. Johannes Pistorius ohne Beteiligung eines Abtes und unter Vorsitz herzoglicher Kommissare zum Abt gewählt worden – ein absolut einzigartiges Vorkommnis: Die landesherrliche Kirchenregentschaft übernahm nicht nur die Wirtschaftsverwaltung, sondern griff auch ohne Wissen und Befugnis des Ordens in die innersten Angelegenheiten eines Kon-

---

[37] Suspensionsschreiben des Augsburger Generalvikars Jakob Henrichmann gegen Abt und Konvent von Fürstenfeld; beigelegt ist eine Abschrift der herzoglichen Einwilligung der Suspensionsverhängung, 5. März 1544. BHStAM. KU Fürstenfeld 1763. – Unbekannt ist, wann die Suspension wieder aufgehoben wurde.

[38] Repertorium Aldersbach, unter dem 14. April 1539. BHStAM. KL Aldersbach 73, fol. 15v. – Vgl. Roth, Bruck 214.

vents ein, die Abtwahl. Offener Protest erhob sich seitens des Ordens nicht. Am 18. April 1539 schrieb der nunmehrige Abt Pistorius nach Aldersbach und bat um Bestätigung seiner Wahl[39] – diese ist allerdings nicht erhalten. Möglicherweise hatte sich Abt Mayr geweigert, einem auf einem »Räuberka-pitel« gewählten Abt die Konfirmation zu erteilen. Allerdings handelte es sich bei der Wahl des Abtes Pistorius wohl nur um eine Formfrage, denn der Konvent schien mehrheitlich zufrieden mit seiner Führung gewesen zu sein, was aber nur insofern bedeutsam ist, daß Abt und Konvent die in etwa glei-che Vorstellung vom Klosterleben hatten, unabhängig von dessen eigentli-cher Qualität; Voraussetzung für die Wahl war allerdings, daß auch Herzog Wilhelm IV. keine Erinnerung gegen ihn erhob.

Die Reputation des Abtes Pistorius war allerdings schon zu dieser Zeit ange-schlagen, denn er hatte einen Betrugsskandal hinter sich gebracht, der weit über die bayerischen Grenzen hinauswirkte. Anfang November 1532 waren aus Richtung Schwaben zwei Männer im Ordensgewand der Zisterzienser im Kloster Fürstenfeld angekommen – der ältere nannte sich Johannes von Han-burg –, hatten erzählt, sie seien wegen der lutherischen und calvinischen Irrlehren hierher nach Bayern geflüchtet, und um Aufnahme gebeten; das Kloster beherbergte sie einige Tage bei sich. Als man im Pfleghof Esslingen Personal brauchte, bot man den beiden dort eine Stelle als Verwalter an. Die-se nahmen das Angebot an und reisten nach Esslingen; dort erwarben sie sich das Vertrauen des Propstes und wurden zu Verwaltern bestellt. Kurze Zeit darauf fehlten allerdings Schlüssel, 100 fl Bargeld, Verpfändungsbriefe und alte Papiersiegel des Klosters samt den neuen Verwaltern. In Böhmen tauch-ten die beiden wieder auf, hatten jedoch Pech, da die dortigen Behörden umherlaufende Mönche generell verdächtig fanden: Beim Versuch, einen Pfandbrief zu verkaufen, wurden sie gefaßt und interniert, der ältere in Prag und der jüngere im Kloster Presla[40].
Seit Ostern 1533 setzte der Briefverkehr aus Böhmen her ein: Der Amtmann des böhmischen Königs meldete den Vorfall mit der Bitte um Aufklärung an die bayerischen Herzöge Wilhelm IV. und Ludwig X.[41]. Diese erwiderten zunächst Wolfhart Planckner, dem böhmischen Obersten Landeshaupt-mann, eine Untersuchung einleiten zu wollen[42]. Landeshauptmann Planck-

---

[39] Repertorium Aldersbach, unter dem 18. April 1539. BHStAM. KL Aldersbach 73, fol. 15v.

[40] Aufgrund der vorliegenden Quellen, die nicht ganz widerspruchsfrei und deckungsgleich sind, wurde der Hergang so rekonstruiert. Die Quellen befinden sich im Aktenband BHStAM. KBÄA 4095, foll. 221r–274r mit Unterbrechungen. In der folgenden Darstellung werden die wichtigsten Belege einzeln vorgestellt.

[41] Amtmann Pernstein an Wilhelm IV. und Ludwig X., undatiert. BHStAM. KBÄA 4095, fol. 223.

[42] Wilhelm IV. und Ludwig X. an Landeshauptmann Wolfhart Planckner, München, 13. April 1533. BHStAM. KBÄA 4095, fol. 224r.

ner verhörte währenddessen die beiden in Prag[43], wobei in etwa die oben
genannte Geschichte zu Tage trat; dabei wurde der ältere Mönch »mit der
scharffen frag ... zehannden und zuuersen« befragt[44]. Im Juni reiste der
Eschlkamer Pfleger Wolf Stack nach Prag, um in herzoglich bayerischem
Auftrag den Fall zu untersuchen, was ihm aber durch die böhmischen Behörden einigermaßen erschwert wurde[45]; die Pfandbriefe wurden ihm nicht
überantwortet, ebenso durfte er die Gefangenen nicht frei verhören. Stack
äußerte aber Verständnis für die Unsicherheit der böhmischen Amtsleute,
»dieweil sich in hundert Jarn kain solcher fall bey inen nie zugetragen, gegen
ainer geistlichen person die nit degradiert«[46] sei, Untersuchungen führen zu
müssen. Immerhin konnte er den älteren Mönch sprechen, der ursprünglich
aus Wettingen stammte; bis auf das Aufbringen der falschen Siegel beteuerte
dieser aber seine Unschuld und schwor, er habe die Pfandbriefe nur in Sicherheit bringen wollen[47]. Unverrichteter Dinge und ohne die Pfandbriefe reiste
Pfleger Stack wieder nach Hause; auch mehrere Straubinger Räte, die nach
Prag gereist waren, kamen mit leeren Händen zurück[48]. Die Herzöge schickten den Pfleger Wolf Stack erneut nach Prag, versehen mit einem Beglaubigungsschreiben, um die Pfandbriefe eingehändigt zu erhalten[49]. Diesmal
gelang das Vorhaben: Pfleger Stack wohnte zusammen mit dem Obersthof-
meister der Krone Böhmen der Untersuchung des Falles durch Landeshaupt-
mann Wolfhart Planckner bei und nahm die Pfandbriefe in Gewahrsam, die
durch einen Boten Fürstenfelds zurückgebracht werden sollten.
Die Gerichtsverhandlung wurde auf den Quatembersonntag der Fastenzeit,
den 22. Februar 1534, festgesetzt; dazu erbat man ein Entlastungsschreiben
der beiden Angeklagten durch den Administrator von Fürstenfeld[50]. Die
Erklärung, die Fr. Johannes Pistorius über den Betrugsfall abgeben mußte,
erwies sich als blamables Eingeständnis der Nachlässigkeit und des eigenen
Versagens[51]. Ähnlich wie im Streitfall um die Pfarrei Adelzhausen, hatte

[43] Beschreibung des Hergangs nach dem Verhör bei Wolfhart Planckner, undatiert (Konzept). BHStAM. KBÄA 4095, fol. 226.
[44] Wolfhart Planckner an Wilhelm IV. und Ludwig X., Prag, 28. April 1533. BHStAM. KBÄA 4095, fol. 229.
[45] Wolf Stack, Pfleger zu Eschlkam, an Wilhelm IV. und Ludwig X., undatiert. BHStAM. KBÄA 4095, foll. 252r–256r.
[46] Ebd., fol. 255v.
[47] Wolf Stack, Pfleger zu Eschlkam, an Wilhelm IV. und Ludwig X., 19. Juni 1533. BHStAM. KBÄA 4095, foll. 257r–258r.
[48] Sigismund von Schwarzenstein und andere Räte zu Straubing an Wilhelm IV. und Ludwig X., Straubing, 28. November 1533. BHStAM. KBÄA 4095, foll. 248r–249v.
[49] Wilhelm IV. und Ludwig X. an Wolf Stack, Pfleger zu Eschlkam, 4. Dezember 1533 (Konzept). BHStAM. KBÄA 4095, fol. 261r.
[50] Bericht über das Verhör durch Wolfhart Planckner, 13. Januar 1534 (Kopie). BHStAM. KBÄA 4095, foll. 263r–264v.
[51] Erklärung des Administrators Fr. Johannes Pistorius, undatiert (Konzept). BHStAM. KBÄA 4095, foll. 269r–271v.

Administrator Johannes Pistorius seinen Landesherrn bloßgestellt, diesmal nicht vor dem Bischof von Augsburg, sondern vor dem böhmischen König. Das herzogliche Vertrauen in die Administration Pistorius' wurde ein weiteres Mal erschüttert.

2.1.3   Abt Johannes Pistorius' Haltung zur Reformation und sein »Dialogus de fato et fortuna«

Als Humanist war Abt Pistorius für die Fragestellungen und Antworten der Reformatoren aufgeschlossener als seine Amtsvorgänger. Damit erhöhte sich die Gefahr für ihn, lutherischer Positionen bezichtigt und deshalb bestraft zu werden, seitdem das »Ketzergerichtsprivileg« von 1526 die Möglichkeit gab, auch gegen verdächtige Kleriker vorzugehen[52]. Im selben Jahr wurden drei Wasserburger Geistliche verurteilt, nach 1550 mußten mehrere zur lutherischen Konfession übergetretene Pfarrer in der Irschenberger Gegend das Land verlassen[53]. In dieser gefährlichen Grauzone eines transkonfessionellen Humanismus bewegte sich Abt Pistorius Zeit seines Lebens, was ihn zwar nicht von seinen Idealen abbringen konnte, letztlich aber seine Amtsenthebung begünstigte. Zwei Aspekte können beitragen, die heterodoxen Einstellungen Abt Pistorius' zu beleuchten: Der Kontakt mit dem reformatorisch beeinflußten Brucker Pfarrer Zacharias Weichsner und seine Schrift »Dialogus de fato et fortuna«.

2.1.3.1   Die Freundschaft mit Pfarrer Zacharias Weichsner von Bruck

Der langjährige Brucker Pfarrer Zacharias Weichsner stammte aus einer großen Familie, die in Gilching und Bruck ihre Wohnorte hatte, er studierte an der Universität Ingolstadt Theologie, wurde 1516 zum Priester geweiht[54] und wirkte seit spätestens 1518 als Pfarrer zu Bruck[55]. Im Pfarrhof wohnte er mit seiner Wirtschafterin, mit der er mehrere Kinder hatte; von ihnen lebten 1561, nach seiner Quiescierung, noch Tobias, Margarethe und Sabine[56]. Im Dorf Bruck, an der Handelsstraße München–Augsburg gelegen[57], war es

---

[52] Breve Papst Clemens' VII. an Wilhelm IV. und Ludwig X., Rom, 5. Februar 1526; gedruckt in: Simon, Bewegung 154–157. – Vgl. HBG II 315 633; Simon, Bewegung 130–135.

[53] Vgl. Simon, Bewegung 121–145; Gerhard Stalla, Der Prozeß gegen drei Geistliche in Wasserburg im Jahre 1526, in: BzAbKG 33 (1981) 109–113.

[54] Vgl. Roth, Bruck 122.

[55] Deutinger, Matrikeln III 440.

[56] Urkunde des Brucker Pfarrers Michael Trieb an Zacharias Weichsner oder seine Kinder über die Leistung einer Pensionszahlung, Bruck, 2. Oktober 1561. BHStAM. KU Fürstenfeld 1928.

[57] Zu den strukturgeographischen Wahrscheinlichkeiten, mit lutherischen Gedanken in Kontakt zu kommen, die interessante Untersuchung von Hans Rößler, Warum Bayern katho-

leicht für Pfarrer Weichsner, lutherische Literatur zu erwerben; tatsächlich fanden die Visitatoren 1560 einige verdächtige Bücher[58]. Zudem pflegte der Pfarrer ein offenes Haus, Musik und Literatur, beherbergte viele Gäste und hob sich in seinem ganzen Lebensstil von den meisten Dorfpfarrern der Zeit ab[59]. Einer dieser Gäste war in jungen Jahren Johann Mathesius, der spätere »Luther-Biograph«[60]. 1525 kam er von Odelzhausen her nach Bruck und nahm dort eine Stelle als Erzieher bei der verwitweten Edelfrau Sabina von Auer an[61]. Auf diese Weise geriet er mit Pfarrer Zacharias Weichsner in Kontakt, der ihn nach Ende des Dienstverhältnisses bei seiner Herrschaft im Jahr 1528 vorübergehend in sein Haus aufnahm; dort hatte Johann Mathesius Luthers »Bücher vom Abendmahl«[62] gelesen, wie er sich später erinnerte. In Bruck erwachte Mathesius' Interesse an der Theologie Luthers, denn unmittelbar von hier aus brach er nach Wittenberg auf, um den Reformator kennenzulernen. Eine weitere Person im reformationsfreundlichen Zirkel um Pfarrer Zacharias Weichsner war Hieronymus Ziegler: Er war Humanist und Schuldramatiker[63] aus Rothenburg ob der Tauber, kam nach Augsburg und München und hielt sich während des Pestjahres 1547 in Bruck auf, wo er das Drama »Christi vinea« schrieb und im Pfarrhaus aufführte[64]; drei Jahre zuvor war es Hieronymus Ziegler gewesen, der den »Dialogus« des Abtes Pistorius in Augsburg verlegt hatte. Auch er bewegte sich an der konfessionellen Grenze zwischen katholischem Humanisten und lutherischem Dramatiker, konnte sich aber ebensowenig wie Abt Pistorius und Pfarrer Weichsner zu einem offenen Schritt hin zum Luthertum durchringen[65].

---

lisch blieb, in: BzAbKG 33 (1981) 91–108. Darin, 93, stellt er die These auf, daß die Menschen mit großer Wahrscheinlichkeit protestantisch wurden, die viel unterwegs waren; umgekehrt gilt dies auch für Menschen, die viele Kontakte nach außen pflegten, wie dies Pfarrer Zacharias Weichsner tat.

[58] Vgl. Landersdorfer, Visitation 340.

[59] So Roth, Bruck 123. – Roth berichtet ebd. auch, Pfr. Zacharias Weichsner habe mit dem Komponisten Ludwig Senfl in Verbindung gestanden.

[60] Zu Johannes Mathesius (* 24. Juni 1504 in Rochlitz/Sachsen, 1542 durch Luther ordiniert, seit 1545 Pfarrer in Joachimstal, Ww: Luther-Biographie und ca. 1500 Predigten, † 17. Oktober 1565 in Joachimstal): Herbert Wolf, Art. Mathesius, in: NDB 16 (1990) 369–370 (Literatur); Remigius Bäumer, Art. Mathesius, in: LThK² VII (1962) 166.

[61] Vgl. Roth, Bruck 124.

[62] Roth, Bruck 125. – Dabei dürfte es sich wohl im wesentlichen um »De captivitate Babylonica ecclesiae« (1520) handeln, in denen Luther sich gegen Kelchentzug, Transsubstantiation und Opfercharakter der Eucharistie wendet. Bezeichnenderweise sprach sich auch der Brukker Pfarrer Weichsner gegen die Transsubstantiationslehre aus: Visitationsprotokoll, 1560. Landersdorfer, Visitation 341.

[63] Fugger, Fürstenfeld 77, behauptet, Ziegler sei auch Priester gewesen; dies trifft nicht zu.

[64] Vgl. Roth, Bruck 126.

[65] Zu Hieronymus Ziegler (* 1514, 1534 Magister in Ingolstadt, 1535–1548 Rektor am St.-Anna-Gymnasium Augsburg, 1548 Rektor der Poetenschule München, 1554 Professor für Dichtkunst an der Universität Ingolstadt, † 1562): J. Volte, Art. Hieronymus Ziegler, in: ADB 45 (München 1900) Nachdruck Berlin 1971, 173–175.

Auch der nachmalige lutherische Dichter Balticus Illyricus[66] kam im Bruk-ker Pfarrhaus mit reformatorischen Gedanken in Berührung; von dort ging er ebenfalls nach Joachimsthal zu Mathesius[67]; später widmete er zwei seiner Elegien Weichsner[68].

Pfarrer Zacharias Weichsner kann als ein Bannerträger der Neuerung im Ampertal bezeichnet werden; dennoch blieb er in seinen Äußerungen und seinem Lebenswandel zurückhaltend, denn die Visitation des Jahres 1560 bezeichnete ihn weder als besonders auffällig noch als besonders luthe-risch[69]: Zwar fand man bei ihm »libros suspectos«, diese habe er aber »cum iuditio« gelesen. Auch die Psalmen habe er nach der Art der Neuerer gesun-gen. Aber auf die Fragen bezüglich der Sakramente antwortete Pfarrer Weichsner insgesamt zufriedenstellend, wenn er auch glaubte, daß die Sub-stanz der Eucharistie nach der Wandlung noch Brot sei. Hier kann man am ehesten dogmatische Nähe zu den Reformatoren feststellen. So war Zacha-rias Weichsner, wie wohl viele seiner Zeit, ein Wanderer zwischen den Wel-ten: weder ganz katholisch, noch von der Neuerung überzeugt genug, um sich den Reformatoren anzuschließen. In dieser zwiespältigen Einstellung stimmte er mit Abt Pistorius überein, so daß für einen guten Kontakt zwi-schen Pfarrer und Abt genügend Anhaltspunkte gegeben waren. Wenn auch Belege im einzelnen fehlen, so ist doch anzunehmen, daß sich Abt Pistorius häufig im Brucker Pfarrhof aufhielt, der unter Zacharias Weichsner zu einer Art Kulturzentrum des Amperlandes geworden war. Häufige Begegnungen ließen zwischen den beiden Humanisten eine Freundschaft entstehen, die so weit gedieh, daß Abt Pistorius seinen »Dialogus« dem Brucker Pfarrer wid-mete.

2.1.3.2   Der »Dialogus de fato et fortuna«

Abt Pistorius war, wie erwähnt, schon seit längerem schriftstellerisch tätig; die erhaltenen Werke gewähren einen Einblick in den Wandel seiner Persön-lichkeit und seiner Stellung zum Luthertum. Nachdem er wohl während sei-nes Aldersbacher Aufenthaltes erstmals mit protestantischen Gedanken in Kontakt gekommen war, vertrat er zunächst vehement den katholischen Glauben. Um 1525 verfaßte Fr. Johannes Pistorius mehrere Elegien, in denen er den Erhalt der alten Kirche und das Vorgehen gegen alle Neuerer beschwor[70]. Als Abt, so konnte Roth nachweisen[71], besuchte er in Augsburg

---

[66] Zu Martinus Balticus (1532–1601), der sich besonders um lutherische Bildung in der Schule bemühte: Ulrich Thürauf, Art. Balticus, in: NDB 1 (1953) 568–569 (Literatur).

[67] Vgl. Roth, Bruck 127.

[68] Abgedruckt in: ebd. 127–129.

[69] Alles folgende über Weichsner findet sich bei Landersdorfer, Visitation 340–341.

[70] Etwa »Cuiusdam magni principis quondam defuncti a superis ad filios in terris delegatio«, 1525. BStB. Cgm 4304, foll. 320–326. – Vgl. Roth, Bruck 216.

gelegentlich lutherische Prediger, um sich selbst ein Bild von der neuen Lehre zu machen, und übernahm einige ihrer Ansichten, ohne jedoch den Schritt zum lutherischen Bekenntnis zu vollziehen. Mit dem Streitgespräch »Dialogus de fato et fortuna; cui nomen paraclitus; vere pius et doctus«[72] verfaßte Abt Pistorius ein Werk antikisierender humanistischer Tradition in Dialogform; sein Titel umreißt allerdings den Inhalt des Dialogs nicht genau. Zwar geht es um das Schicksal und seine Macht, ebensosehr steht aber die Frage nach dem Sinn des Bösen in der Welt im Mittelpunkt des Werkes. Die drei Diskutanten vertreten verschiedene Standpunkte, wobei sich die Ansichten der Kontrahenten des »Parakleten« – er formuliert die Überzeugungen des Verfassers – ähneln: Der Paraklet vertritt die kirchliche Schöpfungs- und Erlösungstheologie und klagt über den zunehmenden Unglauben. Theomachus – sein Name ist Programm[73] – hält die Welt für ungerecht konzipiert und von einem unverstehbaren Schicksal geleitet; Didymus äußert in Anlehnung an ihn Zweifel an der späteren Bestrafung der gegenwärtigen schlechten Herrscher dieser Welt[74].

Mit dem Ziel, Didymus und Theomachus von der Sinnhaftigkeit der Welt zu überzeugen, stellt ihnen der Paraklet die Frage, warum sie denn angesichts ihres Fatalismus ihre Kinder erziehen und nicht ohne Erziehung aufwachsen ließen; die Kontrahenten müssen eine Lücke in ihrer Theorie feststellen und geben zu, in allem auf das »fatum« zu vertrauen[75]. Auf dieses Stichwort hin meditiert der Paraklet über das Wesen des »fatum« und deutet es nicht als blindes Geschick, sondern als Vollzug eines sinnvollen Ablaufs von Schöpfung und Welt, innerhalb dessen der Mensch Verantwortung habe und ausüben müsse; andernfalls wäre jede moralische Ordnung zerstört: »Qui enim iuxta sententiam vestram, nihil a seipso facit, sed aliunde se ipso ignorante accipit, is neque bonus esse, neque malus potest«[76]. Da die Kontrahenten Didymus und Theomachus weiter Zweifel an dieser Theorie äußern und die empirische Erfahrung als Gegenbeweis anführen, baut der Paraklet seine Beweisführung auf der Existenz Gottes auf: Von Gott ausgehend umfaßt die Welt eine göttliche Ordnung, die ihrerseits das »fatum« bestimmt. »Neque enim possibile est in tanta ordinatione desse prouidentiam«[77]. An diesem Punkt lenkt Didymus ein, während Theomachus aus dem Dialog ausscheidet; Didymus erkennt an, daß Gott Ordnung schafft, während umgekehrt abseits Gottes Unordnung herrscht.

---

[71] Vgl. Roth, Bruck 218–219.
[72] 1544 erschienen bei Hieronymus Ziegler in Augsburg. BStB. Res. 4° Ph. sp. 214 10m; abgedruckt im Anhang 4.2: »Dialogus«. – Dazu auch Roth, Bruck 219–223.
[73] Roth, Bruck 220, erblickt in ihm den von Abt Pistorius nur unzureichend erfaßten Calvin.
[74] Die Positionen werden abgesteckt in Dial. 4, 5. – Die Numerierung des Dialogus bezieht sich auf die Druckfassung.
[75] Dial. 4–7.   [76] Dial. 10.   [77] Dial. 12.

Didymus formuliert die Frage um: »miror, cur sic bonos quandoque affligit, malis autem clementius parcere uideatur«[78]. Der Paraklet antwortet darauf, daß der Erfolg der Frevler nur ein zeitweiliger und scheinbarer sei, in einer eschatologischen Gesamtschau das Gleichgewicht aber wiederhergestellt werde. Die Zeit, in der die Frevler Erfolg haben, erscheine nur deshalb so lange, damit die Grube, welche sie graben würden, groß genug für sie selbst sei. Das Los der Benachteiligten werde sich dagegen wandeln, »denique sydera conscendunt«[79]. Allerdings gibt der Paraklet die Stückhaftigkeit menschlichen Erkennens zu; so braucht der Mensch den Parakleten. »Egoipse meo fungens munere, ut erigaris, informerisque ad consolationem, et eruditionem, uiam tibi uerissimam demonstrabo«[80]. Schließlich weitet sich die Problematik des Dialogs zum Theodizeeproblem hin aus, das der Paraklet zunächst seiner Ursache nach präzisiert. »Malum Deus non creauit, sed permisit«[81]. Als Sinn des Bösen kristallisiert sich die Prüfung des Gläubigen heraus, welcher in Job personifiziert ist; Schicksalsschläge und Züchtigungen gelten als Liebesbeweis Gottes: »cum enim castigat, cui haereditatem praeparat tribuendam: ad haereditatem cum flagellat, admittit, non repellit«[82]. Am Tag des Endgerichts wird jedoch alles wieder in seine Ordnung kommen; »quibus autem a tempus parcit, eos denique damnatos distituet in aeternum«[83] – wer auf dieser Welt scheinbar zu den Siegern gehört, wird verdammt werden. Didymus sieht schließlich die Weltdeutung des Parakleten ein und bekennt seinen Glauben an die Vorsehung Gottes: »Iam solatus ergo, et eruditus credo, orde credo, & ore confiteor, Deum ut patrem«[84].

Bei aller inneren Geschlossenheit des Textes fallen einige Eigentümlichkeiten auf, die zu erwähnen sich lohnt, wenngleich eine ausführliche philologische und philosophiegeschichtliche Untersuchung des Textes hier nicht möglich ist. Umstritten ist die Frage nach der politischen Dimension des Dialogs[85]; Pistorius' Didymus spricht die Oppositionsworte aus: »Video enim quamplurimos in malicia, summisque flagiciis persistentes, honore perfrui, thronum conscendere, diademate coronari, indui purpura, demum universo orbi imperare«. Sollte der Abt damit aktuelle Herrscher in Reich und Land meinen, wäre dies eine ungeheuerliche Majestätsbeleidigung; so tat wohl der Verfasser selbst am besten daran, eine eventuelle Kritik an den politischen Zuständen nicht allzu sehr zu betonen. Anders betrachtet: Hätte man zu seiner Zeit die Kritik, wenn sie sich denn verbreitet hat, als konkrete Herrschaftskritik aufgefaßt, wäre das Leben des Abtes anders und wohl kürzer verlaufen. Roth, der eine politische Dimension des Werkes unter ande-

---

[78] Dial. 13.   [80] Dial. 16–17.   [82] Dial. 22.   [84] Dial. 24.
[79] Dial. 15.   [81] Dial. 17.   [83] Dial. 22.

[85] Roth, Bruck 223, lehnt jede politische Interpretation des Textes ab; Fugger, Fürstenfeld 98, wertet den Dialog dagegen als massiv politisches Pamphlet. Eine politische Deutbarkeit ist zumindest nicht ganz auszuschließen, wenngleich die Intention sicherlich in erster Linie nicht politischer Natur war.

rem deshalb ausschloß, weil Pistorius den Dialog aufgrund dringender Verpflichtungen in Esslingen – dort war der Fürstenfelder Hof niedergebrannt –
nicht selbst, sondern über Hieronymus Ziegler in Druck gegeben habe[86], ist
wohl hier zu korrigieren. Wäre das Büchlein wirklich so harmlos gewesen,
hätte Pistorius es ohne Schwierigkeiten im herzoglichen Bayern publizieren
können; die Tatsache, daß der Dialog durch einen Freund in der protestantischen Reichsstadt Augsburg erschien, läßt die Version vom völlig unpoliti-
schen »Dialog« als nicht ganz zutreffend erscheinen. Nicht zu übersehen ist
in diesem Zusammenhang auch der Verweis auf die gegenwärtigen Leiden
der Gerechten[87]; sicherlich spielte der Abt damit auf die Situation der teilweise mit ihm befreundeten Protestanten an, die in Bayern ihre Glaubens-
überzeugung nicht offen vertreten durften. Ob es Abt Pistorius somit wirklich vermied, sich über die Kirchenfrage zu äußern, wie es Roth vermutete[88],
darf bezweifelt werden.

Gegen Ende des Dialogs fügt Abt Pistorius ein Gedicht aus Hexametern ein,
in dem das Wesen der »fortuna« auf eine platte Weise dargestellt wird, welche zur sonstigen Differenziertheit des Textes nicht passen will[89]. Diese Verse erinnern eher an mittelalterliche Vagantenlyrik als an eine theologische
Darstellung; auf eigentümliche Art relativiert Abt Pistorius sich darin selbst.
An dieser Stelle zeigt sich die Widersprüchlichkeit seiner Person überdeutlich: Bei aller Plausibilität seines Handelns bleiben Überraschungen und
Inkonsequenzen nicht aus. Fast erweckt der Abt den Eindruck, selbst nicht
zu wissen, wo er steht. Bei allen offenen Fragen im Detail sind doch wesentliche Folgerungen aus dem bedeutendsten Werk des Abtes möglich. Pistorius
übt Kritik an der Zeit und seinen politischen Repräsentanten; er erkennt die
Schieflage seiner Gegenwart und äußert offen Sympathie für die religiös Verfolgten, die Protestanten.

1544 erschien das Werk bei Hieronymus Ziegler im protestantischen Augsburg[90]. Die Reaktionen im Herzogtum Bayern darauf waren – der Quellenlage nach – eher gering; zwar zeichnete zu dieser Zeit noch der konfessionell
wenig profilierte Rat Georg Stockhammer für die herzogliche Politik verantwortlich, so daß Verdacht auf Protestantenfreundlichkeit noch nicht unmittelbar verfolgt wurde[91]; aber auch während des Enthebungsverfahrens gegen
Abt Pistorius 1551 wurde mit keinem Wort eine reformationsfreundliche

---

[86] Roth, Bruck 223–224.

[87] »Quod Deus flagellat bonos, temporale est: quod parcat malis, itidem temporale est: elige
ergo an temporalem mauis laborem, an aeternam punitionem: siue temporalem foelicitatem, an uitam perpetuo duraturam«: Dial. 22.

[88] Vgl. Roth, Bruck 222.

[89] »Tam fouet indignos, quam dignos deprimit: errat, / Non uidet, errorem quo tueatur habet. //
Deicit elatos, deiectos tollit in altum: / Pessima saepe bonis, optima saepe malis«: Dial. 24.

[90] Dial. 3.

[91] Vgl. Heyl, Lehenrat 10.

Gesinnung des Abtes erwähnt; für die Absetzung war seine konfessionelle Heterodoxie nicht ausschlaggebend. Abt Pistorius war somit wohl weniger ein wirklich protestantisch fühlender Mann als ein »Querdenker«, der jenseits vorgegebener Grenzen die lutherischen Ideale prüfte und teilweise für sich übernahm.

2.1.4   Die Absetzung Abt Johannes Albrecht Pistorius'

2.1.4.1   Umstände und Zeitpunkt der Absetzung

Wie beschrieben, war die Regierung Johannes Pistorius' als Administrator besser denn später als Abt. Der zuletzt schier unaufhaltsame wirtschaftliche Niedergang mag den Herzog wieder auf das Fürstenfelder Kloster aufmerksam gemacht haben, nachdem Abt Pistorius schon früher für Schlagzeilen gesorgt hatte: Die Affären mit Böhmen und um die Pfarrei Adelzhausen hatte man in der Münchner Kanzlei keinesfalls vergessen. So war – wie im Fall Abt Georg Menharts – nicht nur ein Grund für die Absetzung ausschlaggebend, sondern es dürfte vielmehr eine Reihe von Faktoren den Herzog veranlaßt haben, Abt Pistorius zum Rücktritt zu bewegen. Auch im schrittweisen Abgang des Abtes Pistorius zeigt sich eine weitere Parallele zu Abt Menhart.

Am 17. April 1547 erhielt Abt Johannes Zankher (1544–1552) von Aldersbach einen herzoglichen Befehl, für Fürstenfeld einen geeigneten Mönch zum Administrator vorzuschlagen, »Weillen h[er]r. Abbt Joannes resignieren will«; Abt Zankher benannte Fr. Michael Kain für diese Aufgabe[92]. Ob der Vaterabt zugleich Fürstenfeld visitierte[93], ist nicht mehr feststellbar und eher unwahrscheinlich[94]. Fr. Kain wurde schließlich in die Administratur eingesetzt, Abt Pistorius aber dachte nicht an eine Resignation; dennoch verließ er das Land und ging nach Esslingen, wo er 1550 für drei Monate blieb und predigte[95].

[92] Repertorium Aldersbach, unter dem 17. April 1547. BHStAM. KL Aldersbach 73, fol. 16r.
[93] So Röckl, Beschreibung 27; Fugger, Fürstenfeld 78. – Bemerkenswerterweise erwähnt Führer, Chronik § 169, keine Jahreszahl, sondern nur die Tatsachen als solche. Worauf sich Röckl und Fugger stützen, kann nach heutiger Quellenlage nicht mehr gesagt werden.
[94] Das Repertorium Aldersbach (BHStAM. KL Aldersbach 74, fol. 233r) führt unter den aufgelisteten Visitationen zumindest keine im Jahr 1547 an.
[95] Führer, Chronik § 169. – Vgl. Klaus Wollenberg, Wirtschaftliche und soziale Aspekte in den altbayerischen Zisterziensermännerklöstern des 16. und frühen 17. Jahrhunderts, in: Nehlsen/Wollenberg, Zentralisierung 337–395, hier 382–383. – Roth, Bruck 226, geht davon aus, daß der Abt die Jahre zwischen 1544 und 1547 in Esslingen verbrachte, liefert aber dafür keinen Quellenbeleg.

2.1.4.2   Der Betrugsprozeß 1551

Wie schon früher während seiner Regierung, wurde Abt Pistorius wieder ein-
mal Opfer seiner eigenen Unklugheit, die diesmal zu seiner erzwungenen
Resignation führen sollte[96]. Im Jahr 1550, bereits der eigentlichen Verwaltung
des Klosters entsetzt, hatte er in Inchenhofen[97] einen gewissen Christoph a
Croce als Begleiter eines nicht näher bekannten Bischofs kennengelernt, der
sich als Priester bezeichnete und seine guten Kontakte zum Päpstlichen
Nuntius Sebastian Pighino rühmte, welcher damals auf dem Augsburger
Reichstag weilte[98]. Durch die wirtschaftliche Notlage des Klosters unter
schwerem Druck geraten, erkundigte sich der Abt, ob a Croce beim Nuntius
nicht gewisse gewinnbringende Indulgenzen erwirken könne. Dieser ermöglichte dem Abt ein Gespräch mit dem Nuntius. Der Abt, der dem Kloster
zusätzliche Einnahmen zu verschaffen glaubte, konnte den Administrator
Kain und den Konvent überreden, ihm das Geld für anfallende Unkosten mit-
zugeben; zur Sicherheit wurde aber der Inchenhofener Klosterkastner Leonhard Fruntzhamer dem Abt zur Begleitung beigesellt. Tatsächlich konnte Abt
Pistorius vor dem Nuntius sein Anliegen vorbringen: die Erhebung Brucks
zur Pfarrei und ihre Inkorporation »pleno iure« ins Kloster, damit das Einkommen des Brucker Pfarrers – eines Konventualen – dem Kloster zugute
käme, die Inkorporation der Pfarrei Höfen-Kottalting und einer Messe dort,
und schließlich die Errichtung eines Friedhofes in der Pfaffinger Filiale
Biburg. Der Nuntius nahm das Anliegen freundlich auf, versprach bei positi-
vem Ausgang der Untersuchung die Erteilung der Indulgenzen und ließ vor-
sorglich bereits die Urkunden ausfertigen – die Taxen wurden auf je 10 fl für
die beiden Pfarreien und auf je 8 fl für die Messe und den Friedhof festgesetzt.
Einige Tage später folgte jedoch die Ernüchterung: Die Kanzlisten wollten
das Geld nicht annehmen, auch nicht die ihnen zugedachten 4 fl »Verehrung«, da nach Prüfung der Rechtslage die Indulgenzen nicht erteilt werden
könnten. Abt Pistorius wandte sich enttäuscht an Christoph a Croce; dieser
sprach ihm Mut zu und erbot sich, für ihn die Urkunden zu besorgen, wenn
er noch 20 fl auf die Kaufsumme dazulege – die Korruption am päpstlichen

---

[96] Die Hauptquellen für den folgenden Bericht sind das Verhörprotokoll des Abtes Pistorius
(BHStAM. KBÄA 4096, fol. 17r, undatiert), eine Schilderung des Hergangs durch Pistorius
(BHStAM. KBÄA 4096, foll. 13r–14r, undatiert), und ein Brief Pistorius' an Albrecht V. vom
13. März 1551 (BHStAM. KBÄA 4096, foll. 5v–9r). Im folgenden werden die Quellen im einzelnen vorgestellt.

[97] Bericht Abt Johannes Pistorius', undatiert (Kopie). Vgl. BHStAM. KBÄA 4096, fol. 13v.

[98] Abt Pistorius beteuerte zwar später in einem Verhörprotokoll, er habe den Christoph a Croce
erst im Augsburger Franziskanerkloster zufällig kennengelernt (Verhörprotokoll Pistorius',
Augsburg, 16. März 1551. BHStAM. KBÄA 4096, fol. 17r); unerklärlich bleibt dann aber, warum er überhaupt nach Augsburg gefahren ist. Deshalb ist anzunehmen, daß sich die beiden
in Inchenhofen begegnet sind.

Hof sei ja hinreichend bekannt. Voller Hoffnung eilte der Abt zurück in die
Herberge und schickte den Kastner mit den 20 fl zu Christoph a Croce. Dieser
ging in das Heilig-Kreuz-Kloster, die Residenz des Nuntius, und kam nach
einer halben Stunde mit den gewünschten Briefen wieder heraus. In der Meinung, die Sache sei positiv erledigt, kehrte der Kastner zum Abt zurück, und
tatsächlich teilte ihm dieser kurz darauf mit, er habe die gewünschten drei
Briefe erhalten. Voll Freude eilte man heim gen Inchenhofen; schließlich hatte man ein gutes Geschäft gemacht. Obendrein brachte a Croce nach einigen
Tagen noch einen vierten Brief, der für billige 18 fl die Pfarrei Hollenbach zur
völlig freien Verfügung des Klosters übergab. Abt Johannes Pistorius schöpfte
erst Verdacht, als er kurz darauf ein weiteres Produkt der Vermittlertätigkeit
Christophs sah, das sogar ihm seltsam erschien: ein Dispensationsbrief an
einen benachbarten Bauern. Sogleich schickte der Abt den Kastner nach
Augsburg in die bischöfliche Kanzlei, um die Echtheit prüfen zu lassen. Wie
es kommen mußte, kam es – der Brief war gefälscht, sogar sehr stümperhaft,
ebenso sämtliche Indulgenzen für das Kloster. Immer noch mochte der Abt
nicht glauben, daß er betrogen worden war; als er a Croce deshalb zur Rede
stellte, antwortete dieser, wenn die Siegelung unsauber angebracht sei, werde er eine Neusiegelung veranlassen – und verschwand für immer.

So befand sich der Abt in einer prekären Lage: Entweder er verwandte die
Briefe weiter und würde so zum Betrüger oder er gestand dem Kloster ein,
einem Schwindler aufgesessen zu sein und 78 fl in den Sand gesetzt zu haben.
Da der Abt die Rache seines Konvents mehr fürchtete als die Strafe des Geset-
zes, übergab er die vier Briefe an den Administrator Kain, ohne ein Wort über
das Vorgefallene zu verlieren. Der Brucker Pfarrer Zacharias Weichsner, der
durch die Inkorporation geschädigt worden wäre, erkannte die ihm vorgelegten Urkunden als unkorrekt gesiegelt und informierte Herzog Albrecht V.[99]
sowie Nuntius Pighino über seinen Verdacht. Nuntius Pighino bestellte
Anfang März den Abt zu sich und berichtete dem Herzog, »legimus et perspe-
ximus ex qua tenore non solum Christofori de Croce verum etiam ipsiusmet
Joannis Abbatis in fursterfeld falsitatem facile comperimus«[100]. Auf Antrag
des Nuntius ließ Herzog Albrecht V. den Abt inhaftieren[101] und nach
Aichach überstellen. Sofort nach der Ankunft in Aichach beteuerte Abt
Pistorius in einem sehr langen Brief an den Herzog seine Unschuld und

---

[99]   Hz. Albrecht V. (* 29. Februar 1528 in München, Hz. von Bayern seit 1550, † 24. Oktober
       1579 in München, □ Liebfrauenkirche zu München). Vgl. Rall/Rall, Wittelsbacher 120–
       123; Walter Goetz, Art. Albrecht V., in: NDB 1 (1953) 158–160 (Lit.); HBG II 335–350; Sig-
       mund von Riezler, Zur Würdigung Herzog Albrechts V. von Bayern und seiner inneren
       Regierung, in: Abhandlungen der hist. Classe der k. b. Akademie der Wissenschaften 21, I.
       Abteilung 1898, 65–132.
[100] Nuntius Sebastian Pighino an Albrecht V., Augsburg, 5. März 1551. BHStAM. KBÄA 4096,
       fol. 1.
[101] Albrecht V. an Nuntius Sebastian Pighino, München, 10. März 1551. BHStAM. KBÄA 4096,
       fol. 4r.

bezeichnete sich als Opfer eines Komplotts[102]; am selben Tag erbat der Nuntius vom Herzog die Entsendung eines geeigneten Untersuchungsrichters, um die Sache bald aus der Welt zu schaffen[103]. Dieser entsprach der Bitte und schickte seinen für geistliche Angelegenheiten zuständigen Sekretär Heinrich Schweicker[104], auch wenn er die Schuldfrage für geklärt ansah[105]. Abt Pistorius indes schrieb auch dem Nuntius, an die Echtheit der Briefe geglaubt zu haben, bat ihn noch einmal, sich an ihr Gespräch vom 8. November 1550 zu erinnern, und bezeichnete Christoph a Croce als Betrüger, der sicherlich auch andere unerkannt übervorteilt hätte[106]. In diesen Briefen des Abtes an den Herzog und an den Nuntius blitzen seine großartige Rhetorik und Formulierungsgabe auf, mit Hilfe welcher er die Ereignisse aus seiner Sicht sehr glaubwürdig darzustellen vermochte.

Schließlich fand am 16. März das Verhör des Abtes Pistorius statt, bei dem der Inchenhofener Kastner als Zeuge auftrat, und das die Wahrheit ans Licht brachte[107]. Wenige Wochen darauf, am 1. April, erging das Urteil durch den Nuntius, das für Abt Pistorius sehr milde ausfiel: In Betracht der eigentlich positiven Absicht des Abtes für sein Kloster und mit Rücksicht auf seinen angegriffenen Gesundheitszustand suspendierte der Nuntius den Abt »propter falsarum literarum usum« auf ein Jahr von der Ausübung seines Amtes, hob aber die Haft und alle mit dem Prozeß verbundenen Zensuren auf[108]. Für Abt Pistorius, der ohnehin sein Amt nicht mehr wahrnahm, bedeutete das Urteil faktisch einen Freispruch.

2.1.4.3 Stadtprädikatur in Aichach und Lebensende

Wenngleich der Herzog das Urteil für viel zu milde befand, so wollte er es doch aufgrund des hohen Alters des Abtes Pistorius akzeptieren[109]. Der Abt durfte in Inchenhofen wohnen bleiben und wirkte als Stadtprediger in Aichach – »mit dem Rufe eines besseren Predigers als Abtes«[110]. Als Auflage hatte er erhalten, sich nicht mehr in die Wirtschaftsführung des Klosters einzumischen, was Abt Pistorius im wesentlichen auch einhielt. Zur Bestrei-

---

[102] Abt Johannes Pistorius an Albrecht V., Aichach, 13. März 1551. BHStAM. KBÄA 4096, foll. 5r–9r.

[103] Nuntius Sebastian Pighino an Albrecht V., 13. März 1551. BHStAM. KBÄA 4096, fol. 10r.

[104] Zum Hofstaatssekretär Heinrich Schweicker (Schweikart): Lanzinner, Zentralbehörden 404; Lutz, Laienkelch 210–211.

[105] Albrecht V. an Nuntius Sebastian Pighino, 15. März 1551. BHStAM. KBÄA 4096, fol. 12r.

[106] Abt Johannes Pistorius an Nuntius Sebastian Pighino, Aichach, undatiert. BHStAM. KBÄA 4096, foll. 15r–16v.

[107] Verhörprotokoll Pistorius', Augsburg, 16. März 1551. BHStAM. KBÄA 4096, foll. 17r–18v.

[108] Urteil des Nuntius Sebastian Pighino, 1. April 1551. BHStAM. KBÄA 4096, fol. 21r.

[109] Albrecht V. an Administrator Michael Kain, undatiert. BHStAM. KBÄA 4096, fol. 23r.

[110] Röckl, Beschreibung 27.

tung seines Unterhalts waren ihm jährlich 40 fl Pension zugestanden worden, die Einkünfte einer mittleren Pfarrei[111].

Doch der inzwischen eingesetzte Administrator Fr. Michael Kain und der
Konvent Fürstenfelds verziehen Abt Pistorius seine Unaufrichtigkeit nicht
so leicht wie der Nuntius. In einem Schreiben an den Herzog klagte der Abt,
der Konvent würde ihm die Pensionszahlung verweigern und den Unterhalt
im Kapellhof Inchenhofens stark kürzen[112]; das Verhältnis nach Fürstenfeld
war nach dem Vorgefallenen nicht wiederherzustellen. Als gegen Ende des
Jahres 1551 eine erneute Visitation des Klosters stattfand, warf man in deren
Verlauf dem Abt erhebliche Mißwirtschaft vor, wogegen er sich von Aichach
aus heftig verteidigte: Er habe bei seinem Amtsantritt 350 fl erhalten, nach
seinem Ausscheiden aber 1200 fl zurückgelassen; beim Getreide seien die
Verhältnisse ähnlich gewesen. So vermutete Abt Pistorius, »dass meine
missguenner noch nitt wöllen von mir abkheren. Sondern ein anderes neuess
fasnacht spill mitt mir anfachen«[113]. Um seine Unschuld zu beweisen, habe
er nichts gegen eine neue, gründlichere Visitation. Da aber die Ereignisse im
Kloster inzwischen einen ganz anderen Lauf genommen hatten, ließ man von
einem weiteren Vorgehen gegen Abt Pistorius ab. Seine förmliche Resignation erklärte er erst am 16. Juli 1552, nachdem ein bereits bei der Visitation
1551 geplanter Rücktritt vom Aldersbacher Abt als »Pater immediatus«
nicht angenommen worden war. Als Pension waren ihm die bereits oben
genannten 40 fl zugesagt worden; darüber hinaus erbat der nunmehrige Altabt Pistorius alle zwei Jahre für sich Rock und Skapulier, alle vier bis fünf Jahre gemäß Ordensbrauch eine Kutte[114]. Einige Lebensjahre waren dem Altabt
noch vergönnt, die er zumeist in Aichach als Stadtprediger verbrachte. Mit
seinem Konvent konnte er sich nie mehr aussöhnen, so daß er als einsamer,
verbitterter Mann starb, dessen Unschuldsbeteuerungen niemand mehr
hören wollte[115]. Umstritten ist das Sterbedatum Abt Johannes Pistorius':
Während das Nekrologium den 13. Oktober 1552 angibt[116], datierte Abt

---

[111] Abt Johannes Pistorius an Albrecht V., Aichach, 19. November 1551. BHStAM. KBÄA 4096,
       fol. 130r.

[112] Abt Johannes Pistorius an Albrecht V., Aichach, 24. August 1551. BHStAM. KBÄA 4096,
       fol. 24r.

[113] Abt Johannes Pistorius an Albrecht V., Aichach, 19. November 1551. BHStAM. KBÄA 4096,
       fol. 131v.

[114] Resignationserklärung Abt Johannes Pistorius', Aichach, 16. Juli 1552. BHStAM. Alders-
       bach Archiv Schublade 107, fasc. 20 (ehem. BHStAM. KL Fasc. 228/2).

[115] Vgl. Roth, Bruck 27, 227.

[116] Necrol. BStB. Clm 1057, fol. 41v. – Roth, Bruck 27, Anm. 2, deutet die Zahl »XXIV« als
       Anzahl der Regierungsjahre des Abtes Pistorius und stellt gleichzeitig in Frage, daß Pistori-
       us 24 Jahre regiert haben könnte. Dies ist tatsächlich nicht der Fall, denn Pistorius war nur
       neun bzw. elf Jahre Abt. Statt dessen ist diese »XXIV« nichts anderes als die Ordnungszahl
       innerhalb der Äbteliste; Pistorius war also der 24. Abt des Klosters Fürstenfeld. Zur Zeit der
       Abfassung des Nekrologs war man sich dessen allerdings unsicher, denn bei vielen Äbten
       ist im Nekrologium die Ordnungszahl nachträglich ausgebessert oder eingefügt worden.

Johann Sauer von Kaisheim im Wahlinstrument für Abt Leonhard Baumann seinen Tod auf den 14. Februar 1554[117]. Aufgrund der zeitlichen Nähe des Wahlinstruments zum Tod Abt Pistorius' ist das spätere Todesdatum als das wahrscheinlichere anzunehmen.

Mit Abt Johannes Albrecht Pistorius stand dem Kloster Fürstenfeld eine der interessantesten Persönlichkeiten seiner Geschichte vor: ein brillanter Rhetoriker und Redner, ein Mann mit klarem Blick für die Mißstände seiner Zeit, ein versierter Dichter und Philosoph – aber auch ein unglücklicher Verwalter und Vorsteher seines Klosters, ein unbedarfter Politiker, eigensinnig in seinen Vorhaben, naiv und gutgläubig, wortbrüchig und auf den eigenen Nutzen bedacht. Obwohl Abt Pistorius in den zahlreichen Schwierigkeiten seiner Regierung oft genug seine Unklugheit bewiesen hatte, gelang es ihm doch, seine Position überaus lange zu verteidigen und an seiner Rolle festzuhalten, den unschuldig Verfolgten zu spielen; dies vermochte er mit erstaunlicher Geschicklichkeit bis an sein Lebensende. Der vielleicht hervorstechendste Wesenszug des Abtes war aber seine Widersprüchlichkeit: ein scharfsinniger Analytiker, aber ein schlechter Politiker; ein brillanter Redner, aber ein nur mäßiger Anwalt seines Klosters; ein theologisch interessierter Mann, aber ein nachlässiger Vorsteher seines Konvents. Theoretisches Erkennen und praktisches Handeln standen bei Abt Pistorius weit auseinander. Freilich konnten seine schauspielerischen Fähigkeiten auf Dauer den Herzog nicht hinters Licht führen; da der Abt lange genug bewiesen hatte, daß er seine theoretischen Erkenntnisse nicht in die Praxis umsetzen konnte, war seine Absetzung nur eine logische Konsequenz aus den Ereignissen unter seiner Regierung. Zudem entsprach Abt Pistorius kaum den Vorstellungen Herzog Albrechts V. und seines regierenden Rates Georg Stockhammer über einen Abt. Deren entschiedene Katholizität ließ sich mit einer offeneren, nicht in konfessionellen Grenzen denkenden Glaubensvorstellung des Abtes nicht vereinbaren. Für einen gelehrten, praktisch aber weniger begabten Humanistenabt war im konfessionellen Bayern Herzog Albrechts V. kein Platz mehr.

---

[117] Wahlinstrument Abt Leonhard Baumanns durch Abt Johann Sauer von Kaisheim, Fürstenfeld, 16. April 1556. BHStAM. KU Fürstenfeld 1844.

2.2   Fürstenfeld unter Administration: Fr. Michael Kain und Stephan Dorfpeck

2.2.1   *Die Verwaltung des Klosters unter Administrator Fr. Michael Kain (1547–1551): Krisenjahre in Fürstenfeld*

2.2.1.1   *Person und Administration Kains*

Über Fr. Michael Kain ist biographisch wenig überliefert: Er wurde in Alling etwa um 1508 geboren, studierte im Kloster und erhielt um 1530 die Priesterweihe. Die Ausübung eines Amtes im Kloster vor seiner Erhebung zum Administrator ist nicht belegt, möglicherweise war er im Superiorat St. Leonhard in Inchenhofen tätig[118]. So trat Fr. Kain 1547 zum ersten Mal in der bereits erwähnten Aldersbacher Notiz in Erscheinung, nun schon als Administrator[119]. Seine Einsetzung in dieses Amt lag aufgrund der Personalsituation in Fürstenfeld nahe – Fr. Kain war der einzige verbliebene Priester im Kloster, nachdem die Pest etliche Opfer gefordert hatte, und außer ihm nur Junioren am Leben blieben[120]. Um die Nachfolge Abt Pistorius' entstand daher keine lange Diskussion; Abt Zankher von Aldersbach wurde von Wilhelm IV. aufgefordert, einen geeigneten Administrator zu benennen und verwies dabei auf Fr. Kain, der schließlich die Aufgabe erhielt[121].

1548 bat Administrator Kain zunächst in Aldersbach[122], danach mit Hilfe des Herzogs in Raitenhaslach für die Dauer eines Jahres um einen als Prior für seinen jungen Konvent geeigneten Mönch: »Dieweil aber verganngen Jars der merertail ordenspersonen Tods verschiden unnd nyemanndts dann ettliche Nouizin derennden sein Ist unnser begern Ir wöllet ainen geschickhten Priester so geschickht dem Prior ambt wol vorsteen und die Junger zu gueter zucht und Obseruanntz der Regl hallten und erziehen möchte«[123] nach Fürstenfeld schicken. Doch noch im März 1548 war Administrator Michael Kain

---

[118]   Vgl. Roth, Bruck 264–271. – Fr. Michael Kain trat um oder nach 1522 nach Fürstenfeld ein, denn im Wahlinstrument Abt Georg Menharts vom 10. April 1522 erscheint er noch nicht unter den wahlberechtigten Mönchen; es könnte aber sein, daß er zu dieser Zeit bereits im Kloster war. Wahlinstrument Abt Georg Menharts durch Abt Wolfgang Mayr von Aldersbach, Fürstenfeld, 10. April 1522. BHStAM. KU Fürstenfeld 1612.

[119]   Repertorium Aldersbach, unter dem 17. April 1547. BHStAM. KL Aldersbach 73, fol. 16r.

[120]   Administrator Michael Kain an Abt Christoph Fürlauf von Raitenhaslach, Fürstenfeld, 6. März 1548. BHStAM. KL Raitenhaslach 112, prod. 203.

[121]   Repertorium Aldersbach, unter dem 17. April 1547. BHStAM. KL Aldersbach 73, fol. 16r; Führer, Chronik § 171. – Roth, Bruck 264, Anm. 2, vermutete dagegen irrtümlich, daß die Erhebung Fr. Kains zum Administrator von Abt Johannes Pistorius ausging.

[122]   Repertorium Aldersbach, unter dem 2. März 1548. BHStAM. KL Aldersbach 73, fol. 16r.

[123]   Wilhelm IV. an Abt Christoph Fürlauf von Raitenhaslach, Augsburg, 2. März 1548. BHStAM. KL Raitenhaslach 112, prod. 202.

der einzige Priester im Kloster Fürstenfeld, »dann allain syben Junger, darunder zween diaconi und die fünff subdiaconi«[124]. Raitenhaslachs Abt Christoph Fürlauf (1526–1553) hatte aufgrund des eigenen Personalmangels diese Bitte abschlagen müssen[125]; aus Aldersbach wurde schließlich ein nicht näher bekannter Fr. Christoph gesandt, der bis zum 14. Oktober 1549 das Amt des Priors »laudabiliter« versah, danach aber in sein Heimatkloster zurückkehrte[126]. Die personelle Situation des Klosters Fürstenfeld war in diesen Jahren überaus prekär – im folgenden Verlauf der Ereignisse ein kaum zu überschätzender Faktor.

Hauptquelle über die Person des Administrators Fr. Michael Kain sind die Aussagen seiner Mitbrüder und der Angestellten in der Visitation des Jahres 1551[127]; sie lassen den Administrator in einem sehr ungünstigen Licht erscheinen, selbst wenn man eine unüberhörbare Mißgunst seiner Mitbrüder berücksichtigt, die seine Schattenseiten zu stark konturiert. Zur Wirtschaftsführung war Administrator Kain höchst ungeeignet, wie er sogar selbst zugab: Es sei ihm unmöglich, ordentlich Rechnung zu führen, bekannte der Administrator[128]; anstelle von Rechnungsbüchern habe er summarische Auszüge geführt, von deren Existenz aber nicht einmal die Konventualen wußten[129]. Brauchte der Administrator Geld, so schickte er jemanden nach Inchenhofen und »schaff jemals zehen mere oder weniger Schaffl traid zuverkauffen«[130]. So mußten die Visitatoren, Abt Johann Zankher von Aldersbach und der Dekan von St. Peter in München, Anton Aresinger, dem Administrator bescheinigen, er sei »zu solcher Administration nit taug-

---

[124] Administrator Michael Kain an Abt Christoph Fürlauf, Fürstenfeld, 6. März 1548. BHStAM. KL Raitenhaslach 112, prod. 203.

[125] Abt Christoph Fürlauf von Raitenhaslach an Administrator Michael Kain, Raitenhaslach, 10. März 1548. BHStAM. KL Fürstenfeld 318 ½, prod. 1. – Abt Christoph Fürlauf von Raitenhaslach an Wilhelm IV. mit einer Entschuldigung, Raitenhaslach, 10. März 1548 (Konzept). BHStAM. KL Raitenhaslach 112, prod. 206. – Abt Christoph Fürlauf von Raitenhaslach an Administrator Michael Kain, Raitenhaslach, 10. März 1548 (Konzept). BHStAM. KL Raitenhaslach 112, prod. 204.

[126] Repertorium Aldersbach, unter dem 14. Oktober 1549. BHStAM. KL Aldersbach 73, fol. 16r.

[127] Diese Aussagen sind gesammelt in den Visitationsprotokollen, Fürstenfeld, 13. Oktober 1551. BHStAM. KBÄA 4096, foll. 57r–86r.

[128] Aussage Administrator Michael Kains im Visitationsprotokoll, Fürstenfeld, 13. Oktober 1551. BHStAM. KBÄA 4096, fol. 86r. – Nach einer Seite brechen die Aussagen des Administrators Kain ab; im weiteren Verlauf des Protokolls wären noch weitere eindrucksvolle Beispiele seiner fragwürdigen Wirtschaft zu Tage getreten. Möglicherweise konnte noch Roth die Akten vollständig einsehen, da er Details anführt, die in den vorliegenden Quellen nicht mehr erscheinen (vgl. Roth, Bruck 266–268).

[129] Aussage Fr. Jeremias Hermans im Visitationsprotokoll, Fürstenfeld, 13. Oktober 1551. BHStAM. KBÄA 4096, fol. 70v.

[130] Aussage des Inchenhofener Kastners Leonhard Fruntzhamer im Visitationsprotokoll, Fürstenfeld, 13. Oktober 1551. BHStAM. KBÄA 4096, fol. 78r.

lich«[131], da sie die Verwaltung »gantz unordenlich ... befunden«[132] hatten;
sie legten dem Herzog dringend nahe, einen neuen Verwalter aus den Reihen
des Ordens zu bestellen.

Neben der Mißwirtschaft blühte das Übel des Nepotismus unter Administrator Kain kräftig auf: Die Ämter im Kloster besetzte er mit ihm vertrauten Lai-
en. So war der Baumeister des Klosterhofbaus Hanns Zeller ein enger Freund
des Administrators und hatte die Erlaubnis, mit Frau und Kind im Kloster zu
wohnen; auch Klostergüter durfte er veräußern[133]. An Gehalt bezog er
40 fl[134], eine Summe, von der man im Konvent vier Priester hätte ernähren
können[135]. Der Organist war ebenfalls ein Laie, obwohl auch ein Konventuale Orgel spielen konnte[136]. Überhaupt war die Zahl der Diener und Angestellten im Konvent viel zu stark angewachsen; wo früher ein Diener gewesen sei, gebe es jetzt viele Angestellte, berichtete der Brucker Pfarrer Zacharias Weichsner[137], und dies schade der Haushaltung sehr; den Baumeister
Hanns Zeller bezeichnete er als Erfüllungsgehilfen des Administrators[138].
Mit Hilfe seiner Gefolgsleute aus dem Laienstand regierte Administrator
Kain das Kloster weitgehend unabhängig vom Konvent und vermied so jede
Kontrolle seitens seiner Mitbrüder. Der Inchenhofener Kastner Fruntzhamer
klagte, er wisse überhaupt nicht mehr, was an Getreide im Kasten sei, denn
der Administrator und seine Schreiber würden ihn völlig übergehen[139]. Zur
Durchführung der Stiftfahrten zog Administrator Kain ebenfalls keinen Kon-
ventualen mehr bei[140].

Auch die Aufsicht über die Erfüllung der »spiritualia« vernachlässigte Administrator Fr. Michael Kain. Zum Gottesdienst erschien er selten in der Kir-

---

[131] Visitationsbericht von Abt Johann Zankher von Aldersbach und Dekan Anton Aresinger
von St. Peter in München an Albrecht V., Fürstenfeld, undatiert (13. Oktober 1551).
BHStAM. KBÄA 4096, fol. 44v. – Zu Anton Aresinger (1533–1556 Dekan zu St. Peter in
München, 1538–1556 Chorherr zu Unserer Lieben Frau in München, † 1556) siehe: Lanzinner, Zentralbehörden 293; Pfister, München 389 445.

[132] Visitationsbericht von Abt Johann Zankher von Aldersbach und Dekan Anton Aresinger
von St. Peter in München an Albrecht V., Fürstenfeld, undatiert (13. Oktober 1551).
BHStAM. KBÄA 4096, fol. 44r.

[133] Aussage des Priors Hans Roppach im Visitationsprotokoll, Fürstenfeld, 13. Oktober 1551.
BHStAM. KBÄA 4096, fol. 60r.

[134] Aussage des Baumeisters Hanns Zeller im Visitationsprotokoll, Fürstenfeld, 13. Oktober
1551. BHStAM. KBÄA 4096, fol. 77v.

[135] Bericht eines ungenannten Konventualen, undatiert. BHStAM. KBÄA 4096, fol. 95r.

[136] Aussage von Fr. Johannes Traintl im Visitationsprotokoll, Fürstenfeld, 13. Oktober 1551.
BHStAM. KBÄA 4096, fol. 65r.

[137] Aussage des Brucker Pfarrers Zacharias Weichsner im Visitationsprotokoll, Fürstenfeld, 13.
Oktober 1551. BHStAM. KBÄA 4096, fol. 73r.

[138] Ebd., fol. 73v.

[139] Aussage des Inchenhofener Kastners Leonhard Fruntzhamer im Visitationsprotokoll, Fürstenfeld, 13. Oktober 1551. BHStAM. KBÄA 4096, fol. 78r.

[140] Aussage des Brucker Richters Leonhard Kugler im Visitationsprotokoll, Fürstenfeld, 13.
Oktober 1551. BHStAM. KBÄA 4096, fol. 76v.

che[141]; auch beim Konventskapitel ließ sich der Administrator kaum sehen[142]. Alle geistlichen Angelegenheiten der Mönche blieben dem Prior Hans Roppach überlassen, der sich darüber beim Herzog bitter beklagte[143]. Innerhalb des Konventes galt Administrator Kain als launischer Mann: Immer wieder machte er Versprechungen »und haisst uns charissime [!] fratres«[144], besonders wenn er zu viel getrunken hatte. An anderen Tagen benahm er sich grob gegen die Konventualen, »daß er uns offt vor den laien schilt und mit dem teuffel urlaub giptt«[145]. Galt vor der Administratur Kains noch die Regel, daß zwei Konventualen am Abtstisch mitessen durften, so kam diese Gewohnheit zu seiner Zeit ab, »und wan schon ainer mit im isstz so derff er wol das gantze mal mit khainen reden«[146]. So übte der Administrator seine Macht über den Konvent ziemlich spürbar aus, wie Prior Roppach monierte[147]. Auch die Dienerschaft des Administrators zeigte wenig Achtung vor den Konventualen: Fr. Christoph Bader beschwerte sich, er und die anderen Mönche werden von den Dienern »veracht und übl gehalten«[148], Fr. Leonhard Treuttwein klagte über die Frechheit der Diener gegenüber den Konventualen, die aber nicht zu verwundern brauche, wenn sogar Administrator Kain in aller Öffentlichkeit seine Mitbrüder beschimpfe[149].

Der persönliche Lebensstil des Administrators, welcher an Vergnügungssucht alle seine Vorgänger übertraf, war Gegenstand der schärfsten Kritik. Regelmäßig fänden in der Abtei Gastmähler mit allen möglichen Leuten statt, warfen die Mönche ihrem Administrator vor; dabei werde auch mit dem Trinken nicht gespart, so daß Administrator Kain regelmäßig betrunken sei[150]. Zu diesen Festen waren dessen Vertraute eingeladen, also der Baumeister Zeller, der Schreiber Walkum, der Küchenmeister Reisgannger und andere samt ihren Frauen, die seit der Administratur Kains Wohnrecht im Kloster

---

141 Aussage von Fr. Jeremias Herman im Visitationsprotokoll, Fürstenfeld, 13. Oktober 1551. BHStAM. KBÄA 4096, fol. 70v.

142 Aussage von Fr. Johannes Neumair im Visitationsprotokoll, Fürstenfeld, 13. Oktober 1551. BHStAM. KBÄA 4096, fol. 67r.

143 Prior Hans Roppach an Albrecht V., Fürstenfeld, undatiert. BHStAM. KBÄA 4096, foll. 123r–124v.

144 Fr. Leonhard Treuttwein vermutlich an Abt Johann Zankher von Aldersbach, Fürstenfeld, undatiert. BHStAM. KBÄA 4096, fol. 112r.

145 Ebd., fol. 113r.

146 Ebd.

147 Aussage des Priors Hans Roppach im Visitationsprotokoll, Fürstenfeld, 13. Oktober 1551. BHStAM. KBÄA 4096, fol. 60r.

148 Aussage von Fr. Christoph Bader im Visitationsprotokoll, Fürstenfeld, 13. Oktober 1551. BHStAM. KBÄA 4096, fol. 72v.

149 Fr. Leonhard Treuttwein vermutlich an Abt Johann Zankher von Aldersbach, Fürstenfeld, undatiert. BHStAM. KBÄA 4096, fol. 112r.

150 Aussage von Fr. Leonhard Keller im Visitationsprotokoll, Fürstenfeld, 13. Oktober 1551. BHStAM. KBÄA 4096, fol. 66r.

besaßen[151]. Auch sonst waren die Bekannten des Administrators »frueh und spatt im Closter und nit allain«[152]. Aufgetischt wurden bei den Mahlzeiten nur die besten Speisen, wie der Bäcker Hartl zu berichten wußte[153]. Während des Mahles erfreute man sich in der Abtei unterhaltsamer Musik, und es war »ein Jubilieren mit geigen pfeiffen virginal und lautten schlagen gewest als wär es ymmer zue fasnacht«[154]. Drastisch formulierte ein ungenannter Konventuale die Situation: Der Administrator und seine Gäste »fressen und trinken nur das pösst. Solliches will man darnach an mir und anderen Conuentualen ersparen«[155]. Dies dürfte die eigentliche Ursache der Abneigung gegen Administrator Kain sein: Die Mönche hielten ihm wohl weniger den eigenen Lebensstil vor – dies galt in einem gewissen Rahmen nicht als anstößig –, als vielmehr den Geiz ihnen gegenüber, die sie von den Gastmählern in der Abtei wußten, selbst aber an kargem Konventstisch Platz nehmen mußten.

In maßloser Selbstüberschätzung hatte der Administrator Kain von allen Silberbestecken und dem Geschirr die Wappen und Namen früherer Äbte ausradieren und seinen eigenen Namen eingravieren lassen[156]. Die Hofhaltung des Administrators Kain übertraf die seiner Vorgänger bei weitem. Dazu gehörte auch eine Konkubine, wobei man sich im Konvent nicht einig war, ob es sich dabei um eine oder mehrere Damen handelte, die dem Administrator die Zeit verkürzten. Prior Hans Roppach wußte von einer Freundin des Abtes, die dieser öfter ins Kloster brachte[157]; Fr. Leonhard Keller wollte dagegen von zwei Konkubinen wissen, eine in Bruck und eine andere – ein »böß weiben« – in Emmering[158].

Im Gegensatz zu seinem Vorgänger Abt Pistorius war Administrator Michael Kain somit eine eher schwache Persönlichkeit, die sich mit mittelmäßigen, auf eigenen Vorteil bedachten Untergebenen umgab. Doch auch er war nur ein Kind seiner Zeit: Als junger Mönch erlebte er unter den Äbten Menhart und Pistorius keineswegs gefestigte Verhältnisse, sondern Lebensgewohnheiten, die vielleicht in vielem dem nahe kamen, was er später fortsetzte und

---

[151] Aussage des Klosterbäckers Jörg Hartl im Visitationsprotokoll, Fürstenfeld, 13. Oktober 1551. BHStAM. KBÄA 4096, fol. 79r.

[152] Fr. Leonhard Treuttwein vermutlich an Abt Johann Zankher von Aldersbach, Fürstenfeld, undatiert. BHStAM. KBÄA 4096, fol. 113v.

[153] Aussage des Klosterbäckers Jörg Hartl im Visitationsprotokoll, Fürstenfeld, 13. Oktober 1551. BHStAM. KBÄA 4096, fol. 78v.

[154] Bericht eines ungenannten Konventualen, undatiert. BHStAM. KBÄA 4096, fol. 95v.

[155] Ebd., fol. 95r.

[156] Fr. Leonhard Treuttwein vermutlich an Abt Johann Zankher von Aldersbach, Fürstenfeld, undatiert. BHStAM. KBÄA 4096, fol. 113r.

[157] Aussage des Priors Hans Roppach im Visitationsprotokoll, Fürstenfeld, 13. Oktober 1551. BHStAM. KBÄA 4096, fol. 59v. – Dasselbe berichten Fr. Sigismund Eisenberger (ebd., fol. 63r), Fr. Johannes Traintl (ebd., fol. 64v) und Fr. Johannes Neumair (ebd., fol. 67v).

[158] Aussage von Fr. Leonhard Keller im Visitationsprotokoll, Fürstenfeld, 13. Oktober 1551. BHStAM. KBÄA 4096, fol. 66r.

auf die Spitze trieb. Schließlich darf nicht vergessen werden, daß solche und ähnliche Zustände in anderen Klöstern genauso an der Tagesordnung waren[159]; der Administrator lebte nicht untadeliger, aber auch nicht wesentlich verwerflicher als seine Amtsbrüder in anderen Konventen. Insgesamt kann man dennoch nicht darüber hinwegsehen, daß die Einsetzung Fr. Michael Kains zum Administrator ein völliger Fehlgriff war.

2.2.1.2 Der Zustand des Konvents im Spiegel der Visitation von 1549

Bereits in den ersten Jahren der Administratur Kains wurden über ihn Klagen laut, so daß am 4. Mai 1549 schon der dritte Befehl Herzog Wilhelms IV. bezüglich einer Visitation Fürstenfelds Aldersbach erreichte[160]; zwei vorhergehende Visitationsbefehle waren von Abt Johann Zankher offensichtlich ignoriert worden. Im Mai 1549 kam der Aldersbacher Prälat nach Fürstenfeld, um als »Pater immediatus« die Abtei in »spiritualia« und »temporalia« zu visitieren[161].

Die größte Schwierigkeit für das Kloster, die Abt Zankher feststellte, war die geringe Zahl an Konventualen, da Fürstenfeld immer noch unter den fünf Opfern litt, welche die Pest 1547 und 1548 gefordert hatte[162]; verblieben

---

[159] Vgl. Landersdorfer, Trient 132–133. – Die Mitteilungen Landersdorfers beziehen sich auf die Visitation von 1560, in der sich die Verhältnisse bereits wieder als beruhigt darstellten.

[160] Repertorium Aldersbach, unter dem 4. Mai 1549. BHStAM. KL Aldersbach 73, fol. 16r. – Dazu: Roth, Bruck 268–269.

[161] Visitationsrezeß Abt Johann Zankhers von Aldersbach, 20. Mai 1549. BHStAM. KBÄA 4096, foll. 34r–36v. Zusammenfassend sind folgende Hinweise ergangen:

1. Der Gottesdienst soll mit größerer Ehrfurcht gemäß den Ordensregeln täglich verrichtet werden; dabei sollen alle Konventualen anwesend sein.

2. Die Sonn- und Feiertage sollen liturgisch jeweils unterschiedlich begangen werden, auch nach den entsprechenden Regeln.

3. Das Stillschweigen soll in den Zellen und an den anderen Orten strenger bewahrt werden, um die Kontemplation zu fördern.

4. Wer ohne Erlaubnis »nisi ... legittima causa« das Kloster verläßt, soll gestraft werden; im Wiederholungsfall auch als »fugitivus«. Während der Nachtruhe sollen alle Mönche ins Dormitorium eingeschlossen sein.

5. Erschwert soll der Verkehr der Mönche mit Laien werden, »quia verba eorum colloquia ... contemplationem plurimum perturbare solent«. Eltern und Freunde der Konventualen sollen seltener zu Besuch kommen, und die Pforte soll besser gesichert werden.

6. Der neue Administrator soll »sollicitus« und umsichtig sein, aber er möge darauf achten, seine Brüder nicht schuldlos zu bestrafen oder zu schlagen. Ihm sollen mindestens vier »iuratas consiliarios« beigesellt werden, mit denen er Probleme zu besprechen habe.

7. Die Älteren sollen auch die Jüngeren überwachen, daß sie im Glauben das ewige Leben erstreben; man soll mehr aufeinander achten. Unter Strafe werden die Konventualen ermahnt, ehrfürchtig gegen den Administrator zu sein. Schließlich werden alle zu gegenseitiger Liebe und Achtung aufgefordert.

[162] Administrator Michael Kain an Abt Christoph Fürlauf von Raitenhaslach, Fürstenfeld, 6. März 1548. BHStAM. KL Raitenhaslach 112, prod. 203.

waren hauptsächlich Novizen. Zum Konvent gehörten im Jahr 1549 neben dem abgesetzten Abt Pistorius und dem Administrator Kain drei ältere und zwei jüngere Profeßmönche im Kloster, zwei Novizen und drei exponierte Profeßmönche in Inchenhofen und Gilching[163]. Die Disziplin der Mönche war nach Ansicht des Visitators in vielen Punkten zu weit von der Ordensregel entfernt, so daß der Rezeß immer wieder an ihre Beobachtung ermahnt. Der Klausurbereich hatte eher den Charakter eines Gasthauses als eines Klosters: Die Pforte stand vielen Menschen offen, Eltern und Freunde kamen häufig zu Besuch, und »verba eorum colloquia ... contemplationem plurimum perturbare solent«[164]; die Mönche verließen das Kloster, wann sie wollten, das Stillschweigen wurde kaum gewahrt[165]. Auch den liturgischen Pflichten kamen die Mönche nicht besonders eifrig nach: Viele fehlten beim Stundengebet; die anwesenden Mönche verhielten sich häufig undiszipliniert, und die Horen wurde nur teilweise entsprechend der Ordensregel gefeiert[166], was bei der geringen Anzahl der Mönche im Kloster aber nicht verwundern kann. Die Verrichtung der Jahrtagsgottesdienste litt ebenfalls unter dem Mangel an Priestern im Kloster.

Wenngleich diese Abweichungen von der Ordensregel nicht zu leugnen sind, so erscheinen sie doch weit weniger gravierend als in anderen Klöstern zur selben Zeit[167]. Das Zisterzienserkloster Fürstenzell wurde zeitweilig lediglich von zwei Mönchen bewohnt, so daß die Regel nur noch sehr eingeschränkt beobachtet werden konnte[168]; ähnliches galt für Raitenhaslach[169] und das Chorherrenstift Schlehdorf. In Indersdorf versäumten die Chorherren aufgrund abendlicher Trinkgelage gar die Matutin[170]. Berichte dieser Art gibt es aus Fürstenfeld nicht, so daß die disziplinären Verhältnisse sogar als vergleichsweise befriedigend erscheinen – der innerklösterliche Zustand kann die Absetzung Abt Pistorius' nicht bewirkt haben, denn sonst hätten die Herzöge sämtliche bayerischen Prälaten ablösen müssen. Der Visitator, Abt Johann Zankher von Aldersbach, versuchte jedenfalls, mit guten Ratschlägen die Disziplin zu heben. Zwar mahnte er deutlich die Verbesserung von Disziplin und Liturgie an, verzichtete aber auf Strafmaßnahmen, sondern verwies die Mönche auf Liebe und Güte. Hätte er die Mißstände als gravierender empfunden, so hätte er sicher andere Worte gefunden.

---

[163] Siehe Anhang 1.1: Konventlisten.
[164] Visitationsrezeß Abt Johann Zankhers von Aldersbach, 20. Mai 1549. BHStAM. KBÄA 4096, fol. 35r.
[165] Ebd., fol. 34v.   [166] Ebd., fol. 34rv.
[167] Vgl. Kaff, Volksreligion 318–319.
[168] Vgl. Hartig, Niederbayerische Stifte 162; Kaff, Volksreligion 318.
[169] Vgl. Krausen, Raitenhaslach 52. – Dort ereigneten sich ähnliche Entwicklungen, allerdings erst in den siebziger Jahren des 16. Jahrhunderts.
[170] Vgl. Landersdorfer, Trient 132.

2.2.1.3   Michael Kain – Administrator oder Abt?

Ungeklärt blieb die Frage, welchen Rang Fr. Michael Kain im Kloster einnahm: War er Administrator »in spiritualibus et temporalibus« oder wurde er förmlich zum Abt gewählt und erhoben? Die Äbtelisten und Annalen Fürstenfelds zählen ihn unter die Äbte[171], ebenso die neuere Chronologie[172]. Bemerkenswert ist allerdings der fehlende Eintrag Fr. Kains im Nekrolog – er verstarb in Aldersbach –, was darauf hindeutet, daß man ihn bis kurz nach seinem Tod nicht als Abt anerkannt hat. Die später vorgenommene Zählung der Äbteliste im Nekrologium berücksichtigt dagegen Fr. Kain als fünfundzwanzigsten Abt Fürstenfelds, wobei er dort nicht ausdrücklich erwähnt ist[173]. Von seinen Zeitgenossen wurde Fr. Michael Kain nicht als Abt bezeichnet, sondern als Administrator[174]. Führer berichtet leicht ironisch, man habe Kain als »Abbate in pulatitium« bezeichnet, ebenso habe der Administrator signiert mit »Datum etc sub abbatiali nostro sigillo«[175]; dennoch zweifelt er an der Erhebung Kains zum Abt. Denn die Benutzung des Siegels eines suspendierten Abtes durch den darauffolgenden Administrator war durchaus zulässig, was auch durch Administrator Pistorius nach der Absetzung Abt Menharts geschehen war. Bis zu seiner eigenen Amtsenthebung siegelte Administrator Kain mit dem Siegel Abt Johannes Pistorius'[176], besaß also kein eigenes Siegel.

Weitere Indizien sprechen gegen eine Prälatur Kains im eigentlichen Sinn: Das bei der Visitation vom 13. Oktober 1551 erstellte Inventarverzeichnis wurde »herrn Michael Administratorem«[177] eingeantwortet; der Aldersbacher Abt wußte wohl die korrekte Bezeichnung für Fr. Kain zu gebrauchen. Um eine Abtswahl Kains zu ermöglichen, müßte zudem Abt Pistorius zuerst resigniert haben, was aber erst geschah, als der Stern Administrator Kains schon wieder im Sinken begriffen war, denn Abt Pistorius erklärte seinen Rücktritt erst am 16. Juli 1552[178]. Bis dahin hätte überhaupt keine Wahl stattfinden können. Belegt wird die These durch das Wahlinstrument Abt

---

[171] Führer, Chronik § 171.

[172] Vgl. TE II 448.

[173] Der Eintrag im Necrol. BStB. Clm 1057 bezeichnet fol. 41v Johannes Albrecht Pistorius – allerdings mit späterer Handschrift – als 24. Abt, fol. 51r Leonhard Baumann als 26. Abt. Dies bedeutet, daß Kain in der zweiten Hälfte des 16. Jahrhunderts als 25. Abt des Klosters anerkannt wird.

[174] In den Visitationsakten BHStAM. KBÄA 4096, foll. 43r–126r, taucht die Bezeichnung »Abt« für Kain überhaupt nicht auf, er wird immer nur als »Administrator« bezeichnet.

[175] Führer, Chronik § 171.

[176] Schuldbrief Michael Kains an den Gerichtsschreiber Hanns Zwinger aus Bruck über 309 fl, 5 ß, 14 dl, Fürstenfeld, 9. Februar 1550. BHStAM. KU Fürstenfeld 1800.

[177] Inventar, Fürstenfeld, 13. Oktober 1551. BHStAM. Aldersbach Archiv Schublade 107, fasc. 2, prod. 4. – Ebenso schon das Inventar, 1549. Ebd. prod. 3.

[178] Resignationserklärung Abt Johannes Pistorius', Aichach, 16. Juli 1552. BHStAM. Aldersbach Archiv Schublade 107, fasc. 20 (ehem. BHStAM. KL Fasc. 228/2).

Leonhard Baumanns (1556–1565) von 1556: Der Wahlleiter, Abt Johann Sauer von Kaisheim, nimmt darin Bezug auf den Tod des vorhergehenden Abtes, Johannes Pistorius[179], Administrator Kain wird mit keinem Wort erwähnt. Fr. Michael Kain war somit nie Abt des Klosters Fürstenfeld, sondern nur Administrator; wenn er den Abtstitel geführt haben sollte, so war dies unrechtmäßig. Korrekterweise muß Fr. Kain in den Abtslisten gestrichen oder als Administrator bezeichnet werden.

2.2.2   Ergebnisse der Visitation 1551

Die in der Visitation von 1549 ergangenen Anweisungen Abt Johann Zankhers wurden nicht oder nur eingeschränkt befolgt, denn Herzog Albrecht V. hörte von Unordnung und »dermassen sachen« aus Fürstenfeld, daß er auf den 12. Oktober 1551 wiederum Abt Johann Zankher von Aldersbach und Anton Aresinger, den Dekan von St. Peter in München, dorthin beorderte[180]. Die überlieferten Interrogatorien weisen aus, daß im Gegensatz zur vorhergehenden Visitation diesmal die Fragen nach dem wirtschaftlichen Zustand des Klosters im Mittelpunkt standen[181]. Der Administrator mußte beantworten, wieviel Geld er eingenommen und wofür er es ausgegeben hatte; ebenso wurde nach den Schulden und vergebenen Krediten des Klosters gefragt[182]. Auch der Baumeister mußte offenlegen, wie er den Klosterhofbau bewirtschaftete[183].

Die Untersuchungen wurden in bisher unbekannter Präzision durchgeführt und schriftlich niedergelegt. Befragt wurden während der Visitation vierundvierzig Personen: der Altabt Johannes Pistorius, der eigens dafür aus Aichach angereist war, zehn Konventualen[184], aus Bruck Pfarrer Zacharias Weichsner und Richter Leonhard Kugler, weiterhin Gerichtsschreiber, Baumeister,

---

[179] Wahlinstrument Abt Leonhard Baumanns durch Abt Johann Sauer von Kaisheim, Fürstenfeld, 16. April 1556. BHStAM. KU Fürstenfeld 1844.

[180] Albrecht V. an Abt Johann Zankher von Aldersbach und Dekan Anton Aresinger von St. Peter in München, München, 12. September 1551 (Konzept). BHStAM. KBÄA 4096, fol. 38r. – Abt Johann Zankher von Aldersbach an Albrecht V. mit der Mitteilung seiner baldigen Abreise nach Fürstenfeld, Aldersbach, 18. September 1551. BHStAM. KBÄA 4096, fol. 39r.

[181] Überliefert sind drei Interrogatorien: BHStAM. KBÄA 4096, foll. 41r–42r, verzeichnet fünfzehn Fragen nach dem Zustand von »spiritualia« und »temporalia«. Ebd., foll. 103r–104v, ist eine Frageliste ohne nähere Erläuterung, in welchem Zusammenhang sie steht. Ebd., foll. 107r–108r, ist als Interrogatorium an den Administrator von Fürstenfeld bezeichnet. Die letzteren beiden behandeln ausschließlich den wirtschaftlichen Zustand des Klosters.

[182] Interrogatorium, undatiert (1551). BHStAM. KBÄA 4096, foll. 103 107r–108r.

[183] Interrogatorium, undatiert (1551). BHStAM. KBÄA 4096, fol. 104r.

[184] Prior Hans Roppach, der Inchenhofener Kaplan Johannes Pradtner, Sigismund Röhrl, Sigismund Eisenberger, Johannes Traintl, Leonhard Keller, Johannes Neumair, Leonhard Treuttwein, Jeremias Herman und Christoph Bader.

Inchenhofener Kastner, weitere siebenundzwanzig Angestellte des Klosters vom Müller bis zur jüngsten Magd und schließlich der Administrator Michael Kain. Die Fragen betrafen bei den Konventualen Diszplin und Wirtschaftsführung im Kloster, bei den Angestellten deren Dienstverhältnis und Sold, so daß die Visitatoren ein sehr genaues Bild von der Abtei gewannen. Die auf neunundzwanzig Folioblättern erhaltenen Protokolle bilden die wertvollste Quelle zur Geschichte Fürstenfelds während dieser Jahre[185].

2.2.2.1 Besitz und Wirtschaftslage

2.2.2.1.1 Der Klosterhaushalt

Im Zusammenhang mit der Visitation wurde eine provisorische Haushaltsliste erstellt, die in etlichen Posten Einnahmen und Ausgaben gegeneinander aufrechnete[186]. Dabei stehen den Einnahmen in Höhe von 2922 fl, 23 dl die Ausgaben in Höhe von 3191 fl gegenüber, was ein Defizit von 269 fl bedeutet. Diese Aufstellung stützte sich allerdings eher auf Vermutungen als auf gesicherte Zahlen, da die Summen fast ausschließlich gerundet sind. An Barschaft fanden sich lediglich 90 fl, 3 ß, 15 dl im Kloster und 302 fl in Esslingen. Die Höhe der Schulden lag im Bereich der Spekulation: Die Visitatoren notierten 350 fl[187], wobei sie zugaben, daß sie die eigentliche Summe »gründlich und aigentlich nit erfarn mögen«[188]; der Prior Roppach schätzte die Summe dagegen auf sagenhafte 10000 fl[189]. Die von den Visitatoren genannte Summe ist in jedem Fall zu niedrig, da bereits zu Zeiten Abt Georg Menharts das Kloster über 500 fl Schulden hatte[190], so daß die Bezifferung der Außenstände mit mehreren tausend Gulden nicht als gänzlich unrealistisch erscheint. Da aber Administrator Michael Kain zur Wirtschaftsführung selbst unfähig war, jedoch niemand anderen mit einbezog, wußte wohl nicht einmal er die wirkliche Summe der Schulden.

---

[185] Die Visitationsprotokolle finden sich BHStAM. KBÄA 4096, foll. 57r–86r. – Als letzter wird der Administrator Kain befragt, dessen Aussagen nur noch unvollständig erhalten sind.

[186] Haushaltsliste, undatiert. BHStAM. KBÄA 4096, foll. 119r–121r.

[187] Inventar, undatiert (1551). BHStAM. KBÄA 4096, fol. 98r; übereinstimmend mit dem Inventar BHStAM. Aldersbach Archiv Schublade 107, fasc. 2, prod. 3.

[188] Visitationsbericht von Abt Johann Zankher von Aldersbach und Dekan Anton Aresinger von St. Peter in München an Albrecht V., Fürstenfeld, undatiert (13. Oktober 1551). BHStAM. KBÄA 4096, fol. 45r.

[189] Aussage des Priors Hans Roppach im Visitationsprotokoll, Fürstenfeld, 13. Oktober 1551. BHStAM. KBÄA 4096, fol. 60v. – Ähnlich schätzt Fr. Sigismund Röhrl die Schuldensumme auf 9500 fl. Ebd., fol. 62v.

[190] Aussage des Brucker Richters Leonhard Kugler im Visitationsprotokoll, Fürstenfeld, 13. Oktober 1551. BHStAM. KBÄA 4096, fol. 74v.

2.2.2.1.2   Die Personalpolitik Administrator Kains

Ein weiterer eindrucksvoller Beweis der wirtschaftlichen Inkompetenz des Administrators Kain ist seine Personalpolitik: In den knapp vier Jahren seiner Administratur seit 1547 hatte er siebzehn Angestellte neu ins Kloster aufgenommen: den Baumeister Hanns Zeller, den Inchenhofener Kastner Leonhard Fruntzhamer, den Klosterbäcker Jörg Hartl, den Klosterschreiber Hanns Walkum, den Küchenmeister Matthäus Reisgannger, den Türwärter Hanns Riblinger, den Diener Wilhelm Schmid, den Kammerer Georg Haidn, den Metzger Veit Rueffgsuider, den Reitknecht Kilian Haidwanger, den Organisten David Rauch, den Fischer Georg Alber, den Knecht Hanns Lehner, den Schulmeister Melchior Tittlmann, sowie die drei Mägde Anna Acherin, Margreth Vischerin und Elsbeth Niedermaierin[191].

Schon bald zeigte sich eine große Distanz zwischen den »alteingesessenen« und den neuen Dienern. Während die neuen Angestellten vorsichtshalber angaben, nichts über den Administrator Kain zu wissen, gingen die altgedienten mit ihm und seinen Vertrauten hart ins Gericht: Der Knecht Martin Schneider etwa, der seit zwanzig Jahren im Kloster war, berichtete, er habe den Administrator »des unordenlichen Haushabens halbs offtermals angeredt«[192], und auch der Baumeister sei nur auf seinen Nutzen bedacht. Der Gastknecht Hanns Trieb beschwerte sich heftig über seine karge Besoldung im Gegensatz zu denen, die das ganze Jahr nichts arbeiten, aber umso besser essen würden[193]. Die Visitatoren bestätigten diese Eindrücke und vermerkten, daß die wichtigsten Posten im Kloster an »liederlich lay personen«[194] vergeben worden seien.

Gerade die dem Administrator Vertrauten – Baumeister, Schreiber und Küchenmeister – wußten um ihre gute Stellung bei ihm und nutzten sie nach Kräften aus: Der Baumeister Hanns Zeller bekam den stattlichen Sold von 40 fl im Jahr zuzüglich einiger Naturalien und freiem Tisch in der Abtei[195]. Besonders übel wurde ihm aber vermerkt, daß er im Klosterstall eine Pferdezucht und schwunghaften Handel mit den Tieren betrieb, gelegentlich auch ein Pferd zu Tode ritt. Bitter bemerkte ein Konventuale mit Blick darauf: »und zieh unser ainer aus wo wir wöllen so müessen wir zue fueß geen. Sunst

---

[191] So deren Aussagen im Visitationsprotokoll, Fürstenfeld, 13. Oktober 1551. BHStAM. KBÄA 4096, foll. 76r–85r.

[192] Aussage des Knechtes Martin Schneider im Visitationsprotokoll, Fürstenfeld, 13. Oktober 1551. BHStAM. KBÄA 4096, fol. 84r.

[193] Aussage des Gastknechts Hanns Trieb im Visitationsprotokoll, Fürstenfeld, 13. Oktober 1551. BHStAM. KBÄA 4096, foll. 80v–81r.

[194] Visitationsbericht von Abt Johann Zankher von Aldersbach und Dekan Anton Aresinger von St. Peter in München an Albrecht V., Fürstenfeld, undatiert (13. Oktober 1551). BHStAM. KBÄA 4096, fol. 43r.

[195] Aussage des Baumeisters Hanns Zeller im Visitationsprotokoll, Fürstenfeld, 13. Oktober 1551. BHStAM. KBÄA 4096, fol. 77v.

ein yeglicher hundtspuab hat zue reitten«[196]. Auch der Klosterschreiber Hanns Walkum, den Administrator Kain zu Beginn seiner Amtszeit eingestellt hatte, ging nicht leer aus: Für 600 fl, zahlbar in langfristigen Raten, kaufte er in Bruck ein Gut samt Wiese und Acker[197], das eigentlich der Prior für seine Versorgung in Anspruch nahm[198]. Um den ihn unangenehmen Gerichtsschreiber Hanns Zwinger abzuschieben, der dem Administrator kritisch gegenüberstand, teilte Klosterschreiber Walkum den Visitatoren lapidar mit, wenn man schon etwas einsparen wolle, könne man ja beim Gerichtsschreiber anfangen, der sowieso überflüssig sei[199]. Der dritte Mann in der Troika, die mit Administrator Michael Kain das Kloster regierte, war der Küchenmeister Matthäus Reisgannger, der erst seit kurzem im Kloster eingestanden war. Er hatte Schlüssel zu allen Vorräten, kaufte mit freier Hand die Naturalien ein, und war dementsprechend einer der wenigen, die mit der Lebensmittelversorgung hoch zufrieden waren[200]. Die Konventualen klagten dagegen, der Küchenmeister sei ihnen eine arge Plage, aber eine Beschwerde über ihn beim Administrator habe nichts genutzt, denn dieser habe nur geantwortet, »meine brieder kinnden nit den spalter [!] bette und nit kochen«[201]. Die massiven und in der Sache begründeten Klagen des Konvents und der altgedienten Angestellten über die Personalpolitik und die damit verbundene vollkommen intransparente Wirtschaftsführung waren mit einer der ausschlaggebenden Gründe für die baldige Ablösung des Administrators Michael Kain; denn gerade in Personalfragen wurden die Visitatoren sogleich aktiv.

2.2.2.1.3 Weitere Mängel in der Wirtschaftsführung

Neben der eigentlichen Klosterwirtschaft litten auch die Außenstellen, das Superiorat St. Leonhard zu Inchenhofen und der Klosterhof in Esslingen, unter der schlechten Verwaltung. Das Superiorat St. Leonhard, bis vor kurzem mit 100 fl Jahresabgabe nach Fürstenfeld veranschlagt, war selbst gerade noch überlebensfähig[202]. Dies verwundert nicht, da Administrator Kain die

---

[196] Bericht eines ungenannten Konventualen, undatiert. BHStAM. KBÄA 4096, fol. 95r.

[197] Aussage des Schreibers Hans Walkum im Visitationsprotokoll, Fürstenfeld, 13. Oktober 1551. BHStAM. KBÄA 4096, fol. 80v.

[198] Aussage des Priors Hans Roppach im Visitationsprotokoll, Fürstenfeld, 13. Oktober 1551. BHStAM. KBÄA 4096, fol. 60v.

[199] Aussage des Schreibers Hanns Walkum im Visitationsprotokoll, Fürstenfeld, 13. Oktober 1551. BHStAM. KBÄA 4096, fol. 80v.

[200] Aussage des Küchenmeisters Matthäus Reisgannger im Visitationsprotokoll, Fürstenfeld, 13. Oktober 1551. BHStAM. KBÄA 4096, fol. 81.

[201] Fr. Leonhard Treuttwein vermutlich an Abt Johann Zankher von Aldersbach, Fürstenfeld, undatiert. BHStAM. KBÄA 4096, fol. 112v.

[202] Aussage des Priors Hans Roppach im Visitationsprotokoll, Fürstenfeld, 13. Oktober 1551. BHStAM. KBÄA 4096, fol. 60v.

Propstei als persönliche »Sparbüchse« betrachtete, derer er sich im Notfall bedienen konnte[203]. Schließlich schob Fr. Johannes Pradtner, der Superior von St. Leonhard, diesem Gebaren einen Riegel vor und schickte den Administrator, als er wieder Geld einforderte, mit leeren Händen und der Bemerkung nach Hause, das Geld hätte schon ein anderer mitgenommen[204]. Doch auch in Inchenhofen selbst wurde nicht zum besten gewirtschaftet, denn Fr. Leonhard Treuttwein belastete den dortigen Kaplan mit der Aussage, auch er würde mehr zum eigenen Nutzen als zu dem der Wallfahrt arbeiten[205]. Diese Kritik war durchaus berechtigt, ging doch eine der ersten Anweisungen der Visitatoren dahingehend in die Propstei, künftig Rechnungen zu schreiben, Buch zu führen und die Gewinne ans Kloster abzuliefern[206].

Das meiste Bargeld lag mit 302 fl[207] im Pfleghof in Esslingen, wenn dieser auch nicht mehr als 200 fl Rendite jährlich erwirtschaftete[208]. Der Prior setzte einen neuen Pfleger in Esslingen ein[209], der nach Vorstellung der Stadt ein Esslinger Bürger sein sollte[210]. Zusätzlich erschwert wurden die Sanierungsbemühungen durch den Umstand, daß Esslingen im lutherisch gewordenen Württemberg lag und der Stadtmagistrat einem katholischen Kloster nicht gerade wohlgesonnen war[211]. Am neuen Pfleger lag die Existenzsicherung des Hofes, denn die Visitatoren hatten im Sanierungsplan als Option unter anderem den Verkauf der Esslinger Güter vorgesehen[212]. Insgesamt war der Esslinger Klosterhof für viele Mönche ein unbekannter Faktor, da die meisten bei der Befragung angaben, sie könnten darüber nichts sagen; mehr wußte erstaunlicherweise der Brucker Pfarrer Zacharias Weichsner, der den Klosterhof in Esslingen als durchaus gewinnträchtig bezeichnete[213].

[203] Aussage im Visitationsprotokoll: Fr. Sigismund Eisenberger berichtet, daß Kain zweimal jährlich das Geld aus Inchenhofen ungezählt abhole, ohne Rechnung zu geben, Fürstenfeld, 13. Oktober 1551. BHStAM. KBÄA 4096, fol. 63v.
[204] Aussage von Fr. Leonhard Keller im Visitationsprotokoll, Fürstenfeld, 13. Oktober 1551. BHStAM. KBÄA 4096, fol. 66v.
[205] Aussage von Fr. Leonhard Treuttwein im Visitationsprotokoll, Fürstenfeld, 13. Oktober 1551. BHStAM. KBÄA 4096, fol. 70r.
[206] Visitationsbericht von Abt Johann Zankher von Aldersbach und Dekan Anton Aresinger von St. Peter in München an Albrecht V., undatiert. BHStAM. KBÄA 4096, fol. 89r.
[207] Inventar, undatiert (1551). BHStAM. KBÄA 4096, fol. 98r.
[208] Aussage des Gerichtsschreibers Hanns Zwinger, der selbst zwei Mal in Esslingen war, im Visitationsprotokoll, Fürstenfeld, 13. Oktober 1551. BHStAM. KBÄA 4096, fol. 77r.
[209] Prior Hans Roppach an Albrecht V., undatiert. BHStAM. KBÄA 4096, fol. 124r.
[210] Vgl. Wollenberg, Eigenwirtschaft 195.
[211] Vgl. ebd. 195–196.
[212] Visitationsbericht von Abt Johann Zankher von Aldersbach und Dekan Anton Aresinger von St. Peter in München an Albrecht V., Fürstenfeld, undatiert (13. Oktober 1551). BHStAM. KBÄA 4096, fol. 45r. – Aussage des Priors Hans Roppach im Visitationsprotokoll, Fürstenfeld, 13. Oktober 1551. Ebd., fol. 60v.
[213] Aussage des Brucker Pfarrers Zacharias Weichsner im Visitationsprotokoll, Fürstenfeld, 13. Oktober 1551. BHStAM. KBÄA 4096, fol. 73v.

Am schlechtesten stand das Kloster wirtschaftlich dort, wo der Administrator Kain direkten Zugriff auf die Besitz- und Vermögensverhältnisse hatte: Den Kasten zu Gilching hatte er ohne eine Rechnung an den Pfleger von Starnberg vergeben[214], Zehnte um das Kloster wurden verkauft und Fischwasser versetzt, ohne daß jemand die Kaufsumme erfahren und das Geld gesehen hätte[215]. Da aber die Verkaufserlöse für den Lebensstil des Administrators nicht ausreichten, nahm er Schulden auf, wo es möglich war. Zu Anfang des Jahres 1550 borgte sich Administrator Kain über 1100 fl: Vom Gerichtsschreiber Hans Zwinger lieh er 309 fl, 5 ß, 14 dl[216]; wenige Wochen später bekam er von Hans Khienmair weitere 800 fl – für diese Summe zahlte das Kloster über fünfzig Jahre lang Zinsen[217]. Die Visitatoren bekamen von Administrator Kain auf ihre Fragen nach seiner Verwaltung nur unzureichende Rechenschaft[218]; dennoch hatten sie ausreichenden Einblick in die wirtschaftlichen Verhältnisse des Klosters bekommen, um angemessen reagieren zu können.

2.2.2.2 Die Lage im Konvent

Zum Konvent Fürstenfelds gehörten 1551 zehn Religiosen einschließlich des Priors, von denen zwei in St. Leonhard in Inchenhofen und einer als Pfarrer in Gilching lebten. Alle zehn waren zum Priester geweiht, der jüngste, Fr. Jeremias Herman, gehörte seit vier Jahren zum Kloster. Das bedeutet, daß nach den Pestjahren und seit Beginn der Administratur Kains niemand mehr eingetreten oder bis zur Profeß geblieben ist[219], was den Zustand des Klosters als ungünstig erscheinen läßt; waren doch selbst unter den schwächeren letzten Äbten immer wieder Neueintritte zu verzeichnen gewesen. Dennoch blieb die Anzahl der Konventualen mit sieben Religiosen im Vergleich zu anderen Klöstern relativ hoch. Von einer größeren Anzahl ausgetretener Mönche ist –

---

[214] Prior Hans Roppach an Albrecht V., undatiert. BHStAM. KBÄA 4096, fol. 123r. – Roppach wußte, daß Administrator Kain dafür 100 fl in die eigene Tasche gesteckt habe.

[215] Interrogatorium, undatiert (1551). BHStAM. KBÄA 4096, foll. 107r–108r. – Einzelheiten darüber sind nicht bekannt.

[216] Schuldbrief Michael Kains an den Gerichtsschreiber Hanns Zwinger aus Bruck über 309 fl, 5 ß, 14 dl, Fürstenfeld, 9. Februar 1550. BHStAM. KU Fürstenfeld 1800.

[217] Schuldbrief Administrator Michael Kains an Hans Khienmair über 800 fl, Fürstenfeld, 16. März 1550. BHStAM. KU Fürstenfeld 1801. – Der Zins betrug 40 fl jährlich. Zurückgezahlt wurden am 22. März 1592 an die Witwe Anna Khienmair 400 fl, 1598 wurden zwei Mal 50 fl Zins erlegt; wiederum tilgte das Kloster 100 fl, so daß Ende 1598 noch 300 fl Schulden verblieben. Danach verliert sich die Spur. Ebd., Dorsalvermerke.

[218] Aussagen von Administrator Michael Kain im Visitationsprotokoll, Fürstenfeld, 13. Oktober 1551. BHStAM. KBÄA 4096, fol. 86r.

[219] Mit ziemlicher Sicherheit gab es zu dieser Zeit weder Konversen noch Novizen. Da in den Befragungsprotokollen selbst die Stallmägde namentlich verzeichnet sind, hätte man auch alle Laienbrüder befragt und in die Listen aufgenommen.

wieder im Gegensatz zu anderen Konventen[220] – nichts zu hören, was aber einzelne Austritte nicht ausschließt.

Die eigentliche Führung des Konventes, die Verantwortung für Liturgie, Kapitel und Disziplin lag zu dieser Zeit noch mehr in der Hand des Priors Roppach als gewöhnlich; dieser beklagte sich beim Herzog darüber, daß der Administrator sich um überhaupt nichts kümmere und alles ihm überlasse[221]. Über den persönlichen Lebensstil des Administrators, der sich auch auf das monastische Leben des Konvents negativ auswirkte, wurde bereits berichtet. Berücksichtigt man diese Vorgaben, so erscheint es beinahe verwunderlich, wie sehr die Ordensregel noch beobachtet werden konnte. Der Prior legt Wert auf die Feststellung, daß »Regel, Chor, Capitel ... alle Zeit emsiglich vollbracht«[222] worden sind, was durch die Aussagen der anderen Mönche indirekt bestätigt wird[223]. Die Grundpfeiler klösterlicher Ordnung waren auch in diesen schwierigsten Jahren Fürstenfelds nicht ins Wanken gekommen.

Eine große Spannung bestand in Fürstenfeld zunächst zwischen Administrator Kain und den Religiosen. Dadurch wurde aber der Konvent nicht zu einer Einheit zusammengeschweißt, sondern auch hier bildeten sich Gruppen und Parteiungen, besonders zwischen den älteren und den jüngeren Mönchen. Drei Religiosen lebten exponiert: Fr. Sigismund Röhrl, der Pfarrer von Gilching, war etwa 1540 im Streit mit dem damaligen Abt Johannes Pistorius aus dem Kloster gegangen, hatte zunächst eine Pfarrei im Allgäu versehen, war später nach Gilching gewechselt und residierte dort weitgehend ohne Kontakt mit dem Kloster[224]. Der Inchenhofener Wallfahrtspriester Fr. Johannes Pradtner hatte sich ebenfalls vom Konvent distanziert, lebte in Gemeinschaft mit einer »Köchin« und ihrem Kind und zelebrierte kaum noch[225]. Ganz anders dagegen hielt sich der Inchenhofener Kaplan Fr. Sigismund Eisenberger an die Ordensregel, so daß der Visitator »von ime nichts ungepurliches zu sagen«[226] wußte.

---

[220] In Indersdorf hatten zur etwa gleichen Zeit acht bis zehn Chorherren das Stift verlassen, allerdings aufgrund übergroßer Strenge des Propstes Paulus Kretz; vgl. Landersdorfer, Trient 132.

[221] Prior Hans Roppach an Albrecht V., undatiert. BHStAM. KBÄA 4096, fol. 123r.

[222] Ebd.

[223] Im Vergleich dazu mußte man in Raitenhaslach das Chorgebet aus Mangel an Konventualen im Kloster über einige Zeit hinweg einstellen: vgl. Krausen, Raitenhaslach 145. – Ähnliches ist aus Fürstenzell zu berichten: vgl. Hartig, Niederbayerische Stifte 162.

[224] Aussage von Fr. Sigismund Röhrl im Visitationsprotokoll, Fürstenfeld, 13. Oktober 1551. BHStAM. KBÄA 4096, fol. 62.

[225] Aussage von Fr. Johannes Pradtner im Visitationsprotokoll, Fürstenfeld, 13. Oktober 1551. BHStAM. KBÄA 4096, fol. 61r.

[226] Aussage von Fr. Sigismund Eisenberger im Visitationsprotokoll, Fürstenfeld, 13. Oktober 1551. BHStAM. KBÄA 4096, fol. 63r.

In Fürstenfeld selbst wohnten drei Senioren, nämlich Prior Hans Roppach, Fr. Johannes Traintl und Fr. Leonhard Keller; diese wirkten resigniert und hatten sich mit den Zuständen abgefunden. Der Prior mühte sich, die Disziplin aufrecht zu erhalten, Fr. Traintl gab an, »nachdem der administrator so ain übls regiment ... führe hab er das nit mer mögen ansehen«[227], Fr. Keller schimpfte schließlich auf den Administrator als Trunkenbold und Lüstling sowie auf die jüngeren Mönche als »inobedientes«[228]. Unzufrieden waren auf ihre Weise auch die vier Junioren, die Fratres Johannes Neumair, Leonhard Treuttwein, Jeremias Herman und Christoph Bader, von denen sich Fr. Treuttwein am deutlichsten über die klösterlichen Mißstände äußerte: Viele Mitbrüder würden die Regel überhaupt nicht halten und seien zum Klosterleben ungeeignet, der Prior sei zu nachlässig, und auch in Inchenhofen werde schlecht gewirtschaftet, gab Fr. Treuttwein den Visitatoren zu Protokoll[229]; in einem späteren Brief, der vermutlich an den Abt von Aldersbach gerichtet war, wiederholte er seine Vorwürfe gegen den Administrator, dessen Vertraute und die allgemeinen Zustände im Kloster ausführlich[230]. Ansatzweise sind dabei schon die Prinzipien und Ideale des späteren Abtes zu erkennen, der großen Wert auf klösterliche Lebensführung legte. Weniger deutlich kritisierten die drei anderen Junioren die Zustände: Am ehesten kam Fr. Jeremias Herman, der jüngste Professe, den Vorstellungen Fr. Treuttweins über das Klosterleben nahe und klagte über mangelnde geistliche Führung[231]. Die beiden anderen dagegen, Fr. Johannes Neumair[232] und Fr. Christoph Bader[233], schienen sich den Lebensgewohnheiten in Fürstenfeld anzupassen; ihre Klagen betrafen fast ausschließlich die ungerechte Behandlung durch den Administrator und seine Verwalter. Die Visitatoren erkannten nach den Befragungen, daß die älteren Konventualen zur Umstellung ihrer Lebensweise nicht mehr fähig waren, und bemühten sich deshalb um die jüngeren Mönche: Mit ihnen wurde ein eigenes Kapitel gehalten, um

---

[227] Aussage von Fr. Johannes Traintl im Visitationsprotokoll, Fürstenfeld, 13. Oktober 1551. BHStAM. KBÄA 4096, fol. 64v.

[228] Aussage von Fr. Leonhard Keller im Visitationsprotokoll, Fürstenfeld, 13. Oktober 1551. BHStAM. KBÄA 4096, fol. 66r.

[229] Aussage von Fr. Leonhard Treuttwein im Visitationsprotokoll, Fürstenfeld, 13. Oktober 1551. BHStAM. KBÄA 4096, foll. 68v–70r.

[230] Fr. Leonhard Treuttwein vermutlich an Abt Johann Zankher von Aldersbach, Fürstenfeld, undatiert. BHStAM. KBÄA 4096, foll. 112r–114v. – Der bereits öfter zitierte Brief Treuttweins hat zwar keinen Adressaten, aus der Anrede »Euer Gnad« ist aber zu erkennen, daß er an einen Abt gerichtet ist, vermutlich an Abt Johann Zankher von Aldersbach.

[231] Aussage von Fr. Jeremias Herman im Visitationsprotokoll, Fürstenfeld, 13. Oktober 1551. BHStAM. KBÄA 4096, fol. 70v.

[232] Aussage von Fr. Johannes Neumair im Visitationsprotokoll, Fürstenfeld, 13. Oktober 1551. BHStAM. KBÄA 4096, fol. 67r.

[233] Aussage von Fr. Christoph Bader im Visitationsprotokoll, Fürstenfeld, 13. Oktober 1551. BHStAM. KBÄA 4096, fol. 72.

sie für die Reformvorstellungen der Visitatoren zu gewinnen[234]. Entschiedene Veränderungen waren in der Tat höchst notwendig, um die Zukunft des
Klosters zu sichern. Aus eigener Kraft konnte der Konvent dies jedoch nicht
leisten; zu gelähmt waren die älteren Mönche, zu wenig Einflußmöglichkei-
ten hatten die jüngeren. Wirkliche Hilfe konnte nur von außen kommen.

2.2.2.3 Konsequenzen aus der Visitation

Die Ergebnisse der Visitation veranlaßten die beiden Visitatoren, Abt
Zankher von Aldersbach und Dekan Aresinger von St. Peter in München, die
Neuordnung mit personellen Veränderungen in der Leitung des Klosters zu
beginnen. Zunächst wurde Fr. Michael Kain der Administration enthoben
und eingekerkert, am 13. Januar 1552 schließlich als Gefangener nach
Aldersbach abgeführt[235]. Spätestens 1561 war er Vikar in der zur Aldersbacher Pfarrei Rotthalmünster gehörigen Filiale Kößlarn, 1563 wurde er als
»gewester Pfarrer« bezeichnet, der etliche Schulden aufgehäuft hatte[236];
danach verlor sich seine Spur[237]. Auch die Getreuen Fr. Kains – Baumeister
Hanns Zeller, Küchenmeister Matthäus Reisgannger und Schreiber Hanns
Walkum – wurden umgehend von ihren Ämtern abgelöst[238]. Um den Weg
endgültig für einen neuen Abt zu ebnen, nahmen die Visitatoren Verhandlungen mit dem in Aichach weilenden Abt Johannes Pistorius über seine Resignation auf, wozu dieser Bereitschaft signalisierte. Von einem neuen Verfahren gegen ihn wegen Veruntreuung wurde aufgrund seiner Gebrechlichkeit
abgesehen; statt dessen leiteten die Visitatoren das Rücktrittsgesuch des
Abtes Pistorius an den Herzog weiter[239].
Schwieriger als die Absetzung der alten Administration gestaltete sich die
Suche nach neuen Verwaltern. Die Konventualen wünschten ebenso wie die
Visitatoren, daß »ain geschickte und taugliche ordenns person zu ain prela-

---

[234] Visitationsbericht von Abt Johann Zankher von Aldersbach und Dekan Anton Aresinger
von St. Peter in München an Albrecht V., Fürstenfeld, 18. Oktober 1551 (Konzept).
BHStAM. KBÄA 4096, fol. 91r.

[235] Repertorium Aldersbach, unter dem 13. Januar 1552. BHStAM. KL Aldersbach 73, fol. 16r. –
Führer, Chronik § 171.

[236] Repertorium Aldersbach, unter 1561 und 1563. 1561 wird Fr. Kain als »hospes« bezeichnet.
BHStAM. KL Aldersbach 73, fol. 219v.

[237] Vgl. Roth, Bruck 26, Anm. 2.: 1558 war Fr. Michael Kain Vikar zu Kößlarn, reichte den
Kelch, taufte deutsch und hatte mit seiner »Köchin« eine Tochter; gegen Ende seines
Lebens näherte sich Kain somit den Lutheranern an.

[238] Visitationsbericht von Abt Johann Zankher von Aldersbach und Dekan Anton Aresinger
von St. Peter in München an Albrecht V., Fürstenfeld, 18. Oktober 1551 (Konzept).
BHStAM. KBÄA 4096, fol. 91r.

[239] Visitationsbericht von Abt Johann Zankher von Aldersbach und Dekan Anton Aresinger
von St. Peter in München an Albrecht V., Fürstenfeld, undatiert (13. Oktober 1551).
BHStAM. KBÄA 4096, foll. 43v–44r.

ten dahin verordnet und gesetzt«[240] werden sollte. Da die Auswahl für einen neuen Administrator nicht groß war, einigte man sich schnell auf Fr. Sigismund Röhrl, den Pfarrer in Gilching; sein Vorteil war, daß er zwar schon lange zum Konvent gehörte, aber dennoch seit einiger Zeit außerhalb Fürstenfelds wohnte und deshalb nicht in Parteiungen verstrickt war. Mit ihm versuchte man, den Neuanfang einzuleiten, und so setzten die Visitatoren Fr. Röhrl bis zur herzoglichen Bestätigung als vorläufigen Administrator ein[241]. Ihm zur Seite stellten die Visitatoren zwei altgediente Beamte, den Richter Leonhard Kugler[242] und den Gerichtsschreiber Hanns Zwinger[243], die den neuen Administrator unterstützen, aber auch kontrollieren sollten[244]. Die endgültige Entscheidung über den neuen Klostervorstand wurde allerdings Herzog Albrecht V. überlassen[245].

Bevor in Fürstenfeld an eine Sanierung der Klosterwirtschaft gedacht werden konnte, mußten die neuen Verwalter den Besitzstand aufnehmen, der nicht einmal annähernd ordnungsgemäß verzeichnet war: Einnahmen und Ausgaben waren zu notieren und zu bilanzieren; die Gehälter der Angestellten mußten aufgelistet und geprüft werden, ebenso die verpachteten Besitzungen. Zudem sprachen die Visitatoren ein absolutes Verbot aus, Klostergut zu verpfänden, zu versetzen oder zu verkaufen. Über die Konventualen bekam Fr. Sigismund Röhrl dieselbe Jurisdiktion zugesprochen, wie sie der Administrator Kain hatte[246]. Um die Verbindlichkeiten des Klosters abzubauen, die sich auf mehrere tausend Gulden angehäuft hatten, wurden zwei Möglichkeiten bedacht: Zu Anfang war erwogen worden, den Pfleghof in Esslingen samt den zugehörigen Besitzungen gegen 10000 fl Ewiggeld oder 7000 bis

---

[240] Visitationsbericht von Abt Johann Zankher von Aldersbach und Dekan Anton Aresinger von St. Peter in München an Albrecht V., undatiert. BHStAM. KBÄA 4096, fol. 89v. – Visitationsbericht von Abt Johann Zankher von Aldersbach und Dekan Anton Aresinger von St. Peter in München an Albrecht V., Fürstenfeld, 18. Oktober 1551 (Konzept). BHStAM. KBÄA 4096, fol. 92v. – Dazu Roth, Bruck 24–27.

[241] Visitationsbericht von Abt Johann Zankher von Aldersbach und Dekan Anton Aresinger von St. Peter in München an Albrecht V., undatiert. BHStAM. KBÄA 4096, fol. 88r.

[242] Aussage Leonhard Kuglers im Visitationsprotokoll, Fürstenfeld, 13. Oktober 1551. BHStAM. KBÄA 4096, fol. 74v. – Kugler wurde von den Visitatoren als zuverlässiger Gefolgsmann des Herzogs eingestuft; er hatte bereits unter Abt Georg Menhart gedient.

[243] Aussage Hanns Zwingers im Visitationsprotokoll, Fürstenfeld, 13. Oktober 1551. BHStAM. KBÄA 4096, fol. 76. – Zwinger war einer der heftigsten Gegner der Administratur Kains: Er wurde von dessen Klosterschreiber Walkum schrittweise aus der Verantwortung gedrängt und äußerte sich sehr ungünstig über die Wirtschaftsführung Kains.

[244] Visitationsbericht von Abt Johann Zankher von Aldersbach und Dekan Anton Aresinger von St. Peter in München an Albrecht V., undatiert. BHStAM. KBÄA 4096, fol. 88.

[245] Visitationsbericht von Abt Johann Zankher von Aldersbach und Dekan Anton Aresinger von St. Peter in München an Albrecht V., Fürstenfeld, undatiert (13. Oktober 1551). BHStAM. KBÄA 4096, fol. 43r.

[246] Visitationsbericht von Abt Johann Zankher von Aldersbach und Dekan Anton Aresinger von St. Peter in München an Albrecht V., undatiert. BHStAM. KBÄA 4096, foll. 88v–89r.

8000 fl auf Wiederkauf zu verpfänden[247], wogegen sich aber der Konvent[248] und der Prior[249] aussprachen; sie bevorzugten eine Modernisierung der Besitzungen. Dieses Vorhaben setzte sich durch, denn die Visitatoren sahen vom Verkauf des Pfleghofes ab und nahmen dafür die Pfarrei Gilching ins Visier. Auch sie wurde auf eine Verkaufssumme von 7000–10 000 fl veranschlagt[250]. Verständlicherweise legte sich der Konvent auch gegen diese Option quer, da die Pfarrei eine der wenigen wirklich sicheren Einnahmequellen darstellte[251]; schließlich verzichtete man auf einen Verkauf der Pfarrei Gilching. Auch von anderen größeren Veräußerungen zur kurzfristigen Tilgung der Schulden sah man ab; statt dessen wurde die Sanierung längerfristig geplant.

2.2.3 Administrator Stephan Dorfpeck (1552–1555): Beginn der Sanierung

Die Visitatoren, Abt Johann Zankher und Dekan Anton Aresinger, schickten ihre Berichte über die Untersuchung an den Herzog und erstatteten am 9. November 1551 vor der Hofkammer persönlich Bericht[252]. Albrecht V. nahm die Ergebnisse zur Kenntnis, war aber mit der Einsetzung Fr. Sigismund Röhrls zum Administrator der Temporalien nicht einverstanden. Die Ursache dafür liegt vermutlich in der offenkundigen Ahnungslosigkeit Fr. Röhrls über den wirtschaftlichen Zustand der von ihm versehenen Pfarrei Gilching[253]; da der Herzog gerade auf die wirtschaftliche Konsolidierung Wert legte, konnte ihm ein solcher Mann nicht als geeignet zur Sanierung eines Klosters erscheinen. Zudem beeinflußten sicherlich auch die ungünstigen Erfahrungen mit dem bis zu seiner Erhebung zum Administrator völlig

---

247 Aussage des Gerichtsschreibers Hanns Zwinger im Visitationsprotokoll, Fürstenfeld, 13. Oktober 1551. BHStAM. KBÄA 4096, fol. 77r. – Besonders Zwinger, der die Esslinger Verhältnisse persönlich kannte, sprach sich für diese Möglichkeit aus.

248 Visitationsbericht von Abt Johann Zankher von Aldersbach und Dekan Anton Aresinger von St. Peter in München an Albrecht V., Fürstenfeld, undatiert (13. Oktober 1551). BHStAM. KBÄA 4096, fol. 45r.

249 Aussage des Priors Hans Roppach im Visitationsprotokoll, Fürstenfeld, 13. Oktober 1551. BHStAM. KBÄA 4096, fol. 60v.

250 Visitationsbericht von Abt Johann Zankher von Aldersbach und Dekan Anton Aresinger von St. Peter in München an Albrecht V., Fürstenfeld, 18. Oktober 1551 (Konzept). BHStAM. KBÄA 4096, fol. 92v–93r.

251 Die Visitation von 1560 notierte das Einkommen des Pfarrers mit 40 fl, die Zehnteinnahmen der Pfarrei mit 150 fl im Jahr, vgl. Landersdorfer, Visitation 422. – Seltsamerweise gab der Gilchinger Pfarrer Fr. Röhrl in der Befragung 1551 an, über die Einkommensverhältnisse der Pfarrei nicht genau Bescheid zu wissen. BHStAM. KBÄA 4096, fol. 62v.

252 Repertorium Aldersbach, unter dem 9. November 1551. BHStAM. KL Aldersbach 73, fol. 16r.

253 Aussage von Fr. Sigismund Röhrl im Visitationsprotokoll, Fürstenfeld, 13. Oktober 1551. BHStAM. KBÄA 4096, fol. 62v.

unauffälligen Fr. Michael Kain die herzogliche Entscheidung, so daß man jetzt auf eine bewährte Kraft zurückgreifen wollte. Diese bewährte Kraft fand Albrecht V. in dem damaligen Rosenheimer Landrichter Stephan Dorfpeck[254]. Damit setzte der Herzog einen Akt landesherrlicher Kirchenregierung, der für Fürstenfeld bis dahin ohne Beispiel war: Dem Kloster wurde nicht nur faktisch, sondern auch formal die wirtschaftliche Kompetenz entzogen und einem weltlichen Verwalter übergeben. Unter dem 11. Mai 1552 siegelte Stephan Dorfpeck zum ersten Mal als Richter des Klosters[255]. Vier Jahre lang, von 1552 bis 1555, stand er der Ökonomie vor. Vorrangiges Ziel seiner Administration war die Beendigung der Wirtschaftskrise des Klosters; an eine schnelle Sanierung konnte aber schon deshalb nicht gedacht werden, weil dem Kloster durch die Politik weitere Lasten aufgebürdet wurden.

Um die Mitte des 16. Jahrhunderts begannen in Bayern und Österreich reformationsfreundliche landständische Bewegungen, welche die katholischen Herrscher in arge Bedrängnis brachten: Kelchbewegung und Forderung nach »rechter Predigt« griffen auch in Bayern um sich und sorgten für Unruhe[256]. Herzog Albrecht V., der ohnehin finanziell bereits angeschlagen war, mußte seine eigenen Schulden auf die Stände umlegen; zwei Ingolstädter Landtage, 1552 und 1554, forderten eine Sonderabgabe von den Prälatenklöstern[257]. Da aber Fürstenfeld kein Geld dafür aufbringen konnte, griff der Herzog wiederum selbst ein: 1552 ließ er zwei Höfe des Klosters in Burgadelzhausen um 400 fl an den dortigen Wirt Bernhardt Schwannckhner verpfänden und zog das Geld ein[258]. Ebenso veräußerte der Landesherr zwei Jahre später zwei Höfe zu Ginging und Webling aus dem Klosterbesitz und erhielt dafür 600 fl[259]. Anstelle für die Hofhaltung des Administrators Kain ging das Geld

---

[254] Zu Stephan Dorfpeck (verm. 1543 Richter in Rosenheim, nach seiner Tätigkeit in Fürstenfeld 1556–1557 Richter in Dachau, danach bis 1561 Pfleger in Abensberg, † 10. Juli 1561 in Abensberg): Necrol. BStB. Clm 1057, fol. 29r. – Vgl. Ferchl, Beamte 7 112; Roth, Bruck 62–63.

[255] Verkaufsurkunde Hans Märkls, 11. Mai 1552. BHStAM. KU Fürstenfeld 1815.

[256] Vgl. Lutz, Laienkelch 206–212; Jesse, Religionsmandate 264–266; HBG II 336–338. – Zur Kelchbewegung: Heinrich Lutz, Bayern und der Laienkelch 1548–1556, in: QFItA 34 (1954) 203–235; Alois Knöpfler, Die Kelchbewegung in Bayern unter Herzog Albrecht V., München 1891; Gustav Bossert, Einige Opfer der Kelchbewegung im Herzogtum Bayern, in: BBKG 4 (1898) 1–15; Gerhart Herold, Pankraz von Freiberg und die baierische Kelchbewegung, in: ZBKG 39 (1970) 114–126; W. E. Schwarz, Der erste Antrag Albrechts V. von Baiern an den apostolischen Stuhl auf Bewilligung des Laienkelches, Zulassung der Priesterehe und Milderung des Fastengebotes (1555), in: HJb 13 (1892) 144–157.

[257] Vgl. Greindl, Ständeversammlung 58–59.

[258] Verpfändungsurkunde Albrechts V. an Bernhardt Schwannckhner in Burgadelzhausen über zwei Höfe in Burgadelzhausen, 23. Juli 1552. BHStAM. KU Fürstenfeld 1816. – Da diese Verpfändung auf Rentenbasis geschah, mußte das Kloster obendrein den Ewigzins von 20 fl jährlich bezahlen.

[259] Verpfändungsurkunde Albrechts V. an Hanns Schwannckhner in Dachau über zwei Höfe in Ginging und Webling, 1. Mai 1554. BHStAM. KU Fürstenfeld 1828. – Der Ewiggeldzins in Höhe von 30 fl blieb wieder dem Kloster.

jetzt für die Schulden des Herzogs auf, so daß sich die Finanzlage des Klosters
kaum besserte. Die Konsolidierung der Klosterwirtschaft begann daher mit
der Buchführung: Zwei Rechnungsbücher aus den Jahren 1554[260] und
1555[261] sind erhalten und weisen den Charakter damaliger moderner Buchführung auf. Im Gegensatz zu den alten Büchern wurden die Posten jetzt einzeln aufgeführt und mit Datum und Summe bezeichnet; die einzelnen Rubriken wurden schließlich summiert. Die Saldorechnungen am Ende der Bücher
verzeichneten beide Male einen Überschuß: 1554 waren es etwa 751 fl, im
Jahr darauf etwas über 404 fl. Als Neuheit besaß das Buch von 1555 eine
Kastenrechnung im Anhang. Dennoch blieb die Finanzlage des Klosters so
schlecht daß es nicht einmal genügend Geld besaß, um das Salär Dorfpecks
zu bezahlen[262]. Als sich die Außenstände an Dorfpeck auf 1000 fl erhöht hatten, genehmigte ihm der Herzog, das Geld bei fünfprozentiger Verzinsung im
Kloster liegen zu lassen; zur Sicherheit bekam Dorfpeck die Zehnten von
Freising und Mauern übertragen[263].

Zu fragen ist daher, ob nicht auch der Richter von der Misere Fürstenfelds
profitierte: Die Schulden des Klosters an ihn, die bei einem an sich hohen
Grundgehalt von 100 fl innerhalb von vier Jahren erreicht wurden, waren
eine zusätzliche immense Belastung – ein geeigneter Ordensmann als Administrator wäre dem Kloster eindeutig billiger gekommen. Als Erfolg ließ sich
für die Administratur Dorfpecks in jedem Fall eine erste Haushaltsstabilisie-
rung verzeichnen; die horrenden Fehlbeträge aus den Jahren der Regierung
des Abtes Pistorius waren Vergangenheit. Insgesamt war man mit der Arbeit
Stephan Dorfpecks sowohl am Herzogshof als auch im Kloster überaus
zufrieden; erst als 1555 ein neuer Ordensmann als Administrator postuliert
wurde, beendete er seinen Dienst. Immer wieder verkehrte der nachmalige
Abt Leonhard Baumann im Hause Dorfpecks[264], und auch ins Nekrologium
des Klosters wurde der Richter aufgenommen[265]. Da diese Ehre nur Laien
zuteil wurde, die sich um das Kloster verdient gemacht hatten, hielt man Stephan Dorfpecks Verdienste um das Kloster auch später in hohem Ansehen.

---

[260] Rechnungsbuch von 1554. BHStAM. KL Fasc. 957/60. – Siehe Anhang 2.1: Rechnungsbücher.

[261] Rechnungsbuch von 1555. BHStAM. KL Fürstenfeld 317 1/11.

[262] Das Salär Dorfpecks betrug jährlich die stattliche Summe von 100 fl; da innerhalb von vier
Jahren damit nicht Außenstände von 1000 fl erreicht werden können, müssen weitere
Bezüge an Dorfpeck geflossen sein: Rechnungsbuch von 1555. BHStAM. KL Fürstenfeld 317
1/11. – Roth, Bruck 62, führt an, daß Dorfpeck dem Kloster 600 fl lieh; damit ließe sich die
Summe leichter erklären. Leider fehlt der Beleg dazu.

[263] Verkaufsurkunde Albrechts V. an Stephan Dorfpeck, 3. Februar 1555. BHStAM. KU Fürstenfeld 1833. – Rechnungsbuch von 1555, »Gemeine Ausgaben«. BHStAM. KL Fürstenfeld
317 1/11. – Führer, Chronik § 172.

[264] Verehrungen Leonhard Baumanns an das Küchenpersonal im Hause Dorfpeck: Rechnungsbuch von 1555, »Gemeine Ausgaben«. BHStAM. KL Fürstenfeld 317 1/11.

[265] Vgl. Necrol. BStB. Clm 1057, fol. 29r.

2.3 Bilanz der Jahre 1531–1554

Nachdem bereits unter Abt Georg Menhart erste Anzeichen für eine herauf-ziehende Krise besonders im wirtschaftlichen Bereich zu beobachten waren, vermehrten sich unter Abt Johannes Pistorius und Administrator Michael Kain die Schwierigkeiten des Klosters Fürstenfeld zusehends. Die Situation des Klosters wurde schließlich so ausweglos, daß wirksame Hilfe nur von außen kommen konnte.

Abt Johannes Pistorius war Humanist, Denker und Visionär, aber kein Öko-nom und Sanierungsexperte, wie es angesichts der Lage nötig gewesen wäre. Sein Unvermögen zu wirtschaftlichem Handeln begünstigte die höchsten Bilanzdefizite der bisherigen Klostergeschichte, wenngleich sich auch der gesamtwirtschaftliche Zustand des Landes auf Fürstenfeld auswirkte. Die Qualitäten des Abtes Pistorius lagen eindeutig in der religiösen Spekulation sowie der philosophischen und historischen Dichtung; doch auch die Füh-rung des Konvents gelang Abt Pistorius weitgehend. Im Gegensatz zur Wirt-schaftslage waren Disziplin und Zustände im Konvent unter ihm stabil; die Visitation von 1549 erbrachte kein verheerendes Bild, sondern die inneren Verhältnisse in Fürstenfeld waren nicht besser und schlechter als anderswo – von einem wirklichen Zerfall der Disziplin kann daher auch unter Abt Pisto-rius keine Rede sein. Als Mangel könnte höchstens eine fehlende geistliche Orientierung der Konventualen durch den Prälaten gelten; in Zeiten eines so großen Umbruchs hätte es dazu allerdings einer herausragenden, geistlich und pädagogisch gleichermaßen befähigten Persönlichkeit bedurft.

Die Administratur Fr. Michael Kains stellt bei aller gebotenen Vorsicht den Tiefpunkt der Klostergeschichte während der Reformationszeit und weit darüber hinaus dar. Die wirtschaftliche Krise setzte sich verstärkt fort, aller-dings unter anderen Vorzeichen. Während Abt Pistorius aus Unkenntnis und Unfähigkeit die Klosterwirtschaft langsam ruiniert hatte, tat Administrator Kain dies aus Fahrlässigkeit und Leichtfertigkeit; die Aussagen des Visita-tionsprotokolls von 1551 sprechen deutlich gegen ihn. Die Wirtschaftskraft des Klosters sank unter ihm, die Schulden erreichten ihren höchsten Stand, ohne daß überhaupt genaue Zahlen bekannt waren. Erstaunlich solide war im Verhältnis dazu die monastische Disziplin, über die die Visitationsakten von 1551 ein differenziertes Bild ergeben. Aufgrund dieser Quellen kann die These vom allgemeinen Niedergang des Klosters auch für die Regierungszeit des Administrators Kain als widerlegt gelten. Während der Jahre der Refor-mation waren Konventualen ausgetreten, die Pest von 1547 forderte ihre Opfer, und auch einige Mönche lebten in starkem Widerspruch zu ihrer Regel; diese Umstände waren im wesentlichen zeitbedingt. Ebenso sind aber Zeichen für einen monastischen Neuanfang und den Willen zur Beobachtung der Regel festzustellen. Dem gängigen Bild vom allgemeinen Verfall entspricht die klösterliche Wirklichkeit auch während der Jahre der schlimmsten wirtschaftlichen Krise nicht. Das eigentliche Problem der Administratur Kains bestand in seiner Person. Das Kloster wurde faktisch von Laien geführt, die den an sich schwachen Administrator in der Hand hatten; Nepotismus und übergroße Geltungssucht des Administrators zerstörten die Substanz des Klosters; auch die Gebäude verfielen teilweise zu Ruinen. Im Gegensatz zu den früheren krisenhaften Zuständen, die oft von außen an das Kloster herandrangen, so daß man sich kaum dagegen wehren konnte, waren die zusätzlichen Schwierigkeiten Fürstenfelds unter der Administratur Kains fast ausschließlich intern begründet; personelle Veränderungen versprachen deshalb schnelle Aussicht auf Verbesserung der Zustände.

Als Konsequenz aus der offensichtlichen Hilflosigkeit Fürstenfelds in wirtschaftlichen Dingen über mittlerweile mehr als zwei Jahrzehnte hinweg griff der Landesherr in stärkerer Weise in die Geschicke des Klosters ein als bislang. Mit der klaren Maßgabe wirtschaftlicher Konsolidierung und besserer Kontrolle über die Klosterwirtschaft setzte Herzog Albrecht V. Stephan Dorfpeck als Verwalter ein, zum ersten und einzigen Mal einen Laien. Administrator Dorfpeck erfüllte seine Aufgabe gewissenhaft, verzeichnete die Besitztümer des Klosters und ordnete die Buchführung neu; den Schuldenberg konnte er aufgrund der gesamtwirtschaftlichen Lage nicht abbauen. Während in wirtschaftlichen Dingen eine neue Solidität erreicht wurde, blieb die Anforderung nach neuer geistiger Orientierung und Formung des Konvents durch einen geeigneten Vorsteher noch Desiderat.

3. Von der Postulation Leonhard Baumanns bis zum Tod Abt Sebastian Thomas 1555–1623

3.1 Abt Leonhard II. Baumann (1555–1565): Der unauffällige Aufschwung

3.1.1 Die Postulation Fr. Leonhard Baumanns aus Kaisheim

Als Herzog Albrecht V. im Jahr 1552 die Verwaltung des Klosters Fürstenfeld an Stephan Dorfpeck übergab, wußte er, daß dieser nur die wirtschaftlichen Verhältnisse der Abtei ordnen konnte; um aber eine innere Erneuerung des Konvents zu erreichen, war auf Dauer ein tüchtiger Abt notwendig. Schon während der Administratur Kains hatte man nach einem geeigneten Zisterzienser Ausschau gehalten, war aber nicht fündig geworden[1]. Die Jahre des Regierungswechsels – nach dem Tode Herzog Wilhelms IV. 1550 übernahm sein Sohn Albrecht V. die Regierung – brachten in dieser Frage einen Stillstand; die Visitation 1551 zeigte allerdings überdeutlich, daß für Fürstenfeld eine neue Leitung nötig war. Die jungen Fürstenfelder Konventualen wünschten – auch aus einer gewissen Naivität heraus –, daß der Aldersbacher Abt, der sich allgemein guten Ansehens erfreute, für ein halbes Jahr zu ihnen käme und das Kloster »in guette ordnung pringen hilff«[2], was natürlich nicht möglich war. 1554 erbat der Herzog aus Raitenhaslach den Konventualen Fr. Wolfgang Rabenester, um ihn als Administrator in Fürstenfeld einzusetzen[3]. Doch Abt Sebastian Harbeck (1553–1569) ließ Fr. Rabenester nicht ziehen; auch in Aldersbach, Fürstenzell und Gotteszell fand sich kein zum Administrator tauglicher Mönch.

---

[1] Wilhelm IV. an Administrator Michael Kain mit der Mitteilung, nach einem geeigneten Prior zu suchen, München, 15. Juni 1549. BHStAM. KL Fürstenfeld 318 ½, prod. 2. – Repertorium Aldersbach, mit der Notiz, Fr. Christoph aus Aldersbach hätte einige Zeit in Fürstenfeld als Prior gewirkt, unter dem 14. Oktober 1549. BHStAM. KL Aldersbach 73, fol. 16r.

[2] Prior Hans Roppach und Konvent von Fürstenfeld an Albrecht V., Fürstenfeld, undatiert. BHStAM. KBÄA 4096, foll. 125–126, hier 125v.

[3] Albrecht V. an Abt Sebastian Harbeck von Raitenhaslach mit der Aufforderung, Fr. Wolfgang Rabenester zum GR zu schicken, München, 30. Oktober 1554. BHStAM. KL Raitenhaslach 112, prod. 208.

Albrecht V. mußte deshalb außerhalb seines Herzogtums weitersuchen. Der herzogliche Sekretär Heinrich Schweicker fragte in mehreren Klöstern nach, doch nur in Kaisheim konnte man ihm helfen: Im Zisterzienserinnenkloster Oberschönenfeld war ein Kaisheimer Konventuale, Fr. Leonhard Baumann, als Beichtvater für die Nonnen exponiert und hatte einen sehr guten Ruf. Herzog Albrecht V. bat nun den Kaisheimer Abt Johann Sauer, Fr. Baumann nach München zu schicken, damit er sich bei seinen Kammerräten vorstellen könne: Würde er sich als tauglich erweisen, sowohl die geistlichen als auch die weltlichen Herausforderungen zu meistern, wolle man ihn zunächst als Administrator einsetzen, später ordentlich zum Abt erheben, notfalls auch gegen den Willen des Konvents[4]. Abt Sauer erklärte sich mit dem Ansinnen einverstanden, ließ Fr. Baumann zu sich rufen[5] und teilte ihm den herzoglichen Wunsch mit. Fr. Leonhard Baumann zeigte Interesse und erbot sich, nach München zu gehen[6]. Als der in Aldersbach arrestierte Fr. Michael Kain von der erwogenen Administratur Fr. Baumanns erfuhr, bot er in einem überaus freundlichen Brief an, »meinem günstigen lieben herrn« ausführlich über die Lage in Fürstenfeld Bericht zu erstatten[7]; offensichtlich hatte der abgesetzte Administrator Angst bekommen, daß Fr. Baumann nach einem Einblick in seine Mißwirtschaft ordensrechtliche Schritte gegen ihn einleiten könnte. In München erweckte Fr. Leonhard Baumann bei den Beamten einen so guten Eindruck, daß er sogleich nach Fürstenfeld beordert wurde.

Unter Anleitung von Stephan Dorfpeck arbeitete sich Fr. Baumann zunächst in die Verwaltung des Klosters ein: Das Rechnungsbuch aus dem Jahr 1555 wurde zwar von Stephan Dorfpeck geführt[8], wie auch die eindeutige Kontinuität mit dem Buch des vorhergehenden Jahres zeigt, unterzeichnet wurde es aber von Fr. Leonhard Baumann, der auf dem Deckblatt als Administrator bezeichnet ist[9]. Zu Beginn des Jahres 1555 übernahm Administrator Baumann auch die geistliche Leitung des Klosters und übte sie zur Zufriedenheit des Landesherrn aus; denn ein Jahr später bat Herzog Albrecht V. den Kaisheimer Abt um die Genehmigung, den Administrator postulieren zu können; selbstverständlich werde man sich dafür dem Kloster Kaisheim erkenntlich

---

[4] Albrecht V. an Abt Johann Sauer von Kaisheim, München, 8. Dezember 1554 (Kopie). BHStAM. KL Fürstenfeld 318 ½, prod. 3.

[5] Abt Johann Sauer von Kaisheim an Albrecht V., Kaisheim, 13. Dezember 1554. BHStAM. KL Fürstenfeld 318 ½, prod. 4.

[6] Abt Johann Sauer von Kaisheim an Albrecht V., Kaisheim, 26. Dezember 1554. BHStAM. KL Fürstenfeld 318 ½, prod. 6.

[7] Fr. Michael Kain an Fr. Leonhard Baumann, 15. Dezember 1554. BHStAM. KL Fürstenfeld 318 ½, prod. 5.

[8] Vgl. Wollenberg, Eigenwirtschaft 359.

[9] Rechnungsbuch von 1555. BHStAM. KL Fürstenfeld 317 1/11.

zeigen[10]. Der Kaisheimer Abt erteilte die Erlaubnis zur Postulation, und der Herzog konnte endgültig daran gehen, in Fürstenfeld wieder für geordnete Verhältnisse zu sorgen.

Dem Postulationsakt am 16. April 1556 stand bemerkenswerterweise der Kaisheimer Abt Johann Sauer selbst vor, nachdem der eigentlich zuständige Aldersbacher Abt Bartholomäus Mädauer (1552–1577) auf die Leitung verzichtet hatte. Auch die Auswahl der Assessoren, mit Abt Benedikt Jäger von Wessobrunn und Abt Leonhard Schlecht von Andechs immerhin zwei Benediktiner und kein Zisterzienser, zeigt die Ausnahmesituation des Postulationsverfahrens von Fr. Baumann[11]. Ebenso befremdlich wirkt der Eintrag im Aldersbacher Repertorium über die Postulation Fr. Baumanns, die um zwei Jahre falsch datiert ist: »electus esse videtur D[ominus]. Leonardus Baumann«[12]; in dieser Formulierung zeigt sich die Aldersbacher Distanz zum Geschehen in Fürstenfeld. Vermutlich war man verstimmt über das eigenmächtige Vorgehen des Herzogs bei der Postulation des Administrators Baumann; Zufall war es sicherlich keiner, daß nicht ein einziger bayerischer Zisterzienser beim Postulationsakt anwesend war.

Nach dem Heilig-Geist-Amt und der üblichen Exhorte der Mönche durch den Kaisheimer Fr. Ulrich Kölin schritten die sieben verbliebenen Konventualen zur Postulation: Sigismund Röhrl, Sigismund Eisenberger, Leonhard Keller, Leonhard Treuttwein, Johannes Neumair, Matthäus Breimelber und Martin Saurle[13] befragten den Administrator Baumann, erkannten ihn für geeignet und postulierten ihn »unanimiter« zum Abt, berichtet das Instrument – etwas anderes wäre ihnen ohnehin nicht geblieben, nachdem Herzog Albrecht V. mit aller Deutlichkeit seinen Willen geäußert hatte; sicherlich waren auch die Religiosen eher über die Ordnung der Verhältnisse erleichtert als über die Verfahrensweise verärgert. Die zur Postulation nötige Genehmigung hatte Abt Sauer von Kaisheim als Ordinarius Fr. Baumanns bereits zuvor erteilt. Somit wurde dieser in die vollen Rechte der »spiritualia« und »temporalia« eingesetzt und erhielt vom herzoglichen Wahlkommissar Schlüssel und Siegel des Klosters eingehändigt. Erstmals erscheint in der Postulationsurkunde Abt Baumanns die Anweisung »neque Lutherane secte

---

[10] Albrecht V. an Abt Johann Sauer von Kaisheim, München, 4. Februar 1556 (Kopie). BHStAM. KU Fürstenfeld 1842.

[11] Postulationsinstrument Abt Leonhard Baumanns durch Abt Johann Sauer von Kaisheim, Fürstenfeld, 16. April 1556. BHStAM. KU Fürstenfeld 1844. – Das Instrument verzeichnet zwar aus Wessobrunn einen Gregor; eindeutig war zu jener Zeit aber Benedikt Jäger dortiger Abt. Vermutlich entsandte dieser einen Legaten.

[12] Repertorium Aldersbach, fälschlicherweise unter 1554. BHStAM. KL Aldersbach 73, fol. 16v. – Zudem war Fr. Baumann nicht »electus«, sondern »postulatus«.

[13] Im Vergleich zur letzten Konventsliste von 1551 waren Prior Roppach, Johannes Pradtner, Johannes Traintl, Jeremias Herman und Christoph Bader ausgeschieden. Dazugekommen waren Matthäus Breimelber und Martin Saule.

adherere fratres suos adherentes desuper fideliter et paterne corrigere«[14]; die
wachsende Entschlossenheit Albrechts V. zur Katholischen Reform begann
bereits bei der Wahl der Äbte zu greifen. Auf Christi Himmelfahrt reiste Abt
Baumann schließlich nach Freising, wo er von Fürstbischof Leo Lösch von
Hilkertshausen (1552–1559) die Abtsbenediktion erhielt[15]. Nachdem auch
aus Cîteaux die Konfirmation Baumanns als Abt eingetroffen war[16], besaß
Fürstenfeld seit beinahe zehn Jahren wieder einen regierenden Abt.

3.1.2   Zur Person Abt Leonhard Baumanns

Abt Leonhard Baumann wurde nach 1500 in Eichstätt geboren, immatrikulierte sich am 2. Dezember 1521 an der Universität zu Ingolstadt und wurde
dort zum Baccalaureus der »Artes liberales« promoviert[17]; 1532 trat er ins
Kloster Kaisheim ein und erhielt 1536 die Priesterweihe[18]. Später bekam
Fr. Baumann den einflußreichen Posten des Beichtvaters der Zisterzienserinnen von Oberschönenfeld[19], wo er gerne gelebt hatte, denn er hielt noch
engen Kontakt dorthin, als er längst Abt in Fürstenfeld war. Auch seinen
Nachfolger im Amt des Beichtvaters in Oberschönenfeld besuchte er gelegentlich[20].
Will man Abt Leonhard Baumann charakterisieren, so drängt sich trotz seiner Herkunft aus der altbayerisch-schwäbischen Grenzlandschaft geradezu
auf, ihn als »typischen Schwaben« zu kennzeichnen: verantwortungsbewußt
und lebenslustig, tiefgründig, bohrend, aber auch gesellig, der Kunst ebenso
zugetan wie dem rechten Haushalten und der Verantwortung für die Armen.
Mit einer für Fürstenfeld bis dahin unbekannten Gewissenhaftigkeit führte
Abt Baumann die Rechnungsbücher des Klosters, ganz im Stil des Verwalters

---

[14] Postulationsinstrument Abt Leonhard Baumanns durch Abt Johann Sauer von Kaisheim,
Fürstenfeld, 16. April 1556. BHStAM. KU Fürstenfeld 1844.

[15] Rechnungsbuch von 1556, »Zehrung und Botenlohn«. BHStAM. KL Fürstenfeld 317 1/86. –
Das anschließende Mahl in Freising kostete satte 25 fl, 5 ß, 11 dl, die Benediktion selbst 10 fl.

[16] Konfirmationsurkunde des Priors Johann von Cîteaux über die Postulation Leonhard Baumanns zum Abt, Cîteaux, 25. Juli 1556. Eingeheftet in BHStAM. KU Fürstenfeld 1844. – Diese Konfirmation kostete das Kloster 48 fl, 5 ß, 7 dl, 1 hl: Rechnungsbuch von 1556, »Zehrung
und Botenlohn«. BHStAM. KL Fürstenfeld 317 1/86.

[17] Matrikel Ingolstadt I 450, 30: »Leonardus Pauman de Eistet«.

[18] Aussage Abt Leonhard Baumanns im Visitationsprotokoll, 1560. Landersdorfer, Visitation
331.

[19] Eine urkundliche Erwähnung Fr. Baumanns findet sich im Wahlinstrument der Oberschönenfelder Äbtissin Agnesa von Burtenbach durch Abt Johann Sauer von Kaisheim, 2. Januar
1553. BStAA KU Oberschönenfeld 1553 Januar 2; gedruckt in: Puchner, Oberschönenfeld
181, Nr. 504. – Zum Kloster Oberschönenfeld: Werner Schiedermair (Hrg.), Kloster Oberschönenfeld, Donauwörth 1995.

[20] Rechnungsbuch von 1556, »Zehrung« und »Gemeine Ausgaben«. BHStAM. KL Fürstenfeld
317 1/86.

4 Anbetung des Kindes im Stall zu Bethlehem. Öl/Holz, Meister Sigmund
   von Freising zugeschrieben, um 1470/80, vom gotischen Hochaltar.
   Fürstenfeld, Klosterkirche, Sakristei
5 Hl. Bernhard von Clairvaux. Ehemals Schreinfigur vom gotischen Hochaltar.
   Münchner Bildhauer um 1470/80. Fürstenfeld, Klostersakristei
6 Thronende Muttergottes mit Kind, nach der Taube greifend.
   Ehemals Schreinfigur des gotischen Hochaltars. Münchner Bildhauer
   um 1470/80. Fürstenfeld, Klosterkirche

7 *Pfingstwunder, aus dem Marienzyklus des einstigen Fürstenfelder Hochaltars.*
Öl/Holz, Meister Sigmund von Freising zugeschrieben, um 1470/80.
Fürstenfeld, Klosterkirche, Sakristei

Dorfpeck[21], und konnte somit über jedes seiner Geldgeschäfte genau Auskunft geben. Die Rechnungsprüfung durch den vom herzoglichen Kammerrat beauftragten Caspar Schwennckh – die Hofkammer kontrollierte die Klosterrechnungen inzwischen regelmäßig – bestätigte jedenfalls das Rechnungsbuch 1555 als korrekt[22]. Der Abt galt schon bald als höchst pflichtbewußter und verantwortungsvoller Verwalter.

Bei aller Aufmerksamkeit in der Wirtschaftsführung erweckt Abt Leonhard Baumann persönlich dennoch eher den Eindruck eines kulturell und musisch interessierten Humanisten: Eine seiner Leidenschaften war das Sammeln von Büchern, von denen er eine stattliche Anzahl von Oberschönenfeld her nach Fürstenfeld gebracht hatte[23]; immer wieder finden sich auch in den Rechnungsbüchern Ausgaben für die Neubeschaffung oder das Binden von Büchern[24]. Abt Baumann wußte um den Wert der Bildung und wandte entsprechende Mittel dafür auf. Ob er sich selbst literarisch betätigte, wie Röckl vermutet[25], ist durchaus denkbar, nach heutigem Quellenstand aber nicht mehr nachzuweisen; erhalten ist kein literarisches Produkt aus seiner Feder. Auch die Musikpflege im Kloster lag dem Prälaten am Herzen: Für den stolzen Preis von 15 fl im Jahr ließ er 1556 einen jungen Mönch im Orgelspiel unterrichten[26], um später keine auswärtigen Organisten mehr bezahlen zu müssen[27]. Um auch den anderen Konventualen das Erlernen eines Instruments zu ermöglichen, erwarb Abt Baumann ein Clavichord und stellte es im Konvent auf[28].

Seine zahlreichen Repräsentations- und Verwaltungsaufgaben veranlaßten Abt Leonhard Baumann zu vielen größeren und kleineren Reisen. Neben der Fahrt zur Benediktion und den obligatorischen Antrittsbesuchen in den benachbarten Klöstern wie Wessobrunn, Dießen, Indersdorf und Beyharting[29] besuchte der Prälat immer wieder Kaisheim, mit dessen Abt Johann Sauer er sich wohl verstand, Oberschönenfeld und Augsburg[30]; bei einem

---

[21] Erhalten sind aus seiner Regierungszeit drei Rechnungsbücher: 1555 (BHStAM. KL Fürstenfeld 317 1/11), 1556 (BHStAM. KL Fürstenfeld 317 1/86) und 1558 (BHStAM. KL Fürstenfeld 317 1/88).

[22] Nachbemerkung Caspar Schwennckhs im Rechnungsbuch von 1556, 2. Februar 1556. BHStAM. KL Fürstenfeld 317 1/11.

[23] Führer, Chronik § 173.

[24] 8 fl für den Buchbinder; 5 fl 4 ß 27 dl für den Neuerwerb von Büchern: Rechnungsbuch von 1558, »Gemeine Ausgaben«. BHStAM. KL Fürstenfeld 317 1/88.

[25] Vgl. Röckl, Beschreibung 28.

[26] Rechnungsbuch von 1556, »Konvent«. BHStAM. KL Fürstenfeld 317 1/86.

[27] Tatsächlich fehlt im Rechnungsbuch von 1566 der Lohn für einen festangestellten Organisten; für die Aushilfe wird dem Schulmeister 1 fl verehrt (»gemeine Ausgaben«). KL Fürstenfeld 317 1/10.

[28] Rechnungsbuch von 1556, »Zehrung und Botenlohn«. BHStAM. KL Fürstenfeld 317 1/86.

[29] Auskunft geben darüber die Reisegeldabrechnungen Baumanns: Rechnungsbuch von 1556, »Zehrung und Botenlohn«. BHStAM. KL Fürstenfeld 317 1/86.

[30] Zahlreiche Einträge in den Rechnungsbüchern geben darüber Auskunft.

Aufenthalt in Aldersbach verehrte er sogar dem dort arrestierten Fr. Michael Kain ein Geldgeschenk[31]. Auch die Repräsentationstermine in St. Leonhard zu Inchenhofen nahm Abt Baumann häufig wahr: Zu Pfingsten, der Zeit der großen Wallfahrten, weilte der Abt einige Tage im Superiorat[32], die Wallfahrtskirche St. Willibald bei Jesenwang besuchte der Abt ebenso. Bei solchen Gelegenheiten ging Abt Baumann gerne zum Fischen, um sich von den Strapazen seiner Aufgaben zu erholen[33]; dieses Hobby gehörte zu den Vergnügungen der Äbte, denn auch Abt Treuttwein war später ein Freund des Fischfangs.

Die bald bekannte Zuverlässigkeit Abt Leonhard Baumanns bewirkte, daß er vom Landesherrn mit verschiedenen Aufgaben betraut wurde. Als sich in etlichen Klöstern Niederbayerns wiederum lutherische Gedanken breitmachten, schickte Herzog Albrecht V. im Zuge seiner nun überaus konsequenten katholischen Reformpolitik Abt Baumann zusammen mit einigen Geistlichen Räten in die Klöster Aldersbach, Osterhofen und St. Nikola in Passau[34]; dort sollten die Visitatoren die rechte Lehre wiederherstellen helfen. Nach Seligenthal reiste Abt Baumann, als der Raitenhaslacher Abt Sebastian Harbeck seinen Pflichten als »Pater immediatus« zeitweilig nicht nachkommen konnte[35]. Schließlich forderte der herzogliche Hof immer wieder Beichtväter für die Adeligen in der Umgebung des Herzogs aus Fürstenfeld an[36]. Bei einem Treffen von sechs bayerischen Äbten mit Herzog Albrecht V. im Jahr 1558 saß der Fürstenfelder Prälat ebenfalls mit am Tisch[37].

Je länger Abt Leonhard Baumann diese Doppelbelastung erfüllen mußte, um so mehr schwanden seine Kräfte. Bereits 1558, zwei Jahre nach seiner Wahl und sieben Jahre vor seinem Tod, zwang ihn eine Krankheit während einer Reise nach Augsburg, zwei Wochen lang das Bett zu hüten. Auf Anraten des Arztes nahm der Prälat anschließend daran einen vierwöchigen Kuraufenthalt in einem ungenannten Heilbad[38]. Doch ganz gesund wurde er auch später nicht mehr, da von einer langen Krankheit berichtet wird, während der ihn der Brucker Christoph Freisinger gepflegt hat[39]. Sieben Jahre später, am

---

[31] Rechnungsbuch von 1558, »Konvent«. BHStAM. KL Fürstenfeld 317 1/88. – Es waren genau 1 fl, 3 ß, 15 dl.

[32] Dabei verschenkte er 1 fl an Kinder: Rechnungsbuch von 1555, »Gemeine Ausgaben«. BHStAM. KL Fürstenfeld 317 1/11.

[33] Rechnungsbuch von 1555, »Konvent«. BHStAM. KL Fürstenfeld 317 1/11.

[34] Führer, Chronik § 174.

[35] Rechnungsbuch von 1558, »Zehrung«. BHStAM. KL Fürstenfeld 317 1/88.

[36] Abt Leonhard Baumann, der in München weilt, fordert seinen Prior Leonhard Treuttwein auf, nach München zu kommen, um nach dem Willen des Herzogs den Truchsessen und Edelknaben die Beichte abzunehmen: Abt Leonhard Baumann an Prior Leonhard Treuttwein in Fürstenfeld, München, 16. April 1565. BHStAM. KL Fürstenfeld 588, prod. 1.

[37] Rechnungsbuch von 1558, »Zehrung«. BHStAM. KL Fürstenfeld 317 1/88.

[38] Ebd.

[39] Rechnungsbuch von 1566, »Gemeine Ausgaben«. BHStAM. KL Fürstenfeld 317 1/10.

15. Dezember 1565 um 12 Uhr mittags[40], verstarb Abt Leonhard Baumann im Kloster; unter einem Grabstein, den er selbst noch in seiner Heimat Eichstätt bestellt hatte, wurde er beigesetzt[41]. Die Nachwelt erinnerte sich an ihn sehr positiv: Das Nekrologium spricht von einer »presidentia laudabilis«[42], Gerard Führer vermerkt in seiner Chronik, daß Abt Baumann sein Amt »vor Gott und den Menschen verdienstlich« versehen habe[43]. Tatsächlich hatte Albrecht V. mit Abt Leonhard Baumann zur rechten Zeit einen außerordentlichen Glücksgriff getan, denn mit diesem begann eine unübersehbare Neuorientierung und ein lang anhaltender Aufschwung des Klosters.

3.1.3 Die Konsolidierung der Abtei Fürstenfeld unter Abt Leonhard Baumann

3.1.3.1 Geistige Reformen im Kloster

Abt Leonhard Baumann stand vor der ungeheuren Aufgabe, nach Jahrzehnten, in denen das Kloster von wenig interessierten, groben, geistreichen aber unbegabten oder schlicht unfähigen Vorstehern geleitet worden war, das monastische Leben in der Abtei aus den Grundlagen des Zisterzienserordens heraus zu erneuern. Dabei bildete er gleichsam eine Vorhut der Klosterreform, denn in diesen Jahren griffen weder die Bestimmungen des Konzils von Trient noch überzogen die Jesuiten das Land mit ihrer eigenen, markanten Spiritualität[44]. Der Prälat mußte sich eigene Gedanken machen, auf welchen Kurs er sein Kloster lenken wollte. Abt Leonhard Baumann war aber kein Visionär, der ein Reformprogramm verfaßte und umzusetzen versuchte, sondern ein Pragmatiker; dementsprechend nüchtern und sachlich vollzog er einen lautlosen Neubeginn.

Die Voraussetzungen, auf die Abt Baumann im Jahr 1555 traf, hatten sich seit der Visitation 1551, in der die Lähmung des Klosters jedermann offensichtlich war, merklich gebessert: Mit dem Administrator Michael Kain waren einige seiner allzu raffgierigen Verwalter aus der Verantwortung für das Kloster enthoben worden. Der deprimierte Prior Hans Roppach war verstor-

---

[40] Repertorium Aldersbach, unter dem 15. Dezember 1565. BHStAM. KL Aldersbach 73, fol. 16v.

[41] Rechnungsbuch von 1566, »Gemeine Ausgaben«. BHStAM. KL Fürstenfeld 317 1/10. – Der Grabstein kostete immerhin 28 fl, 2 ß, 8 dl.

[42] Necrol. BStB. Clm 1057, fol. 51r. – Versehentlich vermerkt das Nekrologium, daß Baumann elf Jahre statt zehn Jahren regiert hätte, was jedoch auf einem simplen Rechenfehler beruht.

[43] Führer, Chronik § 175.

[44] 1556, im Jahr der Wahl Baumanns zum Abt, zogen die Jesuiten endgültig in der Universität Ingolstadt ein; das Münchener Kolleg entstand erst 1559. Vgl. Weitlauff, Anfänge 54–56.

ben[45]; Fr. Johannes Pradtner, der nach Einschätzung der Visitatoren ein höchst unklösterliches Leben geführt und mit seiner Köchin im Konkubinat gelebt hatte[46], wählte den Abt nicht mehr mit, ebenso Fr. Johannes Traintl[47]. Sieben Mitbrüder verblieben somit dem neuen Prälaten zum Aufbau des Klosters: Fr. Leonhard Keller war bereits 1551 für mehr Strenge im Konvent eingetreten[48], Fr. Sigismund Röhrl und Fr. Sigismund Eisenberger bekamen von den Visitatoren ohnehin gute Zeugnisse, ebenso Fr. Leonhard Treuttwein und – mit Abstrichen – Fr. Johannes Neumair[49]. Fr. Mathias Breimelber war zwar schon 1549 ins Kloster eingetreten[50], lebte 1551 aber nicht im Konvent[51]; Fr. Martin Saurle trat erst nach 1552 ein. Mit diesen sieben Konventualen besaß Abt Baumann eine gute personelle Grundlage für sein Vorhaben des Neuaufbaus; zwar war die Anzahl der Religiosen nicht sonderlich groß, doch der Altersstruktur nach sehr wohl gemischt, so daß auch die Ämter mit einigermaßen erfahrenen Mönchen besetzt werden konnten.

»Müßiggang ist der Seele Feind«[52]. Abt Leonhard Baumann kannte dieses Wort der Regel Benedikts und wußte nur zu gut um seine Wahrheit. Um Disziplin und Frömmigkeit im Kloster zu erneuern, konnte es nicht genügen, lediglich die Vorschriften zu verschärfen; die Mönche brauchten vielmehr geistiges Rüstzeug, um die von außen auferlegten Regeln zu den eigenen, verinnerlichten werden zu lassen; nur über die Bildung des Herzens und des Geistes konnte dauerhaft monastisches Leben nach Fürstenfeld zurückkehren. Wie für alle inneren Prozesse ist es auch hier schwer, Zeugnisse zu konkreten Veränderungen anzuführen, zumal Abt Leonhard Baumann keine persönlichen Notizen hinterlassen hat; dennoch liegen etliche indirekte Belege für seine Reformen vor. Wie bereits erwähnt, war Abt Baumann eifrig um die Hebung des Bildungsniveaus seiner Konventualen bemüht. Nach über drei-

45 Necrol. BStB. Clm 1057, fol. 30v. – Roppach starb am 26. Juli 1555. Siehe Anhang 1.3: Katalog der Mönche.
46 Aussage von Fr. Johannes Pradtner im Visitationsprotokoll, Fürstenfeld, 13. Oktober 1551. BHStAM. KBÄA 4096, fol. 61r.
47 Fr. Traintl war am 31. Januar 1552 nach Aldersbach zur Hospitation gegangen und nicht mehr zurückgekehrt. Repertorium Aldersbach, unter dem 31. Januar 1552. BHStAM. KL Aldersbach 73, fol. 16r.
48 Aussage von Fr. Leonhard Keller im Visitationsprotokoll, Fürstenfeld, 13. Oktober 1551. BHStAM. KBÄA 4096, fol. 66r.
49 Bemerkungen in den Visitationsprotokollen, Fürstenfeld, 13. Oktober 1551. BHStAM. KBÄA 4096, foll. 62 (Fr. Röhrl), 63 (Fr. Eisenberger), 67 (Fr. Neumair), 68–70 (Fr. Treuttwein).
50 Aussage von Fr. Mathias Breimelber im Visitationsprotokoll, 1560. Landersdorfer, Visitation 332.
51 Sein Name wird in den Akten nirgends erwähnt; da er nicht befragt wurde, wohnte er zu dieser Zeit nicht im Kloster. Über einen anderen Aufenthaltsort ist nichts bekannt.
52 RB 48, 1. – Mit dieser Feststellung beginnt das Kapitel über Handarbeit und Lesung der Mönche.

ßig Jahren nahm wieder ein Fürstenfelder Mönch ein Universitätsstudium auf, nämlich der nicht mehr so junge Fr. Sigismund Eisenberger, damals bereits Kaplan in St. Leonhard[53]; er immatrikulierte sich im Sommerseme-ster 1555 an der Landesuniversität zu Ingolstadt[54]. Ihm folgten in den näch-sten Jahrzehnten weitere Fürstenfelder Studenten[55]. Auch im Kloster sorgte der Prälat für neue Bildungsmöglichkeiten, indem er immer wieder Bücher ankaufte – laut Vermerk häufig für die Novizen: gedruckte Psalter, zwei Aus-gaben der »Proverbia Salomonis«, wie die Fabeln Äsops bezeichnet wur-den[56], etliche geschichtliche und landeskundliche Werke, ein Buch des Nikolaus von Kues, eine Darstellung des Heiligen Landes[57] und mehr[58]. Für die gewachsene Anzahl der Bücher errichtete Abt Baumann einen neuen Bibliotheksbau, für den er eine andere Aufstellung der Bücher konzipierte, und den er mit Gemälden ausmalen ließ[59]. Bei aller humanistischen Offen-heit war es für Abt Baumann selbstverständlich, den Katholizismus in seiner konfessionellen Gestalt zur Richtschnur der Bildung zu machen[60]. Dies mußte der Schulmeister am Kloster erfahren, »welcher nit catholisch. Hab ine derwegen weckh gewiesen«; an seine Stelle wurde der als »guet catho-lisch« bekannte Johannes Örtl gesetzt[61].

Auch das Chorgebet, Herzstück eines jeden Klosters, erneuerte Abt Bau-mann vorsichtig, indem er wieder den Gebrauch der alten liturgischen Bücher aufnahm, die inzwischen ramponiert, verlorengegangen oder ausein-andergefallen waren. So bezahlte er noch in seinem ersten Amtsjahr 3 fl für das »Recuperieren« der alten Gesangsbücher und Antiphonarien[62]. In der Chorkleidung griff Abt Baumann auf die alten Vorschriften zurück und kauf-

---

[53] Die Auflistung in TE I 299, bemerkt über die Studenten an der Universität Dillingen, daß seit 1556 Fratres aus Fürstenfeld dort studiert hätten. Bei einer Durchsicht der Matrikeln der Universität Dillingen I (1551–1645) ergab sich aber, daß mit Fr. Georg Weinberger erst 1618 der erste Fürstenfelder Professe nach Dillingen entsandt wurde. Zwar hatte Johannes Puel tatsächlich seit 1556 in Dillingen studiert (Matrikel Dillingen I 19, 48, unter dem 20. Okto-ber 1556), er war aber erst später nach Fürstenfeld eingetreten, weil ihn die Matrikeln nicht als »Frater« bezeichnen. So muß die obige Angabe leicht korrigiert werden.

[54] Matrikel Ingolstadt I 729, 28, unter dem 18. Juni 1555.

[55] Zum Studium ausführlicher Teil II, Kap. 1.2.2 und Anhang 1.5: Immatrikulationslisten.

[56] Rechnungsbuch von 1555, »Konvent«. BHStAM. KL Fürstenfeld 317 1/11.

[57] Rechnungsbuch von 1556, »Gemeine Ausgaben«. BHStAM. KL Fürstenfeld 317 1/86.

[58] »Etliche Bücher« in die Bibliothek, die leider ungenannt bleiben: Rechnungsbuch von 1558, »Gemeine Ausgaben«. BHStAM. KL Fürstenfeld 317 1/88.

[59] Führer, Chronik § 173. – In den Rechnungsbüchern ist darüber nichts erhalten, allerdings fehlen sie für die letzten sieben Lebensjahre Abt Baumanns.

[60] Roth, Bruck 65, notiert – aus lutherischer Sicht –, Abt Baumann sei ein »scharfer Katholik« gewesen.

[61] Aussagen von Abt Leonhard Baumann und Prior Mathias Breimelber im Visitationsproto-koll, 1560. Landersdorfer, Visitation 331–332.

[62] Rechnungsbuch von 1555, »Gemeine Ausgaben«. BHStAM. KL Fürstenfeld 317 1/11. – Damit ist eine Reparatur der Bücher gemeint, deren Neuschrift zu teuer gewesen wäre.

te schwarze Birette für die Mönche[63]. Die Horen wurde zunächst nach Ordensgewohnheit »choraliter« gesungen; vermutlich setzte Abt Baumann dabei aber verstärkt auf die Begleitung durch Orgelmusik: In Zeiten knapper Kassen hätte er sonst sicherlich nicht gleich zu Beginn seiner Amtszeit 15 fl für den Musikunterricht eines Konventualen bezahlt[64], auch die bereits erwähnte Anschaffung eines Clavichords deutet in diese Richtung[65]. Ob bereits unter Abt Baumann die moderne polyphone Vokalmusik in Fürstenfeld Einzug gehalten hat, ist ungewiß; nachweisbar ist sie erst unter seinem Nachfolger Abt Leonhard Treuttwein.

Der neue Führungsstil und die Reformen durch Abt Leonhard Baumann wirkten sich schnell auf die personelle Größe des Konvents aus: Fürstenfeld bekam wieder verstärkt Nachwuchs. Nachdem sieben Mönche Leonhard Baumann zum neuen Abt postuliert hatten, kaufte dieser noch im Jahr seiner Wahl 1555, wie erwähnt, neun schwarze Birette für den Konvent, woraus man auf die gestiegene Zahl der Konventualen schließen kann. Im Jahr darauf läßt sich ein erneuter Zuwachs annehmen[66], so daß um 1558 etwa zehn Profeßmönche und mindestens ein Novize im Kloster wohnten; bis zur Visitation im Jahr 1560 wuchs der Konvent weiter an.

3.1.3.2   Die wirtschaftliche Sanierung Fürstenfelds

3.1.3.2.1   Buchführung, Haushaltsbilanzen und Schulden

Vom Verwalter Stephan Dorfpeck übernahm Abt Leonhard Baumann die Methodik der Buchführung, was aus der einheitlichen Anlage der Rechnungsbücher erkennbar ist[67]; zudem erstellte er Fischereiregister mit Auflistung der einzelnen Abgaben[68] und legte Ackerregister an[69]. So führte der neue Prälat die von Stephan Dorfpeck begonnene Konsolidierung der Ökonomie fort. Dennoch blieben die Haushaltsbilanzen uneinheitlich: Während

---

[63] Rechnungsbuch von 1555, »Konvent«. BHStAM. KL Fürstenfeld 317 1/11. – Damit eilte Abt Baumann den Bestimmungen um etliche Jahre voraus, denn 1590 forderte der Abtvisitator Johannes Dietmair in Raitenhaslach, wieder die ordensüblichen Birette zu tragen; vgl. Krausen, Raitenhaslach 145.

[64] Rechnungsbuch von 1556, »Konvent«. BHStAM. KL Fürstenfeld 317 1/86.

[65] Rechnungsbuch von 1556, »Zehrung und Botenlohn«. BHStAM. KL Fürstenfeld 317 1/86.

[66] Rechnungsbuch von 1558, »Konvent«. BHStAM. KL Fürstenfeld 317 1/88. – Baumann besorgte zehn Schreibgeräte für die Professen.

[67] Rechnungsbuch von 1554. BHStAM. KL Fasc. 957/60.

[68] Fischereiregister, 1554–1556, erwähnt im Repertorium Fürstenfeld, undatiert. BHStAM. KL Fürstenfeld 369, pag. 274, Nr. 377. – Das vermerkte Fischereiregister notierte die Jahre 1554 bis 1556, wurde also unter Abt Leonhard Baumann noch eine Zeitlang fortgesetzt.

[69] Ackerregister Maisach, 1554–1630, erwähnt im Repertorium, undatiert. BHStAM. KL Fürstenfeld 369, pag. 512, L 21.

1555 und 1556 ein Überschuß von 404 fl, 4 ß bzw. 626 fl, 4 ß, 4 dl erwirtschaftet wurde, war für 1558 ein Defizit von 807 fl, 4 ß, 5 dl zu verzeichnen, was bei einer Ausgabensumme von über 5952 fl etwa 13 % ausmacht[70]. Dies verwundert nicht: Immer noch schlug eine große Schuldenlast zu Buche, die seit 1551 nur unwesentlich gesunken war, da die oben erwähnten herzoglichen Zwangsverkäufe gemäß den Landtagsbeschlüssen weitere Löcher in den Etat rissen[71].

Die Höhe der verbliebenen Schulden ist zwar nirgends in absoluten Zahlen festgehalten, aus den Aufwendungen für Zinsen in Höhe von 661 fl, 15 dl im Jahre 1555[72] und dem damals allgemein üblichen Zinsfuß von 5 % läßt sich aber folgern, daß Fürstenfeld Außenstände in Höhe von etwa 13000 fl hatte[73]. Tilgungen alter Schulden sind nur einmal während der Prälatur Baumanns belegt: 1556 wurden an verschiedene Gläubiger 333 fl, 5 ß, 27 dl und 1 hl zurückgezahlt[74]. Möglich war dies nur, weil Fürstenfeld in diesem Jahr einen nennenswerten Überschuß erwirtschaften konnte; als in den folgenden Jahren die Haushaltsbilanz wieder negativ wurde, war an Tilgungen nicht mehr zu denken. Zumindest brauchten aber keine neuen Schulden mehr aufgenommen zu werden. Die einzige Verpfändung eines Hofes um 200 fl Ewiggeld im Jahr 1560 wurde bereits fünf Jahre später wieder vollständig rückgelöst[75] – auch hierin kann man ein Indiz für die solide gewordene Haushaltsführung erkennen. Den bescheidenen Mitteln entsprechend kaufte Abt Baumann kaum Güter, mit der Pointe des Inchenhofener Bürgers Sebastian Riedl zu Kaisersdorf für 340 fl immerhin eine Immobilie[76].

3.1.3.2.2 Die Bautätigkeit Abt Baumanns

Eine weitere Hypothek der Vergangenheit war der Bauzustand des Klosters und seiner Liegenschaften, der dringende Renovierungen erforderte. Zwar

[70] Siehe Anhang 2.1: Rechnungsbücher.
[71] Verpfändungsurkunde Albrechts V. an Bernhardt Schwannckhner in Burgadelzhausen über zwei Höfe in Burgadelzhausen, 23. Juli 1552. BHStAM. KU Fürstenfeld 1816. – Verpfändungsurkunde Albrechts V. an Hanns Schwannckhner in Dachau über zwei Höfe in Ginging und Webling, 1. Mai 1554. BHStAM. KU Fürstenfeld 1828.
[72] Rechnungsbuch von 1555, »Zinsen«. BHStAM. KL Fürstenfeld 317 1/11.
[73] Vgl. Wollenberg, Eigenwirtschaft 380, bestätigt diese Summe und sieht in ihr die obere Regelgröße für das gesamte 16. Jahrhundert.
[74] Rechnungsbuch von 1556, »Alte Schulden«. BHStAM. KL Fürstenfeld 317 1/86.
[75] Verpfändungsurkunde Abt Leonhard Baumanns an den Brucker Bierbrauer Jacob Mezger über einen Sedlhof zu Puchham, Fürstenfeld, 3. Februar 1560. BHStAM. KU Fürstenfeld 1909. – Dorsalvermerke notieren aber, daß Abt Baumann am 5. März 1564 und am 19. Februar 1565 jeweils 100 fl zurückzahlte, so daß der Hof wieder in die Nutzung des Klosters zurückfiel.
[76] Verkaufsurkunde Sebastian Riedls, Bürger zu Inchenhofen, an Abt Leonhard Baumann über seine Pointe zu Kaisersdorf, 8. November 1564. BHStAM. KU Fürstenfeld 2007.

waren die Klostergebäude nie so marode wie in Aldersbach, wo die schockier-
ten Gäste neben Mauerlöchern die lediglich mit Brettern gedeckten Zellen
besichtigen konnten[77]; dennoch waren Sanierungen in Fürstenfeld unumgänglich. Schadhaft waren vor allem die Dächer der Klostergebäude geworden, so daß der Dachdecker Mang über ein Jahr lang daran arbeitete[78]; auch
der Brucker Kistler Leonhard Schibler kam häufig zu Reparaturen ins Kloster[79]. Im Gästehaus mußten die zerbrochenen Fenster erneuert werden[80];
ein völliger Neubau war schließlich die Bibliothek, für die der Abt neben
Maurer und Zimmerer auch einen Kunstmaler beschäftigte[81]. Da darüber
keine Rechnung erhalten ist, dürfte der Bibliotheksneubau erst in den sechziger Jahren vorgenommen worden sein.

Schlimmer als im Kloster selbst war der Bauzustand in der Schäferei in Puch,
die zu einer Ruine zu verfallen drohte. Sie mußte für 19 fl generalrenoviert
werden, wie das Rechnungsbuch vermerkt[82]. Als Faß ohne Boden erwies sich
auch das Münchener Stadthaus, in dem die Handwerker ständig ein und aus
gingen. Allein 1554 kosteten die Reparaturen und Umbauten 174 fl, 1 ß,
19 dl, 1 hl[83]; viele weitere summarische Aufstellungen, die im einzelnen
nicht mehr aufzuschlüsseln sind, lassen aber eine weitaus höhere Summe für
das Münchener Stadthaus vermuten. Ähnlich teuer kam der Esslinger Pfleghof: 1554 baute man für über 238 fl eine neue Kelter[84]; im Jahr darauf brachte
man für die Pflege der Weingärten 66 fl auf[85], weitere 100 fl im Jahr 1556[86],
1558 noch einmal 126 fl[87]. Wenngleich in diesen Summen auch laufende
Ausgaben enthalten sind, so bedeuteten sie dennoch eine gewaltige Investi-
tion. Während man nach der Visitation von 1551 noch überlegt hatte, die

---

[77] In seinen »Annales« vermerkt Abt Mayr in Cap. LXII: »… Quid modo de dormitorio nostro
referam? Profecto is locus adeo dirutus erat et quadraginta ferme annis intus et a foris sufful-
tus, vt fratribus terrori esset et quotidianum interim minaretur. Quod, si quando turbo vehe-
mentior irruisset, tantos fragores dabat, vt nec frater cordacior tuto in ipso somnum coepisset.
Ostendebatur hospitibus ac aduenis perinde ac monstrum, terribilis locus, quibus saepenu-
mero inter ambulandum horrorem parturiit«. In: Hartig, Annales 65. – Vgl. Oswald, Marius
360.

[78] Rechnungsbuch von 1558, »Tagelöhner«. BHStAM. KL Fürstenfeld 317 1/88. – Über ein Jahr
lang ist Meister Mang immer wieder am Kloster beschäftigt, wie die diversen Rechnungen
aussagen.

[79] Rechnungsbuch von 1556, »Handwerker«. BHStAM. KL Fürstenfeld 317 1/86. – An ihn
mußten 19 fl, 6 ß, 9 dl, 1 hl bezahlt werden.

[80] Rechnungsbuch von 1555, »Hausrat und Renovierungen«. BHStAM. KL Fürstenfeld 317
1/11. – Genaue Summe: 34 fl, 1 ß, 23 dl.

[81] Führer, Chronik § 173.

[82] Rechnungsbuch von 1556, »Handwerker«. BHStAM. KL Fürstenfeld 317 1/86.

[83] Rechnungsbuch von 1554, »Alte Schulden, Baukosten, Steuern«. BHStAM. KL Fasc. 957/60.

[84] Ebd. – Die genaue Summe belief sich auf 238 fl, 3 ß, 25 dl, 1 hl.

[85] Rechnungsbuch von 1555, »Weingärten in Esslingen«. BHStAM. KL Fürstenfeld 317 1/11. –
Genau: 66 fl, 1 ß, 15 dl, 1 hl.

[86] Rechnungsbuch von 1556, »Weingärtenbau«. BHStAM. KL Fürstenfeld 317 1/86.

[87] Rechnungsbuch von 1558, »Weinbau«. BHStAM. KL Fürstenfeld 317 1/88.

Esslinger Besitzungen ganz abzustoßen, entschied sich Abt Baumann dem-gegenüber für eine gewinnversprechende Modernisierung der Güter.

Das nachhaltigste Bauprojekt Abt Leonhard Baumanns war aber das Siechen-haus bei St. Wolfgang. An der Straße vom Kloster zum Markt Bruck hin hatte schon seit alters her ein Siechen- oder Leprosenhaus gestanden, das zum ersten Mal 1416 gesichert erwähnt wurde: Der Pfarrer von Zell hatte dem Kloster einen Hof zu Alling als Seelgerät verschrieben, um mit den Geldern daraus das Siechenhaus versorgen zu können[88]. 1518 weihte Abt Caspar Har-der dort eine Kapelle zu Ehren der Heiligen Wolfgang, Leonhard und Willi-bald neben dem Siechhaus[89]. Der Bauzustand des Häuschens, das nur für zwei bis drei Leute Platz bot, war aber so erbärmlich, daß sich Abt Baumann zu einem Neubau entschloß. Im Jahr 1556 kamen die Handwerker, der Mau-rer Mathes und der Kistler Schibler mit ihren Gehilfen, und bauten das Haus »von neuem«[90] auf. Zwei Jahre später ließ der Abt noch einen Brunnen gra-ben und sicherte so die Grundversorgung[91]. Die Nachfrage nach Plätzen im Siechenhaus war überaus groß, wie sich bald herausstellte; immer wieder kamen bedürftige Menschen zum Abt, und sogar der Herzog wurde um Für-sprache in dieser Sache angegangen. Als eine gewisse Margreth Müller über den Herzog bitten ließ, ihren Mann in das Siechenhaus aufzunehmen[92], mußte der Prälat mit einem Hinweis darauf bedauernd ablehnen, daß das nur auf drei Leute ausgelegte Häuschen über den Winter bereits einen vierten Bewohner hätte, und keinesfalls mehr Leute hineinpassen würden[93]. Im Lauf der Zeit ergaben sich wiederholt Schwierigkeiten mit dem Siechenhaus und seinen Bewohnern[94].

---

[88] Privilegienurkunde von Ernst und Wilhelm II. bezüglich des Hofes in Alling, München, 19. März 1416. BHStAM. KU Fürstenfeld 774. – Ob mit dem 1332 bezeichneten »Spital« das Sie-chenhaus bei St. Wolfgang gemeint sein könnte, ist nicht auszuschließen, da die Urkunde am Wolfgangstag ausgestellt ist. Von daher läßt sich eine Verbindung zur Kapelle durchaus nachvollziehen: Verkaufsurkunde Gottfried und Otto Katzbecks, 31. Oktober 1332. BHStAM. KU Fürstenfeld 253.

[89] Führer, Chronik § 161. – Woher das in dieser Gegend eher seltene Wolfgangspatrozinium stammt, ist nicht mehr nachweisbar; möglicherweise stand auf der Flur schon länger eine Wolfgangskapelle.

[90] Rechnungsbuch von 1556, »Handwerker«. BHStAM. KL Fürstenfeld 317 1/86. – Der Bau kostete etwas über 30 fl; aufgrund der gemischten Abrechnungen ist eine genauere Summe nicht mehr auszumachen.

[91] Rechnungsbuch von 1558, »Gemeine Ausgaben«. BHStAM. KL Fürstenfeld 317 1/88. – Wie-derum Meister Mathes bekam dafür 1 fl, 3 ß, 15 dl.

[92] Albrecht V. an Abt Leonhard Baumann, München, 8. Oktober 1565. BHStAM. KL Fürsten-feld 216½, prod. 1.

[93] Abt Leonhard Baumann an Albrecht V., Fürstenfeld, 24. Oktober 1565. BHStAM. KL Für-stenfeld 216½, prod. 4.

[94] Weiteres zum Siechenhaus und den späteren Schwierigkeiten damit in Teil I, Kap. 3.4.3.2.

### 3.1.4	Der Zustand des Klosters Fürstenfeld in der Bewertung der Visitation des Jahres 1560

#### 3.1.4.1	Die Visitation des Jahres 1560

Im Rahmen der konfessionell katholischen Religionspolitik Bayerns übernahmen die Wittelsbacher Herzöge mehr und mehr die Fürsorge für die Kirche, da die regierenden Bischöfe untereinander uneinig über die notwendigen Reformen und zögerlich in deren Durchführung waren. Für flächendeckende Neuerungen im gesamten Bereich des Herzogtums brauchte Albrecht V. allerdings die Unterstützung der bayerischen Bischöfe, vor allem des Erzbischofs von Salzburg, dem ein Teil des bayerischen Territoriums, überwiegend östlich des Inns gelegen, kirchlich unterstellt war. 1553 war auf der Mühldorfer Reformsynode zwischen herzoglich-bayerischen und österreichischen Regierungsvertretern und Gesandten der Salzburger Kirchenprovinz über eine katholische Reform verhandelt worden, die aber nicht in die Tat umgesetzt wurde. Gegen die schwankenden und unsicheren Bischöfe erwies sich Herzog Albrecht V. als treibende Kraft der katholischen Erneuerung und drohte ihnen bei andauernder Verweigerung gegenüber seinen Reformvorschlägen mit staatlichen Konsequenzen[95]. Nach langem Zögern einigten sich 1558 die Bischöfe von Freising, Regensburg und Passau mit dem Erzbischof von Salzburg und dem Herzog auf die Durchführung der bereits 1553 beschlossenen Visitation[96].

Am 3. September 1560 begann schließlich im Bistum Freising die Visitation, die in den anderen Bistümern bereits abgehalten worden war[97]; sie erstreckte sich auf alle Pfarreien mit ihren Filialkirchen, die Männer- und Frauenklöster, später auch auf Bruderschaften, Schulen und andere geistliche Institutionen. Gegenstand der Untersuchungen waren vor allem Rechtgläubigkeit der Personen, Fragen nach den Riten im Gottesdienst und der Lebensführung der Kleriker, schließlich auch nach dem Zustand der Gebäude und ihrem

---

[95]	Vgl. Schwaiger, Herzöge 262; Ziegler, Bayern 63; HBG II 338–339. – Ein besonderes Verdienst dabei hatte der hzl. Rat Wigulaeus Hundt, der seit 1552 die bayerische Politik verantwortlich mitgestaltete und einen entschiedener konfessionellen Weg ging als sein Vorgänger Georg Stockhammer; vgl. Heyl, Lehenrat 10.

[96]	Über die Vorverhandlungen zur Visitation siehe die kurze Übersicht in: Landersdorfer, Trient 94–100. Ausführlich und grundlegend sind die Vorgänge dargestellt in: Landersdorfer, Visitation (Literaturverzeichnis). Dort sind auch die Interrogatorien und Protokolle abgedruckt. – Vgl. Bauerreiss, Kirchengeschichte VI 220–223.

[97]	Die herzoglichen Visitatoren waren: Abt Christoph Karner von Weihenstephan, Prof. Dr. Georg Theander (Ingolstadt) und die beiden Herzoglich Geistlichen Räte Hans Georg von Dachsberg und Dr. Augustin Paumgartner; von den bischöflichen Visitatoren sind nur der Freisinger Generalvikar und Domherr Dr. Johann Pfister und der Domherr Christoph Stengl bekannt. – Vgl. Landersdorfer, Trient 101.

Inventar; im Vordergrund stand dabei die Erhebung der religiös-sittlichen Verfassung des bayerischen Klerus[98]. Die Visitation dauerte vom 3. September bis zum 26. Oktober 1560 und fand in Fürstenfeld und Umgebung vom 14. bis zum 16. September statt; nicht mehr bekannt sind die Namen der Visitatoren[99]. Aus ordensrechtlicher Sicht war die Visitation von 1560 die erste in Fürstenfeld belegbare, die gänzlich ohne Beteiligung des Ordens stattfand; in den meisten früheren Visitationen war die Kommission aus Orden und Kirchenaufsicht gemischt besetzt. Dies resultiert aus dem völlig singulären Rechtscharakter dieser Visitation: Sie ging entscheidend vom Landesherrn aus, geschah flächendeckend und ohne einen konkreten Untersuchungsanlaß in den einzelnen Institutionen. Dementsprechend war das Hauptinteresse der Visitatoren bezogen auf Fürstenfeld nicht primär die Beobachtung der Ordensregel, welche die Visitatoren nicht in allen Einzelheiten kennen konnten, sondern die Glaubenstreue von Abt und Konvent sowie die Befolgung allgemeiner klösterlicher Disziplin.

3.1.4.2   Die Ergebnisse in Fürstenfeld

3.1.4.2.1   Über Abt Leonhard Baumann

In den Befragungen der Konventualen durch die Visitatoren[100] spiegelt sich ein Bild Abt Leonhard Baumanns, das von hoher Pflichtauffassung, Wissen um seine Verantwortung und Vorbildfunktion und von seiner Fähigkeit zur Menschenführung geprägt ist. Mit seltener Übereinstimmung berichteten die Mitbrüder, daß der Prälat seinen Pflichten zum Gottesdienst und zur Abhaltung der Kapitel nachkam, auch wenn er manchmal aufgrund anderer Termine nicht anwesend war. In wesentlichen Dingen fragte er die Senioren seines Konventes um Rat, achtete auf die Versperrung des Dormitoriums und insgesamt auf die Disziplin. Immer wieder bemerkten die Mönche, daß Abt Baumann niemandem Anlaß gäbe davonzulaufen, so daß der Gehorsam ihm gegenüber gut wäre. Lediglich die Inspektion der Zellen unterließ der Abt, da er selten zum Dormitorium kam; die Schlüssel zu den Räumen und Kammern des Klosters gab er dagegen nicht aus der Hand. Befragt nach der Liturgie, bescheinigten alle Brüder dem Abt, daß die Horen liturgisch korrekt

---

[98] Abgedruckt sind das Interrogatorium und die zugehörige Instruktion in: Landersdorfer, Visitation 40–54.

[99] Vgl. Landersdorfer, Visitation 55 64–65.

[100] Die Untersuchung über Fürstenfeld ist wörtlich abgedruckt in: Landersdorfer, Visitation 331–334. Ist eine Angabe nicht anders belegt, findet sie sich in dem genannten Visitationsbericht.

[101] Aussage von Abt Leonhard Baumann im Visitationsprotokoll, 1560. Landersdorfer, Visitation 331.

gehalten würden, die meisten in der Kirche, die Mette aber im Refektorium. Auch der Abt selbst antwortete auf die Fragen der Visitatoren über Glauben, Disziplin und Liturgie »bene, catholice et docte«[101]. Nur die Spendung des Firmsakraments wäre vor seiner Zeit zum letzten Mal geschehen.

Auch bezüglich der Verwaltung der »temporalia« war man mit Abt Baumann zufrieden, wenngleich ihre Erfassung bei dieser Visitation eine nur untergeordnete Rolle spielte. Ein Bruder berichtet, daß der Abt etliche Verpfändungen abgelöst habe, was mit den vorliegenden Quellen übereinstimmt; nicht glaublich ist aber, daß das Kloster nur noch 60 fl Zinsen im Jahr zu zahlen hätte[102]. Manche Brüder beklagten die Sparsamkeit des Abtes, was Essen und Trinken beträfe, wohingegen andere Konventualen mit dem Tisch wohl zufrieden waren[103]. Insgesamt bestätigte die Visitation die durch Abt Baumann geleistete Aufbauarbeit voll und ganz, besonders, wenn sie auf dem Hintergrund der zehn Jahre früher herrschenden Zustände betrachtet wird.

3.1.4.2.2   Der Zustand des Konvents

Auch die Veränderungen im Konvent zeigen die positive Entwicklung des Klosters Fürstenfeld. Zwar waren vier Jahre vor der Visitation zwei Mönche, Fr. Leonhard Keller und Fr. Martin Schmurlitz, nach Aldersbach gewechselt, auch hatte mindestens ein Novize das Kloster wieder verlassen[104], aber die Zahlen sprechen im Vergleich der Konventslisten eindeutig für Abt Baumann[105]: Seit seinem Amtsantritt 1555 hatte sich die Zahl der Konventualen von sieben auf zwölf im Kloster erhöht, zuzüglich dreier Novizen. Fünf Konventualen waren während seiner Prälatur eingetreten und im Kloster geblieben, zwei davon legten erst acht Tage vor der Visitation ihre Profeß ab.

Außerordentlich bemerkenswert war selbst für damalige Verhältnisse der Altersdurchschnitt im Konvent: Neben Abt Baumann mit über fünfzig Jahren war Fr. Leonhard Treuttwein mit knapp über dreißig Jahren der zweitälteste Mönch; der jüngste war vierzehn, danach folgten ein fünfzehnjähriger und zwei sechzehnjährige Mönche, die bereits alle ihre Profeß abgelegt hatten. Von den jüngeren Mönchen stammten etliche aus Weilheim oder Diessen; in

---

[102] Aussage von Fr. Melchior Betz im Visitationsprotokoll, 1560. Landersdorfer, Visitation 333.

[103] Fr. Christoph Artolph klagte über die mangelnde Versorgung; Prior Mathias Breimelber und der junge Fr. Johannes Ybler dagegen bezeichneten die Speisemengen als ausreichend. Aussagen im Visitationsprotokoll, 1560. Landersdorfer, Visitation 332–334.

[104] 2 ß, 10 dl Abfertigung für den Novizen Stutz 1556: Rechnungsbuch von 1556, »Gemeine Ausgaben«. BHStAM. KL Fürstenfeld 1/86. – Prior Mathias Breimelber bezeichnet allerdings neben Fr. Schmurlitz einen nicht näher bekannten Fr. Johannes Maurer als entsprungen. Aussage im Visitationsprotokoll, 1560. Landersdorfer, Visitation 332.

[105] Siehe Anhang 1.1: Konventlisten.

die Gegend zum Ammersee hinüber besaß das Kloster offensichtlich einen ausgezeichneten Ruf. So nüchtern diese statistischen Bemerkungen auch klingen, so aussagekräftig sind sie doch im Bezug auf die Ausstrahlung, die von dem wiedererstandenen Kloster Fürstenfeld ausging. Auch unter Berücksichtigung, daß gerade bei den jungen Mönchen nicht nur geistliche Berufung für den Klostereintritt ausschlaggebend gewesen war, sondern auch der elterliche Wunsch nach guter Versorgung ihrer Kinder, so mußten doch zumindest die Eltern erfahren haben, daß ihre Kinder in Fürstenfeld gut untergebracht und ausgebildet würden – eine für die Zeitumstände nicht selbstverständliche Absicherung.

Gerade an der Zusammensetzung des Konvents verdeutlicht sich der einschneidende Wandel des Klosters Fürstenfeld, der sich seit Beginn der Prälatur Baumanns vollzogen hatte. Von den sieben Mönchen, die 1551 im Kloster wohnten[106], waren drei bis zur Postulation Baumanns im April 1556 übriggeblieben, ein einziger – nämlich der spätere Abt Leonhard Treuttwein – bis zur Visitation des Jahres 1560. Alle anderen Mönche waren während dieser Zeit verstorben, in ein anderes Kloster oder nach St. Leonhard gegangen oder ganz ausgetreten[107]; binnen neun Jahren war also ein kompletter Konvent ausgewechselt und eine ganz neue Mönchsgeneration herangewachsen. Da der Altersschnitt der Professen bei nur zweiundzwanzig Jahren lag[108], waren diese weitaus mehr formbar, als dies beim wesentlich älteren Konvent von 1551 überhaupt denkbar gewesen wäre. Diese Tatsache der völligen personellen Erneuerung ist in der weiteren Untersuchung der Klosterentwicklung nicht zu unterschätzen, denn nur so war es überhaupt möglich, daß sich Fürstenfeld in kurzer Zeit so erstaunlich verändern konnte.
Zu fragen bleibt, wie stark Abt Baumann an diesem Personalaustausch beteiligt war. Die Entwicklung vollzog sich in zwei Abschnitten: dem Abgang des alten Konvents und den starken Neueintritten, die erst später folgten. Als Baumann Abt wurde, wohnten nur noch drei Mönche im Kloster, die Administrator Fr. Michael Kain erlebt hatten; die anderen waren bereits ausgezogen, ohne Abt Baumann kennengelernt zu haben. Die erste Phase des Austausches hatte sich also bereits vor und unabhängig von ihm vollzogen. Zwei weitere Mönche, Fr. Keller und Fr. Neumair, verließen erst nach einiger Zeit der Prälatur Baumanns den Konvent, ohne daß ein Grund bekannt wäre; durchaus denkbar ist, daß sie den neuen, strengen Führungsstil des Abtes

---

[106] Ebd.
[107] Siehe Anhang 1.4: Katalog der Ämter.
[108] Dieses geringe Durchschnittsalter wirkt noch frappierender durch den Vergleich mit den Werten der späteren Zeit, in: Klemenz, Dallmayr 71. – In den Jahres 1640 bis 1690 schwankt das Durchschnittsalter zwischen 34,5 und 42 Jahren, liegt also um mindestens zwölf Jahre höher. Entscheidend trägt natürlich das vergleichsweise niedrige Eintrittsalter um 1560 zu dieser Statistik bei.

nicht mitgehen wollten[109]. Parallel zu den Austritten kamen neue Religiosen, zudem eine Reihe von Novizen und Postulanten, von denen teilweise
nur noch die Namen verzeichnet sind: der Priester Andreas Hofmeister 1555,
ein gewisser Stutz 1556[110], kurz vor 1560 Johannes Maurer[111] und der Diakon Martin Schmurlitz, die beide nach Aldersbach wechselten[112]. Ursache
für den Austritt der alten Mönche war Abt Leonhard Baumann somit nur teilweise, beteiligt am Heranwachsen einer neuen Mönchsgeneration aber ganz
sicher.

Die 1560 im Kloster lebenden Religiosen zeigten jedenfalls eine hohe Zufriedenheit mit dem Abt. Neun Mönche erhielten beim Schulmeister Johannes
Örtl soweit als möglich philosophische und theologische Bildung sowie
Musikunterricht[113]. Neben den drei Priestern, die in Inchenhofen und der
Pfarrei Neukirchen amtierten, wohnten im Kloster, den Abt eingerechnet,
nur sechs Priestermönche, von denen drei erst seit einem Jahr geweiht
waren. Dementsprechend waren alle ausreichend damit beschäftigt, die zahlreichen liturgischen Pflichten wie Seelenämter und Jahrtage zu verrichten,
die neben dem Offizium die Hauptaufgabe des Klosters darstellten[114]. Wie
bereits erwähnt, genoß der Abt hohes Ansehen in seinem Konvent und »gibt
niemandt ursach zuapostasiern«[115]. Da über Unruhen, Zwistigkeiten oder
schwere disziplinäre Verstöße weder in den Visitationsprotokollen, noch in
anderen Quellen berichtet wird, ist anzunehmen, daß die Klosterzucht insgesamt in Ordnung war.

3.1.5   Bilanz der Ära Abt Baumanns

Eine Bilanz der Regierungszeit Abt Leonhard Baumanns muß mit ihm den
Beginn einer Neuorientierung des Klosters setzen, denn im Jahrzehnt von
1555 bis 1565 erhielt das Kloster ein völlig neues Gesicht. Was Stephan Dorfpeck für die Wirtschaftsführung geleistet hatte, gelang Abt Leonhard Baumann für den geistlichen Bereich: eine Konsolidierung und Erneuerung des
Konvents, die sich besonders auf die Bildung stützte. Dabei ging dieser Prozeß im wesentlichen lautlos vonstatten und hinterließ kaum sichtbare Spuren. In der Literatur führt Abt Leonhard Baumann deshalb eher ein Schat-
tendasein neben seinem berühmten Nachfolger Abt Leonhard Treuttwein,
völlig zu unrecht[116]. Eine zumindest ebenbürtige Leistung hat Abt Leonhard
Baumann in seiner unauffälligen Weise vollbracht: einem verunsicherten
Kloster neue Orientierung zu geben.

---

[109] Die Tatsache, daß Fr. Keller ausgerechnet nach Aldersbach gewechselt war, läßt dies als
naheliegend erscheinen, da dort der etwas nachlässigere Abt Bartholomäus Mädauer das
Regiment führte.

[110] Rechnungsbuch von 1556, »Gemeine Ausgaben«. BHStAM. KL Fürstenfeld 317 1/86.

[111] Vgl. Landersdorfer, Visitation 331.

3.2 Abt Leonhard III. Treuttwein (1566–1595): Kontinuität und Wachstum

3.2.1 *Die Person Leonhard Treuttweins*

3.2.1.1 *Treuttweins Lebenslauf und Wahl zum Abt*

Leonhard Treuttwein stammte aus dem schwäbischen Jettingen[117], wo seine Eltern noch lebten, als er zum Abt gewählt wurde[118]. 1524 geboren[119], trat er 1544 in Fürstenfeld ein, studierte vermutlich im Kloster selbst und wurde 1551 zum Priester geweiht[120]. Gegen den Administrator Michael Kain und die Zustände im Kloster unter seiner Regierung hegte Fr. Leonhard Treuttwein eine heftige Abneigung, die in einem ausführlichen Brief an den Aldersbacher Abt Zankher in der Forderung gipfelte, Administrator Kain doch endlich abzusetzen[121]. Ob dieser Brief am weiteren Verlauf der Dinge entscheidend mitgewirkt hat, ist nicht mehr feststellbar; eindeutig aber war Fr. Treuttwein schon in jungen Jahren der Kopf der innerklösterlichen Opposition gegen die Administration Kains. Während sich die Verhältnisse in Fürstenfeld, wie gezeigt, stürmisch veränderten, blieb Fr. Leonhard Treuttwein sich selbst treu und erlebte als einziger Konventuale aus der Zeit des Administrators Kain die Visitation 1560. Bald wurde er in die Verantwortung für das Kloster genommen und bekam im jungen Konvent Abt Baumanns den Posten des Cellerars übertragen[122]. Als Abt Leonhard Baumann am 15. Dezember 1565 verstarb, galt Fr. Leonhard Treuttwein als erster Anwärter auf die Abtswürde, denn die beiden exponierten Mönche Sigismund Röhrl und Sigismund Eisenberger waren schon zu alt.

---

[112] Vgl. ebd. 332.

[113] Aussage von Schulmeister Johannes Örtl im Visitationsprotokoll, 1560. Landersdorfer, Visitation 334.

[114] Vgl. dazu Teil II, Kap. 2.2.7.

[115] Aussage von Prior Mathias Breimelber im Visitationsprotokoll, 1560. Landersdorfer, Visitation 332.

[116] Gerard Führer berichtet in seiner Chronik, §§ 174–176, zwar etliches über Abt Baumann, verliert aber im Vergleich zu den Lobeshymnen auf Abt Treuttwein kein unsachliches Wort und bezeichnet Baumanns Wirken lediglich als »verdienstlich«.– Ähnlich neutral äußert sich Fugger, Fürstenfeld 80–82; Roth, Bruck 66, erkennt die Leistungen Baumanns ausdrücklicher an.

[117] Zu Jettingen vgl. Lexikon von Schwaben I 987–988.

[118] Rechnungsbuch von 1567. BHStAM. KL Fürstenfeld 216 1/3, fol. 23v.

[119] Aussage von Fr. Leonhard Treuttwein im Visitationsprotokoll, Fürstenfeld, 13. Oktober 1551. BHStAM. KBÄA 4096, fol. 68v.

[120] Aussage von Fr. Leonhard Treuttwein im Visitationsprotokoll, 1560. Landersdorfer, Visitation 333.

[121] Fr. Leonhard Treuttwein vermutlich an Abt Johann Zankher von Aldersbach, Fürstenfeld, undatiert. BHStAM. KBÄA 4096, foll. 112r–114v.

[122] Führer, Chronik § 177.

Im Wahlakt, der am 21. Januar 1566 unter Vorsitz des Abtes Bartholomäus
Mädauer aus Aldersbach und des Legaten Johannes aus Wessobrunn stattfand,
einigten sich die Senioren auf Fr. Treuttwein, schlugen ihn den versammelten
wahlberechtigten Konventualen vor, und diese wählten Fr. Treuttwein einstimmig zum Abt. Vaterabt Mädauer begrüßte diese Wahl und nannte den
Neugewählten »doctrina, pietate, omnis et generis quibusque optimis uirtutibus singulariter insignitum, …, in summa egregium atque ad omnes casus
incidentes tum spirituales tum temporaneos prouidendos, animo et consilio
paratissimum«[123]. Der Vaterabt konfirmierte sogleich die Wahl Treuttweins
zum Abt; später wiederholte Generalabt Nicolaus I. Boucherat diese Konfirmation noch einmal, weil er die Bestätigung durch Abt Mädauer nicht aner-
kennen wollte[124]. Auch drei herzogliche Kommissare nahmen an der Wahl
teil: der Dachauer Pfleger Wigulaeus Hundt[125], der Kammermeister Konrad
Zeller und der Lehenpropst Caspar Schrenk[126]; sie setzten schließlich den
neuen Abt in die Verwaltung der »temporalia« ein, womit der Wahlakt abgeschlossen war[127]. Wenngleich über ihren Einfluß auf den Wahlausgang keine
Notizen existieren, so standen die Kommissare, allen voran Hundt, bereit, in
die Wahl einzugreifen, falls ein in ihren Augen als ungeeignet geltender Kandidat zum Abt erhoben werden sollte[128]; hier war dies jedoch sicherlich nicht
der Fall. Die Benediktion zum Abt erhielt Leonhard Treuttwein am Ostermontag durch Fürstbischof Moritz von Sandizell (1559 bis 1566) in Freising[129].

[123] Wahlinstrument Abt Leonhard Treuttweins durch Abt Bartholomäus Mädauer von Aldersbach, Fürstenfeld, 21. Januar 1566. BHStAM. KU Fürstenfeld 2018. – Wie schon bei der
Wahl Abt Baumanns ergibt sich für den Assessor aus Wessobrunn das Problem, daß im
Wahlinstrument zwar ein Johannes genannt, zu dieser Zeit aber Leonhard Hirschauer Abt
in Wessobrunn war. Vermutlich war dieser Johannes ein Legat des Abtes.

[124] Abt Leonhard Treuttwein an Albrecht V., Fürstenfeld, 2. Oktober 1573 (Konzept). BHStAM.
KL Fürstenfeld 330, prod. 2. – Vermutlich war es Generalabt Boucherat lediglich darum
gegangen, noch einmal Konfirmationsgebühren zu erheben, wenn dies Abt Treuttwein
gegenüber dem Herzog auch leugnete.

[125] Zu Dr. Wigulaeus Hundt, dem Gestalter der bayerischen Religionspolitik unter Albrecht V.:
Heyl, Lehenrat 10–11, 32–34; Ferchl, Beamte 109; Manfred Mayer, Leben, kleinere Werke
und Briefwechsel des Dr. Wiguleus Hundt, Innsbruck 1882.

[126] Repertorium Aldersbach, unter dem 21. Januar 1566. BHStAM. KL Aldersbach 73, fol. 16v. –
Zu den genannten drei Kommissaren: Lanzinner, Zentralbehörden 363–364, 399, 419.

[127] Zwar steht im Wahlinstrument Abt Treuttweins (BHStAM. KU Fürstenfeld 2018) nichts
über die herzoglichen Kommissare, ihre Anwesenheit wird aber durch die von ihnen verur-
sachten Kosten von 29 fl, 5 ß, 19 dl bestätigt: Rechnungsbuch von 1566, »Zehrung und
Botenlohn«. BHStAM. KL Fürstenfeld 317 1/10.

[128] Vgl. Roth, Bruck 67.

[129] Vor Ostern erhielt Abt Treuttwein vom Freisinger Bischof die Anweisung, zur Weihe nach
Freising zu kommen: Rechnungsbuch von 1566. BHStAM. KL Fürstenfeld 317 1/10. –
Erwähnung der Benediktion im Sitzungsprotokoll des BGR, 8. Juli 1610. AEM. GR. PR. 32,
fol. 29v.

Während seiner ersten Jahre als Abt führte Leonhard Treuttwein sein Amt sehr gewissenhaft und diszipliniert, sowohl in geistlichen als auch in weltlichen Dingen. Häufig war er zu Inspektionsreisen der Güter und Liegenschaften unterwegs, ebenso wie zu den zahlreichen Jahrtagen und Festen, vor allem in den Wallfahrtskirchen[130]. Mit zunehmendem Alter aber ließen seine Kräfte stark nach, und er wurde immer kränklicher, wie seine Tagebücher verzeichnen: 1587 fuhr der Abt auf einen einmonatigen Kuraufenthalt in die Schweiz[131], einige Jahre später notierte er Fieberanfälle[132]. Im Jahr 1593 war die Gesundheit des Abtes so stark angegriffen, daß die ansonsten kontinuierlichen Eintragungen in sein Tagebuch immer weniger wurden und die Handschrift sehr zittrig erscheint[133]; für seine letzten beiden Lebensjahre sind schließlich keine Aufzeichnungen mehr erhalten. Nachdem die Leitung der Abtei zunehmend auf den Prior übergegangen war, verstarb Abt Leonhard Treuttwein nach einer Regierungszeit von fast dreißig Jahren am 7. Juli 1595 gegen 13 Uhr[134].

3.2.1.2 Persönlichkeit und Charakter Abt Treuttweins

Über keinen anderen Fürstenfelder Abt aus der Reformationszeit sind so viele und verschiedene Quellen überliefert wie über Abt Leonhard Treuttwein. So ist es auch wie bei keinem anderen Prälaten möglich, seine Persönlichkeit und seinen Charakter detailliert darzustellen. Abt Leonhard Treuttwein war ein Mann von höchster Identifikation mit dem Kloster Fürstenfeld, dem er so lange angehörte, wie selten ein Konventuale zu seiner Zeit. Er besaß entschiedene Vorstellungen, die er nach Möglichkeit zu verwirklichen suchte – schon in die öfter erwähnten Auseinandersetzungen um Administrator Michael Kain griff der noch junge Mönch heftig ein. Wenn es zum Vorteil des Klosters war, löste er als Abt im Konvent anfallende Probleme energisch: Als 1575 Fr. Jacob Bachmair beschuldigt wurde, ein lasterhaftes Leben zu führen, veranlaßte ihn der Abt, zeitweilig nach Gotteszell zu gehen, um weiteres Gerede zu vermeiden, wobei der Prälat selbst von der völligen Integrität des

---

[130] Genauere Auskunft geben darüber die vier erhaltenen Rechnungsbücher; Einzelbelege seien hier erspart. Zu den genannten Rechnungsbüchern Kap. 3.2.4.

[131] Einträge im Tagebuch Treuttweins. BStB. Cgm 1771, foll. 13r–16v. – Die Reise dauerte vom 22. Juni bis zum 24. Juli 1587.

[132] Einträge im Tagebuch Treuttweins, unter 26. April–2. Mai 1591. BStB. Cgm 1771, foll. 113v–114r.

[133] Vor allem ab den Einträgen im Tagebuch Treuttweins (BStB. Cgm 1771, fol. 157r) zu Beginn des Jahres 1593 wird die Schrift schlechter. Gegen Jahresende stabilisiert sich der Zustand allerdings wieder.

[134] Necrol. BStB. Clm 1057, fol. 27v. – Repertorium Aldersbach, unter dem 7. Juli 1595. BHStAM. KL Aldersbach 73, fol. 18r.

Mönchs überzeugt war[135]. Im Zweifel wandte sich Abt Treuttwein auch gegen eine herzogliche Anweisung: Als Albrecht V. verfügt hatte, daß alle Ordensleute, die außerhalb ihrer Klöster Pfarreien versehen, in ihr Kloster zurückkehren sollten, verwies der Prälat dagegen auf die Privilegien des Zisterzienserordens[136]. Genauso wie Abt Treuttwein für klare Verhältnisse sorgen konnte, konnte er auch Dinge vernebeln; die Finanzverwaltung offenbart dies ganz deutlich: Die Rechnungsbücher aus seinen ersten Regierungsjahren sind noch sehr sauber geführt und zeigen die Spuren der Wirtschaftsführung von Verwalter Dorfpeck und Abt Baumann[137]; danach ließ die Qualität der Buchführung stark nach[138]. Keinesfalls standen aber Desinteresse oder Unfähigkeit Abt Treuttweins dahinter, sondern schlicht die Absicht, jede fremde Wirtschaftsprüfung, namentlich die seitens herzoglicher Kommissare, zu täuschen: Die wahre Finanzlage wollte der Prälat niemandem preisgeben. So notierte Abt Treuttwein seine Ausgaben, Einnahmen und Geldleihen anstatt in den offiziellen Büchern in seinen persönlichen Tagebüchern[139] und in seinem privaten Rechnungsheft[140]. Jedes freie Fleckchen seines Tagebuchs schrieb er mit Zahlen, Summen und Rechnungen voll, die außer ihm niemand deuten konnte; seine Absichten gingen völlig auf – über die Wirtschaftslage Fürstenfelds wußte nur er Bescheid; die herzoglichen Visitatoren berichteten nach dem Tod Abt Treuttweins tatsächlich von einer schlechten Buchführung[141].

Hinter dieser »Fassade« Abt Treuttweins verbarg sich ein überaus korrekter Mensch: Mindestens sieben Jahre lang führte er ein persönliches Tagebuch, vermerkte täglich das Wetter[142], notierte die Gäste im Kloster, die Anzahl ihrer Rosse und andere besondere Vorkommnisse[143]; sogar das Gewicht der Fische, die er gefangen hatte, verzeichnete Abt Treuttwein[144]. Selten versäumte er das Räumen des Baches, der durch das Kloster führte, im Frühjahr und Herbst[145] und wußte genau, wie stark seine Fische gewachsen waren[146].

---

[135] Abt Leonhard Treuttwein an Albrecht V., Fürstenfeld, 31. Januar 1575. BHStAM. KBÄA 4096, foll. 171r–172v. – »den 16 January den Jacob Bachmair auff ain ander Closter geschickht ime Zerung geben 3 fl«: Rechnungsbuch von 1575, »Konvent«. BHStAM. KL Fürstenfeld 217 ½. – Siehe Teil III, Kap. 2.1.4.

[136] Abt Leonhard Treuttwein an Albrecht V., Fürstenfeld, 15. Juni 1577. BHStAM. KBÄA 4096, foll. 252–253.

[137] Rechnungsbuch von 1566. BHStAM. KL Fürstenfeld 317 1/10. – Rechnungsbuch von 1567. BHStAM. KL Fürstenfeld 216 1/3.

[138] Rechnungsbuch von 1569. BHStAM. KL Fürstenfeld 317 1/87.

[139] Tagebücher Treuttweins, 1587–1593. BStB. Cgm 1771.

[140] Notizheft, 1566–1589. BHStAM. KL Fürstenfeld 221 1/5.

[141] Visitationsbericht des GR Sebastian Franz an Maximilian, 31. Oktober 1595. BHStAM. KL Fürstenfeld 1, fol. 1r.

[142] Gerade für die damalige Zeit sind derartig genaue Wetterbeobachtungen höchst selten; Gerard Führer, der letzte Abt Fürstenfelds, präsentierte das Tagebuch deshalb 1787/88 der meteorologischen Abteilung der Akademie der Wissenschaften in München. Vgl. TE I 295 bis 260, L. II.17.

Leonhard Treuttwein aber wäre kein altbayerischer Abt gewesen, hätte er nicht seine lebensfrohen Seiten gezeigt: Bei Tisch speiste er selten allein; bei allen größeren Festen war der Konvent in der Prälatur zu Gast, dazu die Pfarrer der benachbarten Pfarreien, die höheren Beamten wie Richter und Gerichtsschreiber und etliche Verwandte[147]. Für die entsprechende Kost sorgten der Herrenkoch und der Bäcker[148], sicherlich wurde auch der eine oder andere vom Abt persönlich gefangene Hecht kredenzt[149]. Der reich gefüllte Weinkeller, der neben dem üblichen Neckarwein aus eigenen Besitzungen schon unter Abt Baumann Frankenwein und Spezialitäten wie Muskateller und Kräuterwein enthielt[150], gehörte ebenfalls zur Hofhaltung. Auf seinen zahlreichen Reisen verbrachte Abt Treuttwein aber auch gerne gesellige Runden auswärts, wie etwa den Faschingsdienstag des Jahres 1569; ungeklärt bleibt dabei, warum die Leute von Biburg den Abt danach nach Hause bringen mußten[151]. Zur Unterhaltung gaben immer wieder Schauspieltruppen im Kloster ihre Darbietungen[152], gelegentlich verehrten auch fahrende

---

[143] Tagebücher Treuttweins, 1587–1593. BStB. Cgm 1771, eingetragen in den immer gleichen Vordruck:

Tagbuech/
Und Schreibkalender unsers Hailands und Seligmachers Jesu Christi
M. D. LXXXVII.
Gestellt
Durch Johann Rasch zu Wien
Allen Obrigkeiten / Kauff und Handelsleuten / auch Cantzley
verwandten / zu täglichem gebrauch / und dienstlichem
gefallen / in disen newen Form zugericht
Gedruckt zu München / bey Adam Berg

[144] »Im Weigelpach visch gefange ain wenig hechthe drunther bey 200 lb«: Eintrag im Tagebuch Treuttweins, unter dem 18. Januar 1590. BStB. Cgm 1771, fol. 81r.

[145] Einträge im Tagebuch Treuttweins, unter 2. Oktober 1587, 13. Oktober 1588, 6. April 1590 und öfter. BStB. Cgm 1771, foll. 20r 46r 86r.

[146] Eintrag im Tagebuch Treuttweins, unter dem 12. Oktober 1589. BStB. Cgm 1771, fol. 72v.

[147] Nur um einige Beispiele zu erwähnen, seien aus dem Jahr 1587 aufgeführt:

1. Januar:	Konvent, Schulmeister, Richter, Verwandte BStB. Cgm 1771, fol. 2r.
8. Februar:	Konvent, zwei Kapläne, Schulmeister, Richter Ebd., fol. 4v.
12. April, Ostern:	Konvent, zwei Kapläne, Schulmeister, die Pfarrer von Rottbach, Malching, Emmering, Jesenwang, Gilching, Kottalting, Grafrath, Adelzhausen, dazu etliche höhere Beamte mit ihren Frauen Ebd., fol. 8v.

[148] Rechnungsbuch von 1566, »Besoldung im Kloster«. BHStAM. KL Fürstenfeld 317 1/10. – Beide waren schon unter Abt Baumann angestellt worden.

[149] Das Tagebuch vermerkt häufig, wann und wo Abt Treuttwein beim Angeln war, und was er dabei gefangen hatte. BStB. Cgm 1771.

[150] Rechnungsbuch von 1558, »Wein«. BHStAM. KL Fürstenfeld 317 1/88.

[151] Rechnungsbuch von 1569. BHStAM. KL Fürstenfeld 317 1/87.

[152] Häufig waren es der Schulmeister von Bruck mit seinen Kindern (Rechnungsbuch von 1569. BHStAM. KL Fürstenfeld 317 1/87; hat dafür 4 ß, 4 dl erhalten), ansonsten fahrende Schauspieler (Rechnungsbuch von 1567. BHStAM. KL Fürstenfeld 216 1/3, fol. 38v; sie haben dafür 4 ß, 20 dl erhalten), einmal auch das Klostergesinde selbst (Rechnungsbuch von 1569. BHStAM. KL Fürstenfeld 317 1/87).

Sänger oder Dichter dem Abt ihre Werke gegen ein entsprechendes Trinkgeld[153]. Abt Leonhard Treuttwein war also auch der dichtenden und dramati-
schen Kunst überaus hold; ein Ebersberger Benediktiner widmete dem Fürstenfelder Prälaten sogar eine ganze Meßkomposition[154].

Die Frömmigkeit Abt Treuttweins war tief, doch er trug sie nicht zur Schau:
Sein Tagebuch überschrieb er »Cor meum ad deum«[155] und immer wieder
notierte er ein Gebet oder einige Gedanken, die ihm nahegingen[156]. Auch
seine eigene, zunehmende Altersschwachheit erkannte er als von Gott
geschickt und nahm sie so leichter an[157]. Bezeichnenderweise finden sich
Zeugnisse über seine persönliche Frömmigkeit nur in den Tagebüchern;
Berichte der Mitbrüder oder von Visitatoren vermerken dazu nichts. Häufig
wallfahrtete Abt Treuttwein auch nach Andechs »auff den hailigen perg«[158].

3.2.2 Leben im Konvent unter Abt Leonhard Treuttwein

3.2.2.1 Die Entwicklung des Konvents in seiner Regierungszeit

Da das Wahlinstrument Abt Leonhard Treuttweins die Anzahl der Konventualen nicht vermerkt, datiert der letzte Personalstand von 1560: Abt, elf Professen im Kloster, drei außerhalb und drei Novizen, also fünfzehn Profeßmönche[159]. 1573 bestand der Konvent aus achtzehn Mönchen[160], 1581 aus
dreiundzwanzig Professen und einem Novizen[161]. Der nächste Personenka-
talog stammt von 1589[162]; er umfaßt zusammen mit dem Abt dreizehn Priester und fünf noch nicht geweihte Junioren, von denen vier im Kloster
namentlich genannt waren und einer in Ingolstadt studierte, zuzüglich vier

---

[153] Ein Poet, dem Abt Treuttwein 4 ß dl gab: Rechnungsbuch von 1567. BHStAM. KL Fürstenfeld 216 1/3, fol. 31v. – 3 ß, 15 dl an den Lautenspieler Hasenknopf aus Burghausen, der dem
Abt aufgespielt hat: Rechnungsbuch von 1566, »Gemeine Ausgaben«. BHStAM. KL Fürstenfeld 317 1/10.

[154] Rechnungsbuch von 1566, »Gemeine Ausgaben«. BHStAM. KL Fürstenfeld 317 1/10.

[155] Eintrag im Tagebuch Treuttweins. BStB. Cgm 1771, fol. 1r.

[156] Einträge im Tagebuch Treuttweins. BStB. Cgm 1771, fol. 27v, findet sich ein Gebet für die
Christnacht, das möglicherweise von Abt Treuttwein selbst entworfen ist; daneben stehen
Grabinschriften und Totensprüche. – Ebd., foll. 87v–88r, steht der Text eines Klageliedes,
das den Schmerz der Hinterbliebenen beschreibt; ob es aus der Feder Abt Treuttweins
stammt, ist nicht nachzuweisen.

[157] Eintrag im Tagebuch Treuttweins, unter dem 2. Mai 1591. BStB. Cgm 1771, fol. 114r.

[158] Eintrag im Tagebuch Treuttweins, unter dem 12. Oktober 1587. BStB. Cgm 1771, fol. 20v.

[159] Vgl. Landersdorfer, Visitation 331. – Siehe Anhang 1.2.: Konventstärken.

[160] Visitationsbericht Generalabt Nicolaus I. Boucherats an Albrecht V., undatiert (17. September 1573). BHStAM. KBÄA 4080, fol. 18r.

[161] Visitationsrezeß durch Abt Edmund de la Croix von Chatillon, Fürstenfeld 12. Oktober
1581. BHStAM. KU Aldersbach 1453.

[162] Eintrag im Tagebuch Treuttweins, nach dem 31. Dezember 1589. BStB. Cgm 1771, fol. 78v.

Novizen[163], also insgesamt achtzehn Profeßmönche. In den folgenden drei Jahren sank die Zahl der Konventualen im Kloster allerdings wieder auf siebzehn Profeßmönche, vierzehn Priester und drei Junioren; von Studenten in Ingolstadt wird nichts berichtet[164].

Diese Zahlen dokumentieren den kontinuierlichen Aufwärtstrend, den das Kloster seit der Prälatur Leonhard Baumanns genommen hat. Dies darf dennoch nicht darüber hinwegtäuschen, daß auch unter Abt Treuttwein nicht alle Novizen und Mönche im Kloster blieben. Gerade 1566, kurz nach der Amtsübernahme durch Treuttwein, waren mehrere Austritte zu verzeichnen: Zwei junge Mönche verließen am 29. Mai das Kloster in Richtung Aldersbach, im Ungehorsam, wie Abt Treuttwein gegenüber dem Visitator betonte, kehrten aber am 31. Juli wieder reumütig zurück[165]; der junge Fr. Gall zog ebenso in ein anderes Kloster wie ein vierter Mönch, der nach Gotteszell ging[166]. Danach sind allerdings keine Austritte mehr belegt. Unter der Prälatur Treuttweins stabilisierte sich der Personalstand im Kloster in jedem Fall auf einem Niveau, das seit den zwanziger Jahren des sechzehnten Jahrhunderts nicht mehr erreicht worden war.

3.2.2.2 Das Leben der Mönche unter Abt Treuttwein

Der Vergleich der Lebensumstände des Konvents während der Regierungszeit Abt Treuttweins mit früheren Prälaturen zeigt, wie wohlgeordnet der Alltag der Mönche unter diesem Abt war. Sind aus den Zeiten Abt Harders und Abt Menharts noch die Klagen über zu große Strenge in Erinnerung, aus der Prälatur Baumanns der gelegentlich schmale Speisezettel, so ist unter Abt Treuttwein kein Grund für Unzufriedenheit mehr erkennbar. Zu den größeren Festen speisten die Konventualen an der Tafel des Abtes und seiner Gäste, und zwar regelmäßig an Neujahr, im Fasching, am Benediktsfest (21. März), an Ostern, am Bernhardstag (20. August) und zu Weihnachten[167]; gelegentlich auch am 1. Mai[168] und zu anderen Anlässen. Dazu bekamen die

---

[163] Es könnte sich dabei um die Fratres Leonhard Hirschauer (vgl. Matrikel Ingolstadt I 1146, 16), Adam Holzwart (vgl. ebd. I 1202, 8), Johannes Nagl (vgl. ebd. I 1137, 5) und Christoph Schönherz (vgl. ebd. I, 1137, 11) handeln. Diese müßten dann aber schon seit einigen Jahren dort studiert haben.

[164] Konventliste im Anschluß an den Eintrag zum Tagebuch Treuttweins, unter dem 31. Dezember 1592. BStB. Cgm 1771, fol. 155v. – Siehe Anhang 1.1: Konventlisten.

[165] Repertorium Aldersbach, unter 1566. BHStAM. KL Aldersbach 73, foll. 16v–17r. – Wer diese Mönche waren, läßt sich nicht mehr ermitteln.

[166] Notiz darüber im Rechnungsbuch von 1566, »Konvent«. BHStAM. KL Fürstenfeld 317 1/10. – Abt Treuttwein gab allen vieren zumindest ein Zehrgeld mit.

[167] Entsprechende Einträge im Tagebuch Treuttweins, unter 1587. BStB. Cgm 1771, foll. 2r–25v.

[168] Eintrag im Tagebuch Treuttweins, unter dem 1. Mai 1588. BStB. Cgm 1771, fol. 36r.

Mönche wesentlich mehr Reichnisse als noch zu Zeiten Abt Baumanns: Für 63 fl wurde der Konvent zum Amtsantritt Abt Treuttweins völlig neu eingekleidet[169], zu Fasching bekamen die Junioren 1 fl geschenkt, zum Sonntag Judica und zum Palmsonntag kaufte der Abt Fastenbrezen[170]; am Namenstag des Abtes erhielt der Konvent 4 fl »zuvertrinkhen«[171]. Zu Neujahr verehrte der Abt dem Konvent ein Geldgeschenk, die stattliche Summe von 17 fl; die beiden Fratres Leonhard und Johannes erhielten schließlich zu einer »Recreation« 4 fl, 3 ß, 15 dl[172]. Kleinlich wurden ebenso wenig die Mönche gehalten wie die zahlreichen Bettler, Studenten, Kinder, Armen, Alten, ausgemusterten Soldaten, fahrenden Schausteller, Landsknechte und fliegenden Händler, die an der Klosterpforte alle eine Unterstützung bekamen oder etwas verkaufen konnten.

Besondere Erwähnung verdient die relativ große Bewegungsfreiheit der Mönche unter der Prälatur Treuttweins, denn es gab kaum einen Konventualen, der nicht mehrmals im Jahr für kürzer oder länger das Kloster verlassen durfte. Selbstverständlich waren zunächst die zahlreichen Fahrten zu den Wallfahrtskirchen: Nach Inchenhofen fuhr der Abt meistens zu Pfingsten und zu Leonhardi in Begleitung einiger Mönche[173]; zur Marienwallfahrt nach Bergkirchen reiste an Ostern häufig der Prior samt Begleitung[174]. Nach Jesenwang zur Willibaldskirche kam man öfter: Der Prior hielt den Gottesdienst am Pfingstmontag[175], und Prior, Subprior und Konventualen zelebrierten dort zur Kirchweih[176]. Nicht zu vergessen sind zudem die häufigen Jahrtage, die regulär oder aushilfsweise von einem Fürstenfelder Konventualen gehalten wurden. Zu diesen »Dienstreisen«, die immer schon üblich waren, kamen zu Zeiten Abt Treuttweins Urlaubsreisen oder Kuraufenthalte der Mönche in Übung. Allein im Jahr 1567 fuhren sechs Mönche einschließlich des Abtes auf Heimaturlaub: Fr. Keller nach Überlingen, Fr. Melchior Betz nach Diessen, Fr. Gistel »nach Hause«[177], Fr. Jacob in seine schwäbische Heimat, Fr. Johannes in ein anderes Kloster[178]; den Abt selbst zog es schließlich ins heimatliche Jettingen, auf »vilfeltigs anmanen und schrifftlichs begeren«[179] seiner Eltern, wie er fast entschuldigend vermerkte. Auch in den

---

[169] Rechnungsbuch von 1566, »Konvent«. BHStAM. KL Fürstenfeld 317 1/10.
[170] Rechnungsbuch von 1567. BHStAM. KL Fürstenfeld 216 1/3, fol. 15r. – Bei diesen Fastenbrezen dürfte es sich um helle, nicht in Lauge gebackene Brezen handeln, wie sie in der Fastenzeit heute noch im Schwäbischen bekannt sind.
[171] Rechnungsbuch von 1567. BHStAM. KL Fürstenfeld 216 1/3, fol. 16r.
[172] Rechnungsbuch von 1573, »Gemeine Ausgaben«. BHStAM. KL Fasc. 957/60.
[173] Rechnungsbuch von 1573, »Zehrung und Botenlohn«. BHStAM. KL Fasc. 957/60.
[174] Rechnungsbuch von 1567. BHStAM. KL Fürstenfeld 216 1/3, fol. 22v.
[175] Rechnungsbuch von 1566, »Zehrung und Botenlohn«. BHStAM. KL Fürstenfeld 317 1/10.
[176] Rechnungsbuch von 1567. BHStAM. KL Fürstenfeld 216 1/3, fol. 22v.
[177] Ebd., fol. 15r.   [178] Ebd., fol. 15v.   [179] Ebd., fol. 23v.

folgenden Jahren lassen sich solche Urlaubsreisen häufig feststellen; wenngleich kein Recht darauf bestand, so waren sie doch zu einem festen Teil des Jahresablaufes geworden.

Abt Leonhard Treuttwein verstärkte diese Tendenz zu mehr Freiheit für die Mönche durch den Bau eines Ferienschlößchens für sich und den Konvent in Ried am Ammersee. Das Anwesen umfaßte ein Haus und eine Kapelle, die am 29. September 1572 vom Augsburger Weihbischof Michael Dornvogel konsekriert wurde[180]. Ursprünglich war geplant gewesen, daß sich der Konvent zu zwei Teilen um Michaeli für je vier Tage dort aufhalten sollte[181]; später bürgerte sich aber ein, daß die Mönche zweimal jährlich an den Ammersee fuhren, im Mai[182] und im September oder Oktober[183]. Waren die dabei vom Abt an die Urlaubsmönche mitgegebenen Mengen Wein und Bier nur für die Konventualen und nicht etwa zum Verkauf bestimmt, dürften die Urlaubstage ziemlich stimmungsvoll verlaufen sein[184]. Selten in der Geschichte des Klosters hatten die Mönche so viel Raum und Zeit zur persönlichen Entfaltung wie unter Abt Leonhard Treuttwein. Dieser Umstand sorgte freilich bald für unliebsame Überraschungen.

3.2.2.3 *Disziplinäre Schwierigkeiten im Konvent*

3.2.2.3.1 Kleinere Disziplinarverstöße und Autoritätsprobleme Abt Treuttweins

Die großen Freiheiten unter Abt Leonhard Treuttwein begünstigten natürlich die Gefahr von Mißbrauch und Vertrauensbruch durch die Mönche und der Verbreitung von Gerüchten seitens der umliegenden Bevölkerung. Die erste ernstzunehmende Anzeige gegen einen Fürstenfelder Mönch kam 1575 an den Abt: Der Geistliche Rat teilte ihm mit, man hätte erfahren, daß sich ein Konventuale zu vertraulich mit »Weibspersonen« abgebe, kaum mehr im Kloster sei und ein unmögliches Leben führe; Abt Treuttwein wurde aufgefordert, diesen Vorfall aufzuklären und jeden disziplinären Verstoß an den Geistlichen Rat zu melden[185]. Der Abt, der in dem beschuldigten Mönch bald seinen Prior Jacob Bachmair erkannte, den er allerdings für »pie, placide

---

[180] Konsekrationsurkunde der Kapelle, 29. September 1572, in: Führer, Chronik § 178.

[181] So berichtet Führer, ebd.

[182] Eintrag im Tagebuch Treuttweins, unter dem 6. Mai 1587. BStB. Cgm 1771, fol. 10r.

[183] Eintrag im Tagebuch Treuttweins, unter dem 12. Oktober 1587. BStB. Cgm 1771, fol. 20v.

[184] Dies ist aber nicht nachweisbar, denn der Abt notiert in seinem Tagebuch nur die mitgegebenen Mengen, etwa am 6. Mai 1587: 16 Maß Wein und 8 Maß Bier (1 Maß = 1,831 Liter!). Über die Bestimmung der Mengen vermerkt Treuttwein nichts. BStB. Cgm 1771, fol. 10r.

[185] GR an Abt Leonhard Treuttwein, München, 1575 (Kopie). BHStAM. KBGR 3, fol. 201.

et honeste«[186] hielt, befragte diesen; die Verdächtigungen gegen Fr. Bachmair konnte er nicht bestätigen, denn dieser habe ihm »nichts bekhennen wöllen«[187]. Vorsichtshalber wurde jedoch Fr. Bachmair für eine gewisse Zeit in das entlegene Bayerwaldkloster Gotteszell geschickt, womit sich der Geistliche Rat zufrieden zeigte[188]; nach einigen Jahren kehrte Fr. Jacob Bachmair nach Fürstenfeld zurück und nahm sein Priorenamt wieder auf[189]. Ganz unschuldig war er dennoch nicht, denn in einem Brief an seine Verwandten in Jettingen berichtete Abt Treuttwein erleichtert, Fr. Bachmair habe das Kloster verlassen, bevor der Herzog dort zur Übernachtung eingetroffen sei[190].

Glimpflich für die Reputation Abt Treuttweins lief auch ein Vorfall aus dem Jahr 1582 ab: Der Kastner Fr. Bartholomäus Lichtenberger wurde beschuldigt, einer »leichtfertigen Person halben« die Regel gebrochen zu haben. Ein größerer Skandal konnte vermieden werden, der Kastner wurde vom Generalabt absolviert[191]. Ansonsten ereigneten sich häufig kleinere Aufregungen in- und außerhalb des Klosters, welche die Autorität des Abtes in ein schlechtes Licht rückten: Herzog Albrecht V. monierte, es sei ihm zu Ohren gekommen, daß sich der Konventuale[192], der die Pfarrei Bruck als Pfarrer versehe, »gannz ergerlich und ungebirlich verhalte, den ganzen tag im Markht von aim haus in d[a]s andere lauffe, dem trunckh ergeben und d[er] leichförttigkhait in grossem verdacht sei«[193]. Abt Treuttwein wurde aufgefordert, den Mönch ins Kloster zurückzunehmen; andernfalls wurde ihm eine Untersuchung angedroht.

Auch innerhalb des Konvents hatte Abt Leonhard Treuttwein mit Disziplinarschwierigkeiten zu kämpfen, die nicht nach außen drangen; selten stand deshalb das Klostergefängnis, die »keichen«, für lange Zeit leer. Immer wieder vermerkte der Prälat in seinen Tagebüchern, daß Mönche zu aufmüpfig oder unzufrieden waren, wobei er selbst den Prior nicht verschonte: Eine gan-

[186] Abt Leonhard Treuttwein an einen unbekannten Adressaten, Fürstenfeld, 14. Januar 1575. BHStAM. KBÄA 4096, fol. 174.

[187] Abt Leonhard Treuttwein an Albrecht V., Fürstenfeld, 31. Januar 1575. BHStAM. KBÄA 4096, fol. 172.

[188] GR an Abt Leonhard Treuttwein, 1. Februar 1575 (Kopie). BHStAM. KBGR 3, fol. 204r. – Graf Christoph von Schwarzenberg an Albrecht V., 6. Juli 1576. KBÄA 4100, foll. 48–49. – Abt Leonhard Treuttwein an Albrecht V., Fürstenfeld, 16. Juli 1576. Ebd., foll. 51–52.

[189] Konventliste des Jahres 1589 im Tagebuch Treuttweins. BStB. Cgm 1771, fol. 78v. – Siehe Anhang 1.1: Konventlisten.

[190] Abt Leonhard Treuttwein an Hans und Markwart von Stain in Jettingen und Matzries, Fürstenfeld, 25. Januar 1575. BHStAM. KBÄA 4096, fol. 177.

[191] Abt Leonhard Treuttwein an Wilhelm V., Fürstenfeld, 9. März 1586. BHStAM. KBÄA 4096, fol. 183v.

[192] Es dürfte sich dabei um Fr. Leonhard Rueshamer handeln; Eintrag im Tagebuch Treuttweins, unter dem 31. Dezember 1589. BStB. Cgm 1771, fol. 78v.

[193] Wilhelm V. an Abt Leonhard Treuttwein, 1591 (Kopie). BHStAM. KBGR 13, fol. 136.

ze Woche saß dieser zusammen mit Fr. Georg Wagner in der »keichen«[194], allerdings auf Befehl des Visitators. Den Rekord hielt Fr. Johann Rotel, der dreiundvierzig Tage lang im Gefängnis saß[195]. Anlässe zu Gefängnisstrafen waren Streitigkeiten[196], etwa wenn einige Konventualen nach einem ausgiebigen Mahl zu viel getrunken hatten, oder wenn ein Mönch ohne Erlaubnis das Kloster verlassen hatte, wie Fr. Georg Steinheel im Juli 1591, und dabei ertappt worden war[197]. Als Entschuldigung mag gelten, daß sich gelegentlich auch Gäste in der Abtei unanständig benahmen; der Emmeringer Pfarrer Nikolaus Kopp hatte nach dem Neujahrsmahl 1592 im Kloster »sy ybel gehalten«[198]. Die Sitten waren damals eben insgesamt rauher.

3.2.2.3.2   Der große Unzuchtsskandal 1586

Im Jahr 1586 brach eine Affäre auf, die Abt Leonhard Treuttweins Ansehen massiv erschütterte, Zweifel an seiner Führungsfähigkeit und erste Forderungen nach seiner Resignation laut werden ließ. Zugleich kann der Vorfall als Beispiel für die landesherrliche Kirchenhoheit unter Herzog Wilhelm V.[199] in Auseinandersetzung mit einem Prälatenorden gelten, der dessen Kirchenpolitik zunehmend mißtrauisch verfolgte[200]. Am 1. März 1586 berichtete der Landschreiber Georg Pecherspacher an Herzog Wilhelm V., er habe sich auf dessen Anweisung hin nach Fürstenfeld begeben, um die Vorwürfe zu untersuchen, die gegen vier Konventualen laut geworden waren: Der Prior Fr. Jacob Bachmair, der Kastner Fr. Bartholomäus Lichtenberger und die Konventualen Fr. Balthasar Pärdtl und Fr. Johann Nobl wurden des leichtfertigen Umgangs mit Frauen zu unziemlichen Zeiten bezichtigt. Gegen den Willen des Abtes ließ Landschreiber Pecherspacher die Mönche verhaften[201]. Bestürzt verteidigte Abt Treuttwein vor dem Herzog seine Kon-

---

[194] Eintrag im Tagebuch Treuttweins, unter 7.–13. April 1588. BStB. Cgm 1771, fol. 34.

[195] Eintrag im Tagebuch Treuttweins, unter 1588. BStB. Cgm 1771, fol. 38r. – Am 2. Juni 1588 wurde er aus dem Gefängnis entlassen.

[196] »Fr jeorgius eyrel ain vnainigkhait angefangen erstlich mit dem prior und mit dem subprior allain das man zu frie haim gangen.« Eintrag im Tagebuch Treuttweins, unter dem 1. Januar 1589. BStB. Cgm 1771, fol. 54r.

[197] Eintrag im Tagebuch Treuttweins. BStB. Cgm 1771, fol. 118v. – 14. Juli 1591: »sthain hell ausm correctorium brochen, gen bruckh naus geloffen zum peter maurer, hat in sein vater und peter maurer umb 10 ur herein pracht hab in in die keichen gelegt.
[Randnotiz] Notus. fr. jeorgius sthain hel sy gar ybel gehalten in die correctio gelegt aus gebrochen yber die maur aus gestigen doch wider umb in die keichen bracht.«

[198] Eintrag im Tagebuch Treuttweins, unter dem 1. Januar 1592. BStB. Cgm 1771, fol. 132r.

[199] Wilhelm V. der Fromme (* 29. September 1548 in Landshut, 1579–1598 regierender Hz. von Bayern, † 7. Februar 1626 in Schleißheim, □ St. Michael zu München). Vgl. Rall/Rall, Wittelsbacher 124–127.

[200] Ausführlich zu diesen Fragen siehe Teil III, Kap. 1.2.3.

[201] Landschreiber Georg Pecherspacher an Wilhelm V., 1. März 1586. BHStAM. KBÄA 4096, foll. 180–181.

ventualen[202]: Den Vorwurf gegen den Prior hielt er für unhaltbar, da dieser doch den Ruf eines »erbaren, einzognen Closterlichen wandeltz«[203] genießen würde; auch die Anschuldigungen gegen die anderen Konventualen wies der Abt zurück, denn es sei undenkbar, daß bei einem Konvent von sechzehn Mönchen und einem Novizen niemand etwaige Auffälligkeiten bemerken würde. Dennoch entschuldigte sich Abt Treuttwein dafür, daß nach so langen Jahren in seinem Konvent derartige Schwierigkeiten entstünden[204]. Die vier Mönche blieben vorläufig in Haft.

Zwischen dem Geistlichen Rat und dem Vaterabt von Aldersbach als ordensinterner Aufsichtsinstanz entstand inzwischen ein Streit wegen der Jurisdiktion über die Mönche: Wilhelm V. verlangte vom Aldersbacher Abt Andreas Haydeker (1577–1587), er solle sofort zu einer Visitation nach Fürstenfeld aufbrechen, da im Konvent dort »allerlay verdacht und unordnung« eingerissen seien; außerdem wäre es am besten, dem altersschwachen Abt Treuttwein einen Koadjutor an die Seite zu stellen[205]. Der Aldersbacher Prälat wich in freundlichen Worten dem herzoglichen Ansinnen aus und bat statt dessen, die Mönche freizulassen und gemäß Ordensrecht ihm zu Verhör und Bestrafung zu übergeben[206]. Auf erneutes Drängen des Herzogs hin, der in Fürstenfeld bereits die Ankunft Abt Haydekers zur Visitation angezeigt hatte[207], änderte dieser seine Taktik und setzte auf Verzögerung: Dem Herzog schrieb er, er sei alt und gebrechlich und er hoffe auf Gesundung; sollte er aber nicht gesund werden, so würde er einen Vertreter zur Visitation benennen, aber nicht vor Ostern, da noch andere Klöster dringend zu visitieren seien[208]. Überdeutlich war dem Schreiben Abt Haydekers der Unwille zu entnehmen, sich von den herzoglichen Beamten kommandieren zu lassen.

Der Herzog verstand dieses Signal aus Aldersbach und entsandte seinen Hofrat Caspar Egloff[209] als »Beistand« für Abt Treuttwein nach Fürstenfeld, was dieser als völlig unnötig empfand. Den Prozeß gegen seine Konventualen bezeichnete der Prälat als diffamierend für sein ansonsten diszipliniertes Kloster, wenn er auch einräumen mußte, daß ein oder zwei Mönche »dem posen Feind stattgegeben« hätten. Untertänig mußte der Abt den Herzog bit-

---

[202] Abt Leonhard Treuttwein an Wilhelm V., Fürstenfeld, 9. März 1586. BHStAM. KBÄA 4096, foll. 182r–185r.

[203] Ebd., fol. 184r.

[204] Ebd.

[205] Wilhelm V. an Abt Andreas Haydeker von Aldersbach, München, 20. März 1586. BHStAM. KBÄA 4096, foll. 186–187.

[206] Abt Andreas Haydeker von Aldersbach an Wilhelm V., Aldersbach, 22. März 1586. BHStAM. KBÄA 4096, fol. 188.

[207] Wilhelm V. an Abt Leonhard Treuttwein, 22. März 1586. BHStAM. KBÄA 4096, fol. 190.

[208] Abt Andreas Haydeker von Aldersbach an Wilhelm V., 26. März 1586. BHStAM. KBÄA 4096, foll. 193–194r.

[209] Zu Hofrat Egloff: Lanzinner, Zentralbehörden 328–329.

ten, er möge nicht wegen der Vergehen weniger seine Liebe vom Konvent nehmen[210]. Bald erwachte in Abt Treuttwein aber wieder der alte Kampfeswille, und zwei Tage später forderte er vom Herzog die Freilassung der Gefangenen und ihre Übergabe an ein Ordensgericht, wie es den Mönchen gemäß päpstlichen Privilegien und Bullen zustünde[211]. Damit erreichte der Prälat immerhin eine Beschleunigung des Verfahrens: Am 31. März 1586 wurden die Gefangenen vom Dachauer Landrichter Philipp von Adelzhausen examiniert[212]. In der Sache einer Visitation gab Herzog Wilhelm V. aber nicht nach, sondern forderte erneut Abt Haydeker auf, Fürstenfeld zu visitieren[213]. Abermals zierte sich der Aldersbacher Prälat und schlug statt seiner Person seinen Prior Konrad Manntz als Visitator vor[214], den die Geistlichen Räte schließlich akzeptierten[215]; bis es dann endgültig zur Visitation kam, dauerte es aber noch eine geraume Weile; Abt Haydeker selbst kam nicht mehr an die Amper.

Für die vier inhaftierten Mönche fielen die Ergebnisse des Untersuchungsberichtes des Dachauer Landrichters äußerst ungünstig aus. Gegen zehn Frauen aus der Umgebung wurde ein Antrag auf Untersuchungshaft wegen des Verdachts auf Ehebruch oder Unzucht gestellt[216]: Die Frau des Hofmarksschreibers[217] Hans Schinder soll mit dem Klosterkastner Ehebruch begangen haben, die Kramerin zu Bruck mit dem Prior. Eine Dirn der Weißgerberin wurde des unziemlichen Umgangs mit Fr. Balthasar Pärdtl angeklagt; die Tochter des Puelacher Feldhüters war mit mehreren Konventualen »ybel beschrait«[218], ebenso die Schneiderin von Puelach, bei der die Mönche nachts Unterschlupf fanden. Die Frau des Maisacher Metzgers, ehemals Melkdirn im Kloster, hatte vom Klosterkastner ein Kind in die Ehe mitgebracht. Die Witwe Anna Siflau, »Schleichin« genannt, unterhielt noch zu Lebzeiten ihres Mannes mit dem Brucker Gesellpriester ein Verhältnis;

---

[210] Abt Leonhard Treuttwein an Wilhelm V., Fürstenfeld, 26. März 1586. BHStAM. KBÄA 4096, foll. 195r–197r, hier fol. 196r.

[211] Abt Leonhard Treuttwein an Wilhelm V., Fürstenfeld, 28. März 1586. BHStAM. KBÄA 4096, foll. 201–202r.

[212] Philipp von Adelzhausen, Landrichter von Dachau, an Wilhelm V., Dachau, 31. März 1586. BHStAM. KBÄA 4096, fol. 203r. – Die laut Brief beiliegenden Untersuchungsergebnisse sind nicht mehr überliefert.

[213] Wilhelm V. an Abt Andreas Haydeker von Aldersbach, München, 1. April 1586. BHStAM. KBÄA 4096, fol. 208r. – Am selben Tag zeigte der Herzog in Fürstenfeld an, daß der Visitator nun bald kommen werde. Ebd., fol. 209r.

[214] Abt Andreas Haydeker von Aldersbach an Wilhelm V., Aldersbach, 6. April 1586. BHStAM. KBÄA 4096, foll. 213–214r.

[215] GR an Wilhelm V., München, 22. April 1586. BHStAM. KBÄA 4096, foll. 217–218r.

[216] Liste mit den Namen der verdächtigten Frauen, undatiert (Konzept). BHStAM. KBÄA 4096, foll. 236–237r.

[217] Ebd., fol. 236r, bezeichnet Schinder fälschlich als Richter.

[218] Ebd., fol. 236r.

zusätzlich wurde sie des Mordes an ihrem Mann verdächtigt[219]. Auch die Biburger Nahderin Elisabeth Huber mußte Fragen nach ihrem Verhältnis zum Prior Bachmair beantworten, ebenso ihre Mutter, bei der sich der Prior jeden Freitag abend aufhielt. Schließlich wurde Barbara, die Tochter des klösterlichen Teigmischers Städele, nach ihren Verhältnissen zum Kastner und zu Fr. Nobl befragt. Um dabei die vermeintliche oder ganze Wahrheit zu erfahren, hatte man etlichen Damen den »daumstockh angethan und angeschraufft«[220]. Wegen der delikaten Verwicklung der Hofmarksschreiberin in den Fall bat Wilhelm V. für ihre Person um eine diskrete Abwicklung der Untersuchung[221]. Die Urteile des Prozesses[222], der am 19. Mai 1586 abgeschlossen wurde[223], fielen unterschiedlich aus: Prior Bachmair und Fr. Balthasar Pärdtl wurden nur leicht bestraft, Fr. Johann Nobl und der Kastner

---

[219] Bericht über den Ermittlungsstand an Wilhelm V., undatiert (Konzept). BHStAM. KBÄA 4096, fol. 230r.

[220] Ebd., fol. 231v.

[221] Wilhelm V. an den Hofrat, 22. April 1586. BHStAM. KBÄA 4096, fol. 237.

[222] Bericht über den Ermittlungsstand an Wilhelm V., undatiert (Konzept). BHStAM. KBÄA 4096, foll. 226–232. – Unbekannt ist der Verfasser des Berichtes.

1. Lucretia Schinder, die Frau des Brucker Hofmarksschreibers, hat mehrmals mit dem Klosterkastner Unzucht begangen; über weitere Details: ob es zu Zeiten des Ehestandes gewesen sei, was der Kastner ihr versprochen oder gegeben habe, ob sie auch im Kloster Unzucht getrieben hätten, wurde sie noch nicht befragt. Lucretia belastet den Kastner weiterhin, ihrer ehemaligen Dirn, der jetzigen Metzgerin von Maisach ein Kind gezeugt zu haben.

2. Dem »Schmalzweibl«, der Kramerin von Bruck, die zwar als leichtfertige Person gilt, kann man kein Verhältnis mit dem Prior nachweisen.

3. Anna Halber, die Dirn der Weißgerberin, ist dem Hörensagen nach von einem Konventualen schwanger, aber außer Landes geflohen, so daß man nichts mehr feststellen kann.

4. Gegen die Margret, Tochter des Puelacher Feldhüters, bestehen auch keine Beweise, wenngleich sie als liederlich gilt.

5. Magdalena, die Frau des Puelacher Schneiders, gewährte den Fratres Nobl, Pärdtl und Lichtenberger nachts Unterschlupf, wenn sie in zivilen Kleidern kamen; gegen sie kann aber nichts gefunden werden.

6. Elsbeth, die Frau des Maisacher Metzgers, ehemalige Dirn der Gerichtsschreiberin, liegt mit einem Kind vom Klosterkastner Lichtenberger im Kindsbett und wird erst nach der Geburt befragt.

7. Von der Witwe Anna Siflau war zwar zu erfahren, daß sie mit einem Brucker Stallknecht und einem Weltpriester Ehebruch getrieben habe; daß der Tod ihres Mannes aber durch sie veranlaßt worden sei, ist nicht zu beweisen.

8. Elisabeth Huber zu Biburg hat zwar vor dem Prior Bachmair ein seltsames Jungfräulichkeitsgelübde abgelegt, mehr ist aber nicht zu erfahren gewesen.

9. Bei Barbara Huber, einer Witwe und Mutter der Elisabeth Huber, war zwar der Prior jeden Freitag abend, nachweisbar aber war außer dem nichts.

10. Barbara Städele, die Tochter des Fürstenfelder Teigmischers, hat mit ziemlicher Sicherheit mit Fr. Johann Nobl Unzucht getrieben.

So weit gehen die Aussagen im angegebenen Untersuchungsbericht. Wie man mit den Frauen weiter verfuhr, darüber geben die Akten keine Auskunft mehr.

Fr. Bartholomäus Lichtenberger wurden allerdings für schwerer schuldig befunden und verblieben im Gefängnis, wobei der Aldersbacher Abt Haydeker für Fr. Nobl deshalb schwere gesundheitliche Schäden befürchtete[224]; daher forderte er – wenn auch vergeblich –, daß die Bestrafung letztlich ihm überlassen werde, wie es auch dem Ordensrecht entspreche.

Diese als skandalös empfundenen Vorfälle bedeuteten für das Kloster Fürstenfeld und insbesondere für Abt Treuttwein einen schweren Schaden. Von dieser Zeit an entließen die herzoglichen Beamten die Abtei nicht mehr aus der Beobachtung, und immer wieder wurden Forderungen nach einem Koadjutor des Abtes laut. 1593 legte der Geistliche Rat Martin Rieger dem Herzog dringend nahe, dem mittlerweile greisen Abt einen »coadiutor cum certa spe successionis«[225] beizugeben; daraufhin drängte Wilhelm V. den neuen Aldersbacher Abt Johannes Dietmair (1587–1612), einen Fürstenfelder Professen, den Fürstenfelder Prälaten zur Annahme eines Koadjutors zu bewegen[226]. Allein, dieser und weitere Versuche blieben nutzlos, Abt Treuttwein resignierte nicht. Dennoch war spätestens ab der Zeit dieser Vorfälle sein Ansehen unwiederbringlich beschädigt, sowohl im Konvent, als auch gegenüber der herzoglichen Obrigkeit.

3.2.3 Die Ergebnisse der Visitationen in der Ära Abt Treuttweins

Während der Regierung Abt Leonhard Treuttweins wurden in Fürstenfeld mehrere Visitationen gehalten, von denen drei belegbar und durch Akten oder Notizen in Verlauf und Ergebnis darstellbar sind: 1573, 1581 und 1587.

---

[223] Hofrat Caspar Egloff an Wilhelm V., Fürstenfeld, 19. Mai 1586. BHStAM. KBÄA 4096, fol. 238.

[224] Abt Andreas Haydeker von Aldersbach an Wilhelm V., 27. Mai 1586. BHStAM. KBÄA 4096, fol. 241.

[225] GR Martin Rieger an Wilhelm V., 29. Oktober 1593. BHStAM. KBÄA 4096, foll. 150–151. – Zum Ratssekretär Martin Rieger vgl. Lanzinner, Zentralbehörden 388.

[226] Wilhelm V. an Propst Georg Lauther, Juni 1594 (Kopie). BHStAM. KBGR 16, fol. 552. – Zu Georg Lauther von Ehingen (Dr. theol., 1567–1577 Chorherr zu Unserer Lieben Frau in München, 1571 und 1577 Dekan daselbst, 1577–1610 Propst daselbst; 1570 Hofrat und GR; Prediger und polemisch-dogmatischer Schriftsteller; † 1610): Pfister, München 410–411, 435, 446, dort auch Ww; Maximilian Lanzinner, Art. Lautherius, in: Boehm/Müller (Hrg.), Biographisches Lexikon der Ludwig-Maximilians-Universität München I 234; ders., Zentralbehörden 367–368.

3.2.3.1   Die Visitation von 1573

Im Jahr 1573 lebte der seit über fünfzig Jahren nicht mehr nachweisbare Kontakt zum französischen Mutterkloster Cîteaux wieder auf[227]. Generalabt Nicolaus I. Boucherat von Cîteaux[228] visitierte in den Jahren 1572 bis 1574 ausführlich die Zisterzienserklöster und fand in Deutschland und der Schweiz dreiunddreißig Klöster mit etwa sechshundert Mönchen und zweiundsechzig Novizen vor, deren Gesamtzustand ihn insgesamt zufriedenstellte[229]. Auch in Bayern visitierte der Generalabt in Absprache mit Herzog Albrecht V.: Am 12. August 1573 kam Generalabt Boucherat in Begleitung des Abtes Nikolaus de Marechal von Locodei und des Generalprokuratoren Natali Cossare von Valle Beatae Mariae[230] von Oberschönenfeld her in Fürstenfeld an und visitierte am 13. August das Kloster[231]. Zuerst kontrollierte er in der Klosterkirche, ob das Sakramentshäuschen richtig verschlossen war; danach hielt er Skrutinium im Konvent und befragte jeden einzelnen Konventualen über die Gewohnheiten in Gottesdienst und Gemeinschaftsleben. Im Kapitel schließlich eröffnete Generalabt Boucherat all das, was ihm mißfiel, ermahnte die Mönche zum Leben gemäß der Regel und ließ ein Exemplar der »Charta caritatis« zurück[232]. Der Visitationsrezeß[233] durch den Generalabt ist sehr detailliert angelegt und regelt viele Einzelheiten in Liturgie[234] und Disziplin. Diese Regelungen waren aber weniger Neuerungen im eigentlichen Sinn als eine Einschärfung bereits bestehender Vorschriften; zur Erinnerung war ihre Verlesung viermal im Jahr vorgeschrieben, an Ostermontag, Pfingstmontag, Michaeli und Stephani.

1. Die Vigilien sollen an Festen um 4 Uhr, an Sonntagen und Apostelfesten um 3 Uhr, an Hochfesten um 2 Uhr beginnen.
2. Täglich sollen drei Messen gelesen werden: die Konventmesse im Chor, eine Marienmesse und eine Messe für die Verstorbenen außerhalb des Chores.

---

[227] Dies gilt zunächst aufgrund der in München lagernden Akten; Krausen, Klöster 6, stellte darüber hinausgehend fest, daß sich im ehemaligen Ordensarchiv von Cîteaux, das sich heute im Archives Départementales zu Dijon befindet, keine Bayern betreffenden Unterlagen befinden. Laufende Forschungen könnten jedoch diese Feststellungen korrigieren.

[228] Zur Problematik der Person des Visitators – Fürstenfeld als Tochter von Morimond hätte eigentlich dem Abt dieses Klosters unterstanden – siehe Teil III, Kap. 2.2.3.2.

[229] Vgl. Lekai/Schneider, Weiße Mönche 104; Wellstein, Marienstatt 97–100; Lobendanz, Reformstatuten 520–521 (Literatur); Postina, Deutschland (Literaturverzeichnis).

[230] Visitationsrezeß Generalabt Nicolaus I. Boucherats, Fürstenfeld, 12. August 1573. BHStAM. KU Fürstenfeld 2115; gedruckt in: Pfister, Generalabt 454–456.

[231] Vgl. Postina, Deutschland 234.

[232] Abt Leonhard Treuttwein an Albrecht V., Fürstenfeld, 2. Oktober 1573 (Konzept). BHStAM. KL Fürstenfeld 330, prod. 2.

[233] Visitationsrezeß Generalabt Nicolaus I. Boucherats, Fürstenfeld, 12. August 1573. BHStAM. KU Fürstenfeld 2115.

3. Sofort nach der Komplet müssen alle Mönche in ihre Zellen ins Dormitorium gehen, das durch den Prior versperrt wird.
4. Monatlich müssen die Zellen der Mönche visitiert werden, ob nicht jemand etwas dem Mönchsstand Unziemliches darin aufbewahrt.
5. Wer außerhalb des Dormitoriums nächtigt, soll ins Gefängnis gesperrt werden.
6. An Fasttagen soll der Konvent gemeinsam im Refektorium speisen, an Tagen mit Fleischgerichten in der Konventsaula.
7. Nach dem Essen soll der Konvent unter dem Gebet der Psalmen 51 und 130 in die Kirche gehen, wo die große Glocke schlägt.
8. Die Erlaubnis zum Verlassen des Klosters soll nicht leichtfertig gegeben werden, keinesfalls zur Teilnahme an Hochzeiten, Trinkgelagen, heidnischen Umtrieben oder Kirchweihen. Unerlaubtes Entfernen vom Kloster wird mit Gefängnis bestraft.
9. Wenn ein Mönch bei Unzucht ertappt wird, soll er für ein halbes Jahr ins Gefängnis geworfen und im Orden degradiert werden.
10. Weltliche Kleidung der Mönche bleibt verboten.
11. Mönche, die außerhalb des Klosters leben, sollen sich ebenso streng nach den Ordensregeln verhalten.

Da die Visitationsprotokolle fehlen, sind Einzelheiten über die eigentlichen Verhältnisse im Kloster nicht überliefert. Für den Gesamteindruck des Klosters auf den Generalabt aufschlußreich ist dessen Notiz über Fürstenfeld in seinem Bericht über alle visitierten Klöster: Fürstenfeld sei ein »monasterium perelegans et amoenum. [...] Abbas erat quidem vir bonus nec indoctus, duos itidem aut tres doctos habebat monachos«[235]. Generalabt Boucherat war insgesamt von Abt und Konvent angetan; größere Verfehlungen und Schwierigkeiten gab es offensichtlich keine, da sich der Generalabt ansonsten nicht gescheut hätte, sie in seinem Bericht festzuhalten. Für Abt Treuttwein und seine Leitung bedeutete diese Visitation zweifellos eine Bestätigung. Neben dem Visitationsbericht für den Orden schrieb der Generalabt auch an Albrecht V. einen Brief mit den Ergebnissen für alle Zisterzen seines Herzogtums[236]; da er diesen etwas düsterer einfärbte als den ordensinternen Bericht, ist anzunehmen, daß er damit den Landesherrn für sein Reformprogramm und für strenge Kontrolle der Klöster gewinnen wollte[237]. Für Fürstenfeld hielt Generalabt Boucherat fest, der Abt sei »simplex ac religiosus, neque omnino indoctus, sed pusiliaminis, et remissus in coercendis et repri-

---

[234] Zu den Anweisungen für die Liturgie siehe Teil II, Kap. 2.2.2 und 2.2.3.
[235] In: Postina, Deutschland 234.
[236] Visitationsbericht des Generalabts Nicolaus I. Boucherat an Albrecht V., undatiert (1573). BHStAM. KBÄA 4080, foll. 18r–20v. – Gedruckt im Anhang 4.3: Visitationsbericht.
[237] Ausführlicher dazu Teil III, Kap. 1.2.3.2.

mendis suis monachis«[238] – dem Herzog gegenüber betonte der Generalabt die Schwächen Abt Treuttweins mehr, als er sie in den eigenen Notizen festhielt.

3.2.3.2 Die Visitation von 1581

Acht Jahre später kam der Abt von Chatillon, Edmund de la Croix, im Auftrag des Generalabtes Boucherat nach Bayern und visitierte neben Raitenhaslach und Aldersbach[239] auch Fürstenfeld; erhalten ist darüber der bislang wenig beachtete, weil entlegene Visitationsrezeß vom 12. Oktober 1581[240]. Neben dem Abt wohnten dreiundzwanzig weitere Professen sowie ein Novize im Kloster. Die Zustände im Kloster, soweit sie sich im Rezeß widerspiegeln, waren im ganzen regelkonform und verlangten nach keiner einschneidenden Korrektur; Edmund de la Croix beschränkte sich somit im wesentlichen auf Ermahnungen bezüglich des liturgischen Lebens und die Erinnerung an den als grundlegend erachteten Rezeß der Visitation von 1573.

Darüber hinaus forderte er, die Matutin an Wochentagen um vier Uhr zu beten, was darauf hindeutet, daß man in Fürstenfeld später begann, dafür aber schneller sang. Weitere Anweisungen betrafen das geistliche Leben: Die Priester sollten nur nach vorhergehender Beichte zelebrieren, die Junioren außer an den gebotenen Tagen längstens alle zwei Wochen beichten und kommunizieren; zudem sollte die eucharistische Frömmigkeit durch Betrachtungen über Jesus Christus, »in quo sunt omnes Thesauri scientiae et sapientiae absconditi«[241], mehr gepflegt werden. Eine verbesserte Bildung wurde für die Pfarrseelsorger aus dem Kloster verlangt; die exponierten Priester sollten zur Pflege der Gemeinschaft mindestens dreimal jährlich ins Kloster kommen, zu Benedikt (21. März), Bernhard (20. August) und zu Kirchweih. Diese Anweisungen sind aber geringfügig, vergleicht man sie mit den für Raitenhaslach ergangenen Mahnungen: Dort monierte Abt de la Croix, daß der Gottesdienst nicht nach den Ordensregeln verrichtet würde, der Konvent zu klein sei und die Klausur besser versperrt sein müsse. Abt Wolfgang Manhauser (1569–1590) wurde angewiesen, dafür Sorge zu tragen, daß das »Divinum officium ... cum maiori sollicitudine et deuotione quam hactenus celebretur«[242]. Die Verhältnisse in Fürstenfeld können somit zu dieser Zeit als befriedigend gelten.

---

[238] Visitationsbericht des Generalabts Nicolaus I. Boucherat an Albrecht V., undatiert (1573). BHStAM. KBÄA 4080, fol. 18r.

[239] Visitationsrezeß Abt Edmunds de la Croix von Chatillon für Raitenhaslach, Raitenhaslach, 19. September 1581. BHStAM. KU Raitenhaslach 1070. – Vgl. Krausen, Raitenhaslach 81.

[240] Visitationsrezeß Abt Edmunds de la Croix von Chatillon, Fürstenfeld, 12. Oktober 1581. BHStAM. KU Aldersbach 1453. – Rätselhaft ist, warum das Original des Rezesses – ähnlich wie von 1518 – unter den Aldersbacher Urkunden im Bayerischen Hauptstaatsarchiv liegt. Möglicherweise blieb nur eine nicht erhaltene Abschrift in Fürstenfeld.

[241] Ebd.

3.2.3.3   Die Visitation von 1587

Drei Quellen berichten über die Visitation des Klosters Fürstenfeld durch Abt Johannes Dietmair (1587–1612) von Aldersbach im Jahr 1587: der offizielle Visitationsrezeß[243] vom 17. November 1587[244], die Tagebuchnotizen Abt Leonhard Treuttweins, die er am Ende seines Tagebuchs von 1587 eingetragen hat[245], und das Befragungsprotokoll der Mönche[246]. Gerade die Tagebuchnotizen geben aus einer sonst unbekannten Perspektive, der des visitierten Abtes, Aufschluß über die Ereignisse.

Nachdem Herzog Wilhelm V. aufgrund der beschriebenen Unzuchtsfälle im Jahr 1586 heftig aber vergeblich eine Visitation Fürstenfelds gefordert hatte, dauerte es über ein Jahr, bis sie abgehalten wurde; der Aldersbacher Abt Andreas Haydeker war mittlerweile verstorben, und der Fürstenfeld Professe Johannes Dietmair hatte seine Nachfolge angetreten. Hatte Wilhelm V. gehofft, der Visitator würde aufgrund der Vorfälle des Jahres 1586 Abt Leonhard Treuttwein absetzen oder ihm zumindest einen Koadjutor an die Seite geben, so sah er sich getäuscht. Abt Dietmair schenkte den Vorfällen, die ja juristisch inzwischen bereinigt waren, kein allzu großes Interesse mehr; sein Konzept für die Untersuchungen vermerkte ganz andere Fragen: Im Mittelpunkt standen die Beichte der Mönche, Parteiungen, »conspirationes«, liturgische Anweisungen, disziplinäre Details wie das Entfernen von Speisen und Getränken aus dem Refektorium, das Tragen von Kukullen und der Umgang von Novizen mit älteren Mönchen[247]. Diese Punkte gingen nicht über die gewöhnliche Mahnung zur Beobachtung der Ordensregeln hinaus und lassen nicht im geringsten darauf schließen, daß gegen den Abt ermittelt werden sollte.

Im Vordergrund der Anweisungen standen die liturgischen Vorschriften, die

---

[242] Visitationsrezeß Abt Edmunds de la Croix von Chatillon für Raitenhaslach, Raitenhaslach, 19. September 1581. BHStAM. KU Raitenhaslach 1070.

[243] Visitationsrezeß Abt Johannes Dietmairs von Aldersbach, Fürstenfeld, 17. November 1587. BHStAM. KL Fürstenfeld 330½, foll. 3r–16v; identisch mit dem Aldersbacher Exemplar. BHStAM. Aldersbach Archiv Schublade 107, fasc. 3, prod. 12.

[244] Ein Problem stellt die genaue Datierung der Visitation dar: Der Rezeß BHStAM. KL Fürstenfeld 330½, foll. 3–16, datiert vom 17. September 1587; ebenso verweist eine Notiz BHStAM. KL Fürstenfeld 330, fol. 69v, auf den September als Visitationsmonat. Abt Treuttwein erwähnt im September dagegen überhaupt keine Visitation, dafür aber 11.–16. November (Einträge im Tagebuch Treuttweins. BStB. Cgm 1771, foll. 22v–23r). Auch das Aldersbacher Repertorium nennt den 12. November 1587 als Datum (BHStAM. KL Aldersbach 73, fol. 17v). Vermutlich ist bei der Kopie des Visitationsrezesses ein Schreibfehler unterlaufen.

[245] Eintrag im Tagebuch Treuttweins. BStB. Cgm 1771, fol. 26r.

[246] Visitationsprotokoll, undatiert (1587). BHStAM. Aldersbach Archiv Schublade 107, fasc. 3, prod. 10.

[247] Vierseitiges Konzept mit Stichpunkten, die Abt Dietmair untersuchen und in den Bericht einarbeiten wollte, undatiert. BHStAM. Aldersbach Archiv Schublade 107, fasc. 3, prod. 8.

man seit dem Konzil von Trient wieder zu vereinheitlichen suchte, nachdem
sich in vielen Klöstern liturgische Eigenheiten ausgeprägt hatten[248]. Über
neun Folioseiten hinweg werden Einzelheiten geregelt, vom Stehen und Sitzen bei den Horen über die Zeiteinteilung des Tages, der Aufteilung des
Kyriegesangs bis hin zu den Verbeugungen beim Gloria. Abt Dietmair verwies dabei auf die Reformvorschriften des Lützeler Abtes Beatus Pabst[249].
Die weiteren Anweisungen der Visitatoren betrafen die häufige Beichte der
Mönche, das tägliche Schuldkapitel, das Gedächtnis der Verstorbenen, das
Verhalten der Mönche im Kloster, den Ablauf des Essens und weitere Einzel-
heiten wie die Annahme von Geschenken und das Tragen der genehmigten
Birette. Auch die Aufnahme von Novizen vor dem fünfzehnten Lebensjahr
wird untersagt[250]. In seinem Tagebuch vermerkte Abt Treuttwein weitere
Anweisungen des Visitators Abt Dietmair an ihn und seine Amtsführung[251]:
Zunächst war die Zahl der Laien im Kloster einzuschränken und die Klausur
besser verschlossen zu halten. Auch auf das Einhalten der Kleidervorschrif-
ten mußte Abt Treuttwein stärker achten; die Mahlzeiten für die Mönche
und Gäste sollten verbessert werden, schließlich sollten auch die Amtsträger
im Konvent häufiger zu den Horen gehen[252].

---

[248] Dazu grundsätzlich: Teil II, Kap. 2.2.3.2.
[249] Visitationsrezeß Abt Johannes Dietmairs von Aldersbach, Fürstenfeld, 17. November 1587.
BHStAM. KL Fürstenfeld 330½, foll. 4r–9r. – Abt Beatus Pabst von Lützel hatte am
21. Oktober 1586 das Kloster Raitenhaslach visitiert (Visitationsrezeß durch Abt Beatus
Pabst, Raitenhaslach, 21. Oktober 1586. BHStAM. KU Raitenhaslach 1080); dort hinterließ
er hauptsächlich liturgische Vorschriften. Laut einer Fürstenfelder Notiz (BHStAM. KL Fürstenfeld 330, fol. 69v) soll Pabst 1587 auch das Amperkloster visitiert und dabei seine
Reformvorschriften hinterlassen haben. Davon existieren aber weder Konzepte noch ein
Visitationsrezeß, der auf eine Visitation durch Abt Pabst hinweisen könnte. Deshalb ist
vorläufig anzunehmen, daß diese Visitation nicht gehalten wurde, zumal ja Abt Dietmair
im Herbst 1587 Fürstenfeld visitierte und selbst Vorschriften hinterließ; da er aber auf die
Reformvorschriften Abt Pabsts verwies, nahm er deren Bekanntheit in Fürstenfeld an.
[250] Visitationsrezeß Abt Johannes Dietmairs von Aldersbach, Fürstenfeld, 17. November 1587.
BHStAM. KL Fürstenfeld 330½, foll. 9v–16v. – Dies im Anschluß an Regelungen des Tridentinums; dazu: Teil II, Kap. 1.2.1.2.1.
[251] Einträge im Tagebuch Treuttweins. BStB. Cgm 1771, fol. 26r.
[252] Aufgrund seiner Einmaligkeit soll dieser Tagebucheintrag in voller Länge abgedruckt werden:
»anno 87
Auff heut dato den 14 9bris hat mir her visitator geschafft daß ich sol nach huit seiner
gebeut un Carthen waß darin inseret und beuolhen alles mit fleiß sol haltn und verrichten
lassen sub pena excommunicationis.
Dar nach mir er ernstlich geschafft den schuelmaister und marthl thoma aus dem Conuent
thun in die schlüßel zur Conuent thür nemen, dem schuel maister ain schlüssel zum pfiel-
sel geben, daß er den jungen drin leß und Irn buben ime schuel meister ain andre camer und
herformb ein geben.
Weiter sol ich als Baldt daß regent under machen mit holz werckh daß ein summer und winter neuluft geb, ainen offen ins winter reuent gegen der küche setzen, im sumer reuent sol
ein thür in auditorio ein prochen werden, und die thür vom auditorio in conuent sol versperrt werden, kainer kain schlissel als prior und subprior haben sol

Die Visitationsprotokolle notieren den Zustand des Klosters: Der Prior gab an, daß die »Juniores inobedientes«[253] seien und nicht an den Horen teilnehmen wollten; überhaupt war deren Besuch gelegentlich sehr schlecht. Häufig waren Klagen über die mangelnde Disziplin der jungen Mönche[254]. Dem gegenüber klagten die Junioren, daß die älteren Mönche zu oft mit Laien verkehren und zuviel Wein konsumieren würden[255] – tatsächlich wies Abt Dietmair seinen Fürstenfelder Amtsbruder an, diese Zustände zu ändern; Spannungen zwischen den Generationen waren somit auch in diesen Jahren an der Tagesordnung. Dennoch waren die Verhältnisse im Kloster aus Sicht des Ordens als insgesamt befriedigend erkannt worden, so daß es keinerlei Ursache gab, Abt Treuttwein abzusetzen.

Außer den Akten zu den drei genannten Visitationen ist ein undatierter Visitationsrezeß aus dem letzten Drittel des 16. Jahrhunderts überliefert[256]. Da jeglicher Anhaltspunkt zu seiner genaueren Einordnung fehlt, ist ein Datie-

> den conuentuales sol ich an jar 2 hemeter und 2 par hosen geben, doch solens alwegen ire alten hergeben, wen inen die neuen hosen und hemeter werden zu gestelt, im Sumer und im winter sol inen zu unterschidlichen zeiten geben werden mit den andern claidung solus ordens prauch nach gehalten werden.
>
> Wen aim ain freind kumpt, sol man sy mit bewilligung herfirlaßen im sein ... wein geben und den freindt ain kepfel zu baiden essen und am abent mer ain kepfel zum schlaff drunck mag ma ain 1 viertl wein auff abspa geben, und wie mer daß einer bey zeit auffs schlaff haus khum.
>
> Weiter sol der koch im kochen mer fleisch an khern und der Conuent mit dem essen besser gehalten werden, und am mittwoch und freitag missen fasten, zu der nacht, da muß man in zum morgen ain gutl richt mer geben.
>
> Item wenn man in conuent ain schlaff drunckh gibt, solens dar mit vergniegt sein, und sol ine darauf nichts auff absparn geben werden.
>
> wil mandt sol man in der küchen zu essen geben, auch niemandt drin lassen wen man ist.
>
> Wen die alt melk muter den auswärtz erlebt, mueß man sy in ein anderß zimmer thun oder ain neus pauen, doch sol man die vergeblichen personen nit zu ir gen lassen.
>
> Was der conuent an gelt ein nimbt und hat sol mir alles zugestelt werden, aber einem yedwedem wenß er zur noturfft bedarff sol ichs ime wieder geben ...
>
> Jeglichen soln zwen auf conuent zu hoff essen, wenn man zwai mal ißz, wenns auch ain wenig kan fieglich sein sol ain junger zu disch lessen.
>
> Wen man Regulariter im Reuent ißz, sol kain laien person auch weder die layen priester oder schuelmaister vo pruckh an fasten thegen und wen man Regulariter ißz sol Kuemaister und Castner auch im Reuent essen, und die briester, Richter baide schuelmaister soln zu hoff essen, und ain yedweden sein porzion wein ain halb maß gebn werden.
>
> Kuchemaister und castner soln sy als vil moglich in irn horis canonicis haben dieweil die conuentuales mit beichten meß lesen in kirchen gen festiuis diebus et xii lectionum, wens sein kan und sonderlich in den emptern und vesper etc.«

253 Aussage des Priors im Visitationsprotokoll, undatiert (1587). BHStAM. Aldersbach Archiv Schublade 107, fasc, 3, prod. 10. – Ähnlich die Aussage Fr. Georg Wagners: »Granarius saepius ad choru[m] et vesperas [venit] de Iunioribus.« Ebd.

254 Aussagen der Fres. Subprior, Georg Wagner, Johannes Märkl, Balthasar Pärdtl im Visitationsprotokoll, undatiert (1587). Ebd.

255 Aussagen der Fres. Georg Vogel, Leonhard Helgemayr und Georg Steinheel im Visitationsprotokoll, undatiert (1587). Ebd.

256 Visitationsrezeß, undatiert. BHStAM. KL Fürstenfeld 330, foll. 26r–32v.

rungsversuch wenig sinnvoll. Von Interesse ist dieser Rezeß dennoch, weil er
viele Anweisungen über den Tagesablauf und liturgische Einzelheiten enthält – auf sie wird in den entsprechenden Kapiteln eingegangen werden;
inhaltlich entspricht er ähnlichen Reformvorschriften aus der Zeit der beginnenden Rezeption der Trienter Beschlüsse. Über weitere Visitationen während der Regierungszeit Abt Leonhard Treuttweins ist nichts ausführlich
überliefert, wenn auch aus den Tagebüchern hervorgeht, daß der Abt von
Aldersbach, der als »her visitator« bezeichnet wird, auf Reisen immer wieder
einen Zwischenaufenthalt in Fürstenfeld einlegte und sich dabei auch nach
dem dortigen Stand der Dinge erkundigte: Am 13. Juni 1587 veranlaßte er,
daß Fr. Georg Weber ins Gefängnis gelegt wurde[257]; auf den 9. März 1588
übernachtete er wiederum in Fürstenfeld[258], vier Wochen später befahl er,
daß der Prior und Fr. Georg Wagner in die »keichen« geschickt würden[259].
Für Ende Mai 1591 sind nochmals einige Besuche Abt Dietmairs in Fürstenfeld belegt[260]; auch im Herbst 1593 übernachtete er gelegentlich im Amperkloster[261]. An Fürstenfeld vorbei fuhr dagegen Prior Claude Germain von
Cîteaux, der am 11. Dezember 1590 Raitenhaslach visitierte[262]; auch das
Tagebuch Abt Treuttweins erwähnt diesen Besucher nicht[263].

An den geschilderten Visitationen lassen sich zwei Veränderungen feststellen, die sich in den sechzig Jahren seit etwa 1520 vollzogen haben. Die Rolle
des Initiators einer Visitation hatte erneut gewechselt: Nachdem im 15. Jahrhundert die Visitationen, ihre Initiative und Durchführung vom Orden auf
die Herzöge und ihr Kirchenregiment übergegangen waren, so ist seit dem
Konzil von Trient in den Zisterziensern das Streben nach Eigenständigkeit
neu erwacht. Der letztlich vergebliche Versuch Herzog Wilhelms V., 1586
eine Visitation für Fürstenfeld zu erreichen, zeigt, daß die Zisterzienseräbte
nicht mehr schlechthin gewillt waren, als Instrument herzoglicher Kirchenpolitik zu dienen. Wenn auch von einer Autonomie des Ordens weiterhin
keine Rede sein kann, so konnte doch Herzog Wilhelm V. nicht mehr so
unwidersprochen Anweisungen erteilen wie noch seine Vorgänger in den
dreißiger und vierziger Jahren des 16. Jahrhunderts. Die zweite Beobachtung

---

[257] Eintrag im Tagebuch Treuttweins, unter dem 13. Juni 1587. BStB. Cgm 1771, fol. 12v.
[258] Eintrag im Tagebuch Treuttweins, unter dem 8. März 1588. BStB. Cgm 1771, fol. 32v.
[259] Eintrag im Tagebuch Treuttweins, unter dem 7. April 1588. BStB. Cgm 1771, fol. 34r.
[260] Einträge im Tagebuch Treuttweins, unter dem 23., 26. und 28. Mai 1591. BStB. Cgm 1771,
fol. 115.
[261] Einträge im Tagebuch Treuttweins, unter dem 9. Oktober und 9. November 1593. BStB.
Cgm 1771, foll. 176v–178v.
[262] Visitationsrezeß durch Prior Claude Germain von Cîteaux, Raitenhaslach, 11. Dezember
1590. BHStAM. KU Raitenhaslach 1092.
[263] Der einzige Hinweis auf die Anwesenheit Prior Germains in Fürstenfeld ist eine undatierte
Notiz im Repertorium Aldersbach. BHStAM. KL Aldersbach 74, fol. 233r. – Unter Schublade Nr. 107 des alten Aldersbacher Archivs werden Visitationsunterlagen aus dem Jahr 1591
geführt, die aber verschollen sind.

erstreckt sich auf den Gegenstand der Visitation: Die Fragen beschäftigten sich nicht mehr mit der lutherischen Gefahr und den daraus folgenden Problemen; statt dessen bemühten sich die Ordensoberen, auf der Grundlage von Ordensregel und Konzilsbeschlüssen ein neues, einheitliches Profil der Zisterzienser zu schaffen und so Selbstbewußtsein und Kraft des Ordens zu stärken. Mit dem Vorhaben, die Trienter Reformdekrete umzusetzen, begann auch eine Neuorientierung des Zisterzienserordens[264].

3.2.4 Notizen über die Wirtschaftsführung

Aus der Regierungszeit Abt Treuttweins sind fünf Rechnungsbücher der Jahre 1566[265], 1567[266], 1569[267], 1573[268] und 1575[269] erhalten, für eine Amtszeit von annähernd dreißig Jahren somit nicht allzu viele. Setzte das Rechnungsbuch von 1566 noch die saubere Buchführung von Abt Baumann und Verwalter Dorfpeck fort, so wurden die folgenden Bücher qualitativ immer schlechter: 1569 fehlen Summierungen der einzelnen Einnahme- und Ausgabeposten, der Gesamteinnahmen und -ausgaben ebenso wie eine Saldierung; das Buch wurde von mindestens drei Mönchen geführt, so daß es keine einheitliche Struktur und keinen Abschluß erhielt. Entsprechend der Absicht des Abtes verwirrte diese Art Buchhaltung die herzoglichen Kommissare eher, als daß sie für Klarheit sorgte. Die private Buchführung Abt Treuttweins findet sich in einem voluminösen Notizheft, das er fast seine ganze Amtszeit lang führte[270]. In einer für Außenstehende unentwirrbaren Unübersichtlichkeit wurden hier die vielen täglichen Einnahmen und Ausgaben an Geld und Naturalien verzeichnet. Offensichtlich konnte der Abt mit diesem Heft über Jahre hinweg den Überblick bewahren; für jemand anderen war dies unmöglich. Die Abfassung korrekter Rechnungsbücher war dagegen durch die Herzöge angeordnet worden: Albrecht V. befahl 1573 eine Neuaufnahme der Württemberger und Esslinger Güter Fürstenfelds[271]; auch die Erstellung der Grundbücher von 1581 bis 1583 wurde vom Landesherrn veranlaßt[272]. Daneben existieren weitere Aufzeichnungen, etwa Register

---

[264] Dazu Teil III, Kap. 2.2.3.
[265] Rechnungsbuch von 1566. BHStAM. KL Fürstenfeld 317 1/10.
[266] Rechnungsbuch von 1567. BHStAM. KL Fürstenfeld 216 1/3.
[267] Rechnungsbuch von 1569. BHStAM. KL Fürstenfeld 317 1/87.
[268] Rechnungsbuch von 1573. BHStAM. KL Fasc. 957/60.
[269] Rechnungsbuch von 1575. BHStAM. KL Fürstenfeld 217 ½.
[270] Notizheft, 1566–1589. BHStAM. KL Fürstenfeld 221 1/5.
[271] Grundbeschreibungen Hedelfingen, Cannstatt. BHStAM. KL Fürstenfeld 17 – Abschrift der Anordnung, Esslingen. Ebd. 18. – Grundbeschreibung Bernhausen, Plattenhardt auf den Fildern, Oberesslingen, Stuttgart. Ebd. 19.
[272] Grundbücher, 1581–1583. BHStAM. KL Fürstenfeld 6–8. – Grundbuch Inchenhofen. Ebd. 9.

über Freisalz-Fuhren aus den Jahren 1578 bis 1595[273], Akten über das Freisalz[274], über Klosterholz und andere Gewerbszweige.

Nach der finanziellen Depression der vierziger Jahre entspannte sich die
wirtschaftliche Lage Fürstenfelds in der Folgezeit wieder etwas, wenngleich
der Schuldenstand beim Tode Abt Treuttweins immer noch etwa 8500 fl
betrug[275]; auch in den Haushaltsbilanzen seiner Regierungsjahre überstiegen
die Einnahmen nie die Ausgaben[276]. Würden diese Rechnungsbücher ein
zuverlässiges Bild zeichnen, so hätte das Kloster jahrzehntelang von der eigenen Substanz gelebt; das ist aber nicht der Fall, wenn man Käufe und Verkäufe betrachtet. Trotz der negativen Bilanzen war nämlich Abt Treuttwein
durchaus in der Lage, gelegentlich Immobilien anzukaufen und dadurch den
Klosterbesitz zu erweitern; wären die finanziellen Spielräume nicht gegeben
gewesen, so hätte Abt Treuttwein darauf verzichtet, denn er war nicht die
Person, die sich für einen Immobilienkauf in wirtschaftliche Abenteuer
gestürzt hätte. Für seine Amtszeit sind vierundneunzig Urkunden erhalten,
die Kaufvorgänge zugunsten des Klosters belegen[277]; auffällig ist dabei die
Konzentration der Ankäufe auf Ortschaften, in denen das Kloster bereits
Besitzungen hatte: In Geisering wurden drei Äcker erworben, in Jesenwang
zwei Höfe, in Esting ein Gut und in Höfen ein Haus samt Hofstatt neben der
Kirche. Alle diese Zukäufe verfolgten die Absicht, bereits vorhandenen
Besitz zu arrondieren und Schwerpunkte zu schaffen. Zudem lagen alle
erworbenen Güter in benachbarten Landgerichten in relativer Nähe zum
Kloster. Dies erlaubte eine wesentlich effizientere Verwaltung der Liegen-
schaften als dies bei verstreuten Besitzungen möglich gewesen wäre.

Dennoch ist nicht zu übersehen, daß auch unter der Prälatur Treuttweins
zumindest zeitweise Insolvenzen herrschten, so daß man erneut zur Aufnahme von Schulden gezwungen war; drei Schuldbriefe aus seinen Regierungsjahren sind erhalten. 1570 lieh Abt Treuttwein vom Augsburger Bürger Bernhardt Daumen 600 fl und überschrieb ihm zur Sicherheit drei Höfe in Hanns-
hofen[278]. Vom Geiseringer Förster Ulrich Perstl nahm 1579 der Abt 300 fl zu
leihen, drei Jahre später von Georg Obermüller in Bruck weitere 100 fl[279]. Für
Zinszahlungen mußte Abt Treuttwein größere Summen aufwenden, 1575

---

273 Freisalzregister, 1578–1595. BHStAM. KL Fürstenfeld 225 ½.
274 Freisalz- und Jahrtagsakten. BHStAM. KL Fürstenfeld 224.
275 Visitationsbericht des GR Sebastian Franz an Maximilian, 31. Oktober 1595. BHStAM. KL
    Fürstenfeld 1, fol. 1v: Gesamtschulden von 8169 fl, 3 ß, 24 kr; Currentschulden von 416 fl.
276 Siehe Anhang 2.1: Rechnungsbücher.
277 Erhaltene Kaufurkunden siehe Anhang 2.2: Kaufurkunden.
278 Schuldbrief Abt Leonhard Treuttweins an Bernhardt Daumen, Bürger zu Augsburg, über
    600 fl, 6. Juli 1570. BHStAM. KU Fürstenfeld 2070.
279 Schuldbrief Abt Leonhard Treuttweins an Förster Ulrich Perstl über 300 fl, 12. April 1579.
    BHStAM. KU Fürstenfeld 2170. – Schuldbrief Abt Leonhard Treuttweins an Georg Ober-
    müller, Bruck, über 100 fl, 12. September 1582. BHStAM. KU Fürstenfeld 2212.

etwa über 579 fl[280]. 1588 zahlte er an Sebastian Franz, den Dekan der Münchener Frauenkirche, 50 fl Zinsen für eine Schuldensumme von 1000 fl[281]; an den herzoglichen Rat Johann Konrad von Liechtenauer bezahlte Abt Treuttwein in den Jahren 1591 bis 1593 insgesamt 200 fl Zinsen für Schulden von 1000 fl[282]. Zu den Gläubigern des Klosters gehörte auch der Geistliche Rat; dort hatte man 1000 fl geliehen. Da Fürstenfeld aber diese Schulden nicht zurückzahlen konnte, befahl Herzog Wilhelm V., einstweilen Fürstenfelder Güter zu versetzen; erst später konnten diese wieder rückgelöst werden[283].

Aufgrund dieser Ereignisse wurden nach dem Tod Abt Treuttweins Klagen über seine Wirtschaftsführung laut. Tatsächlich spricht die Mängelliste[284] des Kommissars Sebastian Franz nicht gerade für seine Ökonomie:

1. Ein Stiftbuch, das seit dreißig Jahren geführt wurde und auch die Güter verzeichnete, ist völlig falsch.
2. Die Schulden betragen insgesamt 8169 fl, 3 ß, 24 kr; dabei sind manche Soldschulden nicht mit eingerechnet.
3. In Esslingen bringt die Wirtschaft wenig und kostet viel; zudem ist der Pfleger dort lutherisch.
4. Das Kloster hat an der Amper nur sieben Fischlehen, so daß Fisch viel Geld kostet.
5. Vom Klosterholz, das sehr schön sei, muß man jährlich 700 Klafter nach Geisenfeld abgeben.
6. In München besitzt das Kloster drei Häuser, die statt der regulären 1200 fl nur 40 fl Gewinn erbringen. Zwei davon sollen verkauft werden.
7. Die drei Schweigen des Klosters wären gewinnbringender angelegt, wenn man sie als Freistift oder zu Leibgeding vergeben würde.
8. An Beamten werden Richter, Gerichtsschreiber und der alte Richter Walkum bezahlt; die Arbeit könne aber auch einer alleine tun.
9. Zu gut bezahlt würden auch die Landschergen, Holzfäller und Waldarbeiter.

---

[280] Rechnungsbuch von 1575, »Zins und Cantorei geltt«. BHStAM. KL Fürstenfeld 217½.
[281] Quittung von Sebastian Franz an Abt Leonhard Treuttwein über 50 fl, 19. Januar 1588. BHStAM. KU Fürstenfeld 2285.
[282] Quittung von Johann Konrad von Liechtenauer an Abt Leonhard Treuttwein über 50 fl, 12. Mai 1591. BHStAM. KU Fürstenfeld 2343. – Quittung von Johann Konrad von Liechtenauer an Abt Leonhard Treuttwein über 50 fl, 21. Januar 1592. BHStAM. KU Fürstenfeld 2349. – Quittung von Johann Konrad von Liechtenauer an Abt Leonhard Treuttwein über 100 fl, 24. Juni 1593. BHStAM. KU Fürstenfeld 2369. – Zu Johann Konrad Lichtenauer zu Pörnbach (1575–1586 Hofrat, 1587–1596 GR) siehe: Lanzinner, Zentralbehörden 370.
[283] Verpfändungsanweisung Wilhelms V., 23. März 1594. BHStAM. KU Fürstenfeld 2377.
[284] Visitationsbericht von GR Sebastian Franz an Maximilian, 31. Oktober 1595. BHStAM. KL Fürstenfeld 1, foll. 1–4.

10. Schlecht ist dagegen der Zustand des Klosterhofbaus, der kaum in der Lage ist, das Vieh zu versorgen.
11. Der Konventuale, der die Pfarrei Bruck versieht, hat zu viele Freiheiten; er schläft und ißt außerhalb des Klosters.

Schließlich vergaß der Kommissar Franz nicht zu erwähnen, daß Abt Treuttwein die Zügel zu locker gelassen habe, der Vaterabt Dietmair diesem aber »gar gewogenn«[285] gewesen sei, so daß solche Zustände einreißen konnten. Letztlich mußten die herzoglichen Kommissare feststellen, daß die jahrzehntelangen Bemühungen um eine nach ihren Maßstäben moderne Wirtschaftsführung in Fürstenfeld nichts fruchteten und dort abgelehnt wurden; in ein einheitliches landesherrliches Wirtschaftssystem nach vorgegebenen Vorstellungen und Kriterien ließ sich das Kloster nicht ohne weiteres einfügen. Der Grundsockel der Schulden konnte nicht mehr abgebaut werden; die Einnahmen waren aber hoch genug, daß das Kloster wirtschaftlich handlungsfähig blieb, wenn auch die offiziellen Bücher anderes verzeichneten. So konnten die Kommissare immer nur die Mängel feststellen, mußten aber unverrichteter Dinge wieder abziehen; erst mit dem Tode Abt Treuttweins schöpften sie wieder Hoffnung auf Besserung.

3.2.5 Die Beziehungen zum Orden

Nach über fünfzig Jahren der Reformationsstürme, in denen der Kontakt der oberdeutschen Zisterzienserklöster nach Cîteaux vermutlich ganz abgebrochen war, trat mit Generalabt Nicolaus I. Boucherat erstmals wieder ein Repräsentant des Gesamtordens in Erscheinung und visitierte 1573 unter anderem auch Fürstenfeld. In dieser Zeit hatte sich die kirchliche Welt von Grund auf verändert, so daß auch die Ordensstrukturen nach der Reformation nicht mehr dieselben geblieben waren wie zuvor: In England und Irland war die Auflösung der Zisterzienserklöster unter König Heinrich VIII. in vollem, auch blutigem Gange[286]; die skandinavischen Herrscher hoben ebenfalls die Klöster auf und behielten deren Besitz ein[287]. Die deutschen protestantischen Fürsten säkularisierten nach dem Augsburger Religionsfrieden 1555 gemäß ihren Rechten die Klöster, was für Nord- und Ostdeutschland einem monastischen Kahlschlag gleichkam; allein in Deutschland waren

---

[285] Ebd., fol. 4r.
[286] Dazu kam freilich das irisch-englische Völkerproblem, das sich auch auf den Orden auswirkte: In manchen irischen Klöstern wurden Iren diskriminiert, in anderen Engländer. So hatte Heinrich eine gute Handhabe zur Auflösung der Klöster; vgl. Richter, Irland 160.
[287] Vgl. Lekai/Schneider, Weiße Mönche 96–97.

etwa einundfünfzig Männer- und hundertsiebenunddreißig Frauenzisterzen untergegangen[288].

Aufgrund dieser gewaltigen Umwälzungen herrschte bei den bayerischen Zisterzienseräbten eine große Unsicherheit im Umgang mit den Ordensoberen, denn in der Reformationszeit war der bayerische Landesherr der bestimmende Faktor des religiösen Lebens geworden. Da nun der Generalabt wieder seine Ansprüche erhob, mußten die Äbte das Verhältnis zum Orden völlig neu klären. Nachdem das letzte – von bayerischen Äbten nicht besuchte – Generalkapitel von 1565 schon sieben Jahre zurücklag, lud Generalabt Nicolaus Boucherat auf den 14. April 1573 zu einem erneuten Generalkapitel, wobei er gerade im Schreiben an die deutschsprachigen Äbte besonders dringend mahnte zu erscheinen; im Fall einer Nichtbefolgung drohte Abt Boucherat sogar mit Strafen[289]. Dennoch fuhr kein Abt nach Burgund: Der Raitenhaslacher Prälat Wolfgang Manhauser entschuldigte sich selbst mit seinem hohen Alter und seinen Konvent aufgrund der geringen Stärke[290]; Abt Leonhard Treuttwein entschuldigte sich und seinen Konvent wegen »allerlei ungelegenhait«[291]. Abt Mädauer von Aldersbach war ebenfalls gebrechlich, und von den Klöstern Fürstenzell und Gotteszell konnte man nicht erwarten, daß ein Mönch nach Cîteaux reisen würde. Um sich der Verpflichtung zum Generalkapitel zu entledigen, wandte der Aldersbacher Abt Mädauer einen bemerkenswerten Kunstgriff an: Er riet seinen beiden Mitbrüdern in Fürstenfeld und Raitenhaslach, sich vom Herzog ein Entschuldigungsschreiben zu erbitten und dieses nach Kaisheim zu schicken; der dortige Abt würde es gewiß auf das Generalkapitel mitnehmen[292]. Abt Mädauer selbst wandte sich schließlich an Herzog Albrecht V. mit der Bitte, an den Abt von Kaisheim einen Brief zu übermitteln, in dem er – Mädauer – aufgrund seines hohen Alters von der Reise dispensiert werden solle. Besonders führte der Aldersbacher Prälat an, daß »der gleichen ausschreiben ad capitulum generale in funffzigkh od vileicht noch mer Jaren nit beschehen ist«[293]. Kein bayerischer Prälat reiste nach Burgund.

[288] Vgl. ebd. 98.
[289] Generalabt Nicolaus I. Boucherat an die Äbte in Deutschland und der Schweiz, Cîteaux, 1. Dezember 1572. BHStAM. Aldersbach Archiv Schublade 105, fasc. 10, prod. 1. – Abt Johann Sauer von Kaisheim an Abt Bartholomäus Mädauer von Aldersbach mit der Weiterleitung von prod. 1, Kaisheim, 1. Februar 1573. Ebd., prod. 2.
[290] Abt Wolfgang Manhauser von Raitenhaslach an Abt Bartholomäus Mädauer von Aldersbach, Raitenhaslach, 25. Februar 1573. BHStAM. Aldersbach Archiv Schublade 105, fasc. 10, prod. 3.
[291] Abt Leonhard Treuttwein an Abt Bartholomäus Mädauer von Aldersbach, Fürstenfeld, 15. Februar 1573. BHStAM. Aldersbach Archiv Schublade 105, fasc. 10, prod. 4.
[292] Abt Bartholomäus Mädauer an die Äbte Leonhard Treuttwein von Fürstenfeld und Wolfgang Manhauser von Raitenhaslach, Aldersbach, 2. März 1573 (Konzept). BHStAM. Aldersbach Archiv Schublade 105, fasc. 10, prod. 5.
[293] Abt Bartholomäus Mädauer von Aldersbach an Albrecht V., Aldersbach, März 1573 (Kopie). BHStAM. Aldersbach Archiv Schublade 105, fasc. 10, prod. 9.

Nicht besser war der Besuch des nächsten Generalkapitels, das aufgrund der Kriegswirren in Frankreich erst 1578 abgehalten werden konnte. Auch wenn Generalabt Boucherat wiederum um das Erscheinen der Äbte warb[294], so fand sich kein altbayerischer Prälat bereit, den beschwerlichen Weg auf sich zu nehmen. 1582 nahm ebenfalls kein bayerischer Abt am Generalkapitel teil, und auch der Besuch seitens der anderen Klöster war mäßig, was den Generalabt in der Ladung zum Kapitel 1583 zu einer heftigen Drohung veranlaßte; sollten im nächsten Jahr wieder so viele fehlen, werde er nicht davor zurückschrecken, die auf dem Konzil von Trient beschlossenen Strafmaßnahmen durchzuführen[295]. Die Absicht der Äbte war, sich vorsichtig der Verpflichtungen durch den Orden zu entziehen. Hauptargument war dabei wohl das durch Abt Mädauer von Aldersbach ausgesprochene, daß sich seit beinahe einem halben Jahrhundert die bayerischen Klöster zusammen mit dem Herzog selbst verwaltet und die Reformation weitgehend unbeschadet überstanden haben. Wenn auch die genaueren Beziehungen Fürstenfelds zum Gesamtorden erst später behandelt werden können, so ist doch bereits hier festzuhalten, daß man seitens der bayerischen Klöster gegenüber dem erneuerten Anspruch Cîteaux', den anderen Klöstern vorzustehen, sehr vorsichtig war. Zu dominant war die Rolle des Herzogs in der bayerischen Klosterlandschaft, zu unsicher waren die Konsequenzen verstärkter Ordenskompetenzen. Die Ausarbeitung neuer Ordensstrukturen zeigte sich bereits zu dieser Zeit als unumgänglich; erste Schritte dazu waren andernorts schon geschehen[296].

3.2.6 Bilanz der Ära Abt Leonhard Treuttweins

Im Zeitraum der Reformation war Leonhard Treuttwein sicherlich der prominenteste Abt Fürstenfelds, zugleich der am meisten gelobte. »Wenn je ein Abt die erforderlichen Eigenschaften und zwar in auszeichnendem Grad in sich vereinigt hatte, kann diß sicher vom Abt Leonhard gerühmt werden«[297]; Karl Röckl bezeichnet ihn in nationaler Begeisterung als »Patrioten«[298]. Eine an den vorliegenden Quellen orientierte Beurteilung der Prälatur Treuttweins muß aber manches hochfliegende Lob, namentlich aus dem 19. Jahrhundert, relativieren[299]. Leonhard Treuttwein war wohl kein Abt,

---

[294] Generalabt Nicolaus I. Boucherat an die Äbte seines Ordens, hier besonders an die oberdeutschen, Cîteaux, 12. Februar 1578. BHStAM. Aldersbach Archiv Schublade 105, fasc. 11, prod. 1.

[295] Generalabt Nicolaus I. Boucherat an die Äbte seines Ordens, Cîteaux, 10. November 1583. BHStAM. Aldersbach Archiv Schublade 105, fasc. 11, prod. 3.

[296] Dazu ausführlich Teil III, Kap. 2.

[297] Führer, Chronik § 177.

[298] Röckl, Beschreibung 29.

[299] Zu einem ähnlichen Ergebnis kommt auch Roth, Bruck 68.

der – so Führer – »in jeder Hinsicht seine Vorfahren rühmlichst übertroffen«[300] hat: Gelehrter als Treuttwein waren sicherlich Leonhard Eggenhofer, vielleicht auch Caspar Harder und Johannes Albrecht Pistorius; zahlenmäßig stärker war der Konvent ebenfalls unter einigen Vorgängern, zuletzt unter Georg Menhart. Auch in der Wirtschaftsführung besaßen andere mehr Weitblick, Jodok (1467–1480) etwa oder sein unmittelbarer Nachfolger Johannes Puel.

Die Voraussetzungen für Abt Leonhard Treuttwein – auch das muß festgehalten werden – waren ungleich besser als die seiner Vorgänger, denn Abt Leonhard Baumann hatte ihm ein florierendes Kloster mit guter Perspektive hinterlassen; auf diesem Fundament ließ sich wohl aufbauen. Im Rahmen seiner Möglichkeiten führte Abt Leonhard Treuttwein das Kloster Fürstenfeld solide durch die Phase der kirchlichen Neuorientierung nach dem Konzil von Trient. Er war aber kein genialer Reformer, der nach eigenen Vorstellungen das Klosterleben erneuerte; vielmehr waren es die Herzöge und die visitierenden Äbte, welche die verschiedenen Reformimpulse nach Fürstenfeld brachten. Abt Treuttwein bemühte sich, diese manchmal widersprüchlichen Einflüsse in seinem Kloster umzusetzen, die Disziplin zu bewahren und liturgische Reformen einzuführen; die dabei erlittenen Rückschläge kosteten ihn jedoch einiges an Autorität, so daß der Landesherr seit 1586 seinen Rücktritt forderte.

Abt Leonhard Treuttwein war ein treuer Verwalter des ihm anvertrauten Klosters: Klagen über seine mangelnde Frömmigkeit erhoben sich nie, auch nicht über seine Fähigkeit zur Wirtschaftsführung – die angeführten Beschwerden der herzoglichen Kommissare müssen in einem anderen Licht gesehen werden; lediglich die Disziplin im Konvent ließ manchmal zu wünschen übrig, wohl bedingt durch sein gütiges, manchmal gutgläubiges Wesen. Fragt man nach den Erfolgen Abt Treuttweins – eine in der Kirche nur wenig greifbare Größe – dann stechen keine großen Höhepunkte heraus. Zwar konnten hie und da ein paar Ländereien erworben werden, auch das Vertrauen des Landesherrn besaß der Prälat. Tatsächlich aber waren es die alltägliche Güte und Treue, mit der Abt Treuttwein sein Kloster drei Jahrzehnte lang geführt hat; und das ist der eigentliche Erfolg.

---

[300] Führer, Chronik § 186.

3.3   Abt Johann VI. Puel (1595–1610): Neuorientierung im Geist von Trient

3.3.1   Zur Person Abt Johann Puels

3.3.1.1   Die äußeren Daten seines Lebens

Johann Puel wurde um 1540 in Waldsee-Michelwinden geboren und immatrikulierte sich am 20. Oktober 1556 an der Universität Dillingen[301]. Zunächst besuchte er dort vier Jahre lang die Gymnasialklassen, danach zweieinhalb Jahre die Universität. Nach »strengen Prüfungen«, wie seine Examensurkunde vermerkt, erwarb er am 11. Februar 1563 den Titel eines Baccalaureus der Philosophie und am 16. Februar desselben Jahres den eines »Magister artium liberalium« »summa cum laude«[302]; anerkennend wird vermerkt, daß Puel geeignet wäre, in Dillingen oder anderswo weiter zu studieren. Wann Puel nach Fürstenfeld kam, ist nicht gesichert; da jedoch die Dillinger Matrikeln noch 1563 ihn nicht als Frater bezeichneten, trat er wohl erst später ins Kloster ein. Vom 20. März 1577 an versah er jedenfalls als Fr. Johann Puel die Pfarrei Pfaffing-Bruck[303]; dort amtierte er etwa zehn Jahre[304], bis er als Superior nach St. Leonhard zu Inchenhofen abbefohlen wurde. Diese Aufgabe verrichtete er bis zu seiner Wahl zum Abt etwa acht Jahre lang[305]. Schon während der letzten Jahre der Prälatur Treuttweins, als die Gebrechlichkeit den Abt an der Wahrnehmung seiner Pflichten zunehmend hinderte, bekam Fr. Puel wichtige Aufgaben im Hinblick auf den Orden übertragen; so vertrat er das Kloster Fürstenfeld beispielsweise auf dem Provinzialkapitel 1593 in Salem[306].

Als am 7. Juli 1595 Abt Leonhard Treuttwein hochbetagt verstarb, galt Fr. Johann Puel als Favorit auf seine Nachfolge[307]. Problematisch gestaltete sich

---

[301] Matrikel Dillingen I 19, 48, unter dem 20. Oktober 1556: »Johannes Buel de Waldsee«; ebd. 42, 86, unter 1563: »Joannes Buol Michelwinadius«.

[302] Zeugnis für Fr. Johann Puel, ausgestellt durch den Rector P. Theoderich Canisius SJ, Dillingen, 23. August 1569. BHStAM. KU Fürstenfeld 2057.

[303] Investitururkunde Fr. Johann Puels durch Fürstbischof Ernst von Bayern in Freising, 20. März 1577. BHStAM. KU Fürstenfeld 1577 März 20.

[304] Führer, Chronik § 187.

[305] Zum Zeitpunkt seiner Wahl war Fr. Puel noch Superior in St. Leonhard: Bericht der GR Sebastian Franz, Johann Baptist Fikler und Martin Rieger an Maximilian, München, 14. September 1595. BHStAM. KL Fürstenfeld 1, fol. 142r. – Lindner, Beiträge 198–199, 28 gibt allerdings zehn Jahre des Superiorats Fr. Puels an, ebenso wie er die Dauer seines Pfarrvikariats in Bruck auf zehn Jahre schätzt; damit aber berücksichtigt er die Urkunde mit dem Jahr der Investitur Fr. Puels zum Pfarrer in Bruck nicht.

[306] Beglaubigungsschreiben Abt Leonhard Treuttweins für Fr. Johann Puel, Fürstenfeld, 9. November 1593. BHStAM. KL Fürstenfeld 334, fasc. 1, prod. 5.

[307] Bericht der GR Sebastian Franz, Johann Baptist Fikler und Martin Rieger an Maximilian, München, 14. September 1595. BHStAM. KL Fürstenfeld 1, fol. 142r.

die Terminierung der Wahl, weil zu dieser Zeit das Äbtetreffen von Fürstenfeld bereits auf das Fest Kreuzerhöhung am 14. September anberaumt worden
war. Deshalb zögerte Abt Johannes Dietmair von Aldersbach die Neuwahl
bis zu diesem Tag hinaus, wenngleich der Herzog, der auf die rasche Erledigung der Nachfolgefrage drängte, ihn dafür kritisierte[308]; vermutlich erhoffte
Abt Dietmair aufgrund der Anwesenheit des Generalabts eine größere
Zurückhaltung seitens der herzoglichen Kommissare. So lief schließlich die
Abtwahl von 1595 unter ganz anderen Vorzeichen ab als gewöhnlich: Generalabt Edmund de la Croix war bereits zum Provinzialkapitel eingetroffen
und achtzehn weitere Prälaten wurden erwartet, so daß im Kloster ein großes
Durcheinander herrschte. Die herzoglichen Kommissare, die zur Inventarisierung angereist waren, erkannten bald, daß sie aufgrund der »confusio«
nicht in der Lage dazu waren, weil sie nicht einmal wußten, was dem Kloster
gehörte und was nur aus der Umgebung geliehen war; man versuchte wenigstens, die alte Inventarliste aufzuspüren, hatte aber »in dieser unordnung, con-
fusion und gegenwärt so vieler frembder Personen nichts finden khün-
den«[309].

Am 13. September 1595 wurde schließlich gewählt: Nach der üblichen
Exhorte, dem Heilig-Geist-Amt und dem Hymnus »Veni Creator« erwählten
die Brüder »per vota secreta« Fr. Johann Puel zum neuen Abt. Den Wahlmo-
dus der geheimen Stimmabgabe wollten sich die Konventualen nicht nehmen lassen, wenngleich bekannt war, daß Puel der Favorit auch des Generalabts war[310]. Die Benediktion zum Abt wurde auf den 17. September gelegt:
Die Kommissare des Herzogs forderten, dafür den Freisinger Weihbischof
Bartholomäus Scholl einzuladen[311]; da aber die durch Generalabt Edmund de
la Croix geförderten Fürstenfelder Reformstatuten, die eben erst verabschiedet worden waren, die Benediktion der Äbte aufgrund päpstlicher Privilegierung dem Generalabt oder dem Provinzvikar zusprachen[312], nahm Generalabt de la Croix selbst die Benediktion vor. Anwesend waren dabei die Äbte
von Lützel, Salem, Ebrach, Kaisheim und Langheim; präsentiert wurde der
neue Prälat von den Äbten aus Aldersbach und Raitenhaslach[313]. Mit Sicherheit wurde kein anderer Abt Fürstenfelds so glanzvoll in sein Amt eingeführt

---

[308] Wilhelm V. an Abt Johannes Dietmair von Aldersbach, München, 30. August 1595 (Kopie).
BHStAM. KBGR 17, fol. 188. – Repertorium Aldersbach, unter dem 30. August 1595.
BHStAM. KL Aldersbach 73, fol. 18r.
[309] Bericht der GR Sebastian Franz, Johann Baptist Fikler und Martin Rieger an Maximilian,
München, 14. September 1595. BHStAM. KL Fürstenfeld 1, fol. 143r.
[310] Ebd., fol. 142r. – Die hzl. Kommissare berichten ebd. irrtümlicherweise von einer Wahl
durch »unanimia Conventualium vota et suffragia«.
[311] Ebd., fol. 142v.
[312] FRST 18,7.
[313] Wahlinstrument Abt Johann Puels durch Generalabt Edmund de la Croix, 17. September
1595. BHStAM. KU Fürstenfeld 2388.

wie Johann Puel. In Freising, wo man bislang die Benediktionen der Äbte vorgenommen hatte, sah man zwar dieses Vorgehen nicht gerne, konnte aber
aufgrund der päpstlichen Privilegien nichts dagegen unternehmen[314]. Da der
neugewählte Abt den Kommissaren, den Herzoglichen Räten Sebastian
Franz und Sigmund Wagnereck, als guter Ökonom bekannt war, gaben auch
sie ihre Zustimmung zur Wahl und setzten ihn in die »temporalia« ein. Zu
einer genaueren Inventarisierung erschienen sie Anfang Oktober noch einmal und erstellten ein überaus umfangreiches Inventar mit über zwanzig Seiten Folio[315].

Mit diesen Berichten über Wahl und Einsetzung Johann Puels in die
Abtswürde enden weitestgehend die Quellen über seine Prälatur. Äußerlich
verliefen die fünfzehn Jahre seiner Regierung ohne große Ereignisse. Gelegentlich kamen herzogliche Kommissare vorbei und korrigierten einige Kleinigkeiten. Abt Führer berichtet von einer Visitation im Jahr 1605 durch Abt
Johann Martin von Char-lieu und weiteren Visitationen[316]; erhalten ist allerdings nur der Rezeß einer Visitation durch Abt Johann Martin vom 11. Januar
1608[317]. Skandale der einen oder anderen Art ereigneten sich ebenfalls nicht,
so daß die Prälatur Puels hauptsächlich von internen Schwierigkeiten belastet war. Bereits kurz nach seiner Wahl zum Abt begann Puel unter vielfältigen, allerdings nicht näher benannten Krankheiten und Beschwerden zu leiden, so daß er in seiner Amtsausübung immer wieder behindert wurde[318]; am
25. Mai 1610 verstarb Abt Johann Puel nach einer Amtszeit von fünfzehn Jahren[319].

3.3.1.2   Die Persönlichkeit Abt Johann Puels

Neben den spärlichen Quellen, die über die Eckdaten der Prälatur Johann
Puels berichten, sind nur wenige weitere Informationen überliefert, welche
seine Persönlichkeit erhellen können; private Briefe und Aufzeichnungen
fehlen gänzlich. Ein wichtiger Anhaltspunkt für eine Charakterisierung Abt
Johann Puels ist das 1563 vom Dillinger Rektor P. Theoderich Canisius SJ

---

[314] »Es wird sonst under anderem incidenter vermeldt, welcher massen der Neuerwöhlt prelat
zu Fürstenfeld den 17. huius im Kloster Fürstenfeldt durch Iren General vermög von Bäpst-
l[icher]. hey[ligkeit]: habenden privilegiis Benedicire, so doch die Benedictiones alhie vom
Ordinario sollen erhalten und exequiert werden.« Sitzungsprotokoll des BGR, 16. September 1595. AEM. GR. PR. 13, fol. 163v.

[315] Inventar, 6. Oktober 1595. BHStAM. KBÄA 4095, foll. 186r–197v.

[316] Führer, Chronik § 189.

[317] Visitationsrezeß Abt Johann Martins von Char-lieu, Fürstenfeld, 11. Januar 1608. BHStAM.
Aldersbach Archiv Schublade 107, fasc. 3, prod. 12.

[318] Repertorium Aldersbach, unter dem 7. Oktober 1595. BHStAM. KL Aldersbach 73, fol. 18r.

[319] Necrol. BStB. Clm 1057, fol. 21v.

ausgestellte Zeugnis[320]. Neben der akademischen Auszeichnung »Summa cum laude« bescheinigte der Rektor dem jungen Magister, »pie, placide et honeste uersatum« zu sein. Obwohl Puel nicht bei den Jesuiten studiert hatte, die erst 1563 nach Dillingen gekommen waren, wurde er von ihnen – neben dem eigentlichen Abschluß – doch mit den besten Prädikaten bedacht. Rektor Canisius mußte demnach in Puel eine hohe Übereinstimmung mit den jesuitischen Idealen erkannt haben; auch die Bemerkung des Rektors, Puel sei zum Weiterstudium geeignet, stützt diese Annahme. Andernfalls wäre der Rektor mit Puel ebenso wie später mit den Weingartener Konventualen verfahren, denen man eine miserable Bildung bescheinigte[321]. In Abt Johann Puel sind somit erstmals die Prinzipien und Vorstellungen einer von den Jesuiten geprägten, im Ansatz nachtridentinischen Katholizität erkennbar; diese Grundeinstellung wird in manchen Einzelheiten immer wieder durchscheinen. Dennoch blieb die Beziehung Abt Puels zu den Jesuiten lokker und auf einzelne Gelegenheiten beschränkt, wie die Weihe der Münchener Michaelskirche am 6. Juli 1597, bei der der Abt unter den Gästen war[322].

Nicht nur beim Dillinger Rektor, auch bei der geistlichen und weltlichen Obrigkeit wußte Abt Johann Puel zu überzeugen. Schon vor seiner Abtwahl war er als guter Ökonom bekannt[323], und auch als Abt erwies er sich als korrekter Verwalter und zugleich als treuer Untergebener des Landesherrn. Die beiden erhaltenen Rechnungsbücher[324] wurden nach damals modernen Gesichtspunkten geführt und erlauben – allem Anschein nach – einen genauen Einblick in die Klosterfinanzen, wenngleich man auf Seiten der Regierung mit der Wirtschaftsführung immer noch nicht ganz zufrieden war[325]. Eine doppelte Buchführung wie unter seinem Vorgänger Abt Treuttwein gab es bei ihm nicht, was dennoch nicht unbedingt eine größere Offenheit des Abtes gegenüber den herzoglichen Kommissaren bedeutete, wie sich herausstellen sollte. Abt Johann Puel kann als überaus akkurater Verwalter gelten, der auf eine sparsame Wirtschaftsführung achtete; deutlich wird dies etwa daran, daß die verteilten Trinkgelder zu seiner Zeit wesentlich knapper ausfielen als unter Abt Treuttweins Regierung[326]. Die Bemühungen Abt Puels um die Ver-

---

[320] Zeugnis für Fr. Johann Puel, ausgestellt durch den Rector P. Theoderich Canisius SJ, Dillingen, 23. August 1569. BHStAM. KU Fürstenfeld 2057.

[321] Vgl. Reinhardt, Weingarten 40.

[322] Führer, Chronik § 190.

[323] Bericht der GR Sebastian Franz, Johann Baptist Fikler und Martin Rieger an Maximilian, München, 14. September 1595. BHStAM. KL Fürstenfeld 1, fol. 142.

[324] Rechnungsbuch von 1596. BHStAM. KL Fürstenfeld 317 1/89. – Rechnungsbuch von 1600. Ebd. 317 1/90.

[325] Maximilian an den GR, 16. Dezember 1596 (Kopie). BHStAM. KBGR 17, foll. 664v–669.

[326] Rechnungsbuch von 1600. BHStAM. KL Fürstenfeld 317 1/90. – Für Almosen werden hier 29 fl, 1 ß, 13 dl ausgegeben; bei Abt Treuttwein war diese Summe weitaus höher.

waltung zeigen sich auch in der Hofmarksordnung, die er um 1600 für die Hofmark Bruck erließ[327]; wenngleich die einzelnen Bestimmungen von den landesherrlichen Beamten erarbeitet wurden, so ist der Erlaß dieser Ordnung doch ein Zeichen für die Korrektheit Abt Puels.

Als ebenso genau, und wenn es sein mußte, auch streitbar, erwies sich Abt Johann Puel, wenn es um die Verteidigung der klösterlichen Rechte ging: Als der Dachauer Pfleger Hans Wilhelm Hundt[328] nach dem Tod des Einsbacher Pfarrers dessen weltliche Hinterlassenschaft regeln wollte, griff der Brucker Klosterrichter Hans Mayr ein, erklärte in äußerst unfreundlichem Ton den Pfleger für nicht zuständig, da die Dörfer Rottbach und Einsbach eine geschlossene Klosterhofmark seien, und zog die Sache an sich[329]. Auf die Beschwerde des Dachauer Richters hin entschuldigte sich Abt Puel für den Ton seines Klosterrichters, bestätigte dessen Aussage aber in der Sache: Die beiden Dörfer seien eine geschlossene Hofmark, über die der Dachauer Richter keine Hoheit habe[330]. Um keinerlei rechtliche Grauzonen entstehen zu lassen, bekräftigte Abt Puel bei Herzog Maximilian[331] seine Rechte an der Klosterhofmark und beschwerte sich über das Auftreten des Dachauer Richters[332]. Noch über zwei Jahre zog sich der Streit hin, an dessen Ende schließlich die althergebrachten Rechte bestätigt wurden[333]. In seinem Bemühen um eine solide Klosterführung scheute Abt Johann Puel auch nicht davor zurück, im Jahr 1597 den Klosterrichter Wolfgang Vischer zu entlassen, der mit Unterstützung des Herzogs an dieses Amt gekommen war und es seit zehn Jahren versehen hatte[334]. Mit überaus verbindlichen aber unmißverständlichen Worten versetzte Abt Puel seinen Richter in den Ruhestand: Man sei auch weiterhin freundschaftlich verbunden, jeder in seinem Stand,

---

[327] Hofmarksordnung Abt Johann Puels für die Hfmk. Bruck, 1600 (Kopie). BHStAM. KL Fürstenfeld 593. – Zu ihrem Erlaß war Abt Puel auch verpflichtet; vgl. Rosenthal, Verwaltungsorganisation II 408. In dieser Zeit erließen die meisten katholischen Landesherren Kirchenordnungen im Sinn einer zusammenfassenden Regelung katholischer Lebensgestaltung; vgl. Veit/Lenhart, Volksfrömmigkeit 50–54.

[328] Hanns Wilhelm Hundt ist ein Sohn des Wiguläus Hundt aus dessen zweiter Ehe; vgl. Lanzinner, Zentralbehörden 363–364.

[329] Pfleger Hanns Wilhelm Hundt, Sulzemoos, Richter Adam Gepeckh in Dachau, Ärnpach, an Abt Johann Puel, Dachau, undatiert. BHStAM. KL Fürstenfeld 216 ½ a, prod. 9.

[330] Abt Johann Puel an den Dachauer Pfleger Hans Wilhelm Hundt, Fürstenfeld, 12. Januar 1601. BHStAM. KL Fürstenfeld 216 ½ a, prod. 10.

[331] Maximilian I. (* 17. April 1573 in München, seit 1598 regierender Hz., seit 1623 Kurfürst, † 27. September 1651 in Ingolstadt, ☐ St. Michael zu München). Vgl. Rall/Rall, Wittelsbacher 131–137.

[332] Abt Johann Puel an Maximilian, Fürstenfeld, 6. Juni 1601 (Konzept). BHStAM. KL Fürstenfeld 216 ½ a, prod. 12.

[333] Das letzte Schreiben in dieser Sache datiert vom 17. März 1603: Abt Johann Puel an Maximilian, Fürstenfeld, 17. März 1603. BHStAM. KL Fürstenfeld 216 ½ a, prod. 19.

[334] Abt Johann Puel an Maximilian, Fürstenfeld, 28. September 1597. BHStAM. KL Fürstenfeld 3h, fasc. b, prod. 51.

A.R.D.D.Sebastianus THOMA.ABBAS HVIVS LOCI
EL.D.14.IVN.1610 OBIIT AÒ 1623 NOVEMBRIS DIE 3.

8 Abt Sebastian Thoma (reg. 1610–1623). Öl/Holz, aus einem größeren Votivbild.
   Freising, Diözesanmuseum
9 Wappenepitaph für Johann Mayr »zu Vierkirchen«, Klosterrichter von Fürstenfeld, Marktrichter von Bruck, von Kaiser Rudolf II. geadelt. Der Stein wurde nach
   dem Ableben seiner Frau Katharina (6. 3. 1604) gesetzt; sein eigenes Sterbedatum
   wurde nicht mehr eingemeißelt. Fürstenfeldbruck, Pfarrkirche St. Magdalena

und der Abt danke für die geleisteten Dienste[335]. Der über die Entlassung etwas indignierte Landesherr verlangte einen Bericht durch den Abt[336] und eine Abfindung für Vischer[337]. Das eine bekam er, das andere nicht. An diesen Vorgängen verdeutlicht sich ein ausgeprägter Charakterzug des Fürstenfelder Prälaten: Im Tonfall überaus zuvorkommend und gewandt, war Abt Johann Puel in der Sache doch ein unnachgiebiger Verteidiger seiner Interessen und rückte nicht von ihnen ab.

Wesentlich schwerer zu fassen ist demgegenüber die Spiritualität Abt Johann Puels. Eingetreten war er in Fürstenfeld zu Beginn der Prälatur Treuttweins in einer Zeit, da das Konzil von Trient gerade abgeschlossen war und die Jesuiten noch um Anerkennung nördlich der Alpen ringen mußten; im Kloster selbst blühte unter Abt Treuttwein ein später Humanismus. Seine Studienjahre brachten Puel, wenn auch nur indirekt, mit der neuen ignatianischen Frömmigkeit in Berührung, von der er, soweit erkennbar ist, vieles in seinen persönlichen Glauben übernahm, nicht durch strenge Erziehung in einem Jesuitenkolleg, sondern in freier Entscheidung. Tatsächlich ist die Nähe Abt Puels zur ignatianischen Geistigkeit belegbar: Zu Neujahr 1596 kaufte er dem Konvent »etliche neue geistliche stückel«[338], worunter wohl religiöse Dramen zu verstehen sind, die in der jesuitischen Erziehungstheorie eine wesentliche Rolle spielten; auch die Schaufrömmigkeit förderte Abt Puel stark und erwarb eine große Anzahl an Reliquiaren[339].

3.3.2 Die Leitung des Konvents durch Abt Puel

3.3.2.1 Die Größe des Konvents

Als Johann Puel im September 1595 zum Abt gewählt wurde, bestand der Konvent im Kloster, ihn selbst eingerechnet, aus einundzwanzig Mönchen, von denen fünf zu den Junioren zählten[340]; über die Zahl der Novizen ist nichts bekannt. Die nächste Größenangabe ist nur über die Chronik Abt Gerard Führers überliefert: Zum Zeitpunkt der – nicht näher nachgewiesenen – Visitation des Abtes Johann Martin von Char-lieu von 1605 soll der Konvent mit Einschluß des Abtes aus sechsunddreißig Priestern, acht Kleri-

---

[335] Abt Johann Puel an Wolfgang Vischer, 12. September 1597 (Konzept). BHStAM. KL Fürstenfeld 407, prod. 24.

[336] Maximilian an Abt Johann Puel, 11. Oktober 1597. BHStAM. KL Fürstenfeld 407, prod. 26.

[337] Maximilian an Abt Johann Puel, München, 18. Oktober 1597. BHStAM. KL Fürstenfeld 3h, fasc. a, prod. 30, v.

[338] Rechnungsbuch von 1596, »Konvent«. BHStAM. KL Fürstenfeld 317 1/89.

[339] Reliquienverzeichnis Abt Johann Puels, 31. Januar 1602. BHStAM. KL Fasc. 239/51.

[340] Konventliste, 1595. BHStAM. KL Fürstenfeld 1, fol. 146r. – Siehe Anhang 1.1 Konventlisten.

kern und vier Novizen bestanden haben[341]. Diese Zahl klingt unglaubwürdig
hoch und hält einer genauen Prüfung kaum stand: Innerhalb von zehn Jahren
soll der Personalstand des Klosters um über fünfzig Prozent angestiegen sein;
auch zu Zeiten der größten personellen Stärke wohnten selten mehr als
zwanzig bis fünfundzwanzig Mönche im Kloster, erst in der Dallmayr-Zeit
wurde der Fürstenfelder Konvent größer[342]. Endgültig entkräftet wird diese
Zahl durch den Visitationsrezeß des Abtes Martin von Char-lieu aus dem
Jahr 1608[343]. Er verzeichnete siebzehn Priestermönche einschließlich des
Abtes, von denen drei im Inchenhofener Superiorat wohnen, acht Junioren
und drei Novizen, insgesamt also fünfundzwanzig Profeßmönche; diese
Angaben klingen wesentlich glaubhafter als die Notiz Abt Führers. Somit ist
unter der Regierung Puels ein leichter Anstieg der Konventsstärke Fürsten-
felds zu notieren.

3.3.2.2 Religiöse Reformen unter Abt Johann Puel

Nur wenige Quellen gewähren Einblick in den Zustand des Konvents unter
der Leitung Abt Johann Puels. Kurz nach Amtsantritt des Prälaten berichteten die herzoglichen Kommissare von eingerissener Verwahrlosung bei der
Abhaltung der Gottesdienste; diese rührte aber vermutlich noch aus den Zeiten Abt Treuttweins her. Herzog Maximilian wies seine Beamten an, Abt
Johann Puel auf die nötigen Korrekturen aufmerksam zu machen[344]. Schon
im kommenden Jahr bemerkten die Kommissare, daß sich Abt Puel sehr
emsig um die »spiritualia« annehme[345]; was das im einzelnen bedeutet,
kann man indirekt erschließen: Es war Abt Puels Bestreben, die von den Visitatoren und Ordensoberen angestrebten Reformen in die Tat umzusetzen.
Damit stand der Abt vor der Aufgabe, die neuen Ideale der anschaulichen
Erlebbarkeit des Glaubens[346] und ihre Formen mit den zisterziensischen
Grundlagen zu verbinden, sofern dies möglich war.
Am deutlichsten wird die jesuitisch beeinflußte Neuorientierung der Frömmigkeit in Fürstenfeld in der Reliquienverehrung[347]; Abt Puel gab ihr entscheidende Impulse und erwarb eine große Anzahl von Reliquien. Als er 1595
die Prälatur antrat, fand er bereits etliche Monstranzen und Tafeln mit »Hail-

[341] Führer, Chronik § 189.
[342] Konventlisten, 1640 und 1690. BHStAM. KL Fürstenfeld 1, foll. 176r 196. – Abgedruckt sind
die Konventlisten in: Klemenz, Dallmayr 405–407.
[343] Visitationsrezeß Abt Johann Martins von Char-lieu, Fürstenfeld, 11. Januar 1608 (Kopie).
BHStAM. Aldersbach Archiv Schublade 107, fasc. 3, prod. 12.
[344] Maximilian an den GR, 16. Dezember 1596 (Kopie). BHStAM. KBGR 17, fol. 664.
[345] GR an Maximilian, 1597 (Kopie). BHStAM. KBGR 19, fol. 115.
[346] Vgl. Raitz, Frömmigkeit 341–342.
[347] Zur Reliquienverehrung ausführlich Teil II, Kap. 2.2.5.2.

tumb«, also Reliquien aller Art vor[348]; während der fünfzehn Jahre seiner Regierung erweiterte er den Reliquienschatz um das mehrfache. Ein Reliquienverzeichnis, das Abt Puel 1602 auf Aufforderung Herzog Maximilians hin anfertigte – er beschloß es nicht zufällig mit der Wendung »Omnia ad maiorem Dei gloriam« –, umfaßte allein in der großen Sakristei vierzehn Reliquiare, darunter Kreuze, Tafeln und kleine Monstranzen, von denen einige im Inventar von 1595 noch nicht enthalten waren[349]; in einem zweiten Verzeichnis führte Abt Puel sechsundzwanzig weitere Reliquiare auf[350]. Ein Blick in die thematische Zusammenstellung zeigt das Streben zur sinnenfälligen Darstellung der Heilsereignisse nach dem Zeitgeschmack: Die Mehrzahl sind Heiltümer mit Reliquien von Heiligen[351], dazu kommen auch Reliquiare zu Stationen aus dem Leben und Leiden Christi[352] oder dem Marienleben[353].

Diese Reliquienfrömmigkeit stand im Widerspruch zur ursprünglichen – bereits längst veränderten – zisterziensischen Spiritualität, die gegen jede äußere Schau ablehnend war[354]. Abt Johann Puel legte Wert darauf, die Botschaft des Glaubens anhand der biblischen Ereignisse sinnenhaft darstellen zu können, um auf diese Weise die Verkündigung sowohl an seinen Konvent als auch an die Gläubigen, die immer zahlreicher in die Klosterkirche kamen[355], zu vertiefen; damit entsprach er ganz der Vorstellung des Ignatius von Loyola, der die Schau als Hilfsmittel zur Betrachtung auffaßt[356]. Die Liturgie entwickelte sich unter Abt Puel zunehmend zum repräsentativen »theatrum sacrum«; so erwarb der Prälat manche Paramente und Pretiosen: einen Rauchmantel aus »türkischer« Arbeit, einen grünen Ornat, einen Tragealtar und andere kleine Kostbarkeiten[357]. Auch sonst trug Abt Johann Puel ganz den Stil des wiedererwachenden katholischen Selbstbewußtseins mit: Häufig fuhr er zu den Wallfahrten nach St. Leonhard hinaus, die sich überhaupt wieder größerer Beliebtheit erfreuten, oder pilgerte auf den Heiligen

---

[348] Inventar, 1595. BHStAM. KBÄA 4095, foll. 186–188v.

[349] Reliquienverzeichnis Abt Johann Puels, Fürstenfeld, 31. Januar 1602. BHStAM. KL Fasc. 239/51, »Littera A«. Verzeichnis aus der großen Sakristei. – Gedruckt im Anhang 3.1 Reliquienverzeichnis.

[350] Reliquienverzeichnis Abt Johann Puels, Fürstenfeld, 31. Januar 1602. BHStAM. KL Fasc. 239/51, prod. ohne nähere Bezeichnung. – Gedruckt im Anhang 3.2 Neues Reliquienverzeichnis.

[351] Ebd., Nr. 54: Laurentiusmonstranz, Nr. 55: Stephansmonstranz, Nr. 57: heilige Päpste. Siehe Anhang 3.2 Neues Reliquienverzeichnis.

[352] Ebd., Nr. 69, 75. Siehe Anhang 3.2 Neues Reliquienverzeichnis.

[353] Ebd., Nr. 66. Siehe Anhang 3.2 Neues Reliquienverzeichnis.

[354] Vgl. Raitz, Frömmigkeit 341–342.

[355] Zu dieser Entwicklung siehe Teil II, Kap. 3.1.

[356] Ignatius, Exerzitien Nr. 358, 360.

[357] Inventar, Fürstenfeld, 16. Juni 1610. BHStAM. KL Fürstenfeld 318, fasc. 1, prod. unnumeriert. – Im Inventar, 1595. BHStAM. KBÄA 4095, foll. 186–188, finden sich diese Gegenstände nicht.

Berg nach Andechs[358]. Bei entsprechenden Gelegenheiten verschenkte er »Pater noster« genannte Andachtsbilder an seine Konventualen, um sie zur Betrachtung anzuregen[359]; sparsam war er dabei nicht, denn er ließ die Bilder von einem Augsburger Goldschmied vergolden[360].

Auch außerhalb des Klosters suchte Abt Puel das religiöse Leben neu zu wekken. In seiner Gerichtsordnung für die Hofmark Bruck widmete er vier Punkte den liturgischen Gebräuchen, wenngleich er sich damit, wie eigens erwähnt, an die Vorschriften des Geistlichen Rates hielt[361]. Bei Prozessionen sollten die Standesordnungen besser eingehalten werden, da sie in Unordnung geraten waren. Jeden Donnerstag sollte gemäß herzoglichem Mandat eine Sakramentsprozession stattfinden, an der sich auch der Magistrat und die Vertreter der Zünfte mit Kerzen zu beteiligen hatten, und zwar so, daß »die gerichts obrigkeit den vorgang haben. Darauf sollen folgen die herren verordnete Räte naach disen die zwölfen und darauf die gmain, welche sich in züchtiger Ordnung also befürdern solle, das nit kein saum soll erscheinen«[362]. Schließlich ordnete Abt Puel an, daß der Kirchengesang neu gepflegt werde und die Hausherren »Ire Söhn und töchter Knecht und diernen dahin weisen, damit sie anstatt der leichtfertiger Schanndtlider, so bey tag und Nacht auf d[er] gassen und sonsten in Füch häusern gesungen, die geistliche gesang und ruef erlernen und sich derselben in der Kirchen gebrauchen«[363]. Bei Zuwiderhandlung drohte der Abt mit Strafen. Wenngleich sich der Prälat mit diesen Verordnungen nur dem herzoglichen Bestreben nach öffentlich sichtbarer katholischer Reform anschloß, so war er doch von der Richtigkeit und Notwendigkeit der Reformen überzeugt.

Da Abt Johann Puel für neue religiöse Impulse überaus empfänglich war, dürfte er auch die Anweisungen der Visitation von 1608 entsprechend den Beschlüssen des letzten Generalkapitels aufgenommen haben. Der Visitator, Abt Johann Martin von Char-lieu, der im übrigen am Zustand des Konvents nur die fehlende Regelmäßigkeit der Beichte bemängelte, überbrachte die neuen Verordnungen: In ihnen wurde Wert darauf gelegt, daß die Mönche genügend Zeit und Raum zur persönlichen Andacht nach den Horen und zur Gewissenserforschung am Abend haben müßten. Fähige Mönche sollten häufiger vor dem Volk predigen, das zur Kirche käme; schließlich sollten Novizen nur mit ausreichenden Latein- und Grammatikkenntnissen ins Kloster aufgenommen werden[364]. Diese drei Beispiele aus dem Visitationsrezeß

---

[358] Rechnungsbuch von 1596, »Trinkgeld und Verehrung«. BHStAM. KL Fürstenfeld 317 1/89.
[359] Rechnungsbuch von 1600, »Neujahrsgeschenke«. BHStAM. KL Fürstenfeld 317 1/90.
[360] Rechnungsbuch von 1596, »Konvent«. BHStAM. KL Fürstenfeld 317 1/89.
[361] Hofmarksordnung Abt Johann Puels für die Hfmk. Bruck, 1600 (Kopie). BHStAM. KL Fürstenfeld 593.
[362] Ebd., Punkt 1.   [363] Ebd., Punkt 4.
[364] Visitationsrezeß Abt Johann Martins von Char-lieu, Fürstenfeld, 11. Januar 1608 (Kopie). BHStAM. Aldersbach Archiv Schublade 107, fasc. 3, prod. 12.

zeigen, daß zur Regierungszeit Abt Puels auch im Zisterzienserorden der
Geist einer neuen Zeit Einzug hielt: Alte zisterziensische Ideale des Rück-
zugs aus der Welt wurden aufgegeben, religiöse Bildung der Mönche und des
Volkes erhielten ein ganz neues Gewicht. Offenbar wird diese Tendenz auch
an den Bildungsbestrebungen Abt Puels: Während seine Vorgänger bevorzugt
klassische Literatur erwarben, kaufte er gezielt »katholische« Lektüre[365], so
etwa vierzig Exemplare der »Meditationes« des Jesuiten Franziskus
Coster[366], und schickte seine Studenten auf die bayerische Landesuniversität nach Ingolstadt. Damit blieb er auf der Seite der gemäßigten Reformer;
nach Dillingen, wo die Jesuiten in Lehre und Erziehung uneingeschränkt
walten konnten, schickte Abt Puel keine Religiosen[367].
Vergleicht man die Erneuerungsbestrebungen Abt Johann Puels mit denen
anderer bayerischer Prälaten, so war er einer der ersten, zugleich aber einer
der maßvollen Reformäbte. Während im schwäbischen Raum die diesbezüglichen Bestrebungen schon etwas früher einsetzten und besonders im
Weingartener Abt Georg Wegelin (1586–1627) einen tatkräftigen Förderer
fanden – Wegelin studierte ab 1575 ebenfalls in Dillingen[368] –, dauerte es im
Altbayerischen etwas länger, bis die Prälaten sich den Reformen öffneten. In
Raitenhaslach etwa wurde noch 1608 und 1613 Abt Philipp Perzel (1602 bis
1620) streng angewiesen, die Reformbeschlüsse umzusetzen[369]; die Zisterze
Fürstenzell war zu dieser Zeit gar vom Aussterben bedroht[370], während in
Gotteszell sich der Fürstenfelder Konventuale Achatius Einspeckh als Admi-
nistrator um das Überleben des Klosters bemühte[371].

3.3.2.3 Leben und Disziplin im Kloster unter Abt Johann Puel

Wenige Quellen nur geben Auskunft über das Leben und die Disziplin im Konvent während der fünfzehnjährigen Amtszeit Abt Johann Puels. Drei Notizen
über die innerklösterlichen Verhältnisse deuten zunächst angemessene Zucht
im Konvent dadurch an, daß sie nichts zu berichten oder korrigieren wissen:
Ein Reskript Herzog Maximilians an den herzoglichen Geistlichen Rat vom
16. Dezember 1596 geht zwar auf eine notwendige Verschärfung der Disziplin
im klösterlichen Gottesdienst ein, merkt ansonsten aber nur Korrekturen im

---

[365] Rechnungsbuch von 1596, »Konvent«. BHStAM. KL Fürstenfeld 317 1/89.
[366] Rechnungsbuch von 1600, »Konvent«. BHStAM. KL Fürstenfeld 317 1/90. – Zu P. Franz
Coster SJ (*1532, SJ 1552, † 1619), der sich besonders um die Verbreitung der jesuitischen
Spiritualität bemühte: André Rayez, Art. Coster, in: LThK² III (1959) 75–76 (Lit.).
[367] Zu Studium siehe Teil II, Kap. 1.2.2.
[368] Vgl. Reinhardt, Weingarten 20 114–119.
[369] Vgl. Krausen, Raitenhaslach 305.
[370] Vgl. Hartig, Niederbayerische Stifte 162.
[371] Eintrag im Repertorium Aldersbach, unter dem 27. Mai 1596. BHStAM. KL Aldersbach 74,
fol. 239v; Necrol. BStB. Clm 1057, fol. 29v. – Vgl. Hartig, Niederbayerische Stifte 171.

wirtschaftlichen Bereich an[372]. Ein Schreiben des Geistlichen Rats an den Herzog im darauffolgenden Jahr berichtete, daß Abt Puel sehr eifrig die geistliche Zucht in seinem Kloster überwachen würde[373]. Disziplinäre Probleme im Konvent vermerkte der Visitator Abt Martin von Char-lieu in seinem Rezeß von 1608 ebenfalls nicht[374].

Im Vergleich zu seinem Vorgänger, Abt Treuttwein, hielt Abt Johann Puel die Zügel im Kloster wieder fester in der Hand; besonders die relativ große Bewegungsfreiheit der Mönche wurde eingeschränkt. So sind keine Urlaubsfahrten der Konventualen in die Heimat mehr belegt, wie sie noch unter Abt Treuttwein üblich waren. Weiterhin aber reisten die Mönche ins »Tusculum« »auf den Rausch« am Ammersee, einmal im Sommer und einmal im Herbst[375]. Ein Detail der Führung des Konvents durch Abt Puel verdeutlicht seine pädagogischen Fähigkeiten: In den Rechnungsbüchern erscheint unter der Rubrik »Konvent« immer wieder die Notiz, daß Mönchen »für abgesparten Wein«[376] eine bestimmte Summe Geld ausgezahlt wurde; das bedeutete wohl, daß die Konventualen, die auf ihren Wein verzichteten, die ersparte Summe in bar erhielten; diese Vereinbarung verstieß zwar gegen die Ordensregel, half aber, den teilweise beträchtlichen Weinkonsum etwas einzuschränken. Später ist von diesen Zahlungen nichts mehr zu lesen; vielleicht wurden sie von Visitatoren beanstandet. Bemerkenswert ist allerdings, daß sich die Ausgaben für Wein innerhalb von vier Jahren von 2464 fl[377] auf 1339 fl[378] fast halbiert haben.

Trotz dieser positiven Umstände hatte Abt Puel häufig mit disziplinären Schwierigkeiten im Konvent zu kämpfen; am 25. September 1597 beklagte er sich in einem Brief an Abt Dietmair von Aldersbach »wider sein Convent. 5. Octobris wiederholt er solches«[379]. Den Gegenstand einer solchen Auseinandersetzung mit seinen Konventualen schilderte Abt Puel in einem Brief vom 14. Oktober 1598: Der Fürstenfelder Professe Fr. Thomas war zeitweise nach Salem gegangen und wollte jetzt zurückkehren; da der Konvent darüber in Streit geriet, bat Abt Puel bei seinem Vaterabt Dietmair um Rat[380]. Auch

---

[372] Maximilian an den GR, 16. Dezember 1596 (Kopie). BHStAM. KBGR 17, foll. 664v–669v.

[373] GR an Maximilian, 1597 (Kopie). BHStAM. KBGR 19, fol. 115.

[374] Visitationsrezeß Abt Johann Martins von Char-lieu, Fürstenfeld, 11. Januar 1608 (Kopie). BHStAM. Aldersbach Archiv Schublade 107, fasc. 3, prod. 12.

[375] Rechnungsbuch von 1600, »Zehrung«. BHStAM. KL Fürstenfeld 317 1/90.

[376] 2. Februar, 20. Februar, 17. März 1596: Rechnungsbuch von 1596, »Konvent«. BHStAM. KL Fürstenfeld 317 1/89.

[377] Rechnungsbuch von 1596, »Wein«. BHStAM. KL Fürstenfeld 317 1/89.

[378] Rechnungsbuch von 1600, »Wein«. BHStAM. KL Fürstenfeld 317 1/90. – Darunter ist aber keinesfalls zu verstehen, daß die Mönche um diese Summen Wein vertranken; vielmehr ist in diese Rubrik jede Ausgabe aufgenommen, die auch nur indirekt mit dem Wein zusammenhängt, also auch Weinbau und Weinfuhr.

[379] Repertorium Aldersbach, unter dem 25. September 1597. BHStAM. KL Aldersbach 73, fol. 18r.

[380] Repertorium Aldersbach, unter dem 14. Oktober 1598. BHStAM. KL Aldersbach 73, fol. 18r.

im Jahr 1600 war von »etlichen Streittigkeiten des Closters« zu hören[381], über die aber keine Einzelheiten überliefert sind. Frei von Spannungen war demnach der Fürstenfelder Konvent auch unter Abt Johann Puel nicht; dazu boten die Umwälzungen an der Wende zum 17. Jahrhundert einerseits und das tägliche Zusammenleben andererseits zu viel Anlaß. Weder der Geistliche Rat noch die Ordensvisitatoren erwähnten aber schwere Zerwürfnisse im Kloster Fürstenfeld; bei entsprechenden Vorfällen hätten sich sicherlich Notizen erhalten. Im Vergleich zu früheren Zeiten können die Auseinandersetzungen im Kloster somit als geringfügiger und die Verhältnisse im Konvent als stabil gelten.

3.3.3 Notizen über die Wirtschaftsführung unter Abt Johann Puel

3.3.3.1 Die wirtschaftliche Situation bei der Amtsübernahme

Nach Beendigung des Fürstenfelder Äbtetreffens kamen im Oktober 1595 die herzoglichen Kommissare Sebastian Franz und Sigmund Wagnereck nach Fürstenfeld und listeten sorgfältig den Besitz in Sakristei, Abtei, Geldtruhen, Konvent, Küche, Keller und Garten auf, wobei auch der kleinste Eimer Schmalz erfaßt wurde[382]. Inventarisiert wurden ebenso die selbst bewirtschafteten Betriebe, der Klosterhof, die beiden Schwaigen in der Leiten und in Jexhof sowie die Schäferei in Puch[383]. Der dabei verzeichnete Vieh- und Naturalienbestand war durchaus befriedigend, so daß unter Abt Treuttwein in diesem Bereich gut gewirtschaftet worden war. Weniger günstig sah dagegen die Finanzlage aus. An Barschaft fanden die Kommissare in einer Truhe 137 fl[384], dazu weitere 108 fl[385]; in »ainem andern trüchl«, vielleicht der Kasse des Abtes Treuttwein, lagerten schließlich noch einmal 524 fl in verschiedenen Währungen[386]. Insgesamt waren an Bargeld also 769 fl vorhanden. Gravierend und für den gesamten Klosterhaushalt belastend war schließlich die Verschuldung Fürstenfelds. Die Kommissare errechneten stattliche 10169 fl, 3 ß, 24 dl Ausstände, für die jährlich 274 fl, 3 ß, 15 dl Zinsen zu bezahlen waren. An laufenden Schulden, die nicht verzinst werden mußten,

---

[381] Repertorium Aldersbach, unter dem 13. Januar 1600. BHStAM. KL Aldersbach 73, fol. 18v.

[382] Inventar, 6. Oktober 1595. BHStAM. KBÄA 4095, foll. 186–197.

[383] Ebd., foll. 198–199.

[384] Bericht der GR Sebastian Franz, Johann Baptist Fikler und Martin Rieger an Maximilian, München, 14. September 1595. BHStAM. KL Fürstenfeld 1, fol. 142r.

[385] Inventar, 6. Oktober 1595. BHStAM. KBÄA 4095, fol. 189r.

[386] Bericht der GR Sebastian Franz, Johann Baptist Fikler und Martin Rieger an Maximilian, München, 14. September 1595. BHStAM. KL Fürstenfeld 1, fol. 142r. – Inventar, 6. Oktober 1595. BHStAM. KBÄA 4095, fol. 189r. – Dabei handelte es sich um 52 Dukaten, 30 Goldgulden, 7 doppelte Portugaleser, 26 doppelte Salzburger und 32 Kronen.

fielen zusätzliche 416 fl, 1 ß, 7 dl, 1 hl an[387]. Berücksichtigt man dabei, daß die Einnahmen dieser Jahre zwischen 6000 und 7000 fl schwankten, so wird das ganze Ausmaß der Hypothek sichtbar, die Abt Johann Puel zu tragen hatte.

3.3.3.2 Maßnahmen und Bilanz der Wirtschaftsverwaltung Abt Puels

Aufgrund dieser ernüchternden Bilanz mußte Abt Johann Puel klug und sparsam wirtschaften, wollte er die Misere nicht zusätzlich verschlimmern. Dazu besaß er kaum Gestaltungsfreiheit, denn die herzoglichen Kommissare waren nach der Amtsübernahme des neuen Prälaten über die Verhältnisse gut informiert. Dementsprechend kamen schon im Jahr 1596 von seiten des Geistlichen Rats Anweisungen zur Verbesserung der Wirtschaftslage, die im wesentlichen folgende Punkte umfaßten[388].

1. Der Esslinger Hof bringt aufgrund schlampiger Verwaltung weniger ein als er könnte; besonders der Gewinn aus den Salzfuhren läßt zu wünschen übrig.
2. Das Kloster läßt sich allerlei Diebstähle gefallen.
3. Der Abt soll besser darauf achten, was mit dem Holz im Geisinger Forst geschehe. Der Bericht des Försters lasse nichts Gutes vermuten.
4. Der Abt soll keine Häuser verkaufen, in denen Angestellte des Klosters wohnen, auch wenn sie jetzt in hohem Wert stehen. Besser sei es, den Mietzins zu nehmen.
5. Auch die Schwaige darf nicht außer Acht gelassen werden, was der Abt aber ohnehin nicht tue.
6. Das Klostergericht hat in einem Prozeß fahrlässig gearbeitet und soll daher mit 30 kr gestraft werden.
7. Überhaupt soll auf die Arbeit des Gerichts besser achtgegeben werden.

Entschlossen ging der neue Prälat daran, die Finanzlage zu verbessern. Bereits im ersten Regierungsjahr zahlte er über 770 fl alleine an Zinsen, die Ablösungen nicht eingerechnet, wobei das Haushaltsdefizit auf über 4100 fl anwuchs, da noch etliche alte Rechnungen offenstanden[389]. Im zweiten erhaltenen Haushalt der Ära Puel wurden über 519 fl alleine an Zinsen beglichen[390]; bei einem Zinsfuß von 5 % bedeutete das immer noch eine Schuldensumme von über 10000 fl. Auch einige Schuldentilgungen sind belegt: Zweimal wurden im Jahr 1598 von einem Außenstand über 400 fl, der noch

---

[387] Inventar, 6. Oktober 1595. BHStAM. KBÄA 4095, foll. 192v–193v.

[388] Maximilian an den GR, 16. Dezember 1596 (Kopie). BHStAM. KBGR 17, foll. 664v–669v.

[389] Rechnungsbuch von 1596, »Zinsen, Steuer, Ablösung«. BHStAM. KL Fürstenfeld 317 1/89. – Genau waren es 771 fl, 5 ß, 7 dl, 1 hl.

[390] Rechnungsbuch von 1600, »Zinsung«. BHStAM. KL Fürstenfeld 317 1/90. – Genau waren es 519 fl, 5 ß, 22 dl, 1 hl.

aus dem Jahr 1550 stammte, jeweils 200 fl abgegolten[391]; 1604 quittierte der Herzogliche Rat Michael Parth die Rückzahlung von 500 fl Hauptsumme samt 66 fl, 15 kr Zins an das Heilig-Geist-Spital in München[392]. Es dürften jedoch wesentlich mehr Schulden abgetragen worden sein, da sogar der Geistliche Rat aufgrund der guten Verwaltung der Temporalien durch Abt Puel einen Nachlaß der Dezimationen befürwortete[393]. Außerdem vermerkten einige weitere Schuldbriefe – allerdings undatiert –, daß die Schulden rückgelöst seien[394].

Abt Puel führte die Ökonomie insgesamt solide und sparsam, wenn auch die beiden Haushalte jeweils eine negative Bilanz aufweisen[395]. Dies war jedoch nichts außergewöhnliches, denn auch in den folgenden Jahrzehnten waren die Abschlüsse nie mehr ausgeglichen und verzeichneten teilweise beträchtliche Defizite[396]. Der wahre Wert der Buchhaltung unter der Prälatur Puels wird allerdings noch zu untersuchen sein. Als Beleg für die rentable Wirtschaftsweise können zunächst die Getreidebilanzen gelten. Unter Abt Leonhard Treuttwein waren sie im wesentlichen ausgeglichen: 1566 erwirtschaftete man etwa 110 Scheffel Überschuß[397], 1573 gab das Kloster gar mehr Getreide ab als es einnahm[398]. Beinahe explosionsartig stiegen die Überschüsse dagegen während der Prälatur Puels an: Im Jahr 1596 waren es fast 900 Scheffel[399], 1600 mehr als 3100 Scheffel Getreide[400]. Während über die fünfzehn Jahre der Regierung Abt Puels hin die wirtschaftliche Situation als einigermaßen ausgeglichen erschien, offenbarte sich nach dem Tod des Prälaten 1610 die wahre Finanzkraft Fürstenfelds: Abt Johann Puel hatte dem Kloster bislang ungekannte Summen Bargeld hinterlassen, denn die Kommissare fanden in der Abtei nicht weniger als 1581 fl, 30 kr in Gold und 19284 fl, 31 kr in verschiedenen Währungen, insgesamt also über 20000 fl[401]! Unbe-

---

[391] Schuldbrief Administrator Michael Kains an Hans Khienmair über 800 fl, Fürstenfeld, 16. März 1550. BHStAM. KU Fürstenfeld 1801. – Dorsalvermerke belegen die Rückzahlungen, die am 1. August und am 12. November 1598 erfolgt sind.

[392] Quittung Michael Parths an Abt Johann Puel, 16. März 1604. BHStAM. KU Fürstenfeld 2449.

[393] GR an Maximilian, 1597 (Kopie). BHStAM. KBGR 19, fol. 115.

[394] Schuldbrief Abt Leonhard Treuttweins an Bernhardt Daumen, Bürger zu Augsburg, über 600 fl, 6. Juli 1570. BHStAM. KU Fürstenfeld 2070. – Schuldbrief Abt Leonhard Treuttweins an Ulrich Perstl, Förster, über 300 fl, 12. April 1579. BHStAM. KU Fürstenfeld 2170. – Schuldbrief Abt Leonhard Treuttweins an Georg Obermüller, Bruck, über 100 fl, 12. September 1582. BHStAM. KU Fürstenfeld 2212.

[395] Siehe Anhang 2.1: Rechnungsbücher.

[396] Vgl. Wollenberg, Eigenwirtschaft 388.

[397] Rechnungsbuch von 1566. BHStAM. KL Fürstenfeld 317 1/10.

[398] Rechnungsbuch von 1573. BHStAM. KL Fasc. 957/60.

[399] Rechnungsbuch von 1596. BHStAM. KL Fürstenfeld 317 1/89.

[400] Rechnungsbuch von 1600. BHStAM. KL Fürstenfeld 317 1/90.

[401] Inventar, Fürstenfeld, 16. Juni 1610. BHStAM. KL Fürstenfeld 318, fasc. 1, prod. unnumeriert.

kannt blieb allerdings, woher dieser Reichtum stammte; vermutlich verzeichnete der Prälat nur einen Teil der Einnahmen. Unter Umgehung aller
Bilanzen führte Abt Johann Puel die erfolgreichste Wirtschaftspolitik Fürstenfelds während der gesamten Reformationszeit. Diese Tatsache erstaunt
umso mehr, als er zu Beginn seiner Amtszeit lediglich 769 fl in der Kasse vorgefunden hatte; trotz aller Zurückhaltung kann er für Fürstenfelder Verhältnisse schlicht als finanzielles Genie bezeichnet werden. Aus dieser Erkenntnis heraus relativiert sich der Wert der an den Geistlichen Rat eingereichten
Haushaltsbücher erheblich: Noch erfolgreicher als sein Vorgänger Abt Leonhard Treuttwein führte Abt Puel die herzoglichen Kommissare in die Irre,
was die wirkliche ökonomische Lage des Klosters anbetraf. Die »Korrektur«
der Bilanzen zum Negativen hin – man muß sie wohl als Fälschung bezeichnen – war eine höchst effektive Methode, mit der die wahren Verhältnisse
vertuscht und die Steuern und Abgaben an den Herzog niedrig gehalten werden konnten.

3.3.3.3 Ausübung der Gerichtsbarkeit unter Abt Johann Puel

Die große Gewissenhaftigkeit und Energie, mit der Abt Puel seine Aufgaben
bewältigte, erstreckte sich auch auf die Ausübung seiner Verwaltung und
Rechtsaufsicht. Seine Maxime in juristischen Dingen kann man mit dem
alten bayerischen Grundsatz beschreiben: »Was Recht ist, muß Recht bleiben.« Zäh bestand er in jeder noch so winzigen Kleinigkeit auf den Privilegi-
en und Rechten des Klosters, ließ sie 1603 von Herzog Maximilian bestätigen[402] und verteidigte sie heftig gegen jeden, der sie zu beschneiden suchte.
Zudem achtete er sowohl auf die Leistungen seiner Beamten als auch auf die
Versuche der landesherrlichen Behörden, klösterliche Rechte an sich zu ziehen.
So bekam – wie oben bereits angedeutet – der Brucker Klosterrichter Wolfgang Vischer die Wachsamkeit des Prälaten zu spüren. Als Vischer in einem
Brief an den Abt über sein geringes Gehalt klagte und mehrfach eine Aufstok-
kung forderte[403], ließ sich dieser die Akten schicken[404], prüfte seine Leistungen und fand darin so viele Mängel, daß er ihn entließ[405]. Der Ansicht des

---

[402] Konfirmationsurkunde Maximilians, 3. Juni 1603. BHStAM. KU Fürstenfeld 2445.
[403] Klosterrichter Wolfgang Vischer an Abt Johann Puel, München, 1. April 1597. BHStAM. KL
Fürstenfeld 3h, fasc. a, prod. 13. – Ähnlichen Inhalts die Schreiben Wolfgang Vischers an Abt
Johann Puel, München, 9. Juli 1593 (ebd., prod. 27v); München, 17. Juli 1594 (ebd., prod.
28v); München, 29. Juli 1597 (ebd., prod. 29v).
[404] Revers Wolfgang Vischers an Abt Johann Puel mit der Verwahrung gegen den Vorwurf
schlechter Amtsführung, 3. September 1597. BHStAM. KL Fürstenfeld 3h, fasc. a, prod. 15v.
[405] Revers Wolfgang Vischers an Abt Johann Puel, 3. September 1597. BHStAM. KL Fürstenfeld
407, prod. 21.

Abtes nach kümmerte sich sein Richter zu wenig um seine Aufgaben, denn Vischer verwaltete sein Amt von München aus – wie er es noch aus den Tagen unter Abt Treuttwein gewohnt war; außerdem bezog Vischer nicht zu wenig, sondern zu viel Gehalt[406]. Der Klosterrichter war mit dieser Wendung der Ereignisse natürlich nicht zufrieden und protestierte bei Herzog Maximilian dagegen unter Verweis auf eine langwierige Krankheit, die ihn plagen würde[407]. Abt Puel, der davon erfahren hatte, drohte dem amtsenthobenen Richter bei weiterer Appellation an den Herzog, seinerseits dem Landesherrn die Zustände im Klostergericht anzuzeigen, was für Vischer nicht positiv ausgehen könne[408]; daraufhin unterließ dieser weitere Briefe an den Herzog. Doch der war bereits auf die Vorfälle aufmerksam geworden, denn er forderte nun von sich aus eine Erklärung durch den Abt[409], die er aber lange Zeit nicht erhielt, da Abt Puel den Streit als interne Angelegenheit ansah[410]. Über einen Monat ließ sich der Prälat mit der Information des Landesherrn Zeit; als dieser schließlich den Bericht in Händen hielt, mußte er wohl oder übel dem Abt nachgeben und die Entlassung Vischers hinnehmen, da die Sachlage gegen Richter Vischer sprach[411]. Neuer Klosterrichter wurde Hans Mayr, ehemals Richter zu Hegenburg[412].

Dieser ausführlich belegte Vorfall zeigt sehr deutlich die klaren Vorstellungen, die Abt Puel von der Ausübung seines Klosteramtes hatte und die er gegen verschiedene Widerstände durchzusetzen wußte. Auch die Einwände des Landesherrn konnten den Prälaten nicht davon abbringen, einen neuen Klosterrichter zu ernennen, der seinem Konzept von Verwaltung besser entsprach. Abt Puel verlangte auch von seinen führenden Beamten das, was er selbst leistete: Korrektheit, Zuverlässigkeit und Präsenz. Aufgrund seines überaus empfindlichen Rechtsdenkens suchte Abt Puel auch jeden Eingriff herzoglicher Beamter an den Orten zu verhindern, die seiner Gerichtsbarkeit unterstanden. Symptomatisch dafür ist der bereits erwähnte Streit mit den Dachauer Behörden um die Hinterlassenschaften des Pfarrers von Einsbach[413]. Wenn es dabei auch nur um scheinbare Kleinigkeiten ging, so rückte

---

[406] Abt Johann Puel an Maximilian mit Angabe der Gründe, 28. September 1597. BHStAM. KL Fürstenfeld 3h, fasc. b, prod. 51.

[407] Wolfgang Vischer an Maximilian, 1. September 1597. BHStAM. KL Fürstenfeld 407, prod. 20.

[408] Abt Johann Puel an Wolfgang Vischer, 12. September 1597 (Konzept). BHStAM. KL Fürstenfeld 407, prod. 24.

[409] Indirekte Erwähnung im Revers Wolfgang Vischers an Abt Johann Puel, 13. September 1597. BHStAM. KL Fürstenfeld 407, prod. 25.

[410] Verärgerte Anfrage Maximilians an Abt Johann Puel, 11. Oktober 1597. BHStAM. KL Fürstenfeld 407, prod. 26.

[411] Maximilian an Abt Johannes Puel, 18. Oktober 1597. BHStAM. KL Fürstenfeld 3h, fasc. a, prod. 30v; BHStAM. KL Fürstenfeld 407, prod. 27.

[412] Abt Johann Puel an Maximilian, 28. September 1597. BHStAM. KL Fürstenfeld 3h, fasc. b, prod. 51.

[413] Vgl. Kap. 3.3.1.2.

Abt Puel von seiner Gerichtshoheit über die Hofmarken nicht ab und bat den
Herzog, die Dachauer Beamten dahingehend anzuweisen, nicht mehr in die
klösterlichen Rechte einzugreifen[414]. Die Streitigkeiten kamen jedoch nicht
mehr zur Ruhe: Seit 1601 gab es fast jährlich Anlässe zu Auseinandersetzungen zwischen dem Fürstenfelder Prälaten und den Dachauer Richtern und
Pflegern. Immer wieder beschwerte sich der Abt beim Herzog über Übergriffe
der Beamten[415] und forderte, für die Einhaltung der klösterlichen Rechte zu
sorgen[416]. Zehn Jahre lang dauerte der Streit des Abtes mit dem Dachauer
Richter Adam Gepeckh, in dem es zwar um Marginalien ging, dessen eigentliche Frage aber die nach dem Rechtsstatus des Klosters war. Unter Herzog
Maximilian verstärkte sich die Tendenz zum territorialen Frühabsolutismus
immer mehr; dies erschwerte die Position der landständischen Klöster
zunehmend.

3.3.4 Bilanz der Prälatur Johann Puels

In der bisherigen Literatur blieben Person und Regierung Abt Johann Puels
mangels Quellen weitgehend ausgespart. Die Historiographen des 19. Jahrhunderts gehen über lobende Gemeinplätze nicht hinaus, der anderweitig
gut informierte Abt Gerard Führer muß bekennen, daß er über Abt Puel
»nichts Merkwürdiges«[417] findet, und auch die neuere Literatur widmet diesem Abt selten mehr als einen Nebensatz. Umso erstaunlicher sind manche
Ergebnisse der geleisteten Untersuchungen; wenngleich das archivalische
Fundament tatsächlich vergleichsweise schmal war, so konnten für die fünfzehn Jahre der Prälatur Puels dennoch bemerkenswerte Veränderungen
belegt werden.
In geistlicher Hinsicht, besonders was die Gestaltung der Liturgie und die
persönliche Frömmigkeit anlangte, bekam Fürstenfeld ein ganz neues
Gesicht, in dem schon die Züge des aufdämmernden Barocks zu erkennen
sind. Allenthalben wurden Vorschriften zur kirchlichen Reform erlassen:
Das Konzil von Trient war seit dreißig Jahren abgeschlossen und begann, seine Wirkung zu entfalten; der Zisterzienserorden förderte und verordnete
gleichfalls Neuerungen in Liturgie und Disziplin. Dazu kam der Landesherr
Herzog Maximilian im Verbund mit den aufstrebenden Vätern der Gesellschaft Jesu, die dem bayerischen Katholizismus ein unverwechselbares
Gepräge zu geben sich anschickten. Zwischen diesen drei Faktoren mußte

---

[414] Abt Johann Puel an Maximilian, Fürstenfeld, 6. Juni 1601 (Konzept). BHStAM. KL Fürstenfeld 216 ½ a, prod. 12.
[415] Abt Johann Puel an Maximilian, 28. September 1601. BHStAM. KL Fürstenfeld 216 ½ a,
prod. 15.
[416] Abt Johann Puel an Maximilian, 28. Januar 1602. BHStAM. KL Fürstenfeld 216 ½ a, prod. 16.
[417] Führer, Chronik § 190.

Abt Puel seine eigene Position finden, um das Kloster maßvoll und organisch der neuen Zeit anzupassen; daß er dies wollte, steht außer Zweifel. Es gibt keinen Anhaltspunkt dafür, daß sich der Prälat gegen Reformen gesperrt hätte; obwohl Abt Puel nie Schüler der Jesuiten war, hat ihr Geist seine Amtsführung wesentlich mitgeprägt, was man an etlichen gezeigten Details ersehen kann. So war die Rolle, die Abt Puel im anhebenden Aufbruch seiner Zeit gespielt hat, weniger die eines eigenständigen Reformers, der aus der Erkenntnis notwendiger Verbesserungen neue Wege der Liturgie und der Spiritualität gesucht hätte; das hätte seiner Persönlichkeit und seinem Amt nicht entsprochen und wäre unter den gegebenen Umständen auch nicht willkommen gewesen. Vielmehr erscheint er als Umsetzer, Vermittler und Wegbereiter der Reformen, die von außen auf das Kloster zukamen; sie versuchte er in den an sich präzise geregelten Alltag eines Zisterzienserklosters einzubauen[418].

Erstaunlicher als die geistlichen Leistungen Abt Johann Puels mutet der wirtschaftliche Aufschwung Fürstenfelds an, wohl, weil er genuiner seiner Person entspringt. Abt Puel gelang es nicht nur, sein hochverschuldetes Kloster langsam zu sanieren; darüber hinaus schaffte er an den Büchern und den herzoglichen Kommissaren vorbei über 20 000 fl auf die Seite, eine Summe, wie sie noch kein Fürstenfelder Abt horten konnte. Politisch wurde der Druck der zum Absolutismus hin strebenden und alte Rechte mehr und mehr auflösenden Regierung Herzog Maximilians immer stärker, so daß Abt Puel aufs äußerste bedacht sein mußte, die eigenen Rechte zu sichern; auf Dauer stand er dabei freilich auf verlorenem Posten, die Zeitläufte waren nicht mehr aufzuhalten. In seinem ganzen Wirken war Abt Johann Puel nach dem ebenfalls etwas in den Schatten geratenen Abt Leonhard Baumann ein weiterer großer Glücksfall Fürstenfelds; er rüstete sein Kloster für das angebrochene 17. Jahrhundert.

---

[418] Die genauere Verhältnisbestimmung zwischen Konzil, Orden und Herzögen und deren jeweiligen Reformeinflüssen siehe Teil III.

3.4   Abt Sebastian Thoma (1610–1623): Selbstbewußtsein und Repräsentation

3.4.1   *Zur Person Abt Sebastian Thomas*

3.4.1.1   *Die Daten seines Lebens*

Mit Sebastian Thoma gelangte – zum ersten Mal belegt – ein Fürstenfelder Untertan zur Abtswürde des Klosters. Geboren wurde er im Jesenwanger Filialweiler Puch[419] wohl im Jahr 1572[420], besuchte infolge seiner bald erkannten Begabung die nahegelegene Schule im Kloster Fürstenfeld[421] und trat 1593 in die Abtei ein[422]. Noch Abt Leonhard Treuttwein schickte den jungen Professen zum Studium an die Ingolstädter Universität; dort immatrikulierte sich Thoma 1595 und studierte Philosophie und Theologie[423]. Wenn auch die Ingolstädter Matrikeln Thoma nicht verzeichnen, so ist von ihm doch eine Vorlesungsmitschrift über die sieben Sakramente erhalten, die er bei Prof. P. Georg Everhard SJ und P. Dr. Veit Michael OFM vermutlich im Jahr 1598 aufgezeichnet hat[424]; bis etwa 1601/02 dauerte das Studium Thomas, wobei über den Erwerb eines akademischen Titels nichts überliefert ist[425]. Nach dem Studium ging Fr. Thoma nach Fürstenfeld zurück und bekam bald das Vertrauen Abt Johann Puels: 1605 versah er das Amt des Subpriors[426] und noch im gleichen Jahr reiste Fr. Thoma zusammen mit dem Raitenhaslacher Konventualen Conrad Enckher nach Cîteaux zum Generalkapitel[427] – von den Äbten konnte oder wollte wieder einmal keiner die Strapazen auf sich nehmen. Zwei Jahre später präsentierte ihn Abt Puel als Vikar auf die Pfarrei Bruck[428], wobei Fr. Thoma nach einer Verordnung von 1596 im Kloster wohnen bleiben mußte[429].

---

[419] Vgl. Röckl, Beschreibung 32; Fugger, Fürstenfeld 89.

[420] Bericht Pangratz Motschenbachs an Maximilian, München, 26. Juni 1610. BHStAM. KL Fürstenfeld 1, fol. 151r. – Zu Pangratz Motschenbach (Dr. bibl.; 1590 Kanoniker zu St. Gangolf in Bamberg, 1604 GR, 1605–1610 Dekan zu Unserer Lieben Frau in München, Oktober 1610–1611 Propst ebd.; † 1611): Pfister, München 414 437.

[421] Vgl. Röckl, Beschreibung 32; Fugger, Fürstenfeld 89.

[422] Bericht Pangratz Motschenbachs an Maximilian, München, 26. Juni 1610. BHStAM. KL Fürstenfeld 1, fol. 151r.

[423] Konventliste mit dem Zusatz bei Thoma »in Ingolstadt«, 1595. BHStAM. KL Fürstenfeld 1, fol. 146r. – In den Ingolstädter Matrikeln erscheint er dagegen nicht.

[424] Vorlesungsmitschrift »De septem ecclesiae sacramentis«, wohl 1598. BStB. Clm 27507. – Näheres dazu in: TE I 311, L. III. 16.

[425] Die Studiendauer von sieben Jahren ist erwähnt im Bericht Pangratz Motschenbachs an Maximilian, München, 26. Juni 1610. BHStAM. KL Fürstenfeld 1, fol. 151r.

[426] Führer, Chronik § 192.

[427] Beglaubigungs- und Geleitbrief durch Abt Johannes Dietmair von Aldersbach, Aldersbach, 17. März 1605. BHStAM. Aldersbach Archiv Schublade 105, fasc. 16, prod. 7.

[428] Repertorium Fürstenfeld, unter 1607. BHStAM. KL Fürstenfeld 369, pag. 591, L 94.

Fr. Sebastian Thoma hatte also bereits eine aufstrebende Karriere hinter sich, als Abt Johann Puel verstarb, in dem er zweifellos einen großen Förderer gefunden hatte: das Studium in Ingolstadt, die Vertretung auf dem General-kapitel und das Pfarrvikariat in Bruck qualifizierten ihn für eine höhere Aufgabe. Nach dem Tode Abt Johann Puels am 26. Mai 1610 ordnete Herzog Maximilian eine Visitation Fürstenfelds durch den Aldersbacher Abt an[430], bestellte den Dekan der Münchner Frauenkirche Pangratz Motschenbach und den Geistlichen Rat Lerchenfelder als Kommissare ins Kloster und bestimmte die Neuwahl für den 14. Juni[431]. Die Aufnahme Fr. Thomas in den engeren Kreis der Kandidaten für die Nachfolge Abt Puels überrascht aufgrund seines bisherigen Weges nicht; Abt Dietmair von Aldersbach, inzwischen zum Provinzialvikar der bayerischen Klöster ernannt[432], nahm drei mögliche Kandidaten ins Visier: Fr. Blasius Magolt, der ebenfalls in Ingolstadt studiert hatte[433], Fr. Adam Holzwarth, den Kaplan von Inchenhofen – auch er ein Ingolstädter Absolvent[434] –, und Fr. Sebastian Thoma; alle drei waren als sehr fleißig und talentiert bekannt[435].

Die Wahl vollzog sich gemäß den Vorschriften nach Abhaltung einer Exhorte, Zelebration der Votivmesse zum Heiligen Geist und dem Heilig-Geist-Hymnus im »modus compromissi«. Die Kompromissäre aus dem Konvent, darunter vermutlich Prior Bartholomäus Lichtenberger und Subprior Johannes Hegemiller, schlugen Fr. Sebastian Thoma vor, »de cuius pietate eruditione, modestia, sobrietate, morum integritate et in rebus gerundis detexerite omnibus palam constaret«[436]; das Kapitel wählte schließlich den Kandidaten. Der Vaterabt aus Aldersbach war mit dieser Wahl einverstanden und konfirmierte unverzüglich den Gewählten; von ihm wurde Abt Thoma in die geistlichen Rechte und Pflichten des Klosters eingesetzt, vom herzoglichen Kommissar Pangratz Motschenbach in die Verwaltung der zeitlichen Güter[437], jedoch nicht, ohne entsprechende Ermahnungen bezüglich der Wirtschaftsführung erhalten zu haben. Zu einer Machtprobe zwischen dem

---

[429] Repertorium Fürstenfeld, unter 1596. BHStAM. KL Fürstenfeld 369, pag. 582, Nr. 442.

[430] Maximilian an Abt Johannes Dietmair von Aldersbach, 4. Juni 1610 (Kopie). BHStAM. KBGR 34, foll. 206v–207r.

[431] Maximilian an Pangratz Motschenbach und GR Albrecht Lerchenfelder, 11. Juni 1610. BHStAM. KL Fürstenfeld 1, fol. 149; BHStAM. KBGR 34, foll. 207v–208r (Kopie).

[432] Siehe dazu: Teil III, Kap. 2.2.4.

[433] Vgl. Matrikel Ingolstadt II/1 26, 2, unter dem 17. Oktober 1601.

[434] Vgl. Matrikel Ingolstadt I 1202, 8, unter dem 7. Oktober 1588.

[435] Bericht Pangratz Motschenbachs an Maximilian, München, 26. Juni 1610. BHStAM. KL Fürstenfeld 1, fol. 150.

[436] Wahlinstrument Abt Sebastian Thomas durch Abt Johannes Dietmair von Aldersbach, Fürstenfeld, 20. Juni 1610. BHStAM. KU Fürstenfeld 2481.

[437] Bericht Pangratz Motschenbachs an Maximilian, München, 26. Juni 1610. BHStAM. KL Fürstenfeld 1, foll. 150r–153r.

Freisinger Bischöflichen Geistlichen Rat und dem Orden gestaltete sich die
Abtsbenediktion Sebastian Thomas. Nachdem man in Freising erfahren hatte, daß Abt Thoma sich von seinem Vaterabt Dietmair benedizieren lassen
wolle, schrieb der Geistliche Rat an die Amper und forderte Abt Thoma auf,
daß er »altem herkhommen gemeß die Benedictionen alhie empfange«[438].
Dieser hat sich geschickt aus dem Dilemma gelöst und »sich hierauf gannz
diemiettig entschuldiget und vermeldet daß er ye lieber die Benedictionen
alhie von Ir[en] B[ischö]fl[ichen]. Gn[aden]. wegen empfangen und gern alle
schuldigkait laisten wolte. dieweil ime aber durch seinen hern Visitatorem
von Alderspach per obedientiam auferladn worden sich zu ime zuverfiegen
und aldort die … Benedictionen zu empfangen. Als hab er sich solchem
beuelh nit widerstehen sollen noch derffen«[439]. Somit erhielt Abt Thoma die
Benediktion wohl in Aldersbach; wenige Tage darauf schickte er zu seiner
Absicherung ein Schreiben mit den Abschriften der päpstlichen Privilegien
bezüglich der Abtsbenediktion nach Freising[440]. Eine angenehme Überra-
schung erlebte am Wahltag noch der Aldersbacher Abt Johannes Dietmair: In
einer Kammer neben der Fürstenfelder Prälatur fand sich eine Truhe mit
13000 fl und zwei Zetteln, aus denen hervorging, daß einer seiner Vorgänger
wegen drohender Kriegsgefahr das Geld nach Fürstenfeld transportieren habe
lassen[441]. Voll Freude nahm Abt Dietmair die ihm unbekannte Hinterlassenschaft mit nach Hause.
Sobald Sebastian Thoma zum Abt gewählt war, kamen die herzoglichen
Beamten mit einer Unmenge an Anweisungen, sowohl für das geistliche
Leben als auch für die Verwaltung. Auf zwanzig Folioseiten versuchte der
herzogliche Geistliche Rat, dem neugewählten Abt die Richtung zu weisen
und stärker in das Leben des Klosters einzugreifen[442]. Ein weiteres Schreiben

---

[438] Sitzungsprotokoll des BGR, 8. Juli 1610. AEM. GR. PR. 32, fol. 29v.

[439] Ebd., fol. 30r.

[440] Ebd., fol. 30.

[441] Bericht Pangratz Motschenbachs an Maximilian, München, 26. Juni 1610. BHStAM. KL
Fürstenfeld 1, fol. 152v.

[442] Instruktion des GR an Abt Sebastian Thoma, 20. Juni 1610. BHStAM. KL Fürstenfeld 1,
foll. 154r–164r. – Die wichtigsten Punkte sind daraus:
1. Der Abt soll sich um die Abhaltung der Gottesdienste, Stiftungen und Jahrtage fleißig
kümmern und möglichst selbst dabeisein.
2. In allen religiösen Belangen soll der Abt ein Vorbild für seine Konventualen sein und
alle zu Andacht und rechter Predigt anhalten.
3. Besonders auf die Klausur soll der Abt achten und »das aus- und einlauffen den Weibspersonen beim Closster nit gestatten«.
4. Überhaupt sollen die Disziplin und das Stillschweigen besonders beobachtet werden.
5. Die Zahl der Diener soll verringert werden.
6. Beim Mahlen und Backen soll darauf geachtet werden, daß kein Mehl abhanden
kommt.
7. Der Abt soll Ein- und Ausgabe an Geld und Naturalien sauber aufzeichnen.
8. Die Einnahmen sollen durch »gebührliche mitl« verbessert und die Ausgaben gesenkt
werden.

vom Herbst 1610 bestätigt die Nachdrücklichkeit, mit der man seitens des Landesherrn den Abt zu beeinflussen suchte; noch einmal wurde er auf die Anweisungen der Wahlkommissare aufmerksam gemacht[443]. Ihm stand eine bewegte Regierungszeit bevor, an deren Ende bereits die schwarzen Unheilswolken des Dreißigjährigen Krieges über den Horizont heraufzogen. Nach dreizehn ausgefüllten Jahren als Abt verstarb Sebastian Thoma am 3. November 1623 im Alter von nur einundfünfzig Jahren[444]. Sein früher Tod indes veranlaßte den Chronisten Abt Führer, ihn »glücklich zu nennen, daß er die Zerstörung des Klosters nicht erlebt hat«[445].

3.4.1.2   Charakterzüge und Persönlichkeit Abt Sebastian Thomas

Von Kindheit an war Abt Sebastian Thoma mit dem Kloster Fürstenfeld, seinen Gebräuchen und Gesetzmäßigkeiten und seiner Atmosphäre vertraut; dadurch bekam sein Verhältnis zum Kloster etwas völlig Selbstverständliches und Natürliches. Abt Thomas hohe Identifikation mit dem Kloster Fürstenfeld zeigte sich in der durch ihn veranlaßten Aufstellung einer prachtvollen Abschrift des »Carmen de fundatore« von Abt Johann Albrecht Pistorius im Jahr 1616[446]. Über eine außerordentliche Gelehrtheit Abt Sebastian Thomas ist – außer seinem Hochschulstudium in Ingolstadt – nichts bekannt; sicherlich war er ein kluger Kopf, eigene Schriften oder Reformansätze sind aber nicht überliefert. Aus seiner Studienzeit bewahrte er sich allerdings eine geschliffene Diktion, mit der er seine Korrespondenz erledigte; in seinen Briefen verwandte der Abt häufig lateinische Wendungen und Begriffe, um sein Gegenüber diskret aufzuklären, daß er es nicht mit einem Landpfarrer, sondern mit einem Zisterzienserabt zu tun habe[447]. Abt Thoma war, wie sein Vorgänger Abt Puel, ein eifriger Träger der Reformen, die ihm sein Orden

---

9. Auch beim Schlachten soll nichts verschwinden.
10. Besonders soll man auf die Drescher achten, daß sie »durch Ir Faulkheit die khörner nit in öfern schiben«.
11. Pferdeställe und Meierei sollen wirtschaftlicher arbeiten, die Eiermägde sollen angehalten werden, überall zu suchen.
12. Schäden an den Gebäuden müssen rasch ausgebessert werden.
13. Gut soll man auch die Ehalten außerhalb des Klosterhofbaus beaufsichtigen, damit nichts verschwindet.
14. Das Holz soll besser abgerechnet werden: Beim vorigen Abt hätte das Volk 1500 Klafter Holz ohne Bezahlung entwendet.
15. Überhaupt soll der Abt ein guter Hausvater sein.

[443] Maximilian an Abt Sebastian Thoma, 15. Oktober 1610 (Kopie). BHStAM. KBGR 34, foll. 412v–413r.
[444] Necrol. BStB. Clm 1057, fol. 44v. – Repertorium Aldersbach, unter dem 9. November 1623. BHStAM. KL Aldersbach 73, fol. 19v.
[445] Führer, Chronik § 196.
[446] Ebd. §§ 165, 196.

und der Herzog vorgegeben hatten, und um Vermittlung zwischen den gelegentlich widersprechenden Idealen bemüht. In und aus diesem Geist der erstarkenden Katholizität lebte er; sein eigenständiges Streben ging dahin, das neu gewonnene Selbstbewußtsein des katholischen Glaubens in Kunstwerken und Neugestaltungen der Kirchen und Kapellen des Klosters umzusetzen. Auch in der persönlichen Frömmigkeit war Abt Thoma ein Kind seiner Zeit, geprägt durch die jesuitischen Ideale der Schau, der Betrachtung, der Nachfolge und Disziplin: Er kaufte Rosenkränze und Agnus-Dei-Bilder und beschaffte zeitgenössische Devotionalien. So leitete er seinen Konvent und sein Kloster, und aus dieser tiefen Innerlichkeit heraus ist auch sein Drang zu äußerer Repräsentation verstehbar. Hinter dieser auf den ersten Blick konventionellen und vermeintlich angepaßten Persönlichkeit blitzten aber gelegentlich die eigenen Vorstellungen auf, gerade in der Finanzverwaltung, die er wie schon seine Vorgänger ungern offenlegte; in diesem Punkt ließ sich auch der ansonsten sehr loyale Abt Sebastian Thoma nicht uneingeschränkt vom Landesherrn kontrollieren.

3.4.2   Zustand und Führung des Konvents

3.4.2.1   Größe, Disziplin und Reformen

Die Stärke des Konvents blieb im Vergleich zu den vergangenen Jahren unverändert: Die letzte Visitation von 1608 ergab die Anzahl von fünfundzwanzig Profeßmönchen einschließlich des Abtes[448], das Wahlinstrument von 1610 erwähnte die Konventgröße nicht. Aus der Regierungszeit Abt Thomas ist keine Mönchsliste überliefert, nur aus den Rechnungsbüchern ist die Konventstärke erkennbar: In den Jahren 1613 und 1614 wohnten neben dem Abt vierzehn Priester und sechs Junioren im Kloster; in St. Leonhard lebten fünf Mönche, so daß sich ein Gesamtstand von sechsundzwanzig Profeßmönchen ergab[449], der gegenüber 1608 also fast gleich geblieben war. 1621 kaufte Abt Thoma achtundzwanzig Paar Handschuhe für den Konvent, so daß dieser gegen Ende seiner Prälatur noch einmal leicht angewachsen war[450].

---

[447] Als Beispiel hierfür dient ein Brief Abt Thomas an den Propst Simon Werlin von Diessen vom 10. November 1612 (BHStAM. KL Fasc. 233/21), in dem er zwischen den zahlreichen lateinischen juristischen Fachausdrücken, mit denen er seinen Fischereirechten Nachdruck zu verleihen sucht, gelegentlich auch ein deutsches Wort verwendet.

[448] Visitationsrezeß Abt Johann Martins von Char-lieu, Fürstenfeld, 11. Januar 1608 (Kopie). BHStAM. Aldersbach Archiv Schublade 107, fasc. 3, prod. 12.

[449] Rechnungsbücher von 1613 und 1614. BHStAM. KL Fasc. 957/60. – Die beiden Rechnungsbücher von 1613 und 1614 verzeichnen übereinstimmend diese Zahlen unter den Rubriken »Konvent« (Neujahrsgeschenke) und »Zehrung« (Trinkgelder für die Inchenhofener Konventualen an Christi Himmelfahrt). – Siehe Anhang 1.2: Konventstärken.

Seit den skandalösen Vorfällen des Jahres 1586, die Abt Thoma vielleicht als Vierzehnjähriger von außen mitbekommen hatte, war es im Konvent ruhiger geworden; zumindest drang seit der Regierungszeit Abt Puels nichts mehr über größere Disziplinvergehen an die Öffentlichkeit. Auch aus der Zeit Abt Thomas gibt es darüber nichts zu berichten; das gut informierte Aldersbacher Repertorium enthält keine diesbezüglichen Notizen. Zwar mahnten die oben erwähnten Schreiben des Geistlichen Rats immer wieder die Einhaltung strenger Klosterzucht und Disziplin an, es ist aber kein Fall bekannt, in dem zu härteren Maßnahmen hätte gegriffen werden müssen. Ursache dafür ist möglicherweise unter anderem das Studium der Junioren bei den Ingolstädter Jesuiten, wo den Studenten nicht nur Wissen, sondern eine umfassende Lebenshaltung vermittelt wurde; Disziplin und Gehorsam gelten als Grundpfeiler der ignatianischen Spiritualität. Sicherlich verinnerlichten die Studenten in Ingolstadt mehr als frühere Generationen diese Anforderungen an einen Mönch; auszuschließen waren disziplinäre Vergehen damit freilich nicht. Bei seinen Konventualen galt Abt Thoma aufgrund seiner Konsequenz als strenger Abt: Im Verlauf der Visitation des Aldersbacher Abtes Michael Kirchberger (1612–1635) im November 1616 forderte der Konvent »aliqualem relaxationem« der strengen Amtsführung von Abt Thoma; immerhin erreichte man eine Freilassung des inhaftierten Fr. Augustinus[451].

Über die Führung des Konventes durch Abt Sebastian Thoma sind einige Notizen überliefert. Die Urlaubsfahrten ins Sommerschlößchen an den Ammersee waren weiterhin fester Bestandteil des Jahresablaufs; gelegentlich schickte Abt Thoma auch seine Konventualen auf einen Jahrtag oder ein Patrozinium, wie aus den Rechnungsbüchern hervorgeht[452]. Ausgedehnte Urlaubsreisen wie zu Abt Treuttweins Zeiten unternahmen die Mönche dagegen nicht mehr; die Bitte Fr. Georg Bruckmanns, zu seinen Eltern reisen zu dürfen, legte Abt Thoma seinem Vaterabt Kirchberger vor[453]. Dafür aber verehrte er seinem Konvent großzügige Neujahrsgeschenke, meist in Geldform[454]; auch sonst bekamen die Mönche gelegentlich Trinkgeld. Eine größere Freiheit für die Konventualen suchte der Prälat bezüglich des bislang nur einmal wöchentlich erlaubten Spaziergangs zu erreichen: In Aldersbach fragte er »wegen wochentlich zweymaligen spazier gang«[455] an; vermutlich

[450] Rechnungsbuch von 1621, »Konvent«. BHStAM. KL Fürstenfeld 217 1/6.
[451] Repertorium Aldersbach, unter dem 3. Dezember 1616. BHStAM. KL Aldersbach 73, fol. 18v.
[452] Rechnungsbücher von 1613 und 1614, »Zehrung«. BHStAM. KL Fasc. 957/60.
[453] Repertorium Aldersbach, unter dem 27. Juli 1615. BHStAM. KL Aldersbach 73, fol. 18v.
[454] Immerhin verehrt der Abt seinen Konventualen 37 fl, 3 ß, 25 dl, 1 hl zu Neujahr. Rechnungsbuch von 1613, »Konvent«. BHStAM. KL Fasc. 957/60.
[455] Repertorium Aldersbach, unter dem 15. Januar und 16. April 1615. BHStAM. KL Aldersbach 73, fol. 18v.

wurde dieser von Abt Kirchberger in Anlehnung an die seit 1607 geltenden
»Leges et Statuta« der Abtei Salem genehmigt[456].

In der Durchführung von Reformen setzte Abt Sebastian Thoma den von seinem Vorgänger Puel eingeschlagenen Weg fort: Konsequent führte er die
liturgischen und geistlichen Neuerungen ein, kaufte Rosenkränze und
Römische Breviere für seine Konventualen[457], noch bevor ihr Gebrauch 1618
vom Generalkapitel vorgeschrieben wurde[458], beschaffte ein Dutzend
Agnus-Dei-Bilder zur frommen Erbauung[459] und ließ etliche Andachtsbilder
im Geschmack der Zeit anfertigen: eine Beweinung Christi[460], ein Ecce-
Homo-Bild und eine Pietà[461], eine Darstellung des hl. Paares[462] und einen hl.
Franziskus[463]. Sicherlich dienten diese Neuanschaffungen ebenso der Reprä-
sentation wie der Devotion, unverkennbar ist der Geist der neuen Zeit, der in
Fürstenfeld Einzug gehalten hat. Der gute geistliche Ruf des Klosters unter
Abt Thoma ist durch eine Anfrage nach einem Beichtvater indirekt belegt:
Abt Balthasar aus dem Neukloster in Wiener Neustadt suchte einen Confes-
sarier für seinen Konvent und fragte in Aldersbach nach einem geeigneten
Mönch nach; der dortige Abt mußte bedauernd ablehnen, verwies seinen
Amtsbruder aber nach Fürstenfeld, wo es genügend qualifizierte Konventua-
len gebe[464].

3.4.2.2   Visitationen

3.4.2.2.1   Der landesherrliche Versuch einer Visitation

Aus der dreizehnjährigen Regierungszeit Abt Sebastian Thomas sind drei
Visitationen sowie ein landesherrlicher Versuch zu einer Visitation belegt.
Eine erste Visitation hielt 1613 der neugewählte Abt Michael Kirchberger
von Aldersbach. Ihre Durchführung ist nur aufgrund einer Notiz im Rechnungsbuch desselben Jahres bekannt[465], über Verlauf und Ergebnisse fehlt

---

[456] Vgl. Rösener, Salem 699.
[457] Rechnungsbuch von 1614, »Konvent«. BHStAM. KL Fasc. 957/60.
[458] »Diffinitiones Capituli Generali«, 1618 (Kopie). BHStAM. KL Raitenhaslach 112,
        fol. 107v. – »Charta maioris abbatialis«, 8. Juli 1618 (Kopie). BHStAM. Aldersbach Archiv
        Schublade 107, fasc. 5, prod. 2.
[459] Rechnungsbuch von 1614, »Gemeine Ausgaben«. BHStAM. KL Fasc. 957/60.
[460] 4 fl an den Maler Joseph: Rechnungsbuch von 1614, Buchstabe »M«. BHStAM. KL Fasc.
        957/60.
[461] 3 fl an den Maler Joseph: Ebd.
[462] 3 fl an den Maler Anton: Ebd.
[463] 1 fl, 5 ß, 18 dl an den Maler Joseph in Rain: Ebd.
[464] Abt Balthasar von Neukloster in Wiener Neustadt an Abt Sebastian Thoma, Wiener Neu-
        stadt, 27. Juli 1616. BHStAM. KL Fürstenfeld 588, prod. 20.
[465] Rechnungsbuch von 1613, »Konvent«. BHStAM. KL Fasc. 957/60.

jede Nachricht. Die beiden anderen, ausführlicher dokumentierten Visitationen fanden 1616 und 1618 ebenfalls durch den Aldersbacher Abt Kirchberger statt. Dazwischen aber lag ein aufschlußreicher Versuch des Landesherrn, Fürstenfeld wieder stärker in seine Kirchenpolitik einzubeziehen.

Herzog Maximilian vertrat die Ideen eines ausgeprägt staatskirchlichen Denkens: Die Kirche war bei ihm selbstverständlich Teil des Staates und somit dessen Räson und Aufsicht unterworfen[466]. Seit dem Jahr 1616 schickte er den Dekan der Münchener Frauenkirche Jacob Golla[467] als Generalvisitator durch das Land mit dem Auftrag, die nicht exemten Klöster und Stifte zu visitieren und zu reformieren[468]. Dazu besorgte er seinem Stiftsdekan eine Generalvollmacht des Apostolischen Visitators Johannes Dominicus Spinola, der zu dieser Zeit durch die Lande reiste[469]. Mit diesem Vorgehen forderte der Herzog zunächst den heftigen Widerspruch des Freisinger Fürstbischofs Stephan von Seiboldsdorf (1612–1618) heraus, der sich in seinen geistlichen Rechten empfindlich beeinträchtigt sah. Fürstbischof Stephan forderte die Klöster auf, dort, wo sich die Visitationen nicht mehr verhindern ließen, wenigstens dagegen zu protestieren und sich juristische Gegenmaßnahmen vorzubehalten[470], wenngleich dies für den Herzog kein Hindernis bedeutete. Auch im Zisterzienserorden sorgte das Vorhaben des Herzogs für jahrelang anhaltende Unruhe; aufgrund ihres Widerstandes konnten die bayerischen Männerzisterzen jedoch eine Visitation durch Golla verhindern[471].

3.4.2.2.2 Die Visitationen 1616 und 1618

Nach den Auseinandersetzungen um die staatliche Visitation Fürstenfelds reiste im Herbst 1616 schließlich der Aldersbacher Abt Michael Kirchberger an die Amper, um das Kloster zu visitieren und Golla zuvorzukommen. Damit entlastete er auch den Generalabt Nicolaus II. Boucherat, der im selben Jahr Oberschönenfeld und Seligenthal visitierte[472]. Die überlieferte »Charta visitationis« zeichnet ein geordnetes Bild vom Zustand des Klosters

---

[466] Zur Charakterisierung der Staatskirchenpolitik Maximilians ausführlicher Teil III, Kap. 1.2.3.

[467] Zu Jacob Golla (Dr. theol.; * 1568 im Trento, 1604–1610 Dekan des Kollegiatstiftes zu Altötting, 1610–1648 Dekan zu Unserer Lieben Frau in München und GR; bekannt für seine große Strenge und der Verbundenheit zu den SJ, aber kaum der deutschen Sprache mächtig; † 1648): Pfister, München 400–401, 432.

[468] Vgl. Weber, Reform 246.

[469] Visitationsvollmacht für Jacob Golla durch den Apostolischen Visitator Johannes Dominicus Spinola, Passau, 19. Februar 1617. BHStAM. KL Raitenhaslach 142, fasc. 2, prod. 4 (Kopie). BHStAM. KL Fürstenfeld 330, prodd. 11–13 (Kopien).

[470] Vgl. Weber, Reform 246.

[471] Ausführlich zu diesen Ereignissen: Teil III, Kap. 1.2.3.3.

[472] Vgl. Klaus, Oberschönenfeld 486–487; Schneider, Seligenthal 499.

Fürstenfeld; größere disziplinäre Verstöße wurden ebensowenig angemerkt
wie finanzielle oder administrative Probleme. Das Hauptaugenmerk lag auf
der feierlichen und würdigen Gestaltung des Stundengebetes, das nach dem
Geschmack des Visitators zu schnell und zu lieblos absolviert wurde; daneben wurden Maßregeln für das Verhalten der Mönche in- und außerhalb des
Klosters, die Tischlesung und die Lektüre der Junioren gegeben. Alle diese
Regeln sind aber im wesentlichen Einzelheiten und belegen, daß der Zustand
des Konvents unter Abt Thoma überaus solide war[473].

In ähnliche Richtung, aber weit ausführlicher, gingen die Verordnungen der
Visitation, die Abt Kirchberger zwei Jahre später in Fürstenfeld hielt. Auch
deren »Charta visitationis« ist erhalten[474]; sie umfaßt zwei große Teile: Ein
erster Abschnitt beschäftigt sich mit der Liturgie und deren genauem Vollzug. Erstmals ist für Fürstenfeld dabei ein Tagesablauf überliefert; fraglich ist
allerdings, ob er zu dieser Zeit bereits in Übung war oder eingeführt werden
sollte. Eindeutig erkennbar ist dabei die Tendenz, die Lebens- und Gottes-
dienstgewohnheiten im Orden gemäß den Vorschriften des Tridentinums zu
vereinheitlichen, auf dessen Beschlüsse in diesem Text immer wieder Bezug
genommen wird[475]. Im zweiten Teil werden Einzelheiten des täglichen
Lebens genau geregelt, die vermutlich näher auf die Zustände in Fürstenfeld
eingehen und herrschende Mißstände abschaffen sollen:

1. Gäste sollen gemäß der Benediktsregel vom Prior in den Chor geleitet werden.
2. Verbot, Frauen in die Klausur zu führen; auch als Gäste dürfen Frauen,
   selbst in Begleitung ihrer Ehemänner, nicht ins Kloster.
3. Anweisungen, auf das Geld zu achten und es in einer verschlossenen Truhe aufzubewahren, zu der nur Abt, Prior und Subprior einen Schlüssel
   haben.

---

[473] »Charta visitationis« Abt Michael Kirchbergers von Aldersbach, 22. November 1616.
BHStAM. Aldersbach Archiv Schublade 107, fasc. 5, prod. 1.
Die wichtigsten Punkte daraus sind:
1. Ermahnung, alle kanonischen Horen, von der ersten bis zu letzten nach den liturgischen
   Vorschriften und mit der nötigen Ehrerbietung zu feiern. Besonders Terz und Vesper sei-
   en zu halten »morosius cum suis pausis distinctionibus et punctis in medio versuum
   prout in forma Beatis P[atris]. N[ost]ri. Bernardi clarius continetur«, außerdem »cum
   attentione deuotius«. Auch die Praesides Vigiliarum sollen den »pulsum taliter tempo-
   rari, vt hora ad summum ... matutinarum certo finiantur«. Nach der Komplet soll das
   Stillschweigen beachtet werden.
2. Diejenigen Mönche, die zu einem Jahrtag hinausgehen, sollen sich dort anständig benehmen und nicht zu viel essen und trinken, auch wenn sie von jemandem eingeladen werden. Im Zuwiderfalle kann man ihnen auch mit dem Kerker drohen. Auch sonst sollen
   sich die Mönche in Speise und Trank mäßigen; was übrig bleibt, soll man an die Armen
   weitergeben.

4. Der Abt wird angewiesen, nichts ohne Beratung mit Prior, Subprior, Granarius und Bursarius zu unternehmen, weder in geistlichen noch in weltlichen Dingen. Besonders sollen ohne Beratschlagung keine Novizen aufgenommen werden, niemand geweiht oder entlassen werden.

5. Was die Zuteilung von persönlichen Gegenständen betrifft, so soll der Abt die Regel Benedikts beachten, und niemandem zu viel oder gar zu wenig geben.

6. Die liturgische Kleidung, welche die Priester zur Zelebration brauchen, sollen in der Sakristei, das Eßbesteck, Serviette und andere Tischgegenstände im Refektorium aufbewahrt und eingeschlossen werden.

7. Kerzen und Leuchter dürfen sich nur in den Zellen von Prior, Subprior und Sakristan befinden. In keiner Zelle dürfen »curiosae, uanae, inhonestae Imagines animi distractionem & leuitaten potius quam defeuotionem« liegen.

8. »Capuciola minuta« oder »pilioli«, genannt Spitzhaubel, dürfen nicht getragen werden; statt dessen sollen die vom Orden vorgeschriebenen Kleidungsstücke verwendet werden.

9. Der Abt soll insbesondere darauf achten, daß die Novizen, aber auch alle anderen Mönche genügend in die liturgischen Gebräuche des Ordens eingeführt werden.

Die Aufzählungen zeigen, daß sich der Gegenstand der Visitation seit Mitte des 16. Jahrhunderts erheblich gewandelt hat. Anstelle der Ordnung grundlegender Probleme wurden seit Beginn des 17. Jahrhunderts Details in Liturgie und Lebensweise im Bestreben auf eine möglichst umfassende ordensinterne Vereinheitlichung hin geregelt. Als Grundlage dienten dabei in Fürstenfeld wie anderswo neben den hergebrachten zisterziensischen Ordensregeln, Erlassen von Päpsten und Generalkapiteln besonders die Dekrete des Konzils von Trient und die Fürstenfelder Reformstatuten, deren Rezeption gerade

---

3. Streng sei verboten, außerhalb der geregelten Essenszeiten etwas zu essen oder zu trinken oder vom Tisch sich für später etwas aufzubewahren.

4. Bei Tisch soll mittags und abends die fromme Tischlesung nicht fehlen.

5. Die Junioren sollen sich in den Zeiten für Lesung und Studium sommers in ihren Zellen, winters im »musaeum« aufhalten und sich still und fromm beschäftigen.

6. Insgesamt sollen die Mönche so leben, daß sie alle »scandala« und »turbae« vermeiden. Deshalb dürfen auch keine Personen, die solche »scandala« provozieren, ins Kloster gelassen werden; auch die Mönche dürfen sich nur mit Erlaubnis des Abtes aus dem Kloster entfernen.

7. Briefe dürfen die Mönche nur mit Erlaubnis des Abtes schreiben oder empfangen; der Abt darf die Briefe lesen. Auf diese Weise soll verhindert werden, das Kloster nach außen in schlechtes Licht zu rücken.

474 »Charta visitationis« Abt Michael Kirchbergers von Aldersbach, Fürstenfeld, 8. Juli 1618. BHStAM. Aldersbach Archiv Schublade 107, fasc. 5, prod. 2.

475 Genauer gehen auf diesen wertvollen Text Teil II, Kap. 2.1.1, 2.2.2 und 2.2.3 ein.

begonnen hatte[476]. Diese Entwicklung schließt zugleich ein, daß gravierende, öffentlichen Anstoß erregende disziplinäre Schwierigkeiten – zumindest auf den Raum Fürstenfeld bezogen – kaum vorkamen. Wären sie bekannt geworden, so hätte Herzog Maximilian seinerseits keinen Augenblick gezögert und eine Visitationskommission nach Fürstenfeld abgeordnet, gegen die sich der Abt nicht mehr hätte wehren können.

3.4.3   Zur Bautätigkeit Sebastian Thomas

Abt Sebastian Thoma gilt in besonderer Weise als Bauherr, unter dessen Regie viele Umbauten und Renovierungen, auch einige völlige Neubauten vorgenommen wurden[477]. Hauptsächlich das Klostergebäude und die Leonhardskirche in Inchenhofen erfuhren zu seiner Zeit Veränderungen.

3.4.3.1   Umbauten am Kloster

Abt Gerard Führer erwähnt in seiner Chronik fünf größere Bauprojekte Abt Sebastian Thomas: Die Erweiterung und Ausstattung der Kapelle der Heiligen Markus und Lukas in der Klosterkirche, die Errichtung eines Sebastianialtares und die Renovierung bzw. Neuerrichtung von Krankenhaus, Gastbau und Bibliothek[478]. Die Klosterkirche und die Konventsgebäude stammten im wesentlichen noch aus der gotischen Zeit Abt Alberts (1270–1274), ausgenommen einige Umbauten späterer Äbte, wie den Bibliotheksbau Abt Leonhard Baumanns[479]. Große Renovierungs- und Umbauarbeiten führte allerdings erst Abt Martin Dallmayr durch: 1661 bis 1664 ließ er die Klosterkirche umgestalten, schon früher wurde auch der Konventbau renoviert[480].

Die größte Veränderung unter Abt Thoma war der Umbau der alten Kapelle der Heiligen Markus und Lukas[481], die im Reliquienverzeichnis von 1602 unter dem Buchstaben »S« aufgeführt wird[482]; ihr Standort ist nicht mehr

---

[476] Lauterer, Wirkungsgeschichte 714–718.

[477] Führer, Chronik § 192, 194, 196. – Vgl. Fugger, Fürstenfeld 90.

[478] Führer, Chronik § 192.

[479] Dazu: Alexander Zeh, Ein Rekonstruktionsversuch des alten Klosters Fürstenfeld, in: Amperland 28 (1992) 287–292.

[480] Vgl. dazu Klemenz, Dallmayr 126–140.

[481] Führer, Chronik § 192; laut Führer befanden sich allerdings die beiden Kapellen in der Kirche. Führer geht fälschlicherweise von zwei Kapellen aus; im Reliquienverzeichnis Abt Johann Puels, 31. Januar 1602. BHStAM. KL Fasc. 239/51, Littera B, Buchstabe »S« handelt es sich zweifelsfrei um eine Kapelle.

[482] Reliquienverzeichnis Abt Johann Puels, 31. Januar 1602. BHStAM. KL Fasc. 239/51, Littera B, Buchstabe »S«. – Grundriß der gotischen Klosterkirche vor 1661, undatiert. BHStAM. Pls

feststellbar. Entweder wurde zwischen 1602 und 1661 eine Kapelle abgerissen, da auf dem Grundriß von 1661 eine Kapelle dieses Patroziniums oder identifizierbar mit dem Buchstaben »S« nicht existiert, oder die Kapelle »S« befand sich außerhalb der Kirche; die Abtskapelle konnte damit aber nicht gemeint sein, denn sie trug den Buchstaben »B«[483]. Auch die alte Pfortenkapelle veränderte Abt Sebastian Thoma: Ursprünglich der hl. Anna geweiht[484], widmete er sie seinem Namenspatron und ließ sie neu ausstatten. Beim Umbau unter Abt Dallmayr, in dessen Verlauf die gesamte südliche Kapellenreihe niedergelegt wurde, blieb die Sebastianskapelle als einzige unversehrt stehen[485]: Entweder ließ sie Abt Dallmayr aus Pietät vor seinem Vorgänger unangetastet, oder die Sebastianskapelle hatte eine zu große volksreligiöse Bedeutung, als daß man sie hätte abreißen können.

Als zweiten größeren Umbau gestaltete Abt Sebastian Thoma seine Kapelle in der Prälatur völlig neu aus, in deren Altar als besonderes Heiltum eine Dorne aus der Krone Christi verehrt wurde[486]; als würdige Zierde dafür kaufte der Abt 1613 ein silbernes Kreuz für 280 fl von einem Freisinger Barfüßer. Einen neuen Altar lieferte der Weilheimer Bildhauer Hans Degler für 340 fl in die Kapelle, ausgemalt wurde der Raum schließlich für 160 fl von Georg Scheibl und seinem Gesellen[487]. Durch viele weitere, in den Rechnungsbüchern belegte Renovierungsarbeiten in der Klosterkirche und an den Konventsgebäuden dokumentierte der Prälat Thoma die Prosperität seines Klosters: Die »Traubenmadonna« im Schrein des Hochaltars wurde farbig gefaßt – Ausdruck einer großen Tradition der Marienverehrung in Kloster und Orden[488]. Erneuern ließ der Abt das Antependium am Hochaltar, von dem aber nichts mehr weiter bekannt ist[489]; an den anderen Altären wurden, wo nötig, Ausbesserungen vorgenommen, um ihnen wieder zu altem Glanz zu verhelfen[490]. Im Jahr 1619 zahlte Abt Thoma alleine an einen Gold-

---

609a. – Siehe dazu den Grundriß der Klosterkirche in Anhang 3.6: Begräbnisse. Ein Altar »S« ist nicht feststellbar.

[483] Siehe Anhang 3.3: Altäre, »B«.

[484] Reliquienverzeichnis Abt Johann Puels, 31. Januar 1602. BHStAM. KL Fasc. 239/51, Littera B, Buchstabe »X«: »In portico summi templi … ad honorem Sanctae Annae.«

[485] Grundriß der gotischen Klosterkirche nach 1661, undatiert. BHStAM. Pls 609b.

[486] Reliquienverzeichnis Abt Johann Puels, 31. Januar 1602. BHStAM. KL Fasc. 239/51, Littera B, Buchstabe »B«. – Siehe Anhang 3.3: Altäre, »B«.

[487] Rechnungsbuch von 1613, »Konvent«. BHStAM. KL Fasc. 957/60.

[488] Am 23. Oktober 1614 bekommt der Maler Hans für die Fassung des »U. L. Frauen-Bild vor dem Choraltar« 2 fl, 3 ß, 15 dl: Rechnungsbuch von 1614, Buchstabe »M«. BHStAM. KL Fasc. 957/60. – TE I 37, B. III.1 datiert die Goldfassung ins 17. Jahrhundert. Da auf oder vor dem Choraltar keine andere Marienfigur bekannt ist, handelte es sich um die »Traubenmadonna«, die Abt Thoma fassen ließ.

[489] 8 fl für die Erneuerung an einen unbekannten Kunsthandwerker: Rechnungsbuch von 1613, »Konvent«. BHStAM. KL Fasc. 957/60.

[490] Rechnungsbuch von 1614, Buchstabe »M«. BHStAM. KL Fasc. 957/60.

schmied 361 fl für dessen Arbeiten[491], 1621 an Bildhauer und Schnitzer
247 fl[492]. An allen Ecken und Enden erstrahlte das Kloster in neuem Glanz,
entsprechend dem Repräsentationsbedürfnis Abt Sebastian Thomas.

Einen jähen Einbruch erlitt der Aufschwung des Klosters durch höhere
Gewalt: Am Sonntag, dem 19. Juli 1615, zog gegen drei Uhr nachts ein gewal-
tiges Gewitter über dem Amperland auf und tobte sich sieben oder acht Stunden ununterbrochen über dem Kloster aus. Ein Blitzschlag traf dabei den
Turm der Klosterkirche, möglicherweise einen Dachreiter[493], zerschmetter-
te ihn vollständig, ließ die Glocken schmelzen und als Erzklumpen in das
Kirchenschiff hinunterbrechen. Dieses Ereignis hatte die Mönche dermaßen
erschreckt, daß noch nachträglich eine Schilderung des Unwetters abgefaßt
und später »ad memoriam perpetuam« an einer Tafel an das Klostergebäude
angebracht wurde[494]. Unverzüglich ging man jedoch an den Wiederaufbau
des Kirchturmes und ließ zwei Glocken gießen; am 25. November des
gleichen Jahres weihte der Freisinger Weihbischof Bartholomäus Scholl die
Glocken auf die Heiligen Maria und Ursula[495].

3.4.3.2   Um- und Neubauten außerhalb des Klosters

Im Jahr 1615, dem gleichen, in dem der Blitzschlag den Fürstenfelder Kirchturm zerstört hatte, projektierte Abt Sebastian Thoma eine völlige Umge-
staltung der Inchenhofener Wallfahrtskirche, die er regelmäßig besuchte[496].
Doch dazu kam es nicht mehr, denn 1618 stürzte das baufällige Langhaus der
Kirche ein; so mußte die Wallfahrtskirche teilweise neu errichtet werden,
und es entstand die heute noch stehende schlicht stukkierte Pfeilerhalle[497].
Zudem wurden die Altäre renoviert und zwei neue Altäre, zu Ehren der Heiligen Leonhard und Martin, sowie das Turmoktogon mit der Zwiebelhaube
errichtet. Umstritten und im Nachhinein nicht mehr endgültig zu klären ist
die Höhe der Kosten dieser Arbeiten: Während Abt Führer von 10000 fl Bau-

---

[491] Rechnungsbuch von 1619, »Goldschmid«. BHStAM. KL Fürstenfeld 217 1/3.

[492] Rechnungsbuch von 1621, »Pildhauer und Schnitzer«. BHStAM. KL Fürstenfeld 217 1/6.

[493] Böhne, Frühgotisches Kloster 431, berichtet davon, daß man bei Ausschachtungsarbeiten
      1956 vor dem Peters- und Paulsaltar, an der damaligen Südostecke der Kirche, das Funda-
      ment des ersten quadratischen Turms gefunden hat. Wenn sich davor kein Fundament eines
      Turmes belegen läßt, müßte es sich bei dem zu Schaden gekommenen Turm um einen
      Dachreiter gehandelt haben; dies entspräche auch der Tradition des Ordens.

[494] Überliefert durch Führer, Chronik § 196, dort wörtlich zitiert. – Siehe Anhang 4.1: Chronik.

[495] Führer, Chronik § 196. – Vgl. Röckl, Beschreibung 34.

[496] Im Jahr 1614 etwa war Thoma mindestens viermal im Superiorat Inchenhofen: an Christi
      Himmelfahrt, vor dem Dreifaltigkeitssonntag, an Pfingsten und an Leonhardi. Dabei dürfte
      der Innenumbau bereits geplant worden sein. Rechnungsbuch von 1614, »Zehrung«.
      BHStAM. KL Fasc. 957/60.

[497] Führer, Chronik § 196. – Vgl. Paula, Wallfahrtskirche 401–403.

kosten berichtet[498] – immerhin der gesamte Klosterhaushalt eines Jahres –, notierte der spanische Zisterzienser Caramuel y Lobkowitz 1646 die unglaubliche Summe von 30 000 fl[499]. Als Ausgabe sind allerdings nur 2858 fl und 9 ß für die Restaurierungen in Inchenhofen aus dem Jahr 1619 gesichert[500]; die nachfolgenden Haushalte 1620 und 1621 verzeichnen nur kleinere Aufwendungen, so etwa für einen »Predigtstuhl«[501] oder vier Chorfenster[502]. Aufgrund der bekannt undurchsichtigen Haushaltsführung der Fürstenfelder Äbte ist aber ohnehin wahrscheinlich, daß die für Inchenhofen ausgegebenen Gelder nicht alle in den Rechnungsbüchern erschienen.

Bei so viel Aufwand für St. Leonhard wurden auch die kleineren Wallfahrten nicht vergessen, immerhin erfreuten sie sich steigender Beliebtheit[503]. Ebenso wie die »Traubenmadonna« vor dem Fürstenfelder Hochaltar ließ Abt Thoma das Gnadenbild der Wallfahrtskirche zu Unserer Lieben Frau in Bergkirchen fassen[504]; wenn diese auch nur zu den lokalen Wallfahrten zu zählen war, so legte man auf ihre Pflege trotzdem Wert. Die zweite Wallfahrtskirche in der Pfarrei Jesenwang, die Kapelle zum hl. Willibald, bekam ebenfalls neue Ausstattungsgegenstände, unter anderem eine Figur des hl. Bernhard[505]. Ein Zeichen setzte Abt Sebastian Thoma hinsichtlich des Siechenhauses bei St. Wolfgang: Obwohl inzwischen einige Streitereien um die Unterhaltspflicht der Armen im Siechenhaus entstanden waren und der Klosterrichter Hans Mayr meinte, man solle das ganze Häuschen abbrechen, weil es nur Gesindel anziehen würde[506], gab der Abt dem Ansinnen nicht nach und hielt an der Einrichtung fest; zu Hilfe kam ihm dabei eine Seelgerätstiftung des Klosterknechtes Martin Claß von 1613, der dem Kloster 100 fl mit der Auflage vermachte, neben den drei Begräbnismessen einen Jahrtag in der Wolfgangskapelle zu halten und die anwesenden Gläubigen zu einem Gebet für den Verstorbenen aufzurufen[507]. Abt Thoma verwandte einen Teil dieses Geldes auf die Innenausstattung des Siechenkircchleins: Ein Altar wurde angefertigt,

---

498 Führer, Chronik § 196.
499 Vgl. Paula, Wallfahrtskirche 403, Anm. 62.
500 Rechnungsbuch von 1619, »St. Leonhardskirche«. BHStAM. KL Fürstenfeld 217 1/3.
501 Rechnungsbuch von 1620, »Malerei«. BHStAM. KL Fürstenfeld 217 1/3. – Gefertigt wurde die Kanzel von Ruprecht Lauth.
502 Rechnungsbuch von 1621, »St. Leonhard«. BHStAM. KL Fürstenfeld 217 1/6.
503 Ausführlich dazu Teil II, Kap. 3.2.
504 3 fl, 3 ß, 25 dl an den Maler Ruprecht: Rechnungsbuch von 1614, Buchstabe »M«. BHStAM. KL Fasc. 957/60.
505 12 fl, 1 ß, 22 dl, 1 hl an den Maler Anton: Ebd. – Unklar bleibt, ob die Figur neu angefertigt oder nur gefaßt wurde. Aufgrund der Höhe der Summe erscheint eine Neuanfertigung aber wahrscheinlicher.
506 Richter Hans Mayr an den Dachauer Landrichter Alexander Pränntl, Bruck, 17. Oktober 1611. BHStAM. KL Fürstenfeld 216 ½, prod. 36.
507 Repertorium Fürstenfeld, unter 1613. BHStAM. KL Fürstenfeld 369, pag. 186, L 2.

und der Raum wurde ausgemalt[508]; von einer Auflösung des Siechenhauses
war nicht mehr die Rede. Auch im Münchener Pfleghaus wurde die Kapelle
erneuert: Am 31. Mai 1613 benedizierte der Freisinger Weihbischof Bartholomäus Scholl die Kapelle und legte die Reliquien der hll. Ursula, Hilarius, Quirinus und Apollinarius in den Altar ein, wie noch zu Zeiten Abt Gerard Führers eine Erinnerungstafel vermerkte[509].

3.4.3.3   Repräsentation als Ausdruck des Selbstbewußtseins

Neben den ausführlich belegbaren Renovierungen der zum Kloster gehörigen
Kirchen und Kapellen, die durch das stark gestiegene Repräsentationsbedürfnis motiviert waren, wandte der Abt auch für seine eigene Person erhebliche
Mittel auf: Guter Kunde war Abt Thoma beim Münchner Seidensticker
Claudius Busot, von dem er sich eine Kasel für 95 fl anfertigen oder eine Mitra mit zehn gestickten Seidenwappen verzieren ließ[510]. Da das Inventar
anläßlich der Wahl seines Nachfolgers Abt Leonhard Lechner (1624–1632)
nicht erhalten ist[511], sind weitere durch Abt Thoma erworbene Pretiosen
zwar nicht belegbar, aber doch zu vermuten.
Die Suche nach den Ursachen dieses Dranges nach Repräsentation ergibt ein
letztlich unentwirrbares Knäuel: Echte Frömmigkeit und das Bedürfnis nach
festlichem Glanz in den Gottesdiensten, die einen höheren Stellenwert und
oft eine ganz neue Gestalt bekommen hatten, verband sich mit der schlichten, kindlichen Freude am Schönen und Wertvollen; dazu kam der Versuch,
staatsmännisches Wesen wenigstens äußerlich zeigen zu dürfen, wenn das
Kloster schon politisch, wirtschaftlich und religiös vom Staat abhing und nur
wenig Autonomie hatte. In der Repräsentation verblieb den Äbten der
Barockzeit oft ein letzter Rest an Eigenständigkeit. Symptomatisch dafür
sind die Fronleichnamsprozessionen, zu denen seit Herzog Wilhelms V. Zeiten die Äbte geladen bzw. beschieden wurden[512]; auch Abt Sebastian Thoma
nahm gelegentlich daran teil und fuhr zusammen mit einem oder zwei Mönchen nach München[513]. Einziger Sinn und Zweck dieser Einladungen waren

---

[508] 14 fl, 28 dl für das »Malen« des Altars; 16 fl für die »Malerei« in der Kirche, beides an einen
       unbekannten Maler: Rechnungsbuch von 1614, Buchstabe »M«. BHStAM. KL Fasc. 957/60.
[509] Führer, Chronik § 194.
[510] Kasel, Stola, Manipel und Antependium aus karmesinrotem Damast mit Silberbesatz für
       95 fl, 1 ß, 15 dl, 1 hl; die 10 gestickten Wappen auf der Infel kosteten 25 fl, 2 ß, 13 dl, 1 hl:
       Rechnungsbuch von 1613, »Konvent«. BHStAM. KL Fasc. 957/60.
[511] Erhalten ist lediglich das Wahlinstrument Abt Leonhard Lechners durch Abt Michael
       Kirchberger von Aldersbach, 11. Februar 1624. BHStAM. KU Fürstenfeld 2551.
[512] Erstmals Wilhelm V. an Abt Leonhard Treuttwein, München, 6. Juni 1582. BHStAM. KL
       Fürstenfeld 331 1/3, prod. 1.
[513] Rechnungsbuch von 1613, »Zehrgeld«. BHStAM. KL Fasc. 957/60.

seitens der Herzöge Repräsentation und Einordnung der Äbte – es waren jeweils an die zwanzig Prälaten geladen – in die Ideenwelt einer Staatskatholizität, in der Glaube und Politik zur unlöslichen Einheit verschmolzen waren. Aus diesem Blickwinkel der unlösbaren Verbindung eines landsässigen Abtes mit der Kirchenpolitik des Herzogs läßt sich das Bedürfnis eines Prälaten besser verstehen, »etwas darstellen« zu wollen. Diese Haltung drückte sich in den Bauten und Renovierungen Abt Sebastian Thomas bereits anfanghaft aus und fand ihr Ende erst mit der Säkularisation.

3.4.4 Bemerkungen zur Wirtschaftsführung

Überaus lohnend, besonders in Hinsicht auf einen Vergleich mit den Rechnungsbüchern seines Vorgängers Abt Johann Puel, ist ein Blick in die Haushalte Abt Sebastian Thomas; aus seiner Amtszeit liegen fünf Rechnungsbücher vor: 1613 und 1614 in einem Band[514], 1619 und 1620 in einem Band[515] sowie 1621[516]. Der auffälligste Unterschied findet sich in den vorgelegten Bilanzen[517]: Während Abt Puels Haushalte negativ abgeschlossen hatten, konnte Abt Thoma jeweils positive Abschlüsse vorweisen, deren Einnahmen die Ausgaben teilweise deutlich überstiegen[518]: 1613 verblieb ein Gewinn von 1 5445 fl, 1 ß, 9 dl[519], 1614 von 1 7048 fl, 16 dl[520], 1619 von 1 9636 fl, 19 dl[521]; einigermaßen rätselhaft bleibt dabei die Herkunft der aufgeführten gewaltigen »Bareinnahmen«[522]. Überaus positiv waren auch die Getreidebilanzen, die Überschüsse von über 2300 Scheffel (1613) oder 3100 Scheffel (1614) anzeigen[523]. In den Rechnungsbüchern aus den letzten Jahren

---

[514] Rechnungsbuch von 1613 und 1614. BHStAM. KL Fasc. 957/60.

[515] Rechnungsbuch von 1619 und 1620. BHStAM. KL Fürstenfeld 217 1/3.

[516] Rechnungsbuch von 1621. BHStAM. KL Fürstenfeld 217 1/6.

[517] Wollenberg, Eigenwirtschaft 351, bezeichnet den Klosterhaushalt 1613 als unvollständig, führt diese Beurteilung aber nicht näher aus; die Quelle BHStAM. KL Fasc. 957/60 weist die Haushaltsführung des Jahres 1613 dagegen als sehr korrekt aus.

[518] Warum Wollenberg, Eigenwirtschaft 385, bemerkt, daß die Bilanz 1613 negativ gewesen sei, ist aus den vorliegenden Quellen nicht ersichtlich, ebenso die These ebd. 387, daß Bilanzen dann positiv ausgefallen seien, wenn herzogliche Verwalter an deren Erstellung beteiligt gewesen waren. Eine Beteiligung herzoglicher Verwalter an den Rechnungsbüchern 1613 und 1614 ist nicht nachweisbar.

[519] Rechnungsbuch von 1613. BHStAM. KL Fasc. 957/60. – Siehe Anhang 2.1: Rechnungsbücher.

[520] Rechnungsbuch von 1614. BHStAM. KL Fasc. 957/60.

[521] Rechnungsbuch von 1619. BHStAM. KL Fürstenfeld 217 1/3.

[522] 2 3686 fl, 4 ß, 2 dl, 1 hl: Rechnungsbuch von 1613. BHStAM. KL Fasc. 957/60. – 1 5445 fl, 1 ß, 19 dl: Rechnungsbuch von 1614. BHStAM. KL Fasc. 957/60.

[523] Rechnungsbuch von 1613, Einnahmen und Ausgaben des Getreides. BHStAM. KL Fasc. 957/60. – Rechnungsbuch von 1614, Einnahmen und Ausgaben des Getreides. BHStAM. KL Fasc. 957/60.

der Prälatur Thomas ist wieder der »Schlendrian« in der Buchführung zu bemerken; Summierungen und eine Jahresabrechnung fehlen.

Auch im Hinblick auf die finanziellen Aufwendungen für Renovierungen und Neuausstattungen der Kirchen und Kapellen, die zum Kloster gehörten, ist davon auszugehen, daß Abt Thoma ein ansehnliches Vermögen in den Truhen und Kästen der Abtei verwahrte. Statt für den Ankauf von Immobilien wendete er seine Gulden lieber zur Ausstattung der Kirchengebäude oder zur Repräsentation auf. Zudem konnten Stuckdecken oder Seidenkaseln im Gegensatz zu Immobilien in Kriegszeiten nicht zugunsten der herzoglichen Kasse versetzt werden, wie schon oft geschehen. In der Tat war der Prälat richtig beraten, das angehäufte Geld sicher zu investieren, denn der Ausbruch des Dreißigjährigen Krieges, dem sich auch Bayern nur zu Anfang entziehen konnte[524], verlangte von den Klöstern hohe finanzielle Leistungen: Herzog Maximilian griff, gelockt durch die Aussicht auf die Vergrößerung Bayerns und den Erwerb des Kurfürstenhutes, ab 1620 militärisch in den Konfessionenkonflikt ein und schickte seinen Generalleutnant Tilly mit 23 000 Mann nach Böhmen. Mit diesen Ereignissen begann der lange Krieg, der letztlich ganz Mitteleuropa auszehren sollte und auch vor Fürstenfeld nicht Halt machte; Abt Thomas Nachfolger, die Äbte Leonhard Lechner (1624–1632) und Georg Echter (1632–1640) bekamen seine Folgen schließlich voll zu spüren: Das Kloster wurde geplündert, der Konvent floh, und zwei Mönche wurden als Geiseln verschleppt[525].

Vorläufig aber forderte der Krieg nur finanzielle Opfer: Herzog Maximilian verlangte am 24. Mai 1620, den gesamten Geldvorrat und das Gold- und Silbergeschirr an die Kriegskasse in München abzuliefern. Abt Thoma hatte zunächst vorgesorgt: In seinem Antwortschreiben bot er dem Herzog 3000 fl an, denn die weiteren Gelder des Klosters, die Hinterlassenschaft Abt Puels in Höhe von 19 284 fl und das durch ihn erwirtschaftete Vermögen in Höhe von 18 659 fl habe er langfristig auf Zinsen angelegt, so daß er nur die 3000 fl anbieten könne; auf eine weitere Anordnung hin schickte Abt Thoma immerhin 1000 fl an die Kriegskasse ein, außerdem einiges an Gold- und Silbergeschirr[526]. Schließlich mußte er doch 14 500 fl an den Herzog überweisen; bei aller Geschicklichkeit konnte sich der Abt den landesherrlichen Geldforderungen nicht dauerhaft entziehen[527]. Der Prälat war, wie die meisten seiner Amtsbrüder in den anderen Stiften, nicht bereit, die Kriege des Herzogs zu finanzieren, mußte am Ende aber doch bezahlen.

Einer der häufigsten Anlässe zu Streitigkeiten mit anderen Klöstern war für Fürstenfeld die Fischerei an der Amper; immer wieder gab es Auseinander-

---

[524] Vgl. für die Anfangsentwicklung des Krieges: Weber, Gepeckh 46–80; HBG II 378–383.
[525] Vgl. Klemenz, Dallmayr 33–44.
[526] Führer, Chronik § 196.
[527] Rechnungsbuch von 1620, »Obligation Maximilians«. BHStAM. KL Fürstenfeld 217 1/3.

setzungen um Rechte, Prozesse und herzogliche Entscheide. Trotz der eigentlich günstigen Lage an der Amper und nahe des Ammersees litt Fürstenfeld zunehmend an Fischmangel, so daß es Fische zukaufen mußte. Immer wieder forderten deshalb herzogliche Kommissare vom Kloster, mehr eigenen Fisch zu erzeugen[528]. Der neu gewählte Abt Thoma kümmerte sich schon bald um die Angelegenheit: Dem Propst des Chorherrenstiftes Diessen, Simon Werlin (1611–1648), schrieb er des öfteren Beschwerdebriefe gegen die Diessener Klosterfischer auf dem Ammersee[529]; auch dem Kaplan von Grafrath, einem Diessener Chorherrn, warf er vor, vorsätzlich die Fürstenfelder Klosterfischer bei der Arbeit zu behindern[530]. Bei Herzog Maximilian schließlich erfocht der Prälat eine Entscheidung über fünf Altwasser, die laut Brief und Siegel dem Kloster gehörten[531]; die Auseinandersetzungen um Fischwasser und deren Rechte zogen sich über die ganze Regierung Abt Thomas hin[532]. Von neunzehn Fischrechten an der Amper hielt Fürstenfeld lediglich acht[533]; da dies für die Versorgung des Klosters nicht ausreichte, entschloß sich Abt Thoma 1613, einen unter seinem Vorgänger Abt Puel zugeschütteten Weiher beim Kloster wieder anlegen zu lassen. In seiner Begründung im Genehmigungsantrag an den Herzog vermerkte er dazu, daß aufgrund der Holzflößerei von Weilheim herab die Anzahl der Fische in der Amper so stark zurückgegangen sei, daß eine Versorgung des Klosters ohne einen neuen Weiher unmöglich wäre. Projektiert wurde dieser vom herzoglichen Baumeister Hanns Reiffenstuel[534].

3.4.5 Bilanz der Regierungszeit Abt Sebastian Thomas

Für Fürstenfeld bedeuteten die Jahre unter Abt Sebastian Thoma eine Zeit des stillen Wachstums, bevor der Schwedenkrieg Land und Kloster verwüstete. Sehr deutlich sind hier an den zahlreichen Bau- und Renovierungsmaßnahmen die Auswirkungen des neuen selbstbewußten Strebens nach Repräsentation wahrnehmbar. Zugleich mußten aber typisch zisterziensische

---

[528] Unter anderem auch in der Instruktion des GR an Abt Sebastian Thoma, 20. Juni 1610. BHStAM. KL Fürstenfeld 1, fol. 159r.

[529] Repertorium Aldersbach, undatiert. BHStAM. KL Fürstenfeld 369, pag. 223, Nr. 347.

[530] Abt Sebastian Thoma an Propst Simon Werlin von Diessen, Fürstenfeld, 10. November 1612. BHStAM. KL Fasc. 233/21.

[531] Abt Sebastian Thoma an Maximilian, 22. April 1610 (Konzept). BHStAM. KL Fasc. 233/21.

[532] Maximilian entscheidet einen Fischstreit über die Rechte bei Stegen: Repertorium Fürstenfeld, unter 1618. BHStAM. KL Fürstenfeld 369, pag. 657, Nr. 334.

[533] Auflistung von Fischrechten an der Amper, 1612. BHStAM. KL Fürstenfeld 2½, fasc. 1, prod. 6.

[534] Abt Sebastian Thoma an Maximilian, Fürstenfeld, 2. Dezember 1613. BHStAM. KL Fasc. 233/21. – Repertorium Fürstenfeld, undatiert. BHStAM. KL Fürstenfeld 369, pag. 800, Nr. 34.

Merkmale der Spiritualität und der Kunst – das ursprüngliche Ideal der Schlichtheit und Verinnerlichung war in den bayerischen Zisterzen ohnehin nur noch rudimentär ausgeprägt – der auf religiöses Erleben hin ausgerichteten Schaufrömmigkeit weichen: Der Humanismus und seine Sensibilität für die Vielfalt katholischen Glaubens war unwiderruflich zu Ende gegangen; barocker Triumphalismus hatte die gotische Filigranität des Lebens überdeckt.

Maßgeblichen Einfluß auf die Veränderungen im Kloster nahm dabei der Landesherr: Er bestimmte, wohin die Klerikerstudenten zur Ausbildung geschickt wurden, er schickte Kommissare zur Überwachung des klösterlichen Lebens, so daß der Abt am Ende ohne herzogliche Genehmigung nicht einmal mehr einen Weiher vor seiner eigenen Türe bauen konnte. Ein Bereich, in dem es auch Abt Thoma teilweise gelang, die herzoglichen Kommissare auf Distanz zu halten, war die Finanzbuchhaltung des Klosters, so daß der Prälat in geheimen Truhen und Ecken kleinere und größere Schätze anhäufen konnte. Neben dem alles kontrollierenden Landesherrn gelang es dem Orden erst langsam, wieder eigenes Profil zu entwickeln. Die Bemühungen um eine neue Ordensstruktur, die etwa zeitgleich mit dem Tode Abt Sebastian Thomas in die Gründung der Oberdeutschen Zisterzienserkongregation mündeten, zeigen, wie gewaltig die Herausforderung der Reformationszeit für den Orden war; ordensinterne Reformmaßnahmen gewannen erst nach langen inneren Kämpfen allmählich auf die Gestalt des klösterlichen Lebens Einfluß. Abt Sebastian Thoma beschränkte sich dabei auf die Leitung seines Klosters. In die Diskussion um die Neuordnung der Strukturen griff der Prälat dagegen nicht ein; dies überließ er den Äbten der großen südwestdeutschen Zisterzen, etwa Abt Peter II. Müller von Salem. Seine Aufgabe sah er – wie auch sein Vorgänger Abt Puel – darin, die verschiedenen Reformimpulse abzuwägen und für sein Kloster umzusetzen[535].

---

[535] Zur Veränderung der Ordensstrukturen ausführlich Teil III, Kap. 2.2.

3.5   Exkurs: Johannes Dietmair, Abt von Aldersbach

3.5.1   Die Jahre bis zum Studienabschluß

Als eine der bedeutendsten Persönlichkeiten, die aus dem Kloster Fürstenfeld hervorgegangen sind, kann zweifellos Abt Johannes Dietmair gelten: Vom Kloster an der Amper führte ihn sein Weg ins Mutterkloster Aldersbach, vom Generalabt wurde Abt Dietmair zum Provinzialvikar der bayerischen Zisterzienser erhoben. Auch politisch schenkte man ihm Vertrauen, und so avancierte er zu einem profilierten Verordneten in der Landschaft und Berater Herzog Maximilians.

Johannes Dietmair wurde um 1555 in Diessen am Ammersee geboren, besuchte die Klosterschule in Fürstenfeld[536], trat etwa 1573 in den Konvent ein und immatrikulierte sich am 13. April 1574 an der Theologischen Fakultät der Universität Ingolstadt[537]. Drei Jahre studierte er dort Philosophie und Theologie und stellte sich 1575 einer Disputation[538]; seine akademischen Lehrer, der Prokanzler Albert Hunger und P. Gregor de Valencia SJ stellten ihm ein hervorragendes Zeugnis aus[539]. Schon bald hatten die Ingolstädter Theologen die Qualitäten Dietmairs erkannt, denn unmittelbar nach Ende seines ersten Studienabschnittes fragte Dr. Rudolf Clenk[540] in Fürstenfeld an, ob er Fr. Dietmair mit auf eine Reise nach Braunschweig nehmen könne, wo er versuchen wollte, den katholischen Glauben wiederherzustellen; Fr. Dietmair sei als Hilfe bestens dazu geeignet[541]. Abt Leonhard Treuttwein, vielleicht durch das Ansinnen Clenks geehrt, gab dem Wunsch nach und ließ Fr. Dietmair gen Norden ziehen. In Braunschweig übernahm dieser die Stelle eines Hofpredigers bei Herzog Erich II. von Braunschweig-Wolfenbüttel und

---

536 Rechnungsbuch von 1573, »Konvent«. BHStAM. KL Fasc. 957/60. – Vgl. Gloning, Dietmair 322. – Das in TE I 310, L. III.15, genannte Geburtsjahr 1587 ist ein Druckfehler; als Geburtsort wird hier Aichen genannt.
537 Vgl. Matrikel Ingolstadt I 996, Nr. 13.
538 Vgl. Kausch, Fakultät 220.
539 Führer, Chronik § 179. – Die Professoren Johann Engert und Bartholomäus Huber verfaßten auf ihn ein Elogium, das seine Redegewandtheit und Bibelfestigkeit rühmte; vgl. Gloning, Dietmair 322, 324.
540 Zu Dr. Rudolf Clenk (* 1528, Konvertit zum Katholizismus, 1570 Prof. für Exegese in Ingolstadt, Regens des Ingolstädter Herzoglichen Georgianums, † 1578): Andreas Edel, Art. Rudolf Clenk, in: Boehm/Müller (Hrg.), Biographisches Lexikon der Ludwig-Maximilians-Universität I 71–72; Kausch, Fakultät 39–41. – Clenk galt allerdings den Jesuiten dort immer noch als häresieverdächtig, da er Ansichten über das Papsttum teilte, die der jesuitischen Lehrmeinung nicht entsprachen.
541 Rudolf Clenk an Abt Leonhard Treuttwein, Ingolstadt, 27. Januar 1577. BHStAM. KL Fürstenfeld 588, prod. 4. – Ebd. prod. 5, vom 28. Januar 1577, richtet Fr. Dietmair ein Gesuch gleichen Inhalts an Abt Treuttwein mit der Bitte, dieser möge ihm die Gelegenheit, zum Lobe Gottes zu »procedirn«, nicht vorenthalten. – Gloning, Dietmair 324 ist über den Braunschweiger Aufenthalt Fr. Dietmairs nicht unterrichtet.

hat sich zur Zufriedenheit des Herzogs »in seinen Ambte und Kirchendienste ufrichtig unnd fromblich und wie einem geistlichen wolanstehet und gebürt erzaigt«[542]. Die Rekatholisierungsversuche blieben allerdings erfolglos[543].
Von den mindestens fünf Briefen, die Fr. Johannes Dietmair an seinen Heimatabt gerichtet hat, ist noch einer erhalten; in ihm scheint die empfindsame, aufrichtige und tief bohrende Persönlichkeit des jungen Mönches angesichts der Geschehnisse der Reformation deutlich auf[544]. Fr. Dietmair berichtete von der »confusio calamitatis«, die sich überall ausgebreitet habe, auch in der Gegend, in der er sich aufhalte; dort hänge man der »stultitia« und dem »scandalum« der lutherischen Häresie offen an. Diese Eindrücke ließen ihn nicht unberührt, denn auf die ergangene Forderung des um seinen Mönch besorgten Abtes Treuttwein, ins Kloster zurückzukehren, bat er, noch ein wenig frei leben zu dürfen. Für Fr. Dietmair zeigte sich dieses Jahr in Braunschweig als theologische und persönliche Herausforderung; in der Auseinandersetzung mit lutherischen Predigern und Theologen wurden eigene Positionen hinterfragt und mußten neu begründet werden. In Fürstenfeld indes geriet der Abt in immer größere Unruhe, denn im Antwortschreiben auf Dietmairs Brief rügte er das freie Leben des jungen Mönches[545] und forderte ihn später zur Rückkehr auf. Aus der Sicht des Abtes war es nur notwendig und verantwortlich, Fr. Dietmair zurückzuholen, da die Zeitumstände für frei lebende Mönche überaus gefährlich waren; für das spätere Wirken Dietmairs als Abt waren die persönlichen Erfahrungen jedoch von ungemein großem Wert. Fr. Johannes Dietmair beugte sich und kehrte Ende Juni nach Bayern zurück[546], jedoch nicht nach Fürstenfeld, sondern nach Ingolstadt, wo er seine Studien weiterführen wollte. Die theologische Fakultät Ingolstadt hatte ihm ein Stipendium von 50 fl bewilligt und bat nun Abt Treuttwein um Erlaubnis, Fr. Dietmair weiterstudieren zu lassen; seiner Promotion zum Lizentiaten oder Doktor der Theologie stünde dann nichts mehr im Wege[547]. Der Prälat genehmigte das Studium Fr. Dietmairs[548], und 1579 erhielt dieser nach einer Disputation das theologische Bakkalaureat, 1580 wiederum aufgrund einer Disputation das Lizentiat und 1582 den Doktortitel der Theologie[549].

[542] Passierbrief Conradt Wedemeiers, Großvogt, und Valentin Dillies', Amtmann von Calenberg, an Fr. Johannes Dietmair, Calenberg, 19. Juni 1578. BHStAM. KL Fürstenfeld 321, prod. 2.
[543] Vgl. Kausch, Ingolstadt 41.
[544] Fr. Johannes Dietmair an Abt Leonhard Treuttwein, Calenberg, 5. Mai 1578. BHStAM. KL Fürstenfeld 321, prod. 1.
[545] Abt Leonhard Treuttwein an Fr. Johannes Dietmair, Fürstenfeld, 25. Mai 1578 (Konzept). BHStAM. KL Fürstenfeld 321, prod. 1 inliegend.
[546] Passierbrief Conradt Wedemeiers, Großvogt, und Valentin Dillies', Amtmann von Calenberg an Fr. Johannes Dietmair, Calenberg, 19. Juni 1578. BHStAM. KL Fürstenfeld 321, prod. 2.

3.5.2   Predigerstellen und Postulation nach Aldersbach

Entgegen der ursprünglichen Planung, daß Fr. Dietmair nach seinem Bakkalaureat noch weiterstudieren sollte[550], drängte man ihn an der Universität
zur Bewerbung für die vakante Pfarrstelle an der Ingolstädter Liebfrauenkirche. Da diese Herausforderung den – erst etwas über fünfundzwanzig Jahre
alten! – Mönch reizte, bat er seinen Abt um Genehmigung, die Stelle anzunehmen[551]. Dieser erklärte sich für nicht zuständig und wollte beim Aldersbacher Vaterabt Andreas Haydeker die Lizenz beantragen; vorsichtig fügte
Abt Treuttwein aber hinzu, daß bei einer Berufung auf die Pfarrstelle die Studien nicht zu kurz kommen dürften, und Dietmair sich darauf einzurichten
habe, ins Kloster zurückkehren zu müssen, wenn er gebraucht würde[552]. Die
Voraussetzungen für die Erlangung der Pfarrstelle waren also nicht günstig,
zumal auch aus Aldersbach keine Stellungnahme bekannt ist; unwahrscheinlich ist daher, daß Fr. Dietmair wirklich auf die Pfarrei installiert wurde, wie berichtet wird[553]. Fest steht nur, daß er weiterhin an der Universität
immatrikuliert war.

Im April 1581 erreichte eine Anfrage aus dem exemten Chorherrenstift Ellwangen[554], im schwäbisch-fränkischen Grenzgebiet gelegen, das Kloster
Fürstenfeld: Stiftspropst Christoph von Freyberg, dessen Stift »vast Rings-
weiß mit den widerigen Religions verwandten umbgeben Inn dem sich auch
so gahr noch biß auf dise stundt etliche derselbigen opinion anhengigen
underthanen«, bat zur Abwehr der lutherischen Irrlehren um Fr. Dietmair,
der »für ein besonders gueter Prediger berömbt wurdet«[555]. Ergänzend fügte

---

[547] Dekan und Theologische Fakultät der Universität Ingolstadt an Abt Leonhard Treuttwein,
Ingolstadt, 5. Juli 1578. BHStAM. KL Fürstenfeld 321, prod. 3.

[548] Gloning, Dietmair 324, vermerkt den Erwerb des Titels eines Dr. phil. für das Jahr 1577.

[549] Vgl. Kausch, Fakultät 220; TE I 310, L. III.15.

[550] So zumindest eine Aussage Abt Leonhard Treuttweins in einem Brief an Fr. Johannes Dietmair, 21. November 1580. BHStAM. KL Fürstenfeld 588, prod. 7.

[551] Fr. Johannes Dietmair an Abt Leonhard Treuttwein, Ingolstadt, 18. November 1580.
BHStAM. KL Fürstenfeld 588, prod. 6.

[552] Abt Leonhard Treuttwein an Fr. Johannes Dietmair, Fürstenfeld, 21. November 1580.
BHStAM. KL Fürstenfeld 588, prod. 7.

[553] Vgl. TE I 310, L. III.15. – Röckl, Beschreibung 30, schreibt von einer Postulation; Gloning,
Dietmair 324, berichtet, daß Fr. Dietmair 1579 zum Pfarrer von Unserer Lieben Frau zu
Ingolstadt ernannt wurde.

[554] Zu Ellwangen: Hermann Tüchle, Reformation und Gegenreformation in der Fürstpropstei
Ellwangen, in: Viktor Burr (Hrg.), Ellwangen 764–1964. Beiträge und Untersuchungen zur
Zwölfhundertjahrfeier, 2 Bde., Ellwangen 1964, I 225–244; Rudolf Reinhardt, Untersuchungen zur Besetzung der Propstei Ellwangen seit dem 16. Jahrhundert. Zugleich ein Beitrag zur
politischen Dynastie des Stifters, in: Hubert Wolf (Hrg.), Reich – Kirche – Politik. Ausge-
wählte Beiträge zur Geschichte der Germania Sacra in der Frühen Neuzeit (FS Reinhardt),
Ostfildern 1998, 22–73.

[555] Propst Christoph von Freyberg von Ellwangen an Abt Leonhard Treuttwein, Ellwangen, 12.
April 1581. BHStAM. KL Fürstenfeld 588, prod. 10.

der Dekan des Stiftskapitels, Johann Rudolf, dazu, man würde ihn nur begrenzte Zeit in Anspruch nehmen und zudem gut bezahlen[556]; auch an den Herzog erging ein Bittschreiben des Stiftskapitels. Abt Treuttwein, der über die Rechtslage und die Situation verunsichert war, holte sich von auswärts Rat[557], mußte dann aber dem Stift absagen: Fr. Dietmair war von Herzog und Apostolischem Nuntius an das »Seminarium religiosorum« in Ingolstadt deputiert worden, und die Deputation könne nur der Nuntius wieder aufheben[558]. Die eigentliche Ursache für die Absage war aber ein landesherrliches Schreiben, in dem Herzog Wilhelm V. wünschte, daß keine Mönche das Land verlassen sollten. Anstatt die Prädikatur in Ellwangen anzunehmen, solle Fr. Dietmair zurück ins Kloster gehen und dort von Nutzen sein[559]; die ursprünglich vorgesehene Stelle als Leiter des Ingolstädter Seminariums hat Fr. Dietmair wohl nie angetreten[560].

Trotz exzellenter Qualifikation war es, teils aufgrund von Bedenken des Landesherrn, teils aufgrund anderer Hindernisse nicht gelungen, eine adäquate Aufgabe für Fr. Dietmair zu finden, weshalb er vermutlich die nächsten zwei Jahre als Hauslehrer im Kloster verbrachte. Im Herbst 1582 regte Abt Leonhard Treuttwein, dem klar war, daß Fr. Dietmair im Kloster auf Dauer nicht zu halten sein würde, bei Nuntius Ninguarda an, die Fähigkeiten seines Mönches auch in der Öffentlichkeit zu nutzen, und bat ihn um Vermittlung einer Aufgabe[561]. Dieser Brief Treuttweins an den Nuntius läßt aufhorchen, denn es ist überaus ungewöhnlich, daß ein Zisterzienserabt für einen seiner Konventualen um eine Aufgabe außerhalb des Klosters bittet, selbst wenn dieser noch so begabt ist. Eigentlich hätte Abt Treuttwein froh sein müssen, einen hochqualifizierten Klosterlehrer wie Fr. Dietmair in seinem Konvent zu wissen; das traf aber offensichtlich nicht zu. Entweder wollte Abt Treuttwein den jungen Theologen fördern und ihn seinen Talenten entsprechend einsetzen oder er wollte ihn – aus welchen Gründen auch immer – elegant seinem Kloster fernhalten. Von Mißstimmigkeiten zwischen Abt Treutt-

---

[556] Johann Rudolf, Dekan des Stiftskapitels Ellwangen, an Abt Leonhard Treuttwein, Ellwangen, 12. April 1581. BHStAM. KL Fürstenfeld 588, prod. 8.

[557] Abt Leonhard Treuttwein an einen unbekannten Adressaten, vermutlich Abt Andreas Haydeker von Aldersbach, April 1581 (Konzept). BHStAM. KL Fürstenfeld 588, prod. 11.

[558] Abt Leonhard Treuttwein an Propst Christoph von Freyberg von Ellwangen, 22. April 1581 (Konzept). BHStAM. KL Fürstenfeld 588, prod. 9.

[559] Wilhelm V. an Abt Leonhard Treuttwein, München, 26. April 1581. BHStAM. KL Fürstenfeld 321, prod. 4. – Das Schreiben ist zwar später datiert als die Absage Abt Treuttweins nach Ellwangen, aber die Meinung des Landesherrn zu diesem Thema dürfte der Prälat schon früher erfahren haben; vgl. Gloning, Dietmair 324.

[560] Gegen Führer, Chronik § 180; Gloning, Dietmair 324; TE I 310, L. III.15: Ein Nachweis dafür läßt sich nicht erbringen.

[561] Abt Leonhard Treuttwein an Nuntius Felician Ninguarda, 15. September 1582 (Konzept). BHStAM. KL Fürstenfeld 588, prod. 12.

wein und Fr. Dietmair war aber nie zu hören[562]; statt dessen klagten später die Visitatoren, daß Dietmair als Vaterabt Fürstenfelds dort zu nachsichtig verfahre[563]. So war wohl Abt Treuttwein tatsächlich um Fr. Dietmairs Förderung bemüht.

Im März 1583 ereilte Fr. Dietmair schließlich der Ruf des Herzogs. Eines der lutherischen Zentren im Freisinger Bistum war die reichsunmittelbare Herrschaft Hohenwaldeck-Miesbach, in der Wolf-Dietrich von Maxlrain lutherisch predigen und den Laienkelch reichen ließ[564]. Bei der Visitation 1560 war das Gebiet übergangen worden[565], aber 1581 begann Herzog Wilhelm V. seine rigorose Rekatholisierung unter Androhung der Ausweisung[566]. In diesen Mechanismus landesherrlicher Kirchenpolitik wurde Fr. Dietmair nun eingebunden: Der Herzog ordnete ihn in knappem Stil nach Parsberg mit dem Auftrag, »die verirrten scheflein wider auf den Rechten wege zubringen«[567], zur Abhaltung der Fastenpredigten ab; nachdem Fr. Johannes Dietmair in der herzoglichen Kanzlei Instruktionen erhalten hatte, blieb er ein Jahr lang im Oberland. Währenddessen machte man sich in München weitere Gedanken über den bestmöglichen Einsatz Fr. Dietmairs. Eine Möglichkeit war, ihn als Prediger nach Straubing zu bestellen: Nachdem die Kapitulare des Straubinger Stifts St. Jakob und Tiburtius aufgrund der Gebrechlichkeit ihres Predigers beim Herzog um die Entsendung eines neuen Geistlichen gebeten hatten, schrieb der Geistliche Rat an Abt Treuttwein, man habe den Straubinger Kapitularen Fr. Dietmair als Prediger vorgeschlagen. Denn dort wirkte er, wenn auch im Kloster Mangel an Predigern herrsche, viel besseres »in dem Weingartten deß herrn, als [er] dortten bey euch würdt schaffen mügen«[568]. Obwohl der Geistliche Rat eine »angemessene« Entlohnung in Aussicht stellte und mehrmals um die Freigabe Fr. Dietmairs für diesen

---

[562] Ein mögliches Motiv wäre natürlich die »Invidia clericalis« des Abtes auf die Gelehrtheit Fr. Dietmairs, ein immer wieder ähnlich begegnendes Phänomen, das Hz. Maximilian später heftig kritisierte: »Viellaicht auch sehen die Prälaten selbst wegen Irer aignen ungelehrtheit ungern, das Ihr Convuentuales sunderbars gelert werden.« Zu dieser Annahme im Verhältnis Treuttwein-Dietmair gibt es aber keinerlei Anzeichen. – Maximilian an Abt Sebastian Thoma, München, 20. Oktober 1612. BHStAM. KL Fürstenfeld 322.

[563] Visitationsbericht des GR Sebastian Franz an Maximilian, 31. Oktober 1595. BHStAM. KL Fürstenfeld 1, fol. 4r.

[564] Vgl. Landersdorfer, Trient 97. – Dazu: Wilhelm Knappe, Wolf Dietrich von Maxlrain und die Reformation in der Herrschaft Hohenwaldeck (= Quellen und Forschungen zur bayerischen Kirchengeschichte 4), Erlangen 1920; Theodor Wiedemann, Die Maxlrainer. Eine historisch-genealogische Abhandlung, in: OA 16 (1856) 1–111 227–282.

[565] Vgl. Landersdorfer, Trient 117.

[566] Vgl. Albrecht, Gegenreformation 15; HBG II 359.

[567] Wilhelm V. an Abt Leonhard Treuttwein, München, 6. März 1583. BHStAM. KL Fürstenfeld 588, prod. 13. – Vgl. Gloning, Dietmair 325.

[568] Wilhelm V. an Abt Leonhard Treuttwein, München, 17. Dezember 1583. BHStAM. KL Fürstenfeld 588, prod. 14. – Einfügung vom Verf.

Dienst bat, lehnte Abt Treuttwein ab[569]. Inzwischen meldete sich noch einmal der Ellwanger Stiftspropst und bot Fr. Dietmair – nachdem er vor einiger
Zeit die Prädikatur abgelehnt hatte – den Posten des Ellwanger Stadtpfarrers
an, da der bisherige Amtsinhaber Johann Planck verstorben war[570]. Doch
auch diesmal bekam der Propst, der Fr. Dietmair offensichtlich unbedingt in
seiner Nähe haben wollte, eine Absage: Die Parsberger bekannten sich nach
dem Einsatz Fr. Dietmairs wieder zum katholischen Glauben, wer halsstar-
rig geblieben war, war davongegangen. So schickte man den bewährten Prediger in den nächsten Flecken, nach Miesbach, wo er wieder Fastenpredigten
halten sollte; mit den querköpfigen Oberländlern kam er offenbar gut
zurecht. Zur Unterstützung seiner Aufgabe, häretische Lehren zu widerlegen, bekam Fr. Dietmair die Erlaubnis, verbotene Bücher zu lesen[571]. Von
Miesbach aus unternahm er einen weiteren Versuch, eine feste Anstellung zu
erhalten; diesmal stand die Stadtpfarrprädikatur in Aichach in Aussicht. Aufgrund der Bewerbung auf die Stelle im März 1584 erhielt Fr. Dietmair die
Aufgabe[572] und predigte zwei Jahre lang, bis 1586 in Aichach[573].

In diesem Jahr rief Herzog Wilhelm V. Fr. Johannes Dietmair für drei Wochen
nach München und wies ihn an, sich unverzüglich beim Geistlichen Rat zu
melden[574]. Dieser prüfte ihn in Hinblick auf seine Eignung zum Abt, denn
das Kloster Aldersbach war ohne Führung, da Abt Andreas Haydeker resigniert hatte und nun einen Nachfolger brauchte. Da sich Fr. Dietmair bei der
Rekatholisierung der Herrschaft Hohenwaldeck gut bewährt hatte, wollte
der Herzog ihn zum Administrator und Abt von Aldersbach postulieren lassen; mit dem ihm wohlbekannten Prediger hatte er schließlich nicht nur größeren Einfluß auf Aldersbach, sondern auch auf die anderen bayerischen
Zisterzen, die von dem niederbayerischen Stift aus visitiert wurden. Tatsächlich bestand Fr. Johannes Dietmair die herzogliche Prüfung, wurde nach

---

[569] Enthalten im Revers Wilhelms V. an Abt Leonhard Treuttwein, München, 22. Januar 1584.
BHStAM. KL Fürstenfeld 588, prod. 15. – Vgl. Gloning, Dietmair 325.

[570] Propst Christoph von Freyberg von Ellwangen an Abt Leonhard Treuttwein, 7. Februar
1584. BHStAM. KL Fürstenfeld 588, prod. 16.

[571] Kardinäle Jacobus Sabellus, Franciscus de Gambara, Ludovicus Madrucius und Iulius
Antonius mit der Erlaubnis zur Lektüre häretischer Bücher für Fr. Johannes Dietmair, Rom,
24. November 1583. BHStAM. KU Fürstenfeld 2221. – Vgl. Gloning, Dietmair 325. – Dies
bezieht sich sowohl auf verbotene als auch auf verdächtige Bücher, aber nur für sich selbst,
nicht für den Gebrauch in der Öffentlichkeit oder in skandalerregender Weise. Eine Liste
der gelesenen Bücher soll Fr. Dietmair alle fünf Jahre dem Generalvikar des Bistums Freising übergeben; die indizierten Bücher soll er sorgfältig aufbewahren, damit sie nach seinem Tod nicht in falsche Hände gelangen, sondern sofort verbrannt werden können.

[572] Fr. Johannes Dietmair an Abt Leonhard Treuttwein, Miesbach, 12. März 1584. BHStAM. KL
Fürstenfeld 588, prod. 18.

[573] Gloning, Dietmair 325, vermutet Fr. Dietmair erst 1585 in Aichach.

[574] Wilhelm V. an Abt Leonhard Treuttwein, München, 18. August 1586. BHStAM. KL Fürstenfeld 588, prod. 19.

Aldersbach berufen und zum Abt postuliert[575]. Sechsundzwanzig Jahre lang leitete er das bayerische Mutterkloster in einer vorzüglichen Weise, die sein Gedächtnis noch weit nach seinem Tod lebendig hielt[576]. In einem Brief an seinen Fürstenfelder Mitbruder Martin Dallmayr bezeichnete ihn der Aldersbacher Abt Gerard Hörger (1651–1669) als Wiederbegründer des Stiftes und schrieb: »Dietmairum – nobis dedisti disciplinae regularis sicut vindicem, ita Restaurationem Monasterii nostri quasi alterum Fundatorem, ut non Filius filiae, Matri filius, sed Pater fuerit«[577]. Solches Lob hörte man in Fürstenfeld gerne, war Fr. Dietmair doch einer der wenigen Mönche, die weit über die Mauern des Klosters hinaus wirkten.

3.5.3 Das Verhältnis des Abtes Johannes Dietmair nach Fürstenfeld

Mit der Erhebung Johannes Dietmairs zum Administrator und Abt des Klosters Aldersbach verkehrte sich das Rechtsverhältnis zwischen ihm und Fürstenfeld. War er als Mönch unter der Jurisdiktion Abt Leonhard Treuttweins gestanden, so war Dietmair jetzt wiederum dessen Vaterabt und damit übergeordnete Instanz. Die erste bekannte Visitation Fürstenfelds durch Abt Dietmair fand im Herbst 1587 statt[578]; im Interrogatorium mit den Fragen an die – ihm wohlbekannten – Konventualen gibt er einen ausführlichen Einblick in die Schwerpunkte seiner Arbeit[579], was zeigt, daß Abt Dietmair seine Sache ernst nahm. In den Tagebüchern Abt Treuttweins sind Besuche Abt Dietmairs gelegentlich aufgezeichnet, wenngleich nicht immer ganz ersichtlich ist, ob der Aldersbacher Abt als Visitator, in einer anderen Eigenschaft oder nur auf Durchreise im Kloster weilte[580]. Insgesamt erwecken die Noti-

---

[575] Postulationsinstrument Abt Johannes Dietmairs von Aldersbach durch Abt Willibald Schißler von Fürstenzell, 26. August 1586. BHStAM. KU Aldersbach 1466. – Hartig, Niederbayerische Stifte 154, datiert die Postulation erst auf 1588; Gloning, Dietmair 325, verschweigt den hzl. Einfluß auf die Postulation und datiert die Postulation auf den 10. August 1587 oder 1588. – Die Tatsache, daß nicht der Ebracher Abt als »Pater immediatus«, sondern der Abt des Tochterklosters Fürstenzell die Postulation leitete, zeigt auch auf dieser Ebene den Vorrang der Regionalität vor der Filiationslinie zu dieser Zeit.
[576] Gloning, Dietmair 326–327, vermerkt, daß Abt Dietmair die Gebäude instandgesetzt, Ornate erworben, die Bildung der Mönche gehoben und nach seinem Tode ein Vermögen von 116 750 fl Bargeld hinterlassen habe; die Notiz, daß er 1595 auf der Postulationsliste Fürstenfelds für die Nachfolge Abt Leonhard Treuttweins gestanden habe, läßt sich aus den Archivalien nicht nachvollziehen.
[577] Abt Gerard Hörger von Aldersbach an Abt Martin Dallmayr, 20. September 1651. Zit. in: Führer, Chronik § 180.
[578] Siehe Kap. 3.2.2.3 in diesem Teil.
[579] Interrogatorium, 1587. BHStAM. Aldersbach Archiv Schublade 107, fasc. 3, prod. 8.
[580] Besuche Abt Dietmairs laut Einträgen im Tagebuch Treuttweins. BStB. Cgm 1771: foll. 10r (6. Mai 1587), 22v–23r (11.–16. November 1587), 32r (8. März 1588), 33v (29. März 1588), 115rv (22.–28. Mai 1591), 176v (9. Oktober 1593).

zen nicht den Eindruck außerordentlicher Freundschaft Abt Treuttweins zu
Abt Dietmair, da er immer als »her visitator« oder als »her von alderspach«
bezeichnet wird; auch die Briefe, die beide Äbte wechselten, deuten in diese
Richtung[581]. Die oben erwähnte Klage des herzoglichen Kommissars über
die große Milde Abt Dietmairs gegenüber dem Kloster Fürstenfeld bezeugt
aber dennoch, daß dieser seinem Profeßkloster und dessen Äbten zeitlebens
verbunden blieb.

Weitere Beziehungen Abt Dietmairs nach Fürstenfeld ergaben sich aufgrund
der Regelung von Ordensangelegenheiten. 1595 wurde er zum Provinzialvikar der bayerischen Zisterzienserklöster erhoben, womit er als Bindeglied
zwischen dem Generalabt bzw. Generalkapitel, dem neugeschaffenen oberdeutschen Vikariat einerseits und den einzelnen Klöstern in Bayern andererseits fungierte[582]. Abt Dietmair leitete die Schreiben des Vikariates weiter an
seine Klöster und hatte Visitationsrecht; dem gegenüber sammelte der Provinzialvikar die Ordenskontributionen seiner Klöster ein und leitete sie nach
Cîteaux weiter[583].

Auch beim Generalkapitel 1601, worüber er einen vorzüglichen Bericht verfaßte, vertrat Abt Dietmair die bayerischen Klöster[584].

---

[581] Abt Leonhard Treuttwein an Abt Johannes Dietmair von Aldersbach, Fürstenfeld 7. Mai
1595. BHStAM. KL Fürstenfeld 334c, prod. 1.

[582] Vgl. Gloning, Dietmair 327. – Dazu ausführlicher Teil III, Kap. 2.2.4.3.1.

[583] Dazu Teil III, Kap. 2.4.

[584] In Teil III, Kap. 2.2.2.1.1. – Abt Johannes Dietmair verstarb am 22. Januar 1616 und wurde
vor dem Walburgsaltar in der Aldersbacher Klosterkirche begraben; die Inschrift des erhaltenen Grabsteines lautet: »Anno D[omi]ni MDCXII Die XXII Mensis Januarij Obijt Reve-
rendus Adm[inistrator]. In Christo Pater ac D[omi]nus D. Joannes Dietmarus Ex Monasterio
Furstenfeld. Alderspacensis Huius Coenobii Abbas Tricesimus Septimus S[ancti]s[imae].
Theologiae Licentiatus. Cuius Animae Propitientur Superi«. Vgl. Gloning, Dietmair 329.

3.6 Bilanz und Wertung der Jahre 1555–1623

Die Jahre Fürstenfelds zwischen 1555 und 1623 können nur im Kontext der Zeit verstanden werden, war doch nicht allein das Kloster, sondern ganz Mitteleuropa im bislang gewaltigsten Umbruch des zweiten Jahrtausends begriffen: Bis jetzt selbstverständliche Grundlagen lösten sich auf und neue Strukturprinzipien entstanden, die Konfessionseinheit war in mehrere Konfessionen zerbrochen und die Macht des Reiches schwächte sich zugunsten der zum Absolutismus hin strebenden Fürsten ab; diese wiederum suchten, ihre Länder zu geschlossenen Territorien abzurunden. Die Religionskriege endeten in der Gleichberechtigung der Konfessionen gemäß dem Territorialprinzip und hinterließen einen konfessionellen Flickenteppich. Gegenreformation und Katholische Reform gewannen der katholischen Kirche wieder Terrain hinzu. Nachdem die Beschlüsse des Konzils von Trient zunächst als Programm galten, wurden sie schrittweise in die Wirklichkeit umgesetzt; zu Hilfe kamen dabei die Reformorden, unter denen besonders die Jesuiten eine starke Wirkung entfalteten. Sie brachten ein völlig neuartiges Selbstverständnis des Glaubens und der Spiritualität an die Fürstenhöfe Mitteleuropas und lieferten so den katholischen Fürsten die geistigen Grundlagen für das politische Programm der Gegenreformation. Aufgrund der relativ großen Erfolge in der Rekatholisierung mündete das neue kirchliche Bewußtsein in das Zeitalter des Barocks, in dem die Kirche als »Ecclesia triumphans« eine heroische Rolle im Weltendrama zugedacht bekam.

Beinahe wie in einem Brennglas sind diese Veränderungen in Fürstenfeld mitzuverfolgen. Motor aller Reformen waren die Landesherren, deren bewußte und gezielte Religionspolitik auch in Fürstenfeld massive Veränderungen bewirkte. Mit Stephan Dorfpeck wurde ein weltlicher Verwalter eingesetzt, in Leonhard Baumann aus dem schwäbischen Kaisheim fand Herzog Albrecht V. den idealen Abt zur Neuorientierung des Klosters noch vor Umsetzung der tridentinischen Beschlüsse und Einflußnahme der Jesuiten. Doch auch unter den Nachfolgern Baumanns besaß die herzogliche Religionspolitik entscheidenden Einfluß auf die Verhältnisse an der Amper[585].

Der Zisterzienserorden, den die Reformation in Deutschland stark getroffen hatte, wurde erst ab 1570 wieder zu einer sichtbaren Größe für Fürstenfeld; dennoch konnte er zunächst nur im Rahmen der durch den Herzog gegebenen Möglichkeiten Einfluß auf das Kloster gewinnen. Eine gewisse Emanzipation von den Landesherren gelang den oberdeutschen Zisterzen erstmals auf dem Fürstenfelder Äbtetreffen 1595 mit der Bildung des Oberdeutschen Generalvikariates und schließlich 1623 mit der Bestätigung der Oberdeut-

---

[585] Dazu Teil III, Kap. 1.2.3.

schen Zisterzienserkongregation. Erst an der Wende zum 17. Jahrhundert spielten ordensinterne Reformen eine wirkliche Rolle, da sie ab jetzt umgesetzt wurden; der Orden trat in Konkurrenz zum landesherrlichen Geistlichen Rat.

Teil II
Verfassung des Klosters Fürstenfeld, Leben im Kloster und Seelsorge

1. Verfassung von Abt und Konvent

1.1 Der Abt: seine Wahl und seine Stellung im Kloster

1.1.1 Grundsätzliches zur Person des Abtes im Zisterzienserorden

Basis für alle späteren die Äbte betreffenden Anweisungen ist die Regel des hl. Benedikt von Nursia. In zwei Kapiteln[1] beschreibt sie ausführlich Person und Aufgaben des Klostervorstandes: Als wichtigster Grundsatz gilt für einen Abt, daß er im Kloster die Stelle Christi vertritt[2]. Von diesem Merkmal her ergeben sich die Anforderungen, die man an seine Person, seinen Vorbildcharakter im Glauben und an seine Führungsfähigkeit richten muß. Entscheidend für die Einsetzung sollen Bewährung im Leben und Weisheit in der Lehre sein; das menschliche Ansehen darf keine Bedeutung haben[3]. In einem Tugendkatalog stellt die Regel einen Abt immer seinem Idealbild gegenüber, um ihn zu mehr Eifer anzuspornen[4].

In der benediktinischen Ordensverfassung hat der Abt seit jeher die Stellung als eigenständiger Leiter eines autonomen Klosters inne[5], wenngleich die konkrete Ausgestaltung des Amts und die Wahrnehmung seiner Aufgaben stets durch die Zeitumstände geprägt waren; Zusammenschlüsse erfolgten im Benediktinerorden zunächst mit Gebetsverbrüderungen, zur Zeit Benedikts von Aniane (750–821)[6] mit einheitlichen Observanzen, schließlich im Verband von Cluny[7]. Mit der Entstehung des Zisterzienserordens in Abgrenzung vom als feudalisiert beklagten Cluny bekam der Abt innerhalb des

---

[1] Vgl. RB 2; 64. – Vgl. dazu Hegglin, Abt 22–51.
[2] Vgl. RB 2,2.
[3] Vgl. RB 64,2.
[4] Vgl. RB 64,9–22.
[5] Vgl. Dammertz, Verfassungsrecht 104; Molitor, Rechtsgeschichte I 4–5.
[6] Zu Benedikt von Aniane (Begründer einer einheitlichen Observanz des Benediktinerordens für das Frankenreich, die 816–819 Rechtskraft erlangte; bedingt durch ihn erhält die Benediktsregel im Frankenreich Alleingültigkeit): Josef Semmler, Art. Benedikt von Aniane, in: LThK² II (1958) 179–180.
[7] Dazu: Dammertz, Verfassungsrecht 9–26; Molitor, Rechtsgeschichte I 111–158.

Ordens eine völlig neue Stellung. In Cluny waren die Tochterklöster nach
dem Zellensystem dem Mutterkloster untergeordnet, jedoch in einer solch
engen Weise, daß die Neugründungen immer von Cluny abhängig blieben
und nie zu Vollklöstern wurden[8]. Die Zisterzienser führten dagegen für sich
das flexiblere Filiationssystem als hierarchisches Verfassungsprinzip ein:
Jede Neugründung erhielt den Rang eines Vollklosters unter einem Abt, der
für sein Kloster weitgehend mit Jurisdiktion begabt war; untergeordnet war
ein Kloster jeweils jener Abtei, von welcher aus seine Gründung vollzogen
wurde, also dem Mutterkloster. Der Abt dieses Klosters besaß als »Pater
immediatus« Rechte und Pflichten der Aufsicht über die von seinem Kloster
ausgegangenen Neugründungen, was gemäß dem »Exordium Cistercii« eine
jährliche Visitation in den Tochterklöstern bedeutete[9]. Über das eigene Kloster hinausgehend besaßen die Äbte auch für die ihnen untergeordneten Klöster Aufsichtsrechte und -pflichten, waren aber ihrerseits wieder den Äbten
verantwortlich, durch deren Klöster das eigene Kloster gegründet wurde. Im
Vergleich zur Benediktsregel verlagerten sich die Aufgaben eines Abtes bei
den Zisterziensern in den Ordensverband hinein, sowohl auf genossenschaftliche Weise – bei den Generalkapiteln –, als auch im hierarchischen Filiationssystem[10].
Bedingt durch die oft immensen Entfernungen zwischen den einzelnen Klöstern und die politischen Entwicklungen wurde das System so modifiziert,
daß seit dem 15. Jahrhundert zunehmend die Klöster eines Landes oder einer
Region unabhängig von ihrer Filiation einem vom Generalkapitel bestellten
Visitator unterstellt wurden. Abt Ulrich (1457–1467) war der erste Fürstenfelder Prälat, der zu dieser Aufgabe herangezogen wurde[11]; Abt Caspar Harder bekam 1520 und 1521 den Auftrag, die Klöster Fürstenzell, Gotteszell,
Raitenhaslach, Walderbach, Aldersbach, Waldsassen und St. Johann in Stams
zu visitieren[12], obwohl keines dieser Klöster von Fürstenfeld aus gegründet
worden war und damit dem Amperkloster unterstellt gewesen wäre[13].

---

[8] Vgl. Moßig, Verfassung 115; Molitor, Rechtsgeschichte I 119–120; Hegglin, Abt 66. – Im
   13. Jahrhundert begehrten allerdings die abhängigen Klöster gegen das Zellensystem auf und
   erreichten eine Flexibilisierung des Verbandes nach dem Vorbild von Cîteaux; vgl. Dammertz, Verfassungsrecht 19–26.
[9] Vgl. Exord. cist. III, in: Lekai/Schneider, Weiße Mönche 41; Molitor, Rechtsgeschichte I 170.
[10] Vgl. dazu: Weitlauff, Zisterzienser 455–457; Hegglin, Abt 65.
[11] Vgl. Krausen, Klöster 41.
[12] Generalabt Wilhelm V. du Boisset an Abt Caspar Harder, 1520. BHStAM. KU Fürstenfeld
   1601. – Generalabt Wilhelm VI. an Abt Caspar Harder, Cîteaux, 31. August 1521. BHStAM.
   KU Fürstenfeld 1608.
[13] Ausführlicher zum Filiationssystem siehe: Teil III, Kap. 2.2.2.2.

1.1.2   Die Wahl des Abtes

1.1.2.1   Die Wahlfreiheit

Einer der Kernsätze der zisterziensischen Ordensverfassung war das Recht der freien Abtwahl einer jeden Abtei ohne Beeinflussung durch äußere, religiöse oder politische, Mächte. Von Anfang an wollte sich die Gründungsgeneration von Cîteaux dadurch jeglichem Einfluß von außen entziehen[14]. Prinzipiell galt diese Regelung weiterhin, und damit auch für Fürstenfeld; die Vorzeichen standen jedoch hier wie bei den übrigen altbayerischen Zisterzen anders: Fürstenfeld wurde als landsässiges Kloster gegründet, die Herzöge übten immer die Funktion eines Klostervogtes aus und bauten das Kloster damit bewußt und beabsichtigt in den eigenen Machtbereich ein, wenn auch in der Gründungsurkunde betont wurde, daß aufgrund des Ordensrechtes Fürstenfeld keinen Vogt zu haben brauchte, es sei denn, es würde sich aus freien Stücken einen solchen wählen[15] – damit legte der Herzog seine eigene Rolle im künftigen Klosterleben fest[16].

Die Wahlfreiheit, was den eigenen Abt anbetraf, war damit eine relative. Der Landesherr griff im Regelfall zwar nicht direkt in die Wahl ein, verstärkte aber mit dem Ausbau des Kirchenregiments seit dem 15. Jahrhundert seine Aufmerksamkeit auf Ablauf und Ausgang[17]. Wenn auch im einzigen überlieferten Wahlinstrument aus der engeren Reformationszeit die Anwesenheit herzoglicher Kommissare nicht erwähnt wird[18], so waren diese sicherlich im Kloster anwesend, da Herzog Wilhelm IV. ihnen die Inventarisierung der »temporalia« und die Übergabe der Liste an den neuen Abt befahl, einen hoffentlich »geschickhten prelaten«[19]. Von dieser Zeit an griffen die bayerischen Herzöge stärker in das Wahlgeschehen in Fürstenfeld ein, denn zwischen 1531 und 1556 wurde das Recht der Wahlfreiheit faktisch suspendiert. Nach der Absetzung Abt Georg Menharts konnte bis zu seinem Tod kein neuer Abt gewählt werden, da dieser nicht resignieren wollte; der Herzog setzte Fr. Johannes Pistorius als Administrator zur Bewährung ein, der erst

---

[14] Vgl. Moßig, Verfassung 116, 118; Weitlauff, Zisterzienser 452–453.

[15] Gründungsurkunde Ludwigs II., 22. Februar 1266. BHStAM. KU Fürstenfeld 4.

[16] Vgl. Rankl, Kirchenregiment 153–158.

[17] Das Recht zur Entsendung landesherrlicher Kommissare basierte auf der Landstandschaft des Klosters, aufgrund der dem Landesherrn ein Mitspracherecht zustand. Auch das Konkordat von 1583 bestätigte dieses Recht; vgl. Pfister, Generalabt 441.

[18] Wahlinstrument Abt Georg Menharts durch Abt Wolfgang Mayr von Aldersbach, Fürstenfeld, 10. April 1522. BHStAM. KU Fürstenfeld 1612.

[19] Wilhelm IV. an Landhofmeister und Hofrat, 3. April 1522 (Konzept). BHStAM. KBÄA 4095, fol. 181r. – Bei der Wahl Abt Wolfgang Mayrs in Aldersbach 1514 war der hzl. Kommissar Heinrich von Seiboldsdorf wie selbstverständlich anwesend. »Annales« Cap. LXII, in: Hartig, Annales 63.

nach einigen Jahren zum Abt erwählt wurde[20]. Sein Nachfolger, Administrator Fr. Michael Kain, wurde ebenfalls unter Mitwirkung des Landesherrn
ernannt, auch er konnte anfangs nicht zum Abt gewählt werden, weil Abt
Pistorius noch nicht resigniert hatte; als dies geschah, war Fr. Kain seiner
Administratur bereits wieder enthoben[21]. Die Postulation Abt Leonhard
Baumanns ging wiederum vom Herzog aus, der den Kaisheimer Konventualen zunächst »auf Probe« annahm; zur förmlichen Postulation gab ebenfalls
er den Ausschlag[22]. Von einer auch nur relativen Wahlfreiheit konnte in diesen eigentlichen Krisenjahren nicht die Rede sein, zu dominant war die Rolle
der Herzöge während dieser Zeit.

Beschwerden gegen die landesherrlichen Eingriffe in die Wahlfreiheit, die
nicht nur Fürstenfeld, sondern alle bayerischen Klöster betrafen, richteten
zwar nicht die Prälaten, aber die Bischöfe von Freising, Regensburg und
Passau wiederholt an die Herzöge. Diese verteidigten jedoch ihr Vorgehen
als gerechtfertigt, da dieses nur in der Anweisung an die Kapitulare in den
Klöstern bestehen würde, »das sy nach irem pesten verstentnus und auf ir
gewissen den zum prelaten erwelen sollen, den sy zum geschickhisten und
teuglichisten darzue achten«[23]. Die staatskirchenrechtliche Lage war in der
Tat nicht eindeutig: Den Ordensrechten der Unversehrbarkeit – durch äußere
Einflüsse standen die seit 1523 schrittweise erteilten päpstlichen Sondervollmachten der Herzöge zu Visitationen und Eingriffen in den Klöstern gegenüber[24]. So glaubten sich sowohl Bischöfe als auch Herzöge im Recht; die
Macht gab schließlich den Ausschlag zugunsten der staatlichen Aufsicht
über die Klöster.

Nach der eigentlichen Reformationszeit schwächte sich der direkte landesherrliche Einfluß auf die Abtwahlen wieder ab; die Anwesenheit von herzoglichen Kommissaren bei der Wahl wurde vom Konkordat von 1583 legitimiert[25]. Statt dessen zeigte der Orden verstärktes Interesse an Neuwahlen:
Bei der Wahl von 1595 war es der aufgrund des anstehenden Äbtetreffens an
der Amper weilende Generalabt Edmund de la Croix, der bereits eine Vorauswahl traf; obwohl er offiziell die Wahlfreiheit des Konvents nicht beschneiden wollte, so verhehlte er seine Sympathien für Fr. Johann Puel nicht, wel-

---

[20] Siehe Teil I, Kap. 2.1.1.
[21] Siehe Teil I, Kap. 2.2.1.
[22] Albrecht V. an Abt Johann Sauer von Kaisheim, München, 4. Februar 1556 (Kopie). BHStAM.
      KU Fürstenfeld 1842.
[23] Wilhelm IV. und Ludwig X. an die Bischöfe von Freising, Regensburg und Passau, München,
      11. Januar 1536 (Kopie). BHStAM. KBÄA 4228, fol. 108v.
[24] Vgl. HBG II 313–315 627–628.
[25] »Secvndo. [...] Cuius Electionis tractatui intererunt Ducales Commissarij [...]; atque vbi
      electio canonice processerit, et electus statim confirmari debebit, Principis nomine, qui
      adsunt, electioni factae assensum praestabunt«. In: Ziegler, Altbayern 492. – Vgl. Pfister,
      Generalabt 441.

10   Wallfahrtskirche St. Willibald unweit Jesenwang. Hochaltar, um 1610/25

11 Ankunft der seligen Edigna in Puch bei Fürstenfeld, nach einem Motiv
aus Matthäus Raders »Bavaria Sancta«. Öl/Holz, vermutlich 17. Jahrhundert,
Ende 19. Jahrhundert überarbeitet. Aus der Edigna-Wallfahrtsstätte Puch

cher denn auch Abt wurde[26]. Vor der Wahl Abt Sebastian Thomas äußerte sich der angereiste Aldersbacher Abt Johannes Dietmair über wählbare Kandidaten[27] und gab dem Wahlakt eine bestimmte Richtung. Wenngleich somit das freie Wahlrecht der Kapitulare im Kloster nur während der Jahre 1531 bis 1556 durch den Herzog und seine Kommissare formell angetastet wurde, so blieb es doch immer äußeren Einflüssen unterworfen[28].

1.1.2.2 Aktives und passives Wahlrecht

Das aktive Wahlrecht, das Recht, einen Abt zu wählen, stand innerhalb des Konvents nur den Kapitularen zu. Über ausführlichere Aufnahmeverfahren der Mönche in die Reihen der Kapitulare, wie sie etwa aus Weingarten berichtet werden[29], liegen in Fürstenfeld keine Nachrichten vor; zum Kapitel gehörten die Senioren, also die Mönche, welche schon eine gewisse Zeit seit Profeß und Weihe im Kloster verbracht hatten.

Zur Voraussetzung für die Wählbarkeit, das passive Wahlrecht, gehörten neben der ehelichen Geburt, der Profeß und Priesterweihe und den in der Regel Benedikts genannten Kriterien der »Bewährung im Leben und Weisheit in der Lehre«[30] allem Anschein nach keine weiteren Anforderungen; adelige Abstammung ist in Fürstenfeld ohne Belang, da es kein adeliges Stift war – dementsprechend ist kein Abt aus dem Adelsstand bekannt. Die genannte Bewährung setzte freilich voraus, daß ein Kandidat bereits zuvor ein Amt im Kloster ausgeübt hatte. Abt Scharb war vermutlich Prior[31], ebenso die Äbte Menhart[32] und Pistorius[33]. Abt Treuttwein fungierte vor seiner Wahl als Cellerar[34], Abt Puel zuerst als Pfarrer in Bruck und dann als Superior in Inchen-

---

[26] Bericht der GR Sebastian Franz, Johann Baptist Fikler und Martin Rieger an Maximilian, München, 14. September 1595. BHStAM. KL Fürstenfeld 1, fol. 142r.

[27] Bericht Pangratz Motschenbachs an Maximilian, München, 26. Juni 1610. BHStAM. KL Fürstenfeld 1, fol. 150.

[28] Die Fürstenfelder Verhältnisse waren keinesfalls ungewöhnlich: In Ochsenhausen suchte im gleichen Zeitraum die Reichsstadt Ulm Einfluß auf die Wahlen zu gewinnen (vgl. Maier, Reformation 269–271), nach Weingarten entsandten die Österreicher ihre Kommissare (vgl. Reinhardt, Weingarten 45), in den herzoglich-bayerischen Klöstern versuchte kontinuierlich der Landesherr, den Ausgang der Wahlen zu bestimmen (vgl. Schinagl, Attel 55).

[29] Vgl. Reinhardt, Weingarten 62: Dort erfolgte die Aufnahme der Mönche erst mehrere Jahre nach Priesterweihe und Primiz während eines Konventamtes. Der Neuaufgenommene hatte zudem noch einen Eid zu leisten.

[30] RB 64,2.

[31] Vgl. Fugger, Fürstenfeld 67. – Siehe dazu Anhang 1.4: Katalog der Ämter.

[32] Wahlinstrument Abt Georg Menharts durch Abt Wolfgang Mayr von Aldersbach, Fürstenfeld, 10. April 1522. BHStAM. KU Fürstenfeld 1612.

[33] Verkaufsurkunde Abt Georg Menharts an Hans Rorer, fürstlicher Hofkellner zu München, über zwei Höfe, 10. Januar 1527. BHStAM. KU Fürstenfeld 1649. – In weiteren Urkunden unterschreibt Fr. Pistorius als Prior.

[34] Führer, Chronik § 177.

hofen[35]. Abt Sebastian Thoma endlich war Subprior[36] und ebenfalls Pfarrer in Bruck[37]. Einzig die nahezu unbekannten Äbte Michael II. und Petrus sowie Abt Caspar Harder waren vor ihrer Wahl zum Abt nicht nachweisbar mit einem Klosteramt betraut gewesen. Ein Universitätsabschluß war im Regelfall Voraussetzung für die Wahl zum Abt: Die Äbte Scharb, Harder, Menhart und Pistorius waren in Heidelberg immatrikuliert[38], Abt Baumann – der ja noch für Kaisheim studiert hatte – in Ingolstadt[39], Abt Puel in Dillingen[40] und Abt Thoma wiederum in Ingolstadt[41]. Sieben Äbte von zehn binnen 120 Jahren hatten nachweislich eine Hochschule besucht; Abt Leonhard Treuttwein war aufgrund der Wirren in der Reformationszeit im Kloster selbst ausgebildet worden, über die Studien der Äbte Michael II. und Petrus wird nichts berichtet.

1.1.2.3   Der Wahlakt

1.1.2.3.1   Das Aldersbacher Wahlbüchlein Abt Wolfgang Mayrs

Der Aldersbacher Abt Wolfgang Mayr (1514–1544) erstellte 1522 ein umfangreiches Büchlein mit Anweisungen für Visitationen sowie Resignation und Neuwahl eines Abtes[42]. Im wesentlichen stützte er sich dabei auf den Verlauf seiner eigenen Wahl, die in seinem Wahlinstrument aufgezeichnet ist[43]. Da Aldersbach unter anderem das Fürstenfelder Mutterkloster war, war dieses Buch eine für die dortigen Wahlen verbindliche Vorlage.
Nach dem Tode eines Abtes benachrichtigte der Prior den Vaterabt und bat ihn, einen Tag zur Neuwahl eines Abtes anzusetzen. Der Wahltag selbst wurde mit der Lesung eines Schrifttextes begonnen; danach sollte der Vaterabt samt Assessor und Kaplan das Grab des verstorbenen Abtes besuchen. An einem geeigneten Ort rief der Vaterabt die Senioren des Kapitels zusammen, darunter Prior, Subprior und Cellerar und hielt eine erste Exhorte; darauf for-

---

[35] Bericht der GR Sebastian Franz, Johann Baptist Fikler und Martin Rieger an Maximilian, München, 14. September 1595. BHStAM. KL Fürstenfeld 1, fol. 142r.

[36] Führer, Chronik § 192.

[37] Repertorium Fürstenfeld, unter 1607. BHStAM. KL Fürstenfeld 369, pag. 591, L 94.

[38] Abt Johannes Scharb: Notizbuch aus der Heidelberger Studienzeit, 1493–ca. 1525. BStB. Clm 7144. – Die Äbte Harder, ·Menhart und Pistorius: Matrikel Heidelberg I 436, 450, 473. – Siehe Anhang 1.5: Immatrikulationslisten.

[39] Vgl. Landersdorfer, Visitation 331.

[40] Vgl. Matrikel Dillingen I 19, Nr. 42, unter dem 20. Oktober 1556.

[41] Konventliste, 1595. BHStAM. KL Fürstenfeld 1, fol. 146r. – Siehe Anhang 1.1: Konventlisten.

[42] »Liber Alderspacensis per fratrem Wolfgang Marum Abbatem digestus«, 1522. BHStAM. Aldersbach Archiv Schublade 105, fasc. 3.

[43] Wahlinstrument Abt Wolfgang Mayrs von Aldersbach durch Abt Johann von Ebrach, Aldersbach, 5. Mai 1514. BHStAM. KU Aldersbach 1269; gedruckt in: Hartig, Annales 92–96.

derte er die Schlüssel zur Abtei und die Siegel des verstorbenen Abtes. Wenn am festgesetzten Wahltag die Assessoren und alle Mönche frei von Aufgaben waren, wurden sie im Kapitel zusammengerufen, wo der Vaterabt eine zweite Exhorte an den Konvent hielt; eine Musteransprache fügte Abt Mayr gleich bei. Anschließend wies der Vaterabt den Cantor an, aus der Regel Kapitel 64 zur Abtwahl vorzulesen, ebenso die entsprechenden Kapitel aus der »Charta caritatis« – der Ordensverfassung –, aus den päpstlichen Ordensprivilegien und den Definitionen der Ordenskapitel; ihr Wortlaut ist im Wahlbüchlein aufgenommen. Nach den Verlesungen der Rechtstexte zur Abtwahl rief der Vaterabt Prior, Subprior und Cellerar in die Mitte und ermahnte sie, da sie als erste Vorschlagsrecht hatten, geeignete Mönche als Kandidaten zu benennen; stellvertretend mußte einer von ihnen einen Eid schwören, dies nach bestem Wissen zu tun. Die drei sollten sich kurz zurückziehen und beratschlagen, danach ins Kapitel zurückkehren und ihre Kandidaten vorstellen. Nachdem um Schweigen gebeten wurde, begann die Interrogation der Benannten. Daraufhin hielt der Vaterabt eine erneute Rede an die Wähler und ermahnte sie zu einer einmütigen Entscheidung.

Es folgte die vom Vaterabt zelebrierte Messe, die mit dem Heilig-Geist-Hymnus begann. Die Wähler knieten sich einzeln vor den Vaterabt hin und schworen vor dem aufgeschlagenen Evangeliar, ihre Stimme dem zu geben, den sie zur Leitung des Klosters am geeignetsten hielten. Daraufhin wurde die eigentliche Wahl vollzogen; hatten sich die Wähler auf einen Kandidaten geeinigt, präsentierten sie diesen dem Vaterabt, der mit seinen Assessoren beriet, ob der Kandidat würdig wäre und konfirmiert werden könnte. War dies der Fall, wurde der Gewählte sogleich konfirmiert; war dies nicht der Fall, mußte neu gewählt werden. Nach der Konfirmation wurden das »Te Deum« angestimmt und alle Glocken geläutet; den Gewählten führte man zum Hochaltar, wo er das Kreuzzeichen machte und den Altar küßte, anschließend nahm er den Abtsthron im Chor ein; es folgte ein Gebet. Auch im Kapitelsaal ergriff der Neugewählte vom Abtsthron Besitz, erhielt vom Vaterabt die Benediktsregel überreicht und leistete den Abtseid. Der Vaterabt übergab ihm Siegel und Abteischlüssel; jeder Mönch gelobte dem Abt einzeln Gehorsam: »Ego Fr. *N* premitto tibi obedientiam secundum regulam S[an]cti. Benedicti de bono usque ad mortem.« Der Abt antwortete: »Det tibi Deus vitam aeternam.« Schließlich wurde der Abt in die Abtei geleitet[44]. Über die Benediktion und die Ausfertigung des Wahlinstruments enthält das »Liber Alderspacensis« keine Anweisungen.

---

[44] »Liber Alderspacensis«, Nr. 6:» Forma electionis s[e]c[un]d[a]m [consuetudinem] Cisterciensem«, 1522. BHStAM. Aldersbach Archiv Schublade 105, fasc. 3.

1.1.2.3.2   Der Verlauf der Wahl in Fürstenfeld

Im wesentlichen liefen die Wahlen in Fürstenfeld entsprechend der Beschreibung Abt Mayrs ab: Nach dem Tod eines Abtes informierten Prior und Konvent Fürstenfelds den Landesherrn und den Abt von Aldersbach als »Pater immediatus« mit der Bitte, einen Termin für die Neuwahl festzusetzen. Der Herzog entsandte auf den vom Aldersbacher Abt hin festgelegten und mit dem Geistlichen Rat abgestimmen Wahltag zwei Kommissare nach Fürstenfeld mit der Aufgabe, das bewegliche Inventar des Klosters aufzuzeichnen, die Vorratskammern und Geldtruhen zu versiegeln und die Vollmacht darüber dem neuen Abt nach der Konfirmation zusammen mit den Schlüsseln einzuhändigen[45]. Diese Kompetenzen wurden zwar erstmals bei der Postulation Abt Leonhard Baumanns 1556 erwähnt[46]; daß sie bereits früher ausgeübt wurden, unterliegt aber keinem Zweifel.

Der eigentliche Leiter der Wahl war der Abt von Aldersbach[47]; 1556 leiteten dagegen der Abt von Kaisheim und 1595 der Generalabt Edmund de la Croix die Wahl. Ein Konvisitator begleitete den Abt; er stammte aber nicht immer aus dem Zisterzienserorden. Zumindest bei der Postulation von 1556 lag dies sicher in der Verstimmung des Aldersbacher Vaterabtes begründet[48]. Die Neuwahl eines Abtes[49] begann mit einem Kapitel, auf dem alle Mönche

---

[45] Erwähnung dieses Verfahrens im Schreiben Maximilians an den Landrichter Alexander Pränntl zu Dachau, 26. Mai 1610 (Kopie). BHStAM. KBGR 34, foll. 200–201. – Die Berechtigung der landesherrlichen Kommissare zur – zweifellos bereits früher geübten – Inventarisierung des Klosters wurde festgehalten in Kap. 1, Nr. 2 des Konkordates von 1583; in: Ziegler, Altbayern 491. – Zum Ablauf der Wahl und der landesherrlichen Beteiligung siehe: Pfister, Generalabt 444–446; Molitor, Rechtsgeschichte I 173–174.

[46] Postulationsinstrument Abt Leonhard Baumanns durch Abt Johann Sauer von Kaisheim, Fürstenfeld, 16. April 1556. BHStAM. KU Fürstenfeld 1844.

[47] Molitor, Rechtsgeschichte I 173.

[48] 1556 waren es Abt Leonhard Schlecht von Andechs und Legat Gregor von Wessobrunn (Postulationsinstrument Abt Leonhard Baumanns durch Abt Johann Sauer von Kaisheim, Fürstenfeld, 16. April 1556. BHStAM. KU Fürstenfeld 1844); 1566 waren es Abt Leonhard Hirschauer von Wessobrunn oder dessen Legat Johannes (Wahlinstrument Abt Leonhard Treuttweins durch Abt Bartholomäus Mädauer von Aldersbach, Fürstenfeld, 21. Januar 1566. BHStAM. KU Fürstenfeld 2018).

[49] Erhalten sind aus der Reformationszeit folgende Wahlinstrumente. Sie geben im wesentlichen den gleichen Ablauf der Wahl wieder; Abweichungen und Veränderungen werden gesondert genannt:
  1. Wahlinstrument Abt Georg Menharts durch Abt Wolfgang Mayr von Aldersbach, Fürstenfeld, 10. April 1522. BHStAM. KU Fürstenfeld 1612.
  2. Postulationsinstrument Abt Leonhard Baumanns durch Abt Johann Sauer von Kaisheim, Fürstenfeld, 16. April 1556. BHStAM. KU Fürstenfeld 1844.
  3. Wahlinstrument Abt Leonhard Treuttweins durch Abt Bartholomäus Mädauer von Aldersbach, Fürstenfeld, 21. Januar 1566. BHStAM. KU Fürstenfeld 2018.
  4. Wahlinstrument Abt Johann Puels durch Generalabt Edmund de la Croix, 17. September 1595. BHStAM. KU Fürstenfeld 2388.
  5. Wahlinstrument Abt Sebastian Thomas durch Abt Johannes Dietmair von Aldersbach, Fürstenfeld, 20. Juni 1610. BHStAM. KU Fürstenfeld 2481.

anwesend waren und vom Treueid gegenüber dem resignierten Abt absolviert wurden – war der Prälat im Amt verstorben, so erlosch der Eid ihm gegenüber mit seinem Tod selbständig[50]. Danach hielt der Vorsteher der Wahl eine Exhorte an die Konventualen, verwies auf die »Regula Benedicti« sowie die Rechtstexte des Ordens: die »Charta caritatis«, die »Clementina«[51], die Definitionen des Konzils von Basel und die Privilegien und Statuten des Zisterzienserordens. Dies geschah am Vorabend der Wahl[52].

Am Wahltag versammelte sich der Konvent nach dem Votivamt zum eigentlichen Wahlakt: Die Kapitulare gingen in den Kapitelsaal, die nicht wahlberechtigten Mönche und die anwesenden Kommissare mußten draußen warten. Eigentliche Wahlverfahren gab es drei; unter diesen konnten die Kapitulare vor dem Wahlakt auswählen[53]:

1. Das »Scrutinium«: Die am weitesten verbreitete Möglichkeit war die der geheimen, schriftlichen Stimmabgabe und der Entscheidung durch die Mehrheit. Sie wurde gebraucht, wenn die Stimmverhältnisse unklar waren, oder sich mehrere Fraktionen gegenüberstanden. Die Äbte Leonhard Treuttwein, Johann Puel und Sebastian Thoma wurden auf diese Weise gewählt.

2. Eine Inspirationswahl geschah, wenn sich die Kapitulare schon vor der Wahl auf einen Kandidaten einigen konnten, und die Wahl ohne Gegenstimme gleichsam »per inspirationem Spiritus Sancti« zustandekam. Leonhard Baumann wurde so zum Abt postuliert, wobei freilich das Verfahren reine Formsache war.

3. Durch den »Modus compromissi« konnte ein Abt bestimmt werden, wenn die anderen Wahlverfahren kein Ergebnis brachten, wie etwa bei der

---

[50] Im Gegensatz zur sonstigen Übung wurden die Mönche – zumindest hier im Falle Fürstenfelds (Postulationsinstrument Abt Leonhard Baumanns durch Abt Johann Sauer von Kaisheim, Fürstenfeld, 16. April 1556. BHStAM. KU Fürstenfeld 1844) – auch vom Eid gegenüber einem verstorbenen Prälaten entbunden, was eigentlich nicht nötig wäre. Auch das »Liber Alderspacensis« (Aldersbach Archiv Schublade 105, fasc. 3, Nr. 6, 7) erwähnt nur eine Entbindung der Konventualen vom Treueid im Falle der Resignation des Prälaten. Warum bei der Postulation 1556 Abt Sauer von Kaisheim die Konventualen vom Eid gegen Abt Johannes Pistorius entbunden hatte, ist unklar.

[51] Mit der Bulle »Parvus fons« vom 9. Juni 1265 erneuerte Papst Clemens IV. (1265–1268) die Verfassung des Zisterzienserordens zugunsten einer Stärkung des Filiationssystems; vgl. Lekai/Schneider, Weiße Mönche 35–37; Moßig, Verfassung 118; Weitlauff, Zisterzienser 463.

[52] Diese Aufteilung in Vorabend und Wahltag findet sich im Wahlinstrument Abt Sebastian Thomas durch Abt Johannes Dietmair von Aldersbach, Fürstenfeld, 20. Juni 1610. BHStAM. KU Fürstenfeld 2481. Die Entbindung vom Amtseid erfolgte bei der Postulation Baumanns 1556 dagegen erst nach dem Konventamt (Postulationsinstrument Abt Leonhard Baumanns durch Abt Johann Sauer von Kaisheim, Fürstenfeld, 16. April 1556. BHStAM. KU Fürstenfeld 1844).

[53] Wahlinstrument Abt Leonhard Treuttweins durch Abt Bartholomäus Mädauer von Aldersbach, Fürstenfeld, 21. Januar 1566. BHStAM. KU Fürstenfeld 2018.

Wahl Abt Georg Menharts. Nachdem die übliche Skrutinialform eine Pattsituation zwischen zwei Kandidaten ergeben hatte, vermittelten Kompromissäre zwischen den Parteien und einigten sich auf Menhart als neuen Abt[54].

Die beliebteste und praktikabelste Art der Wahl war das arithmetische Skrutinialverfahren, das sich in Fürstenfeld ebenso wie in anderen Klöstern immer mehr durchsetzte[55]; auch das Konzil von Trient sprach sich gegen die Kompromißverfahren und für die geheime Abstimmung aus[56]. In früheren Jahren wechselten die Wahlverfahren in Fürstenfeld einander je nach Mehrheitsverhältnissen, Kandidaten und Parteiungen ab; seit der Postulation Abt Baumanns wurde der Abt jedoch nur noch nach geheimer Abstimmung erwählt. Ein Mischverfahren wurde bei der Wahl Abt Sebastian Thomas angewandt: Zuerst einigten sich die Kompromissäre des Kapitels auf ihn als Kandidaten und stellten ihn dann dem Kapitel vor, das Thoma schließlich wählte[57].

Nachdem der Konvent durch das eigentliche Wahlverfahren einen Wunschkandidaten ermittelt hatte, wurde dieser dem Vorsteher der Wahl zur Konfirmation vorgestellt; dieser bestätigte nach der Befragung der herzoglichen Kommissare wegen etwaiger Erinnerungen gegen den Gewählten das Ergebnis und konfirmierte ihn zum Abt des Klosters Fürstenfeld. Daraufhin wurde der neue Abt in sein Amt eingeführt: Unter dem Gesang des »Te Deum« zog der Konvent ins Oratorium oder in den Chor, wo der Prälat den Sitz des Vorstehers als Zeichen der abteilichen Würde in Besitz nahm; zuvor hatte er noch den Bruderkuß des anwesenden Vaterabtes erhalten. Wieder zurück im Kapitelsaal bekam er das Siegel des Abtes und die Schlüssel zur Abtei und zu den Konventsgebäuden als Beleg der Einsetzung in »spiritualia« und »temporalia« des Klosters. Schließlich leisteten ihm die Konventualen den Gehorsamseid.

Der letzte Akt der Neuwahl eines Abtes war die »Abbatialis benedictio«, die Abtweihe, deren sakramentaler Charakter lange Zeit umstritten war; sie konnte sich zwar nicht als »consecratio« im Grad und mit der Wirkung eines Sakramentes durchsetzen, war aber allgemein anerkannt als »benedictio constitutiva«, die als Sakramentalie die geweihte Person dauernd dem Dienstamt verpflichtete; das Konzil von Trient übernahm diese Sichtweise[58].

---

[54] Wahlinstrument Abt Georg Menharts durch Abt Wolfgang Mayr von Aldersbach, Fürstenfeld, 10. April 1522. BHStAM. KU Fürstenfeld 1612.

[55] Für Weingarten gilt dies etwa ab dem gleichen Zeitraum; vgl. Reinhardt, Weingarten 46.

[56] Conc. Trid. Sess. XXV, De regularibus et monialibus VI, in: COD 778.

[57] Wahlinstrument Abt Sebastian Thomas durch Abt Johannes Dietmair von Aldersbach, Fürstenfeld, 20. Juni 1610. BHStAM. KU Fürstenfeld 2481.

[58] Conc. Trid. Sess. VII, De Sacramentis Canon 1, in: COD 684. – Vgl. Hegglin, Abt 155 Anm. 218.

Fünf Abtweihen sind für die Reformationszeit belegt, und sie offenbaren die Ablösung der bischöflichen Rechte zur Spendung der »Abbatialis benedictio« durch die Äbte des Ordens, die sich weit über den Zisterzienserorden hinaus vollzog[59]: Abt Leonhard Baumann mußte an Christi Himmelfahrt 1556 nach Freising reisen, um sich von Fürstbischof Leo Lösch von Hilkertshausen die Benediktion erteilen zu lassen[60]; ebenso wurde Abt Leonhard Treuttwein am Ostermontag 1566 durch Fürstbischof Moritz von Sandizell in Freising benediziert[61]. Abt Johann Puel dagegen erhielt die Abtweihe in der Klosterkirche vom Generalabt der Zisterzienser Edmund de la Croix, der zwar nicht zum Bischof geweiht war, dennoch die Fakultät zur Erteilung der Benediktion besaß[62]. Der Freisinger Bischöfliche Geistliche Rat äußerte zwar seinen Unmut über diese Fakultät, konnte aufgrund der belegten päpstlichen Privilegierung aber nichts dagegen einwenden[63]. Die Kompetenzverlagerung setzte sich in der Praxis bald durch: 1596 erhielt Abt Petrus II. Müller von Salem aufgrund päpstlicher Vollmacht durch Generalabt de la Croix das »Ius benedicendi abbates et abbatissas«[64]. Für die bayerischen Klöster benedizierte meistens der Abt von Aldersbach die Prälaten; 1612 bekam Abt Michael Kirchberger durch den Generalabt das Recht dazu[65]. Schon 1610 hatte Abt Dietmair den neugewählten Fürstenfelder Abt Thoma benediziert[66], und auch dessen Nachfolger Abt Leonhard Lechner erhielt die Abtsbenediktion vom Aldersbacher Vaterabt[67].

Bedeutsam ist am Wahlakt aus staatskirchenrechtlicher Sicht die Zuständigkeit für die Investierung des neuen Prälaten in die Verwaltung der Klostergüter. Bereits die erste erhaltene Urkunde, welche die Wahl Abt Georg Menharts bestätigt[68], berichtet über die Anwesenheit herzoglicher Kommis-

---

[59] Vgl. Hegglin, Abt 154.

[60] Rechnungsbuch von 1556, »Zehrung und Botenlohn«. BHStAM. KL Fürstenfeld 317 1/86. – Die Weihegebühr an den Bischof betrug 10 fl. Das Konzil von Trient ging gegen diese Gebühren vor (vgl. Conc. Trid. Sess. XXI, De reformatione I, in: COD 728).

[61] Sitzungsprotokoll des BGR, 8. Juli 1610. AEM. GR. PR. 32, fol. 29v. – Rechnungsbuch von 1566, »Zehrung und Botenlohn«. BHStAM. KL Fürstenfeld 317 1/10.

[62] Wahlinstrument Abt Johann Puels durch Generalabt Edmund de la Croix, 17. September 1595. BHStAM. KU Fürstenfeld 2388. – Die Fakultät wurde dem Generalabt oder dem Generalvikar der Provinz durch ein Breve Papst Clemens' VIII. vom 24. Juli 1595 verliehen; vgl. FRST 18,7.

[63] Sitzungsprotokoll des BGR, 16. September 1595. AEM. GR. PR. 13, fol. 163v.

[64] Vgl. Rösener, Salem 699; Krausen, Raitenhaslach 88.

[65] Ermächtigung Abt Michael Kirchbergers zur Benediktion von Äbten und Äbtissinnen durch Generalabt Nicolaus II. Boucherat, Cîteaux, 28. Oktober 1612. BHStAM. KU Aldersbach 1519. – Vgl. Krausen, Raitenhaslach 84.

[66] Sitzungsprotokoll des BGR, 8. Juli 1610. AEM. GR. PR. 32, fol. 30.

[67] Sitzungsprotokoll des BGR, 28. Februar 1624. AEM. GR. PR. 61, fol. 30v.

[68] Wahlinstrument Abt Georg Menharts durch Abt Wolfgang Mayr von Aldersbach, Fürstenfeld, 10. April 1522. BHStAM. KU Fürstenfeld 1612.

sare im Kloster[69], wobei eine Inventarliste vom Aldersbacher Abt Wolfgang
Mayr erstellt worden ist, der auch die Wahl geleitet hat[70]. Aus dem Wahlin-
strument geht nicht eindeutig hervor, wer den neugewählten Abt Menhart in
die »temporalia« eingesetzt hat. Dreißig Jahre später, bei der Postulation
Baumanns, verfolgte der herzogliche Kommissar Georg Taufkirchen die
Ereignisse und übergab dem neuen Prälaten Schlüssel und Siegel der Abtei als
Zeichen für die weltlichen Rechte[71]. Bei der Wahl Abt Treuttweins sind her-
zogliche Kommissare nicht belegt, waren aber sicher anwesend, ebenso bei der
Wahl Abt Johann Puels[72]. Der 1610 gewählte Abt Sebastian Thoma erhielt
ebenfalls Schlüssel und Siegel von den Kommissaren eingeantwortet[73]. Die
Einsetzung des neuen Abtes in die »temporalia« hatte bereits vor der eigentlichen Reformationszeit der Landesherr übernommen; im Zuge des Ausbaus
des landesherrlichen Kirchenregiments wurde diese Übung zu geltendem
Recht und im Konkordat von 1583 schriftlich niedergelegt[74]; bei der Wahl
1595 war die Präsenz der Kommissare auch in Anwesenheit des Generalabtes
selbstverständlich. Lediglich beim Wahlakt selbst betraten die Kommissare
den Kapitelsaal nicht, da man diese Tradition des Zisterzienserordens weitgehend achtete[75].

Im Ablauf der Wahl ergaben sich ständig Änderungen, so daß keine zwei der
bekannten fünf Wahlvorgänge im Aufbau gleich waren: Identisch blieb der
Wahlvorgang bis hin zum Heilig-Geist-Amt, dem Hymnus und dem Wahlverfahren. Danach änderten sich immer wieder Details: 1556 und 1610
geschah die Konfirmation, die ansonsten erst nach der Rückkehr aus dem
Chor oder dem Oratorium vorgenommen wurde, unmittelbar nach der Wahl.
Gleich darauf folgte das »Te Deum«. Die Inthronisation erfolgte 1522 und
1566 auf den Abtsthron im Oratorium, bei den übrigen Wahlen zog man in
den Chor der Kirche. Auch der Oboedienzeid, den die Religiosen dem neuen
Abt zu leisten hatten, wurde vom Oratorium später in den Kapitelsaal verlegt. Ganz aus dem Rahmen des Üblichen fiel schließlich die Wahl 1595

---

[69] Wilhelm IV. an Landhofmeister und Hofrat, 3. April 1522 (Konzept). BHStAM. KBÄA 4095,
fol. 181r. – Die Kommissare werden in dem Schreiben angewiesen, ein Inventar zu erstellen
und es dem neuen Abt zu übergeben.

[70] Inventar, 1522. BHStAM. Aldersbach Archiv Schublade 107, fasc. 2, prod. 2, nennt keinen
Verfasser. Inventar, 1522. BHStAM. KU Fürstenfeld 1613, ist anläßlich der Wahl Abt Menharts durch Abt Wolfgang Mayr von Aldersbach verfaßt worden.

[71] Postulationsinstrument Abt Leonhard Baumanns durch Abt Johann Sauer von Kaisheim,
Fürstenfeld, 16. April 1556. BHStAM. KU Fürstenfeld 1844.

[72] Wilhelm V. an den GR, 2. Oktober 1595. BHStAM. KBÄA 4095, fol. 183r. – Allerdings konnte
aufgrund des gleichzeitig stattfindenden Äbtetreffens die Inventarisierung erst später vorgenommen werden.

[73] Maximilian an die GR Pangratz Motschenbach und Albrecht Lerchenfelder, 11. Juni 1610
(Kopie). BHStAM. KL Fürstenfeld 1, fol. 149; BHStAM. KBGR 34, foll. 207v–208r.

[74] In: Ziegler, Altbayern 492.

[75] Vgl. Klemenz, Dallmayr 52.

unter dem Vorsitz des Generalabtes, der den Ablauf nach seiner eigenen »consuetudo« bestimmte: Nach dem Heilig-Geist-Hymnus empfingen die Konventualen zunächst das Bußsakrament, bevor sie zur Wahl schritten; das »Te Deum« erklang erst, nachdem im Kapitelsaal der neue Prälat instituiert wurde und den Oboedienzeid entgegengenommen hatte. Geringer wurde im Laufe der Zeit auch der Einfluß von Prior, Subprior und Cellerar bei der Abtwahl; während sie laut dem Aldersbacher Wahlbüchlein von 1522 das erste Vorschlagsrecht innehatten[76], wird in der Praxis seine Verwirklichung nie der Form entsprechend erwähnt. Ein völlig einheitlicher Ablauf von Wahlakt und Liturgie, die eng miteinander verbunden sind, ist noch nicht festzustellen; eine Vereinheitlichung des Wahlverfahrens wurde erstmals in den Fürstenfelder Reformstatuten von 1595 vorgenommen. Diesen Vorschriften entsprachen im wesentlichen die Wahlen von 1610 und später[77].

1.1.2.3.3 Vorschriften der Fürstenfelder Reformstatuten von 1595 zur Abtwahl

Neben vielen anderen Teilbereichen des klösterlichen Lebens regelten die Fürstenfelder Reformstatuten von 1595 auch den Ablauf der Wahl, wenngleich sie sich nur langsam durchsetzten. Grundsätzlich hatte sich das Wahlverfahren nach dem »Ceremoniale« des Zisterzienserordens und dem noch in Vorbereitung begriffenen und 1596 erschienenen »Pontificale Romanum« zu orientieren[78].

Eine Neuerung stellte die Position der weltlichen Wahlkommissare dar. Ihre – im bayerischen Raum durch das Konkordat von 1583 legitimierte – Präsenz wird als Belastung für die Wahl gesehen; für den Fall einer wie auch immer versuchten Einflußnahme weltlicher Kommissare auf die Wahl oder eines entstehenden Schadens für das Kloster wird der Konvent ermächtigt, unter Zustimmung des Visitators oder Provinzialvikars den Leiter des Wahlaktes aus den eigenen Reihen zu bestimmen, um die Wahl zu beschleunigen und vor fremdem Eingriff zu schützen[79]. Binnen vier Monate nach der Wahl mußte nunmehr der Abt vom Heiligen Stuhl, dem Generalabt oder dem Vaterabt konfirmiert werden[80]; erst danach konnte die Benediktion zum Abt vollzogen werden, nachdem der Neugewählte das Glaubensbekenntnis in der Form des Konzils von Trient gesprochen sowie dem Zisterzienserorden und seinem Generalabt und dessen Nachfolgern Ehrfurcht, Treue und Gehorsam gelobt hatte. Die »Benedictio abbatialis« erfolgte schließlich durch den Generalabt, den Provinzialvikar oder einen bevollmächtigten Abt[81].

---

[76] »Liber Alderspacensis«, Nr. 6: »Forma electionis s[e]c[un]d[a]m [consuetudinem] Cisterciensem«, 1522. BHStAM. Aldersbach Archiv Schublade 105, fasc. 3.
[77] Vgl. Klemenz, Dallmayr 51–53.
[78] FRST 18,7.   [79] FRST 18,4.   [80] FRST 18,5.   [81] FRST 18,6 7.

Diese Regelungen brachten im Vergleich zur vorherigen Formenvielfalt bei der Abtwahl einschneidende Veränderungen mit dem Ziel der Vereinheitlichung. Besonderer Wert wurde auf Katholizität und Gehorsam gegenüber den kirchlichen Autoritäten gelegt; die landesherrlichen Kompetenzen versuchte der Orden zurückzudrängen. Andererseits wurde die Gültigkeit der Wahl zum Abt stärker als bisher von der Konfirmation, der Anerkennung durch die Oberen, abhängig gemacht; zugleich aber wurde das Konfirmationsverfahren vereinfacht. Während bisher die Generaläbte einzelnen Äbten noch Jahre nach ihrer Wahl Konfirmationsurkunden ausstellten, obwohl dies durch die Leiter der Wahl schon geschehen war[82], konnten jetzt die Vateräbte selbständig die neugewählten Prälaten konfirmieren.

1.1.3   Rechte und Pflichten des Abtes

Mit der erfolgten Wahl durch den Konvent, der Konfirmation und Inthronisation durch den Abt, der die Wahl geleitet hatte, und der Institution in die »temporalia« durch die herzoglichen Kommissare, war ein Konventuale mit allen seinen Rechten und Pflichten rechtskräftig zum Abt erhoben worden. Das Fehlen der »Benedictio abbatialis« bedeutet kein Rechtshindernis in der Amtsausübung; deshalb konnte sie auch in einem zeitlichen Abstand von bis zu vier Monaten erfolgen[83].

1.1.3.1   Die Verwaltung der »temporalia«

Die Leitung der »temporalia« umfaßt alle Bereiche, die mit Wirtschaft, Finanzen oder Rechtsprechung des Klosters im Zusammenhang stehen. Nominell war der Abt ebenfalls Grund- und Gerichtsherr über die dem Klo-

---

[82]   In Fürstenfeld ereignete sich diese Doppelkonfirmation bei den Äbten Baumann und Treuttwein: Nachdem Abt Sauer von Kaisheim den neugewählten Baumann noch im Postulationsverfahren konfirmiert hatte, traf später eine in Cîteaux am 25. Juli 1556 vom Generalabt ausgestellte Konfirmationsurkunde ein (Postulationsinstrument Abt Leonhard Baumanns durch Abt Johann Sauer von Kaisheim Fürstenfeld, 16. April 1556. BHStAM. KU Fürstenfeld 1844, mit beiden Urkunden). Auch Leonhard Treuttwein wurde noch am Wahltag von Vaterabt Mädauer konfirmiert (Wahlinstrument Abt Leonhard Treuttweins durch Abt Bartholomäus Mädauer von Aldersbach, Fürstenfeld, 21. Januar 1566. BHStAM. KU Fürstenfeld 2018); bei der Visitation 1573 bemängelte dagegen Generalabt Boucherat die fehlende Konfirmation und stellte eine neue Urkunde aus (Abt Leonhard Treuttwein an Albrecht V., Fürstenfeld, 2. Oktober 1573 [Konzept]. BHStAM. KL Fürstenfeld 330, prod. 2).

[83]   Leonhard Baumann etwa wurde am 11. April 1556 zum Abt postuliert, aber erst an Christi Himmelfahrt benediziert. Dies hinderte ihn nicht an der vollen Ausübung seines Amtes: Rechnungsbuch von 1556, »Zehrung«. BHStAM. KL Fürstenfeld 317 1/86. – Schriftlich formuliert wurde die Viermonatsregelung in den Fürstenfelder Reformstatuten 1595. FRST 18,5.

ster gehörigen Hofmarken und Besitzungen, faktisch aber wurden ihm im Verlauf der Reformationszeit immer mehr Rechte von den Landesherren entzogen und in die territoriale Administration eingegliedert.

Als landsässiges Kloster besaß Fürstenfeld zwar keine eigene »Herrschaft«, aber es übte im Rahmen seiner Niedergerichtsbarkeit dennoch hoheitliche Aufgaben aus. Zwei geschlossene Klosterhofmarken waren dem Abt unterstellt: Zoll und hohes Gericht in Bruck hatte Fürstenfeld 1425 erworben[84]; das Hochgericht konnte man nicht halten, für das Niedergericht vertrat ein Klosterrichter im Markt Bruck den Abt als Hofmarksherr und sprach Recht[85]. Als Gehilfe war ihm ein Schreiber beigeordnet[86]. Die zweite Klosterhofmark war Rottbach-Einsbach. Das Kloster erwarb sie im 14. und 15. Jahrhundert durch den Ankauf verschiedener Güter und Gerechtsame[87] und konnte sie so zu einer geschlossenen Klosterhofmark ausbauen. Freilich handelte der in seinen Rechten beschnittene Dachauer Landrichter immer wieder eigenmächtig und griff in die Klostergerechtigkeiten ein[88]. Vor dem Landtag beschwerte sich 1579 Abt Treuttwein in aller Form gegen die sich häufenden Übergriffe der nachgesetzten Landesobrigkeit[89], 1612 tat sein Nachfolger Thoma dasselbe[90], ohne jedoch dem wachsenden Druck der landesherrlichen Administration etwas entgegensetzen zu können. Außerdem gehörte der Fürstenfelder Abt zum bayerischen Prälatenstand und besaß so Sitz und Stimme in der an Einfluß langsam verlierenden Landschaft, wenngleich sich die Fürstenfelder Äbte in diesem Gremium nie sonderlich engagierten[91].

Wichtiger als die Hofmarksherrschaft war für Fürstenfeld wie für jedes Kloster eine florierende Klosterwirtschaft; hing doch von ihr die Existenz des Klosters und mittelbar auch seine Bedeutung im Orden und im Land ab. Der

---

[84] Kaufurkunde von Hans Pellheimer, 25. Oktober 1425. BHStAM. KU Fürstenfeld 1425 Oktober 25.

[85] Näheres zum Verhältnis zwischen dem Markt Bruck und dem Kloster Fürstenfeld siehe: Heydenreuther, Markt Bruck, in: TE II 319–353.

[86] Zu diesen Ämtern ausführlicher Teil II, Kap. 1.2.5.4.

[87] Verkaufsurkunde Sighart Hudlers über das Dorfgericht Rottbach an das Kloster Fürstenfeld, 1. Februar 1402. BHStAM. KU Fürstenfeld 668. – Tauschurkunde zwischen den Klöstern Fürstenfeld und Indersdorf über einen Acker bei Rottbach, 10. März 1426. BHStAM. KU Fürstenfeld 844. – Herzog Sigmund verweist die Fürstenfelder Hofmarkshintersassen in Rottbach und Einsbach künftig an den Brucker Richter, da der Hofmarksrichter dem Kloster zu teuer komme, 2. März 1486. BHStAM. KU Fürstenfeld 1362.

[88] Beispielhaft ist der – schon oben unter Teil I, Kap. 3.3.1.2 genannte – Streit um die Hinterlassenschaft des Pfarrers zu Einsbach, der sich zwischen dem Abt und dem Landrichter von Dachau von 1601 bis 1603 hinzog. BHStAM. KL Fürstenfeld 216 ½ a, prodd. 9–19.

[89] Abt Leonhard Treuttwein an den Landtag, 1579 (Konzept). BHStAM. KL Fürstenfeld 396, prod. 1.

[90] Abt Sebastian Thoma an den Landtag, 1612. BHStAM. KL Fürstenfeld 396, prod. 5.

[91] Vgl. Bosl, Repräsentation 79–83; Greindl, Ständeversammlung 43 127–130; Koch, Klöster 259 261; Pfister, Generalabt 443; Rankl, Kirchenregiment 155–156.

Abt besaß grundsätzlich die Oberaufsicht sowohl über das Personal als auch über die verschiedenen Vermögens- und Wirtschaftsbereiche: den Klosterhofbau, die Ökonomie in Inchenhofen, die Stadthöfe in Esslingen und München und schließlich die zahlreichen gegen Gilt ausgegebenen Besitzungen landauf und landab. Dem Abt gegenüber waren die Kastner und Pfleger der Betriebe und Höfe verantwortlich, und er konnte sie ernennen und entlassen. Auch die Rechnungsbücher des Klosters wurden vom Abt unterzeichnet[92]. Natürlich konnte aufgrund der umfangreichen Besitzungen nicht mehr als eine allgemeine Oberaufsicht durch die Äbte geschehen. Der Esslinger Pfleger etwa war weitgehend unabhängig vom Kloster; nur eine Reise eines Abtes nach Esslingen ist überliefert[93], ansonsten fuhren gelegentlich Prior oder Gerichtsschreiber ins Württembergische[94]. Den Konvent bezogen die Äbte kaum in die Verwaltung ein, denn bei der Visitation 1551 offenbarten die Mönche eine erschreckende Ahnungslosigkeit über die wirtschaftliche Lage; sogar der Brucker Pfarrer wußte oft mehr darüber[95].

Die nominelle Souveränität des Abtes über die Wirtschaftsverwaltung wurde allerdings zur reinen Papierform: Seitdem die Herzöge Wilhelm IV. und Ludwig X. dem Kloster im Sommer 1525 die »Erlaubnis« zum Verkauf liegender Güter erteilt hatten[96], lag die Oberaufsicht über die Finanzen beim Hofrat. 1528 beschäftigte sich die Landschaft mit dem Finanzgebaren Fürstenfelds[97], 1552 bestimmte der Herzog einen weltlichen Administrator über das Kloster[98]. Die maßgeblichen Entscheidungen wurden vom Hofrat, später von der Hofkammer und dem Geistlichen Rat in Absprache mit den Herzögen getroffen; Einfluß darauf hatte der Abt nur sehr beschränkt. In Fürstenfeld wehrte man sich auf eigene Weise: Die Äbte führten durch die schon öfter erwähnte miserable Buchführung die herzoglichen Kommissare regelmäßig hinters Licht und konnten sich so den Rest der einstigen Finanzautonomie wahren.

---

[92] Vgl. Wollenberg, Eigenwirtschaft 342–347.

[93] Leonhard Treuttwein fuhr kurz nach seinem Amtsantritt 1567 nach Esslingen, »so war nie gewest«: Rechnungsbuch von 1567. BHStAM. KL Fürstenfeld 216 1/3, fol. 24v.

[94] Aussage des Gerichtsschreibers Hanns Zwinger im Visitationsprotokoll, 13. Oktober 1551. BHStAM. KBÄA 4096, fol. 77r.

[95] Aussagen der Konventualen und Angestellten in Fürstenfeld im Visitationsprotokoll, 13. Oktober 1551. BHStAM. KBÄA 4096, foll. 57–86.

[96] Wilhelm IV. und Ludwig X. an Abt Georg Menhart mit der Erlaubnis, aufgrund »Irer mercklichen notturfft« und besonderer Lasten, Immobilien zu verkaufen, München, 12. Juli 1525. BHStAM. KU Fürstenfeld 1633.

[97] Nachtrag im Visitationsrezeß Wilhelms IV. 1529 mit anonymer Handschrift, undatiert. BHStAM. Aldersbach Archiv Schublade 107, fasc. 3, prod. 1.

[98] Siehe Teil I, Kap. 2.2.3.

1.1.3.2 Die geistlichen Rechte des Abtes

Die geistlichen Aufgaben stellen den eigentlichen Dienst des Abtes gemäß der Benediktsregel dar; dieses Dienstes soll sich der Abt im Hinblick auf die dereinst abzugebende Rechenschaft stets bewußt sein[99].

1.1.3.2.1 Die Leitung des Konventes

Dem Abt obliegt zunächst die Aufsicht über den Ablauf und die Disziplin des klösterlichen Lebens gemäß den Ordensregeln, also Gottesdienst, Sakramentendisziplin, Ausbildung und Studium der Mönche sowie Einhaltung der Klosterzucht. Ebenso unterstehen dem Abt die Klosterämter wie Prior, Subprior und Kastner, die zugleich den Abt in der Ordnung des Klosterlebens unterstützen[100]. Über seinen Konvent übt der Abt die ordentliche Jurisdiktion aus: Er ernennt und entläßt mit ungebundener Vollmacht die Klosterämter, teilt den Konventualen ihre Aufgaben zu und ist ihnen gegenüber insgesamt weisungsbefugt. Wenn es nötig ist, kann der Abt auch Klosterstrafen aussprechen und die Mönche etwa ins Gefängnis, die »keichen«, setzen oder anderweitig strafen; ausreichende Belege für diesen Vollzug finden sich im Tagebuch Abt Leonhard Treuttweins[101].

Im Bereich der Pfarrstellen und ihrer Besetzung ergaben sich seitens der »spiritualia« Überschneidungspunkte mit den Hoheitsrechten anderer Jurisdiktionsträger. Manche Pfarreien waren dem Kloster voll inkorporiert, so daß der Abt die gesamten Rechte innehatte, für andere Pfarreien besaß das Kloster das Besetzungs- oder Präsentationsrecht, so daß es hier mit anderen weltlichen oder geistlichen Herren zu kooperieren galt[102].

1.1.3.2.2 Bindeglied zum Gesamtorden und Vertreter nach außen

Nach außen ist der Abt das Bindeglied zum Gesamtorden: Er vertritt seinen Konvent vor dem Vaterabt ebenso wie vor dem General- oder Provinzialkapitel und ist zugleich verantwortlich, daß die von dort ergehenden Weisungen im Kloster umgesetzt werden. Hat ein Kloster eine oder mehrere Tochtergründungen, so ist der Abt als »Pater immediatus« dem dortigen Abt als Visi-

---

[99] Vgl. RB 64,7.
[100] Die Grundlagen der Weisungsbefugnis des Abtes in RB 1,2; 2,4. 5. 19. 25–34; 4,61; 31,4; 42,10; 51,2; 54,1; 61,11–13; 62,3; 67,7; 70,2. – Vgl. Molitor, Rechtsgeschichte I 3–5.
[101] Einträge im Tagebuch Treuttweins. BStB. Cgm 1771. – Abt Treuttwein bestrafte aber im Vergleich zu den Visitatoren seines Klosters eher milde.
[102] Siehe Teil II, Kap. 3.3.

tator übergeordnet und leitet im Regelfall die Abtwahlen[103]. Diese Kompetenzen kann der Abt teilweise delegieren; besonders die Teilnahmen auf den Kapiteln, aber auch die Visitationen können durch vom Abt Beauftragte versehen werden: Beim Generalkapitel von 1605 vertraten etwa Fr. Sebastian Thoma aus Fürstenfeld und Fr. Conrad Enckher aus Raitenhaslach ihre Äbte[104]. Abt Andreas Haydeker von Aldersbach bot 1586 aufgrund der eigenen Gebrechlichkeit dem auf eine Visitation in Fürstenfeld drängenden Herzog Wilhelm V. an, seinen Prior Konrad Manntz als Visitator zu schicken[105]. Auch die Fürstenfelder Reformstatuten von 1595 sahen eine Delegierbarkeit jurisdiktioneller Kompetenz vor[106].

1.1.3.2.3 Das Pontifikalienrecht

Bernhard von Clairvaux lehnte mit der Gründergeneration von Cîteaux das Tragen der Pontifikalien ab; erst 1359 bis 1375 nahmen die Äbte von Cîteaux dieses Recht an[107]. Die Fürstenfelder Äbte bekamen dieses Recht als Realprivileg 1440 vom Restkonzil von Basel verliehen[108], wobei der Anstoß dazu von den Wittelsbacher Herzögen ausging, die ihre Hausgründung weiter auszeichnen wollten[109]. Mit der gesamtkirchlichen Anerkennung dieses Privilegs entstanden keine Schwierigkeiten, obwohl das Baseler Konzil zu dieser Zeit ein Gegenkonzil geworden war. Der Raitenhaslacher Prälat hatte als erster bayerischer Zisterzienserabt dieses Recht schon 1397 erhalten[110]; die Weingartener Äbte hatten zwar auch im 15. Jahrhundert gelegentlich das Pontifikalienrecht »ad personam« verliehen bekommen, als Realprivileg durften die Äbte die Pontifikalien aber erst ab 1537 gebrauchen[111]. Etwa zeitgleich mit Fürstenfeld erhielt Aldersbach 1444 vom Baseler Konzil das Pontifikalienrecht zugesprochen; Abt Achatius Einspeckh (1590–1611) von Gotteszell erhielt es 1596 aufgrund der erstmaligen Wahl eines Gotteszeller Administrators zum Abt[112].
Das Pontifikalienprivileg erhielt der Abt durch seine Abtweihe[113]; sein

---

[103] Vgl. Molitor, Rechtsgeschichte I 170–172.
[104] Beglaubigungs- und Geleitbrief durch Abt Johannes Dietmair von Aldersbach, Aldersbach, 17. März 1605. BHStAM. Aldersbach Archiv Schublade 105, fasc. 16, prod. 7.
[105] Abt Andreas Haydeker von Aldersbach an Wilhelm V., Aldersbach, 6. April 1586. BHStAM. KBÄA 4096, foll. 213–214.
[106] FRST 34,5.
[107] Vgl. Hegglin, Abt 158.
[108] Infulverleihung durch das Baseler Konzil, Basel, 15. Dezember 1440. BHStAM. KU Fürstenfeld 1001; gedruckt in: MB IX, Nr. 152.
[109] Vgl. Schmid, Cenobium 265; Riezler, Geschichte Baierns III 307.
[110] Vgl. Krausen, Raitenhaslach 59.
[111] Vgl. Reinhardt, Weingarten 55–56.
[112] Vgl. Hartig, Niederbayerische Stifte 151, 171.
[113] Vgl. Hegglin, Abt 157.

Inhalt bestand aus dem Tragen von Mitra, Stab, Pectorale und Ring. Im Inventar von 1522 findet sich eine Pontifikaliengarnitur[114], 1549 besaß Fürstenfeld bereits je zwei Stäbe, Infuln und Kreuze[115], 1595 war ein silberner, vergoldeter Abtstab mit einem Pelikan dazugekommen[116], Abt Thoma ließ schließlich eine Mitra mit zehn Abtwappen verzieren[117]: Im Laufe des 16. Jahrhunderts ist also eine eindeutige Steigerung der Wertschätzung der Pontifikalien festzustellen. Im wesentlichen beschränkte sich der praktische Nutzen des Pontifikalienrechts auf die Repräsentation, etwa bei den großen Wallfahrten in Inchenhofen oder festlichen Anlässen im Kloster. Zunehmend wichtiger wurden die Verpflichtungen in München, die der Darstellung staatskirchlichen Selbstverständnisses der Herzöge Wilhelm V. und Maximilian dienten: Abt Treuttwein wurde 1581 »in pontificalibus« zu einem Requiem einer dem Herzog verwandten spanischen Hoheit geladen[118]; bei der Weihe der Münchener Jesuitenkirche St. Michael am 6. Juli 1597 war auch der Fürstenfelder Prälat Puel anwesend[119]. Regelmäßige Repräsentationstermine, bei denen die Fürstenfelder Äbte ausdrücklich in ihren Pontifikalien zu erscheinen hatten, waren schließlich die Fronleichnamsprozessionen, zu denen erstmals Abt Treuttwein im Jahr 1582 geladen wurde mit dem Hinweis, »Ir wellt Eeure pontificalia mitbringen, und die Procession mit Eeurer gegenwarth Zieren helffen«[120].

Rechte zu weitreichenden Pontifikalienhandlungen ergaben sich demgegenüber nicht: Den Pontifikalsegen durften die Äbte zwar spenden, aber zur Weihe der Glocken – die dem Abt hätte als Pontifikalrecht verliehen werden können – mußte noch 1615 der Freisinger Weihbischof Bartholomäus Scholl an die Amper kommen[121]. Auch die Erteilung der Tonsur und der Niederen Weihen blieb den Fürstenfelder Äbten vorenthalten, so daß Jahr für Jahr die Kandidaten zum Empfang der Niederen und Höheren Weihen nach Freising fuhren[122]. Im Gegensatz zum Weingartener Prälaten, der 1537 und 1595 das

---

[114] Inventar, 1522. BHStAM. KBÄA 4095, fol. 42r.

[115] Inventar, 1549. BHStAM. Aldersbach Archiv Schublade 107, fasc. 2, prod. 3.

[116] Inventar, 1595. BHStAM. KBÄA 4095, fol. 187v.

[117] Rechnungsbuch von 1613, »Konvent«. BHStAM. KL Fasc. 957/60.

[118] Wilhelm V. an Abt Leonhard Treuttwein, München, 14. Januar 1581. BHStAM. KL Fürstenfeld 331, prod. 1.

[119] Führer, Chronik § 190.

[120] Wilhelm V. an Abt Leonhard Treuttwein, München, 6. Juni 1582. BHStAM. KL Fürstenfeld 331 1/3, prod. 1. – Freilich war nicht der Fürstenfelder Abt alleine geladen: Ein Notizzettel, ebd. prod. 1a, benennt als ebenfalls eingeladen die Äbte bzw. Pröpste von Tegernsee, Benediktbeuern, Rott, »Heiligenberg« (Andechs), Weihenstephan, Ebersberg, Scheyern, Wessobrunn, Attel, Dietramszell, Indersdorf, Diessen, Neustift, Weyarn, Schäftlarn, Beyharting und Bernried.

[121] Führer, Chronik § 196.

[122] Laut Rechnungsbüchern waren es jährlich zwischen drei und sechs Kandidaten, die Weihen erhalten haben; welche, ist nicht mehr überliefert.

Recht zur Erteilung der Niederen Weihen erhalten hatte[123], mußten die Für-
stenfelder auch später ihre Kandidaten in Freising ordinieren lassen; lediglich
Abt Martin Dallmayr bekam eine Ausnahmeerlaubnis, einen Frater zum
Subdiakon zu weihen[124].

1.1.3.3   Besondere Fakultäten der Äbte

Im Vergleich zu den Fakultäten anderer Äbte, etwa Weingartens, erhielten
die Fürstenfelder Prälaten nur wenige Sondervollmachten. Vor der Reformationszeit wurden sie gelegentlich mit der Visitation anderer Klöster beauftragt: Generalabt Wilhelm VI. ermächtigte 1521 Abt Harder zur Visitation
anderer bayerischer und österreichischer Zisterzienserklöster[125]; sein Nachfolger, Abt Menhart, bekam das Privileg, drei Ordenspersonen beiderlei
Geschlechts zu rehabilitieren, da dieses Recht in den voraufgegangenen Visi-
tationsaufträgen nicht eingeschlossen war[126]. Ungesichert ist, ob Abt Caspar
Harder die Fakultät zur Kapellenbenediktion erhalten hatte. Abt Führer
erwähnt unter Berufung auf eine Gedenktafel an der Außenmauer der Wolfgangskapelle beim Siechenhaus, daß die Kapelle 1518 durch Abt Harder
»dedicatum« wurde[127]; zumindest ist kein Bischof genannt, der die Weihe
vorgenommen hatte. Mangels weiterer Quellen kann die Angabe Führers
aber nicht gestützt werden. Das erste nach der Reformation erwirkte Privileg
war 1562 die Erlaubnis für den Abt, mit rotem Wachs zu siegeln[128]; Fürstenfeld erhielt im Vergleich zu Raitenhaslach[129] oder Weingarten[130] diese
Fakultät allerdings ziemlich spät.

[123] Vgl. Reinhardt, Weingarten 56. – Allerdings galten diese Rechte immer nur »ad personam«,
nie aber für die Äbte generell.
[124] Vgl. Klemenz, Dallmayr 287. – Am 19. Mai 1653 weihte Dallmayr den Fr. Albericus Wim-
mer zum Subdiakon.
[125] Generalabt Wilhelm VI. an Abt Caspar Harder, Cîteaux, 31. August 1521. BHStAM. KU
Fürstenfeld 1608.
[126] Generalabt Wilhelm VI. an Abt Georg Menhart, Cîteaux, 17. Mai 1522. BHStAM. KU Fürstenfeld 1616. – Diese Urkunde scheint eine Art Blankoprivileg zu sein, da die Zahl »tres« –
für die drei Rehabilitierungsvollmachten – mit anderer Tinte und anderer Handschrift eingetragen ist. Es kann sich auch kaum eine an Abt Menhart persönlich adressierte Vollmacht
handeln, da dieser erst einen Monat zuvor gewählt worden ist; vermutlich war das Schreiben an seinen Vorgänger Abt Caspar Harder gerichtet.
[127] Führer, Chronik § 161: »Anno salutis 1518 constructum est hoc in loco Gimpelspach dicto
praesens sacellum per R[everen]dum in christo Patrem ac D[omi]num Casparum Monasterii Fürstenfeldensis perdignum abbatem, dedicatumque in Honorem S. Wolfgangi, Leonardi
et Willibaldi Confessorum.«
[128] Privileg Kaiser Ferdinands, Wien, 11. März 1562. BHStAM. KU Fürstenfeld 1942.
[129] Seit 1300 ist in Raitenhaslach Rot als Siegelfarbe gebräuchlich. Vgl. Krausen, Raitenhaslach
133.
[130] 1524 erhielt Abt Gerwig Blarer das Recht, mit Rot zu siegeln, interessanterweise von Nuntius Campeggi. Vgl. Reinhardt, Weingarten 56.

Im Dienste der katholischen Reform standen zwei weitere Privilegien an Fürstenfelder Konventualen: Fr. Johannes Dietmair erhielt 1583, drei Jahre vor seiner Postulation nach Aldersbach, von der Indexkongregation die Erlaubnis, häretische Bücher zu lesen, um in der Predigt Irrlehren widerlegen zu können[131]. Dieses Privileg, das zeitlich unbegrenzt war, stand im Zusammenhang mit dem vom Herzog anbefohlenen Einsatz Fr. Dietmairs als Rekatholisierungsprediger im bayerischen Oberland; deshalb dürfte auch der Landesherr die Vollmacht erwirkt haben. Das zweite Privileg zur Reinhaltung des Glaubens erhielt im Jahr 1619 Abt Sebastian Thoma von der Heiligen Inquisition: die Erlaubnis, zur Rettung von deren Seelen Häretiker, Schismatiker, Abgefallene, Suspendierte, Interdizierte und Leser indizierter Bücher von ihren Strafen und Zensuren zu lösen, ihnen das Sakrament der Buße zu spenden und sie mit der Kirche zu rekonziliieren, mit Ausnahme der bischöflichen und apostolischen Reservatsfälle[132]. Sie war jedoch auf eine gewisse Zeit beschränkt und entsprach einem festen Formular. Die Tatsache, daß nur zwei Fakultäten im Rahmen der Rekatholisierung vom Herzog nach Fürstenfeld erwirkt wurden, zeigt deutlich die untergeordnete Rolle, die Fürstenfeld in den landesherrlichen Plänen zur Katholischen Reform spielte.

1.1.4 Die Hofhaltung des Abtes

Zu den Privilegien des Abtes gehörte neben den genannten Aufgaben und Rechten auch das Recht der eigenen Wohnung, der sogenannten Abtei oder Prälatur. Hier befanden sich neben den Wohn- und Arbeitszimmern des Abtes auch die Repräsentationsräume des Klosters, in denen Gäste empfangen werden konnten; während die Räume für den Konvent im Ostflügel um den Kreuzgang und im nördlichen Anbau lagen[133], ist die Prälatur im Nordflügel beim »Museum« zu vermuten[134]. So verlief das Leben der Äbte weitgehend getrennt vom Konvent.

---

[131] Kardinäle der päpstlichen Indexkongregation Jacobus Sabellus, Franciscus de Gambara, Ludovicus Madrucius und Iulius Antonius mit der Erlaubnis zur Lektüre häretischer Bücher an Fr. Johannes Dietmair, Rom, 24. November 1583. BHStAM. KU Fürstenfeld 2221.

[132] Kardinäle Petrus, Robert Aldebrand, Bellarmin Garcia, Millinius Fabricius, Verallus Ioannes und Caspar, Rom, 16. Dezember 1619. BHStAM. KU Fürstenfeld 2515. Dorsalvermerk »Nihil valet«. – Die Stelle für den Namen des Abtes ist in der Urkunde frei gelassen; es handelte sich um eine »Blankovollmacht«.

[133] Vgl. Zeh, Rekonstruktionsversuch 289 (Plan der Anlage).

[134] Vgl. Ehrmann, Gotisches Kloster 164 (Plan). – Restlos geklärt ist die Frage jedoch nicht, wo sich die Prälatur genau befunden haben mag: Zeh, Rekonstruktionsversuch 291, erwähnt die Abteiräume überhaupt nicht. Ehrmann, in: TE I 29, B. I.1 (Grundriß), vermutet dagegen die Räume im Westflügel des Vierecks um den Kreuzgang. Ohne weitere Quellen läßt sich die Frage aber nicht endgültig klären.

Zu Tisch saß der Prälat meist mit Gästen oder geladenen Konventualen. Bis
zur Zeit des Administrators Michael Kain war es üblich, daß je zwei Konventualen an der Tafel des Abtes speisen durften[135], später kam dieser Brauch ab.
Unter Abt Leonhard Treuttwein war an bestimmten Tagen neben den örtlichen Honoratioren auch der gesamte Konvent geladen, so daß in der Prälatur
gelegentlich »sindt 3 starckh disch gesessen«[136]. Die Versorgung des Abtes in
der Prälatur war entsprechend seiner Stellung besser als die der Konventualen, und sogar unter einem so glänzenden Abt wie Leonhard Baumann klagten manche Mönche über die schlechte Ernährung des Konvents[137]; auch
gegen musikalische Unterhaltung durch fahrende Sänger war man nicht
abgeneigt[138]. Zum Mißbrauch dieser Privilegien kam es freilich unter der
Administration Kains, der aus der Prälatur ein großes Wirtshaus für seine
zahlreichen Freunde, Bekannten und Verwandten machte, dessen Türen Tag
und Nacht offen standen[139].

Zum Personal, das dem Abt persönlich zustand, gehörten neben Kaplan und
Sekretär ein Herrenkoch, ein Kammerdiener, ein Reitknecht[140] und zumindest zeitweise ein Kammerbub[141]. Abt Leonhard Treuttwein erwähnt in seinen Tagebüchern immer wieder »zween caplan« bei seiner Tafel[142]; damit
entsprach die personelle Ausstattung der Fürstenfelder Prälatur anderen Klöstern. Zwei Konventualen standen dem Abt zur persönlichen Unterstützung
zu, einer als Privatsekretär mit der Aufgabe der Erledigung des Schriftver-
kehrs, ein anderer als Kaplan. Zum weiteren Kreis um den Abt waren der Klosterrichter und der Klosterschreiber zu zählen; unter Abt Treuttwein besaß
der Organist ein besonderes Vertrauen und war häufig in Geldangelegenhei-
ten unterwegs[143]. Diese Hofhaltung war vergleichsweise bescheiden; in
Weingarten etwa, das als Reichsabtei allerdings hier nur bedingt als Maßstab
gelten kann, war die Anzahl des Kanzleipersonals wesentlich größer als im

---

[135] Fr. Leonhard Treuttwein vermutlich an Abt Johann Zankher von Aldersbach, Fürstenfeld,
undatiert. BHStAM. KBÄA 4096, fol. 113r.
[136] Eintrag im Tagebuch Treuttweins, unter dem 21. März 1588. BStB. Cgm 1771, fol. 33r. –
Regelmäßig fanden diese Einladungen des Konvents statt an Neujahr, im Fasching, am
Benediktsfest, an Ostern, am Bernhardstag und zu Weihnachten, gelegentlich auch am
1. Mai.
[137] Aussage Fr. Christoph Artolphs im Visitationsprotokoll, 1560. Landersdorfer, Visitation
332.
[138] Nähere Belege siehe Teil I, Kap. 3.2.1.2 und Teil II, Kap. 2.1.2 und 2.1.3.
[139] Siehe Teil I, Kap. 2.2.1.1.
[140] Rechnungsbuch von 1566, »Besoldung im Kloster«. BHStAM. KL Fürstenfeld 317 1/10.
[141] Rechnungsbuch von 1567, »Trinkgeld«. BHStAM. KL Fürstenfeld 216 1/3. – Der Kammerbub erhält ein Trinkgeld von 2 ß, 1 dl, 1 kr.
[142] Eintrag im Tagebuch Treuttweins, unter dem 21. März 1588. BStB. Cgm 1771, fol. 33r, und
öfter.
[143] Zahlreiche Einträge im Tagebuch Treuttweins. BStB. Cgm 1771. Einzelbelege seien hier
erspart.

Kloster an der Amper[144]. So wurde in Fürstenfeld – anders als in Weingarten – die Hofhaltung selbst nie zum Stein des Anstoßes, wenn sie im gewohnten Umfang geübt wurde; trotz des eigenen Hofes war der Prälat immer wieder beim Konvent präsent.

Dem gemeinsamen Chorgebet mußte der Abt nur an bestimmten Tagen vorstehen; ansonsten verrichtete er es zusammen mit seinem Kaplan in der Kapelle der Prälatur. Im Laufe der Zeit wurde den Äbten jedoch die Anwesenheit beim gemeinsamen Chorgebet nahegelegt: Bereits in der Visitation von 1529 forderte der herzogliche Visitator Abt Menhart auf, durch häufigere Präsenz seinen Konventualen ein gutes Beispiel zu geben[145]; dem Abt Baumann bescheinigen dagegen die Visitatoren 1560, häufig am Chorgebet der Konventualen teilzunehmen[146]. Die Reformstatuten von 1595 zogen ebenfalls das gemeinsame Chorgebet der Privatliturgie der Äbte vor[147]. Den Prälaten war bei der Ausübung dieser Pflichten allerdings ein relativ großer Spielraum zugestanden; nur die Anwesenheit an Sonn- und Festtagen war vorgeschrieben. Zur Zelebration hatten die Äbte einen Konventualen als Kaplan beigestellt[148] – der auch bei Tisch vorlas –, wenngleich sie durch die Reformen des Ordens zur häufigen Eigenzelebration angehalten wurden[149]; auch die Fürstenfelder Reformstatuten drangen darauf[150], so daß sich diese im Zuge der gesamtliturgischen Entwicklung durchsetzte.

Ein Teil der Hofhaltung des Abtes war auch das »Tusculum« in Ried am Ammersee, das Abt Leonhard Treuttwein erbauen und im Jahr 1572 einweihen ließ[151]. Ähnlich den Landsitzen anderer Klöster war es zunächst als Sommerfrische für den Abt gedacht, gehörte zu seinem Hof und war ihm direkt unterstellt. In seinen Tagebüchern verzeichnete Abt Treuttwein die Personen, die in Ried logierten, und andere Vorkommnisse im Schlößchen. Für den Konvent wurde »der Rausch«, wie man das Domizil nach einem kleinen Dorf in der Nähe nannte, zum Ort des herbstlichen Urlaubs. Hof des Abtes und Konvent waren in Fürstenfeld auch hier nicht so strikt getrennt wie in anderen Klöstern.

---

[144] Zur Hofhaltung vgl. Reinhardt, Weingarten 52–53.

[145] Visitationsrezeß Wilhelms IV., 1529. BHStAM. Aldersbach Archiv Schublade 107, fasc. 3, prod. 1.

[146] Vgl. Landersdorfer, Visitation 331.

[147] FRST 2,5.

[148] Abt Leonhard Baumann etwa ließ sich, als er krank in Augsburg weilte, von einem Kaplan die Messe lesen und gab ihm dafür 1 ß, 12 dl: Rechnungsbuch von 1558, »Gemeine Ausgaben«. BHStAM. KL Fürstenfeld 1/88.

[149] Visitationsrezeß, undatiert. BHStAM. KL Fürstenfeld 330, fol. 32. – Den Anweisungen zufolge sollen gerade die Äbte nicht nur an den ihnen vorgeschriebenen Tagen, sondern möglichst häufig, ungeachtet der eigenen Hinfälligkeit zelebrieren. Es sollen nicht nur die Konventualen, sondern auch weltliche Leute an seinen Messen teilnehmen können, wiederum eine Abkehr vom ursprünglichen Ideal der zisterziensischen Abgeschiedenheit.

[150] FRST 3,28; 18,10.

[151] Vgl. Führer, Chronik § 178. – Siehe Teil I, Kap. 3.2.2.2.

1.1.5   Erledigung der Prälatur

1.1.5.1   Erledigung durch Tod des Amtsinhabers

Häufigster Anlaß für die Ansetzung einer Neuwahl ist bis weit in die Neuzeit herein der Tod des Amtsinhabers. Für Fürstenfeld ist allerdings dieser Normalfall zunächst die Ausnahme: Abt Johannes Scharb ist der erste Abt des 16. Jahrhunderts, der im Amt verstorben ist[152], Abt Harder wird gar ermordet[153]. Erst nach den Wirren der Administrationszeit starben die Äbte wieder im Amt und eines natürlichen Todes.

Problematisch gestaltete sich gelegentlich das Ende einer Prälatur, wenn der Abt mehr oder minder entkräftet außerstande war, dem Kloster vorzustehen. Als Lösung bot sich an, den Abt durch einen Koadjutor zu unterstützen. In Fürstenfeld wäre es gegen Ende der Prälatur Treuttweins beinahe dazu gekommen: Nach dem Unzuchtsskandal von 1586 ermahnte Herzog Wilhelm V. den Aldersbacher Abt Haydeker, dem alternden Fürstenfelder Prälaten Treuttwein einen Koadjutor an die Seite zu geben[154]; zu einer formellen Koadjutorie kam es aber nicht einmal, als der Geistliche Rat 1593 dies aufgrund der mangelhaften Zustände im Kloster vehement forderte[155]. Weder unter Abt Treuttwein noch unter einem anderen Abt wurde in Fürstenfeld ein Koadjutor ernannt. Aus guten Gründen wehrten sich die Äbte und Vateräbte gegen die Einsetzung von Koadjutoren: Zum einen konnte der Landesherr auf ihre Auswahl einen wesentlich größeren Einfluß ausüben als bei einer Abtwahl durch den Konvent; zum anderen war damit eine Vorentscheidung über die Nachfolge eines Abtes getroffen und der Konvent faktisch übergangen. Um diese landesherrliche Einflußnahme zu verhindern, lehnten die Äbte Koadjutorien strikt ab.

1.1.5.2   Die freie Resignation

Die andere Möglichkeit der Erledigung einer Prälatur ist die freie Resignation des Amtsinhabers aufgrund seines hohen Alters oder aus anderen Gründen. Sie ist jederzeit möglich und muß nur vom Vaterabt, möglichst nach einer Beratung mit anderen Äbten, angenommen werden[156]. Abt Wolfgang Mayr von Aldersbach fügte seinem Wahlbüchlein auch eine Formvorschrift für die

---

[152] Siehe Teil I, Kap. 1.3.1.
[153] Siehe Teil I, Kap. 1.4.1.2.
[154] Wilhelm V. an Abt Andreas Haydeker von Aldersbach, 20. März 1586. BHStAM. KBÄA 4096, foll. 186–187.
[155] GR Martin Rieger an Wilhelm V., 29. Oktober 1593. BHStAM. KBÄA 4096, foll. 150–151.
[156] Vgl. Molitor, Rechtsgeschichte I 173.

Resignation eines Abtes bei[157]: Dabei trat der resignationswillige Abt vor den Vaterabt und das Kapitel, machte seinen freien Entschluß bekannt und bat, den Rücktritt anzunehmen; dazu sollte er seine Gründe darlegen. Die Formel begann mit der Betonung des freien Entschlusses der Resignation: »Ego fr. *N* abbas monasterii *N* non dolo fraude vi metu aut quauis alia passione ductus sed propter varias meas infirmitates ...« Der Vaterabt, der dem Resignationskapitel vorzustehen hatte, mußte den resignierenden Abt absolvieren und ihn anweisen, die Mönche und Angestellten vom Treueid ihm gegenüber zu entbinden; danach gab der Abt Schlüssel und Siegel ab. Der Vaterabt löste den Altabt vor versammeltem Kapitel von seiner Aufgabe ab und setzte eine Neuwahl an.

Mit der fortschreitenden Entwicklung des landesherrlichen Kirchenregiments war über dem Vaterabt faktisch der Herzog zur Instanz geworden, die eine Resignation annehmen oder ablehnen konnte. Abt Johannes Albrecht Pistorius bot dem Herzog drei Jahre nach seiner Absetzung 1551 seinen Rücktritt an[158], wogegen sich aber der übergangene Aldersbacher Abt wehrte; erst ein Jahr später konnte Altabt Pistorius endgültig resignieren[159].

Mit der Resignation war für den Altabt eine Pension verbunden, deren Höhe und Umfang mit dem Kloster ausgehandelt wurde; im Gegenzug versprach der Altabt, das Kloster nicht weiter mit Forderungen beschweren zu wollen. Allerdings spielte auch bei diesen Verhandlungen der Landesherr eine entscheidende Rolle: Abt Pistorius bat den Herzog und nicht den Administrator Kain um die Zuweisung einer Pfründe für seinen Lebensabend[160]. Schließlich bekam er eine Jahrespension von 40 fl und nach Ordensbrauch jedes zweite Jahr Rock und Skapulier, jedes vierte bis fünfte Jahr eine Kutte zugestanden und versprach dafür, das Kloster nicht weiter beschweren zu wollen[161]. Auch die beiden ersten Äbte des 16. Jahrhunderts waren zurückgetreten: Michael II. resignierte 1502[162], Petrus drei Jahre später[163]. Die Verknüpfung der Resignation von Äbten mit weniger erfreulichen Zuständen im Kloster ist evident; aus Altersgründen ist im Kloster Fürstenfeld der Reformationszeit kein Prälat frei zurückgetreten.

---

[157] »Liber Alderspacensis«, Nr. 7: »De cessione et resignatione abbatiale«, 1522. BHStAM. Aldersbach Archiv Schublade 105, fasc. 3.

[158] Visitationsbericht von Abt Johann Zankher von Aldersbach und Dekan Anton Aresinger von St. Peter in München an Albrecht V., Fürstenfeld, undatiert (13. Oktober 1551). BHStAM. KBÄA 4096, fol. 43v.

[159] Resignationserklärung Abt Johannes Pistorius', Aichach, 16. Juli 1552. BHStAM. Aldersbach Archiv Schublade 107, fasc. 20 (ehem. BHStAM. KL Fasc. 228/2). – Nach eigenem Bekunden war Pistorius frei zurückgetreten und wollte der Reform des Klosters nicht im Wege stehen.

[160] Aussage Abt Johannes Pistorius' im Visitationsprotokoll, 13. Oktober 1551. BHStAM. KBÄA 4096, fol. 57.

[161] Resignationserklärung Abt Johannes Pistorius', Aichach, 16. Juli 1552. Aldersbach Archiv Schublade 107, fasc. 20 (ehem. BHStAM. KL Fasc. 228/2).

[162] Siehe Teil I, Kap. 1.1.2.   [163] Siehe Teil I, Kap. 1.2.1.

1.1.5.3   Die Absetzung von Äbten

Die Vorstufe zur Resignation, da nicht mit denselben Rechtsfolgen behaftet, ist die Absetzung eines Abtes von außen und gegen seinen Willen. Handlungsgrundlage dafür bietet überraschenderweise die Benediktsregel, die ansonsten mit Aussagen über die Rechtsverfassung eher zurückhaltend ist: Sie gewährt dem Bischof, den Äbten und sogar den Christen der Nachbarschaft ein Eingriffsrecht im Kloster, wenn ein Unwürdiger auf den Abtthron gelangt ist, und ermächtigt diese, dem Kloster einen würdigen Verwalter voranzustellen[164]. Aufgrund der Erfahrung willkürlicher laikaler Eingriffe in die Klöster spricht sich die zisterziensische Verfassung allerdings strikt gegen Einmischung von seiten der Bischöfe oder gar von Laien aus; lediglich Generalabt, Generalkapitel, Vaterabt und ernannte Visitatoren sind ermächtigt, im Notfall Äbte abzusetzen[165]. In den Fürstenfelder Reformstatuten von 1595 wurde auch die Absetzung von Äbten genau geregelt: Bei schwerwiegenden Vergehen – Häresie, Simonie, Unkeuschheit, Veruntreuung und Verschleuderung, Diebstahl, Mord, Zauberei, Fälschung und Verschwörung – soll ein Abt vom Provinzvikar nach Beratung mit dem Vaterabt und drei anderen Zisterzienseräbten abgesetzt werden; Streitfälle soll das Generalkapitel entscheiden[166]. Während der Reformationszeit wurden in Fürstenfeld zwei Äbte und ein Administrator abgesetzt: 1531 Abt Georg Menhart, 1547 Abt Johannes Pistorius und 1551 der Administrator Michael Kain; alle drei folgten direkt aufeinander. Bezeichnenderweise betrieb alle Absetzungen der Herzog; der Orden war nachweislich nur einmal vertreten, 1551 bei der Absetzung Kains in Gestalt des Aldersbacher Abtes Johann Zankher, der Fürstenfeld visitierte.

Die Absetzung hatte nicht die gleiche verfassungsrechtliche Konsequenz wie eine Resignation: Wenngleich der Abt der Ausübung seines Amtes enthoben und seiner Verwaltung entsetzt wurde, so behielt er doch die persönlichen Würden und Rechte des Abtes bei. Es konnte also kein neuer Abt gewählt werden, bis nicht der abgesetzte Abt frei resigniert hatte oder verstorben war; auch die Siegelungen geschahen mit dem Siegel des abgesetzten Abtes: Fr. Johannes Pistorius siegelte, solange er Administrator war, immer mit dem Wappen Abt Menharts, der in Raitenhaslach lebte[167]; erst als er zum Abt

---

[164] Vgl. RB 64, 3–5: »Es kann sogar vorkommen, was ferne sei, daß die ganze Gemeinschaft einmütig jemanden wählt, der mit ihrem sündhaften Leben einverstanden ist. Kommen etwa solche Mißstände dem Bischof der betreffenden Diözese zur Kenntnis oder erfahren die Äbte oder Christen der Nachbarschaft davon, so sollen sie [...] für das Haus Gottes einen würdigen Verwalter bestellen.«

[165] Vgl. Exord. cist. V, in: Lekai/Schneider, Weiße Mönche 42; Molitor, Rechtsgeschichte I 173.

[166] FRST 18,18. 19.

[167] Das erste erhaltene Dokument, das Fr. Pistorius mit dem Siegel Abt Menharts siegelte, ist die Versetzungsurkunde vom 17. Mai 1531 (BHStAM. KU Fürstenfeld 1698/1). Danach folgen zahlreiche weitere Siegelungen mit Menharts Siegel.

gewählt worden war, erhielt er ein eigenes Siegel. Dieses wiederum verwandte Administrator Fr. Michael Kain nach der Absetzung Pistorius' weiter[168]. Nach der Amtsenthebung Abt Georg Menharts 1531 konnte Johannes Pistorius nur zum Administrator, nicht aber zum Abt erhoben werden; die Abtwahl fand erst nach dem Tod Menharts 1538 statt, da dieser zu einer förmlichen Resignation nicht bereit war[169]. Abt Pistorius resignierte 1552 nach seiner 1547 erfolgten Absetzung förmlich, um den Weg für eine – dann allerdings nicht mehr erfolgte – Wahl Fr. Kains frei zu machen[170].

1.1.5.4 Die Administration als Notlösung

Die Einsetzung von Administratoren in einer Abtei kann immer als Symptom für krisenhafte Verhältnisse in einem Konvent gewertet werden. Mit dem Administrator, der juristisch movibler ist als ein installierter Abt, soll versucht werden, die Zustände wieder zu verbessern. Kleine Klöster dagegen, die keinen Abt wählen konnten, wurden dauerhaft von einem Administrator geleitet; so etwa die Zisterze Gotteszell im Bayerischen Wald, in die 1590 der Fürstenfelder Konventuale Achatius Einspeckh zunächst als Administrator bestellt war, bevor er 1596 zum Abt gewählt wurde. Gemäß Ordensrecht war der Vaterabt ermächtigt, Administratoren einzusetzen, wenn es nötig war[171]. Später erhielten auch die Visitatoren die Vollmacht, »instituenda et destituenda Abbates abbatissas«[172]; wie schon häufiger festgestellt, zogen die Landesherren dieses Recht immer stärker an sich und nahmen die Einsetzung von Administratoren selbst vor. Die Kompetenz eines Administrators über die »temporalia« war im wesentlichen dieselbe, die ein Abt innehatte: die Geschäfte, die er abschloß, besaßen die gleiche Rechtskraft; auch über den Konvent hatte der Administrator die geistlichen Rechte, wenngleich er keine Pontifikalien tragen durfte. Dennoch war diese Kompetenz vom abgesetzten Abt, dessen Geschäftsfähigkeit ruhte, nur geliehen.

In Fürstenfeld wurden vier Administratoren eingesetzt, alle durch herzogliche Weisung[173]: 1531 Fr. Johannes Pistorius, 1547 Fr. Michael Kain, 1552

---

[168] Schuldbrief Michael Kains an den Gerichtsschreiber Hanns Zwinger aus Bruck über 309 fl, 5 ß, 14 dl, Fürstenfeld, 9. Februar 1550. BHStAM. KU Fürstenfeld 1800. – Neben dem Konventssiegel ist das Siegel des abgesetzten, aber noch nicht resignierten Abtes Pistorius angebracht.

[169] Siehe Teil I, Kap. 1.5.5.

[170] Resignationserklärung Abt Johannes Pistorius', Aichach, 16. Juli 1552. BHStAM. Aldersbach Archiv Schublade 107, fasc. 20 (ehem. BHStAM. KL Fasc. 228/2).

[171] Vgl. Exord. cist. V, in: Lekai/Schneider, Weiße Mönche 42. – Die Regelung, daß zur Absetzung drei Äbte anwesend sein müssen, wurde zeitweise nicht mehr beachtet.

[172] Generalabt Wilhelm VI. an Abt Caspar Harder, Cîteaux, 31. August 1521. BHStAM. KU Fürstenfeld 1608.

[173] Bemerkenswerterweise sind keinerlei Einsetzungsurkunden überliefert; sollten sie nie ausgefertigt worden sein, so wird dadurch der Charakter des Provisoriums nur verstärkt.

als Laie gar der Landrichter Dorfpeck, 1554 schließlich der Kaisheimer Konventuale Leonhard Baumann[174]. Unterschiedlich waren dabei ihre Perspekti-
ven: Außer Dorfpeck, der als Laie das Kloster nur beschränkte Zeit führen
konnte, besaßen die drei anderen Administraturen den Charakter einer Probezeit für die Vorsteher. Pistorius und Baumann wurden später zu Äbten
gewählt, Michael Kain dagegen am Ende seiner Administration als Gefangener nach Aldersbach verbracht. Eindeutig war dabei die herzogliche Vorgabe,
sich zu bewähren. Tat ein Administrator dies nicht, so war er leichter wieder
zu entfernen als ein installierter Abt. Unter dieser Hinsicht kann die Administration als Instrumentarium für erleichterte landesherrliche Eingriffe ins
Kloster mit dem Charakter der Vorläufigkeit gelten.

---

[174] Siehe die entsprechenden Kapitel in Teil I.

1.2   Der Konvent

1.2.1 *Herkunft, Aufnahme, Profeß und Zusammensetzung des Konvents*

1.2.1.1 *Die Herkunft der Mönche*

Nachweise für die Herkunft der Mönche finden sich während der Reformationszeit nur spärlich; lediglich die Visitationsakten von 1560 geben dazu näher Auskunft[175]: Von den elf Konventualen – den »Ausländer« Abt Baumann ausgenommen, der ja von Kaisheim postuliert worden war – stammten neun aus dem Herzogtum, einer aus dem württembergischen Überlingen und einer aus dem damals hochstiftisch Augsburgischen Jettingen[176]. Von außerhalb des Herzogtums Bayern kamen also drei von zwölf Professen, genau ein Viertel, der Rest waren Landeskinder. Naturgemäß blieb der Einzugsbereich des Klosters auf seine nähere Umgebung beschränkt; bemerkenswert ist die ausgesprochen schwäbische Prägung, sowohl im Konvent von 1560 als auch in späteren Jahren. Im Konvent von 1560 stammte ein einziger Mönch aus der Gegend östlich von Fürstenfeld, nämlich Fr. Christoph Artolph aus Mühldorf; alle anderen Mönche wurden im Raum westlich von Fürstenfeld geboren, wobei die Gegend um den Ammersee einen Schwerpunkt bildete: Die zwei jüngsten Mönche kamen aus Weilheim, drei weitere junge Konventualen aus Diessen. Da immer wieder Mönche aus dem Pfaffenwinkel eintraten, in dem Stifte mit klangvollen Namen wie Diessen, Polling, Wessobrunn, Rottenbuch oder Bernried lagen, besaß Fürstenfeld dort einen sehr guten Ruf. Aus dem Konvent von 1560 war darüber hinaus ein Mönch – Sebastian Taschnecker – in Inchenhofen gebürtig, ein anderer – Martin Saurle – in Steinbach, wo das Kloster schon seit längerem Besitzungen hatte[177].
Die Beobachtungen über die Herkunft der Mönche aus dem Konvent von 1560 bestätigen sich im weiteren Verlauf: Ein nicht näher bekannter Fr. Jacob kam aus Schwaben[178], Fr. Johannes Dietmair aus Diessen[179], Fr. Martin Prigklmair schließlich aus Inchenhofen[180]. Die Heimatorte der Mönche gingen über den bayerisch-schwäbischen Raum, den Pfaffenwinkel und das Dachauer Land nicht hinaus, lediglich einige schwäbische und württembergische »Ausländer« bereicherten das Idiom des Konvents. Größer wurde der

---

[175] Vgl. Landersdorfer, Visitation 331–334. – Die Angaben werden im folgenden nicht mehr gesondert belegt. Einzelbelege finden sich im Anhang 1.3: Katalog der Mönche.
[176] Vgl. Lexikon von Schwaben I 987–988.
[177] Leibgedingsrevers Konrad Mayers über ein Fürstenfelder Gut zu Steinbach, 12. November 1413. BHStAM. KU Fürstenfeld 755.
[178] Rechnungsbuch von 1567, »Konvent«. BHStAM. KL Fürstenfeld 216 1/3, fol. 15r.
[179] Rechnungsbuch von 1573, »Konvent«. BHStAM. KL Fasc 957/60.
[180] Rechnungsbuch von 1573, »Zehrung«. BHStAM. KL Fasc 957/60.

Einzugsbereich erst im 17. und 18. Jahrhundert, als im Zusammenhang mit der Wiederbesiedelung Waldsassens 1661 durch Fürstenfeld die Mönche bis aus dem Böhmischen an die Amper herüberkamen[181]. Ähnlich den Konventualen entstammten auch die Äbte dem bayerisch-schwäbischen Grenzgebiet: Abt Johannes Scharb war vielleicht in Biburg geboren[182], Abt Baumann in Eichstätt, Abt Treuttwein im schwäbischen Jettingen[183], Abt Puel in Waldsee-Michelwinden[184] und Abt Thoma in der Klosterwallfahrt Puch[185]. Die Prägung Fürstenfelds durch die in relativer Klosternähe heimatlich verwurzelten Mönche bleibt unverkennbar.

Kaum feststellbar sind die Berufsstände, aus denen die Mönche herausstammten[186]. Im wesentlichen handelte es sich wohl um die landesübliche Bevölkerung aus Bauernbuben, Handwerker- und einfachen Beamtensöhnen: Abt Johannes Pistorius kam möglicherweise aus einer Bäckerfamilie[187], das heimatliche Puch Abt Sebastian Thomas war ländlich-bäuerlich geprägt. Dem Adel entstammte während der Reformationszeit kein einziger Konventuale oder Abt[188].

---

[181] Siehe dazu die interessanten Vergleiche in: Klemenz, Dallmayr 74–75, wo für das 17. Jahrhundert mehr Material vorliegt. Bemerkenswerterweise bleibt die Prozentzahl mit 75,4 % kurbayerischer Mönche zwischen 1640 und 1690 exakt gleich mit den oben festgestellten 75 % der herzoglich-bayerischen Mönche aus dem Visitationsbericht von 1560. Verschoben hat sich das Schwergewicht der Herkunft allerdings nach Osten: etliche Mönche kamen aus München, Burghausen oder Eger.

[182] Siehe Teil I, Kap. 1.3.1.

[183] Vgl. Landersdorfer, Visitation 331–333.

[184] Vgl. TE I 310, L. III.14.

[185] Vgl. Lindner, Beiträge 198.

[186] Die Feststellung Krausens, daß die bayerischen Prälatenklöster des 17. und 18. Jahrhunderts keine »Bauernkonvente« besessen hätten, kann hier weder gestützt noch geschwächt werden. Vgl. Edgar Krausen, Der Zisterzienserorden in Bayern, in: Angelika Ehrmann, Peter Pfister, Klaus Wollenberg (Hrg.): In Tal und Einsamkeit. 725 Jahre Kloster Fürstenfeld. Die Zisterzienser im alten Bayern, München 1988, II 23–42, hier 41.

[187] Siehe Teil I, Kap. 2.1.1.

[188] Vgl dazu: Edgar Krausen, Die Herkunft der bayerischen Prälaten des 17. und 18. Jahrhunderts, in: ZBLG 27 (1964), 259–285, zu Fürstenfeld 275; ders., Der Adel in den bayerischen Zisterzienserkonventen des 17. und 18. Jahrhunderten, in: AC 20 (1964), 76–84; ders., Beiträge zur sozialen Schichtung der altbayerischen Prälatenklöster des 17. und 18. Jahrhunderts, in: ZBLG 30 (1967), 355–374, zu Fürstenfeld 355–357, 361–363. – Wenngleich Krausen einen späteren Untersuchungszeitraum bearbeitet, so bleiben doch die Grundzüge der sozialen Schichtungen im Kloster ähnlich.

1.2.1.2   Aufnahme und Profeß

1.2.1.2.1   Das Alter der Aufnahme

Die Regel Benedikts sah neben dem Eintritt im Erwachsenenalter als weitere Möglichkeit die Aufnahme von Knaben vor, welche von ihren Eltern ins Kloster gebracht wurden[189]. Diese Übung blieb direkt oder indirekt durch die Klosterschulen erhalten, wo die Knaben angenommen und schon früh an das Klosterleben gewöhnt wurden; freilich konnten sie später wieder austreten. Unterbrochen wurde die Tradition, Kinder ins Kloster aufzunehmen, jedenfalls nie[190]. Auch für Fürstenfeld ist zu vermuten, daß Knaben, die an der Klosterschule unterrichtet wurden, schon früh ins Noviziat aufgenommen werden konnten. Aufschlußreich in dieser Hinsicht ist wiederum das Visitationsprotokoll von 1560[191]: Fr. Mathias Breimelber war mit sechzehn Jahren ins Kloster eingetreten, Fr. Gallus Widmann und Fr. Andreas Stier mit vierzehn, Fr. Ulrich Morlitzen, Fr. Johannes Gistl und Fr. Johannes Ybler mit zwölf oder dreizehn Jahren. Die anderen Mönche waren zwischen sechzehn und zwanzig Jahren alt, als sie nach Fürstenfeld kamen. Das Profeßalter, auch der in jüngerem Alter eingetretenen Mönche, lag durchgehend bei fünfzehn bis sechzehn Jahren.

Mit dieser Aufnahmepraxis entsprach Fürstenfeld der Übung in anderen Klöstern, denn auch in Weingarten verfuhr man so, daß die Jungen mit vierzehn Jahren ins Kloster eintreten konnten und mit sechzehn ihre Profeß ablegten[192]. Damit hatte Fürstenfeld bereits weitgehend die Dekrete des Tridentinums[193] und die Beschlüsse des Generalkapitels von 1573[194] umgesetzt; vor dem Konzil von Trient abgelegte Professen, die vor der Erreichung des kanonischen Alters des Kandidaten geleistet wurden, wurden entgegen den Tridentinischen Beschlüssen aber nicht mehr nachgeholt. Trotzdem schien man in Fürstenfeld immer wieder Jungen vor dem kanonischen Alter zum Noviziat zugelassen zu haben, denn noch 1587 mahnte der Abt von Aldersbach als Visitator, daß niemand früher aufgenommen werden dürfe, da er sonst an seiner Seele und Entwicklung Schaden nehmen könne[195]. Etwas offener formulierten die Reformstatuten von 1595 das Eintrittsalter: »Es sollen keine Kandidaten vor ihrem 12. Lebensjahr aufgenommen werden«[196].

---

[189] Vgl. RB 59.

[190] Vgl. Reinhardt, Weingarten 33, Anm. 13.

[191] Vgl. Landersdorfer, Visitation 331–334.

[192] Vgl. Reinhardt, Weingarten 33.

[193] Conc. Trid. Sess. XXV, De regularibus et monialibus XV: »Professio non fiat ante sextum decimum annum post susceptum habitum, in probatione steterit«, in: COD 781.

[194] Abschied des Generalkapitels, 1573 (Kopie). BHStAM. Aldersbach Archiv Schublade 105, fasc. 10, prod. 14.

[195] Visitationsrezeß Abt Johannes Dietmairs von Aldersbach, Fürstenfeld, 17. November 1587. BHStAM. KL Fürstenfeld 330½, fol. 16r.

[196] FRST 25,2.

Damit war die Möglichkeit zu einer früheren Aufnahme ins Kloster gegeben; die Profeß durfte dennoch erst mit sechzehn Jahren abgelegt werden.

1.2.1.2.2   Das Noviziat

Jungen, die ins Kloster kamen, teilweise also erst zwölf Jahre alt, wurden zunächst probeweise aufgenommen, wobei man zwischen Postulat und Noviziat in Fürstenfeld nicht genau unterschied; entscheidend war die Zeit bis zur Profeß. Die Dauer dieser Probezeit lag etwa bei einem bis zwei Jahren[197]. Über die Aufnahme von Kandidaten ins Kloster entschied prinzipiell der Abt, wenngleich dem Konvent ein Mitspracherecht eingeräumt und dieses von den Generalkapiteln immer wieder bekräftigt wurde[198].

In der Folge der Beschlüsse des Konzils von Trient war auch der Zisterzienserorden um Reformen bemüht und strebte dabei unter anderem nach einer Vereinheitlichung der Novizenausbildung. Nachdem bereits zuvor eine diesbezügliche Ordnung eingeschärft worden war[199], gingen auch die Fürstenfelder Reformstatuten genauer auf das Noviziat ein: Als Voraussetzung mußten Aufnahmealter und ehrliche Herkunft des Kandidaten den Vorschriften entsprechen, für die Aufnahme ins Noviziat durften keine Leistungen – vor allem finanzieller Art – verlangt werden[200]. Nach einer Probezeit sollten die Novizen den Novizenhabit anziehen; Wohnung mußten sie im Noviziat getrennt von den Profeßmönchen und unter Aufsicht ihres Magisters nehmen. Im Noviziat war der Unterricht zu erteilen, in dem die Novizen das Chorgebet auswendig lernen mußten; die Mahlzeiten nahmen die Novizen zusammen mit den Profeßbrüdern im Refektorium ein. Mit ihnen zu sprechen war den Novizen allerdings streng untersagt[201]. Frühestens nach Ablauf eines Jahres durften sie zur Profeß zugelassen werden.
War jemand ins Noviziat eingetreten, so galten für ihn einerseits die strengen Regeln des Ordens, andererseits bestand seitens des Abtes für ihn eine besondere Sorgfaltspflicht: Der Novize mußte bei der Aufnahme ins Noviziat den Novizenhabit anziehen[202] und durfte das Kloster nicht mehr verlassen[203].

---

[197] Diese Dauer ergibt sich aus den Vergleichen des Visitationsprotokolls von 1560. Landersdorfer, 331–334. Entsprechend FRST 25,11.

[198] Abschied des Generalkapitels, 28. April 1578 (Kopie). BHStAM. Aldersbach Archiv Schublade 105, fasc. 11, prod. 3. – Vgl. Molitor, Rechtsgeschichte I 2.

[199] Visitationsrezeß, undatiert. BHStAM. KL Fürstenfeld 330, fol. 30, Cap. de Novitiis.

[200] FRST 25,2–4.

[201] FRST 25,6–10.

[202] Abschied des Generalkapitels, 28. April 1578 (Kopie). BHStAM. Aldersbach Archiv Schublade 105, fasc. 11, prod. 3.

[203] Abschied des Generalkapitels, 1573 (Kopie). BHStAM. Aldersbach Archiv Schublade 105, fasc. 10, prod. 14.

Das Dormitorium der Novizen schließlich lag abseits dem der Profeßmönche. Dafür war der Abt verpflichtet, für die Novizen gut zu sorgen und sie unterrichten zu lassen, was in Fürstenfeld durch den Klosterlehrer geschah[204]. Ein Amt des Novizenmeisters, wie es die Benediktsregel vorsieht[205] und in anderen Klöstern auch gebräuchlich war, ist in Fürstenfeld während der Reformationszeit noch nicht festzustellen; erst in der Dallmayr-Zeit ist ein Novizenmeister belegt[206].

1.2.1.2.3 Die Profeß

Mit der Feier der Profeß wird ein Novize dauerhaft in die Klostergemeinschaft aufgenommen. Er gelobt in benediktinischer Tradition »stabilitas loci«, »conversio morum« und »oboedientia« gegenüber den Oberen[207]. Auch im Ablauf der Profeß spiegelt sich der Wandel im 16. und 17. Jahrhundert wieder. Bis zum Konzil von Trient und darüber hinaus gebrauchte man die eigene Ordensliturgie[208], von der sich in Fürstenfeld keine Spuren erhalten haben. Ausführlich beschäftigen sich die Fürstenfelder Reformstatuten von 1595 mit der Profeß: Nach einem Jahr Noviziat hatte, falls keine Hindernisse vorlagen, der Novize das Recht, die Profeß abzulegen[209]; zuvor allerdings mußte er eine Regelung für das ihm zustehende Erbe finden und es weitervermachen[210]. Nachdem der Novize gegenüber dem Kapitel drei Mal den Willen zur Profeß geäußert und das Kapitel seinem Wunsch zugestimmt hatte, konnte er an einem Sonn- oder Festtag sein Gelübde ablegen. In einem Profeßbuch und auf einer Urkunde wurde das Datum der Profeß festgehalten; abgelegt wurde die Profeß vor dem Abt, einem Visitator oder einem Deputierten[211]. Die Profeßliturgie behandelten die Reformstatuten allerdings nicht. Wie bei den Dekreten des Tridentinums gilt auch hier der Programmcharakter der Reformstatuten; ihre Durchführung zog sich über Jahre hin. So sind aus dem 16. Jahrhundert weder ein Profeßbuch noch Profeßurkunden aus Fürstenfeld bekannt; ob sie überhaupt existierten, ist fraglich.

---

[204] Aussage des Schulmeisters Melchior Tittlmann im Visitationsprotokoll, 13. Oktober 1551. BHStAM. KBÄA 4096, fol. 84v. – Aussage des Schulmeisters Johannes Örtl im Visitationsprotokoll, 1560. Landersdorfer, Visitation 334.

[205] Vgl. RB 58,7.

[206] Vgl. Klemenz, Dallmayr 98.

[207] Vgl. Molitor, Rechtsgeschichte I 2. – Vgl. Odilo Lechner, Art. Benedikt von Nursia, in: Praktisches Lexikon der Spiritualität, hrg. von Christian Schütz, Freiburg-Basel-Wien 1988, 122–124.

[208] Dazu: Philipp Hofmeister, Zum Ritus der zeitlichen Profeß bei den Benediktinern und Cisterciensern, in: CC 51 (1939) 33–50.

[209] FRST 25,13 entsprechend Conc. Trid. Sess. XXV, De regularibus et monialibus XV, in: COD 781.

[210] FRST 25,14. [211] FRST 25,11. 12.

Die ersten Notizen über die Profeß im Kloster Fürstenfeld beziehen sich auf die vom Orden veranlaßte Ritenreform: 1609 beschloß das Generalkapitel des Ordens, auch die Profeßliturgie im neuen römischen Ritus zu feiern und wies die Klöster an, sich daran zu halten. Als Muster lieferte das Kapitel gleich eine vereinheitlichte Profeßformel mit: »Ego F. *N. uel Clericus, laicus uel sacerdos*, premitto stabilitatem meam et conuersionem morum meorum et obedientiam secundam Regulam S. Benedicti, coram Deo et sanctis eius, quorum reliquiae hic habentur, in loco Christi professio fiat in monasterio ordinis in dioecesi *N.* constructo in honore Beatissimi semperque Virginis Maria, in presentia Domini *N.* Abbatis Conuersorum a: Pr. premitto tibi obedientia de bono usque ad mortem«[212]. Diese Formel, die der Kandidat zu sprechen hatte, war das Kernstück der Profeß; nach 1650 wurde sie auch in Fürstenfeld auf Pergament niedergeschrieben und auf den Altar gelegt[213]. Bei aller Veränderung blieb die Dreigliedrigkeit des Versprechens immer erhalten; sowohl in Benediktiner- als auch in Zisterzienserklöstern wurde diese Formel im Prinzip gleichlautend verwandt[214]. Der Brauch, mit der Profeß den Namen zu ändern, setzte sich in Fürstenfeld erst später als in anderen, besonders im alemannischen Raum gelegenen, Klöstern durch[215]; noch im 17. Jahrhundert behielten die Mönche ihre Taufnamen bei[216]. Dies führt naturgemäß zu einer Häufung beliebter Namen in den Konventlisten und daraus folgend zu einer Verwirrung des Historikers: Zusätzlich erschwert durch die Tatsache, daß sich der Gebrauch der Nachnamen erst im 16. Jahrhundert durchsetzte, sind viele Mönche kaum mehr identifizierbar. So finden sich in der Konventliste von 1522 beispielsweise unter fünfzehn Mönchen vier mit Namen Johannes sowie je zwei mit Namen Petrus und Ulrich[217].

---

[212] Abschied des Generalkapitels, 1609 (Kopie von 1613). BHStAM. Aldersbach Archiv Schublade 105, fasc. 17, prod. 2. – Die Rubriken sind vom Verf. kursiv gesetzt.

[213] Es sind etliche Profeßzettel mit den darauf geschriebenen Formeln erhalten; dazu auch mehrere Ritualien mit der Feier der Profeß, von denen aber keines annähernd in die Reformationszeit fällt. Zum Vergleich sei eine um 1710 abgelegte Profeßformel abgedruckt (BHStAM. KL Fürstenfeld 320): »Ego Frater *N. (clericus uel laicus uel sacerdos)* promitto Stabilitatem meam, conversionem morum meorum et Obedientiam secundum Regulae Sancti Benedicti Abbatis coram Deo et omnibus Sanctis eius, quorum reliquiae habentur, in hoc loco qui vocatur Campus Principum, ordinis Cisterciensis, constructo in honore Beatissimo Dei Genitricis semperque Virginis Mariae in presentia Dni *N.* de Campo Principis Abbatis.«

[214] Nur grammatikalisch unterscheidet sich etwa die Profeßformel des Weingartener Konventualen Georg Tanner von 1577: »Ego F. Georgius promitto stabilitatem et conversationem morum meorum ed obedientiam, secundum regulam S. Benedicti coram Deo et Sanctis eius in hoc monasterio Weingartensi quod est constructum in honore S. Martini Confessoris atque Pontificis, in praesenti D[omi]ni Joannis Christophori Abbatis.« – In: Reinhardt, Weingarten 35, Anm. 39. Dort auch weitere Lit. zu benediktinischen Vergleichen.

[215] Ebd. 37, Anm. 53, nennt Wettingen (seit 1589), St. Gallen (seit 1597), Pfäfers (seit 1606).

[216] Vgl. Klemenz, Dallmayr 30: Auch Abt Martin Dallmayr, der 1629 nach Fürstenfeld kam, behielt seinen Taufnamen.

1.2.1.3 Größe und Zusammensetzung des Konvents

1.2.1.3.1 Die Entwicklung der Größe des Fürstenfelder Konvents

Die Konventsstärke in Fürstenfeld nahm von 1522 bis etwa 1556 diskontinuierlich ab, danach bis ins 17. Jahrhundert hinein kontinuierlich wieder zu[218]. Die erste Mitteilung über die Größe des Konvents ist eine überaus unsichere, da sich zwei Notizen widersprechen: Das Inventar von 1522 verzeichnete achtundzwanzig Profeßmönche und vier Novizen[219], das Wahlinstrument Abt Georg Menharts aus dem gleichen Jahr nennt dagegen nur fünfzehn wahlberechtigte Mönche[220]. Da dieser eklatante Widerspruch nicht mit letzter Sicherheit gelöst werden kann[221], ist zunächst die gesicherte Ausgangszahl von fünfzehn wahlberechtigten Mönchen im Jahr 1522 anzunehmen. Diese Zahl sank im Jahr 1529 auf so wenige Konventualen, daß das Chorgebet aus Mangel an Sängern teilweise gesprochen werden mußte[222]; viel mehr als eine gute Handvoll Mönche stand wohl nicht mehr in den Chorstallen. Unter Abt Pistorius wütete 1547 die Pest im Kloster und ließ außer dem späteren Administrator Michael Kain nur einige Junioren am Leben[223]; dennoch waren es bei der Visitation 1551 wieder zwölf Profeßmönche einschließlich Administrator und Altabt, die befragt werden konnten[224]. Danach ging die Zahl der Konventualen, bedingt durch Austritte und Tod, erneut zurück, so daß 1556 nur noch sieben Mönche im Kloster waren, die Leonhard Baumann zum Abt wählten. Seit seiner Prälatur begann ein Anstieg der Konventsstärke, der bis auf einen leichten Einbruch im Jahr 1592 bis weit bis ins 17. Jahrhundert hinein anhielt. Um die Jahrhundertwende

---

[217] Siehe Anhang 1.1: Konventlisten.
[218] Siehe Anhang 1.2: Konventstärken.
[219] Inventar, 1522. BHStAM. Aldersbach Archiv Schublade 107, fasc. 2, prod. 2.
[220] Wahlinstrument Abt Georg Menharts durch Abt Wolfgang Mayr von Aldersbach, Fürstenfeld, 10. April 1522. BHStAM. KU Fürstenfeld 1612.
[221] Mehrere Möglichkeiten gibt es, diesen Widerspruch zu erklären:
1. Eine der beiden Angaben ist falsch; denkbar ist dies freilich, für diese Annahme gibt es aber nicht den geringsten Anhaltspunkt.
2. Zwischen den beiden Zählungen sind dreizehn Mönche ausgetreten oder verstorben; auch dafür existiert kein Beleg, zudem ist dies höchst unwahrscheinlich.
3. Von den 28 Profeßmönchen waren nur 15 wahlberechtigt, die anderen 13 waren zu jung oder lebten gar nicht im Kloster. Mangels anderer Erklärung gilt diese Variante so lange als wahrscheinlich, bis weitere aussagekräftige Quellen die Lücken ergänzen. Sicher gilt in jedem Fall, daß 15 Mönche Georg Menhart zum Abt gewählt haben.
[222] Visitationsrezeß Wilhelms IV., 1529. BHStAM. Aldersbach Archiv Schublade 107, fasc. 3, prod. 1.
[223] Repertorium Aldersbach, unter dem 2. März 1548. BHStAM. KL Aldersbach 73, fol. 16r. – Administrator Michael Kain an Abt Christoph Fürlauf von Raitenhaslach, Fürstenfeld, 6. März 1548. KL Raitenhaslach 112, prod. 203.
[224] Aussagen in den Visitationsprotokollen, 13. Oktober 1551. BHStAM. KBÄA 4096, foll. 57r–72v 86r.

1600 gehörten fünfundzwanzig Mönche zum Kloster Fürstenfeld. Als 1640
Martin Dallmayr zum Abt gewählt wurde, zählte die Abtei samt Abt nur
neunzehn Konventualen[225]. Unter den Äbten Puel und Thoma war Fürstenfeld personell somit verhältnismäßig stark besetzt.

Die Tiefstände der Konventsgrößen decken sich auffällig mit anderen Krisen-
symptomen im Kloster: 1529 hatte sich die Wirtschaftskrise im Kloster
bereits bemerkbar gemacht; der Rückgang der Konventualenzahlen 1551 bis
1556 fällt in die Jahre nach der Absetzung des Administrators Michael Kain.
Gewiß, die These klingt verallgemeinert und berücksichtigt viele weitere an
der Personalentwicklung beteiligte Faktoren nicht, und doch kann für Fürstenfeld in der Reformationszeit gelten: Die Veränderung der Größe des Konvents steht im Zusammenhang mit dem Gesamtzustand des Klosters. Unter
zur Leitung befähigten Äbten entwickelte sich der Personalstand positiv,
zumindest aber stabil; in Krisenjahren, an deren Entstehen auch die Prälaten
und Administratoren einen Anteil hatten, reduzierte sich die Stärke des Konvents binnen kurzem bisweilen dramatisch.

Im Vergleich mit anderen Klöstern stand Fürstenfeld auch in seinen schwierigsten Jahren personell freilich nicht schlechter da, eher sogar besser: Unter
sieben bis fünf Konventualen war nach Aussage der Quellen die Stärke nie
gesunken. In Raitenhaslach dagegen wohnten samt Abt während der dortigen Krisenzeit 1573 insgesamt drei Mönche, während die anderen fünf auf
den Pfarreien lebten[226], das Benediktinerkloster Attel am Inn hatte im gleichen Jahr vier Konventualen und einen exponierten Pfarrer[227]. Ein ähnliches
Bild wird aus dem – ohnehin kleineren – Fürstenzell geschildert, wo zeitweilig nur zwei bis drei Mönche wohnten[228]. Aldersbach, das 1514 mit vierzehn
Mönchen ähnlich besetzt war wie Fürstenfeld, wurde nach 1570 von der Pest
ergriffen und fast völlig entvölkert, bis auf einen letzten Mönch, der überlebt
hatte[229]. Fürstenfeld bestand damals aus neunzehn Konventualen und war
damit relativ groß. Als für die bayerischen Zisterzienserklöster, wie für alle
anderen Stifte auch, gegen Ende des 16. Jahrhunderts bessere Zeiten kamen,
stabilisierte sich der Personalstand überall wieder. Fürstenfeld stand 1595
mit zwanzig Mönchen mit an der Spitze der bayerischen Zisterzienserklöster, wenngleich es mit den großen Abteien Salem und Kaisheim nie mithal-
ten konnte[230].

---

[225] Konventliste, 1640. BHStAM. KL Fürstenfeld 1, fol. 176r.
[226] Vgl. Krausen, Raitenhaslach 52.
[227] Vgl. Schinagl, Attel 55.
[228] Vgl. Hartig, Niederbayerische Stifte 162.
[229] Repertorium Aldersbach, unter dem 23. März 1572. BHStAM. KL Aldersbach 73, fol. 17r.

1.2.1.3.2 Die Altersstruktur des Konvents

Aufgrund der meist spärlichen Personaldaten sind Aussagen über die Altersstruktur des Fürstenfelder Konvents nur begrenzt möglich; dennoch gewähren zwei Visitationen, die von 1551[231] und 1560[232], einen differenzierten Einblick. Dabei sind im Abstand von nur neun Jahren erstaunliche Unterschiede festzustellen: Der Konvent von 1551 war mit einem Durchschnittsalter von 35 Jahren um im Schnitt zwölf Jahre älter als der Konvent von 1560, der es auf etwa 23 Jahre im Mittel brachte. Mit diesem Altersschnitt dürfte aber die Untergrenze des überhaupt Möglichen erreicht sein; für die gesamte Reformationszeit zutreffender ist sicher der Altersdurchschnitt von 1551. Im Verlauf des 17. Jahrhunderts betrug das Durchschnittsalter schließlich etwa 35 Jahre, um dann im Zuge der allgemein längeren Lebenserwartung auf 40 Jahre anzusteigen. Ähnlich unterschiedlich ist auch die Generationenstatistik: 1551 verteilten sich die Mönche in etwa gleichmäßig auf die drei Mönchsgenerationen (16–30 Jahre, 31–45 Jahre und 46–60 Jahre), so daß alle Altersgruppen vertreten waren, wobei der Prior Roppach mit 55 Jahren der Konventssenior war. Neun Jahre später waren 83 % des Konvents in der Gruppe der 16- bis 30-jährigen zu suchen, und nur zwei Mönche (17 %, einschließlich des Abtes) waren unter den 31- bis 45-jährigen; die Generation darüber war überhaupt nicht mehr vertreten.

Gesunken war von 1551 bis 1560 auch das Alter des Eintritts. 1551 lag es noch bei durchschnittlich 17 Jahren, für 1560 sind nur wenige Zahlen sicher belegt; alle drei bekannten Eintrittsalter liegen zwischen 12,5 und 14,5 Jahren. Rechnet man für die Lücken das gesicherte Durchschnittseintrittsalter von 1551 mit 17 Jahren ein, so kommt man auf ein Eintrittsalter von 16 Jahren; der Konvent, dem Abt Leonhard Baumann 1560 vorstand, war im Schnitt zwanzig Jahre jünger als der Prälat selbst. Das Eintrittsalter hat um diese Zeit einen auf längere Sicht historischen Tiefstand erreicht; die älteren Mönche des Konvents 1551 sind alle im Alter zwischen 17 und 20 Jahren eingetreten,

---

[230] Personalstand von Salem, Kaisheim und den bayerischen Zisterzen, 1595. BHStAM. KL Fürstenfeld 330 ½, fol. 89v:

	Mönche gesamt	davon Studenten
Salem	55	8
Kaisheim	45	5
Aldersbach	20	2
Fürstenzell	13	1
Gotteszell	7	1
Fürstenfeld	20	2
Raitenhaslach	20	2

[231] Visitationsprotokolle, 13. Oktober 1551. BHStAM. KBÄA 4096, foll. 57–72. – Genauere Daten siehe im Anhang 1.3: Katalog der Mönche.

[232] Vgl. Landersdorfer, Visitation 331–334.

aber auch in späterer Zeit ist das Eintrittsalter wieder angestiegen: Da für die
Reformationszeit keine zuverlässigen Zahlen mehr vorliegen, muß man weitere Vergleiche aus dem 17. Jahrhundert heranziehen; zwischen 1640 und
1690 wurde das Durchschnittsalter auf etwa 19 Jahre errechnet, wobei die
Streuung zwischen 17 und 28 Jahren liegt[233]. Es war also im Vergleich zu
1560 um über drei Jahre angestiegen[234].

1.2.1.4   Konversen im Kloster Fürstenfeld

Da sich die ältesten Vorschriften des Zisterzienserordens, denen zufolge
jeder Mönch seinen Lebensunterhalt mit Handarbeit selbst erwirtschaften
mußte, nicht dauerhaft mit den anderen Verpflichtungen der Mönche vereinbaren ließen, übernahm der Orden schon um 1115 bis 1120 das durch die
Kamaldulenser vorgeprägte Konverseninstitut[235]. Die Konversen, Laienbrüder zwischen Kloster und Welt, übernahmen den Großteil der körperlichen
Arbeit; ihre Zahl überstieg teilweise die der Profeßmönche[236]. Nach einer
heftigen, aber kurzen Blüte im Hochmittelalter ging die Anzahl der Konversen bald wieder zurück, Zwist und Konflikte mit den Chormönchen
bestimmten das Bild[237]. In Fürstenfeld war das Konverseninstitut nie besonders ausgeprägt, wenngleich das Konventgebäude einen eigenen Konversentrakt besaß[238]. Wirtschaftlich waren Konversen auch nicht nötig, denn
bereits seit der Gründung Fürstenfelds war die Wirtschaftsweise an die Rentenwirtschaft der älteren Benediktinerklöster angeglichen; ebenso arbeiteten
auch andere bayerische Zisterzen[239]. So beschränkten sich die wenigen Konversen im Kloster wohl eher auf die Aufsicht einzelner Wirtschaftszweige.
Die Anzahl der Konversen war entsprechend ihrer Bedeutung in Fürstenfeld
nie hoch: Die Gründung des Klosters in Thal geschah der Tradition nach
neben den vier Mönchen auch durch zwei Laienbrüder[240], in Fürstenfeld
selbst kamen 1263 schließlich mit den zwölf Mönchen auch vier Konversen

---

[233] Vgl. Klemenz, Dallmayr 73.

[234] Zum Phänomen des Generationenaustausches von 1560 siehe Teil I, Kap. 3.1.4.2.2.

[235] Zum Institut der Konversen: Kassius Hallinger, Woher kommen die Laienbrüder?, in: AC
       12 (1956) 1–104; Michael Toepfer, Die Konversen der Zisterzienser. Untersuchungen über
       ihren Beitrag zur mittelalterlichen Blüte des Ordens (= Berliner Historische Studien; 10),
       Berlin 1983; Lekai/Schneider, Weiße Mönche 58–59; Dolberg, Conversen 222–228.

[236] Im englischen Kloster Rievaulx lebten um 1165 beispielsweise 140 Mönche und 500 Kon-
       versen, was selbst für damalige Verhältnisse ungewöhnlich war. Vgl. Lekai/Schneider, Wei-
       ße Mönche 60.

[237] Vgl. Moßig, Verfassung 118–123.

[238] Vgl. Zeh, Rekonstruktionsversuch 289. – Der Konversentrakt lag westlich des Kreuzgangs,
       wenngleich er aufgrund der geringen Zahl an Konversen sicher anderweitig genutzt wurde.

[239] Vgl. Krausen, Raitenhaslach 72.

[240] Führer, Chronik § 8.

an[241]. Die meisten Konversen hatte das Kloster im ausgehenden Mittelalter: Das Nekrolog nennt insgesamt achtzig Konversen, von denen die meisten Heinrich, Konrad oder Ulrich heißen, und über die bis auf den Todestag nichts mehr bekannt ist; gemäß den Ordensregeln wurde ihrer auch im Nekrologium gedacht[242]. Nur zwei Konversen treten während der Reformationszeit aus der gänzlichen Anonymität heraus: Der Konverse Wolfgang Stängel verstarb am 14. August 1547 wohl an der Pest[243], der Konverse Martin Dackhler am 20. April 1550[244]; danach dauerte es über hundert Jahre, bis der nächste Konverse im Kloster lebte[245]. Mit diesen geringen Zahlen stand man an der Amper aber nicht allein: In Raitenhaslach kann man von 1283 bis 1588 überhaupt keine Konversen nachweisen[246]; auf seiner Visitationsreise durch zweiunddreißig schweizerische, deutsche und belgische Männerklöster zählte Generalabt Boucherat 1573 insgesamt lediglich einundzwanzig Konversen, von denen zwölf allein in Salem waren; die bayerischen Zisterzen, somit auch Fürstenfeld, hatten keinen einzigen Konversen[247]. Insgesamt war das Konverseninstitut bedeutungslos geworden.

Dieser Entwicklung trug man im Umbau der Fürstenfelder Klosterkirche Rechnung. Bereits im 16. Jahrhundert, noch vor der Renovierung von 1661, fehlte ein den Konversen vorbehaltener Eingang in die Kirche[248], wie ihn die Regel forderte; der Kreuzaltar war zwar benannt »in choro Conversorum«, einen Konversenchor gab es indes nie – man brauchte ihn schlichtweg nicht. Abt Dallmayr schließlich riß Lettner und Konversenaltar ganz nieder und ersetzte die Konstruktion durch eine um ein Joch nach vorne verschobene Säulenbalustrade, der allenfalls symbolischer Wert zukam[249].

---

[241] Ebd. § 11. – Nicht feststellbar ist allerdings, ob diese Zahl, die genau an den Ordensvorschriften orientiert ist, nicht eher dem legendenhaften Bereich zufällt.

[242] Dies war auch in den anderen Klöstern üblich; vgl. Krausen, Raitenhaslach 73.

[243] Necrol. BStB. Clm 1057, fol. 33v.

[244] Necrol. BStB. Clm 1057, fol. 16v.

[245] 1696 verstarb der Jubelprofesse Georg Sander; vgl. Necrol. BStB. Clm 1057, fol. 46v, November 18.

[246] Was aber nicht heißen muß, daß es keine Konversen gegeben hat. Vgl. Krausen, Raitenhaslach 72.

[247] Siehe die Statistik in Lekai/Schneider, Weiße Mönche 342. – Den 21 genannten Konversen stehen in den visitierten Klöstern immerhin 569 Mönche gegenüber.

[248] Grundriß der gotischen Klosterkirche vor 1661, undatiert. BHStAM. Pls 609a. – Siehe Anhang 3.6: Begräbnisse.

[249] Grundriß der gotischen Klosterkirche nach 1661, undatiert. BHStAM. Pls 609b. – Klemenz, Dallmayr 135.

1.2.2   Die wissenschaftliche Ausbildung

Die Tradition des abendländischen Schulwesens wurde von den Klöstern
wesentlich mitbegründet und über Jahrhunderte hinweg in alleiniger Verantwortung getragen, bis mit dem Aufschwung der Städte und der Gründung der
ersten Universitäten im Hochmittelalter das monastische Bildungsmonopol
endete. So war zwar die Bedeutung der Klosterschulen zurückgegangen, ihre
Aufgabe füllten sie jedoch in veränderter Weise aus: Zunehmend drängten
auch die Bürgersöhne und Handwerkerbuben auf die Schulbänke, die Klosterschulen öffneten sich für die umliegende Bevölkerung.

1.2.2.1   Die Klosterschulen in Fürstenfeld, Bruck und Inchenhofen

Ursprünglich sah die Verfassung des Zisterzienserordens keine Einrichtung
von Schulen vor[250], im Lauf der Zeit errichteten die bayerischen Zisterzen
dennoch eigene Schulen und Bildungsstätten; mit ein Hauptmotiv dafür mag
durchaus gewesen sein, daß sich die Klöster dadurch ihren Nachwuchs
sicherten[251]. Andererseits wurde so manch begabtem Bauernbuben eine Karriere eröffnet, die ihm anderweitig nie möglich gewesen wäre. Ab wann in
Fürstenfeld eine Klosterschule bestanden hat, läßt sich allerdings nicht mehr
zurückverfolgen. Zu den Schülern des Klosterlehrers gehörten einerseits die
Religiosen des Klosters[252], darunter bereits geweihte Priester[253], andererseits Buben aus der Umgebung, wie der kleine Sebastian Thoma aus dem
nahe gelegenen Puch[254].

Ursprünglich erteilten wohl Mönche den Unterricht; erstmals ist 1526 in
den Rechnungsbüchern ein weltlicher Schulmeister erwähnt, der infolge des
zunehmenden Mangels an geeigneten Konventualen eigens angestellt wurde[255]. Danach erscheinen in den Rechnungsbüchern regelmäßig die Besoldungen für die Lehrer im Kloster, welche teilweise auch namentlich bekannt
sind: 1551 unterrichtete Melchior Tittlman die Schüler und die Religio-

---

[250] Zur Frage der angeblichen Wissenschaftsfeindlichkeit der mittelalterlichen Zisterzienser:
Schneider, Studium 103–104.

[251] Vgl. Wollenberg, Eigenwirtschaft 389. – Dietmar Stutzer, Die Säkularisation 1803. Der
Sturm auf Bayerns Kirchen und Klöster, Rosenheim 1978, 229–230.

[252] Vgl. Landersdorfer, Visitation 334.

[253] Aussage des Schulmeisters Melchior Tittlman im Visitationsprotokoll, 13. Oktober 1551.
BHStAM. KBÄA 4096, fol. 84v.

[254] Vgl. Röckl, Beschreibung 32; Fugger, Fürstenfeld 89.

[255] Rechnungsbuch von 1526, »Schulmeister«. BHStAM. KL Fürstenfeld 317 1/8, foll 1–24. –
Da in dieser Rubrik der Schulmeister mitten unter den Angestellten im Kloster erscheint,
ist anzunehmen, daß es sich um den Klosterlehrer gehandelt hat.

sen[256], 1560 war Johannes Örtl aus Inchenhofen schon seit Jahren angestellt[257], 1566 hieß der Lehrer Johann Scherdinger[258]. Aufgabe des Klosterlehrers war zum einen der Unterricht in den elementaren Dingen, in Grammatik, ein wenig Latein und Rhetorik: Lehrer Örtl las mit seinen Schülern
die »Dialogi sacri« des liberalen reformierten Humanisten Sebastian Castellio[259], welche damals als Standardlehrbuch der biblischen Geschichte galten,
und die kleinen »Colloquia« des Erasmus von Rotterdam[260] und arbeitete
mit ihnen nach der Grammatik des Lupulus. Sicherlich wurden viele andere
klassische Werke der damit gut bestückten Klosterbibliothek für den Unterricht herangezogen. Auffällig ist dabei der zu dieser Zeit noch unbedenkliche
Gebrauch von Literatur aus protestantischer oder reformierter Feder; trotz
aller Konfessionalisierung auch des Schulwesens blieb doch eine grundsätzliche Offenheit gegenüber einer überkonfessionellen Bildung bestehen. Neben
der Schule, deren Verrichtung die Hauptaufgabe des Schulmeisters war, übernahm dieser Aufgaben, die mittelbar damit zusammenhingen: Er vertrat den
Organisten[261], fuhr mit den Junioren zu niederen Weihen nach Freising[262]
oder führte im Kloster eine »Canterei« mit seinen Schülern auf[263]. Höchst
unterschiedlich war seine Bezahlung: 1526 dürfte der Lohn 4 bis 5 fl kaum
überstiegen haben[264], danach aber wurde er stetig angehoben. 1551 bekam
der Schulmeister – ein Freund des Administrators Kain – 30 fl, jährlich einen
Rock und freien Tisch samt Wein im Konvent[265], was völlig überbezahlt war.
Deshalb sank der Lohn wieder auf 12 fl im Jahr 1554[266] und 20 fl und Tisch
im Konvent im Jahr 1560[267]. Bis 1573 – das Kloster hatte sich finanziell wie-

[256] Visitationsprotokoll, 13. Oktober 1551. BHStAM. KBÄA 4096, fol. 84v.
[257] Visitationsprotokoll, 1560. Landersdorfer, Visitation 334.
[258] Rechnungsbuch von 1566, »Besoldung im Kloster«. BHStAM. KL Fürstenfeld 317 1/10.
[259] Zu Sebastian Castellio (1515–1563), der als reformierter Theologe innerhalb seiner Kirche immer wieder mit Schwierigkeiten zu kämpfen hatte: Art. Castellio in: BBKL I 956–957 (Lit.); Otto Spiess, Art. Castellio, in: NDB 3 (1957) 173–174.
[260] Erasmus Desiderius von Rotterdam (1466/69–1536): Humanist, Patristiker und Exeget, Kritiker von Theologie und Kirche, aber auch Luthers; vgl. Erwin Iserloh, Art. Erasmus, in: LThK² III (1959) 955–957 (Lit.); Cornelius Augustijn, Erasmus von Rotterdam, in: Martin Greschat (Hrg.), Gestalten der Kirchengeschichte V 53–76.
[261] Rechnungsbuch von 1566, »Gemeine Ausgaben«. BHStAM. KL Fürstenfeld 317 1/10. – 1 fl für Orgelvertretung.
[262] Rechnungsbuch von 1573, »Konvent«. BHStAM. KL Fasc. 957/60.
[263] Rechnungsbuch von 1555, »Gemeine Ausgaben«. BHStAM. KL Fürstenfeld 317 1/11. – Der Schulmeister erhielt dafür 3 ß, 15 dl.
[264] Rechnungsbuch von 1526. BHStAM. KL Fürstenfeld 317 1/8, foll. 1–24. – Zusammen mit dem Salzknecht und drei weiteren Knechten erhält der Schulmeister 12 fl, 2 ß, 3 dl Lohn; alleine waren es kaum mehr als 5 fl.
[265] Aussage des Schulmeisters Melchior Tittlman im Visitationsprotokoll, 13. Oktober 1551. BHStAM. KBÄA 4096, fol. 84v.
[266] Rechnungsbuch von 1554, »Besoldungen im Kloster«. BHStAM. KL Fasc. 957/60.
[267] Vgl. Landersdorfer, Visitation 334. – In Attel am Inn bekam der Schulmeister nur 7 fl und Tisch (ebd. 589), in Weihenstephan 9 fl (ebd. 187), in Schlehdorf 16 fl (ebd. 508), in Dietrams-

der einigermaßen erholt – stieg der Lohn erneut auf 35 fl[268]; dieser Sold blieb während des weiteren 16. Jahrhunderts stabil[269]. Damit war der Schulmeister am Kloster an direktem Sold der bestbezahlte Angestellte[270]. Allein dies weist darauf hin, wie sehr man seine Dienste zu schätzen wußte, und wie angesehen und letztlich auch begehrt die Stelle war.

Über den reinen Schulbetrieb hinaus waren die Schüler zugleich als Singknaben angestellt, die die Ämter im Konvent zu singen hatten[271]. Darin lag ein weiterer Vorteil der Klosterschule für den Konvent: Die Oberstimmen der gegen Ende des 16. Jahrhunderts in Mode gekommenen kontrapunktischen Figuralmusik konnten jederzeit besetzt werden. Daß diese neue Musikrichtung auch in Fürstenfeld bald gepflegt wurde, ist aufgrund der Freundschaft Abt Treuttweins mit Orlando di Lasso anzunehmen; dieser hatte in Schöngeising ein Haus für sich gebaut[272].

Eine zweite Schule, die zwar früher geschichtlich faßbar, aber sicher später entstanden ist als die Klosterschule, war im Markt Bruck gelegen; 1472 wurde sie zum ersten Mal erwähnt[273]. In ihr erhielten die Buben des Marktes gegen einen kleinen Beitrag von 8 Kreuzern im Vierteljahr oder im Falle der Bedürftigkeit auch unentgeltlich Unterricht. Ein- und abgesetzt wurde der Schullehrer vom Abt von Fürstenfeld und vom Brucker Kirchpropst gleichermaßen[274]. Er bekam im Jahr 1560 vom Kloster 8 fl und von der Pfarrei 6 fl als Sold[275]; diese Summe blieb über lange Jahre hinweg konstant[276]. Dazu kam später das Reichnis, dreimal wöchentlich am Herrentisch im Kloster speisen zu dürfen[277]. Für die Brucker Elementarschule legte man ebenso Wert auf

---

zell 10 fl (ebd. 510), selbst im reichen Tegernsee nicht mehr als 20 fl (ebd. 514); eine Ausnahme bildete der Rottenbucher Lehrer mit 40 fl Sold (ebd. 500). Somit war der Fürstenfelder Schulmeister überaus gut bezahlt.

[268] Rechnungsbuch von 1573, »Weitere Besoldung«. BHStAM. KL Fasc. 957/60.

[269] Besoldungsliste, 6. Oktober 1595. BHStAM. KBÄA 4095, fol. 202v.

[270] Der Klosterrichter kam vergleichsweise nur auf 10 fl Grundsold, hatte aber weitere garantierte Einnahmen (Besoldungsliste, 6. Oktober 1595. BHStAM. KBÄA 4095, fol. 199r). Der Klosterschreiber bekam ein Jahresgehalt von 20 fl, der Organist 23 fl (Rechnungsbuch von 1573, »Weitere Besoldung«. BHStAM. KL Fasc. 957/60).

[271] Vgl. Landersdorfer, Visitation 334.

[272] Davon zeugen mehrere Dokumente, darunter BHStAM. KL Fürstenfeld 592 von 1602. – Über nähere Kontakte Abt Treuttweins mit di Lasso ist allerdings nichts belegt.

[273] Verkaufsurkunde Jörg Malers von Bruck erwähnt den »hannsen der zeit Schulmayster und burger zu prugk«, 27. April 1472. BHStAM. KU Fürstenfeld 1472 April 27.

[274] Aussage des Schulmeisters Christoph Spitzweck im Visitationsprotokoll, 1560. Landersdorfer, Visitation 341.

[275] Ebd.

[276] Die gleichen Summen werden genannt in: Rechnungsbuch von 1554, »Besoldungen für außerhalb des Klosters«. BHStAM. KL Fasc. 957/60. – Rechnungsbuch von 1573, »Besoldungen für außerhalb des Klosters«. BHStAM. KL Fasc. 957/60. – Besoldungsliste, 6. Oktober 1595. BHStAM. KBÄA 4095, fol. 202v.

[277] Besoldungsliste, 6. Oktober 1595. BHStAM. KBÄA 4095, fol. 202v.

gediegene Bildung: Der Brucker Schulmeister von 1560, Christoph Spitz-
weck, hatte in Leipzig und Ingolstadt studiert und unterrichtete die fünfzig
Kinder ein anspruchsvolles Programm: Neben den Evangelien und dem
samstäglichen Katechismusunterricht lehrte er die Distichen Catos, die
Fabeln Äsops, die Dialoge des Helius Hessus Eobanus[278] und die Grammatik
Phillips. Täglich gab er den Kindern Musikunterricht in – wie im Visitationsprotokoll eigens vermerkt wird – nicht lutherischen Psalmen[279]. Auch der
Brucker Schulmeister erbrachte neben dem eigentlichen Unterricht noch
andere Leistungen: Immer wieder wanderte er mit einigen Schülern ins Kloster, um ein Schauspiel aufzuführen, was für den Konvent eine willkommene
Abwechslung war[280]. Eine besondere Rolle fiel dem Schulmeister auch in
den Bemühungen um die Katholische Reform zu: In der Hofmarksordnung
von 1600 wurde er verpflichtet, bei jeder stattfindenden Prozession mitzuge-
hen; außerdem war auch an seine Adresse die Mahnung gerichtet, den jungen
Leuten statt der »Schanndtlider« »die geistliche gesang und ruef« beizubrin-
gen[281].

Im Markt Inchenhofen, wo das Kloster die Leonhardi-Wallfahrt betreute,
unterhielt es eine dritte Schule. Während zu Beginn wohl die Mönche noch
den Schuldienst versahen, unterrichteten seit dem 15. Jahrhundert ausschließlich Angestellte, die vom Kloster besoldet und beaufsichtigt wurden.
Zusätzlich zum Gehalt erhielt der Lehrer mit seinen Schülern Spenden für
die musikalische Gestaltung von Jahrtags- oder Stiftsmessen[282]. In einem
Beschwerdebrief von 1565 stellten Bürgermeister und Rat des Marktes fest,
daß sie seit »alters« her das Recht hätten, einen Schulmeister aufzunehmen
und zu halten: Als nämlich Kaplan Fr. Sigismund Eisenberger 1565 einen
neuen, dem Abt genehmen Schulmeister einsetzen ließ, protestierte die Bürgerschaft heftig dagegen, daß er nicht mehr im Schulhaus wohnen sollte. Da
die Dotation des Inchenhofener Schulmeisters ziemlich gering war, betätigte
er sich nebenbei noch als Schreiber[283]. Die Bezahlung der Kinder für den
Schulunterricht erfolgte im Winter in Form eines Scheites Holz täglich, um
die Schule zu heizen. Da sich nur wenige Eltern so viel Holz leisten konnten,

---

[278] Zu diesem siehe: Hans Rupprich, Art. Eobanus, in: NDB 4 (1959) 543–545.
[279] Aussage des Schulmeisters Christoph Spitzweck im Visitationsprotokoll, 1560. Landersdorfer, Visitation 341.
[280] Rechnungsbuch von 1569. BHStAM. KL Fürstenfeld 317 1/87. – Der Schulmeister
bekommt für ein Schauspiel 4 ß, 4 dl.
[281] Hofmarksordnung Abt Johann Puels für die Hfmk. Bruck, 1600 (Kopie). BHStAM. KL Fürstenfeld 593.
[282] Vgl. Moll, Schule und Bildung 457.
[283] Albrecht V. an Abt Leonhard Baumann, München, 15. Oktober 1565. BHStAM. KL Fürstenfeld 204 ½, prod. 3. – Bürgermeister und Rat zu Inchenhofen an Albrecht V., undatiert. Ebd.,
prod. 4. – Prod. 4 wird mit prod. 3 nach Fürstenfeld übersandt.

blieben die armen Kinder winters zuhause. Der Inchenhofener Kaplan wandte sich deshalb an den Magistrat des Marktes mit der Bitte um Abhilfe. Tatsächlich bekam er zugesagt, daß der Markt jeden Herbst zwei Klafter Holz
und zwei Fuder Reisig ins Schulhaus bringen lassen wolle[284].

1.2.2.2 Das Studium der Konventualen am Kloster

Ursprünglich studierten junge Religiosen an der eigenen Klosterschule auch
Philosophie und Theologie. Ein geeigneter Magister war beauftragt, mit Hilfe
der Klosterbibliothek, die auch aus diesem Grund möglichst gut bestückt zu
sein hatte, die Studenten so weit zu unterrichten, daß sie genügend Kennt-
nisse besaßen, um später die liturgischen Dienste als Priester verrichten zu
können. Diese Form der Ausbildung bestand seit der Gründung des Klosters
auch in Fürstenfeld. Während des Noviziats wurden die neu Aufgenomme-
nen in Philosophie und Grundbegriffen der Theologie unterrichtet. Danach
wechselten sie entweder an eine Universität[285] oder blieben im Haus, um
dort ihre Ausbildung abzuschließen. Bei weitem nicht alle Mönche, die zum
Priester geweiht wurden, hatten eine Universität besucht.
Eine spätmittelalterliche Blüte erlebte das Klosterstudium durch Abt Leonhard Eggenhofer (1480–1496). Er hatte in Heidelberg studiert[286], war mögli-

---

[284] Kaplan Fr. Adam Holzwarth an den Rentmeister Bernhard Parth, Inchenhofen, 16. Novem-
       ber 1615. BHStAM. KL Fasc. 228/4.
[285] Vgl. TE I 299, III. Ausbildung.
[286] Vgl. Matrikel Heidelberg I 297.
[287] Röckl, Beschreibung 25; Fugger, Fürstenfeld 63–64. – Allerdings findet sich kein Nachweis
       darüber in den Universitätsakten.
[288] Necrol. BStB. Clm 1057, fol. 38v.
[289] Vorlesungskonzepte, um 1460. BStB. Clm 7070, 7081, 27422.
[290] Um einen Einblick in den Themenkatalog zu geben, wird BStB. Clm 2 7422 hier auszugs-
       weise vorgestellt:
       Blatt   Inhalt
          7   Ob unehrenhafte Menschen die Seligkeit schauen können
         38   Vom Willen
         48   Ob eine Vorzugswahl frei oder unfrei ist
         65   Ob menschliche Handlung aufs gute oder schlechte hinausläuft
         72   Neunzehnte Quaestio über Gut und Böse menschlichen Handelns
         90   Über die Theologie als Wissenschaft
         99   Ob Gott Leib ist
        103   Ob Gott Feuer ist
        115   Ob Gott das höchste Gut ist
        124   Ob Gott in allen Dingen ist
        147   Das schönste Gut
        174   Über die Unterscheidung der drei Personen
        180   Trinitätstheologie: fünf Notionen, vier Relationen, drei Personen,
               zwei Hervorgänge, ein Gott

cherweise zum Doktor der Theologie promoviert worden[287], und kehrte als »sacrae theologiae professor«[288] ans Kloster zurück, wo er die Junioren und Novizen unterrichtete. Hinterlassen sind von ihm mehrere Bände mit »Quaestiones«, theologische Abhandlungen im Stil der Zeit[289], aus denen er seine Vorlesungen hielt. In ihnen wurden die wesentlichen Fragen der damaligen Theologie abgehandelt[290]. Dazu existieren von ihm Korrespondenzen mit dem Tegernseer Benediktiner Ulrich von Landau und anderen Theologen[291], sowie ein Predigtenband[292]. Zu Zeiten Abt Eggenhofers lag das Niveau der Vorlesungen in Fürstenfeld deutlich über dem Durchschnitt anderer Klosterstudien. Seine Vorlesungskonzepte wurden bis ins 16. Jahrhundert hinein gebraucht, da sich in ihnen immer wieder Ergänzungen und Nachschriften von anderer Hand finden, unter anderem auch durch den späteren Abt Georg Menhart[293].

Während der Jahre vom Ausbruch der Reformation bis 1555, als der erste Student an die Universität Ingolstadt geschickt wurde, studierten die Junioren ausschließlich im Kloster. Aber auch danach wurden nicht alle Studenten an eine Universität entsandt; die Äbte waren dazu noch zu vorsichtig und zu sparsam. Der Fürstenfelder Schulmeister Johannes Örtl lehrte 1560 neun Religiosen im Kloster, also fast das gesamte Juniorat[294]. Die Grenzen zwischen dem Studium, der Schule für die Novizen und für weltliche Knaben waren in Fürstenfeld verschwommen[295]. Noch in den achtziger Jahren des 16. Jahrhunderts lehrte der hochqualifizierte Fr. Johannes Dietmair für einige Zeit im Kloster, bis man ihn als Prediger abberief[296]. 1616 wies Abt Michael

Blatt	Inhalt
197	Über die Erbsünde des Adam
208	Über die Empfängnis Christi
210	Ob die Beichte als Sakrament göttlichen oder menschlichen Ursprungs ist
237	Über die Simonie
237	Ob Christus vom Heiligen Geist empfangen ist oder nicht
258	Über das Gericht an den Lebenden und Toten
262	Contra Bohemos
305	Was größer ist, die libertas gratiae oder die libertas arbitrii
306	Über die libertas
315	Miseria und beatitudo
326	Ob Dämonen gutes tun können
349	Ob die Engel über die Verdammung der Menschen, die sie bewacht haben, trauern

[291] BStB. Clm 23932 6969 mit Ulrich von Landau; BStB. Clm 18148 mit einem unbekannten Briefpartner.

[292] BStB. Cbm cat. 3, fol. 45.

[293] Vorlesungskonzept. BStB. Clm 27422, Bl. 350: Im Nachsatz steht Menharts Name verzeichnet.

[294] Aussage des Schulmeisters Johannes Örtl im Visitationsprotokoll, 1560. Landersdorfer, Visitation 334.

[295] Vgl. HBG II 721. – Ähnliche Schulsysteme wie in Fürstenfeld werden aus St. Emmeram, Indersdorf und St. Zeno in Reichenhall berichtet.

[296] Siehe Teil I, Kap. 3.5.2.

Kirchberger von Aldersbach seinen Fürstenfelder Amtsbruder an, er solle den hochgelehrten Fr. Georg Bruckmann der »Khüchenmaisterey Gantzlich ent-laßen, des Chores (außer wan in abbat selbs befüeht) befrayn, die tag Zeiten also distribuiern, damit die, so capaces, täglich ain geraume stundt es sey vor od nachmittag lectionem logisticam od so es E[uer]. G[naden]. für bößer ach-ten, Philosophicam welche ime Pater Bruckhman ex solenniter institutur fürleßn würdt, excipiern und studiern ut in academia mogen«; auch einige bereits geweihte Priester wurden noch von Bruckmann unterrichtet[297]. Erst im weiteren 17. Jahrhundert verlor das Klosterstudium zusehends an Bedeu-tung, da fast alle Studenten an die Hochschulen in Ingolstadt oder Dillingen entsandt wurden[298].

Neben der Klosterschule waren die Universitäten Heidelberg und Wien die beiden Hochschulorte, an denen Fürstenfelder Konventualen vor der Refor-mationszeit studieren konnten[299]. Die Zahlen sind dennoch nicht genau faßbar, da die Matrikeln nicht alle Studenten verzeichneten: Für Wien sind zwischen 1445 und 1512 drei Fürstenfelder Studenten nachweisbar[300], für Heidelberg zwischen 1458 und 1520 vierzehn[301]. Mit dem Ausbruch der Reformation und der Hinwendung Heidelbergs zur Reformation waren die-se Bildungsmöglichkeiten entfallen, und es blieb vorläufig nur, die Junioren zuhause zu unterrichten.

1.2.2.3   *Fürstenfelder Studenten an der Landesuniversität Ingolstadt*

Die bayerische Landesuniversität Ingolstadt gehörte während den Reforma-tionsstürmen zu den »bedeutendsten geistigen Bollwerken der alten Kirche im Reich«[302]. 1472 mit den vier klassischen Fakultäten Theologie, Jurispru-denz, Medizin und Artistenfakultät gegründet[303] und mit einigen bedeuten-den Männern wie dem »Archihumanista« Konrad Celtis oder dem assoziier-

---

[297] Abt Michael Kirchberger von Aldersbach an Abt Sebastian Thoma, Aldersbach, 2. Juli 1616. BHStAM. KL Fürstenfeld 334, fasc. 1, prod. 11.

[298] Vgl. Klemenz, Dallmayr 76–77. – Zwischen 1640 und 1690 studierten 13 Religiosen an der klösterlichen Schule, wechselten teilweise an eine Universität, 15 in Dillingen und 33 in Ingolstadt, wobei kleinere Wanderungsbewegungen zu verzeichnen sind.

[299] Bis 1522 studierten in Heidelberg aus Aldersbach ein Professe (Matrikel Heidelberg I 408), aus Raitenhaslach sieben (ebd. 347, 359, 409, 450, 514, 518, 531), aus Fürstenzell einer (ebd. 409), aus Kaisheim 23 (ebd. 15, 89, 192, 278, 318, 359, 364, 406, 411, 422, 426, 436, 449, 458, 468, 476, 487, 492, 503, 514, 527) aus Stams zwölf (ebd. 198, 239, 278, 317, 336, 379, 400, 420, 436, 450, 478, 496) und aus Fürstenfeld vierzehn (siehe Anhang 1.5: Immatrikula-tionslisten).

[300] Siehe Anhang 1.5: Immatrikulationslisten.

[301] Siehe ebd.

[302] Weitlauff, Anfänge 41.

[303] Vgl. Kausch, Fakultät 17; Prantl, Geschichte I 20–32; HBG II 271.

ten Aventinus besetzt, rückte in der Reformationszeit die Theologische Fakultät in den Brennpunkt des Geschehens und stellte mit dem umstrittenen, aber unersetzbaren Johann Eck[304] den katholischen Herold gegen Luther. In seinem Eifer schreckte dieser nicht davor zurück, Hausdurchsuchungen gegen des Luthertums verdächtige Amtskollegen zu erwirken[305]. Nach dem Tod Ecks 1543 brach die Theologische Fakultät zusammen; aufgrund mehrerer erfolgloser Versuche, neue Professoren für Ingolstadt zu gewinnen, ging von Herzog Wilhelm IV. die Initiative aus, Jesuiten an die Universität zu holen. Auf Druck des Papstes schickte Ordensgeneral Ignatius von Loyola schließlich drei Väter: Claude Jay, Alonso Salmeron und Petrus Canisius. Nachdem diese »en passant« in Bologna den zur Lehre befähigenden Doktorgrad erworben hatten, erreichten sie am 13. November 1549, von der Öffentlichkeit kaum bemerkt, Ingolstadt[306]. Dort begann mit den Jesuiten ein neues Kapitel bayerischer Kirchengeschichte, ein recht turbulentes zudem: Da Herzog Wilhelm IV. in Ingolstadt das an Ignatius zugesicherte Kolleg nicht bauen konnte oder wollte, berief dieser kurzerhand Petrus Canisius nach Wien ab, ungeachtet dessen, daß dieser die Theologische Fakultät langsam im Niveau hob und eben erst zum Vizekanzler der Universität gewählt worden war. Weitere Jahre der Verhandlungen mit den Vätern der Gesellschaft gingen ins Land, da diese auf ihrem Kolleg beharrten; endlich genehmigte Herzog Albrecht V. 1555 die Errichtung zweier Kollegien: eines für den Ordensnachwuchs, ein zweites für wenigstens fünfzehn Theologiestudenten – beide von den Jesuiten geleitet. Am 7. Juli 1556 kamen sechs Jesuitenpatres und zwölf Alumnen aus Rom in die Donaustadt[307].
Aufgabe und Ziel der Jesuiten war nichts geringeres als die Rekatholisierung des Herzogtums; als notwendiges Mittel dazu sahen sie die vollständige Kontrolle über die theologische Fakultät und möglichst auch über die Universität Ingolstadt an. Naturgemäß entstanden Probleme mit den althergebrachten Rechten der Fakultäten und heftige Streitereien, die darin gipfelten, daß man in den Wohnungen der Jesuiten die Fenster einwarf. Die volle »Eroberung« der theologischen Fakultät gelang den Jesuiten nie, dafür aber seit 1588 die Übernahme der Artistenfakultät. Für zweihundert Jahre war die Verteilung

---

[304] Aus der schier unüberblickbaren Literatur über Eck: Manfred Weitlauff, Art. Eck, in: Boehm/Müller (Hrg.), Biographisches Lexikon der Ludwig-Maximilians-Universität München I 88–91; Erwin Iserloh, Art. Eck, in: NDB 4 (1959) 273–275 (Lit.); ders, Johannes Eck (1486–1543). Scholastiker, Humanist, Kontroverstheologe (= Katholisches Leben und Kirchenreform im Zeitalter der Glaubensspaltung 41), Münster 1981; ders. (Hrg.), Johannes Eck (1486–1543) im Streit der Jahrhunderte (= Reformationsgeschichtliche Studien und Texte 127), Münster 1988; Klaus Rischar, Professor Dr. Johannes Eck als akademischer Lehrer in Ingolstadt, in: ZBKG 37 (1968) 193–212; Kausch, Fakultät 174–198.
[305] Vgl. Schwaiger, Größe und Grenze 56: Prozeß gegen den Magister Arsacius Seehofer.
[306] Vgl. Weitlauff, Anfänge 42–46; Prantl, Geschichte I 221–223; Duhr, Geschichte I 53.
[307] Vgl. Weitlauff, Anfänge 50–54; Prantl, Geschichte I 223–227; Duhr, Geschichte I 55–56; Schade, Jesuiten 215–217.

der Professuren nun gesichert: Die Weltpriester hielten die Lehrstühle der Heiligen Schrift und der Kontroverstheologie, die Jesuiten scholastische Systematik und Moralkasuistik. Ab 1675 bekamen sie zusätzlich den kanonistischen Lehrstuhl in der Juristischen Fakultät[308].

Während der ersten achtzig Jahre des Bestehens der Universität wurde kein einziger Student aus Fürstenfeld nach Ingolstadt entsandt. Über die Gründe dafür liegen keine Nachrichten vor, aber es ist anzunehmen, daß zum einen das – unter Abt Eggenhofer blühende – Hausstudium als ausreichend anerkannt wurde, und zum anderen die Diskussion um ein eigenes Ordensstudium der Zisterzienser die bayerischen Äbte davon abhielt, ihre Kleriker nach Ingolstadt zu schicken, um nicht die bestehenden Verhältnisse zu zementieren und das eigene Vorhaben zu unterlaufen[309]. Dazu kam, daß in den achtzig Jahren, die seit der Gründung der Ingolstädter Universität vergangen waren, ohnehin nicht allzu viele Fürstenfelder Mönche auswärts immatrikuliert waren, die meisten am traditionellen Hochschulort Heidelberg[310].

Seit Abt Leonhard Baumann änderte sich das Verhältnis zur Ingolstädter Universität langsam, möglicherweise – wenngleich für Fürstenfeld nicht konkret nachweisbar – auf sanften Druck des Landesherrn. Noch als Administrator entsandte Baumann zum Sommersemester 1555 den ersten Konventualen, Fr. Sigismund Eisenberger, nach Ingolstadt zum Studium[311]. Eisenberger war aber bereits einundvierzig Jahre alt, seit zwanzig Jahren im Kloster und schon einige Zeit Kaplan in St. Leonhard[312]; sein Studium war also reiner Luxus, da er schon lange Theologe und Priester war; überdies studierten zur gleichen Zeit etliche Jüngere weiter an der klostereigenen Schule. Es gibt keine andere Erklärung für dieses eigenartige Studium Fr. Eisenbergers, das er auch mit keinem Examen abgeschlossen hatte, als die, daß seine Immatrikulation ein »Versuchsballon« war, denn die Verhältnisse in Ingolstadt waren keineswegs geordnet: Die Jesuiten waren wieder abberufen worden, der Herzog konnte sich noch nicht zur Genehmigung des von ihnen geforderten Kollegs durchringen; es war fraglich, ob sie überhaupt wieder zu gewinnen waren. In diese Situation hinein wollte Abt Leonhard Baumann keinen unerfahrenen jungen Mönch schicken; dem gefestigten Fr. Eisenberger dagegen konnten auch die unsichersten Zustände nichts mehr antun. Und tatsächlich war der Abt an der Amper mit dem Ergebnis nicht zufrieden, denn während seiner ganzen Regierungszeit schickte er keinen einzigen Konventualen mehr an die Landesuniversität nach Ingolstadt. An der Klosterschule wurden 1560 neun Religiosen unterrichtet, von denen vier ausgesprochen

---

[308] Vgl. Schwaiger, Größe und Grenze 59.
[309] Zum Ordensstudium Teil II, Kap. 1.2.2.5.
[310] Siehe Anhang 1.5: Immatrikulationslisten.
[311] Siehe ebd.
[312] Siehe Anhang 1.3: Katalog der Mönche.

gut begabt waren[313]: Abt Baumann wußte, was er an seiner Klosterschule hatte und wollte keinerlei Experimente eingehen.

Es dauerte nahezu zwanzig Jahre, bis Abt Baumanns Nachfolger, Abt Leonhard Treuttwein, die beiden Religiosen Fr. Johannes Rembold und Fr. Johannes Dietmair an der Ingolstädter Universität studieren ließ[314]. Dieses Mal war man seitens des Klosters offensichtlich zufrieden, denn von nun an wurden häufiger Studenten an die Landesuniversität entsandt, wenngleich bei weitem nicht alle Religiosen. In Ingolstadt war man über Fr. Dietmair aus Fürstenfeld positiv überrascht, so daß die Theologische Fakultät beim Herzog für ihn um ein Stipendium für das weitere Studium bat[315] und es auch erhielt[316]; sicherlich wäre die Karriere Dietmairs ohne seine »Entdeckung« und Förderung in Ingolstadt nicht so steil verlaufen. Es scheint, daß die langsame Normalisierung der Verhältnisse in Ingolstadt und der landesherrliche Druck in gleicher Weise die Fürstenfelder Äbte dazu bewogen haben, einer größeren Zahl von Studenten das Universitätsstudium zu ermöglichen; auf Dauer war das Hausstudium den Konkurrenzangeboten der international besetzten Universität nicht gewachsen. So sind zwischen 1574 und 1615 zwölf in Ingolstadt immatrikulierte Fürstenfelder Religiosen festzustellen[317], 1627 öffnete Kaisheim ein Ordenskolleg in der Stadt[318], bis 1762 hatten insgesamt achtundneunzig Fürstenfelder Konventualen in Ingolstadt studiert[319].

1583 hatten die Jesuiten auch in Ingolstadt, ebenso wie in Dillingen, ein Kolleg für die Religiosen der alten Orden errichtet[320]. Der Apostolische Nuntius Felician Ninguarda verfügte die Konstitutionen für das neue Kolleg, »ubi dictorum ordinum iuuentus in pietatis & literarum studiis commode imbueretur, quae aliquando & Monasteriis ipsis ornamento, & orthodoxae religioni emolumento foret«[321]. Trotz aller herzoglicher Mahnungen hielten sich die Klöster weiterhin zurück, wenn es galt, Studenten auf die Universität zu

---

[313] Aussage des Schulmeisters Johannes Örtl im Visitationsprotokoll, 1560. Landersdorfer, Visitation 334.

[314] Siehe Anhang 1.5: Immatrikulationslisten.

[315] Dekan und Theologische Fakultät Ingolstadt an Abt Leonhard Treuttwein, Ingolstadt, 5. Juli 1578. BHStAM. KL Fürstenfeld 321, prod. 3.

[316] Albrecht V. an Abt Leonhard Treuttwein mit der Bewilligung eines Jahresstipendiums von 25 fl, 1. August 1578. BHStAM. KBÄA 4096, fol. 289r.

[317] Siehe Anhang 1.5: Immatrikulationslisten. – Dazu kommen noch mindestens vier anderweitig nachweisbare Fürstenfelder Studenten in Ingolstadt.

[318] Vgl. Schneider, Studium 114.

[319] Vgl. TE I 299, III. Ausbildung.

[320] Vgl. Duhr, Geschichte I 500.

[321] »Constituta circa seminarium et congregationes religiosorum Sancti Benedicti, Canonicorum regularium, Cistercien[sium]. et Praemonstraten[sium]. in Bavaria existentium« durch Nuntius Felician Ninguarda, München, 24. Mai 1583. BHStAM. Kurbaiern U 425. – Zur Rolle Ninguardas, der zur Ausbildung des Klerus Jesuiten bevorzugte, siehe: Bigelmair, Gegenreformation 104–105; Schellhass, Ninguarda I 256–268.

schicken[322], schließlich waren die Kosten nicht gerade gering: Für das Sommersemester 1613 zahlte Fürstenfeld an Pensionskosten 122 fl, 6 ß, 22 dl, 1 hl nach Ingolstadt[323]; im Wintersemester 1613 bezahlte man für zwei Studenten 146 fl, 1 ß, 3 dl, 1 hl und im Sommersemester weitere 158 fl, 1 ß, 10 dl, 1 hl[324]. 1620 wurden wiederum an die 215 fl an die Väter der Gesellschaft überwiesen[325]. Auch aufgrund dieser hohen Pensionskosten überlegte man in Fürstenfeld sicher gut, für welche Religiosen sich diese Investitionen lohnten. Da die meisten Prälaten so dachten und ihre Studenten lieber im Kloster behielten als für viel Geld in eine fremde Stadt zu schicken, kamen zunehmend von außen Aufforderungen, doch mehr Studenten an die Universität zu entsenden. Nachdem Herzog Wilhelm V. bereits 1580 von den Klöstern eine Dezimation zur Errichtung des Kollegs in Ingolstadt verlangt und damit die Prälaten verärgert hatte[326], forderte sein Nachfolger Maximilian die Klöster in einem Schreiben auf, mehr Studenten zu schicken, und rief eine wahre »Bildungsoffensive« aus[327]: Eigentlich – so der beachtliche Brief – sei es Sache der Klöster, nicht nur in den »temporalia«, sondern auch den »spiritualia« recht zu wirtschaften; doch da sei leider nur zu häufig festzustellen, daß dies nicht ordentlich geschehe. Sowohl die Äbte, bei denen es nötig sei, gelehrt zu sein, seien nur mangelhaft ausgebildet; genauso aber würden die Studenten entweder gar nicht auf die Universität geschickt oder nur eine kurze Zeit dort belassen, so daß sie kaum ordentlich Philosophie und Theologie hören könnten. »Viellaicht auch sehen die Prälaten selbst wegen Irer aignen ungelehrtheit ungern, das Ihr Convuentuales sunderbars gelert werden«[328], vermutet der Landesfürst. Gerade für die Pfarrseelsorge sei es nötig, gelehrte Priester zu haben; dies gelte auch für die Ordenspfarreien. Und obwohl es genügend begabte junge Leute gäbe, würden scheinbar nur jene zum Studium und dann auf die Pfarreien geschickt, denen man günstig sei, oder die man nicht gerne im Konvent, sondern lieber außerhalb habe, fuhr der Herzog fort. An den Zuständen in Fürstenfeld hatte der Landesherr zwar nichts auszuset-

---

[322] Duhr, Geschichte I 500, zählt für das Jahr 1586 dreißig Ordensleute am Kolleg; sieben Klöster hätten sich ganz ablehnend verhalten, siebzehn Klöster ihre Studenten wieder zurückgerufen.

[323] Rechnungsbuch von 1613, »Konvent«. BHStAM. KL Fasc. 957/60.

[324] Rechnungsbuch von 1614, »Konvent«. BHStAM. KL Fasc. 957/60. – Von weiteren Rechnungen aus den Jahren 1587, 1589, 1599, 1600, 1604, 1619 und 1620 ist nur die Existenz bekannt, nicht aber der Inhalt. Es waren weitere Studenten in Ingolstadt, die nicht in den Matrikeln erscheinen (Repertorium Fürstenfeld, undatiert [um 1580]. BHStAM. KL Fürstenfeld 369, pag. 663, L 26).

[325] Rechnungsbuch von 1620, »Konvent«. BHStAM. KL Fürstenfeld 217 1/3. – 212 fl, 6 ß, 29 dl, 1 hl waren es genau.

[326] Repertorium Fürstenfeld, undatiert (um 1580). BHStAM. KL Fürstenfeld 369, pag. 723, L 25. – Fürstenfeld mußte damals 45 fl bezahlen.

[327] Maximilian an Abt Sebastian Thoma, München, 20. Oktober 1612. BHStAM. KL Fürstenfeld 322.

[328] Ebd.

zen, aber er mahnte den Abt, die begabten jungen Mönche auf die Universität zu schicken, damit sie dort Philosophie und Theologie studieren könnten, und so die Wissenschaft nicht zu kurz käme. Eine weitere, bereits erwähnte Mahnung erhielt Abt Thoma von seinem Vaterabt Michael Kirchberger von Aldersbach. Dieser hatte offensichtlich während einer Visitation bemerkt, daß der gelehrte Fr. Georg Bruckmann zu lange in der Küche stand. Deshalb wies er den Abt an, Bruckmann vom Küchendienst zu befreien und es so einzurichten, daß die Studenten bei ihm ausreichend Philosophie hören könnten. Im übrigen wäre er froh, in Aldersbach einen so klugen Mann zu haben[329].

1.2.2.4 Fürstenfelder Studenten in Dillingen

Von ganz anderer Entstehung und Verfassung als die bayerische Landesuniversität Ingolstadt war die Universität Dillingen, an der ab 1556 ebenfalls Fürstenfelder Religiosen studierten. 1549 vom Augsburger Fürstbischof Otto Truchseß Kardinal von Waldburg (1543–1573) als »Collegium litterarum« gegründet, erhielt sie 1551 und 1553 päpstliche und kaiserliche Universitätsprivilegien[330]. Nach personellen und finanziellen Schwierigkeiten wurden 1563 auch hierher Jesuiten berufen, die sich bereits andernorts einen Namen erworben hatten, und anders als in Ingolstadt bekamen sie 1564 die Universität Dillingen vollkommen übertragen und erhielten die ihrer Ansicht nach idealen Voraussetzungen für ihr Wirken im Dienst der katholischen Reform[331]. Im Unterschied zur korporativ und kollegial verfaßten Ingolstädter Universität schlug sich in der Verfassung Dillingens die zentralistische Struktur des Jesuitenordens nieder: Der Ordensgeneral selbst ernannte bis 1773 die Rektoren, er setzte die Vakanzen und Promotionszeiten fest; die genauere Gestaltung des Studienbetriebs, die eigentlich Rektor, Senat und Kanzler zustehen würde, übernahm der Provinzial der Jesuiten. Das Aufsichtsrecht, das zwar formal weiterhin dem Augsburger Fürstbischof zustand, war faktisch längst nach Rom übergegangen[332], Dillingen war die einzige Jesuitenuniversität im heutigen Bayern geworden.

Entsprechend der Universitätsverfassung waren auch die Studieninhalte, die den Alumnen vorgetragen wurden, stark römisch orientiert. Grundlage des Studienwesens war die ignatianische Instruktion von 1549: Die Aufgabe der Väter bestand in der Förderung des Glaubens und des Gehorsams der Gläubi-

---

[329] Abt Michael Kirchberger von Aldersbach an Abt Sebastian Thoma, Aldersbach, 2. Juli 1616. BHStAM. KL Fürstenfeld 334, fasc.1, prod. 11.

[330] Vgl. Specht, Dillingen 22–25; Zoepfl, Augsburg II 291–298; HBG III/2 1163–1164.

[331] Vgl. Weitlauff, Anfänge 56; Specht, Dillingen 55–63; Zoepfl, Augsburg II 304–306; Duhr, Geschichte I 194–200.

[332] Vgl. Specht, Dillingen 125–127.

gen gegenüber Papst und Kirche. Um dieses Ziel zu erreichen, sollten die
Väter in kluger Bildung des Herzens und des Verstandes allen, die ihnen
anvertraut waren, in Rede und geistlicher Freundschaft Vorbild und Lehrer
sein. Mittel dazu waren Vorlesung, Predigt, geistliche Übungen und Beichte.
Durch sie sollten die Menschen zum Glauben und zum Leben in rechter
Gesittung geführt werden[333]. Die akademischen Lehrer in Dillingen waren
überaus gebildete und kluge Männer, die das scholastische System absolut
verinnerlicht und in Philosophie und Theologie präzisiert hatten. Dieses
Denkgebäude voller mathematischer Präzision hörten und übernahmen die
Studenten, unterstützt von einer didaktischen Methode, die als die modernste ihrer Zeit galt. Binnen kurzem waren die Alumnen nach dem genauen
Plan und den Lehrvorgaben der »societas« perfekt ausgebildet. Wie so oft, so
liegt auch in diesem Lehrsystem die größte Schwäche in der größten Stärke:
dem Drang, alles zu erfassen und zu erklären. Da die Wirklichkeit aber kom-
plizierter ist als jedes noch so geniale System, muß ihre Berücksichtigung
notwendig zur Nachfrage anregen. Genau dies war aber im Lehrplan nicht
vorgesehen: Eigenständigkeit, Ausprägung und Entfaltung persönlicher
Begabung, Weiterdenken – all das war in der Truppe der Gesellschaft Jesu
nicht gewünscht; hatte sich dennoch ein Lehrer dahingehend zu weit vorge-
drängt, so bekam er plötzlich eine wichtige Aufgabe an einem weit entfernten Ort[334]. Ihre Gleichförmigkeit ging der »societas« über jeden Anflug eines
neuzeitlichen Individualismus; dieses Prinzip barg für die Zukunft freilich
massive Schwierigkeiten.

All diese charakteristischen Eigenheiten der Jesuitenuniversität Dillingen
waren den süddeutschen Prälaten mehr oder weniger bekannt, als auch ihnen
angeboten wurde, ihre Religiosen zum Studium nach Dillingen zu schik-
ken[335]. Für Ordensstudenten[336] galten die gleichen strengen Ausbildungsre-

---

[333] Vgl. Weitlauff, Anfänge 46; Specht, Dillingen 185–188; Schade, Jesuiten 218–224.

[334] Diese häufigen Personalwechsel waren ein jesuitisches Prinzip in der akademischen Lehre,
um möglichst die Kontinuität des Lehrbetriebs zu gewährleisten und nicht zu gestatten,
daß einzelne Personen ein übergroßes Gewicht bekamen. Die meisten Professoren in Dillingen wurden nach zwei oder drei Jahren wieder abberufen. Vgl. Weitlauff, Anfänge 60.

[335] 1567 forderte Kardinal Otto Truchseß von Waldburg die alten Orden auf, ihre Studenten
nach Dillingen zu entsenden; vgl. Duhr, Geschichte I 500.

[336] Duhr, Geschichte I 500, Anm. 8, verzeichnet für das Jahr 1596, als Dillingen bereits eine
eingeführte Anstalt war, 75 Religiosen aus 31 Klöstern; hauptsächlich Benediktiner und
Augustiner wohnten dort, aus dem Zisterzienserorden schickten nur die außerbayerischen
Klöster Kaisheim und Langheim Studenten nach Dillingen. – In Ochsenhausen stand Abt
Johann Ernst gegen das Bildungsideal der Jesuiten (vgl. Maier, Reformation 278), der Wein-
gartener Abt Gerwig Blarer rief nach der Übergabe der Hochschule an die Jesuiten seine
Religiosen kurzzeitig ins Kloster zurück (vgl. Reinhardt, Weingarten 39–40); dennoch setz-
te sich bei den Benediktinern bis zur Gründung der eigenen Hochschule in Salzburg die
Jesuitenbildung durch.

12 Thronender Hl. Leonhard auf dem Hochaltar der Wallfahrtskirche
St. Leonhard zu Inchenhofen aus der Zeit des großen Umbaus der Kirche
unter dem Fürstenfelder Abt Sebastian Thoma (1610–1623)

13–14 Pilger zum Hl. Leonhard. Begleitfiguren zum thronenden Leonhard
auf dem Hochaltar der Wallfahrtskirche Inchenhofen.
Ungenannter Bildhauer, um 1610/25

15 Mächtiger Westgiebel der dreischiffigen Hallenkirche St. Leonhard
zu Inchenhofen. Der gotische Bau wurde vor dem Dreißigjährigen Krieg
erweitert unter dem Fürstenfelder Abt Sebastian Thoma (1610–1623) $\longrightarrow$

geln wie für die anderen Alumnen: Neben dem Unterricht nach strenger jesuitischer Methode lief auch die geistliche Bildung nach den Vorstellungen der Väter ab. Die Horen wurden von allen Religiosen nach dem Breviarium Romanum gebetet, die tägliche Morgenbetrachtung war Pflicht, die Studenten wurden in einer Marianischen Kongregation zusammengefaßt. Der Beichtvater war für alle Studenten der gleiche und hielt vierzehntägig eine Exhorte[337]; bis 1607 war dies der gewinnende und begeisternde P. Julius Priscianensis SJ[338], durch dessen Hand ganze Generationen von Studenten geführt wurden und der großen Einfluß auf die katholische Restauration namentlich der oberschwäbischen Klöster hatte[339]. Mitbestimmung von seiten der Prälaten in Angelegenheiten der Studiengestaltung wurde dagegen strikt abgelehnt[340].

Aus dem Fürstenfelder Konvent hatte nur ein einziger Religiose im 16. Jahrhundert in Dillingen studiert: Johann Puel, später Abt. Bemerkenswerterweise war er dort immatrikuliert, als noch Dominikaner und Weltpriester auf den Lehrstühlen saßen; außerdem trat Puel erst nach seinem Studium in Fürstenfeld ein[341]. Seinen Magister schloß er just in dem Jahr ab, als die Väter der Gesellschaft im Donaustädtchen ankamen[342]. Weitere Fürstenfelder Konventualen studierten im 16. Jahrhundert nicht in Dillingen, und auch andere Klöster blieben vorsichtig: Weingartens Abt Gerwig Blarer (1520–1567) rief sogar seine Studenten aus Dillingen zurück, als die Jesuiten die Lehrstühle übernommen hatten. Erst der bedeutende Weingartener Reformabt Georg Wegelin (1586–1627) kämpfte entschieden für Dillingen als Hochschulort der oberschwäbischen und schweizer Prälatenklöster und gegen eine Benediktinerhochschule in Salzburg[343]. Die etwas offeneren, aber zugleich auch stärker in Auseinandersetzung mit den Reformatoren stehenden schwäbischen Zisterzienseräbte waren denn auch die ersten Prälaten des Ordens, die

---

[337] Vgl. Dietrich, Dillingen 130; Duhr, Geschichte I 500–501.

[338] Zu Priscianensis (* 1542, 1559 SJ, † 1607): Manfred Weitlauff, Art. Priscianensis, in: Boehm/Müller (Hrg.), Biographisches Lexikon der Ludwig-Maximilians-Universität München I 319–320 (Lit.); Prantl, Geschichte II 419; Reinhardt, Weingarten 20–28; wenig kritisch steht dagegen die Biographie von Rummel seiner Person gegenüber (Literaturverzeichnis).

[339] Vgl. Maier, Reformation 277–278; Reinhardt, Weingarten 39–40.

[340] Auseinandersetzungen zwischen den Klöstern und dem Konvikt gab es etwa in der Frage, ob die Religiosen Ball spielen durften oder nicht. Vgl. Reinhardt, Weingarten 40, Anm. 89.

[341] Vgl. Matrikel Dillingen I 19, Nr. 42.

[342] Zeugnis für Fr. Johann Puel, ausgestellt durch den Rector P. Theoderich Canisius SJ, Dillingen, 23. August 1569. BHStAM. KU Fürstenfeld 2057. – Das Zeugnis gilt rückwirkend für 1563. Dennoch muß Puel in einem freundlichen Verhältnis zu den Jesuiten gestanden haben, denn das Zeugnis klingt so positiv, daß man ihn in Dillingen geschätzt haben dürfte. Wäre das nämlich nicht der Fall gewesen, so hätten die Väter ohne Bedenken ihm ein miserables Zeugnis ausgestellt, wie man es für Weingartener Konventualen tat. Vgl. Reinhardt, Weingarten 40.

[343] Vgl. Reinhardt, Weingarten 39–41.

Religiosen nach Dillingen schickten: Ab 1554 entsandte Kaisheim kontinuierlich Studenten[344], ab 1560 Salem[345], ab 1594 das schweizerische
St. Urban[346]. Nur zögernd folgten die Altbayern: Fürstenzell entsandte 1603
einen Studenten[347], Raitenhaslach insgesamt nur zwei, und zwar 1606
Fr. Wolfgang Lechner[348] und den späteren Abt Christoph Mayrhofer[349].
Aldersbach zog erst unter Abt Michael Kirchberger nach und schickte zwischen 1613 und 1618 sieben Studenten an die Donau[350]. Fürstenfeld war
damit das letzte der altbayerischen Zisterzienserklöster, das Junioren nach
Dillingen entsandte: 1618 Fr. Georg Weinberger und 1619 Fr. Balthasar Schie-
chell; in der Folgezeit studierten meist zwei Religiosen aus Fürstenfeld in
Dillingen gleichzeitig. Erst später wurde die Anzahl der Fürstenfelder Konventualen in Dillingen größer: Fünfzehn Mönche der Konvente zwischen
1640 und 1690 hatten in Dillingen studiert[351], über den gesamten Zeitraum
von 1551 bis 1747 waren es schließlich neunzehn[352]. Damit war und blieb
Dillingen als Hochschulort für Fürstenfeld hinter Ingolstadt nur zweite
Wahl.
Zwei Gründe dürften für die Zurückhaltung der bayerischen Prälaten namhaft sein: Zum einen ergingen immer wieder Aufrufe der bayerischen Landesherrn, Studenten nach Ingolstadt zu schicken, um die dortige Universität
besser zu besetzen[353]; diesen Mahnungen mußte man zuerst nachkommen.
Zum anderen blieb das Verhältnis der altbayerischen Zisterzienser zu den
Vätern der Gesellschaft Jesu immer ein eher gespanntes[354]. P. Julius Priscia-
nensis SJ war mehrfach in Salem, hielt dort Exhorten und hörte die Beichte;
sein Einfluß auf die Reformen dort ist nicht zu unterschätzen[355]; auch das
Kloster Kaisheim hatte engeren Kontakt mit Priscianensis[356]. Von dieser
Offenheit Jesuiten gegenüber ist in den altbayerischen Klöstern nichts zu

---

[344] Vgl. Dietrich, Dillingen 131 176: Ab 1554 schickte Kaisheim insgesamt 53 Studenten.
[345] Vgl. ebd. 131 179: Ab 1560 schickte Salem insgesamt 57 Mönche und war damit das am
      stärksten vertretene Zisterzienserkloster.
[346] Vgl. ebd. 217.
[347] Vgl. ebd. 176.
[348] Vgl. ebd. 179; Krausen, Raitenhaslach 389 Personalkatalog: Lechner blieb bis 1608.
[349] Vgl. Dietrich, Dillingen 179; Krausen, Raitenhaslach 306–308 Äbtekatalog.
[350] Vgl. Dietrich, Dillingen 132: 1613 (3 Studenten), 1615 (1), 1616 (2), 1618 (1); Schneider, Stu-
      dium 113.
[351] Vgl. Klemenz, Dallmayr 77.
[352] Vgl. TE I 299, III. Ausbildung.
[353] Zum ersten Mal ermahnte Albrecht V. am 13. November 1585 die Prälatenklöster, Studen-
      ten nach Ingolstadt zu entsenden; die Aufnahme in den einzelnen Klöstern war unter-
      schiedlich. Vgl. Prantl, Geschichte 264. – Bei den Fürstenfelder Archivalien finden sich
      dazu allerdings keine Unterlagen.
[354] Die Prälaten fürchteten »das unzüchtige Leben an der Ingolstädter Universität«. Prantl,
      Geschichte 263.
[355] Vgl. Rummel, Priscianensis 92–96.
[356] Vgl. ebd. 96–97.

spüren: In Fürstenfeld tauchte selten ein Vater der Gesellschaft auf, höchstens zum Übernachten, und wenn, dann fuhr er »ungegessen« weiter[357]. Wenn die Väter in Fürstenfeld etwas erreichen wollten, so blieb es doch zumindest ohne größere Wirkung.

Die Hintergründe, warum man in Fürstenfeld und den anderen Klöstern den Jesuiten zumindest reserviert gegenüberstand, mögen zunächst in der Mentalität des Altbayern liegen: Von Natur aus konservativ ist er allem Neuen abhold, erst recht, wenn eine Neuerung lautstark auftritt; auch religiöse Eiferer – und als solche galten die exotischen Gestalten, die da aus Italien und Spanien kamen – erscheinen ihm generell verdächtig. Die Fürstenfelder Prälaten, wenn sie auch dem schwäbischen Raum entstammten, übernahmen diese Mentalität des bayerischen Selbstbewußtseins, zumal, wie in Ingolstadt gesehen, die ersten Erfahrungen mit den Jesuiten an den Hochschulen nicht sonderlich positiv waren. Die andere Ursache für eine latente Aversion der alten Prälatenorden gegen die Jesuiten war kirchenpolitischer Natur: Man sah es nicht gerne, daß die Väter der Gesellschaft in der Gunst der Landesherren so hoch gestiegen waren. Die Auflösung der Benediktinerstifte Biburg, Ebersberg und Münchsmünster zwischen 1589 und 1599 zugunsten des Jesuitenkollegs in München durch Herzog Wilhelm V.[358] zeigte für die alten Orden endgültig, auf welche Kräfte der Landesherr bei der Rekatholisierung Bayerns setzte; sie selbst würden nicht daran beteiligt sein. Die gesamte Seelsorge am Hof und die Katholische Reform wurde von den Jesuiten getragen; die Berufung Fr. Johannes Dietmairs als Prediger des Katholizismus ins Oberland 1583[359] oder die Anforderung eines Beichtvaters[360] blieben Einzelfälle; der Zisterzienserorden diente der Repräsentation, war aber kirchenpolitisch bedeutungslos. Demgegenüber hatten die oberschwäbischen Klöster, die entweder reichsunmittelbar waren oder in reformatorischen Territorien lagen, ein wesentlich größeres Bedürfnis nach katholischer Führung und deshalb bessere Beziehungen nach Dillingen. Fast alle 1602 in Dillingen studierenden Religiosen stammten aus diesen Konventen[361]. Da die Jesuiten hier den alten Orden keine direkte kirchenpolitische Konkurrenz entgegenstellten, wurden sie von diesen wesentlich leichter akzeptiert.

Zu klären bleibt noch, warum sich Abt Thoma schließlich doch entschloß, zwei Studenten nach Dillingen zu entsenden. Antworten aus den Quellen

---

[357] Einträge im Tagebuch Treuttweins, unter 12.–14. Juli 1590. BStB. Cgm 1771, fol. 92v.

[358] Vgl. HBG II 644. – Durch die Übertragung der Stifte erhielt das Kolleg außer den finanziellen Zuwendungen Sitz und Stimme in der Landschaft.

[359] Siehe Teil I, Kap. 3.5.2.

[360] Abt Leonhard Baumann an Prior Fr. Leonhard Treuttwein, München, 16. April 1565. BHStAM. KL Fürstenfeld 588, prod. 1.

[361] Vgl. die interessante Aufstellung bei Rummel, Priscianensis 87–89. – Dazu: Rudolf Reinhardt, Die Schweizer Benediktiner in der Neuzeit, in: Helvetia Sacra III, Band I/1, Bern 1986, 94–230; Rezension dazu durch Manfred Weitlauff, in: ZKG 100 (1989) 101–110.

ergeben sich nur indirekt; vermutlich war der Aldersbacher Vaterabt Michael
Kirchberger, ein eher jesuitenfreundlicher Prälat, daran beteiligt: Er hatte
bereits 1613, unmittelbar nach Amtsantritt, die ersten Studenten nach Dillingen geschickt, und machte damit offensichtlich gute Erfahrungen, da
immer weitere nachfolgten[362]. In seiner Fürsorge um eine gute Ausbildung
setzte er wohl Abt Thoma unter Zugzwang, da nur aus Fürstenfeld – neben
Gotteszell – noch keine Religiosen in Dillingen immatrikuliert waren; Abt
Thoma konnte nicht mehr ausweichen und schickte zwei Junioren an die
Donau.

1.2.2.5 Die Bemühungen um ein eigenes Ordensstudium

Die vorreformatorischen süddeutschen Hochschulorte des Zisterzienserordens, Wien und Heidelberg, waren zwar von den Ordensstudenten frequen-
tiert, aber nicht vom Orden geleitet oder mit Professoren besetzt; ein eigenes
Hochschulstudium des Ordens gab es lediglich in Paris beim Kolleg St. Bernhard[363]. Zwar ermahnten Generalkapitel und Visitatoren bei jeder sich bie-
tenden Gelegenheit dazu, Religiosen nach Paris zu schicken[364]; es ist für die
großen und reichen Klöster Salem und Ebrach bekannt, daß man diesen Aufforderungen gefolgt war[365], für die anderen Zisterzen aber waren derlei
Unternehmungen schlichtweg zu riskant und zu teuer. Wenn ihre Religiosen
schon an einer Universität studierten, dann meist in Heidelberg[366]. Nach
dem Beginn der Reformation suchte der Orden im katholisch gebliebenen
süddeutschen Raum nach einem eigenen Kolleg, um die verstreuten Studenten besser zusammenzufassen. Die österreichischen Äbte hatten sich 1519
bereits auf ein Kolleg in Wien geeinigt, das aber die süddeutschen Prälaten
aufgrund der unsicheren politischen Lage nicht mittragen wollten; außerdem befürchtete man, von den Österreichern vereinnahmt zu werden[367].
Erst nach den Reformationswirren – aus den Klöstern Walderbach und Waldsassen waren inzwischen die Mönche vertrieben worden – und ermahnt

---

[362] Vgl. Dietrich, Dillingen 132.
[363] Dazu: Schneider, Studium 108–112.
[364] Abschied des Generalkapitels, 1517 (Kopie). BHStAM. KU Fürstenfeld 1584. – Abschied des
       Generalkapitels, 1573 (Kopie). BHStAM. Aldersbach Archiv Schublade 105, fasc. 10,
       prod. 14. – Abschied des Generalkapitels, 1578 (Kopie). BHStAM. Aldersbach Archiv Schub-
       lade 105, fasc. 11, prod. 3. – Visitationsrezeß Generalabt Nicolaus I. Boucherats, Fürstenfeld,
       12. August 1573. BHStAM. KU Fürstenfeld 2115. – »Acta Reformationis« Abt Nicolaus I.
       Boucherats an Albrecht V., undatiert (1573). BHStAM. KBÄA 4080, fol. 13v.
[365] Vgl. Schneider, Studium 112.
[366] Ebd. 113.
[367] Abt Wolfgang Mayr von Aldersbach an Abt Caspar Harder, Aldersbach, 21. März 1519
       (Kopie im Formelbuch). BHStAM. KL Aldersbach 72a, fol. 73r.

durch die Tridentinischen Reformdekrete[368] gelangte das Thema wieder auf die Tagesordnung. Anders als die Benediktiner, die um 1550 in Ottobeuren ein hochschulartiges Gebilde unterhielten, das aber bald wieder versandete[369], planten die Zisterzienser keine eigene Hochschule, sondern weiterhin ein Kolleg an einem Hochschulort. In einem Brief an Herzog Wilhelm V. regte Generalabt Nicolaus I. Boucherat unter Bezugnahme auf die Beschlüsse des Tridentinums die Einrichtung eines zisterziensischen Kollegs in Ingolstadt für alle Orden an; die Zisterzienser hätten vor der Reformation eines in Heidelberg geführt und würden gerne in Ingolstadt eines eröffnen. »Ad ipsum collegium mitterentur ex Monasteriis omnibus ipsius Ordinis quae sunt non modo in Bauaria, sed etiam in Austria, Sueuis, Franconia, Carinthia, Styria, Tyroli caeteris Germaniae prouinciis, quod ut fierit ad cogendos Abbates Capitulum Generale statutu faceret, q[uod] si opus esset etiam a Sumo Pontifice confirmaretur & si non essent in his partibus idonei Praeceptores regulares euocarentur ex Ordinis collegio quod Parisiis est amplissimum.« Boucherat bot für den Bedarfsfall sogar Lehrer aus dem Orden an; wohnen könnten in dem Kolleg auch andere Ordensangehörige[370]. Aus diesem kühnen Plan wurde nichts, denn Herzog Wilhelm V. hatte bereits zuvor auf die jesuitische Karte gesetzt[371] und wollte keinen zisterziensischen Konkurrenzbetrieb dulden. So wurde in Ingolstadt zwar ein Kolleg errichtet, aber unter jesuitischer Leitung[372].

Ein erneuter Versuch zur Errichtung eines Ordensstudiums wurde 1593 auf dem Provinzialkapitel in Salem unternommen; unter anderem beschloß man, in Salem ein Studienkolleg einzurichten, in das jedes Kloster zwei Religiosen zu entsenden hätte[373]. Doch die Wirkung dieses ersten Provinzialkapitels war viel zu schwach; aus Altbayern kamen nur der Aldersbacher und der Raitenhaslacher Prälat, wie Generalabt de la Croix verärgert feststellte[374]. Das Interesse der bayerischen Prälaten war auch deshalb gering, weil das Ingolstädter Kolleg bereits errichtet war; zudem hätten sie vom Landes-

---

[368] Vgl. Conc. Trid. Sess. XXIII, De reformatione XVIII, in: COD 750–753: Einrichtung von Seminarien, unterstützt auch durch die Ordensgemeinschaften. – Conc. Trid. Sess. XXV, De regularibus et monialibus IV, in: COD 777: Ein Ordensgeistlicher darf sich zu Studienzwecken nur in einem Konvent befinden.

[369] Vgl. Friedrich Zoepfl, Kloster Ottobeuren und der Humanismus, in: Kolb/Tüchle, Ottobeuren 187–268, hier 262–265; Reinhardt, Weingarten 39; Maier, Reformation 277.

[370] Generalabt Nicolaus I. Boucherat an Wilhelm V., Castellio, 17. Oktober 1581. BHStAM. Aldersbach Registratur Schublade 161, fasc. 9, prod. 4.

[371] So wurden schon 1580 Kontributionen von den Prälatenklöstern für das neue Kolleg in Ingolstadt festgelegt. Repertorium Fürstenfeld, undatiert (um 1580). BHStAM. KL Fürstenfeld 369, pag. 723, L 25.

[372] Vgl. Prantl, Geschichte I 258–264; Duhr, Geschichte I 500.

[373] Vgl. Rösener, Salem 703.

[374] Generalabt Edmund de la Croix an Abt Johannes Dietmair von Aldersbach, 4. Februar 1594. BHStAM. Aldersbach Registratur Schublade 161, fasc. 10, prod. 5.

herrn nie die Erlaubnis erhalten, ihre Junioren im »Ausland« studieren zu lassen. Schließlich zielte das Reformprogramm der Fürstenfelder Statuten von 1595 noch einmal auf die Errichtung eines Ordenskollegs, nachdem das voraufgegangene Generalkapitel die Einrichtung eines seit 1584 geplanten römischen Studienkollegs verabschiedet hatte, welches allerdings nie zur Blüte kam[375]. Die Reformstatuten faßten detaillierte Beschlüsse zum Aufbau eines nach Provinzen geordneten Ordensstudiums: In jeder Provinz sollte entweder an einer »berühmten Universität« oder an einem geeigneten Kloster ein Kolleg existieren, das von allen Klöstern gemäß einer Aufschlüsselung nach Konventsgröße zu beschicken war[376]; entsprechend dem Vorbild des Pariser Kollegs sollten dort die Religiosen in Studienfächern und Ordensregeln ausgebildet werden. Doch bereits im Statutentext wurden die Schwierigkeiten bei der Kollegserrichtung eingeräumt[377], da die Äbte weder untereinander einer Meinung noch von ihren Landesherren unabhängig waren. Tatsächlich blieben diese Vorstellungen vorläufig Programm, ein Kolleg wurde erst 1627 durch Kaisheim in Ingolstadt errichtet[378].

1.2.3   Das Verhältnis des Konvents zum Abt

1.2.3.1   Rechtsstellung und eigene Befugnisse

In der Verfassungsgeschichte geistlicher Kollegien zeigt sich die Tendenz der zunehmenden Verselbständigung der Mitglieder gegenüber dem Vorstand: Das Kardinalskollegium wurde dem Papst gegenüber zunehmend unabhängig, Kollegiatskapitel gegenüber ihrem Propst; das Freisinger Domkapitel beanspruchte energisch eigene Rechte, wie das der Steuerbewilligung und finanzieller Transaktionen von Grund und Boden[379]. Auch in den Klöstern versuchten die Konvente, gegenüber dem Abt immer mehr Rechte an sich zu ziehen, was aber in den wenigsten Fällen gelang: Die Selbständigkeit blieb weitgehend eine »relative«[380].
Voraussetzung einer relativen Eigenständigkeit des Konvents gegenüber dem Abt ist das Recht der freien Versammlung der Kapitulare ohne Anwesenheit

---

[375] Vgl. Lobendanz, Edition 815, Anm. 269.

[376] FRST 23,2 4: Bei 50 Mönchen sollten es fünf Junioren sein, bei 40 Mönchen vier, bei 30 Mönchen drei, bei kleineren Klöstern entsprechend weniger.

[377] FRST 23,5: »In den Provinzen von Oberdeutschland können die Äbte, wie die hochwürdigen Herren uns begründet und dargelegt haben, zur Zeit Kollegien und Seminarien solcher Art nur unter Schwierigkeiten errichten.«

[378] Vgl. Schneider, Studium 114–115.

[379] Vgl. Hermann Josef Busley, Die Geschichte des Freisinger Domkapitels von den Anfängen bis zur Wende des 14./15. Jahrhunderts, Phil. Diss. masch., München 1956, 156–158.

[380] Reinhardt, Weingarten 60. – Auch im sonst so fortschrittlichen Weingarten gelang dem Konvent keine Ausbildung einer eigenen Verfassungsstruktur.

des Abtes. Zwar ist dieses Recht nirgends verbrieft, aber es galt zumindest in der Form eines Gewohnheitsrechts, da der Konvent eine Form brauchte, um die ihn betreffenden Angelegenheiten zu beraten und zu verabschieden. Schon früh wurde die Versammlungsfreiheit mehrfach erwähnt; bereits in einer Streitsache gegen Abt Michael II. trat der Konvent als geschlossene Korporation auf[381]. Weiter stand in der Visitation von 1529 der Konvent gegen den Abt[382]; 1551 sprachen sich die Kapitulare gegen einen Verkauf der Pfarrei Gilching aus[383]. Was man von Seite der Oberen immer wieder verhindern wollte, war das Ausufern dieser Versammlungsfreiheit in »conspirationes« und »factiones«[384], da dadurch Uneinigkeit im Konvent und Mißachtung der Regel befürchtet wurden. Ein förmliches Versammlungsverbot erging aber nie.

Ausdruck und Zeichen der relativen Selbständigkeit war das Konventssiegel, das der Fürstenfelder Konvent seit 1386 führte[385]. Genehmigt worden war die Führung eigener Konventssiegel entgegen ursprünglichem Ordensrecht 1335 von Papst Benedikt XII.[386] Den Mönchen wurde dagegen strikt untersagt, ein eigenes Siegel zu verwenden[387]. Mit dem Konventssiegel wurden die Kauf- und Verkaufsurkunden zum Zeichen dafür gesiegelt, daß der Konvent sein Mitspracherecht genutzt und dem Handel zugestimmt hat; auch die Wahlinstrumente bei der Wahl eines neuen Abtes wurden außer vom Wahlvorstand vom Fürstenfelder Konvent gesiegelt[388]. Ordentlich befugt zur Siegelung war der Prior.

Wenngleich es in Fürstenfeld kein eigenes Konventsgut gab, über das die Konventualen verfügen konnten, so existierte doch eine bescheidene Form der eigenen Güterverwaltung, das »Konventstrühel«. In diesen Kasten wurde

---

[381] Notiz über eine Beschwerde des Konvents gegen Abt Michael II.: Repertorium Fürstenfeld, undatiert. BHStAM. KL Fürstenfeld 369, pag. 105, Nr. 3.

[382] Ermahnung, daß der Konvent in Fragen der Güterverwaltung Einigkeit erzielen muß: Visitationsrezeß Wilhelms IV., 1529. BHStAM. Aldersbach Archiv Schublade 107, fasc. 3, prod. 1. – Ebd. Erwähnung der geschlossenen Stellung des Konvents gegen Abt Georg Menhart.

[383] Visitationsbericht von Abt Johann Zankher von Aldersbach und Dekan Anton Aresinger von St. Peter in München an Albrecht V., 18. Oktober 1551 (Konzept). BHStAM. KBÄA 4096, fol. 93r.

[384] Interrogatoriumsnotiz, undatiert (Konzept). BHStAM. Aldersbach Archiv Schublade 107, fasc. 3, prod. 8.

[385] Leibgedingsbrief von Abt und Konvent des Klosters Fürstenfeld, 23. März 1386. BHStAM. KU Fürstenfeld 579/1.

[386] Vgl. Krausen, Raitenhaslach 67.

[387] Visitationsrezeß, undatiert. BHStAM. KL Fürstenfeld 330, fol. 30r: Cap. de fratribus professis § 14.

[388] Wahlinstrument Abt Leonhard Treuttweins durch Abt Bartholomäus Mädauer von Aldersbach, Fürstenfeld, 21. Januar 1566. BHStAM. KU Fürstenfeld 2018, u. a. mit dem Siegel des Konvents.

alles Geld gelegt, was die Konventualen als Almosen, für die Zelebration, das
Hören von Beichten und andere Dienste bekamen. Entnommen werden durfte daraus, wenn ein Konventuale krank war und Medizin oder bessere Nah-
rung brauchte[389]. Dazu gab es drei verschiedene Schlüssel, die der Abt, der
Prior und der Senior besaßen[390]; so konnte auch hier nur mit Zustimmung
des Abtes aus dem Konventsgut etwas entnommen werden. Wenngleich
unbekannt ist, wieviel Geld in dem »Konventtrühel« lag, so ist doch anzunehmen, daß den Mönchen, die in den umliegenden Weilern und Dörfern
Seelsorge betrieben oder Patrozinien und Jahrtage zelebrierten, gelegentlich
ein Gulden zugesteckt wurde. Leer stand diese Truhe sicherlich selten.

1.2.3.2   Mitbestimmungsrechte gegenüber dem Abt

Eines der ältesten Mitbestimmungsrechte, das der Fürstenfelder Konvent
hatte, bezog sich auf Kauf- oder Verkaufsvorgänge. Dies war notwendig, da
man in Fürstenfeld nie zwischen Abts- und Konventsvermögen unterschied[391]. Zu Beginn des 16. Jahrhunderts beschwerte sich der Konvent bei
Herzog Albrecht IV. gegen Abt Michael II., der ohne Zustimmung der Kapitularen einen Wald verkauft und dadurch Verlust erwirtschaftet habe[392]. Das
Mitbestimmungsrecht wurde im Notfall vom Konvent auch eingeklagt; Nie-
derschlag fand es in den Formulierungen der Urkunden, die beständig die
Wendung »Abt und Konvent« gebrauchen, sei es bei Verkäufen oder Käufen[393]. Natürlich suchten sich, wie schon Abt Michael, die Äbte dieser Wirtschaftsaufsicht zu entziehen. Doch der Visitationsrezeß von 1529 erneuerte
auf Beschwerde des Konvents hin[394] die diesbezüglichen Konventsrechte
und verpflichtete Abt Georg Menhart, vor Käufen oder Verkäufen Vertreter

---

[389] Visitationsrezeß, undatiert. BHStAM. KL Fürstenfeld 330, fol. 31v: Cap. de Proprietate ult.
[390] FRST 29,7.
[391] Die Trennung in zwei mehr oder minder voneinander unabhängige Güter entstand im Spät-
       mittelalter, als durch die Vergabe der Klöster an Kommandataräbte die Konvente so wenig
       Geld hatten, daß es für sie oft nicht einmal mehr zum Leben reichte; auf diese Weise wollte
       man die Konvente vor dem Zugriff allzu habgieriger Kommandatare schützen. Diese Tren-
       nung geschah etwa in Ebrach im 14. Jahrhundert (vgl. Hildegard Weiss, Die Zisterzienserab-
       tei Ebrach. Eine Untersuchung zur Grundherrschaft, Gerichtsherrschaft und Dorfgemeinde
       im fränkischen Raum [= Quellen und Forschungen zur Agrargeschichte 8], Stuttgart 1962,
       22), häufiger aber in italienischen Zisterzen unter dem Druck des Kommendeunwesens im
       16. Jahrhundert: 1578 erwirkte Generalabt Boucherat bei Papst Gregor XIII. einen Schutz-
       brief zugunsten der Klöster, der auch vorsah, Abts- und Konventsgut zu trennen (vgl.
       Postina, Italien 195). Mehrere Zwischenstufen dieser Trennung entwickelten sich bei
       Benediktinerklöstern heraus (vgl. Reinhardt, Weingarten 60, Anm. 8).
[392] Repertorium Fürstenfeld, undatiert. BHStAM. KL Fürstenfeld 369, pag. 105, Nr. 3.
[393] Einzelbelege seien hier erspart.
[394] Visitationsbericht, 1529 (Konzept). BHStAM. Aldersbach Archiv Schublade 107, fasc. 3,
       prod. 5.

des Konvents – Prior, Subprior und zwei weitere geeignete Konventualen – zu befragen[395]. Ausgehöhlt wurde die Finanzkompetenz des Konvents faktisch durch die landesherrliche Wirtschaftsaufsicht, die sich mit der Zeit zur eigentlichen Entscheidungsinstanz über Erwerb und Veräußerung von Liegenschaften entwickelte. Siegel- und Zeichnungsrecht des Konvents blieben formell unangetastet, hatten aber nur noch bestätigende Wirkung. Ein Rest der Wirtschaftskontrolle verblieb dem Prior durch den Besitz eines Hauptschlüssels, der alle Zellen, Truhen und Kästen sperrte[396].

Neben der Finanzaufsicht entwickelte sich das Recht der Zustimmung bei Aufnahmen ins Noviziat, zur Profeß und zu Weihen heraus. Die Fürstenfelder Reformstatuten verlangten für die Zulassung eines Novizen zur Profeß Beratung im Kapitel und Zustimmung der Senioren[397]. Das Generalkapitel beschloß 1607, daß Novizen nur gemäß den Bestimmungen des Tridentinums und mit der Zustimmung mindestens der Konventsmehrheit aufgenommen werden durften; Abt Johann Martin von Char-lieu setzte bei seiner Visitation 1608 auch diese Regelung für Fürstenfeld in Kraft[398]. Andernorts hatte dieses Recht schon länger bestanden: Die Konventualen von Weingarten etwa besaßen das Recht der Mitbestimmung über Neuaufnahmen bereits seit Mitte des 16. Jahrhunderts[399]. Zur Weihe vor dem kanonischen Alter durften seit Ende des 16. Jahrhunderts Kandidaten nur mit Zustimmung der Kapitulare zugelassen werden[400]; waren die Kandidaten im kanonischen Alter, bedurfte die Weihezulassung keiner Zustimmung durch das Kapitel mehr.

Die Rechte des Konvents erweiterten sich im 17. Jahrhundert und stärkten die Stellung des Priors: Die »Charta maioris abbatialis«, die 1618 für Fürstenfeld in Kraft trat, erwirkte für Prior, Subprior, Kastner und Cellerar ein förmliches Beratungsrecht in allen Dingen, geistlichen und weltlichen; ohne sie durfte der Abt nichts mehr entscheiden[401]. Gering blieb die Wirkung dieser Regelung zumindest in Fragen der »temporalia«, da ja selbst der Abt kaum noch zu Entscheidungen im wirtschaftlichen Bereich befugt war. Insgesamt nahm sich trotz allem das Mitbestimmungsrecht des Konvents eher bescheiden aus, da es über die Papierform selten hinausging. Einerseits waren es die

---

[395] Visitationsrezeß Wilhelms IV., 1529. BHStAM. Aldersbach Archiv Schublade 107, fasc. 3, prod. 1.

[396] Visitationsrezeß, undatiert. BHStAM. KL Fürstenfeld 330, fol. 28v: Cap. de dormitorio § 5.

[397] FRST 25,11. – Vgl. Molitor, Rechtsgeschichte I 2.

[398] Visitationsrezeß Abt Johann Martins von Char-lieu, Fürstenfeld, 11. Januar 1608. BHStAM. Aldersbach Archiv Schublade 107, fasc. 3, prod. 12.

[399] Vgl. Reinhardt, Weingarten 69.

[400] FRST 21,5. – Das kanonische Alter lag zur Subdiakonatsweihe bei 22, zur Diakonatsweihe bei 23 und zur Priesterweihe bei 25 Jahren.

[401] »Charta maioris abbatialis«, 8. Juli 1618 (Kopie). BHStAM. Aldersbach Archiv Schublade 107, fasc. 5, prod. 2.

Äbte, die sich bemühten, sich möglichst wenig in ihren Rechten beschneiden zu lassen; andererseits waren dem Kloster im herzoglich Geistlichen Rat und in den Visitatoren zwei mächtige außerordentliche Rechtsträger erwachsen, so daß ein ausgeprägtes Verfassungssystem des Konvents, wie es in reichsunmittelbaren Klöstern existierte, schlicht sinnlos geworden wäre, da die entscheidenden Kompetenzen längst auf andere Instanzen übergegangen waren.

Neben dem sich wandelnden Recht der Mitbestimmung bei Wirtschafts- und Konventsangelegenheiten standen dem Konvent auch in der täglichen Verwaltung und Führung des Klosterlebens Rechte zu; diese wurden in Form der Ämter und Dienste ausgeübt[402]. Im Bereich des Strafrechts hatte der Fürstenfelder Konvent, anders als in anderen Klöstern[403], keine Kompetenz. Allerdings konnten die Konventualen an den Vaterabt appellieren, der seinerseits die Aufsichtsinstanz des Abtes war; 1616 erreichte man beim Vaterabt Kirchberger von Aldersbach die Freilassung des inhaftierten Fr. Augustinus[404].

1.2.4   Rechte und Pflichten des Konvents

Der Zisterzienserorden legte seiner Verfassung nach starkes Gewicht auf das Gemeinschaftsleben, was sich auf die Rechte und Pflichten des Konventes deutlich auswirkte; bei den Benediktinern konnte sich dagegen eine ausgeprägte Individualstruktur durchsetzen, in der die Konventualen eigene Pfründen mit feststehenden Einkommen hatten, teilweise auch in gesonderten Wohnungen logierten und nicht gemeinsam aßen[405]. Dementsprechend radikal waren hier die Reformen im Gefolge des Tridentinums. Da im Zisterzienserorden die Freiräume des Einzelnen ohnehin sehr begrenzt blieben, waren die Reformen in der zweiten Hälfte des 16. Jahrhunderts nicht so gravierend, auch nicht in Fürstenfeld; dennoch lassen sich einige Veränderungen benennen.

---

[402] Siehe dazu Kap. 1.2.5 in diesem Teil.

[403] Der Konvent in Weingarten hatte demgegenüber eine ausgeprägte Mitwirkungskompetenz im Strafrecht; vgl. Reinhardt, Weingarten 70–72.

[404] Repertorium Aldersbach, unter dem 3. Dezember 1616. BHStAM. KL Aldersbach 73, fol. 18v.

[405] So entwickelte sich die Weingartener Benefizialstruktur; vgl. Reinhardt, Weingarten 76–80.

1.2.4.1 Eigentum und Armut

Die Zisterzienserregeln fordern von den Mönchen im Anschluß an das Armutsgebot des Einzelnen in der Benediktsregel[406] absolute Armut, die wesentlich zur möglichst strengen Beobachtung der Regula Benedicti gehört, einem der Motive für die Gründung von Cîteaux[407]. Dementsprechend darf kein Mönch privaten Besitz beanspruchen und etwas für sich behalten; um dies zu kontrollieren, sollen in regelmäßigem Abstand Zellen und Betten durchsucht werden[408]. Dennoch wurde in den Jahren von 1560 bis etwa 1590 unter den Äbten Baumann und Treuttwein das Armutsgebot aufgeweicht. Immer wieder erscheinen in den Rechnungsbüchern Geldgeschenke an die Konventualen: 1555 schenkte Abt Baumann den Konventualen in St. Leonhard 3 ß, 15 dl[409], im nächsten Jahr 2 fl, 2 ß, 24 dl[410]. Die Junioren des Klosters bekamen 1567 zur Faschingsunterhaltung 1 fl überreicht[411], 1569 wiederum 6 fl und 6 ß[412]. Auch die Senioren des Klosters erhielten gelegentliche Geldgeschenke für eine Einkehr[413].

Zu einer regelrechten Rechtsgewohnheit wurden die Geldreichungen an den Konvent im 17. Jahrhundert. Für »abgesparten«, d. h. nicht getrunkenen Wein zahlte Abt Puel an seine Konventualen im Jahr 1596 den Gegenwert in bar aus[414]. Warum er diese Übung bald wieder unterlassen hat, ist unbekannt; vermutlich hat sich ein Visitator ungünstig darüber geäußert. Dies änderte aber nichts daran, daß aufgrund alter Gewohnheit der Konvent in St. Leonhard zu Christi Himmelfahrt, Pfingsten und Leonhardi etliche Gulden verehrt bekam[415]. Entsprechend erhielten seit dem 17. Jahrhundert die Mönche im Kloster ein Geldgeschenk: die Priester einen Dukaten, die Junioren 12 Batzen[416]. Damit verstießen die Reichungen des Abtes an sei-

---

[406] Vgl. RB 33, Kapitel über die Armut der Mönche: Keiner soll auch nur irgendetwas besitzen, aber alles Notwendige darf ein Mönch vom Abt erwarten.

[407] Vgl. Lekai/Schneider, Weiße Mönche 22–25; Weitlauff, Zisterzienser 452.

[408] Vgl. RB 55,16. – Diese Vorschrift wird in den Visitationsrezessen immer wieder eingeschärft.

[409] Rechnungsbuch von 1555, »Konvent«. BHStAM. KL Fürstenfeld 317 1/11.

[410] Rechnungsbuch von 1556, »Zehrung und Botenlohn«. BHStAM. KL Fürstenfeld 317 1/86.

[411] Rechnungsbuch von 1567. BHStAM. KL Fürstenfeld 216 1/3, fol. 15r.

[412] Rechnungsbuch von 1569, »Konvent«. BHStAM. KL Fürstenfeld 317 1/87.

[413] Rechnungsbuch von 1573, »Konvent«. BHStAM. KL Fasc. 957/60. – Der alte Fr. Leonhard und Fr. Johannes bekommen zu einer Recreation 4 fl, 3 ß, 15 dl.

[414] Diese Rubriken tauchen in den Rechnungsbüchern nur unter Abt Puel auf, und auch dort nur im Jahr 1596: Rechnungsbuch von 1596, »Abt und Konvent«. BHStAM. KL Fürstenfeld 317 1/89.

[415] Rechnungsbuch von 1596, »Konvent« (Pfingsten). BHStAM. KL Fürstenfeld 317 1/89. – Rechnungsbuch von 1600, »Abt und Konvent« (Christi Himmelfahrt, Pfingsten, Leonhardi). BHStAM. KL Fürstenfeld 317 1/90. – Rechnungsbuch von 1613, »Konvent« (Christi Himmelfahrt, Pfingsten). BHStAM. KL Fasc. 957/60.

[416] Rechnungsbücher von 1613 und 1614 übereinstimmend, »Konvent«. BHStAM. KL Fasc. 957/60.

nen Konvent dem Buchstabensinn nach nicht gegen die an sich zahlreichen
Einschärfungen der Regel, die sich in den Visitationsrezessen wiederholten.
Besonders deutlich wiesen die Fürstenfelder Reformstatuten auf das Eigen-
tumsverbot hin: Persönliche Besitzanhäufung wird mit Exkommunikation
und einem Jahr Gefängnis bestraft; wird sie nach dem Tod eines Mönches
festgestellt, so soll dieser weder im Friedhof begraben werden noch Vigilien,
Requiem und Exsequien gesungen bekommen[417]. Aufgrund der »freien«
Geschenke des Abtes an seinen Konvent wurde dieser Verdacht der Besitzanhäufung vermieden und der »status paupertatis« der Mönche gewahrt.

1.2.4.2   Unterhalt und Wohnung

Ein elementares Recht besteht mit Eintritt in das Noviziat auf Unterhalt und
Wohnung. Für beides sind der Abt und in seinem Auftrag Prior und Cellerar
verantwortlich. Als »Ausgleich« bringt dafür der Novize eine Mitgift mit[418],
die für Fürstenfeld allerdings nicht belegbar ist, oder sein Erbteil fällt an das
Kloster. Über das erhaltene oder zu erwartende elterliche Erbe konnte der
Novize jedoch vor der Profeß frei verfügen, es dem Kloster, jemand anderem
oder den Armen schenken[419].
Der Unterhalt der Mönche soll laut Benediktsregel angemessen sein nach
Alter, Arbeit und Gesundheitszustand; für die ausreichende, aber nicht über-
reichliche Verpflegung ist der Abt zuständig[420]. Das gleiche gilt für den Wein,
dessen berühmte »Hemina«, die jedem Mönch täglich zusteht, eine überaus
dehnbare Maßeinheit ist[421]. Die tatsächliche Einlösung dieses Rechts war in
Fürstenfeld nach Aussage der Mönche nicht immer zufriedenstellend. Zwar
waren die Verhältnisse nicht so wie in manchen italienischen Klöstern, in
denen die Mönche am Rande des Verhungerns standen[422], aber unter Administrator Kain[423] und auch noch unter Abt Baumann[424] klagte man häufiger
über einen kargen Speisezettel; sogar Abt Treuttwein wurde vom Visitator
Dietmair gemahnt, die Konventualen besser zu ernähren[425]. Administrator
Kain schaffte zudem noch die alte Gewohnheit ab, daß zwei Mönche bei jeder

---

[417] FRST 29,2 3. – Entsprechend: Visitationsrezeß, undatiert. BHStAM. KL Fürstenfeld 330,
fol. 30.
[418] In Raitenhaslach ist diese Übung belegt; vgl. Krausen, Raitenhaslach 65.
[419] FRST 25,14.
[420] Vgl. RB 39.
[421] Vgl. RB 40,3. – Dolberg, Mahl 616, Anm. 1, schätzt die »Hemina« auf etwa 1 Liter Inhalt.
[422] Vgl. Postina, Italien 196.
[423] Aussage des Bierbrauers Matthäus Dall im Visitationsprotokoll, 13. Oktober 1551.
BHStAM. KBÄA 4096, fol. 79v.
[424] Aussage von Fr. Christoph Artolph im Visitationsprotokoll, 1560. Landersdorfer, Visitation
332.
[425] Eintrag im Tagebuch Treuttweins, unter dem 31. Dezember 1587. BStB. Cgm 1771, fol. 26r.

Mahlzeit am Prälatentisch speisen durften und somit besseres Essen bekamen[426]; Abt Treuttwein führte sie wieder ein. Zur alltäglichen Versorgung mit Lebensmitteln kamen zunehmend durch Jahreszeit oder Kirchenfeste bestimmte Bräuche, an denen besonderes Backwerk[427], Konfekt[428] oder Obst der Saison serviert wurden[429]. Dazu wurden an den zahlreichen gestifteten Jahrtagen verschiedene Reichnisse an den Konvent gegeben, da diese mit den Stiftungen verbunden waren[430]. Spätestens ab Ende des 16. Jahrhunderts ist anzunehmen, daß der Konvent nicht nur ausreichend, sondern überaus gut und abwechslungsreich versorgt wurde; diesbezügliche Klagen traten nicht mehr auf.

An den Konventstisch waren freilich auch Auflagen gebunden. Die zunächst strengste Regel des Ordens, die des Fastens und der Fleischlosigkeit[431], wurde bereits im ausgehenden Mittelalter immer wieder gemildert. Dennoch hielt man am Prinzip des Fastengebots fest und schärfte immer wieder die Gebräuche ein; dies geschah allerdings erst durch die Ordensvisitatoren, die aus Frankreich kamen: Außer in der Fasten- und Adventszeit war auch an Mittwochen und Freitagen Fasten geboten[432], 1595 wurde der Montag als Abstinenztag dazugenommen[433]. Noch 1560 war es üblich, daß an den Fasttagen jeder Konventuale in Fürstenfeld alleine speiste[434]; später gab man diese Übung auf und aß zusammen im Refektorium[435] – ein Zeichen dafür, daß man auch im Zisterzienserorden das Ideal der »vita communis« neu betonte.

Genaue Regelungen für die Mahlzeiten im Refektorium enthielten zwar bereits die Ordensregeln, sie wurden aber erneut eingeschärft, als man das Ordensleben zu vereinheitlichen suchte: Vor Tisch kamen die Mönche im Refektorium zusammen und beteten, danach wurde der Segen über die Speise erteilt. Während des Essens und der Tischlesung herrschte Stillschweigen.

---

[426] Fr. Leonhard Treuttwein vermutlich an Abt Johann Zankher von Aldersbach, undatiert. BHStAM. KBÄA 4096, fol. 113r.

[427] Etwa die hellen, ungelaugten Fastenbrezen in der Quadragesima: Rechnungsbuch von 1558, »Konvent«. BHStAM. KL Fürstenfeld 317 1/88.

[428] Dieses Konfekt wurde an den Fastensonntagen gereicht: Rechnungsbuch von 1555, »Konvent«. BHStAM. KL Fürstenfeld 317 1/11.

[429] Rechnungsbuch von 1555, »Konvent«. BHStAM. KL Fürstenfeld 317 1/11. – Um 1 fl kaufte der Abt Erdbeeren.

[430] Siehe Kap. 2.2.7 in diesem Teil.

[431] Exord. cist. XIII verbietet den Fett- und Fleischgenuß im Kloster ganz, Exord. cist. XIV regelt genau die Fastenordnung; in: Lekai/Schneider, Weiße Mönche 45.

[432] Visitationsrezeß Generalabt Nicolaus I. Boucherats, Fürstenfeld, 12. August 1573. BHStAM. KU Fürstenfeld 2115.

[433] FRST 13,5. – Visitationsrezeß Abt Johann Martins von Char-lieu unter Berufung auf den Abschied des Generalkapitels 1607, Fürstenfeld, 11. Januar 1608 (Kopie). BHStAM. Aldersbach Archiv Schublade 107, fasc. 3, prod. 12.

[434] Visitationsbericht, 1560. Landersdorfer, Visitation 331.

[435] FRST 13,1.

Nach dem Essen zog man in einer Prozession in den Chor und betete die Psalmen 51 und 130 und für die Verstorbenen; nach dem Gebet läutete die große Glocke, wie es im Orden üblich war[436]. Streng war es den Mönchen untersagt, sich zuvor schon aus dem Refektorium zu absentieren oder gar Wein oder Brot mitzunehmen; auf den Verstoß dagegen standen acht Tage Gefängnis[437]. Was übrig blieb, sollte an die Armen gegeben werden[438]. Erschwert wurde im Zuge der Verschärfung der Klausur der Zutritt zum Refektorium: Während es in den fünfziger Jahren des 16. Jahrhunderts noch üblich war, daß Laien im Refektorium beim Konvent mitaßen[439], wurde deren Anwesenheit 1587 strikt verboten[440], wie überhaupt Laien zunehmend aus dem Klausurbereich ausgeschlossen wurden[441].

Neben dem Unterhalt war die Wohnung ein zweites Anrecht, das die Mönche mit dem Eintritt in das Kloster erwarben. Die Vorschriften in der Benediktsregel gewähren zwar relative Gestaltungsfreiheit entsprechend der örtlichen Umstände, fordern aber, daß immer mehrere Mönche – etwa zehn oder zwanzig – in einem Raum schlafen sollen[442]. Wenn auch die Väter von Cîteaux dieses Ideal wachzuhalten versuchten, so konnten sie nicht verhindern, daß sich Einzelzellen verbreiteten und durchsetzten. Deshalb existierte im alten gotischen Konventbau von Fürstenfeld zwar ein Dormitorium, dieses war aber in Zellen unterteilt[443]; es lag im ersten Obergeschoß des östlichen Flügels um das Geviert des Kreuzgangs und umfaßte sechzehn Mönchszellen. Zwei weitere Zellen sowie die Wohnungen von Prior und Subprior befanden sich in der ausgebauten Nordostecke, strategisch günstig gelegen an den Verbindungspunkten zwischen Dormitorium, Bibliothek und Noviziat. Platz war also hier für zwanzig Mönche. Um schnell zur Kirche zu gelangen, führte eine Treppe direkt vom Dormitorium hinunter in den Chor. Nach Anweisung der Visitatoren mußte streng darauf geachtet werden, daß sofort

[436] Visitationsrezeß Generalabt Nicolaus I. Boucherats, Fürstenfeld, 12. August 1573. BHStAM. KU Fürstenfeld 2115.– Im Anschluß daran FRST 13,1.

[437] Visitationsrezeß Generalabt Nicolaus I. Boucherats, Fürstenfeld, 12. August 1573. BHStAM. KU Fürstenfeld 2115. – Visitationsrezeß, undatiert. BHStAM. KL Fürstenfeld 330, foll. 28v–29r. – FRST 13,11.

[438] Visitationsrezeß Abt Johannes Dietmairs von Aldersbach, Fürstenfeld, 17. November 1587. BHStAM. KL Fürstenfeld 330½, fol. 12v.

[439] Etliche Angestellte aßen im Konvent mit: Aussagen im Visitationsprotokoll, 13. Oktober 1551. BHStAM. KBÄA 4096, foll. 82v–84v.

[440] Visitationsrezeß Abt Johannes Dietmairs von Aldersbach, Fürstenfeld, 17. November 1587. BHStAM. KL Fürstenfeld 330½, fol. 12r. – Anstelle dessen sollten Laien im Gästerefektorium oder mit dem Abt speisen: FRST 13,12.

[441] Diese Vorschrift schärfte schon Abt Johann Zankher von Aldersbach bei seiner Visitation 1549 ein (Visitationsrezeß Abt Johann Zankhers von Aldersbach, 20. Mai 1549. BHStAM. KBÄA 4096, fol. 35r).

[442] Vgl. RB 22.

[443] Grundrißzeichnung des alten Konventbaues, vor 1691. BHStAM. Pls 19389; in: TE I 29,B.I.1.

nach der Komplet das Dormitorium versperrt wurde, damit es niemand mehr verlassen konnte[444]; den Schlüssel dazu verwahrte der Prior, stellvertretend für ihn der Subprior[445]. Der Umstand, daß man immer wieder diese Regelung einschärfen mußte, läßt erahnen, wie nachlässig gelegentlich damit verfahren wurde. Ebenso waren die Oberen verpflichtet, regelmäßig die Zellen und Betten der Mönche nach Geld und unziemlichen Gegenständen zu durchsuchen[446]; doch auch darin verfuhren die Oberen in Fürstenfeld gelegentlich etwas weniger streng.

Die Novizen wohnten mit ihrem Novizenmeister im eigenen Noviziatsanbau, der später nach Norden errichtet worden war; der Plan verrät aber nichts von einer Aufteilung in einzelne Zellen, so daß von einem größeren Schlafsaal auszugehen ist. Da jeder persönliche Kontakt von Mönchen mit den Novizen in Abwesenheit des Novizenmeisters verboten war[447], wurde auch das Betreten des Noviziates nur den Ämtern und dem Novizenmeister gestattet. Im Noviziat befand sich eine eigene Kapelle, die den Ordensheiligen Benedikt und Bernhard geweiht war; der Weihetag wurde am Freitag der zweiten Osterwoche begangen[448]. Wo die wenigen Konversen des Klosters wohnten, ist nicht mehr mit Sicherheit festzustellen; wahrscheinlich lebten sie im Westtrakt des Gevierts[449], der mangels Konversen sicher auch anderweitig genutzt wurde. Ein eigener Bruderhof wie in Raitenhaslach, auf dem die Konversen bis ins 13. Jahrhundert hinein eine halbe Stunde vom Kloster entfernt wohnten[450], ist für Fürstenfeld nicht bekannt.

---

[444] Visitationsrezeß Abt Johann Zankhers von Aldersbach, 20. Mai 1549. BHStAM. KBÄA 4096, fol. 35r. – Visitationsbericht, 1560. Landersdorfer, Visitation 332. – Visitationsrezeß Generalabt Nicolaus I. Boucherats, Fürstenfeld, 12. August 1573. BHStAM. KU Fürstenfeld 2115. – Visitationsrezeß Abt Johannes Dietmairs von Aldersbach, Fürstenfeld, 17. November 1587. BHStAM. KL Fürstenfeld 330½, fol. 11v. – FRST 12,1.

[445] Visitationsrezeß Generalabt Nicolaus I. Boucherats, Fürstenfeld, 12. August 1573. BHStAM. KU Fürstenfeld 2115.

[446] Generalabt Boucherat forderte dieses »scrutinium« täglich (Visitationsrezeß Generalabt Nicolaus I. Boucherats, Fürstenfeld, 12. August 1573. BHStAM. KU Fürstenfeld 2115), ebenso Abt Dietmair (Visitationsrezeß Abt Johannes Dietmairs von Aldersbach, Fürstenfeld, 17. November 1587. BHStAM. KL Fürstenfeld 330½, fol. 11v). Ein andermal wurde diese Untersuchung für wenigstens einmal monatlich angemahnt (Visitationsrezeß, undatiert. BHStAM. KL Fürstenfeld 330, fol. 28v), ebenso in FRST 12,3.

[447] Visitationsrezeß, undatiert. BHStAM. KL Fürstenfeld 330, foll. 29v 30v. – FRST 25,8. – Hier wird allerdings die schon ältere Regelung erneut eingeschärft.

[448] Reliquienverzeichnis Abt Johann Puels, Fürstenfeld, 31. Januar 1602. BHStAM. KL Fasc. 239/51, Littera B (Reliquienverzeichnis in den Altären). – Ehrmann vermutet in TE I 29, B.I.1 eine Kapelle im Noviziat; sie ist tatsächlich nachweisbar.

[449] Vgl. Zeh, Rekonstruktionsversuch 289. – Dies läßt sich außerdem aus dem Idealplan einer Zisterzienserabtei erschließen, nach dem Fürstenfeld weitgehend erbaut wurde. Die Konversen mußten schließlich direkten Zugang zum Konversenchor haben.

[450] Vgl. Krausen, Raitenhaslach 72.

1.2.4.3   Der Aufenthalt in anderen Klöstern

Unbeschadet des Gelübdes der »stabilitas loci« verbreitete sich in den Zister-zienserklöstern eine »consuetudo«, die es den Mönchen ermöglichte, sich für eine Zeit in einem anderen Konvent aufzuhalten. Wenngleich eine offizi-elle Regelung für die oberdeutschen Klöster erst 1595 feststellbar ist, so ist die Praxis schon länger belegt. Voraussetzung für die zeitweilige Übersiede-lung in ein anderes Kloster ist die Zustimmung des Abtes und »ein legitimer Grund«[451] – ein ziemlich dehnbarer Begriff.

Im Jahr 1552 ist erstmals ein Aufenthalt eines Fürstenfelder Mönches in Aldersbach belegt: Fr. Johannes Traintl hospitierte zeitweise dort[452]; im Jahr darauf feierte ein Fürstenfelder Professe namens Fr. Andreas seine Primiz in Aldersbach[453]. 1566 zogen zwei junge Konventualen ins Vilstal, ein weiterer nach Gotteszell[454], wofür ein Gotteszeller Mönch an die Amper kam[455]. Fr. Rembold ging 1567 nach Fürstenzell, Fr. Hanns Jacob in ein anderes, unbekanntes Kloster. Dafür hielt sich ein adeliger Zisterzienser aus einem nicht genannten Konvent eine Zeit lang in Fürstenfeld auf[456]. Wiederum nach Aldersbach ging 1573 Fr. Martin Prigkhlmair, »des ordens gebrauch« nach[457]; 1580 folgte ihm Fr. Jacob Neydhardt[458]. Aufgabe dieser Hospitatio-nen war, an Stelle der Studien in Universitätsstädten oder ergänzend dazu die jüngeren Mönche zumindest ein anderes Kloster kennenlernen zu lassen, oder aber, dem Mönch durch einen Ortswechsel über persönliche Krisenzei-ten hinwegzuhelfen. Unter Abt Puel endeten allerdings die Aufenthalte der Mönche in anderen Klöstern, da diese meist an den Universitäten studiert und so eine Zeit lang außerhalb des Konvents gelebt hatten. Auch hier setzte sich die Tendenz fort, durch »stabilitas« und »vita communis« gebunden, in einem festen Kloster zu leben.

1.2.4.4   Das Leben nach der Regel als Pflicht

Erste und oberste Pflicht eines jeden Konventualen war, sein Leben gemäß den Anordnungen der Regeln zu gestalten. Sie teilten Tages- und Jahreslauf eines Mönchs bis ins Detail hinein ein, begonnen von den täglichen Verrich-

---

[451]   FRST 31,2.
[452]   Repertorium Aldersbach, unter dem 31. Januar 1552. BHStAM. KL Aldersbach 73, fol. 16r.
[453]   Repertorium Aldersbach, unter dem 11. April 1553. BHStAM. KL Aldersbach 73, fol. 16v.
[454]   Repertorium Aldersbach, unter dem 19. Februar 1566. BHStAM. KL Aldersbach 73, fol. 17r. –Rechnungsbuch von 1566, »Konvent«. BHStAM. KL Fürstenfeld 317 1/10.
[455]   Rechnungsbuch von 1566, »Zehrung und Botenlohn«. BHStAM. KL Fürstenfeld 317 1/10.
[456]   Rechnungsbuch von 1567. BHStAM. KL Fürstenfeld 216 1/3, fol. 15r.
[457]   Rechnungsbuch von 1573, »Konvent«. BHStAM. KL Fasc. 957/60.
[458]   Repertorium Aldersbach, unter dem 3. Mai 1580. BHStAM. KL Aldersbach 73, fol. 17v.

tungen, über die gottesdienstlichen und liturgischen Verpflichtungen, die einen Großteil der Zeit einnahmen, bis hin zur Erfüllung der von den Oberen gestellten Aufgaben. Quellen dieser Bestimmungen waren die schriftlichen Ordensregeln: die Benediktsregel und die Statuten des Zisterzienserordens, angefangen von der »Charta caritatis« bis hin zu den Abschieden der Generalkapitel[459]. Dazu kamen die Visitationsrezesse, die von den Visitatoren erlassen wurden, und schließlich die Befehle von Abt und Prior, die in abgestufter Rechtskraft ebenfalls Weisungscharakter hatten. Mit einer Erläuterung über die Pflicht begann auch der Text der Reformstatuten von 1595: »Unser aller wahre und gut geordnete Reform muß von jenen Bereichen, zu deren Beachtung wir besonders verpflichtet werden, ausgehen und ihren Anfang nehmen.«[460] »Ein jeder von uns soll genau und ohne Abstriche die Regel des hl. Benedikt befolgen, die einzuhalten wir alle versprochen haben, wie sie von unseren ersten sehr heiligen Vätern übernommen und wie sie vom Heiligen Stuhl approbiert und bestimmt worden ist.«[461]

Verstöße gegen die Regeln zogen Gefängnisstrafen nach sich, die nach heutigem Urteil überaus hart, aber unerläßlich zur Aufrechterhaltung der Disziplin waren; auch die Festsetzung der Strafmaße wurde zunehmend vereinheitlicht. Vor allem auf Eigentums- und Disziplindelikte stand die Haftstrafe: für nicht genehmigte Annahme von Geschenken[462], für Nörgeln und Murren[463], für das Betreten einer fremden Zelle[464], eine Woche Gefängnis für das Entwenden von Speise und Trank aus dem Refektorium[465], ein Jahr für größere Eigentumsvergehen[466], Kerkerhaft für unerlaubtes Übernachten außerhalb des Dormitoriums[467] und ähnliche Disziplinverstöße. Überprüft man das Tagebuch Abt Treuttweins dahingehend, so stand die »keichen«, das klostereigene Gefängnis nie allzu lange leer; da der Abt selbst eher milde in der Bestrafung war, wurde er von den Visitatoren immer wieder zu mehr Strenge ermahnt, wobei auch der Prior von Haft nicht verschont wurde[468].

---

[459] Siehe dazu Lekai/Schneider, Weiße Mönche 29–34.

[460] FRST 1,1.

[461] FRST 1,2.

[462] Visitationsrezeß Abt Johannes Dietmairs von Aldersbach, Fürstenfeld, 17. November 1587. BHStAM. KL Fürstenfeld 330 ½, fol. 13v. – FRST 29,1 2.

[463] Visitationsrezeß Abt Johannes Dietmairs von Aldersbach, Fürstenfeld, 17. November 1587. BHStAM. KL Fürstenfeld 330 ½, fol. 15r.

[464] Visitationsrezeß, undatiert. BHStAM. KL Fürstenfeld 330, fol. 28v. – FRST 12,5.

[465] Visitationsrezeß, undatiert. BHStAM. KL Fürstenfeld 330, foll. 28v–29r. – FRST 13,11.

[466] Visitationsrezeß, undatiert. BHStAM. KL Fürstenfeld 330, fol. 30v. – FRST 29,2.

[467] Visitationsrezeß Generalabt Nicolaus I. Boucherats, Fürstenfeld, 12. August 1573. BHStAM. KU Fürstenfeld 2115.

[468] Eintrag im Tagebuch Treuttweins, unter dem 7. April 1588. BStB. Cgm 1771, fol. 34r.

1.2.5 Die Konventsämter

Ein Schwerpunkt der dem Konvent übertragenen Pflicht war die Erfüllung der Dienste und Ämter, die einen reibungslosen Ablauf des klösterlichen Lebens gewährleisteten. Freilich ergaben sich in Fürstenfeld, wie in allen anderen Klöstern, durch besondere oder mangelnde Erfordernis Änderungen im Katalog der Ämter im Vergleich zur zisterziensischen Gewohnheit[469]. Mangels Konversen war ein eigener Konversenmeister als Verantwortlicher[470] überflüssig, auch einen Scholastiker brauchte man ursprünglich nicht – wobei man sich hier den Erfordernissen der Zeit anpassen konnte. Einfachere Dienste in der Umgebung des Klosters wie Türwächter oder Stallknechte wurden bald schon an Lohnarbeiter ausgegeben.

1.2.5.1 Die Besetzung der Konventsämter

Anders als in Corvey, wo der Konvent gegenüber dem Abt die Freiheit der Ämterbesetzung erringen konnte, oder in Weingarten, wo zu Beginn des 15. Jahrhunderts der Konvent zumindest ein Mitspracherecht hatte[471], besaß in Fürstenfeld der Abt das alleinige Besetzungsrecht über die Klosterämter mit Ausnahme des Seniorats; auch in anderen Zisterzen stand es dem Prälaten zu[472]. Dieses Recht blieb weitgehend unangetastet; nur die Visitatoren griffen in diese Strukturen ein, vorwiegend nicht durch die Absetzung von Amtsinhabern, sondern durch die Schaffung neuer Kontrollämter: 1529 stellten die herzoglichen Kommissare dem Prälaten Georg Menhart einen Küchenmeister bei, der besonders auf die Lebensmittelvorräte zu achten hatte[473]; Administrator Kain entschärfte diese Kontrolle allerdings durch die Neubesetzung des Amtes mit einem ihm genehmen Laien[474].

---

[469] Zum gesamten Kapitel siehe Anhang 1.4: Katalog der Ämter.

[470] Vgl. Moßig, Verfassung 120–122.

[471] Vgl. Reinhardt, Weingarten 82.

[472] Vgl. Krausen, Raitenhaslach 67.

[473] Visitationsrezeß Wilhelms IV., 1529. BHStAM. Aldersbach Archiv Schublade 107, fasc. 3, prod. 1.

[474] Vermerk im Visitationsprotokoll, 13. Oktober 1551. BHStAM. KBÄA 4096, fol. 81.

[475] Die Fürstenfelder Reformstatuten verankerten diese Rücksichtnahme in einem Beratungsrecht der Senioren gegenüber dem Abt: FRST 19,4. – Freies Ernennungsrecht in: RB 65,15.

[476] Vgl. Reinhardt, Weingarten 85.

[477] RB 65,1–7, hier 2: »Vom bösen Geist des Stolzes aufgebläht, bilden sich manche ein, zweite Äbte zu sein.«

[478] Siehe Teil II, Kap. 1.2.3.1.

[479] »Charta maioris abbatialis«, 8. Juli 1618 (Kopie). BHStAM. Aldersbach Archiv Schublade 107, fasc. 5, prod. 2.

1.2.5.2 Die einzelnen Ämter

1.2.5.2.1 Der Prior

Der Prior wurde vom Abt frei ernannt, wenngleich dieser auf Stimmung und Mehrheitsverhältnisse im Konvent Rücksicht nahm[475]. Aufgrund seiner Aufgabe als eigentlicher Leiter des Konvents in Alltagsfragen wurde er in manchen Abteien zeitweise zum »Secundus Abbas«[476]. Für Fürstenfeld galt derlei nicht, da die Rechtsposition immer klar unterhalb der des Abtes definiert blieb; eine Emanzipation, vor der schon die Benediktsregel warnte[477], konnte so nicht geschehen.

Aufgabe des Priors »sede plena« war zunächst die Funktion eines Bindegliedes zwischen Abt und Konvent, weshalb das Amt nach einer von beiden Seiten anerkannten Persönlichkeit verlangte. Nach außen und gegenüber dem Abt vertrat der Prior den Konvent, siegelte und unterzeichnete die vom Konvent mitbestimmten Verträge[478]. Die Anliegen der Mönche wurden vom Prior dem Abt unterbreitet. Der Abt wurde angewiesen, nichts ohne Beratung mit Prior, Subprior, Granarius und Cellerar zu unternehmen[479]. Andererseits vertrat der Prior den Abt in ordentlicher Weise nach innen und in ordentlicher und außerordentlicher Weise nach außen: Die internen Aufgaben bestanden in der Überwachung der Ämter, der Einhaltung der Regel und der getreuen Verrichtung von Liturgie[480] und Kapitel[481]. Weiter mußte der Prior nach der Komplet das Dormitorium verschließen und die Zellen und Betten kontrollieren[482]; im Kapitel sollte er in Abwesenheit des Abtes die Strafen aussprechen[483]. Er war in Abwesenheit des Abtes befugt, Erlaubnis zur Übernachtung außerhalb des Dormitoriums zu geben[484]; wichtig war das Schlüsselrecht, das außer dem Abt auch Prior und Subprior zustand[485]. Allgemeine

---

[480] Gerade die würdige Verrichtung der Liturgie wird dem Prior und dem Subprior unter Strafe der Exkommunikation aufgetragen: Visitationsrezeß Generalabt Nicolaus I. Boucherats, Fürstenfeld, 12. August 1573. BHStAM. KU Fürstenfeld 2115.

[481] FRST 18,3. – Nach Auffassung der Fürstenfelder Reformstatuten gehörte auch die Wahrung der Regulardisziplin implizit zu den substitutiven und nicht supplementären Aufgaben der Prioren, da sie »gegenüber ihren untergebenen Regularpersonen dieselbe Autorität und Rechtsvollmacht inne« haben wie die Äbte (FRST 19,1) und damit eine abgeleitete Kompetenz.

[482] FRST 12,3 4.

[483] In FRST 10 ist nur vom Kapiteloberen die Rede; bereits um 1550 hatte Prior Hans Roppach die Kapitel anstelle des Administrators Kain geleitet: Prior Hans Roppach an Albrecht V., Fürstenfeld, undatiert. BHStAM. KBÄA 4096, fol. 123r.

[484] Visitationsrezeß Generalabt Nicolaus I. Boucherats, Fürstenfeld, 12. August 1573. BHStAM. KU Fürstenfeld 2115. – Visitationsrezeß Abt Johannes Dietmairs von Aldersbach, Fürstenfeld, 17. November 1587. BHStAM. KL Fürstenfeld 330½, fol. 11v.

[485] Visitationsrezeß Generalabt Nicolaus I. Boucherats, Fürstenfeld, 12. August 1573. BHStAM. KU Fürstenfeld 2115. – Visitationsrezeß, undatiert. BHStAM. KL Fürstenfeld 330, fol. 28v.

Aufsicht hatte der Prior über alle Mönche dahingehend, daß diese sich mit nützlichen Dingen beschäftigen und nicht müßig herumsitzen sollten[486].

Die ordentlichen Vertretungen, die der Prior nach außen zu leisten hatte, erstreckten sich vor allem auf die Repräsentation und die meist damit verbundenen Gottesdienste. Der Prior hatte die Weihekandidaten des Klosters nach Freising zu begleiten[487], zelebrierte häufig während der Osterfeiertage in St. Willibald[488], ebenso an Kirchweih[489], Pfingsten[490] und dem Apostelfest Simon und Judas Thaddäus[491]. Auch in der Bergkirchener Marienkirche las der Prior »nach altem Brauch« einen Jahrtag zu Ostern[492]. Dazu kamen weitere Jahrtage und Repräsentationstermine, die im einzelnen nicht mehr belegt, aber nicht wenige gewesen sind. Außerordentlich und in keiner Rechtsnorm – auch nicht den Fürstenfelder Statuten – niedergelegt war die Vertretung des Priors nach außen für den Fall der Unzurechnungsfähigkeit oder der offensichtlichen Unfähigkeit des Prälaten oder Administrators, wie dies in der Administratur Kains der Fall war. Aus den Jahren der Krise um 1547 sind zwei von Prior Roppach verfaßte Briefe mit der Bitte um Hilfe an den Herzog bekannt, da er mit den Zuständen nicht mehr zurechtkam[493]. Sie bewirkten unter anderem die Untersuchungen und die Absetzung des Administrators Kain; so hatte der Prior als nächster Verantwortlicher ein faktisches Appellationsrecht. Bemerkenswert ist nur, daß Roppach den Hilferuf an den Herzog und nicht an seinen Vaterabt geschickt hat; möglicherweise hat dieser frühere Bitten um eine Visitation bereits ignoriert. Während einer Vakanz führte der Prior interimistisch die Geschäfte des Klosters: Er informierte Vaterabt und Landesherr über das Ableben des Prälaten und die Notwendigkeit einer Neuwahl; bei dieser hatte der Prior zusammen mit Subprior und Cellerar das erste Vorschlagsrecht für einen neuen Kandidaten[494].

In den Formulierungen in den Visitationsrezessen und den Fürstenfelder Reformstatuten verdeutlicht sich ein Bedeutungswandel des Priorenamtes: In den Quellen, die bis etwa 1573 reichen, ist immer von Abt, Prior oder Subprior die Rede, wenn der für eine Aufgabe zuständige Amtsträger bezeichnet

---

486 Visitationsrezeß Wilhelms IV., 1529. BHStAM. Aldersbach Archiv Schublade 107, fasc. 3, prod. 1. – Visitationsrezeß Abt Johannes Dietmairs von Aldersbach, Fürstenfeld, 17. November 1587. BHStAM. KL Fürstenfeld 330½, fol. 15v.

487 Rechnungsbuch von 1554, »Konvent«. BHStAM. KL Fasc. 957/60.

488 Rechnungsbuch von 1558, »Zehrung und Botenlohn«. BHStAM. KL Fürstenfeld 317 1/88.

489 Rechnungsbuch von 1566, »Zehrung und Botenlohn«. BHStAM. KL Fürstenfeld 317 1/10. – Rechnungsbuch von 1567. BHStAM. KL Fürstenfeld 216 1/3, fol. 22v.

490 Rechnungsbuch von 1566, »Zehrung und Botenlohn«. BHStAM. KL Fürstenfeld 317 1/10.

491 Rechnungsbuch von 1567. BHStAM. KL Fürstenfeld 216 1/3, fol. 25r.

492 Rechnungsbuch von 1567. BHStAM. KL Fürstenfeld 216 1/3, fol. 22v.

493 Prior Hans Roppach an Albrecht V., Fürstenfeld, beide undatiert. BHStAM. KBÄA 4096, foll. 123–124, 125–126.

494 »Liber Alderspacensis«, Nr. 6: »Forma electionis s[e]c[un]d[a]m [consuetudinem] Cisterciensem«, 1522. BHStAM. Aldersbach Archiv Schublade 105, fasc. 3.

wurde[495]. Ab 1587, stärker noch in den Reformstatuten 1595 und der »Charta maioris abbatialis« von 1618[496], fällt auf, daß der Abt als im Regelfall anwesend und für die Disziplinarmaßnahmen und liturgischen Aufgaben zuständig bezeichnet wird; die »pastorale Fürsorge«[497] für seine Mönche galt nunmehr als dessen Aufgabe, so daß Prior und Subprior zunehmend in den Hintergrund traten. Das Priorenamt verengte sich immer mehr auf liturgische und repräsentative Funktionen[498] – eine Entwicklung, die auch andernorts stattfand[499].

1.2.5.2.2 Der Subprior

Stellvertreter des Priors war zu seiner Unterstützung in allen innerklösterlichen Belangen der Subprior mit der Aufgabe, in Abwesenheit des Priors dessen Befugnisse wahrzunehmen und den Klosteralltag zu beaufsichtigen, wobei er nicht alle Rechte des Priors wahrnehmen konnte[500]: Die Erlaubnis, außerhalb des Klosters zu nächtigen, konnte nur der Abt geben; für außerhalb des Dormitoriums genügte zwar die des Priors[501], der Subprior war dazu aber nicht befugt. »Sede vacante« hatte der Subprior zusammen mit Prior und Cellerar das Erstvorschlagsrecht bei der Neuwahl[502]. Mit der Schmälerung der Stellung des Priors schwand auch die des Subpriors, die in einem kleinen Konvent ohnehin nur wenig bedeutend war. Zur Hauptaufgabe des Subpriors entwickelte sich ebenfalls die Repräsentation nach außen hin, meist allerdings eine niederklassige: Der Subprior erschien als Zelebrant in St. Willibald, wenn Abt und Prior in Inchenhofen waren, oder begleitete den Prälaten zur Fronleichnamsprozession nach München[503].

---

[495] Visitationsrezeß Wilhelms IV., 1529. BHStAM. Aldersbach Archiv Schublade 107, fasc. 3, prod. 1. – Dies läßt sich bis zum Rezeß von 1573 beobachten (Visitationsrezeß Generalabt Nicolaus I. Boucherats, Fürstenfeld, 12. August 1573. BHStAM. KU Fürstenfeld 2115).

[496] »Charta maioris abbatialis«, 8. Juli 1618 (Kopie). BHStAM. Aldersbach Archiv Schublade 107, fasc. 5, prod. 2.

[497] FRST 18,18.

[498] Bei Festen mit 12 Lesungen in den beiden Nocturnen hat der Prior immer die letzte Lesung vorzutragen: Visitationsrezeß Abt Johannes Dietmairs von Aldersbach, Fürstenfeld, 17. November 1587. BHStAM. KL Fürstenfeld 330½, fol. 5v.

[499] Vgl. Reinhardt, Weingarten 86.

[500] In der Erwähnung der Rechte des Priors gegenüber dem Konvent in FRST 19,1 sind Subprioren nicht genannt.

[501] Visitationsrezeß Abt Johannes Dietmairs von Aldersbach, Fürstenfeld, 17. November 1587. BHStAM. KL Fürstenfeld 330½, fol. 11v.

[502] »Liber Alderspacensis«, Nr. 6: »Forma electionis s[e]c[un]d[a]m [consuetudinem] Cisterciensem«, 1522. BHStAM. Aldersbach Archiv Schublade 105, fasc. 3.

[503] Rechnungsbuch von 1613, »Zehrgeld«. BHStAM. KL Fürstenfeld 957/60.

1.2.5.2.3   Der Cellerar oder Bursar

Neben dem Abt war der Cellerar der wichtigste Mönch im Kloster, was die
Führung und Verwaltung der Wirtschaft anging; in jedem noch so kleinen
Konvent war dieser Posten besetzt. Aufgabe des Cellerars war, im Auftrag des
Abtes die Wirtschaft zu verwalten und ihre Führung zu beaufsichtigen; sein
Einfluß auf die Klosterwirtschaft hing aber davon ab, wie direkt der Abt sein
Leitungsamt ausübte. Unter Abt Treuttwein etwa, der in seinen Tagebü-
chern selbst die Einnahmen und Ausgaben verzeichnete[504] und seine frühere
Tätigkeit als Cellerar nie verleugnen konnte, war die Bedeutung dieser Aufgabe eher gering.
In der unmittelbaren Reformationszeit hatte der Cellerar noch eine Kontroll-
funktion über die Ökonomie inne, die ihm allerdings von den landesherrlichen Visitatoren verliehen wurde; in der Ordnung, die 1529 für ein Jahr
erlassen wurde, war der Aufgabenbereich des Cellerars genau umschrieben:
Er gehörte zu den sechs Konventualen, die ein Mitspracherecht bei Käufen
oder Verkäufen hatten und zum Rechnungsabschluß ermächtigt waren. Er
sollte dem Küchenmeister Fleisch, Käse und Kerzen zum täglichen Gebrauch
übergeben, zusammen mit ihm den Klosterkasten kontrollieren und die Gilt
der Hintersassen verzeichnen. Rechenschaft schuldig war der Cellerar an den
Abt, den Prior und den Küchenmeister[505]. Diese Ordnung hatte aber nicht
allzu lange Bestand: Unter Administrator Kain waren die Befugnisse und die
Schlüssel des Cellerars auf den vom Administrator eingesetzten weltlichen
Küchenmeister übergegangen[506]; nach der Absetzung der Verwalter Kains
übernahm Stephan Dorfpeck die Ökonomie und stellte die Rechnungen
auf[507]. Unter den Äbten, die seit Leonhard Treuttwein die Finanzverwaltung
an die eigene Person banden, war der Cellerar hauptsächlich für die Natura-
lienverwaltung zuständig: Da der Fürstenfelder Klosterhofbau nicht sonderlich groß war, zudem die Getreideverwaltung teilweise in Inchenhofen und
im Münchener Stadthaus geschah, konnte man lange Zeit auf einen zusätzlichen Kastner im Kloster verzichten; erst als gegen Ende des 16. Jahrhunderts
die Getreidevolumen wuchsen, stellte man zeitweise einen Klosterkastner
auf[508]. Trotz des Bedeutungsverlustes des Cellerars blieb sein Amt streng
von anderen Ämtern getrennt; ein Prior durfte etwa nicht zugleich Cellerar
sein[509]. Bei einer Neuwahl stand zumindest in der ersten Hälfte des 16. Jahrhunderts dem Cellerar zusammen mit Prior und Subprior das erste Vorschlagsrecht für einen Abt zu[510].

---

[504] Einträge im Tagebuch Treuttweins. BStB. Cgm 1771. – Beinahe auf jeder Seite findet sich
irgendein Hinweis auf die genaue Aufsicht über die Wirtschaftsführung durch den Abt.

[505] Visitationsrezeß Wilhelms IV., 1529. BHStAM. Aldersbach Archiv Schublade 107, fasc. 3,
prod. 1.

[506] Aussagen in den Visitationsakten, 1551. BHStAM. KBÄA 4096, foll. 81, 112–113.

1.2.5.2.4 Der Küchenmeister

Ein junges Amt war in Fürstenfeld das des Küchenmeisters. Eingeführt wurde es auf herzoglichen Befehl nach der Visitation 1529 mit dem Ziel, die Ausgaben für die Lebensmittel zu kontrollieren und zu reduzieren sowie den Getreidevorrat zu überwachen; dazu wurde es ursprünglich mit einem Konventualen besetzt[511]. Administrator Michael Kain jedoch ersetzte den Konventualen durch den ihm ergebenen Matthäus Reisgannger, der samt Frau im Kloster wohnte, die Schlüssel zu allen Speisekammern erhielt und sich dementsprechend zufrieden über die Zustände im Kloster und seine Versorgungslage äußerte[512]. Ganz anders dagegen kommentierten die Konventualen Dienst und Gebaren des Küchenmeisters[513], so daß die Visitatoren Reisgannger um 1548 wieder entließen. In der Folgezeit blieb das Amt dem Konvent vorbehalten, wurde wegen Personalmangels zeitweise vom Cellerar mitversehen und erst seit 1578 wieder gesondert besetzt[514]; von nun an blieb es allerdings dauerhaft bestehen[515].

1.2.5.2.5 Der Cantor

Eines der wichtigsten liturgischen Ämter war das des Cantors; ihm oblagen Leitung des Choralgesangs in den Tagzeiten und den gesungenen Ämtern, die Einteilung der liturgischen Wochendienste und des Tischlesers sowie die Aufsicht über die Disziplin im Chor[516]. Auch dieses Amt spiegelt die Entwicklungen im Kloster wider: Während es in den Anfangsjahren der Reformation noch einen eigenen Cantor gab[517], wurde in der folgenden Zeit dieses Amt nicht gesondert besetzt; es ist unsicher, ob aufgrund der geringen Zahl

---

[507] Rechnungsbuch von 1555, Deckblatt. BHStAM. KL Fürstenfeld 317 1/11.

[508] Konventliste, 1595. BHStAM. KL Fürstenfeld 1, fol. 146r. – Kastner ist Fr. Johannes Zanger.

[509] FRST 19,6.

[510] »Liber Alderspacensis«, Nr. 6: »Forma electionis scdm Cisterciensem«, 1522. BHStAM. Aldersbach Archiv Schublade 105, fasc. 3.

[511] Visitationsrezeß Wilhelms IV., 1529. BHStAM. Aldersbach Archiv Schublade 107, fasc. 3, prod. 1.

[512] Aussage des Küchenmeisters Matthäus Reisgannger im Visitationsprotokoll, 13. Oktober 1551. BHStAM. KBÄA 4096, fol. 81.

[513] Fr. Leonhard Treuttwein vermutlich an Abt Johann Zankher von Aldersbach, Fürstenfeld, undatiert. BHStAM. KBÄA 4096, foll. 112–113r.

[514] Küchenmeister war Fr. Andreas Bernhard: Konventliste, 1595. BHStAM. KL Fürstenfeld 1, fol. 146r. – 1600 war Fr. Georg Peerweber Küchenmeister: Rechnungsbuch von 1600, »Abt und Konvent«. BHStAM. KL Fürstenfeld 317 1/90.

[515] Vgl. Klemenz, Dallmayr 98.

[516] FRST 2,6 13 16. – Vgl. Dolberg, Mahl 617.

[517] Wahlinstrument Abt Georg Menharts durch Abt Wolfgang Mayr von Aldersbach, Fürstenfeld, 10. April 1522. BHStAM. KU Fürstenfeld 1612. – Ein Fr. Ulrich war Cantor.

der Mönche die Tagzeiten überhaupt gesungen werden konnten. In den Jahren des Aufschwungs nach der Reformation kam die polyphone Figuralmusik mit Orgelbegleitung in Mode[518]; die wiederholten Versuche seitens des Ordens, die Orgelmusik zurückzudrängen, fruchteten nichts[519]. So übernahm der Cantor zunehmend die Rolle eines musikalischen Leiters, der für die gesamte Kirchenmusik verantwortlich war, wenngleich einzelne Dienste an bezahlte Laien ausgegeben wurden[520].

1.2.5.2.6   Der Novizenmeister

Eines der ältesten Ämter der benediktinischen Ordensfamilie ist das des Novizenmeisters, an den die Benediktsregel die Anforderung der Erfahrung, der Sorgfalt und der Fähigkeit stellt, Menschen zu gewinnen[521]. In Fürstenfeld ist dieses Amt nur indirekt nachweisbar: In der Visitation 1529 wird der Novizenmeister beauftragt, die Novizen mit Zucht in der Ordensregel zu unterweisen und sie ihnen auszulegen[522]. Diese Ermahnung läßt vermuten, daß die Aufgabe nur sehr nachlässig versehen wurde, denn sogar unter Abt Leonhard Baumann, einem überaus gewissenhaften Prälaten, kam es vor, daß den jungen Mönchen die Regel nicht vorgelesen und ausgelegt wurde[523]. Daher ist es durchaus denkbar, daß noch im 16. Jahrhundert der Prior die Ausbildung der Novizen mit übernommen hatte[524]. Erst im späteren 17. Jahrhundert findet sich wieder ein Novizenmeister als eigenständiges Klosteramt[525].

[518] Visitationsbericht, 1560. Landersdorfer, Visitation 334.
[519] Visitationsrezeß Generalabt Nicolaus I. Boucherats, Fürstenfeld, 12. August 1573. BHStAM. KU Fürstenfeld 2115. – FRST 2,15: »Bei der Feier des göttlichen Offiziums soll das Spielen der Orgel nur mäßig zum Einsatz kommen. [...] Man hüte sich davor, daß sich beim Orgelspielen unlautere und ausgelassene Töne einmischen.«
[520] Ab dem Rechnungsbuch 1555, »Besoldungen«. BHStAM. KL Fürstenfeld 317 1/11, steht ein Organist auf der Gehaltsliste, der mit 23 fl (Rechnungsbuch von 1573, »Besoldungen«. BHStAM. KL Fasc. 957/60) zu den Besserverdienern des Klosters gehört.
[521] Vgl. RB 58,6.
[522] Visitationsrezeß Wilhelms IV., 1529. BHStAM. Aldersbach Archiv Schublade 107, fasc. 3, prod. 1.
[523] Aussage von Fr. Johannes Gistl im Visitationsprotokoll, 1560. Landersdorfer, Visitation 334.
[524] Eine ähnliche Ämterordnung findet sich auch in Raitenhaslach, wo ein Novizenmeister erst ab 1688 nachweisbar ist; vgl. Krausen, Raitenhaslach 71.
[525] Vgl. Klemenz, Dallmayr 98.
[526] Vgl. TE I 303, L. III. 4.
[527] Aussage des Schulmeisters Johannes Örtl im Visitationsprotokoll, 1560. Landersdorfer, Visitation 334.
[528] Siehe Teil I, Kap. 3.5.2.
[529] Vgl. Klemenz, Dallmayr 98.

1.2.5.2.7 Der Professor

Der Professor bildete die Novizen und Religiosen anstelle eines Universitätsstudiums an der hauseigenen Lehranstalt aus. Zunächst war die Stelle mit
einem Konventualen besetzt; im 15. und beginnenden 16. Jahrhundert lehr-
ten dort spätere Äbte wie Leonhard Eggenhofer und vermutlich Johannes
Scharb; Eggenhofer unterrichtete in Fürstenfeld während der Semesterferien
seines Studiums in Heidelberg[526]. Als aber der qualifizierte Ordensnachwuchs ausblieb, sah man sich zu Umstrukturierungen gezwungen, so daß
1560 kein Ordensprofessor mehr, sondern der Schulmeister Johannes Örtl
auch die Novizen und Professen am Kloster unterrichtete[527]. Mit der Katholischen Reform und der Entsendung vieler Studenten an die Landesuniversität nach Ingolstadt sank die Bedeutung des Professors; es ist anzunehmen,
daß man im Kloster nach Bedarf Unterricht erteilte, so daß das Amt nur zeitweise besetzt war; auch Fr. Johannes Dietmair soll es vor seiner Berufung als
Prediger zwei Jahre lang versehen haben[528]. Dennoch ging das Amt nie ganz
unter, denn noch im 17. Jahrhundert hatte der Konvent einen Professor für
den Unterricht im Haus[529]. Im Orden hielt man ebenfalls am Professorenamt
fest, wenngleich nicht jedes Kloster einen Professor besaß[530], und ermahnte
die Amtsträger, ihre Schüler getreu der Regel und dem Herkommen zu unterrichten[531]. Insgesamt aber war die Bedeutung des Professorenamtes seit dem
15. Jahrhundert stark gesunken.

1.2.5.2.8 Der Confessarius

Da den Zisterziensern verboten war, bei einem Priester aus dem Weltklerus
oder einem anderen Orden zu beichten[532], war es selbstverständlich, einen
Mönch aus dem eigenen Konvent zum Beichtvater zu bestimmen; der Abt
wählte dazu einen erfahrenen älteren Mönch aus, der dafür geeignet war[533].
Mit Beginn der Katholischen Reform und den Beschlüssen der Tridentinums
wurde auch die Beichtpflicht neu betont. Die Junioren hatten vor dem Empfang der Kommunion das Bußsakrament zu empfangen, zunächst vor den
Sonntagen der Advents- und Fastenzeit[534], später an allen Sonntagen und

---

[530] In Raitenhaslach ist beispielsweise kein Professorenamt belegt; vgl. Krausen, Raitenhaslach 69–71.
[531] Visitationsrezeß Abt Johann Martins von Char-lieu, Fürstenfeld, 11. Januar 1608 (Kopie).
BHStAM. Aldersbach Archiv Schublade 107, fasc. 3, prod. 12.
[532] Visitationsrezeß Abt Johannes Dietmairs von Aldersbach, Fürstenfeld, 17. November 1587.
BHStAM. KL Fürstenfeld 330½, fol. 9r; wiederholt in FRST 6,9. – Die Regelung als solche
stammt aber bereits aus dem 13. Jahrhundert; vgl. Lobendanz, Edition 779, Anm. 97.
[533] Visitationsrezeß Generalabt Nicolaus I. Boucherats, Fürstenfeld, 12. August 1573.
BHStAM. KU Fürstenfeld 2115.
[534] Ebd.

Festen mit zwei Messen[535]. Dazu wurden jeweils nach Größe des Konvents ein oder mehrere Priester vom Abt bestellt; schwere Sünden und Reservatsfälle durften nur von Papst, Generalkapitel oder Abt absolviert werden[536]. Die Mönche in St. Leonhard schließlich sollten sich gegenseitig beichten[537]. Seit 1595 ist auch eine jährliche Generalbeichte beim Abt vorgesehen[538], der somit das Amt des Confessarius teilweise übernahm. In den Fürstenfelder Konventslisten erscheint die Aufgabe des Beichtvaters nirgends, da dieses Amt nicht zeitfüllend war und nebenbei versehen werden konnte. Dennoch besteht kein Zweifel daran, daß Fürstenfeld immer einen oder mehrere Confessarier hatte.

1.2.5.2.9 Der Senior

Ein Ehrenamt im Gefüge eines Konvents füllt der Senior aus; aufgrund seines Alters war der Senior eine von allen Seiten im Kloster geachtete Persönlichkeit und galt als hohe moralische Instanz; namentlich ist aus Fürstenfeld allerdings nur Fr. Symon bekannt[539]. Bis 1573 hatte sich das Seniorat zum Wahlamt durch den Konvent entwickelt – das einzige überhaupt. Die Aufgabe des Seniors war die Verwahrung eines von drei Schlüsselbunden neben Prior und Subprior[540]; weitere besondere Aufgaben des Seniors sind nicht nachweisbar, und spätestens im 17. Jahrhundert verschwand er gänzlich von der Liste der Dienste[541]. Auch darin zeigt sich der immer weiter zurückgehende Einfluß des Konvents im Kloster.

---

[535] Visitationsrezeß Abt Johannes Dietmairs von Aldersbach, Fürstenfeld, 17. November 1587. BHStAM. KL Fürstenfeld 330½, fol. 9r.
[536] Visitationsrezeß Generalabt Nicolaus I. Boucherats, Fürstenfeld, 12. August 1573. BHStAM. KU Fürstenfeld 2115. – FRST 7 nennt dem Papst reservierte Fälle: Häresie, willentlicher und bewußter Mord, wirkliche Simonie, päpstliche Exkommunikation, Schlagen eines Oberen; in FRST 8 werden zwölf dem Generalkapitel reservierte und in FRST 9 neun dem Abt reservierte Fälle genannt.
[537] Visitationsrezeß Abt Johannes Dietmairs von Aldersbach, Fürstenfeld, 17. November 1587. BHStAM. KL Fürstenfeld 330½, fol. 9v.
[538] FRST 6,5.
[539] Wahlinstrument Abt Georg Menharts durch Abt Wolfgang Mayr von Aldersbach, Fürstenfeld, 10. April 1522. BHStAM. KU Fürstenfeld 1612.
[540] Visitationsrezeß Generalabt Nicolaus I. Boucherats, Fürstenfeld, 12. August 1573. BHStAM. KU Fürstenfeld 2115.
[541] Vgl. Klemenz, Dallmayr 98.
[542] Zum Superiorat Inchenhofen siehe Teil II, Kap. 3.2.2.3.
[543] Im 18. Jahrhundert wohnten dauerhaft bis zu neun Mönche im Superiorat; vgl. Klemenz, St. Leonhard 123.
[544] Vgl. Heydenreuther, Marktrecht 217.

1.2.5.2.10 Superior und Kaplan in Inchenhofen

Eine der wichtigsten Vertrauensstellungen im Kloster Fürstenfeld, weil der
Kontrolle des Abtes weitgehend entzogen, war die des Superiors von
St. Leonhard in Inchenhofen[542]. Zum einen oblag dem Superior die geistliche
Betreuung der Wallfahrt, die ihre Höhepunkte an Christi Himmelfahrt,
Pfingsten und Leonhardi erlebte. Er mußte dafür sorgen, daß die Messen ordnungsgemäß gelesen wurden und genügend Beichtväter und Prediger bereit-
standen; dazu kam die Aufsicht über die Erhaltung der Wallfahrtskirche.
Außerdem war der Superior der Obere der kleinen Zisterzienserkommunität,
die während der Reformationszeit nicht mehr als drei Mönche umfaßte, später aber stärker anwuchs[543]; unterstützt wurde er in seinen geistlichen Dien-
sten von diesen Konventualen, die ihm als Kapläne beigesellt waren. Die
zweite große Aufgabe des Superiors war die Regelung der weltlichen Beziehungen zum Markt Inchenhofen, die sich besonders im 15. Jahrhundert
weniger freundlich gestaltet hatten[544]. Immer wieder entstanden Streitigkeiten um Benefizien[545] oder den Zustand der Schule[546]. Schließlich war die
rechte Aufsicht über die Klosterwirtschaft von lebenswichtiger Bedeutung
für die ganze Abtei; die richtige und zeitige Erhebung der Zins- und Renten-
einkünfte der zahlreichen im Hinterland verstreuten Liegenschaften unter-
stand ebenfalls dem Superior von St. Leonhard. Unterstützung bekam er
dabei vom Kastner, der eigens zur Wirtschaftsaufsicht eingesetzt war; im 16.
und beginnenden 17. Jahrhundert war dies ein Laie[547], erst mit dem weiteren
personellen Aufschwung im Kloster wurde ein Konventuale mit dieser Aufgabe betraut[548].

Nach Inchenhofen wurden zunächst erfahrene Mönche verordnet, auf deren
Zuverlässigkeit sich der Abt verlassen konnte, aber auch solche, die besser
für eine gewisse Zeit außerhalb des Klosters wohnten; den Lebenswandel des
Inchenhofener Kaplans Fr. Johannes Pradtner beurteilten die Visitatoren

---

[545] Aus den Jahren 1558 und 1559 sind mehrere Quellen über Benefizialstreitigkeiten zwischen
   dem Pfr. von Aufkirchen, Georg Grueppmair, dem Kaplan von St. Leonhard und dem Markt
   Inchenhofen über Besetzung und Besoldung eines Meßbenefiziums erhalten: BHStAM. KL
   Fasc. 229/6$^{1/3}$, mehrere prodd.

[546] Bürgermeister und Rat zu Inchenhofen an Albrecht V., undatiert (1565). BHStAM. KL Fürstenfeld 204½, prod. 4. – Albrecht V. an Abt Leonhard Baumann, München, 15. Oktober
   1565. Ebd., prod. 3.

[547] Kastner war Leonhard Fruntzhamer: Aussage im Visitationsprotokoll, 13. Oktober 1551.
   BHStAM. KBÄA 4096, fol. 78r. – Des weiteren finden sich die Inchenhofener Kastner in den
   Rechnungsbüchern als Lohnempfänger, sind also Laien: 1566 (Rechnungsbuch, »Besoldung
   außerhalb«. BHStAM. KL Fürstenfeld 317 1/10), 1573 (Rechnungsbuch, »Besoldung außer-
   halb«. BHStAM. KL Fasc. 957/60), 1613 (Rechnungsbuch, »Besoldung außerhalb«.
   BHStAM. KL Fasc. 957/60).

[548] Der erste Mönch als Kastner ist 1690 der spätere Abt Casimir Cramer; vgl. Klemenz,
   St. Leonhard 119–120.

1551 zwar weniger günstig, beließen ihn aber im Superiorat[549]. Der Vorteil des Superiorats zu Inchenhofen war gerade während der Krisenjahre um 1540 die relative Unabhängigkeit vom Kloster, so daß die negativen Zustände dort nicht mit ganzer Wucht auf den Zustand in Inchenhofen durchschlugen. Deshalb konnte während der Administratur Kains der erfahrene Fr. Sigismund Eisenberger das Superiorat trotz aller Schwierigkeiten solide führen[550].

1.2.5.2.11 Weitere Ämter

Neben den genannten Ämtern existierten in Fürstenfeld weitere Dienste, die zum Gelingen des täglichen Lebens beitrugen. Der Mesner und Sakristan mußte dafür Sorge tragen, daß im Altarraum alle für den Gottesdienst nötigen liturgischen Bücher und Geräte vorhanden waren; auch die Instandhaltung der Sakristei, der Geräte und Gewänder wurde von ihm gewährleistet[551]. Möglicherweise gab es auch einen Infirmarius, der für die kranken Brüder zu sorgen hatte. Ein eigener Bibliothekar findet sich nicht einmal im 17. Jahrhundert[552], als etliche weitere Ämter dazukamen; dies zeigt die insgesamt untergeordnete Bedeutung der Fürstenfelder Bibliothek.

Im Vergleich zu anderen, größeren Klöstern besaß Fürstenfeld eine nur gering ausgebildete Ämterstruktur. In Weingarten gab es neben einem Oberkustos noch einen Unterkustos, neben dem Cantor einen Succentor, einen Vestiarier, einen Pfisterschreiber und andere mehr oder minder bedeutende Aufgaben[553]; in Raitenhaslach kannte man das Amt des Pitanzers, der für die Reichung der gestifteten Naturalien an den Konvent zu sorgen hatte[554]. In Fürstenfeld beschränkte sich die Aufteilung der Ämter auf das unbedingt Notwendige; erst als im 17. Jahrhundert die Personaldecke etwas stärker wurde, konnte man weitere Ämter schaffen[555].

---

[549] Aussage über Fr. Johannes Pradtner im Visitationsprotokoll, 13. Oktober 1551. BHStAM. KBÄA 4096, fol. 61r.

[550] Aussage von Kaplan Fr. Sigismund Eisenberger im Visitationsprotokoll, 13. Oktober 1551. BHStAM. KBÄA 4096, foll. 62v–64r.

[551] Zu den Aufgaben des Sakristans FRST 4,6 7.

[552] Vgl. Klemenz, Dallmayr 98.

[553] Vgl. Reinhardt, Weingarten 85–94.

[554] Vgl. Krausen, Raitenhaslach 70.

[555] Vgl. dazu und zu den Ämtern im inzwischen wiederbesiedelten Kloster Waldsassen: Klemenz, Dallmayr 98–101. In Fürstenfeld gab es um 1690: Abt, Prior, Subprior, Confessarius, Pater spiritualis, Cantor, Novizenmeister, Professor, Sekretär des Abtes, Cellerar, Oeconomus, Granarius, Bursarius, Küchenmeister, Registrator, Custos und Sakristan.

1.2.5.3 Die Bedeutung der Klosterämter

Der Besetzung der Klosterämter kam eine doppelte Bedeutung zu. Zum einen lag es im Interesse des Abtes, die anfallenden Aufgaben zuverlässig versehen zu wissen. Zum anderen aber war die Übertragung eines Klosteramtes auch eine Prüfung eines Konventualen im Hinblick auf eine eventuelle Eignung als späterer Abt; fast alle Prälaten hatten sich zuvor in einem Klosteramt bewährt: Abt Johannes Scharb war zuvor Prior[556], ebenso Abt Georg Menhart[557] und Abt Johannes Pistorius[558]. Der postulierte Abt Leonhard Baumann versah in Oberschönenfeld das Amt des Confessarius[559]. Abt Leonhard Treuttwein war Cellerar im Konvent Abt Baumanns[560], Abt Johann Puel Superior in Inchenhofen[561] und Abt Sebastian Thoma Pfarrer in Bruck[562]. Die einzigen Prälaten – außer den beiden mehr oder minder unbekannten Äbten Michael II. und Petrus – die erst mit ihrer Abtwahl aus dem Schatten der Klostermauern traten, waren Abt Caspar Harder und der Administrator Kain. Bis zu den Krisenjahren 1540 bis 1555 erhob man ausnahmslos Prioren zur Abtswürde; danach keinen einzigen mehr. Dies mag Zufall sein, kann aber auch zeigen, daß der Konvent lieber einen Mönch zum Abt bestellte, der durch seine Aufgabe eine größere Distanz zum Konvent besaß, als dies bei einem Prior der Fall war; die Äbte Treuttwein, Puel und Thoma hatten aufgrund ihrer Ämter vor ihrer Abtwahl kein direktes Dienstverhältnis zum Konvent. Möglicherweise erhofften sich die Konventualen dadurch eine größere Unvoreingenommenheit des neuen Abtes gegenüber den Religiosen.
Unbeschadet der Karrierechance schwand die Bedeutung der Klosterämter im Verlauf der Reformationszeit zusehends. Die allgemeine Tendenz, die mehr oder minder allen Entwicklungen in diesen einhundertzwanzig Jahren gleich ist, lautet: Zentralisierung und Uniformierung. Beobachtbar ist dies an der bayerischen Landespolitik, in der sich ein ungekannter Staatsabsolutismus Bahn brach; die Beschlüsse des Konzils von Trient suchten die katholische Kirche durch Vereinheitlichung zu stärken. Schließlich war auch die Leitung des Zisterzienserordens bemüht, nach fünfzig Jahren des Auseinanderdriftens wieder mehr zentralen Einfluß auf die einzelnen Klöster ausüben

---

[556] Vgl. Fugger, Fürstenfeld 67.
[557] Wahlinstrument Abt Georg Menharts durch Abt Wolfgang Mayr von Aldersbach, Fürstenfeld, 10. April 1522. BHStAM. KU Fürstenfeld 1612.
[558] Verkaufsurkunde Abt Georg Menharts an Hans Rorer, fürstlicher Hofkellner zu München, über zwei Höfe, 10. Januar 1527. BHStAM. KU Fürstenfeld 1649; und öfter unterzeichnete Fr. Pistorius als Prior.
[559] Albrecht V. an Abt Johann Sauer von Kaisheim, München, 8. Dezember 1554. BHStAM. KL Fürstenfeld 318 ½, prod. 3.
[560] Vgl. Führer, Chronik § 177.
[561] Bericht der GR Sebastian Franz, Johann Baptist Fikler und Martin Rieger an Maximilian, München, 14. September 1595. BHStAM. KL Fürstenfeld 1, fol. 142r.
[562] Repertorium Fürstenfeld, unter 1607. BHStAM. KL Fürstenfeld 369, pag. 591, L 94.

zu können. Ähnlich wie in den politischen Makrostrukturen von Staat und Kirche veränderten sich in der Mikrostruktur Kloster Fürstenfelds die Zuständigkeiten und Kompetenzen und verlagerten sich zur nächsthöheren Instanz.

Vor und noch während der Reformationszeit bestand in weiten Teilen eine alte Ordnung: Der Abt beaufsichtigte in ordentlicher Weise – eher aus der Ferne – den Konvent, der seinerseits von den Ämtern geleitet und verwaltet wurde; tat er dies nicht, so kam das Kloster ins Chaos, und der Landesherr griff mit einer außerordentlichen Visitation ein[563]. Seit der Visitation 1560 änderte sich diese Situation: Diese war flächendeckend und fand nicht aufgrund eines besonderen Vorfalls statt, sondern diente »als Grundlage für eine baldige Beseitigung der weitverbreiteten Mißstände und für eine durchgreifende Reform der Kirche«[564]; die ordentliche Aufsicht über das Kloster kam somit zunehmend von außen. Die eigentliche Leitung des Konvents wiederum hatte seit den Prälaturen Baumanns und Treuttweins der Abt übernommen; ein beredter Beleg dafür ist das schon öfter herangezogene Tagebuch Treuttweins, in dem minutiös Personalbewegungen im Kloster, bestimmte Ausgaben und Einnahmen, Gäste und Urlaubsreisen der Mönche festgehalten wurden. Verfassen konnte solch ein Tagebuch nur ein Abt, der ins Tagesgeschehen des Klosters involviert war – ein Abt Johannes Pistorius etwa hatte sicher nicht mitbekommen, wer da aus- und einging.

Dementsprechend sanken die Klosterämter in der Bedeutung: Die Befugnisse, die ein Prior im späten 16. Jahrhundert ausüben konnte, waren aufgrund der konstanten Präsenz des Abtes überaus bescheiden im Vergleich zu den Kompetenzen, die etwa Prior Roppach in Stellvertretung seines desinteressierten Administrators Kain besaß[565]; schon früher war der Einfluß des Cellerars gesunken. Gleichgeblieben war lediglich das Ansehen der Ämter, die im liturgisch-geistlichen Bereich angesiedelt waren: Einem Confessarius, Cantor oder Sakristan konnte nicht einmal ein noch so staatskirchlich gesinnter Geistlicher Rat ernsthaft Vorschriften machen. Mit dem Gewichtsverlust der »politischen« Ämter stand allerdings Fürstenfeld nicht allein; auch in anderen Klöstern übernahmen reformeifrige Äbte selbst die bisherigen Aufgaben der Ämter; in Weingarten etwa wurde der Prior, der zuvor als »Secundus abbas« tituliert wurde, faktisch zum Gehilfen des Abtes degradiert[566].

---

[563] Diese Situation zeigt sich deutlich im Visitationsrezeß Wilhelms IV., 1529. BHStAM. Aldersbach Archiv Schublade 107, fasc. 3, prod. 1; auch noch in der Visitation 1551, in der Kain abgesetzt wurde. BHStAM. KBÄA 4096, foll. 43r–144r.

[564] Landersdorfer, Visitation 32.

[565] Roppach, der von »meinem Convent« (Aussage von Prior Hans Roppach im Visitationsprotokoll, 13. Oktober 1551. BHStAM. KBÄA 4096, fol. 60r) spricht, war praktisch für das gesamte Leben des Konvents, Gottesdienst, Kapitel und Disziplin verantwortlich. Prior Hans Roppach an Albrecht V., undatiert. BHStAM. KBÄA 4096, foll. 123–124.

[566] Vgl. Reinhardt, Weingarten 85–86.

1.2.5.4   Die Hilfsämter im Kloster

1.2.5.4.1   Der Klosterrichter

Gerichtsherr der Fürstenfelder Klostergerichtsbarkeit, die bereits mit der Gründung dem Kloster übergeben und mehrfach erweitert wurde[567], war der Abt[568]. Seitdem Fürstenfeld seit Mitte des 14. Jahrhunderts den Watten von Gegenpoint das Dorfgericht nach und nach abgekauft hatte[569], beschäftigte das Kloster – belegbar seit 1367 – einen Klosterrichter im Markt Bruck[570]. Dieser vertrat in allen Rechtsdingen den Abt und verwaltete das Niedergericht, das dem Kloster seit seiner Gründung verliehen war; für kurze Zeit konnte Fürstenfeld zudem das Hochgericht erwerben, es auf Dauer aber nicht halten[571]. Aufgabe des Brucker Klosterrichters war demnach die Jurisdiktion in allen das klösterliche Hofmarksgericht betreffenden Fällen mit Ausnahme der Hochgerichtsfälle und des Liegenschaftsprozesses[572]; für diese war weiterhin der Dachauer Landrichter zuständig. Dieser war für das Kloster zur großen Konkurrenz geworden, so daß es ständig gegen dessen Einflußnahme kämpfen mußte. Mindestens zweimal beschwerte sich Fürstenfeld auf den Landtagen gegen die dauernden Eingriffe der nachgeordneten Landesbehörden in die klösterlichen Rechte: 1579[573] und 1612[574]. Der Lohn des Klosterrichters war kombiniert aus Fixgehalt und einem Prämiensystem: Als festen Sold bekam er jährlich einen Rock oder 4 fl, dazu 10 fl Geld und Naturali-

---

[567] Gründungsurkunde Ludwigs II., 22. Februar 1266. BHStAM. KU Fürstenfeld 4. – 1271 erhebt Ludwig II. das Kloster in den gefreiten Gerichtsstand: Fürstenfeld, 30. Mai 1271. BHStAM. KU Fürstenfeld 7; gedruckt in: MB IX, Nr. 7. – 1330 verbietet Kaiser Ludwig der Bayer seinen Amtsleuten, über das Kloster zu richten, 7. September 1330. BHStAM. KU Fürstenfeld 225; gedruckt in: RegBoic VI 341.

[568] Vgl. Koch, Klöster 257. – Hofmarkordnung Abt Johann Puels für die Hfmk. Bruck, 1600 (Kopie). BHStAM. KL Fürstenfeld 593: Hier wird Abt Johann Puel als Gerichts- und Hofmarksherr bezeichnet.

[569] Vgl. Heydenreuther, Markt Bruck 319–320.

[570] Privileg des oberbayerischen Vitztums Konrad von Freiberg an das Kloster Fürstenfeld, 5. Januar 1367. BHStAM. KU Fürstenfeld 1367 Januar 5; gedruckt in: MB IX, Nr. 105.

[571] 1425 erwarb das Kloster den Zoll zu Bruck und das hohe Gericht vom Dachauer Landrichter Hans Pellheimer (BHStAM. KU Fürstenfeld 1425 Oktober 25). In einer Bestätigung Hz. Sigmunds von 1475 ist diese Gerichtsbarkeit allerdings nicht mehr erwähnt (BHStAM. KU Fürstenfeld 1475 Februar 10).

[572] Vgl. Koch, Klöster 257; HBG II 537. Einen Überblick über die Rechtsverfassung bringt ebd. 537–542. – Fried, Dachau 109–110; Sebastian Hiereth, Die bayerische Gerichts- und Verwaltungsorganisation vom 13. bis 19. Jahrhundert (= Historischer Atlas von Bayern. Teil Altbayern) München 1950, 8, 10.

[573] Beschwerde Abt Leonhard Treuttweins an den Landtag, 1579 (Konzept). BHStAM. KL Fürstenfeld 396, prod. 1.

[574] Abt Thoma beschwerte sich in besonderer Weise gegen den Dachauer Landrichter, der trotz erfolgter Privilegienkonfirmationen die klösterlichen Rechte beschnitt: Beschwerde an den Landtag, 1612. BHStAM. KL Fürstenfeld 396, prod. 5. – Vgl. Wittmütz, Gravamina 25 bis 28.

en[575]. Im Jahr 1621 war sein Gehalt auf 17 fl aufgestockt worden[576]. Dazu erhielt er zusammen mit dem Klosterschreiber die ganze Summe an Strafgeldern; der Klosterrichter wurde also nach »Leistung« bezahlt.

Einige Zeilen wert ist die Frage nach dem Besetzungsrecht des Richteramtes. Formell stand dieses zweifellos dem Abt zu; doch auch hier griff die landesherrliche Administration immer stärker ein: Im Jahr 1577 erkrankte der langjährige Klosterrichter Ludwig Wenig, so daß er das Richteramt zeitweise nicht ausüben konnte. Nun bat er, daß für diese Zeit sein Sohn Ladislaus das Amt versehen dürfe – aber nicht den Abt, sondern Herzog Albrecht V.[577] In der herzoglichen Kanzlei favorisierte man aber, mit Hans Schniter gleich einen Nachfolger einzusetzen, und teilte dies dem Abt mit der Empfehlung um Beachtung mit[578]. Die daraufhin von seiten des Abtes geäußerten Bedenken hielt der Landesherr für nicht gravierend und forderte den Prälaten abermals auf, Schniter in das Richteramt zu berufen[579]. Der Abt nahm widerwillig Hans Schniter als Richter an[580]; als er ihn »unbedächtlichen Handlungen halber« entließ, bewarb sich Hans Mayr 1582 um die vakante Stelle[581]. Nach mehreren Empfehlungsschreiben und Briefwechseln zwischen den Behörden wurde Mayr schließlich in das Amt berufen[582], hatte aber immer wieder Schwierigkeiten mit dem beleidigten Hans Schniter, der ihn regelmäßig beim Landesherrn als pflichtvergessen anschwärzte[583], so daß Mayr in der herzoglichen Kanzlei schon bald den Ruf als nachlässiger Beamter hatte[584]. Herzog Wilhelm V. hatte noch nicht vergessen, daß man den ihm ergebenen

---

575 Besoldungsliste, 1595. BHStAM. KBÄA 4095, fol. 199. – An Naturalien kamen dazu: 15 Scheffel Getreide, je 1 Fuder Heu oder Grummet und Stroh, 1 gemästetes Schwein, 1 Lamm, 2 Käse, 12 Klafter Holz.

576 Rechnungsbuch von 1621, »Besoldung«. BHStAM. KL Fürstenfeld 217 1/6.

577 Richter Ludwig Wenig an Albrecht V., undatiert. BHStAM. KL Fürstenfeld 3h, fasc. a, prod. 6.

578 Albrecht V. an Abt Leonhard Treuttwein, 29. Juli 1577. BHStAM. KL Fürstenfeld 407, prod. 8.

579 Albrecht V. an Abt Leonhard Treuttwein, München, 13. Juli 1578. BHStAM. KL Fürstenfeld 3h, fasc. a, prod. 8.

580 Abt Leonhard Treuttwein an Albrecht V., Fürstenfeld, 10. Juli 1578. BHStAM. KBÄA 4096, fol. 257.

581 Hans Mayr an Abt Leonhard Treuttwein, 22. Juli 1582. BHStAM. KL Fürstenfeld 3h, fasc. a, prod. 9.

582 Bewerbungsschreiben Hans Mayrs an Wilhelm V., undatiert. BHStAM. KBÄA 4096, fol. 259r. – Abt Leonhard Treuttwein an Wilhelm V. mit der Bitte, Mayr zu bestellen, undatiert. BHStAM. KBÄA 4096, fol. 260r. – Mkgf. Philipp von Baden an Wilhelm V. mit einer Supplikation der Bewerbung Mayrs, 4. Januar 1582. BHStAM. KBÄA 4096, fol. 262. – Mkgf. Philipp von Baden an Wilhelm V. mit einer Supplikation für Mayr, 17. Juli 1582. BHStAM. KBÄA 4096, fol. 270. – Mkgf. Philipp von Baden an Abt Leonhard Treuttwein mit einer Supplikation für Mayr, 17. Juli 1582. BHStAM. KL Fürstenfeld 407, prod. 10. – Hans Mayr an Abt Leonhard Treuttwein mit einer Bewerbung um das Richteramt, 22. Juli 1582. BHStAM. KL Fürstenfeld 3h, fasc. a, prod. 9.

583 Hans Schniter an Wilhelm V., undatiert. BHStAM. KL Fürstenfeld 3h, fasc. b, prod. 7.

Hans Schniter aus dem Richteramt gejagt hatte[585], schickte verschiedene
Berichte über die Verfehlungen Mayrs an die Amper und forderte vom Abt
Rechenschaft über dessen Amtsführung[586]. Abt Treuttwein erwiderte lako-
nisch darauf, daß nur Schniter und der Hofbassist Wolfgang Vischer Schwierigkeiten mit Mayr hätten, und man im Kloster überaus zufrieden mit seiner
Arbeit sei[587]; Mayr schließlich wies alle Vorwürfe gegen sich zurück[588] und
blieb im Amt. Der Herzog mußte an Schniter schreiben, er solle sich doch
selbst mit Mayr einigen[589]. Die Streitigkeiten zwischen Mayr, Schniter und
dem Hofbassisten Vischer gingen weiter, bis man behauptete, Mayr hätte
einen Mörder laufen lassen, weil der ein Günstling des Abtes gewesen sei[590].
Mayr geriet immer mehr in die Enge, so daß ihn der Abt nicht mehr halten
konnte; im April 1587 mußte er die Stelle neu ausschreiben, und sofort präsentierte Herzog Wilhelm V. seinen Hofbassisten Wolfgang Vischer als
Wunschkandidaten auf das Richteramt[591]; Abt Treuttwein mußte ihn akzeptieren. Doch die Schwierigkeiten ließen nicht lange auf sich warten, und der
Streit zwischen Abt und Landesherr ging in eine neue Runde. Vischer wohnte
nicht im Markt Bruck, sondern in München, und das einzige, was das Kloster
Fürstenfeld von ihm hörte, waren hartnäckige Forderungen nach Lohner-
höhungen[592]; zudem war Richter Vischer dauerhaft erkrankt und konnte
deshalb nach Ansicht des Abtes Puel seinen Dienst nicht mehr korrekt verse-

---

[584] Mayr habe Verbrechen nicht gehörig verfolgt und bestraft: GR Martin Rieger an Wilhelm V.,
München, 8. Mai 1586. BHStAM. KBÄA 4096, foll. 274 276r.

[585] Noch fünf Jahre danach forderte er vom Abt eine Rechtfertigung dafür: Wilhelm V. an Abt
Leonhard Treuttwein, München, März 1587. BHStAM. KBÄA 4096, fol. 277r.

[586] Wilhelm V. an Abt Leonhard Treuttwein, München, 6. November 1587. BHStAM. KBÄA
4096, fol. 278r.

[587] Abt Leonhard Treuttwein an Wilhelm V., Fürstenfeld, 18. November 1587. BHStAM. KBÄA
4096, fol. 280.

[588] Richter Hans Mayr an Wilhelm V., undatiert. BHStAM. KBÄA 4096, fol. 282.

[589] Wilhelm V. an Hans Schniter, 11. März 1587. BHStAM. KL Fürstenfeld 3h, fasc. b, prod. 9.

[590] Abt Leonhard Treuttwein an Wilhelm V. mit einem Ehrenbeweis für die Integrität Mayrs,
Fürstenfeld, 18. November 1586. BHStAM. KL Fürstenfeld 3h, fasc. b, prod. 15; BHStAM.
KBÄA 4096, fol. 280. – Hans Schniter an Wilhelm V. mit einem Angriff auf die Koopera-
tionsbereitschaft Mayrs, undatiert. BHStAM. KL Fürstenfeld 3h, fasc. b, prod. 26. – Richter
Hans Mayr an Wilhelm V. mit seiner Verteidigung, 8. Oktober 1585. BHStAM. KL Fürsten-
feld 3h, fasc. b, prod. 27. – Hans Mayr an Abt Leonhard Treuttwein mit einem Angriff auf
Schniter, 22. Januar 1588. BHStAM. KL Fürstenfeld 3h, fasc. b, prod. 29.

[591] Wilhelm V. an Abt Leonhard Treuttwein mit einer Supplikation für Wolfgang Vischer,
20. April 1587. BHStAM. KL Fürstenfeld 407, prod. 11.

[592] Richter Wolfgang Vischer an Abt Leonhard Treuttwein mit der Bitte um Gehaltserhöhung,
da er bezahlt werde wie vierzig Jahre zuvor, München, 9. Juli 1593. BHStAM. KL Fürstenfeld
3h, fasc. a, prod. 27 hinten. – Richter Wolfgang Vischer an Abt Leonhard Treuttwein mit
einer Auflistung seines Solds und der Bitte um Nachzahlung, München, 17. Juli 1594.
BHStAM. KL Fürstenfeld 3h, fasc. a, prod. 28 hinten. – Richter Wolfgang Vischer an Abt
Johann Puel mit der Bitte um einen Abschlag in Höhe von 100 fl, München, 29. Juli 1597.
BHStAM. KL Fürstenfeld 3h, fasc. a, prod. 29 hinten.

hen, so daß er ihn 1597 entließ[593]. Damit löste der Prälat erneute Untersuchungen seitens der Behörden aus: Richter Wolfgang Vischer protestierte
beim Herzog[594] und schickte die gewünschten Akten ans Kloster[595]. Herzog
Maximilian forderte einen Bericht über die Zustände des Klostergerichts,
und Abt Puel drohte dem Vischer, er werde bei weiterer Widerspenstigkeit
dem Herzog die ganze Wahrheit über seine Amtsführung präsentieren[596].
Dem Herzog schickte der Prälat einen inhaltlich dürftigen Bericht, den dieser
zwar verärgert zur Kenntnis nahm[597], aber dennoch die Entlassung Vischers
akzeptierte; dabei vergaß er nicht zu ermahnen, daß sich Abt Puel nach
einem tüchtigen Richter umsehen möge[598]. Einen solchen hatte der Prälat in
Vischers Vorgänger Hans Mayr bereits gefunden und setzte ihn wieder in das
Amt des Klosterrichters ein[599], diesmal allerdings mit der Unterstützung
Herzog Ferdinands[600]. Diese etwas ausführlichere Schilderung der mit den
Besetzungen des Richteramtes verbundenen Schwierigkeiten beleuchtet ein-
drücklich die staatspolitische Dimension, in der sich das bescheidene Hof-
marksgericht Bruck verflochten fand.

1.2.5.4.2   Der Klosterschreiber

Gleich dem Klosterrichter genehmigte 1367 der Oberbayerische Vitztum
Conrad von Freiberg dem Kloster die Anstellung eines Schreibers im Markt
Bruck[601]. Seine Aufgabe war nicht die Urteilsfindung im Prozeßwesen, son-
dern die Protokollierung der Verhandlungen und die Ausfertigung von
Gerichtsurkunden[602]; dementsprechend hatte er ein abgeleitetes Siegel-

---

[593] Abt Johann Puel an Maximilian, 28. September 1597. BHStAM. KL Fürstenfeld 3h, fasc. b,
prod. 51.
[594] Wolfgang Vischer an Maximilian, 1. September 1597. BHStAM. KL Fürstenfeld 407,
prod. 20.
[595] Wolfgang Vischer an Abt Johann Puel, 3. September 1597. BHStAM. KL Fürstenfeld 407,
prod. 21.
[596] Abt Johann Puel an Wolfgang Vischer, 12. September 1597. BHStAM. KL Fürstenfeld 407,
prod. 24.
[597] Maximilian an Abt Johann Puel, 11. Oktober 1597. BHStAM. KL Fürstenfeld 407, prod. 26.
[598] Maximilian an Abt Johann Puel, 18. Oktober 1597. BHStAM. KL Fürstenfeld 407, prod. 27.
[599] Abt Johann Puel an Maximilian, 28. September 1597. BHStAM. KL Fürstenfeld 3h, fasc. b,
prod. 51.
[600] Ferdinand an Abt Johann Puel mit einer Supplikation für Hans Mayr, München, 12. Juli
1597. BHStAM. KL Fürstenfeld 407, prod. 32. – Ferdinand an Abt Johann Puel, München,
27. September 1597. BHStAM. KL Fürstenfeld 407, prod. 33. – Zu Ferdinand von Bayern
(* 20. Januar 1550 in Landshut, † 30. Januar 1608 in München, □ Liebfrauenkirche zu
München): Rall/Rall, Wittelsbacher 122.
[601] Privileg des oberbayerischen Vitztums Konrad von Freiberg an das Kloster Fürstenfeld,
5. Januar 1367. BHStAM. KU Fürstenfeld 1367 Januar 5; gedruckt in: MB IX, Nr. 105.
[602] Vgl. Friedrich Battenberg, Art. Gerichtsschreiber, in: LexMA IV (1989) 1329.

recht, durfte aber nur in Anwesenheit des Klosterrichters siegeln. Im Jahr 1573 geriet der damalige Gerichtsschreiber Hans Schärdinger in den Verdacht des Siegelmißbrauchs, da er in Abwesenheit des Richters gesiegelt haben soll[603], um durch das Siegelgeld sein für zu gering empfundenes Gehalt aufzubessern[604]. Nach einem Urteil des Herzogs mußte Schärdinger das erschlichene Siegelgeld an den Richter Wenig abführen, durfte aber sein Amt behalten; zu siegeln wurde ihm allerdings gänzlich verboten[605]. Besoldet wurde der Gerichtsschreiber mit einem Grundgehalt von jährlich 14 fl im Jahr 1554[606], welches bis 1573 auf 20 fl[607] und bis 1621 auf 27 fl stieg[608]. Dazu kamen die halbe Strafsumme, ein Teil des Gesellengeldes und diverse Naturalien[609]. Für das Besetzungsrecht des Schreibers galten die gleichen Verhältnisse wie für den Klosterrichter: Prinzipiell stand die Ernennung dem Abt als Gerichtsherrn zu, der landesherrliche Druck erschwerte die Ausübung dieses Rechts allerdings immer mehr.

1.2.5.4.3 Amtsleute in den klösterlichen Außenstellen

Neben den Dienstämtern im unmittelbaren Bereich der Klosterhofmark und der Hofmark Rottbach-Einsbach kamen in den Ökonomiehöfen Fürstenfelds in Esslingen und München weitere Ämter hinzu. Das Münchener Stadthaus des Klosters, das 1336 erstmals in den Klosterurkunden erscheint[610], diente als Verwaltungszentrale für die klösterlichen Liegenschaften in München und den östlich von München gelegenen Ämtern sowie als Einhebestelle für die dorthin zu leistenden Abgaben[611]; außerdem bot das Pfleghaus Platz zum Übernachten auf den immer zahlreicheren Reisen der Mönche nach München. Geleitet wurde es von Anfang an von weltlichen Pflegern, die der »Propstei« vorstanden[612], seit 1559 in mindestens vier Generationen von der Familie Rueshammer. Als Grundgehalt bezog der Pfleger 48 fl in bar und etli-

---

[603] Richter Ludwig Wenig an Albrecht V., Bruck, 22. Februar 1573. BHStAM. KL Fürstenfeld 3h, fasc. a, prod. 2. – Richter Ludwig Wenig an Albrecht V., undatiert. BHStAM. KL Fürstenfeld 3h, fasc. b, prod. 43.

[604] Tatsächlich hatte Schärdinger vom Hz. eine Aufbesserung seines Gehalts erbeten: Schreiber Hans Schärdinger an Albrecht V., undatiert (Ende 1572). BHStAM. KL Fürstenfeld 3h, fasc. b, prod. 38.

[605] Bescheid Albrechts V., München, 29. Juli 1573. BHStAM. KL Fürstenfeld 3h, fasc. a, prod. 4.

[606] Rechnungsbuch von 1554, »Besoldungen«. BHStAM. KL Fasc. 957/60.

[607] Rechnungsbuch von 1573, »Besoldungen«. BHStAM. KL Fasc. 957/60.

[608] Rechnungsbuch von 1621, »Besoldung«. BHStAM. KL Fürstenfeld 217 1/6.

[609] Besoldungsliste, 1595. BHStAM. KBÄA 4095, fol. 199v.

[610] Tädingsurkunde Berchtolds des Satlers, 30. September 1336. BHStAM. KU Fürstenfeld 288.

[611] Vgl. Wollenberg, Eigenwirtschaft 308–309.

[612] Eine Liste der Münchener Pfleger von 1360 bis 1640 findet sich in: Wollenberg, Eigenwirtschaft 471.

ches an Naturalien; von diesem Geld mußte er allerdings drei Salzknechte entlohnen[613]. Aufgabe des Pflegers war es, die jährlichen Abrechnungen anzufertigen, den Klosterhof zu erhalten und als Zufluchtsort für den Konvent bereitzustellen[614].

Das Esslinger Stadthaus kam vermutlich vor 1321 an das Kloster und diente zur Versorgung des Klosters mit Wein und zur Verwaltung der württembergischen Klosterliegenschaften[615]. Als im ausgehenden Mittelalter die Fürstenfelder Konvente noch größer gewesen waren, hatten einige Mönche die Propstei geführt; seit dem 16. Jahrhundert amtierte ein weltlicher Pfleger, den der Abt in Absprache mit dem lutherischen Magistrat der Stadt bestellte. Seine Bezahlung erscheint allerdings nicht in den Klosterrechnungen. Dazu kamen dauerhaft Haushälterin, Magd, Koch und Ministrant für die Pfleghofskapelle[616]. Schließlich zahlte das Kloster an den Kirchpropst in Thal für die Verwaltung der dortigen Besitzungen jährlich 6 fl, 2 ß[617].

1.2.5.4.4 Weitere Dienste in Kloster und Landwirtschaft

Zu den genannten Ämtern kam eine im Laufe der Jahrzehnte immer stärker anwachsende Zahl an Dienerschaft in Kloster und Landwirtschaft. Eine Gruppe stellt die der unmittelbaren Konventsdiener dar. Den Dienst als Pförtner bzw. Türhüter soll zwar laut Regel ein erfahrener Bruder versehen[618], doch schon lange stand in Fürstenfeld ein Laie an der Pforte. An Köchen waren zwei angestellt, einer für den Herren- und einer für den Gesindetisch[619]. Für den Abt standen Kammerdiener, Reitknecht und Kammerbub zur Verfügung[620]; später bekamen auch die Konventualen einen eigenen Konventsknecht gestellt[621]. Übermäßig stark aufgebläht war die Hofhaltung unter dem Administrator Kain, berichtete der Brucker Pfarrer Zacharias Weichsner: Wo unter Abt Pistorius zwei Diener gestanden hätten, seien es jetzt viel zu viele[622]. Administrator Stephan Dorfpeck speckte diesen Apparat bald wieder ab. Die zweite Gruppe der Dienerschaft war für die Viktualienversorgung zuständig: 1526 gab es nur drei Angestellte, Bäcker und

---

[613] Vgl. Wollenberg, Eigenwirtschaft 311–312.
[614] Abt Leonhard Treuttwein an Fam. Rueshammer, undatiert. BHStAM. KL Fürstenfeld 494, prod. 9.
[615] Vgl. Wollenberg, Eigenwirtschaft 304.
[616] Vgl. Wollenberg, Eigenwirtschaft 325.
[617] Rechnungsbuch von 1573, »Besoldung außerhalb des Klosters«. BHStAM. KL Fasc. 957/60.
[618] Vgl. RB 66,1.
[619] Rechnungsbuch von 1526, »Angestellte«. BHStAM. KL Fürstenfeld 317 1/8.
[620] Vgl. Teil II, Kap. 1.1.4.
[621] Besoldungsliste, 1595. BHStAM. KBÄA 4095, fol. 206v.
[622] Aussage des Brucker Pfarrers Zacharias Weichsner im Visitationsprotokoll, 13. Oktober 1551. BHStAM. KBÄA 4096, fol. 73r.

Fischer samt Knecht[623], bis 1595 vermehrte sich diese Gruppe um einen Teigknecht, nach Bedarf einen Bräu, einen Klostermüller sowie zeitweise den Bader, der auch den klostereigenen Weinstock zu pflegen hatte[624].

Kaum zu überblicken war im 16. Jahrhundert schließlich die Zahl der Angestellten in der Landwirtschaft im Klosterhofbau, in der Pucher Schäferei und der Schwaige in Jexhof. Die Leitung des landwirtschaftlichen Betriebs oblag seit etwa 1550 einem Baumeister[625]. 1526 zählte man im Klosterhofbau zwei Pferdeknechte und zwei weitere Stallknechte, einen Stutenknecht und einen Salzknecht, einen Heumeister und fünf weitere Knechte; im Melkhaus lebten neben der Meisterin sieben Dirnen. Dazu kamen je ein Knecht für das Haus, den Kuhstall und den Eselstall: insgesamt dreiundzwanzig Angestellte[626]. Bis ins Jahr 1613 erhöhte sich diese Anzahl auf einunddreißig landwirtschaftliche Arbeiter: Baumeister, Reventknecht, Hausknecht, Kammerer, Heumeister, Stutenknecht, Oberführknecht, Unterführknecht, dritter Führknecht, Reitknecht, Kühehüter, Türenknecht, Haushüter, Saubub, Pölbenbub, Stallbub, Feld- und Gartenhüter, Viehhüter, Wächter und Gastknecht, Gänsemädel, Melkfrau, Hausdirn, »Ander« Dirn, Dritte, Vierte und Fünfte Dirn, Krummetfeger, Gärtnerin und Gärtner[627]. Nicht genannt sind dabei die Kräfte in der Schäferei und der Schwaige.

Beredter Beleg für die steigende Zahl der Angestellten ist auch der Vergleich der Ausgaben für die Angestellten im Kloster, wenngleich die Dienste unter verschiedenen Rubriken verzeichnet wurden, und sich so Randunschärfen ergeben: 1526 bezahlte man etwa 158 fl für die Angestellten[628], 1554 waren es 186 fl[629], 1555 etwa 211 fl[630], 1573 etwa 230 fl[631], und 1613 zahlte man für alle Besoldungen zusammen 850 fl[632]. Nicht vergessen werden darf dabei die Zahl der Tagelöhner und Saisonarbeiter, die das Kloster je nach Bedarf

---

[623] Rechnungsbuch von 1526, »Angestellte«. BHStAM. KL Fürstenfeld 317 1/8.
[624] Besoldungsliste, 1595. BHStAM. KBÄA 4095, foll. 203r–207v.
[625] Aussage des Baumeisters Hanns Zeller im Visitationsprotokoll, 13. Oktober 1551. BHStAM. KBÄA 4096, fol. 77v.
[626] Rechnungsbuch von 1526, »Angestellte«. BHStAM. KL Fürstenfeld 317 1/8.
[627] Rechnungsbuch von 1613, »Besoldungen«. BHStAM. KL Fasc. 957/60.
[628] Rechnungsbuch von 1526, »Angestellte«. BHStAM. KL Fürstenfeld 317 1/8. – Es waren für die genannten Bereiche 158 fl, 1 ß, 15 dl.
[629] Rechnungsbuch von 1554, »Besoldungen im Kloster«. BHStAM. KL Fasc. 957/60. – Abzüglich Schreiber, Kastner und Schulmeister 186 fl, 3 ß, 3 dl.
[630] Rechnungsbuch von 1555, »Besoldungen im Kloster«. BHStAM. KL Fürstenfeld 317 1/11. – Abzüglich des Richters Dorfpeck, von Kastner, Schreiber, Organist und Schulmeister ca. 211 fl, 4 ß.
[631] Rechnungsbuch von 1573, »Besoldung«. BHStAM. KL Fasc. 957/60. – Abzüglich von Klosterschreiber, Schulmeister und Organist verbleiben 230 fl, 6 ß dl.
[632] Diese Zahl beinhaltet allerdings den gesamten Sold und ist daher nur sehr bedingt vergleichsfähig. Rechnungsbuch von 1613, »Besoldungen«. BHStAM. KL Fasc. 957/60.

beschäftigte, und die von knapp 100 fl 1554[633] bis über 487 fl im Jahr 1613[634] zu Buche schlugen. Auch hier stieg der klösterliche Bedarf an Arbeitskräften stark an. Fürstenfeld war im 17. Jahrhundert zu einem nicht unbedeutenden Arbeits- und Sozialfaktor geworden.

[633] Rechnungsbuch von 1554, »Tagelöhner«. BHStAM. KL Fasc. 957/60. – Genau waren es 99 fl, 6 ß, 18 dl, 1 hl.

[634] Rechnungsbuch von 1613, »Tagelöhner«. BHStAM. KL Fasc. 957/60. – Genau waren es 487 fl, 6 ß, 13 dl.

2. Das Leben im Kloster Fürstenfeld

2.1 Die Zyklen von Tag und Jahr

2.1.1 Der Tagesablauf der Mönche im Kloster

Der Tag im Kloster wird durch das Gebet strukturiert. Gemäß der Benedikts-regel, die das gemeinsame Gebet sieben Mal am Tag vorsieht[1], ist die Ordnung des Tages ganz auf den Gottesdienst ausgerichtet, dem nichts vorgezogen werden soll[2].

2.1.1.1 Die strenge mittelalterliche Ordnung der Zisterzienser

Im Zuge der Verschärfung des Klosterlebens im Gegensatz zu den als satu-riert geltenden Cluniazensern forderte die Gründergeneration von Cîteaux auch einen in allem der Benediktsregel getreuen und weniger pompösen Got-tesdienst[3]. Dies bedeutete, daß sich die Mönche bei Einbruch der Dunkelheit zur Ruhe legten, um zwei Uhr morgens aufstanden und die Vigil sangen[4]. Daran schlossen sich Laudes und Prim sowie die Kapitelsitzung an, in wel-cher der Tagesheiligen gedacht und aus der Regel vorgelesen wurde. Die Privatmessen konnten während der für die geistliche Lesung bestimmten Zeit gefeiert werden[5]. Der weitere Tagesablauf gestaltete sich im Wechsel zwischen »opus Dei«, »lectio divina« und »labor manuum«[6]: Unter Arbeit wurde aber schon bald keine körperliche Tätigkeit mehr verstanden; dafür waren die Konversen zuständig. Sie bestand vielmehr aus geistlicher Lesung, frommem Gespräch, Schreib-, Mal- oder kleineren Handarbeiten[7]. Das Mit-tagessen war um 11 Uhr entsprechend dem Tagesbeginn relativ früh; die

---

[1] Vgl. RB 16,1 im Anschluß an Ps 119,164.
[2] Vgl. RB 43,3.
[3] Vgl. Weitlauff, Zisterzienser 457–458; Miethke, Anfänge 44.
[4] Vgl. RB 8,1–3.
[5] Vgl. Jungmann, Missarum sollemnia I 294, Anm. 86.

Ruhezeit bis 14 Uhr glich die abrupt unterbrochene Nachtruhe wenigstens notdürftig aus. Mit Einbruch der Dunkelheit endete auch der Tag im Kloster, da Beleuchtungsmaterial knapp war.

Wie sehr man sich in Fürstenfeld im 16. Jahrhundert an diese Ordnung hielt, ist mangels Quellen nicht nachweisbar; die Gesamtorganisation des Klosters hatte sich jedoch schon zu weit von der mittelalterlichen Ordnung entfernt, als daß die völlige Einhaltung des strengen Tagesablaufes anzunehmen wäre. Den Tagesbeginn vermerkt keine Notiz; was das Ende des Tages betrifft, so verweisen die Visitationsakten darauf, daß man in Fürstenfeld nicht unmittelbar nach Ende der Komplet ins Bett ging. 1529 schärften die Visitatoren ein, daß die Mönche nach der Komplet keine »session« mit Geschwätz mehr halten, sondern sich zur Ruhe legen sollen[8], was auf die gegenteilige Praxis verweist. Auch wenn unter der Prälatur Treuttweins »der conuent zu nacht heroben gessen«[9] hatte und andere Gäste anwesend waren, endete der Tag sicherlich nicht mit der Komplet.

2.1.1.2 Die Neuordnung durch den Orden

Nach den Wirren der Reformationszeit setzte man im Zisterzienserorden zu einer einheitlichen Neuregelung der »vita communis« und damit auch des Tagesablaufs an. Mit der Visitation von 1573 wurde eine Regulierung des Tagesbeginns angeordnet; inwiefern sie dem zuvor in Fürstenfeld üblichen Tagesablauf entsprach, ist nicht vermerkt: An Werktagen wurde um 4 Uhr zur Vigil geläutet, an Sonntagen und Apostelfesten mit zwei Messen um 3 Uhr und an Hochfesten um 2 Uhr, damit die vermehrten Texte und Lesungen bis Tagesanbruch untergebracht werden konnten[10]; 1601 bestätigte das

---

6 Vgl. den Tagesablauf einer mittelalterlichen Zisterzienserabtei, in: Pfister, Zisterzienserklöster 48:

1.45 Uhr	Aufstehen	10.40 Uhr	Sext
2.00 Uhr	Vigilien	11.00 Uhr	Mittagessen und Ruhe
3.15 Uhr	Laudes	14.00 Uhr	Non
4.30 Uhr	Prim und Kapitelssitzung	14.30 Uhr	Arbeit
5.00 Uhr	Arbeit	18.00 Uhr	Vesper
7.45 Uhr	Terz	18.40 Uhr	Abendessen
8.00 Uhr	Konventamt	19.00 Uhr	Komplet
8.50 Uhr	Lektüre oder Arbeit	20.00 Uhr	Nachtruhe

7 Damit wandte man sich früh schon von den ursprünglichen Forderungen ab, denen zufolge die Mönche von ihrer Hände Arbeit leben sollten; vgl. Exord. cist. XV, in: Lekai/Schneider, Weiße Mönche 45.

8 Visitationsrezeß Wilhelms IV., 1529. BHStAM. Aldersbach Archiv Schublade 107, fasc. 3, prod. 1.

9 Eintrag im Tagebuch Treuttweins, unter dem 2. Januar 1587. BStB. Cgm 1771, fol. 2r.

10 Visitationsrezeß Generalabt Nicolaus I. Boucherats, Fürstenfeld, 12. August 1573. BHStAM. KU Fürstenfeld 2115. – Diese Regelung bezieht sich auf RB 11,1, wo aber nur von den Sonntagen als Tagen des früheren Aufstehens gesprochen wird.

Generalkapitel die Regelung für Sonntage und Hochfeste[11]. Die Fürstenfelder Reformstatuten verschärften diese Ordnung allerdings und setzten den Beginn der Vigilien an Hochfesten um 1 Uhr, an Sonn- und Feiertagen um 2 Uhr und an Wochentagen um 3 Uhr morgens an[12]. Gegen Ende des 16. Jahrhunderts wurde auch für den Abschluß des Tages eine Erneuerung verfügt, die der geistlichen Reform dienen sollte und jesuitischen Einfluß verriet: Von 19.45 bis 20.00 Uhr sollte unter Aufsicht der Oberen ein »examen conscientiae« und eine »meditatio« stattfinden, in der die Geheimnisse der Erlösung zu betrachten waren[13]. Eine ordensweite Vereinheitlichung des klösterlichen Tagesablaufes erfolgte schließlich durch die »Charta maioris abbatialis«, die auf dem Generalkapitel von 1617 beschlossen und an alle Klöster verfügt wurde. Abt Michael Kirchberger von Aldersbach führte sie auch in Fürstenfeld ein[14].

Tagesbeginn nach der »Charta maioris abbatialis«
        [Vigil und Laudes]
6.00 Uhr   Prim
        Kapitelsitzung
8.15 Uhr   Terz
        Privatmessen, Schulunterricht, geistliche Lesung

Aus etwa der gleichen Zeit stammt ein nicht näher bestimmtes Verzeichnis des Tagesablaufes »Distributio temporis prout Cistercii observatur«[15]; darin ist die Ordnung des Klosters von Cîteaux dargestellt. Aufgrund der Bestrebungen des Ordens, die Disziplin möglichst zu vereinheitlichen, ist anzunehmen, daß man diesen Ablauf in allen Klöstern des Ordens einzuführen versuchte.

Tageslauf nach der »Distributio temporis«

3.30 Uhr	Vigil	15.30 Uhr	Vesper und Totenoffizium
	Zelebrationen und Meditation		
6.30 Uhr	Beginn des Schulunterrichts		Abendessen
9.00 Uhr	Terz	18.30 Uhr	Glockenschlag
	Sext		zur Komplet
	Non		Komplet
	Prandium und Nachmittagsruhe		Gewissenserforschung
15.00 Uhr	Meditation	20.00 Uhr	Nachtruhe

[11] Vgl. Lekai/Schneider, Weiße Mönche 163.
[12] FRST 2,11.
[13] Visitationsrezeß, undatiert. BHStAM. KL Fürstenfeld 330, fol. 27.
[14] »Charta maioris abbatialis«, 8. Juli 1618 (Kopie). BHStAM. Aldersbach Archiv Schublade 107, fasc. 5, prod. 2.
[15] »Distributio temporis prout Cistercii observatur«, undatiert (Kopie). BHStAM. Aldersbach Archiv Schublade 105, fasc. 1, prod. 3.

Unverkennbar unterscheiden sich beide Tagesabläufe in den vergleichbaren Punkten erheblich; ob allerdings überhaupt eine dieser Ordnungen für Fürstenfeld gegolten hat, ist nicht mehr nachweisbar. So bleibt schließlich die Möglichkeit der Rekonstruktion eines Tagesablaufs im Kloster Fürstenfeld, die sich aus der Verbindung der genannten Ordnungen und Anweisungen ergibt:

Rekonstruierter Tagesablauf eines Wochentages im Kloster Fürstenfeld

nach 2.00 Uhr	Beginn der Matutin mit dem Glockenschlag so, daß gegen 4.45 die Matutin beendet sein kann.
4.45 Uhr	Waschen und Erledigung anderer Bedürfnisse
5.00 Uhr	Laudes Priester sollen ihr Gewissen erforschen, beichten und sich auf die Meßfeier vorbereiten. Junioren und Novizen sollen sich auf die Schule vorbereiten; an Sonn- und Festtagen sollen sie mit den Priestern ihr Gewissen erforschen.
6.00 Uhr	Glockenschlag zur Prim Prim
7.00 Uhr	Kapitelssitzung, auf der »correctiones« gegeben werden sollen. Strafen werden verhängt und erlassen. An Tagen mit Predigt soll im Kapitel eine Exhorte stattfinden. Danach: Priester sollen ihre Privatmessen lesen, sich dem Gebet, der Meditation oder frommen Übungen widmen. Junioren und Novizen sollen zur Schule gehen.
8.15 Uhr	Terz danach: Arbeit und Studium
ca. 11.00 Uhr	Sext danach: Mittagessen und Recreatio
ca. 14.00 Uhr	Non danach: Arbeit und Studium
16.30 Uhr	Vesper und Totenoffizium
17.30 Uhr	Abendessen
18.30 Uhr	Zeichen zur Komplet; Komplet
19.45 Uhr	Gewissenserforschung
20.00 Uhr	Bettruhe

2.1.1.3   Tagesablauf bei Exerzitien

Im Jahr 1654 wurden für den Zisterzienserorden, ebenso wie schon zuvor für den Benediktinerorden, jesuitische Exerzitien als geistliche Übungen vorgeschrieben[16]. Für diese galt ein eigener, nach Novizen und Profeßmönchen unterschiedener Tagesablauf. Wenngleich dieser nur in einer Abschrift aus

Aldersbach überliefert ist, so ist doch anzunehmen, daß er auch für Fürstenfeld galt[17].

Der Tag begann während der Exerzitien vor 1 Uhr nachts mit den Vigilien
und dem morgendlichen Chorgebet, während ab etwa 6.30 Uhr die Meditationen und geistlichen Übungen des Tages gehalten wurden. Diese waren
ihrer Form nach sehr stark den Exerzitien des Ignatius von Loyola nachemp-
funden. Aufgrund der Beanspruchung durch das Chorgebet kannten die Exerzitien nur drei statt der bei Ignatius vorgesehenen fünf täglichen Meditationen, diese dauerten aber die vorgeschriebene Stunde[18]. Nach dem Mittag-
und Abendessen erfolgte die zweimalige Gewissensprüfung[19]; schließlich
endete der Tag mit der Vorbereitung auf die erste »meditatio« des nächsten
Tages. Ergänzt wurde diese strenge Tageseinteilung durch geistliche Lesungen aus der »Imitatio Christi« des Thomas von Kempen oder anderen erbau-
lichen Werken und durch das Rosenkranzgebet. Die an sich schon durch
Liturgie und Meditation geprägte Tageseinteilung des Zisterzienserordens
wurde während der Exerzitienzeit noch einmal verschärft; zusätzlich zum
Stundengebet, das etwa sieben Stunden täglich umfaßte, kamen die Meditationen und Übungen im Umfang von weiteren drei bis fünf Stunden.

2.1.2 Gewohnheiten und Brauchtum im Kirchenjahr

Die Advents- und Weihnachtszeit kannte offensichtlich keine nennenswerten Bräuche im Kloster, da sich keine Notiz darüber findet; lediglich am
Abend des Weihnachtstages aß der Konvent zusammen mit der geladenen
Prominenz und dem Klerus der Umgebung in der Prälatur[20]. In den Tagen
nach Weihnachten war es Brauch, daß Kinder und Sänger aus den umliegenden Dörfern zum Kloster gezogen kamen und ihre Lieder und Stücke vortru-
gen; dafür erhielten sie ein Geldgeschenk[21]. Beschenkt wurde der Konvent
vom Abt nicht an Weihnachten, sondern zu Neujahr: Die anfangs spärliche
Reichung von 2 fl für den ganzen Konvent[22] steigerte sich bald auf einen Sil-

[16] Das Nationalkapitel von Rottweil schrieb 1654 für alle Ordensklöster achttägige geistliche
Exerzitien vor: Führer, Chronik § 206. – Vgl. Fugger, Fürstenfeld 126.
[17] »Ordo Diurnus Exercitionum pro Novitis«, undatiert (Kopie). BHStAM. Aldersbach Archiv
Schublade 105, fasc. 1, prod. 1. – »Ordo diurnus Exercitionum«, undatiert (Kopie). BHStAM.
Aldersbach Archiv Schublade 105, fasc. 1, prod. 2.
[18] Vgl. Ignatius, Exerzitien Nr. 12.
[19] Vgl. Ignatius, Exerzitien Nr. 25, 26.
[20] Eintrag im Tagebuch Treuttweins, unter dem 25. Dezember 1589. BStB. Cgm 1771, fol. 77v.
[21] Eintrag im Tagebuch Treuttweins, unter 27. und 28. Dezember 1587. BStB. Cgm 1771,
fol. 25v. – Diese Geldgeschenke waren teilweise nicht gering; so haben vier Buben aus Puch
1 fl und 1 dl erhalten.
[22] Rechnungsbuch von 1554, »Konvent«. BHStAM. KL Fasc. 957/60.

bergulden, Bettmantel, Hemden, Schlafmützen, Messer und Skapuliergürtel für jeden Priester; Hemden, Skapuliergürtel und Paternoster für die Junioren[23]. Dazu bekamen die Konventualen verschiedene andere Reichnisse, mal »etliche Cramerey«[24], ein anderes Mal »neue geistliche Stückel«[25], je nach Gesinnung und Meinung des Abtes. Auch die Angestellten des Klosters bekamen zu Neujahr Geldgeschenke[26].

Eine Zeit ausgeprägten Brauchtums war der Fasching, der auch im Kloster gefeiert wurde. Besonders in diesen Wochen holte man Schauspieltruppen und Komödianten aus der näheren Umgebung, meist aus Bruck, zur Unterhaltung nach Fürstenfeld[27]. Auch die Küche servierte in diesen Tagen Besonderheiten, etwa einen seltenen Hasenbraten[28]. Die Junioren bekamen einen kleinen Zuschuß, um sich in einer Schenke im Markt etwas zu trinken leisten zu können[29]; die Äbte genossen den Fasching mit Musik und gutem Essen in der Prälatur, am Faschingssonntag und Dienstag aß der Konvent an der Abtstafel mit[30]. Gelegentlich feierte Abt Leonhard Treuttwein auch auswärts; 1569 wurde er am Faschingsdienstag abend von den Biburgern nach Hause gebracht[31]. Der ganze Konvent wiederum war am Faschingsdienstag beim Kastner geladen und kam auf diese Weise nicht zu kurz[32]. Als gegen Ende des Jahrhunderts mit Abt Johann Puel ein durch die Katholische Reform geprägter Vertreter größerer Sittenstrenge und monastischer Enthaltsamkeit die Regierung übernahm, wurden die Notizen über Faschingsausgaben weniger – Abt Puel hatte offensichtlich wenig Sinn für derlei Zerstreuung und schaffte die Faschingsunterhaltungen langsam ab; es galt für Mönche nicht mehr als schicklich, sich im Fasching zu vergnügen.

Ein Relikt aus »vortridentinischer Zeit« war ebenfalls das Aschermittwochsbrauchtum. Die Fastenzeit begann an diesem Tag mit einem großen Mahl in der Prälatur, zu dem der Konvent geladen war[33]; vom Tisch weg wurde der

23 Rechnungsbuch von 1600, »Neujahr«. BHStAM. KL Fürstenfeld 317 1/90. – 1613 bekam jeder Priester einen Dukaten, jeder Junior 12 Batzen: Rechnungsbuch von 1613, »Konvent«. BHStAM. KL Fasc. 957/60.
24 Rechnungsbuch von 1573, »Gemeine Ausgaben«. BHStAM. KL Fasc. 957/60.
25 Rechnungsbuch von 1596, »Konvent«. BHStAM. KL Fürstenfeld 317 1/89.
26 Rechnungsbuch von 1555, »Gemeine Ausgaben«. BHStAM. KL Fürstenfeld 317 1/11. – In den Rechnungsbüchern erscheint diese Rubrik häufig, so daß auf weitere Einzelbelege verzichtet sei.
27 Rechnungsbuch von 1555, »Gemeine Ausgaben«. BHStAM. KL Fürstenfeld 317 1/11. – Rechnungsbuch von 1573, »Gemeine Ausgaben«. BHStAM. KL Fasc. 957/60.
28 Rechnungsbuch von 1556, »Gemeine Ausgaben«. BHStAM. KL Fürstenfeld 317 1/86.
29 Rechnungsbuch von 1567, »Konvent«. BHStAM. KL Fürstenfeld 216 1/3, fol. 15r. – Rechnungsbuch von 1569, »Gemeine Ausgaben«. BHStAM. KL Fürstenfeld 317 1/87.
30 Eintrag im Tagebuch Treuttweins, unter 12.–14. Februar 1589. BStB. Cgm 1771, fol. 56v.
31 Rechnungsbuch von 1569, »Trinkgeld«. BHStAM. KL Fürstenfeld 317 1/87.
32 Rechnungsbuch von 1556, »Zehrung und Botenlohn«. BHStAM. KL Fürstenfeld 317 1/86.
33 Eintrag im Tagebuch Treuttweins, unter dem 15. Februar 1589. BStB. Cgm 1771, fol. 56v; weitere Belege aus den Jahren bis 1593.

Abt von den Ehalten »entführt« und gegen ein angemessenes Lösegeld aus den Händen des Priors wieder freigelassen[34]. Dieser 1566 als alt bezeichnete Brauch wurde aber nicht mehr allzu lange gepflegt, denn danach ist er nicht mehr überliefert; der Aschermittwoch setzte sich als Fasttag durch. Trinkgeld bekamen an Aschermittwoch auch andere aktive oder ehemalige Angestellte[35], sowie die Brucker »nach altem Brauch«[36]. Am Sonntag Invocavit erhielt jeder Konventuale ein geistliches Buch ausgehändigt, das er als besonderes Fastenzeichen über die Wochen bis Ostern hin zu lesen hatte[37]. Die Fastensonntage, die nicht zur Fastenzeit zählten, wurden den Konventualen mit besonderen Reichnissen versüßt, um die kargen Wochentage etwas zu mildern: Generell gab es an den Sonntagen Konfekt für den Konvent[38], dazu kamen zumindest an den Sonntagen Judica und Palmarum die hellen, ungelaugten Fastenbrezen[39], gelegentlich wurden auch in Augsburg Fastenlebkuchen gekauft[40]. Gefeiert wurde auch das Benediktsfest, das mit dem 21. März immer in die Fastenzeit fiel, mit einem Mahl[41]. Zur Anschauung der Geheimnisse der Karwoche ließ Abt Treuttwein einen Ölberg anfertigen, der vermutlich in der Klosterkirche aufgestellt wurde und so auch den Gläubigen zugänglich gewesen sein dürfte[42].

Mit dem Osterfest, das der Konvent mit einem Festmahl in der Prälatur und dem traditionellen Osterspaziergang feierte[43], der die »Spaziersaison« der Mönche einleitete[44], begann die Zeit der Patrozinien und Wallfahrten, Bittgänge und Prozessionen, schließlich der Primizen, Kirchweihen und Dulten, die den bayerischen Sommer landauf, landab prägten. Ungeachtet des wiederholten Verbots durch die Ordensvisitatoren, solche Belustigungen zu besuchen[45], nahmen auch die Fürstenfelder Mönche gelegentlich daran teil; da der Anlaß für ein solches Fest immer ein geistlicher war, galt die Teilnahme daran nicht direkt als unschicklich. Die in Fürstenfeld am feierlichsten

---

[34] Rechnungsbuch von 1566, »Gemeine Ausgaben«. BHStAM. KL Fürstenfeld 317 1/10.

[35] Rechnungsbuch von 1567, »Trinkgeld«. BHStAM. KL Fürstenfeld 216 1/3, fol. 28r.

[36] Rechnungsbuch von 1555, »Gemeine Ausgaben«. BHStAM. KL Fürstenfeld 317 1/11.

[37] Visitationsrezeß, undatiert. BHStAM. KL Fürstenfeld 330, fol. 28v.

[38] Rechnungsbuch von 1555, »Konvent«. BHStAM. KL Fürstenfeld 317 1/11. – Rechnungsbuch von 1556, »Konvent«. BHStAM. KL Fürstenfeld 317 1/86.

[39] Rechnungsbuch von 1558, »Konvent«. BHStAM. KL Fürstenfeld 317 1/88. – Rechnungsbuch von 1567, »Konvent«. BHStAM. KL Fürstenfeld 216 1/3, fol. 15r.

[40] Rechnungsbuch von 1558, »Gemeine Ausgaben«. BHStAM. KL Fürstenfeld 317 1/88.

[41] Eintrag im Tagebuch Treuttweins, unter dem 21. März 1588. BStB. Cgm 1771, fol. 33r; weitere Belege aus den Jahren bis 1593.

[42] Eintrag im Tagebuch Treuttweins, unter dem 1. Oktober 1590. BStB. Cgm 1771, fol. 98r.

[43] Eintrag im Tagebuch Treuttweins, unter dem Ostersonntag, 29. März 1587. BStB. Cgm 1771, fol. 7v; weitere Belege aus den Jahren bis 1593.

[44] Visitationsrezeß Wilhelms IV., 1529. BHStAM. Aldersbach Archiv Schublade 107, fasc. 3, prod. 1. – Hier wird festgelegt, daß die Mönche sommers alle vierzehn Tage spazierengehen dürfen.

[45] Visitationsrezeß, undatiert. BHStAM. KL Fürstenfeld 330, fol. 30r. – FRST 21,10.

begangenen Feste waren die großen Wallfahrten zu Christi Himmelfahrt,
Pfingsten und Leonhardi in Inchenhofen, zu denen häufig die Äbte ins Superiorat hinunterfuhren[46]. Dazu kamen an Ostern und Pfingsten sowie zum
Kirchenpatrozinium feierliche Gottesdienste in St. Willibald bei Jesenwang
und im Marienkirchlein Bergkirchen[47]; auch hier war Fürstenfeld zumindest
durch einige Mönche vertreten. Dazu kamen zahlreiche Jahrtage sowohl in
der Klosterkirche als auch auf den Pfarreien und Filialen, die von Mönchen
zelebriert wurden[48]. Im Kloster wurden neben den allgemeinen Hochfesten
des Kirchenjahres die beiden Ordensheiligen Benedikt (21. März) und Bernhard (20. August) besonders gefeiert; als die Predigttätigkeit in der Klosterkirche zunahm, kam so viel Volk zu den Gottesdiensten, daß sogar Abt Leonhard Treuttwein über den zahlreichen Besuch erstaunt war[49].

Neben den durch das Kirchenjahr und den örtlichen Patrozinien und Wallfahrten bestimmten Feiertagen besuchten die Mönche etliche Kasualien und
besondere Feste wie Primizen und Hochzeiten, vor allem von Kindern der
Pfarrer und der Angestellten des Klosters. So feierte man 1558 die Primiz des
Schulmeisters von St. Leonhard[50], 1567 die erste Messe des Mathias Bruck-
maier[51], und 1573 die Primiz des Sohnes des Jesenwanger Pfarrers[52] – was in
diesen Jahren noch vollkommen selbstverständlich war. Zu Gast waren
Mönche zumindest auf den Hochzeiten des Klosterkochs[53], der Tochter des
Brucker Schulmeisters[54], des Klosterzimmerers[55], der Schwester Fr. Martin
Prigklmairs in St. Leonhard[56], des Klosterorganisten Arsacius und etlicher
weiterer Klosterangestellter[57]. Im Jahr 1614 gab Abt Sebastian Thoma für
Hochzeitsgeschenke und andere Gelegenheiten an die 100 fl aus[58]. Da die
Geschenke sicherlich persönlich überbracht wurden, hielt man sich an das
geltende Verbot, Hochzeiten zu besuchen, ganz offensichtlich auch unter
dem strengen Abt Thoma nicht.

---

[46] Zur Wallfahrt Inchenhofen siehe Teil II, Kap. 3.2.2.2.
[47] Siehe Teil II, Kap. 3.2.5.
[48] Siehe Teil II, Kap. 2.2.7.
[49] Eintrag im Tagebuch Treuttweins, unter dem Palmsonntag, 22. März 1591. BStB. Cgm 1771,
   fol. 137r.
[50] Rechnungsbuch von 1558, »Gemeine Ausgaben«. BHStAM. KL Fürstenfeld 317 1/88.
[51] Rechnungsbuch von 1567, »Verschiedene Ausgaben«. BHStAM. KL Fürstenfeld 216 1/3,
   fol. 29v.
[52] Rechnungsbuch von 1573, »Zehrung und Botenlohn«. BHStAM. KL Fasc. 957/60.
[53] Rechnungsbuch von 1567, »Verschiedene Ausgaben«. BHStAM. KL Fürstenfeld 216 1/3,
   fol. 29r.
[54] Ebd., fol. 31v.
[55] Ebd., fol. 34v.
[56] Rechnungsbuch von 1573, »Zehrung und Botenlohn«. BHStAM. KL Fasc. 957/60.
[57] Ebd.
[58] Für Hochzeiten und andere Kleinigkeiten mit dem Buchstaben »H« schlugen 106 fl, 5 ß,
   21 dl, 1 hl zu Buche: Rechnungsbuch von 1614, Buchstabe »H«. BHStAM. KL Fasc. 957/60.

Fest zum Jahreslauf gehörte seit 1572 auch die Urlaubszeit der Mönche im neuerbauten Sommerschlößchen Ried am Ammersee. Zumindest im Herbst, in manchen Jahren auch im Frühjahr, verbrachten die Mönche in mehreren Abteilungen jeweils einige Ferientage im »Tusculum«[59]; dazu gehörte auch medizinische Betreuung wie das weit verbreitete Aderlassen[60]. Später bürgerte sich die Praxis ein, daß sich der Konvent in zwei Hälften um Michaeli (29. September) je für vier Tage zur Erholung an den Ammersee begab[61]. Durch die Ordensstatuten waren die Urlaubstage indirekt genehmigt[62]. Das größte Ereignis im Herbst war sicherlich das Leonhardsfest am 6. November, an dem in Inchenhofen die letzte große Wallfahrt des Jahres mit entsprechendem Gepränge stattfand. Im Regelfall fuhr der Abt selbst dort hinaus, zelebrierte einen festlichen Gottesdienst, überreichte jedem Inchenhofener Konventualen einen Gulden als Geschenk[63] und teilte an das Volk kräftige Trinkgelder aus[64]. Bei allen Neuerungen, die das Kloster während der Reformationszeit erlebte, blieb die vom liturgischen Kalender geprägte Ordnung des Jahres im wesentlichen dieselbe. Eingeschränkt wurden einzig die weltlichen Vergnügungen wie der Fasching, die bei dem neuen, strengen Verständnis vom monastischen Leben keinen Platz mehr im Kloster fanden; gefördert wurden statt dessen die geistlichen Wallfahrten, Prozessionen, Bittgänge, Jahrtage und Patrozinien – ganz im Sinn des Trienter Konzils und der ignatianischen Spiritualität[65]. So verlagerte sich die notwendige weltliche Zerstreuung der Mönche auf die kirchlichen Feste mit ihren Volksbräuchen.

[59] Einträge im Tagebuch Treuttweins. BStB. Cgm 1771: Für das Jahr 1587 ist nur ein Hersturlaub nachweisbar (fol. 20, 12. Oktober 1587), 1588 einer im Frühjahr (fol. 36r, 6. Mai 1588), 1589 einer im Herbst (fol. 71v, 28.–30. September), 1590 die Bemerkung, daß nur ein Konventuale »auf den Rausch« gefahren sei (fol. 88r, 6. Mai 1590), und ein Herbsturlaub (fol. 97v, 30. September 1590).

[60] Vgl. TE I 244–245, J.III.3.

[61] Führer, Chronik § 178.

[62] FRST 21,10: »Hat man diese Erlaubnis [das Kloster zu verlassen; Anm. d. Verf.] aus einem triftigen Grund Klausurierten zu erteilen, dann darf man diese höchstens einmal im Jahr und diese wiederum dann nur für einen kurzen Zeitraum, der schriftlich festgesetzt werden muß, gewähren.«

[63] Rechnungsbuch von 1596, »Konvent«. BHStAM. KL Fürstenfeld 317 1/89. – Diese Reichung läßt sich jährlich belegen.

[64] 1567 verbrauchte Abt Treuttwein an Spenden und Trinkgeldern auf einer Reise nach St. Leonhard die stattliche Summe von 20 fl, 6 ß, 19 dl, 1 hl: Rechnungsbuch von 1567, »Trinkgeld«. BHStAM. KL Fürstenfeld 216 1/3, fol. 43v.

[65] Vgl. Conc. Trid. Sess. XXV, De invocatione, in: COD 774–776; DH 1821–1825. – Ignatius, Exerzitien Nr. 358.

2.1.3   Besuche im Kloster – Beziehungen nach außen

Der letzte Weltenburger Abt und Klosterchronist Benedikt Werner (1786 bis 1803) ging in seiner Chronik vom Ansatz aus, Geschichte sei umso brauchbarer und ansprechender, je mehr sie ins Besondere, ins Detail gehe, und befaßte sich folglich mit den großen und kleinen Dingen des Alltags[66]. Auf diese Weise gewann die trockene Materie an Geschmack, das fahle Bild bekam Farbe. So soll auch hier, abseits der großen Themen, der Alltag in Fürstenfeld anhand der Menschen geschildert werden, die von außen in das Kloster gekommen sind und Leben hinter die Klostermauern gebracht haben.

2.1.3.1   Die Prominenz der Zeit

Im 16. Jahrhundert waren in Fürstenfeld die glanzvollen Tage längst Vergangenheit, in denen Kaiser Ludwig der Bayer bei allerlei Gelegenheit im Kloster zu Gast war, in den Wäldern auf die Jagd ging und samt seinem Gefolge den Glanz eines europäischen Herrscherhauses verbreitete; die bayerischen Herrscher waren zu einer unnahbaren Größe geworden. Engere Kontakte ergaben sich erst wieder unter Herzog Albrecht V., der die Funktion Fürstenfelds als Hauskloster stärken wollte und deshalb einige bedeutende Besprechungen an die Amper verlegte[67]. Mit der Regierungsübernahme Herzog Wilhelms V., der den Jesuiten sehr zugetan war, gingen die Besuche des Landesherrn an der Amper wieder zurück. Am 17. September 1587 statteten die Herzöge Wilhelm V. und Ferdinand dem Klosterforst einen Jagdausflug ab[68], 1590 erschien Herzog Maximilian samt Gefolge im Kloster[69]. Ein Jahr später kam wiederum Herzog Wilhelm V. samt Frau und den Söhnen Maximilian und Albrecht und blieb zwei Tage zur Sommerfrische[70]. Noch ferner war der Kaiser; nur zweimal kam er während der Reformationszeit an die Amper. Am 18. April 1504 übernachtete König Maximilian I. im Kloster und besprach sich am nächsten Tag mit dem herbeigeeilten Herzog Albrecht IV. über das gemeinsame Vorgehen im Landshuter Erbfolgekrieg[71]. Kaiser Karl V. und der

---

[66] Vgl. Riess, Weltenburg 21.

[67] So hielt sich Albrecht V. nachweislich am 8., 9., 14., 18. und 21. April, am 7., 8., 11. und 12. November 1574 und vom 31. März bis zum 2. April 1575 in Fürstenfeld auf, gelegentlich dazu im nahe gelegenen Schöngeising. Vgl. Horst Leuchtmann, Ein Itinerar Herzog Albrechts V. von Bayern für die Jahre 1572–1579, in: ZBLG 34 (1971) 831–857.

[68] Eintrag im Tagebuch Treuttweins, unter 17.–19. September 1587. BStB. Cgm 1771, fol. 19r. – Ob die Hoheiten in Fürstenfeld übernachteten, ist ungewiß. Treuttwein erwähnt davon nichts.

[69] Eintrag im Tagebuch Treuttweins, unter dem 1. August 1590. BStB. Cgm 1771, fol. 94r.

[70] Eintrag im Tagebuch Treuttweins, unter 23.–25. und 27. August 1591. BStB. Cgm 1771, fol. 121.

[71] Vgl. Fugger, Fürstenfeld 68–69.

16 Der Fürstenfelder Abt (Wappen verwittert) adorierend vor Christus mit den
Wundmalen mit St. Benedikt und St. Leonhard als Begleitern. Sandsteinrelief,
außen über dem Südportal der Wallfahrtskirche Inchenhofen, 16. Jahrhundert

17–18 Fürstenfelder Subpriorat Inchenhofen mit Wallfahrt St. Leonhard: Nördlicher Hauptseitenaltar an der Ostwand des nördlichen Seitenschiffs, mit der Mantelspende des Hl. Martin und den Augsburger Bistumspatronen St. Ulrich und St. Afra. Im Auszug steht der Heiland, bekleidet mit dem Martinsgewand, seitlich Engelsfiguren, alles Werke des ungenannten Bildhauers von 1610/25

19
Fürstenfelder Wallfahrt
zum Hl. Leonhard
in Inchenhofen:
Rotmarmorepitaph
von 1518 mit
Erbärmdebild Jesu

böhmische König Ferdinand übernachteten am 14. Juli 1530 im Kloster[72]. Der einzige Grund, warum sich die gekrönten Häupter in Fürstenfeld zeigten, war die verkehrsgünstige Lage; zum Kloster als solchem hatten sie keine Beziehung.

Wesentlich häufiger als die weltliche Prominenz verkehrten geistliche Herren in Fürstenfeld, vor allem Äbte und Pröpste aus den umliegenden Abteien und Stiften. Immer wieder erwähnt Abt Leonhard Treuttwein in seinem Tagebuch auswärtige Prälaten, die zu Besuch oder auf der Durchreise waren: Die Herren von Indersdorf, Thierhaupten, Ettal, Polling und Andechs besuchten während der sechs Jahre, in denen der Abt sein Tagebuch führte, das Kloster mindestens einmal; der Bischof von Chur kam ebenso vorüber wie der Franziskaner-Provinzial. Schließlich häuften sich im Jahr 1593 die Besuche der Apostolischen Nuntien im Kloster. Dazu kamen selbstverständlich die häufigen Aufenthalte der zisterziensischen Mitäbte aus Aldersbach und Raitenhaslach, gelegentlich auch von Kaisheim[73]. Absolute Ausnahmesituation war für Fürstenfeld das Provinzialkapitel von 1595, in dem das Kloster siebzehn auswärtige Prälaten einigermaßen standesgemäß unterbringen mußte[74], obwohl es nicht im geringsten dafür ausgelegt war. Die Gebäude waren hoffnungslos überbelegt, und man mußte, wie schon früher immer wieder[75], Tisch- und Bettwäsche von der Bevölkerung im Markt Bruck ausleihen[76]; so wußte in dem Durcheinander niemand mehr, was nun Eigentum des Klosters war, und was nicht. Die Dienerschaft, für die überhaupt kein Platz mehr war, wurde, so gut es ging, ebenfalls im Markt untergebracht.

2.1.3.2 Die einfachen Leute

Das Gros der Besucher in Fürstenfeld machten aber die einfachen Leute aus, die an die Pforte kamen, etwas verkaufen oder verehren wollten in der Hoffnung, ein paar Pfennige zu erhalten; sie waren ein buntes Gemisch aus einheimischer Bevölkerung und fahrendem Volk, Ehrlichen und Unehrlichen. Es kamen Menschen, die sich für die Magdalenen-Dult in Bruck 10 Kreuzer erbaten, die dem Abt Krebse oder Obst verehrten und dafür Geld bekamen[77]; der Mann, der sich mit seiner Geschichte von der Gefangenschaft bei den Türken durchschlug[78]; der Poet, der dem Abt Gedichte widmete[79]; der Blinde, der erzählte, er sei zuvor Schulmeister gewesen[80]; die ungezählten Stu-

---

[72] Vgl. ebd. 75.

[73] Einträge im Tagebuch Treuttweins. BStB. Cgm 1771. – Einzelne Belege seien erspart.

[74] Verzeichnis der Äbte auf dem Provinzialkapitel, 1595. BHStAM. KL Fürstenfeld 1, fol. 145r.

[75] Eintrag im Tagebuch Treuttweins, unter dem 23. August 1591. BStB. Cgm 1771, fol. 121r.

[76] Bericht der GR Sebastian Franz, Johann Baptist Fikler und Martin Rieger an Maximilian, München, 14. September 1595. BHStAM. KL Fürstenfeld 1, fol. 143r.

[77] Rechnungsbuch von 1567. BHStAM. KL Fürstenfeld 216 1/3, fol. 38v.

[78] Ebd., fol. 39v.   [79] Ebd., fol. 31v.   [80] Ebd., fol. 39v.

denten, die sich Wegzehrung erbaten und erhielten[81]. Dazu kamen ein nie-
derländischer Dominikaner, der von der Wallfahrt aus dem Heiligen Land
zurückkehrte und um Nachtlager bat[82], und die immer wiederkehrenden
Hausarmen mit ihren Geschichten und Schrullen. Der Lautenspieler Hasenknopf aus Burghausen bot seine Kunst feil[83], etliche Boten kamen mit Briefen oder Geschenken und erhielten dafür Lohn; Landsknechte klopften an,
Maler und Dichter, ein angeblicher verarmter Adeliger, ein Landshuter
Dominikaner; einer brachte ein Dromedar ins Kloster, das die Mönche als
seltenes Tier für einen Gulden bestaunen durften; ein Apotheker versorgte
einen schlecht sehenden Konventualen; der Organist von Aichach wollte
dem Abt vorsingen; dazu kamen echte und falsche Bettler; Kinder, die man
mit Schuhen versah, und immer wieder Komödianten[84]. Unter die Landbe-
wohner und die fahrenden Menschen mischten sich allerlei dubiose Gestalten, die ein gutes Geschäft witterten: Gaukler, Spieler, Vagabunden, falsche
Versehrte, Veteranen, Kriegsleute, umherziehende Studenten, Entlaufene,
verarmte Adelige, Verstoßene, falsche Mönche, Volksredner, Krüppel,
Quacksalber, Kuppler, Hehler, Falschmünzer, Schmuser, Aufwiegler, Schar-
latane und anderes Publikum, das durch ein vermeintlich reiches Kloster
magisch angezogen wurde. Alle diese Menschen sind für die rechte Vorstellung des Klosters Fürstenfeld unentbehrlich, denn sie bestimmten den Alltag
und den Fluß der Zeit; bei allen Veränderungen blieb das einfache Volk, ehrliche und unehrliche Leute, ein Faktor der Kontinuität im Leben des Klosters.

[81] Etliche Notizen in den Rechnungsbüchern verweisen auf fahrende Studenten; alleine im
     Rechnungsbuch von 1567. BHStAM. KL Fürstenfeld 216 1/3, foll. 28v, 29r, 29v, 30r, 30v, 37r
     mit dem Vermerk »der wochen«.
[82] Rechnungsbuch von 1558, »Gemeine Ausgaben«. BHStAM. KL Fürstenfeld 317 1/88.
[83] Rechnungsbuch von 1566, »Gemeine Ausgaben«. BHStAM. KL Fürstenfeld 317 1/10.
[84] Alle diese Menschen sind im Jahr 1573 gekommen und verzeichnet worden; sie bekamen ein
     Trinkgeld von 1 ß bis 5 ß: Rechnungsbuch von 1573, »Gemeine Ausgaben und Trinkgeld«.
     BHStAM. KL Fasc. 957/60.

2.2 Frömmigkeit und Liturgie

Im Gegensatz zu den gut belegbaren Vorgängen im Bereich der »temporalia« sind die zu den »spiritualia« zählenden Aspekte der Liturgie und der Frömmigkeit nur schwer zu dokumentieren; während sich für die liturgische Praxis anhand der Bücher und der Visitationsrezesse noch etliche Anhaltspunkte ergeben, mangelt es für den sehr persönlichen Bereich der Frömmigkeit und Spiritualität dagegen fast gänzlich an Quellen.

2.2.1 Die Frömmigkeit im Kloster Fürstenfeld

2.2.1.1 Vor und während der Reformationszeit

Die Äbte, die Fürstenfeld bis zur Reformationszeit regierten, lassen vermuten, daß die Spiritualität dieser Epoche vom Humanismus durchdrungen war: Abt Leonhard Eggenhofer, vielleicht die Äbte Michael und Petrus, in jedem Fall aber Abt Johannes Scharb und Abt Johann Albrecht Pistorius, standen in der Tradition des »Klosterhumanismus«, wie er in vielen altbayerischen Klöstern und Stiften gepflegt wurde: Neben der Betrachtung der göttlichen Geheimnisse entwickelte sich das Studium von Schöpfung und Mensch zum zweiten Brennpunkt in der Ellipse des geistigen Lebens. Die Bibliothekskataloge bezeugen, daß die antiken Schriftsteller, auf denen viele humanistische Ideen aufruhten, in Fürstenfeld überproportional vertreten waren[85]; von daher besaß das Kloster trotz aller ausgeprägten zisterziensischen Einheitlichkeit eine innere Offenheit, die es schließlich einem Abt ermöglichte, eigene Werke zu verfassen, wie es Pistorius mit seinem »Dialogus« tat. Zudem studierten bis zur Reformationszeit die Fürstenfelder Mönche an drei Orten, im Kloster selbst sowie an den Universitäten in Wien und in Heidelberg[86]; dies garantierte ebenfalls eine gewisse Bandbreite an Bildung und Spiritualität, welche die Konventualen erwerben und in das geistige Leben des Klosters einbringen konnten.

So prägten sich im Konvent unterschiedliche Formen der Frömmigkeit aus: Von der »devotio moderna« beeinflußte Mönche wohnten neben streng zisterziensischen und eher humanistisch-liberalen Konventualen, wenngleich die Unterschiede sicherlich nicht allzu groß waren; eine überaus starke Klammer, die nur sehr begrenzt Raum zur eigenen Entfaltung ließ, bildete das zisterziensische Stundengebet, dem jede andere Form und Übung der Frömmigkeit untergeordnet werden mußte, und dessen zeitlicher Rahmen allein schon etwa sieben Stunden umfaßte. Die beständig wiederkehrende

---

[85] Theologische Sammelhandschrift mit Bibliothekskatalog, 1535. BStB. Clm 6914, fol. 118.
[86] Vgl. Teil II, Kap. 1.2.2.2.

gemeinsame Rezitation von Psalmen, Hymnen und Lesungen aus Heiliger
Schrift und Kirchenvätern prägte sich tief in die Mönche ein und formte so
die Grundzüge einer trotz aller humanistischen Offenheit relativ einheitli-
chen Spiritualität, die aber in Details ausdifferenziert werden konnte. Die
Tendenzen zur Vielfalt verstärkten sich während der Wirren der eigentlichen
Reformationsjahre, da jeder Mönch – er wurde unweigerlich mit den refor-
matorischen Ideen konfrontiert – bei der Suche nach Antworten auf die Her-
ausforderungen zunehmend auf sich selbst gestellt war; von der geistigen
Autorität des Administrators Michael Kain oder auch des Abtes Johann
Pistorius waren Wegweisungen nur sehr eingeschränkt zu erwarten.

2.2.1.2 Beginn geistlicher Neuorientierung

Mit der Postulation Fr. Leonhard Baumanns 1554/55 aus Kaisheim begann
für Fürstenfeld eine Zeit der geistlichen Neuorientierung: Der Prälat beeindruckte die Visitatoren von 1560 durch gelehrte Antworten auf die Fragen
nach katholischem Glauben, Liturgie, Heiligenverehrung und Sakramenten;
dazu sorgte er sich um die getreue Verrichtung der kanonischen Horen und
der Gottesdienste[87]. Die Restitution der zisterziensischen Lebensweise
nahm die ganze Aufmerksamkeit Abt Baumanns in Anspruch. In seinen
Reformen konnte er weitgehend ungestört walten, denn die herzoglichen
Visitatoren kümmerten sich hauptsächlich um die Glaubensreinheit als solche und weniger um Fragen der Spiritualität.
So liegt es nahe, die Frömmigkeit zur Zeit Abt Leonhard Baumanns als eine
liturgisch-sakramentale auf humanistischem Fundament zu bezeichnen[88].
Der Abt legte Wert auf die Einhaltung der Regeln und Ordensstatuten und
fand darin auch ein spirituelles Fundament, das für ein geistliches Leben tragen konnte. So ließ er gleich nach Amtsantritt die alten Gesangbücher und
Antiphonalien restaurieren, nach denen er weiterhin Gottesdienst halten
wollte; für die eucharistische Verehrung kaufte er ein »gstattl«. Zudem stellte er die alte Chorkleidung wieder her und erwarb schwarze Birette – alles
innerhalb seines ersten Jahres als Administrator[89]. Abt Baumann besann sich
auf die Grundlagen zisterziensischer Spiritualität und versuchte ausgehend
von ihr, die Frömmigkeit zu erneuern; den neuen Methoden und Frömmigkeitsformen der sich etablierenden Jesuiten stand er skeptisch gegenüber,
wie aufgrund seiner Erfahrungen mit dem Universitätsstudium anzunehmen
ist[90].

---

[87] Aussagen Abt Leonhard Baumanns im Visitationsprotokoll, 1560. Landersdorfer, Visitation
331.
[88] Nicht zu vergleichen ist die liturgische Frömmigkeit des 16. Jahrhunderts allerdings mit der
des anhebenden 20. Jahrhunderts und seiner liturgischen Bewegung. Zu unterschiedlich
sind doch Hintergründe, Motive und Ziele. Gemeinsam ist allerdings beiden die Sorge um
den liturgischen Dienst.

2.2.1.3 Frömmigkeit in der Katholischen Reform

Dem Universalanspruch der Katholischen Reform, deren Banner von den Herzögen getragen wurde, konnte sich Fürstenfeld auf Dauer dennoch nicht entziehen. Erstmals festzustellen ist dieser Vereinheitlichungsdruck im Jahr 1566: Herzog Albrecht V. befahl die Anschaffung des Predigtbuches von Mag. Augustin Messer mit hundert Exemplarpredigten – das Kloster mußte dieses Werk für 10 fl erwerben[91]. Zwei Größen mühten sich von jetzt an um Einflußnahme auf das geistliche Leben im Kloster: der Landesherr mit seiner jesuitisch geprägten Katholischen Reform sowie – allerdings in einem gewissen zeitlichen Abstand – der Zisterzienserorden in der Absicht, seine eigenen Neuerungen umzusetzen. Während Herzog Albrecht V. die seit langem geforderte Visitation im Jahr 1560 durchführen konnte[92], meldete der Generalabt Nicolaus I. Boucherat erst 1572 bis 1574 mit seiner Visitationsrundreise erneuerte Ansprüche auf die Führung des Ordens an[93] und kam 1573 auch nach Fürstenfeld[94].

Die Vereinheitlichung des klösterlichen Lebens begann zunächst mit der Reform von Liturgie und Disziplin, denn auf diese beiden Punkte bezogen sich die Visitationsrezesse immer wieder und ganz besonders. Erst allmählich und gleichsam im Schlepptau machen sich auch Tendenzen zur Uniformierung der Spiritualität bemerkbar. Seit Ende der achtziger Jahre des 16. Jahrhunderts wurden die Brüder aufgefordert, täglich die Geheimnisse der Erlösung zu meditieren; die Zeit der Gewissenserforschung wurde festgelegt, damit sie von niemandem unterschlagen würde. Zur Vorbereitung auf die Beichte wurde schließlich auch vom Orden das Beichtbuch »Christianis institutionibus capitel de confessione« des Franziskus Coster empfohlen[95], bezeichnenderweise eines Jesuiten[96]. 1607 beschloß das Generalkapitel, daß die Mönche nach den einzelnen Horen genügend Zeit zur privaten Andacht und nach der Komplet zur Gewissenserforschung haben müßten[97]. Auch die Fürstenfelder Reformstatuten nahmen deutlich Stellung zur persönlichen

---

[89] Rechnungsbuch von 1555, »Gemeine Ausgaben«. BHStAM. KL Fürstenfeld 317 1/11.

[90] Siehe Teil II, Kap. 1.2.2.3 und 1.2.2.4.

[91] Rechnungsbuch von 1566, »Konvent«. BHStAM. KL Fürstenfeld 317 1/10.

[92] Eine kurze Übersicht zu den Vorverhandlungen bietet Landersdorfer, Trient 94–100.

[93] Vgl. dazu Alois Postina, Beiträge zur Geschichte der Cistercienserklöster des 16. Jh. in Deutschland, in: CC 13 (1901) 225–237, 257–266; Gilbert Wellstein, Der Visitationsabschied des Abtes Nicolaus Boucherat von Cîteaux für Marienstatt vom Jahr 1574, in: CC 29 (1917) 97–100; Adalgott Benz, Giovanni Francesco Bonhomini, Apostolischer Nuntius in der Schweiz (1579–1581) und die Cistercienser, in: CC 21 (1909) 12–21. 51–58 84–92 118–125.

[94] Visitationsrezeß Generalabt Nicolaus I. Boucherats, Fürstenfeld, 12. August 1573. BHStAM. KU Fürstenfeld 2115.

[95] Visitationsrezeß, undatiert. BHStAM. KL Fürstenfeld 330, fol. 27.

[96] Zu P. Franz Coster SJ (*1532, SJ 1552, † 1619), der sich besonders um die Verbreitung der jesuitischen Spiritualität bemühte: André Rayez, Art. Coster, in: LThK² III (1959) 75–76 (Lit.).

Frömmigkeit und förderten – angeregt durch den geistlichen Wettstreit mit den Jesuiten – besonders die Meditation: »Unser Orden nämlich, der im Bereich der geistlichen Übung einst zu den ersten zählte, soll, um nicht zum letzten in der geistlichen Übung zu werden, besonders dieses Anliegen aufgreifen«[98]. Auch die tägliche Gewissenserforschung wurde besonders empfohlen, ebenso die Lesung der Kirchenväter[99]; der Zisterzienserorden war sich der Herausforderung durch die Reformorden des 16. Jahrhunderts wohl bewußt und mußte sich ihr stellen.

Der entscheidende Schritt hin zur Übernahme der Reformansätze der Jesuiten und ihrer Spiritualität läßt sich in Fürstenfeld mit der Wahl Johann Puels zum Abt feststellen. Aufhorchen läßt die kurz nach seinem Amtsantritt festgehaltene lobende Notiz der den Jesuiten sehr verbundenen landesherrlichen Kommissare, daß Abt Puel sich sehr emsig um die »spiritualia« annehme[100], was nichts anderes bedeuten kann, als daß er sich den gewandelten Vorstellungen öffnete. Etliche weitere Feststellungen stärken diese Vermutung: Abt Puel förderte kräftig die Reliquienverehrung[101], achtete auf Repräsentation und Schaufrömmigkeit, indem er Paramente und einen Tragealtar erwarb[102], ordnete in der Hofmark Bruck eine wöchentliche Sakramentsprozession unter Beteiligung der lokalen Behördenvertreter an[103], kaufte »Pater noster« für seine Konventualen[104], wallfahrtete selbst häufig auf den Heiligen Berg Andechs[105], bestellte etwa vierzig Exemplare der »Meditationen« des Jesuiten Coster[106] und führte seinen Konvent in den Stil der neuen Frömmigkeit ein, die bald zur »barocken« werden sollte[107]. Nicht zu vergessen ist dabei, daß erstmals Abt Puel Studenten in größerer Anzahl auf die Ingolstädter Universität schickte, wo diese im von den Jesuiten geleiteten Konvikt wohnten und in ihrem Geist lernten[108]. Mit Abt Puels Nachfolger Sebastian Thoma gelangte 1610 erstmals ein eigentlicher Jesuitenschüler zur Abtswürde in Fürstenfeld und führte den Konvent in der neu eingeschlagenen Richtung weiter[109].

---

[97] Visitationsrezeß Abt Johann Martins von Char-lieu unter Einbezug der Generalkapitelsbeschlüsse von 1607, Fürstenfeld, 11. Januar 1608 (Kopie). BHStAM. Aldersbach Archiv Schublade 107, fasc. 3, prod. 12.

[98] FRST 5,6.

[99] FRST 5,7.

[100] GR an Maximilian, 1597 (Kopie). BHStAM. KBGR 19, fol. 115.

[101] Vgl. Teil II, Kap. 2.2.5.2.

[102] Inventar, Fürstenfeld, 16. Juni 1610. BHStAM. KL Fürstenfeld 318, fasc. 1, prod. unnumeriert.

[103] Hofmarksordnung Abt Johann Puels für die Hfmk. Bruck, 1600 (Kopie). BHStAM. KL Fürstenfeld 593, Punkt 1.

[104] Rechnungsbuch von 1600, »Neujahrsgeschenke«. BHStAM. KL Fürstenfeld 317 1/90.

[105] Rechnungsbuch von 1596, »Trinkgeld und Verehrung«. BHStAM. KL Fürstenfeld 317 1/89.

[106] Rechnungsbuch von 1600, »Konvent«. BHStAM. KL Fürstenfeld 317 1/90.

[107] Vgl. Raitz, Frömmigkeit 341–342, 345–346; Bauerreiss, Kirchengeschichte VI 334–342.

[108] Vgl. Duhr, Geschichte I 500.   [109] Vgl. Teil I, Kap. 3.4.2.1.

2.2.2 Die liturgischen Bücher

2.2.2.1 Die Ritualien

Jede liturgische Reform ist an der Veränderung der Ritualien ablesbar, so daß an ihnen Absicht und Inhalt der Neuerungen deutlich werden. Die liturgischen Bücher, die während des 16. Jahrhunderts in Fürstenfeld in Gebrauch waren, enthielten sämtlich die zisterziensische Eigenliturgie[110] und waren noch nicht an den römischen Ritus angepaßt. Aus der Hand des Fürstenfelder Mönchs und Schreibers Heinrich von Biberach stammt ein Missale zum täglichen Gebrauch von 1317, in dem neben Ordinarium, Proprium und Heiligengedenktagen auch die Lesungstexte aufgenommen sind[111]. Ein deutscher Psalter mit den einhundertfünfzig Psalmen stammte aus dem Jahr 1457[112], wurde aber nicht in der Liturgie verwendet. Zum Gebrauch war dagegen ein Antiphonale aus dem 16. Jahrhundert bestimmt: Es enthält in Hufnagelnotation Responsorien und Antiphonen für die Hochfeste, Feste und Heiligenfeste im Kirchenjahr[113]. In ihm kommt die Struktur der Ordensliturgie deutlicher zum Ausdruck als im Missale, denn bei einigen Festen waren hier entsprechend zisterziensischer Tradition vor dem Einzug in die Kirche zwei oder drei Stationen mit entsprechenden Responsorien verzeichnet. Die genauere Prozessionsordnung wurde durch ein Prozessionale von 1488 geregelt[114].

Diese Bücher waren während des 16. Jahrhunderts in Gebrauch geblieben, da die Bestimmungen Papst Pius' V. aus den Jahren 1568 und 1570 für den Zisterzienserorden nicht galten, denen zufolge alle Diözesen und Ordensgemeinschaften, deren Missalien und Breviarien nicht auf eine mindestens zweihundertjährige Tradition blicken konnten, die römischen Ordnungen zu übernehmen hätten[115]. Zum Verhältnis von Ordensliturgie und erneuerter römischer Liturgie nahmen die Fürstenfelder Reformstatuten von 1595 zwar

---

[110] Im Rahmen dieser Arbeit ist eine auch nur ansatzweise Darstellung der zisterziensischen Liturgie und ihrer Eigenheiten unmöglich; deshalb sei auf die wichtigste deutschsprachige Literatur verwiesen: Alberich Martin Altermatt, Die erste Liturgiereform in Cîteaux (ca. 1099–1133), in: RotJbKg 4 (1985) 119–148; Jungmann, Missarum sollemnia I 131–132 (Lit.); Sighard Kleiner, Fragen des Ius liturgicum Cisterciense, in: CC 53 (1941) 45–51; Eberhard Krzewitzka, Das heilige Meßopfer nach dem alten Cistercienserritus, in: CC 13 (1956) 66–72; Gregor Müller, Zur Geschichte unseres Breviers, in: CC 29 (1917) 103–114.

[111] Missale, 1317. BStB. Clm 6915; vgl. TE I 79, C. III.10. – Auf fol. 164r ist notiert: »Anno do[mini] M CCC XVII scriptus est librum iste ad honorem s[an]c[t]i Leonhardi a fr[atr]ei hainrico d[i]c[t]o de Biberach Monacho in Furstenuelt.«

[112] Psalter, Fürstenfeld, 1457. BStB. Cgm 363; vgl. TE I 79, C. III.11.

[113] Antiphonale, 16. Jh. BStB. Clm 27420; vgl. TE I 270, L. I.3. – Eingebunden ist das Antiphonale in einen Pentateuchkommentar aus dem 14. Jahrhundert.

[114] Prozessionale, Fürstenfeld, 1488. BStB. 4° Cod. ms. 177; vgl. TE I 269, L. I.2.

[115] Vgl. Jedin, Das Papsttum und die Durchführung des Tridentinums (1565 bis 1605), in: HKG IV 523–524; Jungmann, Missarum sollemnia I 178; Denzler, Sirleto 91.

nicht direkt Stellung, die Anweisungen zur Feier der Messe bezogen sich aber auf die ursprüngliche Ordensliturgie[116]. Zu dieser Zeit war somit eine Anpassung der Meßliturgie an den römischen Ritus nicht zur Diskussion gestanden; immerhin leitete der Generalabt Edmund de la Croix das Reformkapitel. Dennoch konnten sich auf längere Sicht auch die Zisterzienser dem herrschenden Druck zur Vereinheitlichung nicht entziehen: 1614 kaufte Abt Sebastian Thoma römische Breviere[117], die eigentlich nicht vorgeschrieben, den Ingolstädter Studenten aber bereits wohlbekannt waren[118]; so konnte sich über diese Hintertüre die römische Liturgie auch in die alten Ordensliturgien Eingang verschaffen, ehe noch der Orden offiziell die römischen Riten angenommen hatte. Nach langen Jahren der Streitigkeiten innerhalb des Ordens beschloß endlich das Generalkapitel im Jahr 1618, in allen Liturgien, außer in den Gesängen, den römischen Ritus einzuführen[119], so daß die neuen Bücher gekauft werden mußten.

Bei der Durchsetzung dieser Neuerungen gab es verständlicherweise Schwierigkeiten. So wurde in der Fürstenfelder Klosterkirche an bestimmten Mittwochen seit vordenklichen Zeiten eine Votivmesse zu Ehren des hl. Sebastian in einem solchen Durcheinander an Riten gelesen, daß sie weder den römischen noch den zisterziensischen Gebräuchen entsprachen, wie die Visitatoren 1618 feststellten. So wurde das Kloster angewiesen, sich entweder diesen Ritus von der Ritenkongregation genehmigen zu lassen, oder noch besser, die Votivmesse nach dem römischen Communeformular für einen Märtyrer zu lesen und eine besondere Bitte gegen die Pest anzufügen. Auch in anderen Zweifelsfällen sei es besser, so zu verfahren und sich an den römischen Gebräuchen zu orientieren[120].

2.2.2.2 Der liturgische Kalender

1584 ordnete Papst Gregor XIII. den gesamtkirchlichen Gebrauch des erneuerten »Martyrologium Romanum« an[121]. Inwiefern der zuvor in Fürstenfeld gebrauchte Festkalender der römischen Ordnung entsprach, ist nicht mehr

---

[116] FRST 3, besonders 3,2 28.

[117] Rechnungsbuch von 1614, »Konvent«. BHStAM. KL Fasc. 957/60.

[118] Im Dillinger Kolleg beteten die Religiosen verschiedener Ordensgemeinschaften nach dem römischen Brevier; in Ingolstadt war dies ebenso. Vgl. Duhr, Geschichte I 501.

[119] »Diffinitiones Capituli Generali«, 1618 (Kopie). BHStAM. KL Raitenhaslach 112, fol. 107v. – »Charta maioris abbatialis«, 8. Juli 1618 (Kopie). BHStAM. Aldersbach Archiv Schublade 107, fasc. 5, prod. 2.

[120] Visitationsrezeß, undatiert (Konzept, 8. Juli 1618). BHStAM. Aldersbach Archiv Schublade 107, fasc. 5, prod. 4.

[121] Vgl. Jedin, Religiöse Triebkräfte und geistiger Gehalt der katholischen Erneuerung, in: HKG IV 579. – Über die nachtridentinische Reform und die Schwierigkeiten bei der Erstellung des »Martyrologium Romanum« ausführlich: Denzler, Sirleto 109–117.

festzustellen, denn der erste erhaltene Kalender des Klosters datiert vom Jahr 1602. Damals schickte Abt Johann Puel an Herzog Maximilian auf dessen Aufforderung hin ein Reliquienverzeichnis[122], dem auch zwei Kalendarien beilagen. Mit dem Buchstaben »A« ist ein Katalog von Heiligengedenktagen gekennzeichnet, die zwar im Kloster gefeiert wurden, aber im »Martyrologium Romanum« nicht erscheinen[123]. Dabei handelt es sich zum einen um Ordensheilige, die an anderem Termin (hl. Benedikt am 21. März und am 11. Juli) oder in anderer Klassifizierung gefeiert werden: Die hll. Scholastika und Ursula werden als Klosterpatroninnen mit Festen Erster Klasse gefeiert, der hl. Leonhard als Fest mit zwölf Lesungen in der Vigil, am Maurusfest wird dessen Vita verlesen. Die andere Gruppe stellen in Bayern besonders verehrte Heilige dar, etwa die hll. Ulrich, Afra, Magnus und Elisabeth; sie stehen überhaupt nicht im »Calendarium Romanum«. Eine Besonderheit war der dreifache Gedenktag der hl. Anastasia: Während ihr Gedächtnisfest nach dem »Martyrologium Romanum« der 25. Dezember ist und in der römischen Kirche S. Anastasia am Palatin die zweite Weihnachtsmesse stattfindet[124], feierte man in Fürstenfeld auch nach der Kalenderreform diese Heilige gleich dreimal: am 19. Januar, am 7. September die Übertragung ihrer Gebeine und am 27. Dezember in der Weihnachtsoktav[125].

Unter dem Buchstaben »B« schickte Abt Puel dem Herzog den Festkalender des Klosters Fürstenfeld[126]. Dieser orientiert sich sehr stark am »Calendarium Romanum«, kennt aber doch einige Unterschiede, die in der liturgischen Tradition begründet sind. Einige verzeichnete Heiligengedenktage fehlen im römischen Kalender ganz oder sind in der Feier um einen Tag verschoben[127]. Im liturgischen Kalender ist ebenso die Tendenz zur Vereinheitlichung nachzuvollziehen wie die Bemühung, alte Festtage und lokale Besonderheiten zu bewahren. Über die Feier der Ordensheiligen handelt ein späteres Kapitel[128].

---

[122] Reliquienverzeichnis Abt Johann Puels, 31. Januar 1602. BHStAM. KL Fasc. 239/51.

[123] »Catalogus Ss. de quorum festivitatibus Romanum Martyrologium non meminit, quae tamen in Monasterio nostro Benedicto purano peculiari ratione concelebrantur«: Reliquienverzeichnis Abt Johann Puels, 31. Januar 1602. BHStAM. KL Fasc. 239/51, A. – Siehe Anhang 3.4: Eigenfeiern.

[124] Vgl. Mariano Armellini, Le Chiese di Roma dalle loro origini sino al secolo XVI, Roma 1887, 111. – In den Meßbüchern von 1970 wird diese historische Reminiszenz an die römische Stationsliturgie neuerdings unterschlagen. Im bayerischen Raum wurde diese zweite Messe mit dem »Aurora«-Formular zum heute noch verbreiteten Hirtenamt.

[125] »Catalogus«: Reliquienverzeichnis Abt Johann Puels, 31. Januar 1602. BHStAM. KL Fasc. 239/51, A.

[126] Siehe Anhang 3.5: Liturgischer Kalender.

[127] Im März etwa werden die hll. Felicitas und Perpetua in Rom am 6., in Fürstenfeld am 7. März gefeiert; die Vierzig Märtyrer sind in Fürstenfeld dagegen vom 10. auf den 9. März vorverlegt, obwohl sich keine Terminkollisionen ergeben würden. Der hl. Patrick wird in Fürstenfeld am 17. März durch die hl. Gertrud verdrängt, und am 24. März feiert man statt des Erzengels Gabriel den hl. Quirin.

[128] Siehe Kap. 2.2.5.1.

2.2.3 Neuregelungen im Tagzeitengebet

2.2.3.1 In den Visitationen bis 1560

Den Schwerpunkt des liturgischen Lebens im Zisterzienserkloster nimmt
das Chorgebet ein, das prinzipiell von allen gemeinsam verrichtet wurde,
wobei die Novizen nur einen Teil zu absolvieren hatten[129]; so bezogen sich
darauf auch viele Vorschriften der Visitationen. Während der ersten Hälfte
des 16. Jahrhunderts schärften die Visitatoren lediglich den regulären Besuch
und die Mahnung ein, daß die Horen »wie von alter her khumen zw yetlicher
Zeit mit andacht un guter Ordnung gesungen und gelesen werden«[130]. Wenn
auch Prior Hans Roppach 1551 versicherte, man habe zu aller Zeit den Chordienst wohl versehen[131], so hatte er immer wieder Mühe, das Chorgebet aufrecht zu erhalten, war doch die Anzahl der Konventualen nicht allzu groß.
Zudem gab es wohl auch in Fürstenfeld wie andernorts das Gewohnheitsrecht, einmal wöchentlich zu verschlafen[132]. 1560 bestätigten die Visitatoren dem Abt Baumann, daß die kanonischen Horen gehalten würden und der
Abt dabei anwesend sei, wenn er könne[133]; für die Treue zu den Ordensregeln
im genauen Ablauf interessierten sich die herzoglichen Kommissare nicht.
Die liturgischen Reformen des Stundengebets setzten erst mit dem Beginn
der Visitationen durch den Orden 1573 ein.

2.2.3.2 Die Entwicklung seit 1573

Erstmals ins Detail ging 1573 der Generalabt Nicolaus I. Boucherat, der sich
als Visitator ebenso wie in anderen Klöstern auch in Fürstenfeld um das liturgische Leben kümmerte[134]: Prinzipiell soll – so seine Anweisung – das Stundengebet ehrfürchtig im Chor gesungen werden, unter Berücksichtigung der
Pausen und Asterisken in der Mitte und an den Enden der Verse, mit den
gewohnten Kniebeugen und Prostrationen. Besonders wird darauf hingewie-
sen, daß beim Aussprechen der Namen Jesu und Mariens, bei der Doxologie
und anderen Stellen sowie wenn das Wort »Sanctus« ausgesprochen wird,

---

[129] Bei Mangel an Konventualen konnten aber die Novizen, gelegentlich auch Gäste zum
       Chorgebet herangezogen werden, wie aus Raitenhaslach berichtet wird; vgl. Krausen, Rai-
       tenhaslach 145.
[130] Visitationsrezeß Wilhelms IV., 1529. BHStAM. Aldersbach Archiv Schublade 107, fasc. 3,
       prod. 1.
[131] Prior Hans Roppach an Albrecht V., undatiert. BHStAM. KBÄA 4096, fol. 123r.
[132] So auch berichtet bei Reinhardt, Weingarten 114.
[133] Visitationsbericht, 1560. Landersdorfer, Visitation 331.
[134] Alle folgenden Ausführungen beziehen sich auf den Visitationsrezeß Generalabt Nico-
       laus I. Boucherats, Fürstenfeld, 12. August 1573. BHStAM. KU Fürstenfeld 2115; gedruckt
       und übersetzt in: Pfister, Generalabt 454–456.

sich alle von ihren Sitzen erheben und tief zur Erde verbeugen sollen. Geregelt wird auch der Beginn der Vigilien: um 2 Uhr morgens an Hochfesten, um 3 Uhr an Sonntagen, Apostelfesten und Festen mit zwei Messen, und um 4 Uhr an Werktagen; besonders eingeschärft wird die Anwesenheit aller Konventualen von Beginn an. In Fürstenfeld war man, entsprechend der altbayerischen Mentalität, eher »singfaul«, was der Visitator denn auch monierte: Der Abt wurde unter Drohung der Exkommunikation dazu verpflichtet, auch Matutin und Laudes singen zu lassen, wie dies sogar in Klöstern geschehe, wo es weit weniger Mönche gebe[135]. Auch gegen die inzwischen überall gebräuchliche Orgelbegleitung beim Chorgesang wandte sich der Visitator in der Absicht, die Ordensliturgie möglichst rein wiederherzustellen. Die Orgel durfte nur noch bei den Hymnen in Vesper, Komplet, Matutin und Laudes verwendet werden.

In der nicht näher datierbaren Visitation um 1580 wurden nur wenige Regelungen zum Chorgebet getroffen; man ermahnte lediglich, daß die Tagzeiten »nit so hoch« gesungen werden sollen, und auch nicht »oscinanter tumultarie«, sondern klar und deutlich ausgesprochen und nicht durch Synkopen abgekürzt[136]. Sehr ausführlich äußerte sich dagegen der Aldersbacher Abt Johannes Dietmair anläßlich seiner Visitation 1587 zur würdigen Verrichtung der Gottesdienste, deren Gewohnheiten und Schwächen er noch aus seinen Fürstenfelder Jahren gut kannte[137]: Zum Beginn einer jeden Hore sollen die Mönche ihre Gesichter zum Altar wenden. Wenn sie in den Horen zum Psalmengesang gekommen sind, dann sollen sie beim Ersten Psalm sitzen, beim Zweiten Psalm stehen und weiter abwechseln, und ebenso sollen sie bei den Anfängen der Horen alternieren. Ausnahme ist die tägliche Vesper, wo man immer beim Ersten Psalm steht und beim Zweiten Psalm sitzt. Genaue Anordnungen traf Vaterabt Dietmair auch für die Lesungen der Nocturnen: Zum Ende des letzten Psalms jeder Nocturn soll der Sakristan auf dem Leuchter eine Kerze anzünden und den Leuchter auf den Platz des Lektors stellen; dieser wendet sich gegen den Abt, verbeugt sich und bittet um den Segen; nach der Lesung verbeugt er sich wieder vor dem Abt. Danach erhebt sich der Kantor des Responsoriums, verbeugt sich, bevor er beginnt und sobald er geendet hat. Bei der Zweiten Nocturn soll man vice versa verfahren; wer in der Ersten Nocturn die erste Lesung gelesen hat, soll in der Zweiten Nocturn den ersten Vers anstimmen und in gleicher Weise fortfahren. Bei den Lesungen soll man sich abwechseln, wobei der Prior am Ende der

---

[135] Einige Tage später allerdings sollte Generalabt Boucherat nach Raitenhaslach kommen, wo so wenige Mönche im Kloster waren, daß man den Chordienst nicht mehr nach Ordensregeln halten und wohl auch nicht singen konnte; vgl. Krausen, Raitenhaslach 145.
[136] Visitationsrezeß, undatiert. BHStAM. KL Fürstenfeld 330, fol. 26r.
[137] Visitationsrezeß Abt Johannes Dietmairs von Aldersbach, Fürstenfeld, 17. November 1587. BHStAM. KL Fürstenfeld 330½, foll. 3r–6v.

beiden Nocturnen immer die zwölfte Lesung vorträgt. Hierauf wird das Te deum vom Abt angestimmt, in dessen Abwesenheit vom Prior[138].

Von besonderer Bedeutung ist in der Zisterzienserliturgie immer das Gedächtnis der Verstorbenen[139]; von Ostern bis Allerheiligen wird es direkt an die Laudes gehängt. Bei den Matutinen soll die Ordnung beibehalten werden, die frühere Visitatoren beigebracht haben. Die Prim wird im Sommer immer und im Winter an Festtagen mit zwei Messen um 6 Uhr gesungen, wobei das »Officium primum« und dann das Kapitel folgt. Am Sonntag ist immer Segnung von Salz und Wasser nach der Terz, wobei eine vorgeschriebene Oration gebetet wird. Schließlich werden die Vorsteher der Liturgie streng gemahnt, den Mönchen das Verlassen des Chorraums nicht zu erlauben; die Mönche wiederum sollen sich im Chor ruhig verhalten, da doch die Engel auf sie herabschauen würden[140]. Wer aus Nachlässigkeit zu spät zum Chorgebet kommt, soll sich gemäß der Regel demütig an die Stufe stellen und warten, bis der Vorsteher ihm ein Zeichen gibt, seinen Platz im Chorgestühl einzunehmen. Wenn dies öfter vorkommt, soll der Nachlässige streng gemaßregelt werden. Nach Ende der letzten Hore sollen die Mönche ihre Kukullen nicht in die Sakristei werfen, sondern mit auf ihre Zelle nehmen[141]. Die Reformvorschriften sind dabei im wesentlichen so angelegt, daß sie auf die Benediktsregel verweisen, in der das Tagzeitengebet genau festgelegt ist.

Sehr ausführlich regelten auch die Fürstenfelder Reformstatuten von 1595 das Chorgebet; hier wurde – noch vor der Einführung des römischen Ritus – der Versuch einer gemeinsamen Neuordnung für das gesamte süddeutsche Sprachgebiet unternommen, um die bisher bestehenden lokalen Verschiedenheiten auszugleichen; dies drückt sich auch in der Auflage aus, die liturgischen Bücher aufeinander abzustimmen[142]. Grundlage des zisterziensischen Chorgebets ist das Gelübde der Religiosen zum Lob Gottes gemäß der Regel und in der vorgesehenen Form des Ordens[143]; zur Teilnahme sind neben den Konventualen auch die Äbte und Amtsträger verpflichtet[144]. Außer der Weise zu singen, »deutlich, klar, mit dazwischen befindlichen Pausen, Punkten,

---

138 Im wesentlichen ist diese Regelung nichts anderes als eine Einschärfung der Vigilienordnung in RB 9–11; diese stand immer wieder in Gefahr, abgekürzt oder auf andere Weise verändert zu werden.

139 Vgl. Jungmann, Missarum sollemnia 270, Anm. 64. – Damit ähnelten die Zisterzienser den Cluniazensern und Prämonstratensern.

140 Visitationsrezeß Abt Johannes Dietmairs von Aldersbach, Fürstenfeld, 17. November 1587. BHStAM. KL Fürstenfeld 330½, fol. 8r. – Dietmair zitiert hier RB 19,5–7, was sich auf Ps 138,1 bezieht.

141 Visitationsrezeß Abt Johannes Dietmairs von Aldersbach, Fürstenfeld, 17. November 1587. BHStAM. KL Fürstenfeld 330½, fol. 8v.

142 FRST 2,20.

143 FRST 2,1–3.

144 FRST 2,4 5. – 2,14 verbietet das Chorgebet eines einzelnen.

mit würdevollem und gemäßigtem Gesang«[145], werden auch die Kniebeugen und Verbeugungen vorgeschrieben[146], so daß der Ablauf des Chorgebets in allen Klöstern bis ins Detail vereinheitlicht werden sollte. Vorverlegt wurde die Anfangszeit der Vigilien; im Vergleich zu den Vorschriften der Visitation 1573 begannen sie eine Stunde früher[147]. Erneut wurde auch der Einsatz der Orgel genau geregelt: Antiphonen und Psalmen durfte die Orgel nicht begleiten, dafür aber Hymnen und Cantica[148]. Ungewöhnlich ist die Zugangsregelung für Laien zum Chor: Prinzipiell waren Laien vom Chor ausgeschlossen, »vorbildliche« Laien durften allerdings unter Berücksichtigung des Schweigegebots den Chor betreten[149]. Ziel der Reformen war somit die Rückkehr zur ursprünglichen Strenge und Einfachheit der zisterziensischen Liturgie.

Eine etwas andere Tendenz gewann schließlich in den Visitationen des beginnenden 17. Jahrhunderts Einfluß: Neben den Bemühungen, die alten Regeln wiederherzustellen, wurden zunehmend Anpassungen an Spiritualität und Geschmack der Zeit vorgenommen. In der Visitation von 1608 wurden in Fürstenfeld zwei Neuregelungen des Generalkapitels aus dem Vorjahr eingeführt: Nach den Horen muß den Mönchen genügend Zeit zur persönlichen Andacht und nach der Komplet Raum zur Gewissenserforschung gelassen werden – eine Konzession an die neuen Formen der Frömmigkeit. Das Halleluja als Antiphon und das »Canticum laetitiae« wird in der Septuagesima durch neu angepaßte Antiphonen in Laudes, Prim, Terz, Sext und Non ersetzt[150]. Die weiteren Reformvorschriften zum Stundengebet, die für Fürstenfeld überliefert sind, gingen einen bemerkenswerten Versuch ein, zwischen alter Schlichtheit der Ordensliturgie und der prunkvollen, repräsentativen römischen Gestaltung zu vermitteln. Einerseits wird eingeschärft, das Chorgebet in »S[ancti]. nostri Cisterciensis Ordinis antiquam simplicitatem«[151] zu verrichten, andererseits zogen polyphoner Figuralgesang und Orgelmusik immer mehr auch ins Stundengebet ein; so konnte sich das Generalkapitel nur noch darum bemühen, die Neuerungen zu kanalisieren: Figuralgesang war nur an Hochfesten erlaubt; in der Vesper durfte das Magnificat abwechselnd choraliter und figuraliter, nach dem Magnificat eine mehrstimmige Motette gesungen werden, was früher streng verboten war. In der Meßfeier ging man darüber noch hinaus und reservierte nur noch Introitus, Graduale, Tractus und Halleluja dem Choralgesang. Als Anweisung ist sogar die Abhaltung von feierlichen Vespern zu verstehen: Mindestens zu den

---

[145] FRST 2,6.
[146] FRST 2,7.
[147] FRST 2,11. – Siehe Kap. 2.1.1.2 in diesem Teil.
[148] FRST 2,15.
[149] FRST 2,16.
[150] Visitationsrezeß Abt Johann Martins von Char-lieu, Fürstenfeld, 11. Januar 1608 (Kopie). BHStAM. Aldersbach Archiv Schublade 107, fasc. 3, prod. 12.
[151] »Charta maioris abbatialis«, 8. Juli 1618 (Kopie). BHStAM. Aldersbach Archiv Schublade 107, fasc. 5, prod. 2.

Hochfesten Weihnachten, Ostern, Pfingsten, Mariae Himmelfahrt, hl. Bernhard und Allerheiligen soll der Abt beiden feierlichen Vespern in »pontificalibus« vorstehen[152]. Die dadurch beabsichtigte Festlichkeit sollte natürlich nicht nur dem Konvent gelten, sondern auch dem erwarteten Volk ein »sacrum theatrum« bieten, an dem es sich erfreuen und den Glauben festigen konnte; zählt doch eine majestätisch gesungene Vesper zu den erhebendsten Liturgien der katholischen Kirche. Nicht zufällig fielen diese Regelungen zeitlich mit den ersten auskomponierten polyphonen Vespern zusammen, unter denen die 1610 komponierte »Vespro della beata Vergine« Claudio Monteverdis eine geniale Verbindung von Palestrinas liturgiemusikalischem Modell mit instrumentaler Virtuosität und konzertanter Stimmgestaltung darstellt[153]. Auf Dauer waren die Ideale der zisterziensischen Einfachheit in einer Zeit barocker Prachtentfaltung nicht mehr zu halten, die schließlich auch in die Zisterzienserklöster einzog und nach dem Dreißigjährigen Krieg – in Architektur verwandelt – für Juwelen des bayerischen Barock und Rokoko sorgte.

2.2.4   Die Reformen von Zelebration und Sakramentenempfang

2.2.4.1   Die zisterziensischen Gebräuche

Wie die meisten anderen Ordensgemeinschaften hatten auch die Zisterzienser im Lauf der Jahrhunderte ihre ordenseigene Meßliturgie entfaltet, die gegenüber dem römischen Ritus etliche Eigenheiten enthielt und fortschrieb[154]. Da deren Darstellung eine eigene liturgiegeschichtliche Untersuchung füllen würde, seien nur einige markante Abweichungen vom römischen Ritus genannt: Vor den Altarstufen wurde anstelle des Psalms 42 das »Pater noster« gebetet; Gloria und Credo wurden auf der Epistelseite angestimmt. Wenn der Chor die Meßtexte sang, brauchte sie der Priester nicht mitzubeten; das Lavabo wurde auch an Diakon und Subdiakon vollzogen. Seit 1542 sang man in bestimmten Messen nach der Erhebung der Hostie das »O salutaris hostia«. Neben weiteren kleinen Details ist zu nennen, daß im Zisterzienserorden bis 1261 die Kommunion unter beiderlei Gestalt gereicht wurde[155].
Über Besonderheiten im Meßritus in Fürstenfeld liegen kaum Angaben vor;

---

[152] Ebd. – FRST 3,29 30.
[153] Dazu: Wulf Konold, Claudio Monteverdi. Mit Selbstzeugnissen und Bilddokumenten, Reinbek bei Hamburg ³1993, 111–115; Hans F. Redlich, Monteverdi, Olten 1949.
[154] Dazu: Jungmann, Missarum sollemnia I 131–132 (Lit.).
[155] Vgl. Lekai/Schneider, Weiße Mönche 192.

im wesentlichen hielt man sich an das Ordensmissale. Lediglich die bereits erwähnte Messe zu Ehren des hl. Sebastian entsprach weder dem römischen noch dem zisterziensischen Ritus, so daß die Visitatoren 1618 ihre Angleichung an den römischen Ritus forderten[156]. Eine Eigenart war auch das Formular vom Gedächtnis des hl. Leonhard, der in Fürstenfeld besonders verehrt wurde[157]. Die Meßhäufigkeit hing von den gegebenen Anlässen und Stiftungen ab; wenn keine Stiftungen, Jahrtage oder Seelenmessen zu feiern waren, zelebrierten die Priester nicht oder nur selten; zur persönlichen Spiritualität gehörte die tägliche Zelebration noch nicht.

2.2.4.2   Reformen in der Meßliturgie

2.2.4.2.1   Innerhalb des zisterziensischen Meßritus

Gemäß der zisterziensischen Tradition wurden täglich mindestens drei Messen im Kloster gelesen: Als erste Messe war am frühen Morgen eine Gedächtnismesse für die verstorbenen Mitbrüder und Wohltäter zu halten, danach die Konventmesse unter Beteiligung des gesamten Konvents; schließlich folgte die Messe zu Ehren der Gottesmutter Maria, die aber später bis gegen 9.00 Uhr verschoben werden durfte, um auch Pilgern und Gästen die Teilnahme zu ermöglichen[158]; jeder Zelebrant mußte am Tage der Meßfeier das Bußsakrament empfangen[159]. Mit der Visitation von 1573 begannen auch in Fürstenfeld die Anweisungen zur Reform der Meßfeiern. Sie betrafen zunächst die Häufigkeit der Zelebration: Die nicht mit bestimmten Meßfeiern belasteten Priester sollten mindestens drei bis vier Mal wöchentlich zelebrieren; die ungeweihten Junioren sollten mindestens an den Sermonfesten und den Sonntagen, auch der Advents- und Fastenzeit, nach Empfang des Bußsakraments an der Meßfeier teilnehmen[160]. Diese Anordnungen stimmen in etwa mit Ignatius überein, der den wöchentlichen Kommunionempfang und die häufigere Meßfeier empfiehlt[161].
Die Weisungen zur Meßhäufigkeit wurden im Lauf des 16. Jahrhunderts weiter ausdifferenziert: Wer nicht zu einer bestimmten Meßintention verpflichtet war, sollte eine der drei wöchentlich zu lesenden Messen für alle

---

[156] Visitationsrezeß, undatiert (Konzept, 8. Juli 1618). BHStAM. Aldersbach Archiv Schublade 107, fasc. 5, prod. 4.
[157] Missale, 1317. BStB. Clm 6915, foll. 270–271.
[158] FRST 3,4.
[159] FRST 3,6.
[160] Visitationsrezeß Generalabt Nicolaus I. Boucherats, Fürstenfeld, 12. August 1573. BHStAM. KU Fürstenfeld 2115. – FRST 3,8 schreibt mindestens zwei Zelebrationen wöchentlich vor.
[161] Vgl. Ignatius, Exerzitien Nr. 354–355. – Zur allgemeinen Tendenz der Häufung von Meßfeiern und ihren Umständen: Jungmann, Missarum sollemnia I 172–174.

verstorbenen Mitglieder des Kapitels halten; die erste freie Messe eines
Monats sollte ebenfalls für die Verstorbenen gefeiert werden[162]. 1618 verordnete schließlich das Generalkapitel zugleich mit der Übernahme des römischen Meßritus die tägliche Meßfeier[163]. Auffällig ist die langsame Öffnung
der Liturgie auf das Volk hin: Die Marienmesse als letzte der drei täglichen
Messen konnte bis 9 Uhr verschoben werden; den Meßfeiern des Abtes sollten nicht nur die Konventualen, sondern auch Angestellte und gemeines
Volk beiwohnen können[164]. Der Prälat bekam hiermit einen geistlichen Auftrag, der sich über seinen Konvent hinaus auch auf die Gläubigen erstreckte.
»Allweilen aber R[everen].dus hr. Abbas huius loci solches Blödigkhait halber nit vermag, ist er gleichwoll entschuldiget«[165]. Die Äbte sollten zudem
so oft als möglich die Messe »für das Heil der ihnen anvertrauten Seelen« feiern[166], an Hochfesten den Vespern »in pontificalibus« vorstehen, in feierlichen Meßfeiern dem Zelebranten nach dem Schuldbekenntnis die Absolution erteilen[167], Gloria und Credo anstimmen sowie den Segen spenden[168].
Die zunehmende seelsorgerliche Ausrichtung der zisterziensischen Liturgie
zeigt sich auch in der Weisung des Generalkapitels von 1607, an Sermonfesten geeignete Brüder vor dem ganzen Volk in der Kirche predigen zu lassen[169] – ein für die mittelalterlichen Zisterzienser undenkbarer Vorgang.
Immer wieder ergingen Mahnungen, die Riten einzuhalten, welche den
eigenständigen Charakter der zisterziensischen Liturgie hervorheben sollen:
der Gesang des »O salutaris hostia« während der Elevation der Leibes Christi
und der Gesang eines Psalmes nach der Oration gemäß dem Ordensmissale
wurden eingeschärft; ausdrücklich ausgeschlossen aus der Liturgie wurde
dagegen der Gebrauch fremder Gesänge[170]. Nachdrücklich betonten die
Visitatoren, daß keine Zeremonien anderer Riten in die Liturgie eingeführt
werden durften: Das Ausstrecken der Arme »post elevationem« und die
Eintauchung der Hostien zum Agnus Dei sollen beibehalten werden. Genau
geregelt wird auch die Purifikation des Kelchs: Zuerst wird Wein in den
Kelch, dann über den Finger in den Kelch geschenkt; beim dritten Mal soll

---

162 Visitationsrezeß, undatiert. BHStAM. KL Fürstenfeld 330, fol. 29v.
163 »Charta maioris abbatialis«, 8. Juli 1618 (Kopie). BHStAM. Aldersbach Archiv Schublade
      107, fasc. 5, prod. 2.
164 Visitationsrezeß, undatiert. BHStAM. KL Fürstenfeld 330, fol. 32v.
165 Ebd., fol. 32. – Unter »Blödigkhait« ist die physische oder psychische Unfähigkeit zur Zele-
      bration zu verstehen.
166 FRST 3,28.
167 FRST 3,26.
168 FRST 3,30.
169 Visitationsrezeß Abt Johann Martins von Char-lieu, Fürstenfeld, 11. Januar 1608 (Kopie).
      BHStAM. Aldersbach Archiv Schublade 107, fasc. 3, prod. 12. – Indirekte Weisung bereits in
      FRST 3,18.
170 Visitationsrezeß Generalabt Nicolaus I. Boucherats, Fürstenfeld, 12. August 1573.
      BHStAM. KU Fürstenfeld 2115.

Wasser in den Kelch gegossen und danach auf den Friedhof oder in ein dafür bestimmtes Gefäß, nicht aber auf den Fußboden geschüttet werden[171]. Die steigende Bedeutung der Eucharistiefeier und des Altarsakraments zeigte sich in immer detaillierteren Rubriken und Vorschriften: Es wurde bestimmt, daß nur auf einem Altar zelebriert werden durfte, der mit drei Tüchern bedeckt war; eines davon konnte man nach der Meßfeier wieder abnehmen. Auch der Tabernakel mußte innen mit Seidentaft ausgekleidet werden[172]. Der Gebrauch der Orgel wurde auch in der Meßfeier genau geregelt: Begleitet werden durften in der Meßfeier Kyrie, Gloria, Sanctus, Agnus Dei, nicht aber das Credo, und im Chorgebet die Hymnen der großen Horen[173]. In der Visitation von 1587 wurde der Eröffnungsteil der Meßfeier rubriziert: Vor Beginn soll man die Antiphon »Sub tuum praesidium« für den Kaiser und um Frieden singen. Beim Introitusvers verläßt der zelebrierende Priester mit dem Altardienst die Sakristei und stellt sich bis zum Gloria mit dem Gesicht zum Sängerchor an die Stufen des Altars. Beim Gloria schauen alle zum Altar; von »et in terra pax« bis zu »suscipe deprecationem nostram« verbeugen sich die Brüder, danach richten sie sich wieder auf. Sanctus und Benedictus werden vom Kantor alleine gesungen; bei »in nomine Domini« bekreuzigen sich alle[174].

Eine etwas erschreckende Unkenntnis in der Meßdisziplin seitens der Fürstenfelder Priester offenbarte sich um 1580 den Visitatoren. Sie ordneten deshalb an, daß jeder Priester eine Kanontafel mit den Einsetzungsworten vor sich auf dem Altar stehen haben müsse; zudem dürfe ein Priester nur dann zelebrieren, wenn er die Meßdefekte aus den Meßbüchern wisse. Bis Michaeli habe sie jeder Priester zu lernen; im anderen Falle werde ihm solange der Wein entzogen, bis er sie gelernt habe[175]. Verschärft wurden diese Anweisungen in den Fürstenfelder Reformstatuten von 1595: Ohne Missale durfte niemand zelebrieren, »selbst wenn er in der Sache noch so Erfahrung hätte«[176]; wer betrunken war oder die eucharistische Nüchternheit nicht beachtet hatte, durfte an diesem Tag keine Messe feiern[177]. Drei Intentionen bestimmten somit die Anweisungen der Visitatoren für die Meßfeiern: die möglichste »Reinhaltung« der zisterziensischen Riten, die Tendenz zur Vereinheitlichung durch immer detailliertere Vorschriften und eine zunehmende seelsorgerliche Ausrichtung der Liturgien in den Klosterkirchen.

---

[171] Visitationsrezeß, undatiert. BHStAM. KL Fürstenfeld 330, fol. 26v.

[172] Ebd., fol. 27r. – FRST 3,23.

[173] Visitationsrezeß Generalabt Nicolaus I. Boucherats, Fürstenfeld, 12. August 1573. BHStAM. KU Fürstenfeld 2115. – FRST 2,15.

[174] Visitationsrezeß Abt Johannes Dietmairs von Aldersbach, Fürstenfeld, 17. November 1587. BHStAM. KL Fürstenfeld 330½, fol. 7.

[175] Visitationsrezeß, undatiert. BHStAM. KL Fürstenfeld 330, fol. 27r.

[176] FRST 3,13.

[177] FRST 3,15.

2.2.4.2.2   Die Übernahme des römischen Meßritus 1618

Aufgrund der Erlasse Papst Pius' V. zur nachtridentinischen Liturgiereform
stand die Rechtmäßigkeit der zisterziensischen Eigenliturgie zwar fest, doch
der Bitte des Papstes, dennoch die römischen Ordnungen oder zumindest die
Meßtexte zu übernehmen, entzog sich kaum ein Orden[178], während die
Diözesen zur Umstellung auf den römischen Ritus verpflichtet waren[179].
Deshalb kamen auch im Zisterzienserorden Diskussionen über die Annahme des römischen Meßordo in Gang, und 1618 beschloß das Generalkapitel,
das revidierte Missale Romanum für den gesamten Orden anzunehmen und
vorzuschreiben sowie eine Brevierrevision vorzunehmen. Beibehalten wurden Eigenheiten im Kalender sowie einige liturgische Besonderheiten, etwa
daß die römischen Sequenzen nicht übernommen wurden[180].
In Fürstenfeld wirkte sich diese Neuordnung dahingehend aus, daß die
Priestermönche verpflichtet wurden, die privaten und öffentlichen Messen
vollständig – mit Ausnahme der Gesänge – gemäß dem 1618 erneuerten
Ordensmissale zu zelebrieren[181]; da aus diesen Jahren die Haushaltsrech-
nungen fehlen, ist über den Ankauf der erneuerten Missalien nichts bekannt.
Mit der Entscheidung zugunsten des römischen Ritus hatten sich die Zisterzienser ohnehin lange Zeit gelassen, da dieser in Klöstern anderer Orden
längst eingeführt war. In Weingarten hatte Abt Raittner schon 1578/79 revidierte Missalien gekauft, bevor Abt Wegelin 1595 endgültig das Missale
Romanum einführte – zur vollen Zufriedenheit des Nuntius Portia[182]. Mit
der Übernahme des Missale Romanum blieben letztlich die jahrzehntelangen Mühen des Zisterzienserordens vergeblich, den eigenen Ritus entsprechend den Anforderungen der Zeit zu revidieren; der Druck zur Vereinheitlichung war zu stark geworden.

---

[178] Vgl. Hubert Jedin, Das Papsttum und die Durchführung des Tridentinums, in: HKG IV 521
bis 560, hier 533. – Zur Revision des Missale Romanum vgl. Denzler, Sirleto 83–100.

[179] In Augsburg wurden Ende des 16. Jahrhunderts die Meßbücher erneuert; eine Diözesansyn-
ode schrieb 1610 ihren Gebrauch vor, 1611 folgten Eichstätt und Regensburg; vgl. Veit/Len-
hart, Volksfrömmigkeit 19.

[180] Vgl. Jungmann, Missarum sollemnia I 131; Lekai/Schneider, Weiße Mönche 194. – Lediglich die kastilische Kongregation behielt den alten Ordensritus bei.

[181] »Charta maioris abbatialis«, 8. Juli 1618 (Kopie). BHStAM. Aldersbach Archiv Schublade
107, fasc. 5, prod. 2.

[182] Vgl. Reinhardt, Weingarten 111–112.

[183] Vgl. Art. Prozession, in: Adolf Adam/Rupert Berger, Pastoralliturgisches Handlexikon, Freiburg-Basel-Wien 1980, 433–434 (Lit.).

2.2.4.3 Prozessionen

Seit jeher nahmen in der zisterziensischen Liturgie die im gallisch-germani-
schen Raum beheimateten Prozessionen einen hervorgehobenen Platz
ein[183]. Ursprünglich wurden nur an Mariä Lichtmeß und Palmsonntag Prozessionen gehalten; bald aber wurden neue Festtage in die Ordnungen aufgenommen, und 1441 beschloß das Generalkapitel, daß an jedem Sonntag und
Sermonfest eine Prozession abzuhalten sei[184]. In Fürstenfeld war dazu ein
1488 entstandenes Prozessionale in Gebrauch, das im 17. Jahrhundert restauriert wurde[185]; es enthält Prozessionsgesänge für die einzelnen Festtage und
wurde vermutlich auf dem Weg mitgeführt. Auch das Antiphonale aus dem
16. Jahrhundert vermerkt Antiphonen und Responsorien für die Prozession
an bestimmten Festtagen[186]. Eine tägliche Prozession war schließlich der
Zug der Mönche nach dem Mittagessen vom Refektorium in den Chor, während dessen die Psalmen 51 und 130 rezitiert wurden[187]. Der Ablauf der Prozessionen bei liturgischen Feiern begann im Kapitelsaal, verlief durch den
Kreuzgang über zwei oder drei Stationen, an denen eine Lesung und ein
Responsorium vorgetragen wurde, und endete mit einer Antiphon am Kir-
chenportal. Dort begann schließlich die Konventmesse; während des Introitus blieben die Mönche nördlich des Chores bis zur Doxologie verbeugt stehen und zogen danach in den Altarraum[188].
Im Lauf der Zeit ging die Anzahl der Prozessionen in Fürstenfeld zurück, so
daß man nicht einmal mehr am Bernhardsfest eine feierliche Prozession
durchführte. Ihre Erneuerung wurde um 1580 mit der Auflage angemahnt,
davor zu fasten[189]. Die Fürstenfelder Reformstatuten gaben schließlich ausführliche Anweisungen zur Abhaltung von Prozessionen: Vor dem Introitus
des Hauptgottesdienstes an Sonntagen soll eine Prozession abgehalten werden, an Wochentagen gelegentlich in bestimmten Intentionen: für den Frieden, die Ruhe der Kirche, für ihre Nöte gegenüber Ungläubigen und Häre-
tikern. Für den Bernhardstag wurde schließlich eine Prozession mit drei
Stationen und zwei Responsorien gemäß der Ordensliturgie angeordnet[190].

---

[184] Vgl. Lekai/Schneider, Weiße Mönche 193.
[185] Prozessionale, 1488. BStB. 4° Cod. ms. 177.
[186] Antiphonale, 16. Jh. BStB. Clm 27420: Notiert ist eine Prozession mit drei Stationen nur für
die Feste Weihnachten und Pfingsten, mit zwei Stationen für Mariä Heimsuchung; für die
anderen Feste ist nichts vermerkt. Dennoch dürften Prozessionen häufiger abgehalten worden sein.
[187] Visitationsrezeß Generalabt Nicolaus I. Boucherats, Fürstenfeld, 12. August 1573.
BHStAM. KU Fürstenfeld 2115.
[188] Vgl. Jungmann, Missarum sollemnia I 352, Anm. 36. – Den Rubriken zufolge blieb man im
südlichen Querschiff stehen; in Fürstenfeld paßte man sich aber wohl den örtlichen Gege-
benheiten an, denn das Kloster wurde gegenüber dem Idealplan spiegelverkehrt errichtet.
[189] Visitationsrezeß, undatiert. BHStAM. KL Fürstenfeld 330, fol. 27r.
[190] FRST 5,1 2.

2.2.4.4   Der Empfang des Bußsakraments

Einer der Schwerpunkte der Sakramententheologie galt auf dem Konzil von
Trient dem Bußsakrament, dessen Empfang man den Gläubigen mindestens
einmal jährlich auferlegte[191]; unmittelbar verbunden war damit auch die
Kommunion[192]. In Fürstenfeld empfingen die Brüder vor bestimmten Festen
das Bußsakrament vom dafür bestimmten Confessarius; die Hauptsorge galt
dabei der rechtlichen Implikation, daß ein Confessarier nicht die dem Abt
vorbehaltenen Reservatsfälle absolvieren durfte[193]. Mit der Umsetzung der
tridentinischen Reformbeschlüsse und dem allgemeinen Vordringen einer
erneuerten Spiritualität seit den letzten beiden Jahrzehnten des 16. Jahrhunderts häuften sich in den Anweisungen für Fürstenfeld auch die Regelungen
für die Beichte, die sich bis auf die Beichtvorbereitung und die Gewissenserforschung erstreckten.

Auch in diesem Bereich übernahm der Zisterzienserorden Gebräuche der
Jesuiten: Durch den Lützeler Abt Beat Pabst wurde ein nicht näher genanntes
Buch des Jesuiten Franziskus Coster als die beste Vorbereitung empfohlen,
die es derzeit auf die Beichte gäbe. Der Confessarier wurde gemahnt, die Sünden akustisch verstehen zu können, da er bei der Absolution einer unverstan-
denen Sünde ein schweres Sakrileg begehen konnte[194]; als Ort der Beichte
sollte ein Beichtstuhl im Kapitelsaal aufgestellt und darin die Beichte gehört
werden[195]. Die Visitation von 1587 schrieb einen häufigeren Sakramenten-
empfang und die Beichte vor Sonntagen und Festen mit zwei Messen vor, also
mindestens einmal wöchentlich[196]. Damit näherte man sich der Praxis der
Jesuiten an, die sich rühmten, schon in den siebziger Jahren »ex devotione«
täglich zu beichten und zu kommunizieren[197]. Doch ansonsten achteten die
Zisterzienser streng darauf, daß die Beichte entsprechend den Ordensstatuten nur bei Zisterziensern abgelegt werden durfte; die exponierten Konven-

---

[191] Vgl. Conc. Trid. Sess. XIV, De sacramentis V, in: COD 705–707.

[192] Vgl. Conc. Trid. Sess. XIII, De eucharistiae sacramentum VII, in: COD 696.

[193] Diese Mahnung wird 1573 noch einmal streng eingeschärft: Visitationsrezeß Generalabt
Nicolaus I. Boucherats, Fürstenfeld, 12. August 1573. BHStAM. KU Fürstenfeld 2115.

[194] Visitationsrezeß, undatiert. BHStAM. KL Fürstenfeld 330, fol. 27r.

[195] Ebd, fol. 28r. – FRST 6,4.

[196] Visitationsrezeß Abt Johannes Dietmairs von Aldersbach, Fürstenfeld, 17. November 1587.
BHStAM. KL Fürstenfeld 330½, fol. 9r. – FRST 6,4.

[197] Vgl. Duhr, Geschichte II/2 45. – Die Studenten im Dillinger Kolleg beichteten meist
wöchentlich; (vgl. ebd. I 501–502). Gelegentlich wurde dabei an die Jesuiten der Vorwurf
gerichtet, sie hätten allzu sehr auf die großen Zahlen der Poenitenten und Kommunikanten
spekuliert (vgl. Reinhardt, Weingarten 116, Anm. 20). Grundgelegt war diese Entwicklung
in der »Devotio moderna«, die den oftmaligen Empfang der Kommunion als Ideal sah (vgl.
Thomas a Kempis, Imitatio Christi IV, Kap. 3); Ignatius von Loyola nahm, beeinflußt davon,
dieses Ideal wieder auf (Ignatius, Exerzitien Nr. 354–355) und vermittelte es in die neuzeitliche Spiritualität (vgl. Raitz, Frömmigkeit 345–346; Bauerreiss, Kirchengeschichte VI 323
bis 333).

tualen mußten entweder ins Kloster oder nach St. Leonhard fahren; die Inchenhofener Mönche mußten sich gegenseitig beichten[198]. Beachtlich sind die sensiblen Anweisungen der Fürstenfelder Reformstatuten an den Beichtvater: »Der Beichtvater soll das Beichtkind, das vielleicht über Form und Art seiner abzulegenden Beichte noch nicht genügend Bescheid weiß, zurückhaltend und taktvoll nach seiner Situation, seinem Grad, Stand und Geschlecht fragen. Auch soll er dem Beichtkind keine Fragen stellen, die nicht zur Sache gehören«[199].

2.2.5 Heiligen- und Reliquienverehrung

2.2.5.1 Die Heiligenverehrung

Neben der seit Bernhard von Clairvaux im Orden verankerten Christusmystik[200] spielte seit jeher die Verehrung der Heiligen, besonders der Gottesmutter Maria, eine große Rolle. Prinzipiell war jede Ordenskirche der Jungfrau Maria geweiht; Maria wurde als »Mutter von Cîteaux« bezeichnet, und jedes Konventssiegel mußte von 1355 an ihr Bild tragen[201]. Vor der Konventsmesse wurde die Antiphon »Sub tuum praesidium« intoniert[202], eine der drei täglich vorgeschriebenen Meßfeiern wurde zu Ehren Mariens zelebriert[203], und viele weitere Details hoben die Bedeutung Mariens im zisterziensischen Leben heraus. Nachdem auf die heftigen Attacken der Reformatoren gegen die Heiligenverehrung hin das Trienter Konzil die richtig verstandene Verehrung von Heiligenbildern und -reliquien für heilfördernd und nutzbringend erklärt hatte[204], blühte auch im Orden und im Kloster Fürstenfeld die Heiligenverehrung wieder auf. In der Zeit der beginnenden

---

[198] Visitationsrezeß Abt Johannes Dietmairs von Aldersbach, Fürstenfeld, 17. November 1587. BHStAM. KL Fürstenfeld 330 ½, fol. 9.

[199] FRST 6,6.

[200] Vgl. Bardo Weiss, Art. Christusfrömmigkeit, in: Christian Schütz (Hrg.), Praktisches Lexikon der Spiritualität, Freiburg-Basel-Wien 1988, 189–198; Hans-Dietrich Kahl, Bernhard von Fontaines. Abt von Clairvaux, in: Gestalten der Kirchengeschichte, hrg. von Martin Greschat, Stuttgart u. a. 1983, III 173–191, bes. 184–185.

[201] Vgl. Lekai/Schneider, Weiße Mönche 160.

[202] Im Orden seit 1533 (vgl. Lekai/Schneider, Weiße Mönche 160), in Fürstenfeld 1587 angeordnet: Visitationsrezeß Abt Johannes Dietmairs von Aldersbach, Fürstenfeld, 17. November 1587. BHStAM. KL Fürstenfeld 330 ½, fol. 7r.

[203] Seit 1194 (vgl. Lekai/Schneider, Weiße Mönche 160; Jungmann, Missarum sollemnia I 391), in Fürstenfeld 1573 wieder eingeschärft: Visitationsrezeß Generalabt Nicolaus I. Boucherats, Fürstenfeld, 12. August 1573. BHStAM. KU Fürstenfeld 2115. – In der liturgischen Marienfrömmigkeit drückt sich die Spiritualität des hl. Bernhard besonders stark aus.

[204] Vgl. Conc. Trid. Sess. XXV, De invocatione, in: COD 774–776; DH 1821–1825. – Zur vorreformatorischen Heiligenverehrung und ihren Auswüchsen: Staber, Volksfrömmigkeit 21 bis 31; zur nachtridentinischen Heiligenfrömmigkeit siehe Raitz, Frömmigkeit 341–342.

Katholischen Reform wurden etliche Heiligenbilder zur frommen Erbauung angekauft: Abt Baumann erwarb 1558 ein seidengemaltes Salvatorbildnis[205], Abt Treuttwein ließ 1567 die alten Bilder der Muttergottes und der hll. Leonhard, Bernhard, Sebastian und Magdalena restaurieren[206], kaufte 1569 ein Marien- und ein Johannesbild[207], Abt Thoma erwarb 1614 ein Franziskusbild – womit auch Heilige anderer Orden in die Verehrung einbezogen wurden –, ein Marienbild, eine Darstellung der hl. Familie, einen hl. Bernhard für die Wallfahrtskirche Bergkirchen, ließ ein Elisabethbild aufwendig restaurieren und die Traubenmadonna im Hochaltar der Klosterkirche neu fassen[208]. Dabei sind über die erhaltenen Rechnungsbücher die ergangenen Aufträge nur noch teilweise erfaßbar, sicherlich waren es mehr.

Einen Aufschwung nahm im 16. Jahrhundert die Verehrung auch von im Ruf der Heiligkeit verstorbenen Zisterzienserinnen und Zisterziensern; dabei ergaben sich naturgemäß große lokale Unterschiede, ebenso zwischen Männer- und Frauenklöstern. Aus dem Aldersbacher Archiv sind zwei Listen mit Ordensheiligen überliefert: Ein Verzeichnis ist bezeichnet als »Index der Heiligen und Seligen Unsers H[eiligen]. Ordens«[209] und enthält 155 ausschließlich weibliche Ordensmitglieder, Äbtissinnen und Nonnen, dazu einige adelige Wohltäterinnen des Ordens. Die besonders verehrten Frauen sind alphabetisch aufgelistet; hinter ihren Namen folgen Kloster oder Ort ihres Wirkens, Sterbetag und die geistliche »Leistung«, die ihnen den besonderen Ruf einbrachte. Dabei lassen sich mehrere Grundtypen von Verehrungswürdigkeit unterscheiden: Entsprechend altchristlichem Brauch nahmen Märtyrerinnen einen besonders hohen Rang ein, wie etwa die sel. Benigna († 20. Juni, von den Tartaren gefoltert) oder die sel. Anastasia von Rameia († 24. Dezember). Hoch im Ansehen standen auch Adelige und Klosterstifterinnen oder Gefährtinnen von Heiligen, wie die sel. Ascelina, eine »bluethfreundin des H[eiligen]. V[aters]. Bernardi« († 18. Mai). Bemerkenswert sind aus verehrungsgeschichtlicher Sicht vor allem die Seligen, die unter die spätmittelalterlichen Mystikerinnen einzureihen sind, wobei sich Visionen und Mirakel vermischen: Die sel. Agnes von Belloprat († 28. März) war »Oft under dem gebett von der erden erhebt. Bei der h[eiligen]. Communion alzeit verzükt«. Deutlich erinnern solche Notizen an die Christusmystik, wie sie etwa bei der bedeutenden Zisterzienserin Gertrud von Helfta

---

205 Rechnungsbuch von 1558, »Gemeine Ausgaben«. BHStAM. KL Fürstenfeld 317 1/88.
206 Rechnungsbuch von 1567. BHStAM. KL Fürstenfeld 216 1/3, fol. 44r. – 21 fl an den Augsburger Goldschmied Hans Schaller.
207 Rechnungsbuch von 1569, »Gemeine Ausgaben«. BHStAM. KL Fürstenfeld 317 1/87. – 2 fl an den Brucker Maler und Bildschnitzer Hans Laux.
208 Rechnungsbuch von 1614, Buchstabe »M«. BHStAM. KL Fasc. 957/60.
209 »Index der Heiligen und Seligen Unsers H[eiligen]. Ordens«, undatiert (17. Jh.). BHStAM. Aldersbach Archiv Schublade 105, fasc. 7/I. – Die folgenden, nicht näher belegten wörtlichen Zitate stammen von hier.

(1256–1302) zu finden ist[210]; die Visionen und Mirakel der frommen Frauen entsprechen weitgehend den verbreiteten Typologien: Von der Äbtissin Bernarda von Olmedy († 2. April) wird berichtet: »Oft hoch von der erden erhebt habens ihre mitschwestern gesehen.« Die sel. Catharina († 25. Januar) war »Gewohnt der offenbarungen. Verzükt 7 mal in einem tag. Öfters ganzer 20 tag in beschaulichkeit himlischer gehaimnissen«. Die Grenzen zum für heutiges Empfinden Kitschigen überschritten dabei die Visionen der Christina von Walburgsberg († 15. April). Ihr wurde die »Ansehung des kindlichen Jesu in den winteln Unseres Ordens farben« zuteil; zusätzlich habe ihr der Erzengel Michael ihre Sterbestunde offenbart – ein ebenfalls weit verbreiteter Topos.

Diese Seligenverzeichnisse des Ordens waren aber nicht abgeschlossen, sondern wurden beständig weitergeführt, wie ein »Ergänzungsheft« zeigt, das dreiundzwanzig zwischen den Jahren 1600 und 1618 verstorbene Zisterzienserinnen und Zisterzienser aufführt, welche sich ebenfalls besonderer Verehrung erfreuten[211]. Aufgenommen sind darin die Gründer der Fulienserkongregation[212], einige Äbte aus dem Heiligen Land, zwei im Herbst 1606 als Märtyrer umgekommene englische Zisterzienser[213] und andere Ordensmitglieder. Es ist aber nicht anzunehmen, daß man aller dieser im Ruf der Heiligkeit verstorbenen Zisterzienser in Fürstenfeld gedacht hat, denn dazu ist ihre Zahl zu groß und ihr Bezug zum Kloster zu gering; gerade die Menge der verzückten und erdenthobenen Zisterzienserinnen läßt dies als unwahrscheinlich vermuten. Da sich diese Verzeichnisse nur im Aldersbacher Archiv fanden, ist unsicher, ob man an der Amper überhaupt Abschriften davon besaß; wenn überhaupt, dann gedachte man der neueren Märtyrer im Kapitel oder bei der abendlichen Tischlesung. Der von Abt Puel erstellte liturgische Heiligenkalender enthält allerdings niemanden davon[214].

[210] Niedergelegt hat Gertrud von Helfta ihre Visionen und Erlebnisse im Zweiten Buch des ihr zugeschriebenen »Legatus divinae pietatis« (»Der Gesandte«); die anderen Bücher sind von ihren Mitschwestern über sie zusammengetragen worden. Der Einfluß, den derartige Literatur auf andere Nonnen gemacht hat, ist sicherlich nicht zu unterschätzen, so daß bestimmte Formen visionärer Erlebnisse sich wiederholen können, wobei die dabei ablaufenden psychischen Prozesse viel zu wenig faßbar sind, als daß man sie mit einfachen psychologischen Begriffen abtun könnte. – Vgl. Gertruds Schriften in deutscher Übersetzung: Lobpreis der göttlichen Gnade. Aus den Schriften der hl. Gertrud von Helfta, hrg. v. Luitgard Große, Leipzig 1991. – Orig. lat.: Gertrude d'Helfta: Le héraut, hrg. von Pierre Doyére, Jean-Marie Clement und Bernard de Vregille, Paris 1968–1978 (= Sources Chrétiennes Nr. 139, 143, 255).

[211] »Series Personarium Ex[emplarium]. S. Ordine Cisterciensi hoc Saeculo 1600 Pietate et Suma Illustrium«, undatiert. BHStAM. Aldersbach Archiv Schublade 105, fasc. 7/II.

[212] Bemerkenswerterweise finden sich darin der Gründer Jean de la Barrière (1544–1600) und drei weitere Mitglieder der vom Gesamtorden nicht anerkannten, jedoch von Papst Sixtus V. 1586 bestätigten strengen Fulienserkongregation. Zu den Fuliensern: Lekai/Schneider, Weiße Mönche 109.

[213] Dazu: S. Weis, Die Märtyrer aus dem Cistercienser-Orden in England und Irland, in: CC 14 (1902) 274–281.

2.2.5.2   Die Reliquienverehrung

2.2.5.2.1   Die Inventare bis 1602

Die Verehrung der sterblichen Überreste von Heiligen reicht bis in die Zeiten des Urchristentums zurück und ermöglichte überhaupt erst den gesicherten Erhalt etwa der Apostelgräber; sie wurde aufgrund der geübten Praxis bald theologisch durchdacht und begründet, lehramtlich unterstützt und vollzogen[215] und gegen Mißbräuche und Handel geschützt[216]. Seit dem späten Mittelalter mußte die Reliquienverehrung, die an einigen Stellen kräftig ausuferte und sich gegen ihren eigentlichen Sinn verkehrte, gegen die Kritik der Reformatoren verteidigt werden[217]. Ausführlich befaßte sich auch das Trienter Konzil mit der Reliquienverehrung, erlaubte die rechtmäßige »veneratio« und verbot Mißbrauch und Aberglauben[218]. Im Verein mit der durch Ignatius beeinflußten Spiritualität[219] erwuchs daraus der Heiligenverehrung eine neue Blüte, die den Glauben zugleich stärkte und sichtbar zum Ausdruck brachte.

In Fürstenfeld ist diese Entwicklung seit dem späten Mittelalter exakt nachvollziehbar: Ein Inventar aus dem Jahr 1480[220] ist zwar ziemlich knapp gehalten, zeigt aber einen zumindest kleinen Reliquienschatz: ein vergoldetes Kreuz, in dem sich vermutlich Heiltümer befunden haben, zwei kleine silberne Ampullen oder Kapseln[221], vier Heiligenbilder der Jungfrau Maria und der hll. Magdalena, Bernhard und Leonhard[222], sowie dreizehn versil-

214 Reliquienverzeichnis Abt Johann Puels, 31. Januar 1602. BHStAM. KL Fasc. 239/51, Buchstaben »A« und »B«.

215 Vgl. den ältesten Heiligsprechungsprozeß über Bischof Ulrich von Augsburg vom 31. Januar 993, erwähnt in der Enzyklika Papst Johannes’ XV. »Cum conversus esset« vom 3. Februar 993, in: DH 675. – Dazu und zur Entwicklung der Heiligenverehrung: Manfred Weitlauff, Bischof Ulrich von Augsburg (923–973). Leben und Wirken eines Reichsbischofs der ottonischen Zeit, in: ders. (Hrg.), Bischof Ulrich von Augsburg, 69–142; Franz Xaver Bischof, Die Kanonisation Bischof Ulrichs auf der Lateransynode 933, in: ebd., 197–222; Markus Ries, Heiligenverehrung und Heiligsprechung in der Alten Kirche und im Mittelalter. Zur Entwicklung des Kanonisationsverfahrens, in: ebd., 143–168.

216 IV. Konzil im Lateran 1215, Kap. 62, in: DH 818–819.

217 Konzil von Konstanz 1418, Bulle »Inter cunctas« Nr. 29, in: DH 1269.

218 Vgl. Conc. Trid. Sess. XXV, De invocatione, in: COD 774–776; DH 1821–1825.

219 Ignatius spricht sich ebenfalls für eine maßvolle Reliquienverehrung aus; vgl. Ignatius, Exerzitien Nr. 358.

220 Inventar, 1480. BHStAM. Aldersbach Archiv Schublade 107, fasc. 2, prod. 1.

221 Möglicherweise handelt es sich um die 1602 als »Capsula argentea« bezeichneten Heiltümer. Das eine enthielt ein Stück vom Bart Christi und Reliquien der hll. Mauritius, Burkhard, Magdalena, Sebastian und Nikolaus; das andere enthielt vom Manna aus der Wüste und Reliquien der Jungfrauen Katharina, Margaretha und Agnes. Reliquienverzeichnis Abt Johann Puels, 31. Januar 1602. BHStAM. KL Fasc. 239/51, »Littera A«. Siehe Anhang 3.1: Reliquienverzeichnis. – Das Kreuz mit den Heiltümern ist später nicht mehr belegbar.

berte oder vergoldete Monstranzen mit Heiltümern[223]. Bis zum nächsten Inventar von 1522 ergaben sich einige Veränderungen[224]: Drei der dreizehn Monstranzen sind verschwunden – abhanden gekommen oder übersehen worden –, dafür sind ein silbernes Sebastiansbild und ein Leonhardsbild dazugekommen[225]. Schließlich kaufte Abt Harder eine silberne Reliquienkapsel[226] und 1519 einen Holzaltar mit etlichen Reliquien[227] an. Bis 1549 kam ein kleines, vergoldetes Magdalenenbild dazu, das möglicherweise auch Reliquien enthielt[228], bis 1552 ein vergoldetes St.-Anna-Bild und zwei Silbertafeln mit verschiedensten Heiltümern[229].

Bis zum nächsten erhaltenen Inventar von 1595 veränderte sich der Fürstenfelder Reliquienschatz erheblich: Die ältesten Bilder wurden fast sämtlich neu gerahmt und mit Wappen versehen – ein Zeugnis für den einsetzenden Repräsentationsdrang. Vor allem aber wurden während der Prälaturen Baumanns und Treuttweins etliche Heiltümer neu erworben[230]: ein silbernes Täfelchen mit einem Stephans-Heiltum, ein versilbertes Kupferkreuz mit einem Span vom Kreuz Christi, mehrere Monstranzen, die nicht mehr genau zuzuordnen sind, eine silberne Monstranz mit einem Korallenast und einigen Heiltümern[231] und eine vergoldete Holztafel mit allerlei Heiltum; der Reliquienschatz wurde somit sukzessive und gezielt erweitert. Dennoch sind nicht alle Erwerbungen im Detail überliefert, da ein früheres Reliquienverzeichnis, wie es Herzog Wilhelm V. 1580 aus Raitenhaslach forderte[232], ganz fehlt.

---

[222] Diese vier versilberten Bilder enthielten Heiltümer in ihren Rahmen; siehe Anhang 3.1: Reliquienverzeichnis, Nr. 2, 8, 11, 13. Abt Leonhard Treuttwein ließ die Bilder 1567 restaurieren: Rechnungsbuch von 1567. BHStAM. KL Fürstenfeld 216 1/3, fol. 44r.

[223] Sie sind nur summarisch aufgeführt und deshalb im einzelnen nicht mehr belegbar oder durch die Jahre zu verfolgen.

[224] Inventar, 1522. BHStAM. Aldersbach Archiv Schublade 107, fasc. 2, prod. 2.

[225] Inventar, 1522. BHStAM. KBÄA 4095, fol. 42. – Fraglich ist allerdings, ob sie Heiltümer enthalten haben, da sie zwar im Inventar von 1610 (BHStAM. KL Fürstenfeld 318, fasc. 1, prod. unnummeriert), aber nicht im Reliquienverzeichnis von 1602 enthalten sind.

[226] Siehe Anhang 3.1: Reliquienverzeichnis, Nr. 3.

[227] Ebd., Nr. 6.

[228] Inventar, 1549. BHStAM. Aldersbach Archiv Schublade 107, fasc. 2, prod. 3.

[229] Inventar, undatiert (wahrscheinlich 1552). BHStAM. KBÄA 4095, fol. 38v. – Eine der beiden Silbertafeln findet sich im Reliquienverzeichnis wieder (siehe Anhang 3.1: Reliquienverzeichnis, Nr. 4), die andere Silbertafel findet sich nicht mehr; das St.-Anna-Bild hat schließlich ein ungenannter Abt mit seinem und dem Wappen des Klosters verzieren lassen (Inventar, 1595. BHStAM. KBÄA 4095, fol. 186r).

[230] Inventar, 1595. BHStAM. KBÄA 4095, foll. 186r–188v.

[231] Siehe Anhang 3.1: Reliquienverzeichnis, Nr. 9.

[232] Vgl. Krausen, Raitenhaslach 152–153. – Von dort existieren auch einige ältere Verzeichnisse.

2.2.5.2.2   Das Reliquienverzeichnis von 1602

Von außerordentlich hohem Wert ist das Reliquienverzeichnis, das Abt
Johann Puel 1602 auf Anforderung Herzog Maximilians hin nach München
schicken mußte[233]. Es besteht aus drei Teilen: »Littera A« umfaßt ein Verzeichnis von vierzehn Heiltümern, die sich in »sacristia maiori« befanden;
»Littera B« verzeichnet alle in die mit den Buchstaben A–Z bezeichneten
Altäre des Klosters eingelegten Reliquien. Schließlich findet sich am Ende
des Faszikels ein drittes, zehnseitiges Verzeichnis von Reliquiaren mit sechsundsiebzig Heiltumsschätzen. Dennoch bleiben im Zusammenhang mit diesen Verzeichnissen einige Fragen offen: »Littera A« stimmt insgesamt mit
dem Sakristeiinventar von 1595 überein, wobei das Inventar allerdings mehr
Heiltümer aufweist als »Littera A«; diese befanden sich 1602 somit bereits in
einem anderen Reliquienbestand. Die in »Littera B« genannten Reliquien
sind sämtlich in den Altären eingemauert, erscheinen daher in keinem
Inventar und sind an anderer Stelle interessant. Problematisch ist das dritte
Verzeichnis: Es ist mit keinem Buchstaben gekennzeichnet und entstand
einige Jahrzehnte später; es ist nur ein Fragment von zehn Seiten, dürfte
ursprünglich etwa dreißig Seiten umfaßt haben und führt sechsundzwanzig
Reliquiare in Kreuzen, Tafeln, Bildern, Monstranzen und anderen Schaugefä-
ßen auf; diese Reliquiare sind mit den Nummern 51 bis 76 versehen. Der
Reliquienschatz umfaßte also neben den älteren weitere sechsundsiebzig
Heiltümer, eine bedeutende Anzahl. Auch wenn die genaue Entstehungszeit
des Verzeichnisses erst gegen die Mitte des 17. Jahrhunderts hin tendiert, so
ist doch anzunehmen, daß der Beginn der Sammlung ins 16. Jahrhundert
zurückreicht; die Entwicklung des Heiltumsschatzes ist allerdings nicht
mehr nachzuvollziehen. Die hier aufgeführten Reliquiare befanden sich mit
ziemlicher Sicherheit in einer eigenen Schatzkammer, da keines von ihnen
in den Sakristeiverzeichnissen der Inventare erscheint, und auch das Inventar von 1610 eine vergleichsweise bescheidene Anzahl von Heiltümern aufweist[234]; wo sich diese Schatzkammer befand, ist nicht mehr festzustellen.
Die gestiegene Bedeutung der Heiltümer zeigt sich an der Tatsache, daß sich
auch die landesherrliche Obrigkeit für die Reliquiare interessierte. Sie waren
zu Wertgegenständen geworden, die man im Bedarfsfalle auch zu Geld
machen konnte; zur religiösen Bedeutung trat bald die finanzielle hinzu. Die
Wertentwicklung der Reliquiare war noch im Steigen begriffen, da der Höhepunkt der Reliquienverehrung im beginnenden 17. Jahrhundert noch aus-
stand.

---

[233] Reliquienverzeichnis Abt Johann Puels, 31. Januar 1602. BHStAM. KL Fasc. 239/51.
[234] Inventar, 1610. KL Fürstenfeld 318, fasc. 1, prod. unnumeriert: 6 Bilder, Stephans-Heiltum,
    4 Monstranzen mit Heiltümern, 1 Silbertäfelchen, Korallen-Monstranz, Agnus-Dei,
    2 Holztafeln.

2.2.5.2.3 Die geistliche Bedeutung der Heiltümer

Nach den Aussagen des Trienter Konzils ist es nützlich, die Heiligen »anzu-
rufen und zu ihren Gebeten, ihrem Beistand und ihrer Hilfe Zuflucht zu nehmen, um von Gott [...] Wohltaten zu erwirken«[235]; dementsprechend
gebührt den Reliquien Verehrung. Für das religiöse Verständnis eines Menschen der frühen Neuzeit hat diese Vermittlungsinstanz ein heute nicht
mehr nachvollziehbares Gewicht. In Fürstenfeld machte sich im 17. Jahrhundert anhand der Reliquienverehrung die Wendung des Zisterzienserordens hin zur Seelsorge bemerkbar: Bedeutsam ist dabei die Zusammenstellung der Heiltümer. Während die einzelnen Reliquien in den älteren Reliquiaren in »Littera A« eher wahllos kompiliert sind[236], so ist in den jüngeren
Reliquiaren eine klare Ordnung und eine inhaltliche Komposition der Reliquien nicht zu übersehen. Die Thematik der Heiltümer beginnt mit rein alttestamentlichen Monstranzen, zeigt die Geschichte des Volkes Israel[237] und
beschließt das Alte Testament mit einer Monstranz mit Reliquien des Täu-
fers[238]. Die neutestamentliche Heilsgeschichte setzt folglich mit einer ganzen Anzahl an Christusreliquiaren ein, die seine Geburt[239] oder seinen
Leidensweg und die Auferstehung darstellen[240]. Es folgen reine Marienheil-
tümer mit Pretiosen wie der Muttermilch Marias[241] und Reliquiare mit Apo-
stelreliquien[242]. Die Geschichte der Kirche fängt mit den Märtyrern an,
infolgedessen reine Märtyrerreliquiare zusammengestellt wurden[243]. Weiterhin manifestiert sich das glorreiche Wirken der Kirche in Heiltümern mit
Reliquien heiliger Päpste[244]. Schließlich besteht der größte Teil der Reliquiare aus Heiligenreliquien, die das unübersehbare Heer der »Ecclesia mili-
tans« repräsentieren.

Es ist offensichtlich, daß man mit den so komponierten Reliquiaren sämtliche Feste eines ganzen Kirchenjahres visuell unterstützen und ihre
Geheimnisse wirksamer vermitteln konnte. Daher dienten diese Themenre-
liquiare nicht nur der Verehrung innerhalb des Klosters, sondern auch – und
ganz besonders – der im Gewicht gestiegenen Verkündigung an das Volk des
Umlandes; auch deshalb bemühte man sich in Fürstenfeld um den Erwerb
zugkräftiger Reliquiare. Schließlich bedeuteten zahlreiche Kirchenbesucher
auch eine größere Einnahme. Ihren Höhepunkt erreichte die barocke Reliquienverehrung freilich erst in der zweiten Hälfte des 17. Jahrhunderts, in der
jedes Kloster und jede Kirche in geistlichem Wettstreit versuchte, eine mög-

---

[235] Vgl. Conc. Trid. Sess. XXV, De invocatione, in: COD 774–776; zit. in: DH 1821.
[236] Siehe Anhang 3.1: Reliquienverzeichnis, etwa die Nr. 2, 6, 7, 10 u. a.
[237] Siehe Anhang 3.2: Neues Reliquienverzeichnis, Nr. 63.
[238] Ebd., Nr. 62. [240] Ebd., Nr. 75. [242] Ebd., Nr. 60, 61.
[239] Ebd., Nr. 69. [241] Ebd., Nr. 66.
[243] Ebd., Nr. 55: hl. Stephanus als Protomärtyrer, Nr. 54: hl. Laurentius.
[244] Ebd., Nr. 57.

lichst vollständige Heiligenreliquie zur frommen Verehrung zu gewinnen[245]. Fürstenfeld erwarb aus Rom – 1672 vergleichsweise früh – einen frühchristlichen Märtyrer, den völlig unbekannten hl. Hyacinth, einen ausgesprochen »gut erhaltenen Heiligen«[246]. Nach Raitenhaslach gelangten auf ähnliche Weise 1698 die römischen Katakombenheiligen Ausanius, Concordia und Fortunata[247], Aldersbach erwarb die hll. Clara, Valerius und Benedikta[248], Gotteszell die Märtyrer Dulcissimus, Hilarius, Basilius und Martinus[249] – die Liste ließe sich beliebig fortsetzen. Eine wallfahrtsmäßige Verehrung der Reliquien wie zum berühmten Andechser Heiltumsschatz auf den Heiligen Berg setzte in Fürstenfeld jedoch nicht ein[250]; auch über damit verbundene Ablässe sind keine Nachrichten überliefert.

2.2.6   Begräbnisse im Kloster

2.2.6.1   Die wittelsbachische Hausgrablege

Entgegen dem ursprünglich strengen Verbot des Zisterzienserordens, in den Klosterkirchen Laien zu begraben[251], wurde dies zumindest für die Stifter oder bedeutende Wohltäter bald ermöglicht, so daß beinahe jede altbayerische Zisterzienserkirche ein Stiftergrabmal erhielt[252]. In Fürstenfeld wurden über eine Generation hin die Mitglieder des Hauses Bayern begraben, da Herzog Ludwig der Strenge, Gründer des Stiftes, die Grablege aus dem wittelsbachischen Hauskloster Scheyern[253] an die Amper verlagerte[254]. Herzog Lud-

---

[245] Vgl. Krausen, Pflege 278; ders., Die Verehrung römischer Katakombenheiliger in Altbayern im Zeitalter des Barock, in: BayJbVk (1966/67) 37–47.

[246] Klemenz, Dallmayr 143; zur Reliquienverehrung 141–146. – Der hl. Hyacinth liegt heute auf dem ersten linken Seitenaltar in der Klosterkirche nächst dem Chor; vgl. Bachmair/Pfister, Fürstenfeld 14.

[247] Vgl. Krausen, Raitenhaslach 153; ders., Pflege 278.

[248] Vgl. Hartig, Niederbayerische Stifte 156–157.

[249] Vgl. ebd. 174.

[250] Vgl. Andechs 11–14.

[251] Vgl. Exord. cist. XXIII, in: Lekai/Schneider, Weiße Mönche 46.

[252] In Raitenhaslach liegen zwar nicht die Stifter, aber eine Anzahl anderer Wohltäter begraben (vgl. Krausen, Raitenhaslach 17–19), in Aldersbach ruhen einige Adelige aus der Umgebung (vgl. Hartig, Niederbayerische Stifte 148); Seligenthal, Fürstenfeld und Fürstenzell waren als wittelsbachische Hausklöster mit entsprechenden Begräbnisrechten fundiert (vgl. Krausen, Reformorden 349–351). Kaisheim bestattete seinen Stifter Graf Heinrich von Lechsgemünd in der Klosterkirche (vgl. Reindl, Kaisheim 29–30). – Zu den Begräbnissen bei den Zisterziensern allgemein: Lanz, Servitien 208–210.

[253] Zur Grablege in Scheyern siehe: List, Grablegen 522–525; Abtei Scheyern (Hrg.), Die Scheyrer Fürstenbilder in der Wittelsbacher Grabkirche, Scheyern ²1993.

[254] Testament Ludwigs II., Passau, 25. September 1276. BHStAM. Kurbaiern U 12987; gedruckt in: QE 5, 307–308.

wig der Strenge († 1294), seine zweite Gemahlin Anna von Glogau († 1271), seine dritte Frau Mechtilde von Habsburg († 1304), zwei Kinder aus zweiter Ehe – Agnes († 1269) und Ludwig († 1290 an den Folgen einer Turnierverletzung) – und mehrere totgeborene Kinder[255] wurden am Hochaltar beigesetzt[256]. Bereits eine Generation später wurde die Hausgrablege wieder von Fürstenfeld fortgenommen: Der dem Kloster eng verbundene Kaiser Ludwig der Bayer fand seine letzte Ruhestätte in der Münchener Frauenkirche[257], nachdem er drei Tage lang in der Fürstenfelder Klosterkirche aufgebahrt war[258]. Das Herz des Kaisers aber ruht der Tradition nach in der Klosterkirche[259].

Im Vergleich zu anderen Klöstern bemühte man sich in Fürstenfeld relativ spät um eine würdige Grabstätte für die in der Klosterkirche bestatteten Mitglieder der Stifterfamilie. Unter Abt Johannes Scharb entstand ein den Umständen nach bescheidenes Hochgrab in Holzausführung in der Mitte des Mönchschores[260]; Abt Leonhard Treuttwein konnte 1591 noch das Aussehen des Grabmals beschreiben[261], bevor am 17. Mai 1632 die Schweden das Kloster plünderten, das Fürstengrab aufbrachen und bei der Suche nach Grabbeigaben die Gebeine durchwühlten und das Grab zerstörten[262]. Seitdem ist nicht mehr genau festzustellen, wie viele Personen im Kloster bestattet

[255] Vgl. List, Grablegen 526; Pfister, Gründung 86–87.

[256] Vgl. Hans Schmid, Inschrift und Lage der Stiftergräber zu Fürstenfeld, in: Amperland 25 (1989) 256–259; Ehrmann, Gotisches Kloster 182. – Führer, Chronik § 49, und folgend List, Grablegen 527, gehen dagegen von einer – allerdings nicht belegbaren – Stifterkapelle aus. – Zu den Irritationen über die Lage und die Inschrift der Stiftergräber ausführlich Schmid.

[257] Vgl. List, Grablegen 530–531. – Die Vermutung, daß Kaiser Ludwig deshalb in der Frauenkirche und nicht in Fürstenfeld bestattet wurde, weil das Kloster Sanktionen des Papstes fürchtete, ist wohl nicht zutreffend: Zu deutlich war Fürstenfeld auf Seiten des Kaisers gestanden, als daß das Begräbnis des Kaisers noch Aufsehen erregen hätte können. Schließlich hatte Ludwig der Bayer 1328 von dem von ihm erhobenen Gegenpapst Nikolaus V. für den Abt von Fürstenfeld den Titel »Princeps ecclesiasticus« erwirkt, ein Zeichen, das an Eindeutigkeit nicht mehr zu übertreffen war (Papst Nikolaus V. an Abt Wernher von Fürstenfeld, 4. Juni 1328; gedruckt in: Riezler, Vatikanische Akten 387, Nr. 1033). Zudem wurde vermutlich das Herz des Kaisers in Fürstenfeld beigesetzt. Auch das hätte als Anlaß für eine Exkommunikation genügen können. Vielmehr nahm das Gewicht der Residenzstadt München immer mehr zu, so daß die Grablege aus politischen Gründen dorthin verlegt wurde.

[258] So berichtet Aventin im VIII. Buch seiner Baierischen Chronik, in: Johannes Aventinus, Baierische Chronik, hrg. von Georg Leidinger, Düsseldorf-Köln ²1975, dort 190.

[259] So Clemens Böhne, Das Grabmal Ludwigs des Strengen in der Fürstenfelder Klosterkirche, in: Amperland 2 (1966) 41–43, hier: 41. – List, Grablegen 527.

[260] Dazu bereits ausführlich: Ehrmann, Gotisches Kloster 182–190; List, Grablegen 527–529. – Über die politisch-dynastischen Hintergründe der Errichtung siehe Teil I, Kap. 1.3.3 und Teil III, Kap. 1.2.1.4.

[261] Beschreibung des Stiftergrabmals, Fürstenfeld, 1591. BStB. 2 Geneal. 84c

[262] Führer, Chronik § 201; Röckl, Beschreibung 36; Fugger, Fürstenfeld 115; Klemenz, Dallmayr 34. – Abt Dallmayr bat 1649 den Kurfürsten Maximilian um finanzielle Hilfe beim Wiederaufbau des Fürstengrabes; vgl. Klemenz, Dallmayr 34, Anm. 8.

waren – es waren wohl fünf bis acht –, und auch vom kaiserlichen Herzen Ludwigs des Bayern fehlt jede Spur. Während der Umbauphase 1661 bis 1668 wurden die Reste des Grabmals dem Zeitgeschmack entsprechend an der Rückseite des Hochaltars aufgebaut[263] und beim Abriß und Neubau der Kirche seit 1717 ganz entfernt; seither fanden sie keinen Platz mehr in der Klosterkirche und wanderten ohne rechten Zweck von einer Abstellkammer zur anderen[264].

2.2.6.2 Weitere Begräbnisse im Kloster

Gemäß dem herzoglichen Vorbild entstanden in der Klosterkirche bald weitere Begräbnisse, von denen die ersten noch in die Gründungsphase zu datieren sind und zumindest mittelbar mit der Stiftung in Zusammenhang stehen. Die erste nachweisbare Grabstätte erkaufte der herzogliche Ministeriale Heinrich von Eisolzried nach dem weit verbreiteten Modell der Seelgerät-Stiftung für sich und seine Familie[265]. Er schenkte dem Kloster einige Güter in Berg, einen Hof, eine Hube, den Grund für eine Mühle und die Vogtei der Kirche unter dem Vorbehalt lebenslanger Nutzung und erhielt dafür das Recht, im Falle seines Todes in der Gegend zwischen Donau und Inn in der Klosterkirche begraben zu werden. Zudem mußte der Abt einen jährlichen Gedenkgottesdienst für Heinrich und seine Familie zelebrieren; am gleichen Tag sollte dem Konvent aus den Einkünften der Besitzungen Wein und Fisch gereicht werden[266]. Als Heinrich von Eisolzried starb, wurde für ihn und seine Familie die Grablege am Altar des Evangelisten Johannes bestimmt; seine Frau und sein Sohn Leonhard folgten später nach[267]. Unter dem 11. November, dem Sterbetag Heinrichs, vermerkt das Nekrologium sein Vermächtnis an das Kloster, das dem Konvent zustehende Reichnis sowie Ort und Art des liturgischen Gedenkens, nämlich die Erwähnung in der voraufgehenden Vigil und eine Messe am Johannes-Evangelist-Altar[268].
Etliche Begräbnisse sind nach diesem Modell in der Klosterkirche nachweisbar; die meisten von ihnen stammen aus dem 13. und 14. Jahrhundert und haben entscheidend dazu beigetragen, den Besitz Fürstenfelds rasch anwachsen zu lassen, denn etwa die Hälfte des bis 1347/50 ans Kloster gekommenen

---

263 Grundriß der gotischen Klosterkirche nach 1661, undatiert. BHStAM. Pls 609b.
264 Führer, Chronik § 51.
265 Dazu: Karl Kroeschell, Art. Seelgerät, in: LexMA VII (1995) 1680.
266 Seelgeräturkunde Heinrichs von Eisolzried, 10. Juni 1273. BHStAM. KU Fürstenfeld 9; gedruckt in: MB IX, Nr. 11; RegBoic III 414. – Vgl. Wollenberg, Eigenwirtschaft 127.
267 Siehe Anhang 3.6: Begräbnisse Nr. XVII–XIX.
268 Necrol. BStB. Clm 1057, fol. 46r: »Hainricus miles de Eysolzried et Anna vxor eius et Leonardus filius eius A quibus habemus L lb dny. Et dandum seruitium valens lb dny. Isti sepulti sunt an altare S. Iohis Ew[a]ng[elis]tae. Horum anniuersarium peragetur in altare S. Ioais Ew[an]gelistae: cum p[rae]cedentis diei vigilia.«

Besitzes stammt aus Schenkungen, die häufig mit Seelgeräten und gelegentlich mit Begräbnissen verbunden waren[269]. Die ersten Stifter, die sich ein Begräbnis im Kloster »erschenkten«, waren Ministerialen und Adelige aus der Umgebung des Herzogs, die vielleicht auf sanften Druck des Landesherrn hin ihre Güter an das neue Kloster vermachten. Friedrich von Günzelhofen erwarb 1284 ein Begräbnisrecht unter der Voraussetzung, daß er im Land oder nicht weiter als zehn Meilen außerhalb sterben würde[270], und wurde schließlich in der Klosterkirche begraben[271]. Wohl ein Verwandter Friedrichs von Günzelhofen war Heinrich Saldorffer von Günzelhofen, der sein Grab im Kreuzgang fand[272]. Zusätzlich zu seinem Begräbnisrecht stiftete der kaiserliche Kammerer Arnold ein Ewiges Licht auf den Hieronymusaltar in der Klosterkirche; dort wurde er unter einer Marmorplatte begraben[273]. Auch der Ritter Ulrich der Dachauer zu Lautterbach erwarb 1350 zu einem Seelgerät Begräbnis und ein Ewiges Licht[274]; er erweiterte seine Stiftung durch Reichnisse an Arme und setzte fest, daß im Fall der zweijährigen Nichterfüllung die Stiftung an das Kloster Scheyern übergehen würde. Ein kaiserlicher Ministeriale war der Protonotar Wernherus, der dem Kloster 50 fl für eine ewige Messe und sein Begräbnis am Altar der hll. Philippus und Jacobus vermachte[275].

Durch die Stiftungen der herzoglichen und kaiserlichen Beamten entstanden im Kloster einige Familiengrabstätten, die über mehrere Generationen hin genutzt wurden. Am Brüderchor befand sich das Familienbegräbnis der Lautterbacher: Dem oben erwähnten Stifter Ritter Ulrich dem Dachauer von Lautterbach folgten später vermutlich seine Frau, 1420 wohl sein Sohn Ulrich und 1434 ein weiterer Verwandter namens Konrad nach; deren Grabstein mit den Wappen der adeligen Verwandtschaft hatte der Zeichner des Eckherschen Grabsteinbuches[276] noch aufzeichnen können, so daß er im

---

[269] Vgl. Wollenberg, Eigenwirtschaft 146.

[270] Seelgerätsurkunde Friedrichs von Günzelhofen, 18. April 1284. BHStAM. KU Fürstenfeld 13.

[271] Necrol. BStB. Clm 1057, fol. 40r. – Siehe Anhang 3.6: Begräbnis Nr. XXIII.

[272] Necrol. BStB. Clm 1057, fol. 43r. – Siehe Anhang 3.6: Begräbnis Nr. XV.

[273] Necrol. BStB. Clm 1057, fol. 10r. – Siehe Anhang 3.6: Begräbnis Nr. III, Ewig-Licht-Stiftung Nr. 1. – Ansonsten bleibt der Kämmerer Arnold unbekannt.

[274] Seelgerätsurkunde Ulrichs des Dachauers, 3. April 1350 (Kopie von 1367). BHStAM. KL Fürstenfeld 381, prod. 1; Repertorium Fürstenfeld, undatiert. BHStAM. KL Fürstenfeld 369, pagg. 435–436, L 4; Necrol. BStB. Clm 1057, fol. 43r. – Siehe Anhang 3.6: Begräbnis Nr. XX, Ewig-Licht-Stiftung Nr. 7.

[275] Necrol. BStB. Clm 1057, fol. 25r. – Siehe Anhang 3.6: Begräbnis Nr. IX. – Auch der Protonotar Wernherus bleibt ansonsten unbekannt.

[276] Zum 1693 begonnenen und lange fortgeführten »Grabsteinbuch« des Freisinger Fürstbischofs Johann Franz Eckher siehe: TE I 45, B.III.7; Ulrike Götz, Kunst in Freising unter Fürstbischof Johann Franz Eckher. 1696–1727. Ausdrucksformen geistlicher Herrschaft (= 33. Sammelblatt des Historischen Vereins Freising), München-Zürich 1992, 242–255, 302.

Bild erhalten ist[277]. Auch die Hundt von Lautterbach, die späteren Herren
der Hofmark, hatten ein Familienbegräbnis in der Klosterkirche, möglicherweise am Johannesaltar, an dem die ihnen verwandte Sippe der Eisolzrieder
lag[278]; in der Hundtschen Grabstätte ruhten zumindest Wiglueg Hundt und
seine Frau Geneve, die um 1400 verstorben waren[279]. Im Kreuzgang befand
sich schließlich noch das Wappen der Kemnater, die seit 1292 ebenfalls ein
Klosterbegräbnis hatten[280]. Wenngleich die meisten Begräbnisrechte von
Adeligen oder Ministerialen erkauft wurden, so finden sich auch einige
nichtadelige Gläubige unter den Grabbesitzern; dennoch mußten sie eine
gewisse Stiftungssumme aufbringen können, um ein Begräbnis zu erwerben.
Konrad Hübschwirt und seine Frau Elisabeth[281], die vermögende Witwe Eli-
sabeth Bairbrunner[282] oder der ehemalige Klosterschulmeister Johannes
Örtl[283] gehörten dazu. Örtl, der 1607 eines der letzten nachweisbaren
Begräbnisse erwarb, war zugleich Tischpfründner im Kloster.
Mit den Begräbnissen waren bei größeren Stiftungssummen gelegentlich
Ewig-Licht-Stiftungen verbunden; von sieben Ewig-Licht-Stiftungen in der
Klosterkirche wurden fünf zusammen mit einem Begräbnis errichtet[284], nur
zwei Ewige Lichter wurden ohne Begräbnis gestiftet, das des Münchner
Dekans Conrad[285] und des herzoglichen Notars Ulrich[286]. Bevorzugter
Bestattungsort war der Kreuzgang mit sechs Begräbnissen, danach folgen die
einzelnen Seitenaltäre in der östlichen und südlichen Kapellenreihe. Auffällig ist dabei, daß bei jedem Altar nur eine Stiftung erscheint; dennoch konnten mehrere Personen in einem Familienbegräbnis bestattet werden, etwa
die Familien Hundt-Eisolzrieder am Johannesaltar oder die Sippe der
Dachauer vor dem Brüderchor. Von den sechzehn Seitenaltären in der
Klosterkirche waren auf die Weise zehn mit Begräbnisstätten belegt. Nachweislich siebzehn Personen – vermutlich aber etliche mehr, da bei den Fami-

---

[277] Grabsteinbuch. BStB. Cgm 2267, 1, 125. – Dort finden sich auch die Sterbedaten der Ver-
    wandtschaft.
[278] Hanns Hundt von Lautterbach und Eisolzried nennt in einem Beschwerdebrief an Maximi-
    lian den Johannesaltar »meiner Vorfahren altar«, 15. September 1607. BHStAM. KL Für-
    stenfeld 381, prod. 12. – Zu den Hundt: Gerhard Zierler-Skrabal, Die Hundt von Lauterbach,
    in: Blätter der bayerischen Landesvereinigung für Familienkunde 29 (1966) 44–94.
[279] Grabsteinbuch. BStB. Cgm 2267, 1, 125.
[280] Grabsteinbuch. BStB. Cgm 2267, 1, 26. 126.
[281] Necrol. BStB. Clm 1057, fol. 3r. – Siehe Anhang 3.6: Begräbnisse Nr. II, IIa.
[282] Ebd., fol. 10r. – Siehe Anhang 3.6: Begräbnis Nr. IV.
[283] Ebd., fol. 38r. – Siehe Anhang 3.6: Begräbnis Nr. XIII. – Im Necrol. wird Johannes Örtl zwar
    als Ertel bezeichnet; es liegt aber nahe, in ihm den Schulmeister aus der Regierungszeit Abt
    Leonhard Baumanns zu sehen: 1560 war Örtl ein junger Schulmeister; sein Todesdatum
    10. September 1607 ist deshalb durchaus möglich.
[284] Siehe Anhang 3.6: Begräbnisse (Ewig-Licht-Stiftungen). – Verbunden mit den Ewig-Licht-
    Stiftungen waren die Begräbnisse Nr. III, V, X, XI, XX.
[285] Necrol. BStB. Clm 1057, fol. 12r.
[286] Ebd., fol. 38r. – Über diesen Stifter ist nichts sonst bekannt.

lienbegräbnissen die einzelnen Namen verloren sind – wurden in der Klosterkirche, mindestens acht Personen im Kreuzgang und fünf bis acht Mitglieder
des Hauses Bayern im Fürstengrab bestattet, insgesamt also weit über dreißig
Gläubige, die nicht dem Zisterzienserorden angehörten[287]. Von den zum Teil
prunkvollen Grabsteinen ist kein einziger mehr erhalten. Glücklicherweise
hatte der Zeichner des Eckherschen Grabsteinbuches vor dem Umbau der
Kirche 1661 und der Niederlegung der Kapellenreihe die Gelegenheit zu
einem Besuch in Fürstenfeld und hielt fünf Grabsteine im Bild fest: Die Stei-
ne der Kemnater, des Konrad Tomlinger und der Mechtild Pfludorff fand er
im Kreuzgang[288], die Grabsteine der Hundt zu Lauterbach und der Dachauer
zu Lauterbach waren in der Kirche aufgestellt[289].

2.2.7 *Jahrtage im Kloster*

2.2.7.1 *Das Stiftergedenken*

Eine frühe, indirekte Form der zisterziensischen Seelsorge war die Auswei-
tung des im Orden seit jeher stark verankerten Totengedächtnisses auf verstorbene Laien; dies geschah hauptsächlich durch die Zelebration von Jah-
res- und anderen Gedenkmessen, aber auch durch die Kommemoration im
Stundengebet[290]. Zunächst wurde in Fürstenfeld ebenso wie in anderen Klöstern der verstorbenen Stifter gedacht[291]; symbolischer Mittelpunkt war
dabei – allerdings erst seit Anfang des 16. Jahrhunderts – das Stiftergrabmal in
der Klosterkirche, um das sich die Mönche täglich versammelten. Zunächst
wurde im Offizium des Hauses Bayern gedacht; dazu kamen gesonderte, im
Nekrologium verzeichnete Gedenktage herausragender Mitglieder der Herrscherfamilie[292], besonders derer, die dem Kloster Wohltaten erwiesen haben.

---

[287] Siehe Anhang 3.6: Begräbnisse.
[288] Grabsteinbuch. BStB. Cgm 2267, 1, 126.
[289] Grabsteinbuch. BStB. Cgm 2267, 1, 125.
[290] Zum Glauben an die Wirkungen des Meßopfers für Verstorbene, die in Verbindung mit
Almosen und sonstigen guten Werken erreicht werden konnten, und zu deren Systemati-
sierung in ganzen Meßreihen: Jungmann, Missarum sollemnia I 170–173.
[291] Dies war eine der Grundintentionen in der Gründungsurkunde Ludwigs II., 22. Februar
1266. BHStAM. KU Fürstenfeld 4.
[292] Necrol. BStB. Clm 1057: Hz. Otto von Niederbayern (3. Januar: fol. 2r), Hz. Ludwig II. als
Gründer (1. Februar: fol. 5v), Hz. Sigismund (1. Februar, fol. 6r), Hz. Heinrich XIII. (2. Februar: fol. 5v), Hz. Albrecht III. (21. Februar: fol. 9r), Anna von Glogau (27. Juni: fol. 27r),
Hz. Rudolf (13. August: fol. 34r), Hz. Wilhelm III. (13. September: fol. 38r), Hz. Stephan III.
(2. Oktober: fol. 41r), Ks. Ludwig d. Bayer (6. Oktober [Sterbetag allerdings: 11. Oktober]:
fol. 41r), Hz. Stephan II. (6. Oktober: fol. 41r), Hz. Georg (1. Dezember: fol. 48v), Mechtild
von Habsburg (23. Dezember: fol. 52r). – Aus dem Kloster Heiligenkreuz existiert ein eigenes »Calendarium Consolatorium« der Pitanztage vom Beginn des 18. Jh.: vgl. Lanz, Servitien 390–394.

An diesen Tagen wurde statt des gewöhnlichen Offiziums ein besonderes
»Anniversarium fundatorum« gehalten; zudem lasen alle Priester eine Messe für den Verstorbenen[293]; im Missale finden sich dafür unter den Commu-
ne-Texten Formulare in verschiedenen Abstufungen[294]. Das Gedenken des
Klosters an die Mitglieder des Herrscherhauses hatte nicht nur religiösen,
sondern in gleicher Weise politischen Charakter, da nach mittelalterlicher
Auffassung Staat und Frömmigkeit nicht zu trennen waren[295]; dies ging so
weit, daß das Gedächtnis sogar Herrschaftsansprüche einer Dynastie bekun-
dete[296]. In Fürstenfeld bedeutete das Stiftergedenken zur Zeit Ludwigs des
Bayern eine sichtbare Parteinahme zugunsten des Kaisers und gegen das avi-
gnonesische Papsttum; in den bayerischen Herzogsfehden des 15. Jahrhunderts und in den Landshuter Erbfolgestreitigkeiten bedeutete das Stiftergedenken die Unterstützung der Münchener Teilherzöge. Eine andere Dimension des gleichen Anliegens war die seit Anbeginn des Klosters gepflegte
dynastische Geschichtsschreibung[297], die sich bis ins 16. Jahrhundert herein
fortsetzte[298]. Auch die Konventualen profitierten in Form verschiedener
Reichnisse von Stiftergedenken und Jahrtagen; im Nekrologium stand ihr
Wert verzeichnet[299]. Der dabei auftretende Begriff des »servitium« umfaßte
ein umfangreicheres Mahl, als es die Regeln eigentlich gestatten würden[300];
meist bestanden die gestifteten Mahlzeiten aus mehr Gängen als üblich oder
einer Zugabe von Fisch, Weißbrot, Wein, Eiern, Milch und Käse[301]. Zur Aufsicht darüber, daß diese Reichnisse auch gegeben wurden, war eigentlich der
Pitancarius (Pitanzer) bestellt; da dieser in Fürstenfeld überhaupt nicht nachweisbar ist, wurde die Aufgabe wohl von einem anderen Amtsträger übernommen[302].

---

[293] Anweisung in Necrol. BStB. Clm 1057, fol. 5v, am Gedenktag des Klosterstifters Ludwig II.:
»Peragetur Anniuersarium fundatorum hac die & omnes Patres dicent Missam pro eo.«

[294] Missale, 1317. BStB. Clm 6915, foll. 232–269.

[295] Grundlagen finden sich dafür in der im ottonischen Reichskirchensystem verankerten Auffassung von der Sakralität des Herrschers und seiner Herrschaft, in der Fanum und Profa-
num nicht mehr zu trennen waren; dabei griff man auf antike römische Herrschaftsideen
zurück. Die Auswirkungen sind bis ins System der Hausklöster hinein sichtbar. Zur Grundlage siehe: Manfred Weitlauff, Kaiser Otto I. und die Reichskirche, in: ders. (Hrg.), Bischof
Ulrich von Augsburg, 21–52, hier besonders 21–28.

[296] List, Grablegen 521, berichtet davon, daß an den Jahrtagen Ludwigs des Gebarteten auch
Karls VI. von Frankreich und Kaiser Ludwigs des Bayern gedacht wurde, um auf Ansprüche
des Ingolstädter Teilherzogs im Münchner Gebiet zu verweisen.

[297] Dazu vgl. Mayr, Kritik 75–151. – »Chronika de gestis principum«, etwa 1328; gedruckt in:
Georg Leidinger (Hrg.), Bayerische Chroniken des XIV. Jahrhunderts, Hannover-Leipzig
1918.

[298] Siehe dazu das »Carmen de fundatore nostri monasterii Campi Principum« des jungen
Fr. Johannes Pistorius; überliefert in: Führer, Chronik § 165. – Siehe Anhang 4.1: Chronik.

[299] Etwa in Necrol. BStB. Clm 1057, fol. 2r: »Et dandum est seruitium valens xii solidos dny.« –
Zur Entwicklung der Pitanzen ausführlich: Lanz, Servitien 200–205.

[300] Vgl. Dolberg, Mahl 610–611.

[301] Vgl. Lanz, Servitien 200–201, 36–51.

Zwar errichtete das Kloster unter der Prälatur Abt Johannes Scharbs das längst überfällige Stiftergrabmal in eher dürftiger Bauweise, aber das Gedenken an die Stifter verrichteten die Mönche über die Jahre hinweg treulich; jedenfalls wurde in keinem Visitationsbericht des 16. Jahrhunderts Klage diesbezüglich geführt. Prior Roppach beteuerte in seinem Brief an Herzog Albrecht V., daß der Gottesdienst allezeit nach den Möglichkeiten treu gefeiert worden sei[303]; dies überrascht allerdings kaum, da die Lebensmittelreichnisse an den Konvent ihren Effekt durchaus erzielten, nämlich den, daß die Konventualen schon um des eigenen Vorteils willen die Jahrtage hielten. Dennoch hatte sich die innere Qualität des Stiftergedächtnisses bis zur Reformationszeit gewandelt: Es war zur mehr oder weniger unbedachten Selbstverständlichkeit geworden, denn zum einen hatte sich das Verhältnis des Klosters zum Landesherrn durch politische und finanzielle Eingriffe immer weiter verschlechtert, so daß die Wittelsbacher weniger als Wohltäter denn als Nutznießer des Klosters in Erscheinung traten[304]; dazu kam der zunehmende zeitliche Abstand von den Ereignissen des 13. Jahrhunderts, die zur Klostergründung geführt hatten. Zum anderen aber hatte sich die Gebets- und Fürsprachetheologie seit dem Mittelalter zu stark verändert, als daß man dem fürbittenden Gedenken noch den gleichen Rang einräumte; auch die politischen Rekatholisierungsbestrebungen konnten den durch die Reformatoren stark bestrittenen Wert des Fürbittgebetes nicht gänzlich wiederherstellen[305]. Zum Ausdruck kam die gesunkene innere Bedeutung des Stiftergedenkens für das Leben des Klosters, als Abt Dallmayr 1661 – auch vom Landesherrn unwidersprochen – die Reste des von den Schweden zerstörten Stiftergrabmals an die Rückwand des Hochaltars stellte und damit äußerlich abwertete[306].

---

[302] Damit entsprach Fürstenfeld dem immer wieder ergangenen Verbot dieses Amtes durch die Generalkapitel, da die Einkünfte aus Jahrtagen den zisterziensischen Prinzipien widersprechen würden (vgl. Exord. cist. XXIII, in: Lekai/Schneider, Weiße Mönche 46). Auch später gibt es keinen Pitanzer (vgl. Klemenz, Dallmayr 98). In anderen Klöstern wie Raitenhaslach war dieses Amt selbstverständlich, stand aber unter Aufsicht des Vaterabtes (vgl. Krausen, Raitenhaslach 70); insgesamt waren die Regelungen bezüglich des Pitanzers in den einzelnen Klöstern höchst unterschiedlich (vgl. Dolberg, Mahl 611). Der Begriff der Pitanz leitet sich von »ex pietate« her (vgl. Lanz, Servitien 201).

[303] Prior Hans Roppach an Albrecht V., undatiert (1551). BHStAM. KBÄA 4096, fol. 123r.

[304] Siehe dazu Teil III, Kap. 1.2.

[305] Vgl. Johann Auer, Allgemeine Sakramentenlehre und das Mysterium der Eucharistie, Regensburg ³1980 (= KKD VI) 236–249; Herbert Vorgrimler, Der Kampf des Christen mit der Sünde, in: MySal V 349–462, besonders 454–456.

[306] Grundriß der gotischen Klosterkirche nach 1661, undatiert. BHStAM. Pls 609b.

2.2.7.2   *Jahrtagsstiftungen*

2.2.7.2.1   Errichtung der Stiftungen

Neben dem Haus Bayern konnten sich die Gläubigen aller sozialen Schichten eines immerwährenden Gedächtnisses im Kloster Fürstenfeld oder einer anderen vom Kloster versorgten Kirche versichern, indem sie ihm eine bestimmte Summe Geld, Immobilien oder eine Handelsware vermachten und dafür eine Gedächtnisfeier – im Regelfall in Form von einer oder mehreren Messen – erhielten; Gebet aller Art galt als wirtschaftlich benennbare und bezahlbare Dienstleistung. In Fürstenfeld sind Jahrtage dieser Art seit dem 14. Jahrhundert nachweisbar, wenngleich erste Stiftungen vermutlich zuvor schon errichtet wurden. Die Stiftungsurkunden enthielten den Namen des Stifters, eine Aufzeichnung des verstifteten Gutes samt Übergabe an das Kloster und die nähere Bestimmung der vom Kloster zu erbringenden Leistungen: Anzahl und Häufigkeit der Gottesdienste, Ort und Datum der Zelebration, eventuell den Zelebranten und schließlich den Umfang des an den Konvent zu entrichtenden Reichnisses. Gelegentlich ist auch eine Nichtvollzugsklausel eingebaut, die für den Bedarfsfall den Übergang des Stiftsguts an eine andere Körperschaft bestimmte. Dabei entwickelten sich zwei Formen der Vereinbarung heraus: eine schriftliche mit der Bemerkung »irrevocabiliter cum consensu et confirmatione Ordinarii« mit hohem und eine mündliche mit einem geringeren Verpflichtungscharakter[307].

Die hauptsächlich verbreitete Form dieser Seelgerätstiftung waren jährliche Reichungen in Form von Geld oder Naturalien aus einer Liegenschaft: Ulrich Dachauer vermachte an das Kloster einen Sack Korn aus Mitterndorf und 1 lb dl aus Holzhausen[308], Johannes Ritter von Eisolzried verstiftete 4 lb Münchner dl Ewiggeld für seine zwei Wochenmessen[309]. Die Herzöge erkauften sich ihre persönlichen Gedenkmessen mit der Erteilung oder Konfirmation von Privilegien, die häufig die Salzfuhr betrafen[310], dazu kamen später Schenkungen von Kelchen oder anderem liturgischem Gerät an den Klosterschatz[311]; auf diese Weise gelangte Fürstenfeld in seiner Frühzeit zu einem erheblichen Besitz an Renteneinkünften, Immobilien, Salzrechten und Altargerät. Ewiggeldstiftungen konnten aber auch rückgelöst werden: Um

---

307 Diese Rechtsform ist erstmals im 17. Jahrhundert erwähnt, bezieht sich aber auf frühere Jahrhunderte: Abt Johann Puel an Maximilian, 30. Oktober 1608. BHStAM. KL Fürstenfeld 381, prod. 17.

308 Seelgerätsurkunde Ulrichs des Dachauers, 3. April 1350 (Kopie von 1367). BHStAM. KL Fürstenfeld 381, prod. 1.

309 Seelgerätsurkunde Johannes' von Eisolzried, 31. Oktober 1380 (Kopie). BHStAM. KL Fürstenfeld 381, prod. 2.

310 Privileg Mkgf. Ludwigs des Brandenburgers, 25. Juli 1357: Repertorium Fürstenfeld, unter 1357. BHStAM. KL Fürstenfeld 364, fol. 10r, Nr. 52. – Konfirmation Stephans, 1360. Ebd. Nr. 53.

eine solche Ablösung entstand im 17. Jahrhundert ein Streit bezüglich der Stiftung Ritters Johannes von Eisolzried auf Ewiggeld von 1380. Abt Johann Puel behauptete, die Stiftung sei entgegen dem Stifterwillen hundert Jahre später durch Georg von Eisolzried wieder rückgängig gemacht worden, wobei Herzog Albrecht IV. das Kloster mit dem Erben Jörg von Eisenhofen verglichen habe[312].

Die Anzahl der Meßstiftungen ist schwer zu ermitteln: An Originalurkunden, deren Abschriften oder Repertorienvermerken sind nicht allzuviele erhalten[313]; die ungleich größere Zahl an Gedenken ist im Nekrologium vermerkt, in das neben den Konventualen auch Stifter und Wohltäter Eingang fanden. Da aber in den Eintragungen die Form des Gedenkens nicht erwähnt ist, ist nicht mehr mit Sicherheit ermittelbar, wie viele Meßfeiern für aus-

---

[311] Einträge im Necrol. BStB. Clm 1057: Gutta aus München, Kelch (fol. 9r: 22. Februar), Arnoldus miles, u. a. Kelch (fol. 10r: 26. Februar), Ulrich der Kemnater, »Casula alba pretiosa« (fol. 18r: 28. April), Elisabeth von Künigegk, »tres Casulas et calix« (fol. 27r: 30. Juni).

[312] Notiz über die Ablösung des Ewiggelds vom Stettenanger, 25. November 1480. BHStAM. KL Fürstenfeld 381, prod. 3. – Notiz über den Vergleich Albrechts IV. mit Jörg von Eisenhofen, 17. Mai 1480. Ebd., prod. 4; Repertorium Fürstenfeld. BHStAM. KL Fürstenfeld 369, pagg. 434–435, L 3. – Dazu ausführlicher im nächsten Abschnitt.

[313] Außerhalb des Nekrologiums sind nachweisbar:

Beleg	Datum	Stifter	Stiftsgut	Jahrtag/ Reichnis
KU 203	12. März 1328	Konrad von Baierbrunn	Mühle zu Alling; Hof	
KU 361	5. Mai 1348	Zacharias von Höhenrain	Hof zu Stockach	
KL 364 fol 9r, Nr. 47	Allerheiligen 1331	Hz. Otto	2 Äschen Freisalz/Jahr	2. Juli/ 2 ß dl
KL 364 fol. 10r, Nr. 52	Jacobi 1357	Mkgf. Ludwig V.	2 Äschen Freisalz/Jahr	7. Okt. / 12 ß Münchner dl
KL 364 fol. 10r, Nr. 53	1360	Hz. Stephan II.	1 Asche Freisalz/Jahr	
KL 369 pag. 434 L 2	1613	Martin Clasen, Klosterknecht		in der Wolfgangskirche
KU 107a	11. Juli 1314	Bischof Gottfried von Freising	Pfarrei Jesenwang	Todestag/ nach Freising
KL 369 pag. 434 L 2		Bernhard Treittwein	Altar auf dem Brüderchor	Bernhardstag
KL 381, prod. 1	1350	Ulrich Dachauer	1 lb Münchner dl/Jahr	Todestag/ Konvent
KL 369 pag. 434 L 3		Johannes von Eisolzried	4 lb dl	Todestag und 2 Wochenmessen
KL 381, prod. 2	13.10.1380 abgelöst 1480	Johannes von Eisolzried	4 lb dl	2 Wochenmessen

wärtige Wohltäter gelesen wurden; dazu kamen Stiftungen von Wochen- und
Monatsmessen. Bei aller Unsicherheit über die genaue Anzahl steht dennoch
fest, daß ein beträchtlicher Teil der Zelebrationen mit einem Jahrtag verbunden war. »Erfüllungsort« der Meßstiftung war zunächst der Altar, auf den sie
gestiftet wurde; als zunehmend Laien Zugang in die Klosterkirche erhielten,
zogen sich die Konventualen an den Altar im Chorraum zurück. Abt Puel
schließlich genehmigte die Zelebration an einem anderen als dem Choraltar
nur noch im Einzelfall; es sei ein »ungewonlich, und deßhalben sehr
bedenklich ding, das die Conuentuales ausserhalb des Chores gleich sonders
unnter dem Pöpel sich müessen finden lassen«[314]. Auf diese Weise wurden
die Seitenaltäre in der Kapellenreihe überflüssig, so daß sie im 17. Jahrhundert bedenkenlos abgebrochen werden konnten[315].

Bemerkenswerterweise konnten im 16. Jahrhundert auch Mönche Meßstiftungen vornehmen; diese wurden allerdings nicht in die Klosterkirche vergeben, sondern in die Kapelle des Tusculums nach Ried. Zwei solche Stiftungen
sind bekannt: Die Konventualen Fr. Johannes Neumair und Fr. Andreas Bernhard errichteten am 15. Oktober 1572, zwei Wochen nach der Weihe der neu-
en Kirche, für 20 fl einen Jahrtag zu ihrem Seelenheil[316]. Anläßlich seiner
Ernennung zum Administrator des Klosters Gotteszell stiftete Fr. Mathias
Breimelber eine Messe für 50 fl und einen Jahreszins von 3 ½ fl; dieses Geld
sollte dem Nutzen des Kapellchens dienen[317]. Beiden Stiftungen gemeinsam
war der in den Stiftungsurkunden ausgedrückte Glaube an die guten Werke
nach der Lehre des – von den Reformatoren kritisierten – Jakobusbriefs.

2.2.7.2.2 Probleme mit der Verrichtung

Während des ausgehenden Mittelalters ergaben sich mit der Feier der Jahrtage zunehmend Schwierigkeiten: Aufgrund der Geldentwertung oder anderer Ursachen erbrachten einige Stiftungen so wenig Gewinn, daß sich ihre
Verrichtung nicht mehr lohnte; erschwerend kam in der ersten Hälfte des
16. Jahrhunderts hinzu, daß durch den Mangel an Konventualen etliche Jah-
resmessen nicht mehr einzeln gelesen werden konnten und zusammengelegt
werden mußten. Belegt ist die Kumulation mehrerer Messen in Fürstenfeld
in einer undatierten Notiz, derzufolge der Freisinger Fürstbischof die »dimi-

---

[314] Undatierte Notiz, um 1606. BHStAM. KL Fürstenfeld 381, prod. 11.

[315] Grundrisse der gotischen Klosterkirche vor und nach 1661, undatiert. BHStAM. Pls 609a;
609b. – Vgl. Klemenz, Dallmayr 135–136.

[316] Stiftungsurkunde Fr. Johannes Neumairs und Fr. Andreas Bernhards, 15. Oktober 1572.
BHStAM. KU Fürstenfeld 2102.

[317] Stiftungsurkunde Fr. Mathias Breimelbers, 29. September 1575. BHStAM. KU Fürstenfeld
2142. – Breimelber hielt es allerdings nicht lange im wirtschaftlich zerrütteten Gotteszell
aus und kehrte bald an die Amper zurück.

nution« von Jahrtagen genehmigt habe, »weil derselben etliche gar schlechte und geringe fundationes haben«[318]. Diese Entwicklung war überaus weit verbreitet, da auch das Trienter Konzil für den Notfall gestattete, die Messen zu verringern; dabei dürfe aber dem Totengedenken kein Abbruch getan werden[319].

Im Zuge der Kumulation von Meßintentionen waren Streitigkeiten zwischen Stifter und Kloster, wie sie sich in Fürstenfeld um den Jahrtag der Eisolzrieder zutrugen, keine Seltenheit: Nachdem der 1380 von Johannes von Eisolzried gestiftete Jahrtag laut einer Repertoriumsnotiz im November 1480 nach einem herzoglichen Vergleich mit der Zahlung von 40 lb an den Stifter abgelöst worden war[320], galt das Rechtsverhältnis zwar als beendet; dennoch bat an Lichtmeß 1567 die Hofmarksherrin Barbara Hundt von Lautterbach Abt Leonhard Treuttwein, einem ihrer Hintersassen wegen Geldknappheit den Anfall bei der Übernahme des verstifteten Stettenangers zu erlassen und die Gilt wieder auf 1 lb dl zu reduzieren[321]; das bedeutet, daß die Stiftung in Wirklichkeit nicht aufgehoben oder zumindest nach einiger Zeit wieder restituiert worden war. Da der Abt keinen Anfallnachlaß gewähren wollte, erkundigte sich die resolute Dame nach dem Rechtsverhältnis und stellte fest, daß ein Anfall überhaupt nicht zu zahlen sei[322].

Vierzig Jahre später entstand ein neuerlicher Streit bezüglich der Eisolzriederischen Meßstiftung, diesmal um die Gottesdienste: Auf Aufforderung Herzog Maximilians hin erkundigte sich der Herr zu Lautterbach und Eisolzried, Hans Christoph Hundt, bei Abt Johann Puel über die Verrichtung der Eisolzriederschen Stiftung[323]; der Prälat übersandte dem Erben darauf eine Abschrift aus dem Martyrologium und die Mitteilung, daß man jährlich im November eine Vigil und ein Seelenamt für die Eisolzrieder feiere[324]. Damit zeigte sich der Hofmarksherr äußerst unzufrieden, da im Martyrologium allein die Familie des Heinrich von Eisolzried genannt sei, nicht aber die des

---

[318] Repertorium Fürstenfeld, undatiert. BHStAM. KL Fürstenfeld 369, pag. 436, L 104.

[319] Vgl. Conc. Trid. Sess. XXV, De reformatione VI, in: COD 787–788. – Bemerkenswerterweise wurde diese Vollmacht auch den Äbten erteilt; dennoch brauchte man in Fürstenfeld die bischöfliche Genehmigung dazu.

[320] Repertorium Fürstenfeld, undatiert. BHStAM. KL Fürstenfeld 369, pagg. 434–435, L 3.

[321] Barbara Hundt, Witwe Georg Hundts, Hofmarksherrin in Lautterbach, an Abt Leonhard Treuttwein, 2. Februar 1567. BHStAM. KL Fürstenfeld 381, prod. 5.

[322] Barbara Hundt, Witwe Georg Hundts, Hofmarksherrin in Lautterbach, an Abt Leonhard Treuttwein, 3. April 1567. BHStAM. KL Fürstenfeld 381, prod. 6.

[323] Hans Christoph Hundt, Herr zu Lautterbach und Eisolzried, an Abt Johann Puel, 24. Oktober 1606. BHStAM. KL Fürstenfeld 381, prod. 7.

[324] Abt Johann Puel an Hans Christoph Hundt, 27. Oktober 1606 (Konzept). BHStAM. KL Fürstenfeld 381, prod. 9a. – Ebd., prod. 8 ist ein Auszug aus dem Nekrologium, der mit Necrol. BStB. Clm 1057, fol. 46r übereinstimmt: »Hainricus miles de Eysolzried et Anna vxor eius et Leonardus filius eius A quibus habemus L lb dny. Et dandum seruitium valens lb dny. Isti sepulti sunt an altare S. Ioh[ann]is Ew[a]ng[elis]tae. Horum anniuersarium peragetur in altare S[ancti]. Io[h]a[nn]is Ew[an]gelistae: cum p[rae]cedentis diei vigilia.«

Johannes von Eisolzried, der zwei Wochenmessen gestiftet habe; deshalb forderte der mißtrauische Hundt vom Abt, »die originalia aufzulegen oder soliche durch einen geschworenen Notarium uidicimirn zelassen«[325], damit die Wochenmessen nach altem Recht vollständig gehalten würden. Hundt vergaß auch nicht, einen Seitenhieb auf Abt Puel anzubringen: »sonnderlich dieweil der herr daß Zeitliche und weltlich so hoch in obacht hat, so soll Er auch wie billich den Geistlichen Stiftungen auch besser nachgedennckhen«[326]. Abt Johann Puel übergab diesen Brief verärgert seinem Rechtsberater Georg Lochner, der ihm ein Konzept für das Antwortschreiben retournierte: Zum einen habe man nicht nötig, sich von Hundt einen solchen Ton anhören zu müssen, und zu andern liege dem Kloster die bischöfliche Erlaubnis zur Diminution vor; zum dritten sei kaum vorstellbar, »ob man auch jemand finden werde, [der] uber umb ein so spöttliche Stiftung wochentlich 2 messen zelesen sich werde obligiern«[327]. Als Zumutung empfand der Prälat außerdem, daß Konventualen außerhalb des Choraltars zelebrieren sollten, wo sie dem Pöbel ausgesetzt seien. Schließlich genehmigte der Abt die Zelebration am Johannesaltar; die Vigil aber mußte im Chorraum bleiben[328]. Hans Christoph Hundt wandte sich daraufhin an den Landesherrn, berichtete ihm von der Geschichte seiner Familienstiftung, beschwerte sich über Abt Puel und bat Herzog Maximilian um Unterstützung gegen den Abt, der »dise Gottseelige fundation« eine »spöttliche stiftung« genannt habe[329]. Der Prälat mußte sich vor dem Herzog rechtfertigen[330] und tat dies durchaus geschickt: Zunächst betonte er, daß für diese Beschwerde die geistliche Obrigkeit in Freising zuständig sei und nicht der Herzog. Schließlich aber erläuterte er seinen Standpunkt: Er sei zu keiner Zelebration mehr verpflichtet, da die auf den Zins des Stettenangers gestiftete Messe abgelöst und die Rechte am Stettenanger für weitere 40 lb dl erkauft worden seien. Wenn die Familie Hundt die Eisolzrieder-Messe wieder gefeiert haben wolle, solle sie die 40 lb dl zurückzahlen[331].

Annähernd drei weitere Jahre wogte der Streit zwischen den Parteien hin und her: Hundt wies nach, daß die Messe nie rückgelöst worden war[332]; Abt Puel hielt dagegen, daß sie überhaupt nie ordentlich gestiftet war, da die Formulie-

---

[325] Hans Christoph Hundt an Abt Johann Puel, 8. November 1606. BHStAM. KL Fürstenfeld 381, prod. 9.
[326] Ebd.
[327] Abt Johann Puel an Hans Christoph Hundt, 25. November 1606 (Konzept, am 23. November von Georg Lochner eingereicht). BHStAM. KL Fürstenfeld 381, prod. 10.
[328] Undatierte Notiz, um 1606. BHStAM. KL Fürstenfeld 381, prod. 11.
[329] Hans Christoph Hundt an Maximilian, 15. September 1607. BHStAM. KL Fürstenfeld 381, prod. 12.
[330] Maximilian an Abt Johann Puel mit der Aufforderung zur Stellungnahme, 18. November 1607. BHStAM. KL Fürstenfeld 381, prod. 13. – Beigelegt ist ebd., prod. 12.
[331] Abt Johann Puel an Maximilian, 25. November 1607 (Konzept). BHStAM. KL Fürstenfeld 381, prod. 14.

rung »irrevocabiliter cum consensu et confirmatione Ordinarii« fehlen würde, und appellierte an den Fürstbischof als geistliche Instanz zur Beilegung des Streits[333]. Dem Dachauer Pfleger Wilhelm Jocher gelang schließlich ein Kompromiß[334]: Das Kloster verpflichtete sich, künftig am 11. November jeden Jahres ein Jahramt für die Eisolzrieder und die Hundt von Lauterbach unter gewöhnlicher Aufsteckung der Lichter zu singen; wöchentlich aber sollte eine Messe zur Kommemoration für beide Geschlechter gehalten werden[335]. Die Parteien nahmen den Kompromiß schließlich an[336]; die Tatsache, daß sich im Kompromißkonzept keine Gegenleistung Hundts findet, läßt stark vermuten, daß er aufgrund der Urkundenlage im Recht war und daher sich zu nichts verpflichten mußte; vermutlich wollte der Abt entweder eine zusätzliche Einnahme erstreiten oder die Zelebrationspflichten des Konvents reduzieren. Was die Notiz von 1480 betrifft, so ist nicht auszuschließen, daß es sich dabei um eine Fälschung handelt; zumindest aber entsprach ihr Inhalt nicht dem Rechtsverhältnis.

---

[332] Hans Christoph Hundt an Maximilian, 1. August 1608. BHStAM. KL Fürstenfeld 381, prod. 15.

[333] Abt Johann Puel an Maximilian, 30. Oktober 1608. BHStAM. KL Fürstenfeld 381, prod. 17.

[334] Pfleger Wilhelm Jocher an Abt Johann Puel mit der Festlegung des Schlichtungstermins, 13. November 1609. BHStAM. KL Fürstenfeld 381, prod. 18. – Abt Johann Puel an Pfleger Wilhelm Jocher mit der Bitte um Verschiebung des Termins, 15. November 1609. Ebd., prod. 19. – Pfleger Wilhelm Jocher an Abt Johann Puel mit der Neufestsetzung des Termins, 16. November 1609 (Konzept). Ebd., prod. 20.

[335] Notiz mit dem Schlichtungsvorschlag, 2. Dezember 1609 (Konzept). BHStAM. KL Fürstenfeld 381, prod. 21.

[336] Pfleger Wilhelm Jocher an Abt Johann Puel mit der Bitte, zur Erlangung der Rechtskraft den Vertrag unterzeichnet zurückzuschicken, 22. Dezember 1609. BHStAM. KL Fürstenfeld 381, prod. 22. – Pfleger Wilhelm Jocher an Abt Johann Puel mit der Mitteilung, daß Hundt den Vertrag unterzeichnet und ein Exemplar bei sich behalten habe, 23. Mai 1610. Ebd., prod. 23. – Georg Locher an Abt Johann Puel mit der Mitteilung, daß die Kopie des Vertrages fertig sei, 10. Januar 1610 (Konzept). Ebd., prod. 24.

3. Seelsorge durch das Kloster Fürstenfeld

Der Seelsorgsgedanke widerspricht dem ursprünglichen Selbstverständnis und der Verfassung des Zisterzienserordens als streng kontemplativem Reformorden diametral; Besitz von Pfarreien, Seelsorge und öffentliche Predigt lassen sich mit den Statuten von Cîteaux nicht vereinen, welche den Mönchen Verkehr mit Laien und Einkünfte aus Seelsorgsstellen untersagen[1], um sie nicht in Abhängigkeit vom Eigenkirchenwesen geraten zu lassen. Allzu lange konnte diese rigorose Einstellung nicht gehalten werden, und so befanden sich die Generalkapitel des 12. und 13. Jahrhunderts im aussichtslosen Kampf gegen zunehmende Seelsorge durch den Orden – zu groß war der Druck der rasch aufblühenden seelsorgsorientierten Mendikanten- und Predigerorden; ihm mußte Cîteaux nachgeben, wollten die Zisterzienser nicht zur Randerscheinung unter den Orden werden. Die strengen Verbote wurden langsam gelockert: Das Beichthören bei Laien war 1191 unter Strafe verboten, wurde 1220 und 1257 schrittweise erlaubt; die Predigt vor Laien war 1191 ebenfalls untersagt – die Kreuzzugspredigten Bernhards von Clairvaux änderten diese Haltung, und fortan waren unter den größten Kreuzzugspredigern etliche Zisterzienseräbte zu finden[2]. Seit Mitte des 13. Jahrhunderts wurde die Übernahme auch regulärer Seelsorge, etwa in den Pfarreien um die Klöster, erlaubt, was die endgültige Abkehr vom Ideal der völligen Einsamkeit bedeutete.

---

[1] Vgl. Exord. cist. XIX, XXIII, XXIV, in: Lekai/Schneider, Weiße Mönche 45–46. – Dazu: Krausen, Wallfahrtskulte 115.
[2] Vgl. Lekai/Schneider, Weiße Mönche 199–200.

3.1   Seelsorge im Kloster Fürstenfeld

3.1.1   *Die Anfänge an der Pfortenkapelle und die Öffnung der Klosterkirche*

Unvorstellbar erschien den Gründern von Cîteaux, daß an einem Kloster selbst Seelsorge betrieben werden könnte; die Ansiedelung des Ordens an Orten größtmöglicher Weltflucht in Anlehnung an den Auszug der Ordensväter aus Molesme in die Einöde von Cîteaux mochte solches wohl als undenkbar erscheinen lassen[3]. Verbindungen mit »der Welt« waren für den wachsenden Orden dennoch unumgänglich, denn es kamen Laien als Arbeiter und Angestellte an die Klöster und verlangten nach geistlicher Betreuung. Als erstes Zugeständnis erlaubte man deshalb den Bau einer Pfortenkapelle für Laien, denen der Zutritt zur Kirche verwehrt blieb. Eine solche Kapelle wurde in Fürstenfeld spätestens 1328 an der Südwestecke der Klosterkirche errichtet, da Konrad von Baierbrunn ein Ewiges Licht und eine ewige Messe stiftete und das Vorschlagsrecht für das Altarpatrozinium erhielt[4]; 1348 erging eine Zustiftung an die Kapelle[5], die ein St.-Anna-Patrozinium besaß[6], welches Abt Thoma zu einem Sebastianspatrozinium umwidmete[7].

Mit dieser Pfortenkapelle begann die Seelsorge am Kloster, deren Ausmaße lange Zeit eher bescheiden waren. In Fürstenfeld selbst entwickelte sich nur eine kleine Wallfahrt, da die Umgebung genügend lokale Wallfahrten aufwies[8]; ihr Ziel war eine Sandsteinmadonna aus dem 14. Jahrhundert, die als Geschenk Kaiser Ludwigs galt. Ohne großes Aufsehen überstand ihre Verehrung doch die Zeit[9]. Die zahlreichen Jahrtage im Kloster wurden wohl zunächst unter Ausschluß der Laien gehalten; im 16. Jahrhundert vollzog sich aber eine vom Orden geduldete Öffnung der Klosterkirchen[10], in deren

---

[3]   Dazu der Entstehungsbericht Exord. cist. I, II, in: ebd. 39–40. – Weiter: ebd. 21–26; Miethke, Anfänge 41–46; Polykarp Zakar, Die Anfänge des Zisterzienserordens, in: AC 20 (1964) 103 bis 138; Edith Pásztor, Le origini dell'ordine cisterciense e la riforma monastica, in: AC 21 (1965) 112–127.

[4]   Stiftungsurkunde Konrads von Baierbrunn. Dafür gab er dem Kloster die Obermühle zu Alling, seinen Hof und seine Hube zu Pfaffenhofen, 12. März 1328. BHStAM. KU Fürstenfeld 266; gedruckt in: RegBoic VI 251.

[5]   Seelgerätsurkunde Zacharias' von Höhenrain. Zacharias stiftet seinen Hof zu Stockach als Seelgerät an die Pfortenkapelle, 5. Mai 1348. BHStAM. KU Fürstenfeld 361; gedruckt in: RegBoic VIII 132.

[6]   Reliquienverzeichnis Abt Johann Puels, 31. Januar 1602. BHStAM. KL Fasc. 239/51. Buchstabe X »In portico summi templi ... ad honorem Sanctae Annae, Matris B. M. V.« – Siehe Anhang 3.3: Altäre.

[7]   Führer, Chronik § 192. – Dazu Teil I, Kap. 3.4.3.1.

[8]   Siehe Teil II, Kap. 3.2.3–3.2.6.

[9]   Vgl. Krausen, Wallfahrtskulte 116; Clemens Böhne, Die gotische Madonnenstatue von Fürstenfeld, in: Amperland 12 (1976) 148–150.

[10]   FRST 22,1 erwähnt Predigten vor dem Volk in der Klosterkirche als Teil der Seelsorge.

Folge Abt Puel die Stiftsmessen auf den Choraltar konzentrierte, um zu vermeiden, daß die Mönche allzu sehr mit dem Volk in der Kirche in Kontakt kamen[11]. Das bedeutet, daß die Gläubigen sich zumindest über einen bestimmten Zeitraum hinweg an den Messen in den Seitenkapellen beteiligen konnten. Mit der Niederlegung der östlichen und südlichen Kapellenreihe während der Umbauzeit 1661 bis 1668 änderte sich dies wieder: Die Kirche blieb zwar den Gläubigen geöffnet, die Stiftsmessen wurden aber bis auf die im letzten Kapitel genannte Ausnahme auf dem unzugänglichen Choraltar gefeiert[12].

3.1.2   Predigten und Bittgänge

Zum Totengedenken, das die erste, indirekte Art Seelsorge am Volk darstellte, kamen im Lauf der Zeit Predigten und Bittgänge hinzu; feststellbar wird dies allerdings erst im ausgehenden 16. Jahrhundert: Am 31. Mai 1587 wallfahrtete von Biburg her »fil volckh mit dem creytz« in die Klosterkirche[13], am Blasiustag 1590 kamen die Gemeinden von Bruck, Biburg, Schöngeising und Puch processionaliter nach Fürstenfeld[14], am Gutbertustag 1591 die Gemeinden Bruck und Puch[15]. Gelegentlich notierte Abt Treuttwein leicht erstaunt in sein Tagebuch, daß »gar vil volckh in der kirchen gwest«[16]; besonders an den Palmsonntagen seit 1591 läßt sich dies verfolgen[17]. Anlaß für den großen Zulauf waren die Predigten vor dem Volk; nachdem sie schon seit längerer Zeit geduldet waren und schließlich genehmigt wurden[18], ermunterte das Generalkapitel 1607 geradezu dazu, an Sermonfesten durch geeignete Brüder auch vor dem Volk predigen zu lassen[19].

---

[11] Undatierte Notiz, um 1606. BHStAM. KL Fürstenfeld 381, prod. 11.
[12] Grundriß der gotischen Klosterkirche nach 1661, undatiert. BHStAM. Pls 609b.
[13] Eintrag im Tagebuch Treuttweins, unter dem 31. Mai 1587. BStB. Cgm 1771, fol. 11v.
[14] Eintrag im Tagebuch Treuttweins, unter dem 3. Februar 1590. BStB. Cgm 1771, fol. 82r.
[15] Eintrag im Tagebuch Treuttweins, unter dem 20. März 1591. BStB. Cgm 1771, fol. 111r.
[16] Eintrag im Tagebuch Treuttweins, unter dem 16. April 1589. BStB. Cgm 1771, fol. 61r.
[17] Einträge im Tagebuch Treuttweins. BStB. Cgm 1771, fol. 61r (16. April 1589, Misericordias), fol. 111v (24. März 1591, Laetare), fol. 112r (7. April 1591, Palmarum), fol. 137r (22. März 1592, Palmarum), fol. 164v (11. April 1593, Palmarum).
[18] FRST 22,1. – Vgl. Luzian Pfleger, Beiträge zur Geschichte der Predigt und des religiösen Volksunterrichts im Elsaß während des Mittelalters, in: HJb 38 (1917) 661–717, hier 685.
[19] Visitationsrezeß Abt Johann Martins von Char-lieu, Fürstenfeld, 11. Januar 1608 (Kopie). BHStAM. Aldersbach Archiv Schublade 107, fasc. 3, prod. 12.

3.1.3 Ablässe

Eine andere Möglichkeit, um viel Volk in die Kirche zu holen, war neben Wallfahrten und Predigten die Möglichkeit der Gewinnung von Ablässen. Mit der Bestätigung eines bereinigten Ablaßwesens durch das Konzil von Trient[20] nahmen die arg kritisierten Ablässe an Anziehungskraft wieder stark zu, so daß sich jede Kloster- und Stiftskirche um möglichst zahlreiche Indulgentien bemühte, sei es indirekt über Reliquien[21] oder direkt durch Ablaßbriefe, die für verschiedene geistliche Werke den Nachlaß zeitlicher Sündenstrafen versprachen. In Fürstenfeld konnte man allerdings kaum Indulgentien erhalten: In der Frühzeit der Klostergeschichte wurden keine päpstlichen Ablässe erteilt, zu Zeiten Ludwigs des Bayern war das Kloster vom Papsttum isoliert, danach bemühte es sich um die Gewährung für die Wallfahrtskirche zu Inchenhofen. Seit etwa 1500 hatte Fürstenfeld so gut wie überhaupt keinen Kontakt nach Rom[22], so daß es bis ins 17. Jahrhundert dauerte, als man den ersten Ablaß erhielt. Am 5. Juli 1619 erteilte Papst Paul V. einen Ablaß für den Kreuzaltar in der Klosterkirche[23]; weitere fünf Indulgentien konnte Fürstenfeld zwischen 1640 und 1673 erwerben[24]. Verglichen mit anderen Klöstern war Fürstenfeld damit spärlich ausgestattet: In Raitenhaslach sammelte man im Lauf der Zeit an die sechzig Ablaßbriefe für die Klosterkirche oder die vom Kloster versorgten Kirchen, eine Zahl, an die Fürstenfeld nicht annähernd herankam[25].

---

[20] Vgl. Conc. Trid. Sess. XXI, De reformatione IX, in: COD 731–732: Die Gläubigen dürfen der geistlichen Gnaden, zu denen auch die Ablässe zählen, nicht beraubt werden; sie müssen aber unentgeltlich zugänglich werden.

[21] Die 2717 Raitenhaslacher Heiltümer ergaben zusammen eine Ablaßsumme von 109 840 Tagen, wie Abt Manhauser 1580 stolz feststellte; vgl. Krausen, Raitenhaslach 153.

[22] Vgl. Greipl, Glaubenskämpfe 96–97.

[23] Ablaßbrief Papst Pauls V., Rom, 5. Juli 1619. BHStAM. KU Fürstenfeld 2522. – Der Ablaß wurde für die Wochenmesse am Montag und für Meßfeiern mit dem Gedächtnis Verstorbener gewährt.

[24] Vgl. Klemenz, Dallmayr 146–148.

[25] Vgl. Krausen, Raitenhaslach 154.

3.1.4 Spendung der Sakramente

Auch die Spendung der Sakramente an der Klosterkirche blieb im Umfang bescheiden; dafür waren und blieben die Pfarreien zuständig; regelmäßig wurden nur den Angestellten des Klosters die Sakramente erteilt[26]. Seit wann dies geschah, ist nicht mehr zurückzuverfolgen; gesichert ist aber, daß das Klostergesinde unter Abt Treuttwein am Sonntag Adorate die Beichte ablegte und kommunizierte[27]. Einziges Sakrament, das die Bewohner der umliegenden Pfarreien im Kloster erhielten, war die Firmung: Zur Zeit der Reformation ging man ziemlich nachlässig mit ihrer Spendung um, da sich in der Visitation von 1560 kein Mönch mehr erinnern konnte, wann im Kloster zum letzten Mal gefirmt worden war[28]. Später wurde die Firmung zumindest gelegentlich erteilt, wie Abt Treuttwein in seinem Tagebuch festhielt: Am 27. Oktober 1587 kam der Freisinger Weihbischof Bartholomäus Scholl zur Benediktion eines Friedhofes in die Gegend; tags darauf firmte er in Fürstenfeld von 12 Uhr bis 16 Uhr, und nächsten Tag noch einmal vom Morgen bis zum Mittag. An diesen beiden Tagen bekamen etwa zweihundert Personen das Firmsakrament erteilt[29]. Wie andernorts auch gab es wenige, dafür aber große Firmungen, zu denen die Bevölkerung ins Kloster kam.

---

[26] Seit Mitte des 13. Jahrhunderts war von den Generalkapiteln erlaubt worden, den umliegenden Bewohnern und damit auch den Angestellten die Sakramente zu spenden; vgl. Lekai/Schneider, Weiße Mönche 201.

[27] Eintrag im Tagebuch Treuttweins, unter dem 4. Februar 1590. BStB. Cgm 1771, fol. 82r.

[28] Aussagen im Visitationsprotokoll, 1560. Landersdorfer, Visitation 331.

[29] Eintrag im Tagebuch Treuttweins, unter 27.–29. Oktober 1587. BStB. Cgm 1771 Tagebuch, fol. 21v.

3.2   Die Betreuung von Wallfahrtsorten

Schwerpunkt der seelsorgerlichen Arbeit Fürstenfelder Mönche war die Betreuung zahlreicher Wallfahrten, hauptsächlich im näheren Einzugsbereich des Klosters. Wenngleich die Wallfahrtsseelsorge bis ins 13. Jahrhundert hinein verboten war[30], blühten dennoch zu dieser Zeit die ersten von den Zisterziensern betreuten Wallfahrten auch im deutschsprachigen Raum auf: Himmerod hatte seit 1290 eine Sakramentswallfahrt, Altenberg eine Ursulawallfahrt[31], Doberan in Mecklenburg eine Heilig-Blut-Wallfahrt[32], Waldsassen die Kappel[33]. Sehr früh beteiligte sich auch Fürstenfeld am aufstrebenden Wallfahrtswesen, im Gegensatz etwa zu Raitenhaslach, das erst im beginnenden Barock eine Wallfahrt in der eigentlichen Pfarrkirche Marienberg errichtete[34]. Bereits die erste Gründung Fürstenfelds in Thal war eng mit einer Wallfahrt verbunden, deren genaue Entstehungsumstände allerdings ungeklärt sind. Durch seine Verlagerung an die Amper kam die Klosterstiftung in ein Gebiet, in dem etliche neue Wallfahrten entstanden und gefördert werden konnten; insgesamt sieben Wallfahrtskirchen oder Kapellen unterstanden so der Seelsorge des Klosters: die Heilig-Geist-Wallfahrt in Thal, die Wallfahrten zum hl. Leonhard in Inchenhofen, zum hl. Willibald in Jesenwang, zur seligen Edigna in Puch, zu Unserer Lieben Frau in Bergkirchen, zum hl. Leonhard in Bruck und zum Heiligen Kreuz in Hollenbach.

3.2.1   Die Wallfahrtskirche in Thal

3.2.1.1   Entstehung und frühe Zeit

Die Wallfahrt in Thal ist untrennbar verbunden mit den Anfängen des Klosters Fürstenfeld, die wiederum in einer zwar gut gemeinten, aber lebensunfähigen Stiftung des Ritters Leonhard begründet lagen[35]. So ergab sich für den

---

[30] Vgl. Lekai/Schneider, Weiße Mönche 202–203. – Zum spätmittelalterlichen Wallfahrtswesen im Bistum Freising und seinen Formen siehe: Staber, Volksfrömmigkeit 36–72.

[31] Dazu Hans Mosler, Die Cistercienserabtei Altenberg (= Germania Sacra NF 2: Die Bistümer der Kirchenprovinz Köln. Das Erzbistum Köln 1), Berlin 1965, 89–90.

[32] Vgl. Ludwig Dolberg, Die Verehrungsstätte des hl. Blutes in der Cistercienser-Abtei Doberan, in: StMBO 12 (1891) 594–604, hier 594–595.

[33] Vgl. Höllhuber/Kaul, Wallfahrt 168–169; Krausen, Klöster 100.

[34] Vgl. Krausen, Raitenhaslach 159–160. Die Marienberger Wallfahrt ist heute so gut wie erloschen. – Auch in Margarethenberg an der Alz betreuten die Raitenhaslacher Zisterzienser eine Wallfahrt; vgl. Krausen, Wallfahrtskulte 121.

[35] Führer, Chronik § 8; Fugger, Fürstenfeld 3; Gloning, Gründung 132–133; Pfister, Gründung 74–75; Krausen, Thal 44. – Dazu siehe Einführung in diese Arbeit.

20 Inchenhofen. Fürstenfelder Wallfahrt zum Hl. Leonhard.
Altarauszug am Hauptseitenaltar im südlichen Schiff der Kirche:
Hl. Veronika mit dem Schweißtuch Jesu (um 1610–1625)

21–22 Inchenhofen: Fürstenfelder Wallfahrt zum Hl. Leonhard. Der Hauptseitenaltar im südlichen Seitenschiff: Kreuzabnahme und Beweinung Christi
(Vesperbild um 1430) mit Magdalena und Johannes, seitlichen Engeln
als Grabwächtern. Im Auszug Veronika mit dem Schweißtuch Christi.
Ungenannter Bildhauer unter Abt Sebastian Thoma (1610–1625)

23 Inchenhofen, Wallfahrtskirche St. Leonhard. Beweinung Christi mit Magdalena.
Detail vom südlichen Hauptseitenaltar (um 1610–1625)

nach einem Klosterobjekt suchenden Herzog Ludwig den Strengen die günstige Gelegenheit zum Eingreifen und zur Ablösung seiner Buße[36]; das Klösterchen erhielt 1259 einen Schutzbrief Papst Alexanders IV.[37] und durch den Herzog die Kirche Hollenbach samt Patronatsrecht[38]. Als die Mönche 1261/1262 aus Thal abzogen, blieb eine kleine Heilig-Geist-Kirche zurück. Ab wann sich die Wallfahrt zum Heiligen Geist nach Thal entwickelt hatte, kann nicht mehr zurückverfolgt werden; gesichert ist nur die Jahreszahl 1400: Der Freisinger Weihbischof Friedrich beurkundete, daß er am 11. August dieses Jahres die Kirche zu Thal konsekriert und ihr einen Ablaß verliehen habe[39]. Am 24. Februar des gleichen Jahres hatte Rudolf der Türndl der Heilig-Geist-Kirche in Thal ein Gut zu Waid verkauft[40]; in der gleichen Urkunde wird ein Kirchpropst bei der Wallfahrt erwähnt. Dies bedeutet mehrerlei: Bereits vor 1400 muß eine Heilig-Geist-Wallfahrt bestanden haben, die in einer kleinen Kirche untergebracht war. Sie florierte durchaus, denn man konnte sich leisten, zugleich Güter zu erwerben und einen Vergrößerungsbau zu errichten. Schließlich strebte die Wallfahrt durch die Gewinnung eines Ablasses weiter empor. Im 15. Jahrhundert blieb sie überaus beliebt, da der Kirchpropst aus den Schenkungsgeldern immer wieder Immobilien und Besitz zukaufen konnte. Die gute finanzielle Ausstattung schien auch den Abt von Rott am Inn gereizt zu haben, denn er bestritt als Besitzer der Pfarrei Kirchdorf am Haunpold, auf deren Gebiet Thal lag, alte Fürstenfelder Rechte und wollte sich Entschädigungszahlungen sichern. Ein Schiedsspruch zwischen den Parteien regelte 1444, daß den Fürstenfeldern erlaubt sei, Gottesdienst zu halten, wie es seit alters üblich wäre[41].

Dem Rechtsstatus nach war Thal zu einer Klosterhofmark geworden, die von einem Propst genannten Amtmann geleitet wurde; dieser erhielt ein Jahresgehalt von 6 fl, 2 ß[42]. Seine Aufgabe war die Verwaltung der im Aiblinger Gericht verstreuten Liegenschaften, die Vertretung des Abtes als Grund- und Gerichtsherrn und der Einzug von Geldern[43]; dabei gab es immer wieder Schwierigkeiten mit den Aiblinger Pflegern und Richtern. Zugeordnet war

---

[36] Fundationsurkunde des Klosters Thal durch Ludwig II., München, 21. Oktober 1258. BHStAM. Kurbaiern U 12965. – Vgl. Pfister, Gründung 69–75.

[37] Schutzbrief Papst Alexanders IV. mit dem Verbot, vom Kloster »de Valle salutis Cisterciensis ordinis Frisingensis dioecesis« räuberische Zinsen zu nehmen, 9. Februar 1259. BHStAM. KU Fürstenfeld 2/2.

[38] Schenkungsurkunde Ludwigs II., 9. April 1259. BHStAM. KU Fürstenfeld 2/3.

[39] Weiheurkunde des Weihbischofs Friedrich von Freising, 11. August 1400. BHStAM. KU Fürstenfeld 664.

[40] Verkaufsurkunde Rudolfs des Türndl, 25. Februar 1400. BHStAM. KU Fürstenfeld 661.

[41] Vergleichsbrief von Abt Mathias Schoettl von Rott am Inn und seinem Konvent mit dem Kloster Fürstenfeld bezüglich der Einnahmen der Wallfahrtskirche zu Thal, Rott am Inn, 24. März 1444. BHStAM. KU Fürstenfeld 1017.

[42] Rechnungsbuch von 1573, »Besoldung außerhalb des Klosters«. BHStAM. KL Fasc. 957/60.

[43] Notiz, undatiert (2. Hälfte 16. Jh.). BHStAM. KL Fürstenfeld 536, prod. 1.

der Propst von Thal dem Propst des Münchener Stadthauses, wo er regelmäßig verkehrte[44].

3.2.1.2 Die Wallfahrt im 16. und 17. Jahrhundert

Aufgrund des Aufschwungs, den die Wallfahrt im 15. Jahrhundert genommen hatte, wurde Anfang des 16. Jahrhunderts die heute noch stehende spätgotische Kirche erbaut, über deren Errichtung aber nichts näheres bekannt ist[45]. Nach dem Rückgang der Wallfahrerzahlen in der Reformationszeit – er läßt sich zwar nicht belegen, gilt aber angesichts der Verhältnisse in anderen Wallfahrtsorten als sicher – blühte die Wallfahrt Ende des 16. Jahrhunderts wieder auf; ein Bericht des Mesners Hans Schmid aus dem Jahr 1587 skizziert das Wallfahrtsleben[46]: Im Sommer seien von Ostern bis Michaeli über zweitausend Pilger mit ihren Kreuzen gekommen, die unter Glockengeläut ein- und auszogen und die vielen Gottesdienste besuchten. Außerhalb der Wallfahrtssaison fanden wöchentlich zwei Messen, allerdings eher unregelmäßig, statt. Die Gläubigen kamen von Tuntenhausen, Heilig Blut, von einer ungenannten Allerheiligenkirche, von Ebersberg, Helfendorf, Wätterkirchen, Beuern, Laus, Höhenrain und anderen Orten.

Zur gleichen Zeit vollzog sich eine Umwidmung des Wallfahrtspatroziniums: 1590 wurde die Kirche noch mit dem althergebrachten Heilig-Geist-Patrozinium bezeichnet[47], 1642 erscheint sie als Wallfahrt zur Allerheiligsten Dreifaltigkeit[48]. Zeitpunkt und Ursachen dieser Wandlung lassen sich mangels Quellen nicht mehr fixieren; Erklärung findet sich dennoch in der Wallfahrtsgeschichte: In der einsetzenden Barockzeit, die mit ihrem Streben zum Visuellen und Anschaulichen die Frömmigkeit entscheidend prägte, pilgerten die Gläubigen besonders zu solchen Wallfahrtsorten, die ihr Empfinden trafen. Eine abstrakte Heilig-Geist-Wallfahrt fiel nicht darunter, und so dürfte man, um die Attraktivität der Wallfahrt zu erhöhen, das Patrozinium zu einer Dreifaltigkeitswallfahrt modifiziert haben, die – zumindest optisch – wesentlich anschaulicher und vermittelbarer ist. Die Verehrung der Dreifaltigkeit kam im 17. Jahrhundert aus Italien herauf und schlug sich in vielen Kirchen nieder, die zu dieser Zeit entstanden, darunter der Kappel bei Waldsassen oder dem von Thal nicht allzu weit entfernten Weihenlinden[49]. Der

---

[44] Vgl. Wollenberg, Eigenwirtschaft 309.
[45] Vgl. KDB OB V 1669; Krausen, Thal 49; Schlichting, Wallfahrten 294.
[46] Hans Schmid, Mesner in Thal, an Wilhelm V., 1587 (Konzept). BHStAM. KL Fürstenfeld 546, prod. 1.
[47] Leibgedingsbrief des Vikars Johann Winchelmair von Kirchdorf, 21. Dezember 1590. BHStAM. KU Fürstenfeld 2335.
[48] Freistiftrevers Hans Propsts, 31. Juli 1642. BHStAM. KU Fürstenfeld 2653.
[49] Vgl. Höllhuber/Kaul, Wallfahrt 165–168; Veit/Lenhart, Volksfrömmigkeit 62–63; zur Wallfahrt in der frühen Barockzeit allgemein ebd. 174–193.

Hochaltar der Wallfahrtskirche Thal erhielt einen frühbarocken Gnaden-
stuhl, flankiert von den Ordensheiligen Benedikt und Bernhard; im Auszug
thront schließlich die Gottesmutter Maria als Schutzfrau des Ordens[50].
Daneben stammen eine Glocke aus dem Jahr 1612 und aus der gleichen Zeit
ein Kelch[51].

Ihren Höhepunkt erreichte die Wallfahrt in der Zeit vor dem Dreißigjährigen
Krieg: Die Ausstattung wurde erneuert, 1622 legte man ein Mirakelbuch an,
das aber ebenso verloren ist wie die meisten Votivtafeln. Die Einnahmen des
Jahres 1628, als man in Thal die 370-jährige Wiederkunft der Klostergründung feierte, betrugen 304 fl, 5 ß, 28 ½ dl[52] und lagen damit nicht weit hinter
den Gefällen großer Wallfahrten wie Inchenhofen; wurde die Zahl der Wallfahrer zu groß, dann konnten die Priester durch eine Fensterkanzel auch ins
Freie predigen[53]. Das Verhältnis von Wallfahrt und Hofmark in Thal zum
Kloster Fürstenfeld war freilich zu dieser Zeit nicht mehr allzu eng: Die Seelsorge wurde nicht von Zisterziensern aus Fürstenfeld wahrgenommen, sondern von Weltpriestern, die aus Höhenrain oder Kirchdorf herüberkamen[54].
1556 reiste Abt Leonhard Baumann nach Thal[55], weitere Reisen von Äbten
sind nicht bekannt, geschahen aber wohl gelegentlich; belegt ist auch ein
Besuch des Thaler Amtmanns Hans Dräscher am 3. März 1588 bei Abt Leonhard Treuttwein[56].

3.2.1.3 Die Hofmarksherrschaft in Thal

Ebenso wie die anderen Gerechtsame des Klosters geriet auch die Klosterhofmark Thal unter zunehmenden Druck. Eine Notiz aus der zweiten Hälfte des
16. Jahrhunderts zählt die grund- und gerichtsherrlichen Rechte des Abtes
über seine Hofmark auf und vermerkt, die Rechte seien so gut gesichert, daß
man einen Streit nicht zu scheuen brauche – der Kirchpropst, von dem die
Aufzeichnung allem Anschein nach stammt, rechnete also mit Streitigkeiten um die Hofmarksrechte[57]. Dies war nichts Neues, denn schon 1524 hatte

---

[50] Vgl. KDB OB V 1669. – Abbildung in: Krausen, Thal 49.
[51] Vgl. Krausen, Thal 47.
[52] Rechnungsheft Thal, 1628. BHStAM. KL Fürstenfeld 393, prod. 4.
[53] Vgl. Krausen, Thal 47. – Diese Fensterkanzel wurde leider bei der Renovierung 1955 ent-
     fernt.
[54] Hans Schmid, Mesner in Thal, an Wilhelm V., 1587 (Konzept). BHStAM. KL Fürstenfeld 546,
     prod. 1.
[55] Rechnungsbuch von 1556, »Zehrung und Botenlohn«. BHStAM. KL Fürstenfeld 317 1/86.
[56] Eintrag im Tagebuch Treuttweins, unter dem 3. März 1588. BStB. Cgm 1771, fol. 32r.
[57] Notiz, undatiert (2. Hälfte 16. Jh.). BHStAM. KL Fürstenfeld 536, prod. 1: »Sein unterschid-
     liche Paurn güetter aber biß hero für ein hofmark zusammen gehalten worden, dar bey khain
     sitz oder schloß Ligen ohne mitl in dem ge. zünchkh und anzaigung der hofmarch hochen-
     rain und gränzen miteinander an daß Landtgericht schwaben auf daß wasser die ach genannt,

man einen Streit um die Gerichtsbarkeit in der Hofmark durchstehen müssen: Ein nicht weiter bekannter Leonhard Baumgarttner hatte gegen die klösterlichen Gerichts- und Fischrechte geklagt, war aber unterlegen; die
Fischerei beim Gut Schnaitt und die Gerichtsbarkeit über sieben Güter in
Thal war weiterhin dem Kloster zugesprochen worden[58].

Im Herbst 1542 wütete ein Feuer in der Wallfahrtskirche Inchenhofen[59], bei
dem zwei Glocken verbrannten. Abt Johannes Pistorius, der kein Geld hatte,
um neue Glocken zu kaufen, verglich sich mit dem Münchner Glockengie-
ßer Wolfgang Steeger auf eine Summe von 17 fl Ewiggeld aus zwei Eigenhöfen
in Thal, für die man anstelle der Hauptsumme zwei große Glocken bekam[60].
1587 versuchte man seitens herzoglicher Beamter wiederum, alte grundherr-
liche Klosterrechte zu schmälern; der Mesner der Kirche sollte zu Scharwerksleistungen herangezogen werden. Doch der Mesner Schmid wehrte
sich dagegen und schrieb an Herzog Wilhelm V.; dazu legte er ein Gutachten
des Hofmarksrichters bei und beteuerte, seit 1256 habe man den Mesner
noch nie zu Scharwerken herangezogen[61]. Im Jahr 1609 machten die eigenen
Hintersassen dem Abt Schwierigkeiten, indem sie sich weigerten, ihre Stift-
gelder zu bezahlen und Scharwerksdienste zu leisten. Nachdem ein Mahn-
schreiben Abt Puels nichts gefruchtet hatte, ritt der Münchener Stadthaus-
propst Georg Rueshammer nach Thal, hatte dort immerhin einigen Erfolg,
mußte aber den Prälaten bitten, den besonders renitenten Adam Khöl aus
Thal persönlich scharf zu verweisen[62]. Aufgrund des angewachsenen Wall-
fahrerstroms konnte man 1627 ein neues Amt- und Richterhaus, das sogenannte Schlößl, in Thal erbauen, wohl nicht ohne den Hintergedanken, den
besonderen Status als klösterliche Hofmark zu repräsentieren[63]. Trotz des
Drucks von außen konnte sich die Klosterhofmark halten, bis sie 1803 im
Rentamt Miesbach aufging.

sonst zum Closster Fürstenfeldt, der herr Abt daselbst spricht darauf die hofmarkhs gerech-
tigkheit und freyhait mit aller Jurisdiction an, Taufkhürchen zum hochenrain, vermaint es
weiter nit alß waß der heiser und darbey ligendten gärtten verfrüdung umbfangen (aber nit
auf andern gründtn, so mit seinen hofmarkhs underthanen für und wider in feliden ligen)
zubestehen, und zuverstatten, disfals sich ein streit ansehen lasst.«

[58] Urteil über einen Fischstreit, 19. Februar 1524 (Kopie). BHStAM. KL Fürstenfeld 536, prod. 2.
[59] Siehe Kap. 3.2.2.2 in diesem Teil.
[60] Genehmigung für den Verpfändungsbrief BHStAM. KU Fürstenfeld 1753 durch Wilhelm IV.
und Ludwig X., 7. März 1542. BHStAM. KU Fürstenfeld 1755. – Verpfändungsbrief Abt
Johannes Pistorius' über zwei Eigenhöfe in Thal, 16. Oktober 1542. BHStAM. KU Fürstenfeld 1753. – Wolfgang Steeger verkaufte sechs Jahre später dieses Ewiggeld an den Münchner
Hofzeugmeister Hans Erlinger für 340 fl weiter, 6. April 1548. BHStAM. KU Fürstenfeld
1793.
[61] Hans Schmid, Mesner in Thal, an Wilhelm V., 1587 (Konzept). BHStAM. KL Fürstenfeld 546,
prod. 1.
[62] Propst Georg Rueshammer an Abt Johann Puel, München, 19. Juni 1609. BHStAM. KL Fürstenfeld 532, prod. 1.
[63] Vgl. Krausen, Thal 49.

3.2.2   Die Leonhardswallfahrt in Inchenhofen

3.2.2.1   Die Anfänge der Wallfahrt

Die Leonhardskirche in Inchenhofen[64] war Fürstenfeld von Anfang an verbunden und wurde dem Kloster Thal am 9. April 1259 zusammen mit der Pfarrei Hollenbach geschenkt[65] – was im Gründungsprivileg von 1266 konfirmiert wurde[66] – und 1283 dem Kloster inkorporiert[67]. Schwerer zu fassen sind die Anfänge der Wallfahrt zum heiligen Leonhard in Inchenhofen: Da es weder zuverlässige Überlieferungen noch eine Legende über den Ursprung gibt, nimmt man an, daß sie etwa zeitgleich mit der Schenkung an das Kloster begonnen hat[68]; die Erteilung eines ersten Ablasses zugunsten der Kirche durch dreizehn Kardinäle in Rom unter dem 18. Januar 1289[69] stützt diese Vermutung. Damit begann ein langanhaltender Aufschwung des Klosters, in deren Folge 1332 der Augsburger Weihbischof Heinrich von Kiew den notwendig gewordenen Neubau einer Wallfahrtskirche konsekrierte[70]; zu ihrer Errichtung konnten die Fürstenfelder Zisterzienser zwischen 1312 und 1332 wiederum mehrere Ablässe erlangen[71]. Aus der gleichen Zeit stammen die

---

[64] Zur Wallfahrt in Inchenhofen: Geiss, Heinrich 76–96; Krausen, Wallfahrtskulte 116–118; dazu Beiträge in der Festschrift: Liebhart, Inchenhofen (Literaturverzeichnis). – Zur Leonhardsverehrung: Günther Kapfhammer, Zur Geschichte der Leonhardsverehrung, in: Liebhart, Inchenhofen 43–64.

[65] Schenkungsurkunde Ludwigs II., 9. April 1259. BHStAM. KU Fürstenfeld 2/3.

[66] Gründungsurkunde Ludwigs II., 22. Februar 1266. BHStAM. KU Fürstenfeld 4.

[67] Inkorporationsurkunde durch den Augsburger Bischof Hartmann von Dillingen, 20. Dezember 1283. BHStAM. KU Fürstenfeld 12; gedruckt in: MB IX, Nr. 13; RegBoic IV 236. – Weitere Inkorporationen betreffen die Wallfahrtskirche gesondert: durch den Gegenpapst Nikolaus V. am 4. Juni 1328 (vgl. Machilek, Niederkirchenbesitz 392, Anm. 172) und durch Bischof Friedrich von Augsburg 1330 (BHStAM. KU Fürstenfeld 1330 Oktober 4).

[68] Vgl. Schlichting, Wallfahrten 276; Klemenz, St. Leonhard 107; Krausen, Wallfahrtskulte 116.

[69] Ablaßbrief durch 13 Kardinäle, 18. Januar 1289. BHStAM. KU Fürstenfeld 22/1; gedruckt in: RegBoic IV 432.

[70] Konsekrationsurkunde durch Weihbischof Heinrich von Kiew, 17. Mai 1332. BHStAM. KU Fürstenfeld 1332 Mai 17. – Zur Person des Kiewer Bischofs, Augsburger Weihbischofs und Zisterziensers Heinrich: Geiss, Heinrich 74.

[71] Bischof Gottfried von Hexenagger von Freising verleiht der Leonhardskirche in Inchenhofen einen Ablaß, Freising, 9. Juli 1312. BHStAM. KU Fürstenfeld 1312 Juli 9. – Bischof Nicolaus von Ybbs von Regensburg verleiht der Leonhardskirche in Inchenhofen einen Ablaß, Regensburg, 22. Februar 1315. BHStAM. KU Fürstenfeld 1315 Februar 22. – Bischof Philipp von Rathsamhausen von Eichstätt verleiht der Leonhardskirche in Inchenhofen einen Ablaß, Eichstätt, 9. März 1315. BHStAM. KU Fürstenfeld 1315 März 9. – Bischof Heinrich von Chiemsee verleiht der Leonhardskirche in Inchenhofen einen Ablaß, Inchenhofen, 17. Mai 1332. BHStAM. KU Fürstenfeld 1332 Mai 17; der Aussteller dieser Urkunde, Bischof Heinrich von Chiemsee war möglicherweise ein unkanonischer Gegenbischof zum damals regierenden Chiemseebischof Konrad II. von Lichtenstein (1330–1354). Da zu dieser Zeit Kaiser Ludwig der Bayer mit dem Salzburger Fürsterzbischof heftige Auseinandersetzungen austrug, ist eine Ernennung eines Gegenbischofs seinerseits durchaus vorstellbar.

ersten geistlichen Dokumente: Das Missale Fr. Heinrichs von Biberach aus
dem Jahr 1317 besitzt einen Nachtrag mit einem eigenen Meßformular vom
hl. Leonhard und ist möglicherweise für die Inchenhofener Wallfahrt entstanden[72].

Für den »Erfolg« eines Wallfahrtsortes ist die Ansicht des Volkes, ob an ihm
besondere Gnadenzeichen sichtbar werden, von großer Bedeutung. Um dies
zu dokumentieren, legten die Zisterzienser von St. Leonhard Mirakelbücher
an[73], in denen die auftretenden Wunder bei der Anrufung des hl. Leonhard –
und es waren nicht wenige! – eingetragen wurden. Die älteste lateinische
Mirakelhandschrift stammt aus dem Jahr 1346 und wurde von Fr. Eberhard
begonnen: Verzeichnet sind darin wunderbare Gesundungen aus den Jahren
1258 bis 1436, allerdings nur solche – wie der erste Verfasser ausdrücklich
betont –, die von glaubwürdigen Personen überliefert wurden[74]. Im Laufe der
Zeit sammelten sich etliche Wunderberichte an, die zwei weitere Hand-
schriftenbände füllten, einen in lateinischer Sprache mit Berichten aus den
Jahren 1258 bis 1447[75], und einen deutschsprachigen mit 1768 Mirakeln aus
den Jahren 1498 bis 1512[76].

Im 15. Jahrhundert war die Wallfahrt bei den Gläubigen weiterhin sehr
beliebt, so daß Abt Paul Hertzmann (1451–1454) einen Kirchenneubau projektierte, der allerdings nie verwirklicht wurde; vorgenommen wurden lediglich einige Umbauten[77]. Die gute Frequentierung der Wallfahrt machte sich
auch am Kirchensilber bemerkbar, von dem eine Aufstellung aus dem Jahr
1448 überliefert ist: sieben silberne und vergoldete Kelche, ein Ciborium,
zwei Silberbüsten des hl. Leonhard, ein Silberkreuz, vier silberne Monstranzen, zwei Fläschchen, ein silbernes Weihrauchfaß und eine Kupfermon-
stranz; in der Sakristei hingen einundzwanzig vollständige Ornate, neun
Kaseln, ein Pluviale und zwanzig Alben, zumeist Schenkungen[78]. Auch die
Bibliothek war überaus reich bestückt[79].

---

[72] Missale, 1317. BStB. Clm 6915; auf foll. 270–271 findet sich das Leonhards-Formular.

[73] Ausführlich zu den Inchenhofener Mirakelbüchern: Dafelmair, Mirakelbücher 65–82. – Zu
Mirakelbüchern allgemein: Staber, Volksfrömmigkeit 62–68.

[74] »Miracula beati Leonhardi confessoris facta medicus ipsius in ecclesia Inchenhoffen«, 1346.
BStB. Clm 7685. – Reproduktion von Bl. 1 in: Dafelmair, Mirakelbücher 67; dazu auch: Krausen, Wallfahrtskulte 117.

[75] »Miracula sancti Leonhardi in Inchenhofen facta 1258–1447«, verfaßt von Fr. Ulrich Riblinger. BStB. Clm 27332. – Ausführlicher dazu: Dafelmair, Mirakelbücher 69.

[76] Mirakelbuch. BStB. Cgm 1772. – Ausführlicher dazu und zu einem deutschen Fragment:
Dafelmair, Mirakelbücher (Literaturverzeichnis).

[77] Vgl. Paula, Wallfahrtskirche 398–400; gegen Schlichting, Wallfahrten 277, die immer noch
von einer Hallenkirche ausgeht; ebenso KDB OB I 180 203–204. – Dazu auch Teil I,
Kap. 3.4.3.2.

[78] Vgl. Klemenz, St. Leonhard 113.

[79] Vgl. Paul Ruf, Mittelalterliche Bibliothekskataloge Deutschlands und der Schweiz III/1:
Bistum Augsburg, München 1932, 123–125. – Die Bibliothek zählte rund 60 Handschriften:
liturgische Bücher, Schrifttexte, Ausgaben von Vätern und mittelalterlichen Theologen.

3.2.2.2 Die Leonhardswallfahrt im 16. und 17. Jahrhundert

Während der Reformationszeit vollzogen sich auch in der Leonhardswallfahrt in Inchenhofen einige Änderungen: Erstes Anzeichen für einen Wandel im Wallfahrtswesen ist der Sprachwechsel der Mirakelbücher vom Lateinischen zum Deutschen; die Wunderberichte sollten den Gläubigen leichter zugänglich gemacht werden, um die Attraktivität des Gnadenortes zu stärken. Dazu verlagerte sich in den Jahren der Reformation die Herkunft der Wallfahrer in die nähere Umgebung[80]; eine Flaute bei den Wallfahrten ist angesichts der 1768 Mirakel in den Jahren 1498 bis 1512 jedoch nicht feststellbar. Der Rückgang der Wallfahrerzahlen setzte erst etliche Jahre nach der Reformation ein; damit breitete sich die um 1520 in ganz Bayern beginnende Wallfahrtskrise auch nach Inchenhofen aus[81]. Da es keine Zählungen von Wallfahrern gibt, müssen die überlieferten Stockgefälle[82] und Oblationen als Indizien dafür gelten[83]. Zwar ist ein Vergleich nicht unproblematisch, da die

---

[80] Vgl. Dafelmair, Mirakelbücher 71.

[81] Vgl. Höllhuber/Kaul, Wallfahrt 60–62; Kaff, Volksreligion 320–321.

[82] Mit der Inkorporation St. Leonhards nach Fürstenfeld 1330 wurde Bischof Friedrich von Augsburg ein Drittel der Stockgefälle des großen Opferstocks neben dem Altar zugesprochen (BHStAM. KU Fürstenfeld 1330 Oktober 4). 1395 tauschte das Kloster das dem Bischof zustehende Drittel gegen den Zehnten aus den vier Orten Mittelstetten, Schwabmünchen, Hiltenfingen und Wehringen und 190 fl ein (BHStAM. KU Fürstenfeld 1395 Juni 18). – Vgl. Machilek, Niederkirchenbesitz 391–392; Klemenz, St. Leonhard 111.

[83] Stockgefälle in St. Leonhard zu Inchenhofen:

Jahr	Beleg	Einnahme
1526	BHStAM. KL Fürstenfeld 317 1/8, foll. 1–24.	235 fl, 5 ß, 26 dl + 140 fl weitere Oblationen
1527	BHStAM. KL Fürstenfeld 317 1/8, foll. 25–49.	218 fl, 6 ß, 102 dl
1528	BHStAM. KL Fürstenfeld 317 1/8, foll. 50–70.	198 fl, 1 ß, 27 dl
1529	BHStAM. Aldersb. Archiv Schubl. 107, fasc. 3, prod. 4	350 fl
1531	BHStAM. KL Fürstenfeld 317 1/84.	365 fl, 1 ß, 10 dl
1554	BHStAM. KL Fasc. 957/60.	165 fl, 5 ß dl
1555	BHStAM. KL Fürstenfeld 317 1/11.	163 fl
1556	BHStAM. KL Fürstenfeld 317 1/86.	171 fl, 2 ß, 13 dl
1558	BHStAM. KL Fürstenfeld 317 1/88.	140 fl, 2 ß, 29 dl
1566	BHStAM. KL Fürstenfeld 317 1/10.	192 fl, 1 ß, 15 dl
1573	BHStAM. KL Fasc. 957/60.	225 fl, 6 ß, 21 dl (incl. St. Willibald)
1575	BHStAM. KL Fürstenfeld 217 ½.	273 fl, 5 ß, 14 dl (incl. St. Willibald)
1600	BHStAM. KL Fürstenfeld 317 1/90.	956 fl, 1 ß, 2 dl, 1 hl (alle Gefälle)
1613	BHStAM. KL Fasc. 957/60.	1330 fl, 4 ß, 28 dl, 1 hl (alle Gefälle)
1619	BHStAM. KL Fürstenfeld 217 1/3.	1267 fl, 5 ß, 28 dl
1620	BHStAM. KL Fürstenfeld 217 1/3.	1233 fl, 1 ß, 1 dl
1621	BHStAM. KL Fürstenfeld 217 1/6.	1625 fl, 6 ß, 24 dl

in den Rechnungsbüchern unter einer Rubrik einbezogenen Posten jeweils variieren, dennoch lassen sich die Größenordnungen voneinander gut abheben: Bis 1530 hielten sich die Wallfahrtseinnahmen stabil, danach sanken sie auf etwa die Hälfte ab und erreichten 1558 ihren niedrigsten Stand. Eine Tendenz zum besseren ließ sich schon 1573 wieder erkennen; danach stiegen die Einnahmen kontinuierlich an, und an der Wende zum 17. Jahrhundert erreichten sie das Dreifache des Sockels aus der ersten Jahrhunderthälfte. Nun wäre es allzu einfach, die Entwicklung der Stockgefälle als Strukturmuster für die Wallfahrerzahlen zu übernehmen; dafür spielen zu viele Faktoren eine Rolle. Der Gefälleeinbruch Mitte des 16. Jahrhunderts ließe sich auch durch eine wirtschaftliche Krisenzeit infolge der hohen Kriegslasten gegen die Türken und die Schmalkaldener erklären. Dennoch ist anzunehmen, daß die Entwicklungen von Stockeinnahmen und Wallfahrerzahlen ihrer Tendenz nach übereinstimmten.

Neben dem Rückgang der Wallfahrerzahlen und Einnahmen traf 1542 ein Blitzschlag in den Turm der Kirche die Wallfahrt empfindlich, da er einen Brand auslöste, die Glocken schmelzen ließ und einen Neubau der oberen Turmgeschosse erforderlich machte[84]. Abt Johannes Pistorius verfaßte auf dieses die Zeitgenossen in Panik versetzende Ereignis ein bis heute überliefertes Gedicht[85]; zur Neuanschaffung der Glocken wurden zwei in Thal gelegene Höfe versetzt[86]. Eine Unterbrechung ergab sich in der Tradition der Mirakelaufzeichnung: Nach dem Ende der Notierungen des deutschen Mirakelbuches mit dem Jahr 1512 dauerte es über siebzig Jahre, bis wieder ein Mirakelheft erschien. Abt Leonhard Treuttwein ließ 1585 bei Adam Berg in München eine Sammlung von neununddreißig Mirakeln aus den Jahren 1584 und 1585 als Broschüre drucken, wohl nicht zuletzt mit dem Hintergedanken der Werbung für die Wallfahrt[87]. Zwei weitere Hefte erschienen im Jahr 1593 für die Zeit zwischen 1588 und 1593[88] und im Jahr 1605, zurückgehend bis 1599[89]. Sie dienten sowohl der Bestätigung der Wallfahrt als auch der Belehrung der Wallfahrer und der Befriedigung ihrer Bedürfnisse nach Heil und Gesundung, vielleicht auch nach ein wenig Sensationslust. Unterrichtet

---

[84] Vgl. Paula, Wallfahrtskirche 401.

[85] Zitiert in: Führer, Chronik § 100. – Siehe Anhang 4.1: Chronik.

[86] Genehmigung für den Verpfändungsbrief BHStAM. KU Fürstenfeld 1753 durch Wilhelm IV. und Ludwig X., 7. März 1542. BHStAM. KU Fürstenfeld 1755. – Verpfändungsbrief Abt Johannes Pistorius' über zwei Eigenhöfe in Thal, 16. Oktober 1542. BHStAM. KU Fürstenfeld 1753.

[87] »S. Leonardus. Etliche gedenckwirdige Miracul und Wunderzeichen so Gott der allmechtig durch mittel und fürbitt S. Leonhards des heiligen Nothelffers alda zu S. Leonhard gewürcket hat«, 1585. BStB. Bavar. 3000 XII 15. – Erläuterungen in: Dafelmair, Mirakelbücher 73.

[88] Mirakelbuch, 1593. BStB. 4° Bavar. 1190. – Abgedruckt in: Brigitte Herramhof, Inchenhofen – das Mirakelbuch von 1593, in: Beiträge zur Oberpfalzforschung 4, Kallmünz 1980, 51 bis 120; dazu Dafelmair, Mirakelbücher 73.

[89] Mirakelbuch, 1605. BStB. Bavar. 3000 XII 17.

wurden die Gläubigen etwa im reformationstheologisch umstrittenen Ablaßwesen und in der Frage nach dem Nutzen des Meßopfers für Verstorbene[90]; so stellte sich auch die Wallfahrt in den Dienst der katholischen Reform. Nach dem allgemeinen Aufschwung der Wallfahrtstätigkeit im beginnenden 17. Jahrhundert wurde die Leonhardskirche im Geschmack der Zeit ausgestaltet, nachdem das Langhaus der Kirche baufällig geworden und teilweise eingestürzt war; besonders Abt Sebastian Thoma legte Wert auf standesgemäße Repräsentation und wandte entsprechende Mittel für die Innenausgestaltung auf[91].

3.2.2.3   Das Superiorat und die Wallfahrtsseelsorge

Von Beginn an betreuten Fürstenfelder Zisterzienser die Wallfahrt, die nur durch deren Engagement seelsorgerlich ausreichend versorgt werden und zu solch großer Bedeutung gelangen konnte. Bereits im ausgehenden Mittelalter lebten ständig drei Fürstenfelder Konventualen in der Propstei in Inchenhofen[92], bei Bedarf konnten aber zehn oder mehr Weltpriester zum Beichthören angefordert werden[93]. Neben den geistlichen Rechten und Pflichten, die aus der Wallfahrt erwuchsen, war der »Kaplan« von Inchenhofen als Superior für die Verwaltung der weltlichen Belange zuständig. Die Hofmarksgerichtsbarkeit, die 1321 an das Kloster gekommen war, wurde seit dem 15. Jahrhundert langsam ausgehöhlt[94], so daß dem Kaplan nur noch wenige Gerechtsame blieben, etwa die Einsetzung des Schulmeisters[95] oder die Besetzung von Stiftsmessen. Das Superiorat bildete schließlich auch das Verwaltungszentrum für die Fürstenfelder Liegenschaften in den Ämtern Aichach, Neuburg/Rain und Pfaffenhofen; erhalten sind davon aus der Reformationszeit ein Stiftbuch für die Jahre 1537 bis 1540[96], ein Kastenbuch von 1612[97] und weitere kleinere Quellen. Zur Unterstützung des Kaplans von Inchenhofen wurde schon bald ein Kastner angestellt[98]; seit 1550 war dies Leonhard Fruntzhamer[99]. Die Inchenhofener Verwaltung entwickelte sich somit weitgehend unabhängig von der Fürstenfelder Klosterwirtschaft.

[90]   Vgl. Dafelmair, Mirakelbücher 74–75.
[91]   Darüber wurde in Teil I, Kap. 3.4.3.2 ausführlich berichtet.
[92]   Vgl. Klemenz, St. Leonhard 113.
[93]   Vgl. Machilek, Niederkirchenbesitz 114.
[94]   Siehe nächster Abschnitt.
[95]   Zum Streit um die Inchenhofener Schulmeister siehe Kap. 1.2.2.1 in diesem Teil.
[96]   Stiftbuch Inchenhofen, 1540. BHStAM. KL Fürstenfeld 70.
[97]   Kastenbuch Inchenhofen, 1612. BHStAM. KL Fürstenfeld 261 1/12a.
[98]   Dieser war im 16./17. Jh. ein Laie und erhielt einen jährlichen Sold von 8 fl (Rechnungsbuch von 1573, »Besoldungen außerhalb des Klosters«. BHStAM. KL Fasc. 957/60). – Im 17. Jh. wurde ein Konventuale mit der Aufgabe betraut. Erster monastischer Kastner war 1690 der spätere Abt Casimir Cramer; dazu und zur Kastnerliste vgl. Klemenz, St. Leonhard 119.
[99]   Aussage im Visitationsprotokoll, 13. Oktober 1551. BHStAM. KBÄA 4096, fol. 78r.

In ihrer Lebensführung blieben die Inchenhofener Konventualen lange Zeit unbeachtet und unkontrolliert; sie waren weit von Fürstenfeld entfernt, kamen relativ selten ins Kloster und wußten deshalb über die dortigen Vorgänge wenig. Diesen Eindruck erwecken zumindest die Visitationsprotokolle von 1551, in denen die beiden Inchenhofener Konventualen befragt wurden: Kaplan Fr. Sigismund Eisenberger bemühte sich um ein klösterliches Leben[100], Fr. Johannes Pradtner dagegen führte ein unpriesterliches Dasein, zelebrierte kaum noch und hatte »Köchin« samt Kind – so stellen die Visitatoren fest[101]. Die Visitationsreise Generalabt Nicolaus Boucherats von 1573 bezog auch das Superiorat mit ein, ohne daß jedoch Akten davon erhalten sind; auch die Visitationen von 1481, 1571 und 1587 sind nicht weiter belegt[102]. Eine einzige Notiz ist in einer Anweisung von 1587 überliefert, derzufolge die Mönche von St. Leonhard sich gegenseitig beichten und auch die Beichte von anderen exponierten Konventualen abnehmen sollten[103]. Insgesamt waren die Inchenhofener Zisterzienser von den Reformen des ausgehenden 16. Jahrhunderts nur insofern betroffen, als sie die Seelsorge beeinflußten, da ihr Leben ausschließlich von den Erfordernissen der Wallfahrtsseelsorge und der Liegenschaftsverwaltung bestimmt war; »monastische« Verschärfungen der Lebensweise waren unter solchen Umständen kaum durchzusetzen. Der Kontakt zwischen dem Kloster Fürstenfeld und dem Superiorat gestaltete sich allerdings intensiver, worauf Abt Treuttwein offensichtlich großen Wert legte; in seinem Tagebuch vermerkte er jeden Besuch eines Fürstenfelder Konventualen in St. Leonhard und jede Anwesenheit eines Inchenhofener Mönches im Kloster[104]. Dies war auch im Sinn des Ordens: 1581 hatte der Visitator Abt Edmund de la Croix von Chatillon angemahnt, daß die exponierten Mönche mindestens dreimal im Jahr ins Kloster kommen sollten[105]. Da der Fürstenfelder Konvent inzwischen stärker geworden war, konnte man immer wieder Mönche für einige Wochen nach Inchenhofen zur Seelsorgsmithilfe schicken; auch die Äbte fuhren spätestens seit Leonhard Treuttwein drei- bis viermal im Jahr zu hohen Feiertagen nach St. Leonhard, was immer zugleich eine Visitation des Superiorats bedeutete[106].

---

[100] Feststellung im Visitationsprotokoll, 13. Oktober 1551. BHStAM. KBÄA 4096, foll. 62v bis 64r.

[101] Feststellung im Visitationsprotokoll, 13. Oktober 1551. BHStAM. KBÄA 4096, fol. 61.

[102] Repertorium Fürstenfeld, undatiert. BHStAM. KL Fürstenfeld 369, pag. 185, L 13. – Für die Visitation 1587 ist wahrscheinlich, daß sie der Aldersbacher Vaterabt Dietmair vornahm.

[103] Visitationsrezeß Abt Johannes Dietmairs von Aldersbach, Fürstenfeld, 17. November 1587. BHStAM. KL Fürstenfeld 330½, fol. 9v.

[104] Einträge im Tagebuch Treuttweins. BStB. Cgm 1771. – Einzelne Belege seien hier erspart.

[105] Visitationsrezeß durch Abt Edmund de la Croix von Chatillon, Fürstenfeld, 12. Oktober 1581. BHStAM. KU Aldersbach 1453.

[106] Dazu siehe die Einträge im Tagebuch Treuttweins. BStB. Cgm 1771 und die Rechnungsbücher; auf Einzelbelege sei hier verzichtet.

Aufgrund der großen Verantwortung, die auf dem Amt des Superiors von
St. Leonhard lag, schickten die Äbte möglichst bewährte und gefestigte Mönche nach Inchenhofen, die eigenverantwortlich arbeiten und entscheiden
konnten und sich in den laufenden Auseinandersetzungen mit dem Markt
Inchenhofen zu wehren wußten. Paradebeispiel dafür war Fr. Sigismund
Eisenberger. Seit 1548 verwaltete er – später zusammen mit dem Kastner
Leonhard Fruntzhamer – in scharfer Gegnerschaft zu Administrator Kain,
dem er Veruntreuung vorwarf[107], die Inchenhofener Ökonomie und ließ sich
von den Zeitläuften nicht beirren, so daß er als einziger neben Fr. Treuttwein
und Fr. Röhrl den »Konventsaustausch« von 1555 bis 1560 überstand, 1560
immer noch als Kaplan von Inchenhofen amtierte[108] und schließlich dort im
Amt verstarb[109]. Aus ähnlichem Holz war der Kaplan Fr. Adam Holzwarth
am Anfang des 17. Jahrhunderts geschnitzt, der sich nicht gegen einen hab-
gierigen Administrator, wohl aber gegen die streitbare Bürgerschaft von
Inchenhofen zur Wehr setzen mußte[110]. Eine Auseinandersetzung über die
Art und Weise der Berufung der Wallfahrtsseelsorger entstand dem Kloster
Fürstenfeld 1612 mit dem Fürstbischof von Augsburg, in dessen Diözese
Inchenhofen lag. Er wollte die Wallfahrtsseelsorger approbieren und visitieren, konnte sich letztlich aber gegen die angestammten Rechte des Ordens
nicht durchsetzen; die Wallfahrt blieb bis 1803 in ausschließlich zisterziensi-
scher Hand[111].

Die Größe des Inchenhofener »Konvents« schwankte entsprechend der personellen Stärke des Klosters Fürstenfeld. Nachdem im ausgehenden Mittelalter drei Mönche dort wohnten[112], konnte man während der Krisenjahre nur
noch zwei Konventualen zur Wallfahrtsseelsorge abstellen[113]. Im Zuge der
personellen Erholung wurde schrittweise auch das Superiorat aufgestockt, so
daß es 1596 vier[114], 1600 sechs[115] und 1613 fünf[116] Fratres umfaßte. Im

[107] Aussage Fr. Sigismund Eisenbergers im Visitationsprotokoll, 13. Oktober 1551. BHStAM.
KBÄA 4096, fol. 63v.

[108] Visitationsprotokoll, 1560. Landersdorfer, Visitation 331.

[109] Necrol. BStB. Clm 1057, fol. 13v; verstorben am 31. März eines ungenannten Jahres, aber
frühestens 1566. – Dazu Anhang 1.3: Katalog der Mönche.

[110] Die Schwierigkeiten mit der Bürgerschaft belegt ausführlich ein Brief Fr. Adam Holzwarths
an Maximilian, in dem er auf gegen ihn ergangene Vorwürfe antwortet, 7. Oktober 1609.
BHStAM. KL Fürstenfeld 202, prod. 13. – Dazu ausführlicher im nächsten Abschnitt.

[111] Vgl. Krausen, Wallfahrtskulte 117–118.

[112] Vgl. Klemenz, St. Leonhard 113.

[113] Belegbar ist dies für 1551, als Fr. Sigismund Eisenberger und Fr. Johannes Pradtner in
Inchenhofen waren (Visitationsprotokoll, 13. Oktober 1551. BHStAM. KBÄA 4096, foll. 61
bis 64), und für 1560, als Fr. Sigismund Eisenberger und Fr. Johannes Schmucker die Wallfahrt versahen (Visitationsprotokoll, 1560. Landersdorfer, Visitation 331).

[114] Rechnungsbuch von 1596, »Konvent«. BHStAM. KL Fürstenfeld 317 1/89.

[115] Rechnungsbuch von 1600, »Zehrung«. BHStAM. KL Fürstenfeld 317 1/90.

[116] Rechnungsbuch von 1613, »Konvent«. BHStAM. KL Fasc. 957/60.

18. Jahrhundert stieg die Zahl der Konventualen auf acht bis neun[117], so daß sich zu dieser Zeit ein regelrechter Konvent in St. Leonhard bildete.

3.2.2.4 Das Verhältnis zwischen Kloster und Markt im 16. und beginnenden 17. Jahrhundert

Der Markt Inchenhofen, der vor dem Beginn der Wallfahrt aus fünf Bauernhöfen bestanden hatte, konnte nur aufgrund der Leonhardswallfahrt an Bedeutung gewinnen; im Laufe der Zeit emanzipierte er sich zunehmend vom Kloster[118]: Nachdem 1321 das Hofmarksgericht an einen Klosterrichter vergeben worden war[119], wurden diese Gerechtsame seit 1406 zugunsten eines Marktgerichts aufgelöst, das in der Folgezeit an den Aichacher Landrichter überging[120]. Später gerieten auch die Marktprivilegien zunehmend unter landesherrliche Aufsicht. Das Kloster wehrte sich zwar gegen die Aushöhlung der eigenen Rechte, konnte diesem Druck aber nur die Sicherung geistlicher Privilegien gegenüberstellen, um die es besonders bemüht war: Ein Versuch, Inchenhofen zur Pfarrei zu erheben, scheiterte zwar[121], immerhin konnte Abt Eggenhofer die päpstliche Konfirmation der vollständigen Inkorporation Inchenhofens nach Fürstenfeld erreichen[122]. Aufgrund dieser Auseinandersetzungen zwischen Kloster und Markt blieb das Verhältnis auch späterhin gespannt; mehr oder weniger argwöhnisch beobachteten beide Seiten die genaue Einhaltung der Rechte und Pflichten der anderen Partei, um im Fall einer Übertretung sofort an den Landesherrn zu appellieren. Sichtbar wird die Mißstimmung an den Ereignissen im Gefolge des Schmalkaldischen Krieges 1546: Erstmals wurde in diesem Jahr der St. Leonharder Kirchenschatz geplündert; nicht genug damit, daß die Inchenhofener Bürger den protestantischen Söldnern ihre Beute abkauften; sie stiegen sogar selbst in die Klostergebäude ein und bedienten sich der angehäuften Pretiosen. Erst der zu Hilfe gerufene Herzog sorgte für die Rückgabe des Diebesguts[123].

---

[117] Vgl. Klemenz, St. Leonhard 123: Die Konventsliste von 1756 umfaßte neun, die von 1778 acht Mönche in St. Leonhard.
[118] Ausführlich zur gesamten Gestaltung des Marktrechts und der Verfassung Inchenhofens siehe: Heydenreuther, Marktrecht 213–226.
[119] Gerichtsprivileg Ludwigs IV., Lengenfeld, 6. Juli 1321. BHStAM. KU Fürstenfeld 157a; gedruckt in: MB IX, Nr. 60.
[120] Vgl. Heydenreuther, Marktrecht 218–220.
[121] Vgl. Machilek, Niederkirchenbesitz 394–395.
[122] Führer, Chronik § 143.
[123] Richter Michael Scharrl an Wilhelm IV. mit der Mitteilung, daß sich »sunnderlich die Burger zu Sant Lienhart understannden, den Kriegsleuten das geraubt guet umb gering gelt abkhaufft« hätten, Aichach, 31. Oktober 1546. BHStAM. KBÄA 4106, fol. 28. – Revers Wilhelms IV. an Richter Michael Scharrl mit der Aufforderung, ihm eine Auflistung des geraubten Gutes zu übersenden, München, 2. November 1546. Ebd., fol. 29r. – Vgl. Klemenz, St. Leonhard 113–114.

Streitigkeiten entzündeten sich vor allem an den Besetzungsrechten von Benefizien: Am 6. November 1483 war eine mehrere Jahre zurückliegende Stiftung der Inchenhofener Bürgerin Margaretha Rösch (Resch) in Kraft getreten, die diese namens ihres verstorbenen Mannes Andreas auf den neuerbauten Andreas- und Margarethen-Altar in der Wallfahrtskirche gewidmet hatte: Ein Benefiziat sollte mit Ausnahme eines freien Tages zur gewohnten Frühmeßzeit eine Gedächtnismesse zu Ehren Gottes, »seiner lieben muetter« und des hl. Leonhard feiern. Gegen die Stiftsverfügung, daß ein Weltpriester dieses Benefizium versehen sollte, wehrte sich Abt Eggenhofer so lange, bis man sich einigte, daß zwar ein Weltgeistlicher mit dem Benefizium begabt werden dürfe, dessen Nomination und Präsentation aber nur dem Abt zustünde[124]. Ein potentieller Streitpunkt zwischen Kloster Fürstenfeld und dem Markt Inchenhofen war nun die Besetzungsfrage, die man im beiderseitigen Einvernehmen zu regeln suchte, wobei die Inchenhofener Bürgerschaft darauf achtete, daß das Benefizium nach Rechtsgewohnheit jeweils einem Bürgerssohn des Marktes zukommen sollte[125]. Schwierigkeiten ergaben sich, als sich bei der Neubesetzung 1573 drei Kandidaten meldeten: Der Mesner der Inchenhofener Kirche, Michael Bruckmair, erbat für seinen Bruder Thomas das Benefizium[126], Theo von Krummenstadt reichte zwei Supplikationen für den Alzmoser Pfarrer Hans Siber ein[127] und der Inchenhofener Kaplan Sebastian Hängel erbat die Stelle für sich, da er selbst »muessig umbvagier« und kein Inchenhofener Bürgerssohn in Aussicht sei, der die Stelle einnehmen könnte[128]. Wie die Besetzung erfolgt ist, geht aus den Akten nicht hervor, erkennbar ist aber die Konkurrenz zwischen dem Präsentationsrecht des Abtes und dem Gewohnheitsrecht der Inchenhofener Bürgerschaft.

Die Besetzung einer weiteren, älteren Benefizialmesse stand dagegen dem Markt Inchenhofen zu, so daß die Probleme bei Neubesetzungen oder Veränderungen eher den Magistrat betrafen als den Abt von Fürstenfeld. Gestiftet hatten sie am 30. November 1457 der Aichacher Bürger Andre Pizner, genannt Eiselein, und seine Frau Elsbeth zu ihrem und ihrer Vorfahren Seelenheil auf einen der drei neu errichteten Altäre Dreifaltigkeit, Allerheiligen oder Peter-und-Paul. Mit Ausnahme eines Wochentages soll diese Messe täglich zur Frühmeßzeit durch einen Konventualen aus dem Superiorat oder

---

[124] Stiftungsurkunde der Röschlmesse, 6. November 1483 (Kopien). BHStAM. KL Fürstenfeld 202, prodd. 4/1 4/2, 4/4–4/6. – Vgl. Machilek, Niederkirchenbesitz 396.

[125] Bürgermeister und Rat des Marktes Inchenhofen an Abt Leonhard Treuttwein, 10. Juli 1573. BHStAM. KL Fürstenfeld 202, prod. 11.

[126] Michael Bruckmair an Abt Leonhard Treuttwein, 27. April 1573. BHStAM. KL Fürstenfeld 202, prod. 8.

[127] Theo von Krummenstadt an Abt Leonhard Treuttwein, 7. Mai 1573. BHStAM. KL Fürstenfeld 202, prod. 9. – Theo von Krummenstadt an Abt Leonhard Treuttwein, 5. Oktober 1573. BHStAM. KL Fürstenfeld 202, prod. 12.

[128] Sebastian Hängel an Abt Leonhard Treuttwein, 18. Mai 1573. BHStAM. KL Fürstenfeld 202, prod. 10.

einen würdigen Weltpriester gelesen werden; dazu kam eine Zustiftung an Ornat, Kelch, Meßbuch und Leuchtern, und viermal im Jahr an den Quatemberdonnerstagen sollte ein Armenreichnis nebst Prozession und Vigil geschehen[129]. Ende 1558 kam es zum Streit zwischen dem Inhaber des Benefiziums, dem Hollenbacher Pfarrer Andreas Schilling, dem Vikar der Messe, Georg Grueppmair, und dem Magistrat. Grueppmair beschuldigte den Schilling, ihm zu wenig Bezahlung zukommen zu lassen[130], woraufhin der Inchenhofener Magistrat beim Herzog mit dem Ziel intervenierte, den schon länger ungeliebten Grueppmair loszuwerden und einen Bürgerssohn auf die Stelle zu präsentieren[131]; Reaktionen aus Fürstenfeld sind dazu nicht erhalten. Erst 1617 wurde Abt Thoma durch eine eigene Präsentation beim Augsburger Fürstbischof Heinrich von Knöringen (1598–1646) in der Sache des Benefiziums aktiv[132].

Als der Magistrat von Inchenhofen 1605 gegenüber dem Herzog feststellte, man habe mit der Kirche St. Leonhard nicht viel zu tun[133], so lagen dem eher Emanzipationsbestrebungen des Marktes als die tatsächlichen Verhältnisse zugrunde; in Wirklichkeit gab es etliche Berührungspunkte zwischen dem Kloster und dem Markt. 1565 entzündete sich ein Streit an der Besetzung der Stelle des Schulmeisters von Inchenhofen: Der Kaplan Fr. Sigismund Eisenberger wollte einen neuen Schulmeister aufnehmen, der aber weder in der Dienstwohnung logieren noch nebenamtlich den Beruf des Schreibers ausüben sollte. Auf dieses Ansinnen hin wandte sich die Bürgerschaft von Inchenhofen an den Herzog mit der Bitte, den Abt anzuweisen, die alte Ordnung wiederherzustellen[134]. Der baldige Tod Abt Baumanns ließ diese Beschwerde aber vermutlich im Sand verlaufen. Ein hartnäckiger und selbstbewußter Kontrahent des ebenso selbstbewußten Rats von Inchenhofen war der Kaplan Fr. Adam Holzwarth. Gegen ihn brachte die Bürgerschaft im Jahr 1609 beim Landesherrn massive Anklagen vor: Er soll neun Äcker und einen Garten widerrechtlich erworben, er soll mit seinem Vieh die Bürgerschaft geschädigt und schließlich seine geistlichen Verpflichtungen nicht genügend verrichtet haben. In einem annähernd dreißig Seiten langen Schreiben holte

---

[129] Stiftbrief der Eiselschen Messe, 30. November 1457 (Kopie). BHStAM. KL Fasc. 229/6$^{1/3}$.
[130] Georg Grueppmair an Albrecht V., 14. November 1558. BHStAM. KL Fasc. 229/6$^{1/3}$.
[131] Bürgermeister und Rat zu Inchenhofen an Albrecht V., 8. Dezember 1558. BHStAM. KL Fasc. 229/6$^{1/3}$.
[132] Abt Sebastian Thoma an Fürstbischof Heinrich von Knöringen von Augsburg, Fürstenfeld, 12. April 1617. BHStAM. KL Fürstenfeld 202, prod. 15.
[133] Bürgermeister und Rat zu Inchenhofen an Wolff Christoph Lung, Pfleger zu Aichach, Inchenhofen, 14. Juni 1605. BHStAM. KL Fasc. 229/6$^{1/3}$.
[134] Albrecht V. an Abt Leonhard Baumann, München, 15. Oktober 1565. BHStAM. KL Fürstenfeld 204 ½, prod. 3. – Bürgermeister und Rat zu Inchenhofen an Albrecht V., undatiert. Ebd., prod. 4.

Fr. Holzwarth zur Erwiderung aus[135]: In der Sache der angeblich widerrecht-lichen Käufe verwies der Kaplan auf eine herzogliche Genehmigung von 1608, die alle anderslautenden Ratsbeschlüsse für gegenstandslos erklärte, und wies den Vorwurf zurück, er wolle die Versorgung des Marktes schädi-gen. Was den Viehtrieb betreffe, so würde er sich genau an die Polizeiordnung von 1564 halten, und die Beschwerden wegen der mangelnden Erfüllung sei-ner geistlichen Pflichten seien sämtlich erlogen. Danach ging Fr. Holzwarth ins Grundsätzliche und eröffnete dem Herzog die Beziehungen zwischen Kloster und Magistrat aus seiner Sicht: Die Inchenhofener, so Holzwarth, sei-en immer schon gegen die Kirche gewesen, so daß nicht einmal der Mesner Prickelmair einen Acker als Seelgerät habe stiften dürfen. Sogar der Bürger-meister Georg Urban Schneider sei eines Tages heimlich zu ihm gekommen, um einen Jahrtag zu stiften, aber möglichst unbemerkt, denn »seine Herrn sehen es nit gern«[136]. Beinahe genüßlich vermerkte Holzwarth endlich, daß es mehr Schwierigkeiten mit der regulären Verrichtung der Benefizialmessen gebe als mit allem anderen; die Weltpriester würden schließlich von den Inchenhofenern gestellt und läsen »öfter in der wochen khain als ain Meß«[137].

Dennoch blieb die Gegnerschaft in einem von gegenseitiger Abhängigkeit bestimmten Rahmen, da der Markt letztlich auf eine florierende Wallfahrt angewiesen war[138]. Eine Beschwerdeschrift des Inchenhofener Kaplans an den zuständigen Rentmeister des Oberlandes[139], Bernhard Parth, und die Reaktion seitens der Bürgerschaft von 1614 oder 1615 zeigen die dennoch grundsätzliche Zusammenarbeit beider Seiten: Auf die Bemerkung des Kaplans, daß so viele Kinder armer Leute winters nicht zur Schule kommen, weil sie das geforderte tägliche Holzscheit nicht beibringen könnten, erbot sich die Bürgerschaft, Abhilfe aus eigenem Holz zu schaffen. Da sich weiter um das Schulhaus allerlei unehrenhafte Dinge abspielen, die Leute ihr Was-ser lassen, leichtfertig und gotteslästerlich reden würden, zudem der Kaplan »durch die Jungen Pursch öfftermals Nächtlicher weil angrifen« werde, die in seinen Garten einsteigen und ihn verwüsten würden, versprach die Bürger-schaft, durch bessere Absperrung der Grundstücke Abhilfe zu schaffen. Schließlich beschwerte sich der Kaplan, daß man in zwei Kramerläden an der Friedhofsmauer schon vor dem Gottesdienst Schnaps kaufen könne, was nicht nur die Pilger, sondern auch die Bürger und Bauern fleißig in Anspruch nähmen, mit dem Ergebnis, daß einerseits vor der Kirche solch ein Geschrei

[135] Fr. Adam Holzwarth an Maximilian, 7. Oktober 1609. BHStAM. KL Fürstenfeld 202, prod. 13.
[136] Ebd., fol. 10r.
[137] Ebd., fol. 14v.
[138] Vgl. Wilhelm Liebhart, Wie entstand der altbayerische Markt?, in: Altbayern in Schwaben 2 (1976) 57–62.
[139] Vgl. Heydenreuther, Marktrecht 222.

sei, daß der Priester auf der Kanzel davon gestört werde, andererseits die Pilger in der Kirche so stark nach Schnaps röchen, daß der Gestank noch am Altar kaum auszuhalten sei. Der Rentmeister wies den Magistrat an, vor dem Gottesdienst den Schnapsausschank zu verbieten und Ruhe und Ordnung zu gewährleisten[140]. Im Verhältnis von Superiorat und Markt veränderten sich somit die Anlässe der Auseinandersetzungen: Die das 15. Jahrhundert prägenden Streitigkeiten um Gerechtsame und Privilegien gingen dahingehend zurück, daß die Gerechtigkeiten beider Seiten nun langsam den landesherrlichen Beamten zufielen: von seiten des Marktes dem Aichacher Landrichter und dem Rentmeister des Oberlandes[141] und von seiten des Klosters dem herzoglich Geistlichen Rat. Die Auseinandersetzungen betrafen nunmehr die alltäglichen Kleinigkeiten wie Viehtrieb, Ackerkauf oder Verrichtung der Gottesdienste.

3.2.3   Die Wallfahrt zum hl. Willibald bei Jesenwang

3.2.3.1   Die Anfänge im 15. Jahrhundert

Nicht weit entfernt vom östlichen Ortsausgang Jesenwangs liegt die Willibaldskapelle, Ziel der zweiten vom Kloster Fürstenfeld begründeten Wallfahrt[142]. Etwa hundert Jahre nach der Schenkung der Pfarrei Jesenwang an das Kloster[143] erbaute Abt Johann II. Mindl (1402–1413) oder Johann III. Fuchs (1413–1432)[144] vermutlich um einen aus dem 14. Jahrhundert stammenden Bildstock mit einer halbfigürlichen Willibaldsdarstellung[145] eine kleine Kapelle. Schon bald blühte die Wallfahrt auf, so daß Abt Jodok, gefördert durch Ablässe, 1478 das Gotteshaus vergrößern konnte[146]. Bemerkenswert ist die Tatsache, daß die Willibaldsverehrung in Jesenwang wohl von ihren Ursprüngen an die Züge der Leonhardsverehrung[147] getragen hat, denn der hl. Willibald wurde hier besonders in seiner Eigenschaft als Vieh- und

---

[140] Kaplan von Inchenhofen an Bernhard Parth, Rentmeister des Oberlandes, Inchenhofen, 16. November 1615 (Dorsalvermerk: 1614). BHStAM. KL Fasc. 228/4.

[141] Vgl. Heydenreuther, Marktrecht 222.

[142] Ausführlich zu den Anfängen: Schlichting, Wallfahrten 288–290; Rasmus/Steininger, St. Willibald 13–18.

[143] Siehe Kap. 3.3.3 in diesem Teil.

[144] Zur bis heute ungeklärten Frage, ob der Grundstein 1413 oder 1414 gelegt wurde, vgl. Rasmus/Steininger, St. Willibald 13–14.

[145] Vgl. Schlichting, Wallfahrten 290. – Die andere Erklärung für das Willibaldpatrozinium wäre die, daß Abt Johann Fuchs mit dem Haus Waldburg in besonderer Beziehung gestanden haben mag; so Rasmus/Steininger, St. Willibald 14–15. – Zur Willibaldsfigur vgl. TE I 223, H. II.32.

[146] Führer, Chronik § 136. – Vgl. Rasmus/Steininger, St. Willibald 18 38–41.

[147] Dazu Höllhuber/Kaul, Wallfahrt 137.

Pferdepatron angerufen, wovon der heute noch übliche Durchritt durch die Kirche mit Pferdesegnung zeugt[148]. Diese Umwidmung des Patronats weg vom Gewerbe der Gittermacher hin zum landwirtschaftlichen Bereich belegt die Adaptionsfähigkeit der Heiligenverehrung entsprechend den örtlichen Erfordernissen.

3.2.3.2 Die Wallfahrt im 16. und beginnenden 17. Jahrhundert

Zu Beginn des 16. Jahrhunderts erhielt die Kirche, wohl zum Abschluß der Vergrößerungsarbeiten, einen spätgotischen Hochaltar[149], von dem noch zwei Plastiken erhalten sind: eine stehende Marienfigur und das Gnadenbild des hl. Willibald, das den Mittelpunkt des Ensembles bildete[150]. Eine Renovierung erfuhr das mittlerweile etwas heruntergekommene Kirchengebäude im Jahr 1555, wie die Rechnungen belegen[151]. Aufgrund der Blüte der Wallfahrt entschloß sich Abt Sebastian Thoma um 1613 zu einer Neugestaltung des Innenraums und ersetzte den spätgotischen Altar durch drei Altäre im Stil der späten Renaissance. Im Hochaltar wurde die zentrale Willibaldsfigur durch eine Marien- und eine Madonnenfigur ergänzt, die von sechs Engeln flankiert wurden; die beiden Seitenaltäre trugen ein Bernhards- und ein Marienpatrozinium. Auf dem Altarbild des Marienaltars hat sich Abt Thoma selbst darstellen lassen; sein Wappen befindet sich am Hochaltar[152]. Da keinerlei Kirchenrechnungen mehr erhalten sind, bleiben die genaueren Umstände der Renovierung durch Abt Thoma verborgen; auch Abt Gerard Führer berichtet in seiner Chronik nichts darüber. Rätsel gibt eine Notiz im Rechnungsbuch von 1614 auf, derzufolge 12 fl an den Maler Hans für die Figur des hl. Bernhard in der Willibaldskirche bezahlt wurden[153]; entweder handelt es sich dabei um ein Gemälde, nämlich das des linken Seitenaltars, dessen Entstehung demzufolge schon früher anzusetzen sein muß als 1620[154], oder um eine Plastik, die mittlerweile verloren ist.

Die Hauptzeiten der Wallfahrt zum hl. Willibald waren Ostermontag, Pfingstmontag und das Fest der Apostel Simon und Judas Thaddäus (28. Oktober). Pfarrer Adam Herman von Jesenwang konnte sich erinnern, daß

---

[148] Vgl. Rasmus/Steininger, St. Willibald 24–28.

[149] Als ganzer bleibt der spätgotische Hochaltar aber verschwunden; vgl. Rasmus/Steininger, St. Willibald 57.

[150] Vgl. Rasmus/Steininger, St. Willibald 45. – Abb. in: TE II 291.

[151] Rechnungsbuch von 1555, »Gemeine Ausgaben«. BHStAM. KL Fürstenfeld 317 1/11.

[152] Vgl. Rasmus/Steininger, St. Willibald 45 51.

[153] Rechnungsbuch von 1614, Buchstabe »M«. BHStAM. KL Fasc. 957/60. – Genau waren es 12 fl, 1 ß, 22 dl, 1 hl.

[154] So datieren Rasmus/Steininger, St. Willibald 51. – Allerdings ist weder über das Blatt des zeitgleich entstandenen rechten Seitenaltars noch über die Altaraufbauten irgendeine Rechnungsnotiz erhalten.

der Andrang von Wallfahrern im Jahr 1514 so groß war, daß an den drei großen Feiertagen binnen drei Stunden vierzig Scheffel Getreide gespendet worden seien, die die Fürstenfelder Mönche sogleich mitgenommen hätten[155].
Auch die Wallfahrtsfeste waren Veränderungen unterworfen: Zwischen 1613
und 1621 wurde der Simon-und-Judas-Tag offensichtlich in der in Sichtweite
liegenden Marienwallfahrt von Bergkirchen festlicher begangen als in
St. Willibald, da hier die Einnahmerubrik unter diesem Festtag ausfiel[156], in
Bergkirchen aber höhere Gefälle zu verzeichnen waren als sonst[157]. 1621
wurde wohl erstmals dieser Tag mit einer Pferdesegnung in St. Willibald
gefeiert, denn in diesem Jahr erscheint im Rechnungsbuch eine Rubrik
»d'Roß erhebt« zusammen mit einer Zusatzeinnahme von fast 20 fl[158]; auf
diese Weise konnte die Wallfahrt in Jesenwang der gefährlichen »Konkurrenz« in Bergkirchen begegnen, wo tatsächlich seit diesem Jahr die Gefälle
leicht zurückgingen.

Aus den Stockgefällen läßt sich auch in St. Willibald die Entwicklung der
Wallfahrerzahlen erschließen: 1526 kamen aus St. Willibald noch etwas über
7 fl Gefälle ans Kloster[159], danach gingen sie zurück: 1527 knapp über 5 fl
Einnahmen[160], 1555 an Pfingsten 1 fl, 21 dl[161], 1558 nur noch 1 fl[162]. In der
zweiten Hälfte des 16. Jahrhunderts stiegen die Stockgefälle – und mittelbar
damit auch die Wallfahrerzahlen – wieder an: auf über 2 fl im Jahr 1566[163],
nach einem Einbruch im Jahr 1567 mit nur 4 ß, 29 dl[164] auf 10–15 fl im Jahr
1600[165], über 31 fl im Jahr 1613[166], ebenso 1619[167], über 37 fl im Jahr 1620[168]

---

[155] Vgl. Deutinger, Matrikeln III 316. – Rechnet man den bayer. Scheffel zu 150 kg um, so
       kommt man auf die kaum glaubliche Menge von 6000 kg Getreidespenden.
[156] Rechnungsbuch von 1613, »Kirchengefälle«. BHStAM. KL Fasc. 957/60.
[157] Rechnungsbuch von 1620, »Kirchengefälle«. BHStAM. KL Fürstenfeld 217 1/3. – Die Sum-
       me betrug in Bergkirchen ungewöhnlich hohe 14 fl, 2 ß, 5 dl.
[158] Rechnungsbuch von 1621, »Kirchengefälle«. BHStAM. KL Fürstenfeld 217 1/6.
[159] Rechnungsbuch von 1526, »Diversae oblationes«. BHStAM. KL Fürstenfeld 317 1/8. – Es
       waren genau 7 fl, 2 ß, 3 dl.
[160] Rechnungsbuch von 1527, »Diversae oblationes«. BHStAM. KL Fürstenfeld 317 1/8. – Es
       waren genau 5 fl, 8 dl.
[161] Rechnungsbuch von 1555, »Wallfahrten«. BHStAM. KL Fürstenfeld 317 1/11.
[162] Rechnungsbuch von 1558, »Stockgefälle«. BHStAM. KL Fürstenfeld 317 1/88.
[163] Rechnungsbuch von 1566, »Stock«. BHStAM. KL Fürstenfeld 317 1/10. – Es waren genau
       2 fl, 1 ß, 12 dl.
[164] Rechnungsbuch von 1567. BHStAM. KL Fürstenfeld 216 1/3, fol. 95r.
[165] Rechnungsbuch von 1600, »Stockgeld«. BHStAM. KL Fürstenfeld 317 1/90. – Die Summe
       betrug 15 fl, 3 ß, 18 dl, 1 hl; eingerechnet waren dabei auch die Einnahmen aus Bergkirchen,
       die aber sicher nicht mehr als 5 fl ausmachten.
[166] Rechnungsbuch von 1613, »Kirchengefälle«. BHStAM. KL Fasc. 957/60. – Die Summe
       betrug 31 fl, 28 dl.
[167] Rechnungsbuch von 1619, »Kirchengefälle«. BHStAM. KL Fürstenfeld 217 1/3. – Die Sum-
       me betrug 31 fl, 3 ß, 17 dl.
[168] Rechnungsbuch von 1620, »Kirchengefälle«. BHStAM. KL Fürstenfeld 217 1/3. – Die Sum-
       me betrug 37 fl, 2 ß, 20 dl.

und über 50 fl im Jahr 1621[169]. So verlief die Wallfahrtsentwicklung ähnlich wie in St. Leonhard in Inchenhofen: konstante Zahlen zu Beginn des 16. Jahrhunderts, ein Einbruch von den dreißiger bis zu den sechziger Jahren, danach ein gewaltiger Aufschwung, der bis ins 17. Jahrhundert hinein anhielt und in der Neuausstattung der Wallfahrtskirche unter Abt Thoma seinen Ausdruck fand. Nicht vergleichen lassen sich mit St. Leonhard allerdings die Größenordnungen der Wallfahrt, denn in St. Willibald betrugen die Einnahmen lediglich drei bis vier Prozent der Inchenhofener Summen; ähnlich waren wohl auch die Wallfahrerzahlen.

Die Herkunft der Pilger nach Jesenwang ist weitgehend unbekannt, da die überlieferten Votivgaben kaum vor 1803 zurückreichen[170]; vermutlich aber ging der Einzugsbereich über den einer mittleren Lokalwallfahrt nicht hinaus. Die reguläre – wohl nicht allzu aufwendige – Wallfahrtsseelsorge in St. Willibald wurde von der dem Kloster Fürstenfeld inkorporierten Pfarrei Jesenwang aus versehen; zu den höheren Fest- und Wallfahrtstagen fuhren allerdings Fürstenfelder Konventualen die knapp zehn Kilometer nach St. Willibald; meist war dies der Prior, gelegentlich begleitet vom Subprior[171] und anderen Konventualen, und zwar zu Ostern[172], am Pfingstmontag[173], an Kirchweih[174], und an Simon und Juda[175]. Abt Leonhard Treuttwein fuhr regelmäßig am Pfingstmontag nach St. Willibald[176]; Besuche anderer Prälaten sind zwar nicht belegt, aber doch wahrscheinlich. Nach der Blüte zu Beginn des 17. Jahrhunderts erlebte die Wallfahrt im 18. Jahrhundert einen neuen Aufschwung, als eine Viehseuche Anlaß für die Einführung des Kirchendurchritts wurde, und Abt Martin II. Hazi (1761–1779) eine Willibaldsreliquie erwarb[177]. 1978 wurde die Wallfahrtskirche dem drohenden Verfall entrissen und liebevoll restauriert[178].

---

[169] Rechnungsbuch von 1621, »Kirchengefälle«. BHStAM. KL Fürstenfeld 217 1/6. – Die Summe betrug 50 fl, 1 ß, 28 dl.

[170] Vgl. Schlichting, Wallfahrten 290. – Rasmus/Steininger, St. Willibald 44, berichten zudem, daß in jüngster Vergangenheit durch Plünderungen und Diebstähle die Ausstattung der Wallfahrtskirche weiter reduziert worden sei.

[171] Rechnungsbuch von 1567, »Zehrung und Botenlohn«. BHStAM. KL Fürstenfeld 216 1/3.

[172] Rechnungsbuch von 1558, »Zehrung und Botenlohn« (Prior). BHStAM. KL Fürstenfeld 317 1/88.

[173] Rechnungsbuch von 1566, »Zehrung und Botenlohn«. BHStAM. KL Fürstenfeld 317 1/10.

[174] Rechnungsbuch von 1566, »Zehrung und Botenlohn«. BHStAM. KL Fürstenfeld 317 1/10. – Rechnungsbuch von 1567, »Zehrung und Botenlohn«. BHStAM. KL Fürstenfeld 216 1/3.

[175] Rechnungsbuch von 1567, »Zehrung und Botenlohn«. BHStAM. KL Fürstenfeld 216 1/3.

[176] Einträge im Tagebuch Treuttweins. BStB. Cgm 1771, foll. 38r (Pfingstmontag, 6. Juni 1588), 63r (Pfingstmontag, 21. Mai 1589).

[177] Vgl. Schlichting, Wallfahrten 289–290.

[178] Dazu ausführlich: Rasmus/Steininger, St. Willibald 66–88.

3.2.4   Die Verehrung der sel. Edigna in Puch

3.2.4.1   Die Entstehung der Wallfahrt im späten Mittelalter

Eine lokale Besonderheit ist die Wallfahrt zur seligen Edigna in Puch, einer Filialkirche zur Pfarrei Jesenwang[179]. Ihre Verehrung entstand wohl zur Zeit der großen Wallfahrtsblüte im 15. Jahrhundert, was aufgrund zweier Altarflügel aus dieser Zeit gesichert ist[180]; diese dürften Teil eines älteren Altars in der Pucher Kirche gewesen sein, deren Weihejahr 1453 wohl mit dem verhältnismäßigen Aufschwung der Wallfahrt zusammenhängt[181], nachdem eine erste Kirche aus dem 8. und eine zweite aus dem 12. Jahrhundert nachgewiesen ist[182].
Wesentlich schwieriger zu fassen ist die legendenhaft umwobene Person der seligen Edigna[183]. Als gesicherter historischer Kern kann gelten, daß eine fromme Einsiedlerin in Puch ein Leben für Gott und den Dienst an den Menschen geführt hat[184]; weitergehende Aussagen, etwa daß Edigna eine Tochter des französischen Königs Heinrich I. und seiner Gemahlin Anna von Kiew gewesen sei, lassen sich historisch nicht belegen[185]. Auch ihr vermeintliches Sterbedatum, der 26. Februar 1109, ist höchst unsicher[186]. Verehrungsgeschichtlich ist Edigna eine der interessantesten Gestalten des bayerischen Heiligenhimmels; die bereits erarbeiteten Beiträge brauchen hier nicht mehr detailliert wiederholt zu werden. Aventin hat über sie berichtet[187], Matthäus Rader ihre Legende in seine »Bavaria Sancta« aufgenommen[188]; schließlich

---

[179] Zur Verehrung der sel. Edigna allgemein: Schlichting, Wallfahrten 284; Schütz, Edigna (1966/67) 56; Schütz, Edigna (1970) 260; Kriss, Gnadenstätten 69–76; Clemens Böhne, Puch und die heilige Edigna, in: Amperland 5 (1969) 27. – Zur kult- und religionsgeschichtlichen Dimension der Edignalegende: Höllhuber/Kaul, Wallfahrt 148, 240–241.

[180] Vgl. TE I 216–218, H. II.21.

[181] Vgl. Schütz, Edigna (1966/67) 56.

[182] Vgl. Edigna zu Puch 20.

[183] Schütz, Edigna (1966/67) 50–56 führt mehrere Varianten der Legende an. Die gängige Version ist die, daß die Königstochter Edigna Jungfräulichkeit gelobt habe und vor den Verheiratungsplänen ihres Vaters geflohen sei. Auf der Flucht begegnete ihr ein himmlischer Kutscher und eröffnete ihr, sie solle dort bleiben, wo sein Ochsengespann stillstünde, ein Hahn krähen und eine Glocke läuten würde; dies geschah just in Puch. Edigna blieb dort und wohnte 35 Jahre lang als fromme Ratgeberin des Volkes in der Linde.

[184] Vgl. Schütz, Edigna (1970) 259–260.

[185] Ausführlich wird diese Legende geschildert in: Edigna zu Puch 26–32. – Mit der mangelnden Belegbarkeit kann und darf aber keine Wertung der Edigna-Verehrung vorgenommen werden; lediglich Fakten und legendarische Zutaten müssen voneinander getrennt werden.

[186] Vgl. Edigna zu Puch 32; Carsten-Peter Warncke, Bavaria Sancta. Heiliges Bayern. Die altbayerischen Patrone aus der Heiligengeschichte des Matthaeus Rader, Dortmund 1981, 184–185. – Der angebliche Todestag taucht erstmals im 17. Jh. bei Rader auf und kann von daher nur wenig Sicherheit für sich beanspruchen; vgl. Edigna zu Puch 9.

[187] Johannes Turmair (Aventinus), Annales Ducum Boiariae Bd. I, hrg. v. Sigmund Riezler (= Johannes Turmair's gen. Aventinus Sämmtliche Werke 2), München 1882, 465.

belegt eine für eine Lokalwallfahrt überaus reiche Literaturliste die eindrucksvolle volks- und kultgeschichtliche Bedeutung der Edigna-Verehrung. Entsprechend der Verehrung der seligen Edigna im ländlichen Raum wurde sie in den Anliegen einer agrarisch geprägten Gesellschaft angerufen: Gegen Viehseuchen, Kopfweh, Ruhr, Kröpfe, Wahnsinn, schwere Geburten und Stürze war Edigna ebenso Patronin wie für die Wiedererlangung verlorener oder gestohlener Gegenstände[189]. Sie war eine typische Volksheilige, denn seitens der Kirche hielt man sich in ihrem Kult offiziell zurück; Edigna wurde nie offiziell kanonisiert, die Pucher Kirche besitzt dementsprechend kein Edignen-, sondern ein Sebastianspatrozinium, das nach 1739 ein Michaelspatrozinium abgelöst hat[190].

3.2.4.2   Die Wallfahrt im 16. und beginnenden 17. Jahrhundert

Entsprechend der kirchlichen Vorsicht bezüglich der Edignaverehrung förderte das Kloster Fürstenfeld auch in der beginnenden Neuzeit die Wallfahrt nicht sonderlich. Die Äbte bemühten sich nicht um Ablässe für die Kirche, fuhren nicht allzu häufig nach Puch und bezogen auch keine Stockgelder aus der Wallfahrt. Die Seelsorge geschah vom Kloster aus in der Form, daß sonn- und feiertags ein Konventuale aus dem Kloster die wenigen Kilometer zur Feier der Messe nach Puch herüberging[191]; zusätzlich kam in der Osterzeit ein Fürstenfelder Mönch zum Hören der Beichte[192]. Im Jahr 1521 wurde eine Messe nach Puch gestiftet: Leonhard Wurm, seine Frau und seine Schwester gaben 20 fl, damit aus dem jährlichen Gulden Zinsen eine Messe zu Ehren der Allerheiligsten Dreifaltigkeit gehalten werden konnte; in besonderer Weise sollte dabei der Stifter gedacht werden[193]. Mitte des 16. Jahrhunderts befand sich auch die Pucher Wallfahrt in einer Krise, denn 1564 mußten die Verantwortlichen, der Jesenwanger Pfarrer Scheffler und die Kirchpröpste Caspar und Hoffpaur, ein Ackerstück aus Kirchenbesitz um 41 fl verkaufen, um die Kirche zu erhalten[194], nachdem 1545 schon einmal Grund veräußert werden

[188] Matthäus Rader, Bavaria Sancta II, Dillingen 1704, 249.
[189] Vgl. Schütz, Edigna (1970) 260–261.
[190] Die Schmidtsche Matrikel von 1739 nennt noch ein Michaelspatrozinium (Deutinger, Matrikeln III 316). Erst eine Jesenwanger Pfarrbeschreibung von 1794 spricht vom genannten Sebastianspatrozinium; vgl. Edigna zu Puch 20.
[191] Pfarrbeschreibung, 1575. Deutinger, Matrikeln III 573.
[192] Repertorium Fürstenfeld, undatiert. BHStAM. KL Fürstenfeld 369, pag. 349, L 121.
[193] Von dem Gulden sollten der Pfarrer 60 dl, die beiden Vikare je 24 dl, der Mesner und die Kirchpröpste je 4 dl erhalten; der Rest sollte bei der Kirche verbleiben: Stiftungsurkunde, 6. Januar 1521. BHStAM. KU Fürstenfeld 1602.
[194] Hanns Scheffler, Pfr. zu Jesenwang, Hanns Caspar und Hanns Hoffpaur, Kirchpröpste zu Puch, verkaufen mit Genehmigung des Abtes an Hans Thomas, Wirt zu Puch, 1 Juchart Acker aus dem Kirchgrund zur Unterhaltung der Kirche um 41 fl, 30 kr: Verkaufsurkunde, 28. März 1564. BHStAM. KU Fürstenfeld 1996.

mußte[195]; möglicherweise wurden zu dieser Zeit die Kirchenmauer und der Kirchturm sowie die Eingangstüre renoviert[196]. Bei einem annähernd normalen Wallfahrtsleben wären derlei Verkäufe sicherlich nicht notwendig gewesen.

Zu Beginn des 17. Jahrhunderts konnte sich Abt Puel im Zuge des allgemeinen Wallfahrtsaufschwungs und der verstärkten Reliquienverehrung dazu durchringen, auch die Pucher Wallfahrt zu fördern: Die Gebeine der seligen Edigna wurden um 1600 aus dem Erdgrab gehoben[197]; dazu stiftete Elisabeth von Lothringen († 1633), die erste Gemahlin Herzog Maximilians, einen silberverzierten Sarg, der allerdings 1632 von den plündernden Schweden geraubt wurde[198]. Mit der lothringischen Prinzessin Elisabeth, die jährlich nach Puch gepilgert war und die Verehrung der seligen Edigna stark unterstützte[199], erhielt die Wallfahrt eine mächtige Mäzenin, durch die sie ihren großen Aufschwung nahm. Für das 17. Jahrhundert sind weitere namhafte Stiftungen bekannt[200]; die Wallfahrt strahlte später bis ins niederbayerische Prämonstratenserstift Windberg aus[201]. Die langen »Anlaufschwierigkeiten« sind wohl mit der mangelnden Förderung durch das Kloster zu begründen, was wiederum belegt, daß eine Wallfahrt ohne seelsorgerliche Betreuung keine bedeutende Entwicklung nehmen kann. Abt Liebhard Kellerer (1714–1734) ließ die spätgotische Kirche schließlich im Stil des frühen Rokoko ausschmücken und machte sie zu einem Kleinod des Ampertals[202]; das Gedenken an die Selige von Puch wird bis auf den heutigen Tag gepflegt.

195 Peter Schnell, Pfr. zu Jesenwang, Hanns Hoffpaur und Wolfgang Pauer, Kirchpröpste zu Puch, verkaufen an Jörg Riedl 8 Pifang Acker aus dem Kirchgrund um 4 fl: Verkaufsurkunde, 25. Januar 1545. BHStAM. KU Fürstenfeld 1785.
196 Abrechnung der Reparatur von Kirchenmauer, Kirchturm und rechter Eingangstür für 19 fl, 30 kr, undatiert. BHStAM. KL Fürstenfeld 185 ½.
197 Vgl. Schlichting, Wallfahrten 288; Edigna zu Puch 12–13 (dort auch Abb. des freigelegten Erdgrabs).
198 Vgl. Schlichting, Wallfahrten 288, bes. Anm. 59.
199 Vgl. Edigna zu Puch 12.
200 1654 verlobte sich Eleonore, die Witwe Kaiser Ferdinands II., wegen des Verlustes eines Kleinodes nach Puch und stiftete eine heute noch vorhandene Meßgarnitur bestehend aus Kelch, Tablett und Kännchen; vgl. TE I 220, H.II.25–H.II.27. Den Anlaß des Verlöbnisses siehe ebd. H.II.28.
201 In der Kirche zu Hochdorf/Bogen befindet sich ein Handreliquiar mit Gebeinen der sel. Edigna aus dem 18. Jahrhundert; vgl. Edigna zu Puch 14, 16.
202 Führer, Chronik § 272.
203 Beschreibung der Jahrtage in Bergkirchen, 7. August 1667 (Konzept). BHStAM. KL Fürstenfeld 388, prod. 10. – Abt Dallmayr beschreibt darin, daß am 2. September 1323 der Münchner Bürger Konrad Hübschwirth zusammen mit seinem Vetter Berthold die Marienkapelle in Bergkirchen gestiftet habe unter vier Bedingungen:
1. Die Kapelle soll geweiht werden.
2. Der Altar soll mit Leuchtern und anderem Gerät ausgestattet werden.
3. Dem Hübschwirth soll ein Grabstein gekauft werden.
4. Hübschwirth soll in der Kapelle begraben liegen (was aber nicht geschah, er wurde in der Klosterkirche bestattet; siehe Anhang 3.6: Begräbnisse II, IIa).

3.2.5 Die Marienwallfahrt in Bergkirchen

Die dritte Wallfahrt in der Pfarrei Jesenwang ist schließlich, in Sichtweite des Dorfes Jesenwang und der Willibaldskapelle, die auf einem Hügel gelegene Kirche zu Unserer Lieben Frau in Bergkirchen. 1314 kam sie als Filiale Jesenwangs ans Kloster Fürstenfeld; der heutige Bau wurde möglicherweise 1323 geweiht[203]. Über Anfänge, Verbreitung und Größe der Wallfahrt ist nur wenig bekannt. Die meisten Wallfahrer kamen aus der nächsten Umgebung, ausgenommen nur wenige Pilger, wie etwa der Münchner Ulrich Pfaffenhofer, der 1403 eine vom Jesenwanger Pfarrer zu lesende Wochenmesse stiftete[204]. Wenngleich Bergkirchen mit der nahen Willibaldswallfahrt eine bedeutende Konkurrenz bekam, konnte sich die Marienwallfahrt auf dem Hügel doch behaupten[205].

Zu Beginn des 16. Jahrhunderts stand die Wallfahrt in einiger Blüte, so daß man anstelle des gotischen Gnadenbildes – es ist verloren[206] – ein neues

---

[204] Ulrich Pfaffenhofer stiftet eine Wochenmesse in Bergkirchen, die der Pfarrer von Jesenwang am Montag zu lesen hat. Dafür erhält er den Zehnt aus dem Grundstück »St. Stephansberg« in der Pfarrei Aufkirchen: Stiftungsurkunde, 6. Januar 1403 (Kopie). BHStAM. KL Fürstenfeld 388, prod. 3.

[205] Beschreibung der Jahrtage in Bergkirchen, 7. August 1667 (Konzept). BHStAM. KL Fürstenfeld 388, prod. 10. – Der folgende Auszug zeigt die Gelder, die aus den zugestifteten Gütern an die Wallfahrt flossen.

»Extract aus den alten Stüfft büechern, was auf verschaffter fürs zu haltung des Jahrtags geben worden

A 1469	Leonhard Schmid	XVII ß d	servit B. V. in Pörkürchen
A 1470		sehen XIIII od XVII ß d	
A 1472	sehen bey Leonhard Schmid expressa	XIIII ß d	servit B. V. in Pörkürchen
A 1475	ist es Claß Paur zugeschriben worden	sehen auch XIIII ß d	
A 1484	ist es ad 6 annos verlassen worden	umb iährliche stüfft XX ß stüfftgelt 6 d weiters 12 d	
A 1486	Georg Claß de praediolo B. Virginis in Pörkürchen	XX ß 31 d	
A 1519	hanß reichel de praediolo B. Virginis in Pörkürchen dat	2 fl	
A 1472	dis iahr seindt die 37 d zum ersten mal aufgelassn worden		
A 1527	Moriz Leffler de pdiolo B. V. in Pörkürchen	dat 2 fl	
A 1529	hanß Schwall von unser l. Fraun guetlen	18 ß d	

NB Volgente iahr finde ich von disem praediolo nichts mehr ob es verkaufft, vertauscht od zu einem andern guet gelegt worden, waiß ich nit.«

[206] Vgl. KDB OB II 448–449. – Als 1895 dieses Werk erschien, wurde das Gnadenbild als »schon seit geraumer Zeit verschwunden« bezeichnet; ebd. 449.

anfertigte, eine spätgotische, etwas schematisch ausgeführte Marienkrönung; gefaßt wurde es vermutlich im Jahr 1614 unter Abt Sebastian Thoma[207]. 1530 wurden die Zinsen einer Asche Salz an die Wallfahrt verstiftet, dazu kamen bis 1549 drei weitere Schenkungen an die Marienkirche[208]. Die Zahl der Wallfahrer war dennoch während des ganzen 16. Jahrhunderts nicht sonderlich groß; man verzichtete sogar lange darauf, in den Haushaltsbüchern die Stockgefälle zu verzeichnen, da sie so gering waren. Erstmals wurden im Jahr 1600 die Stockeinnahmen aufgeführt, allerdings summarisch mit St. Willibald[209]; die gesonderten Stockaufzeichnungen begannen 1613 und ergaben etwas über 7 fl Einnahmen[210]. 1619 lagen in den Stöcken über 13 fl[211], 1620 waren es 14 fl[212] und 1621 nur noch 10 fl[213]. Der Rückgang des Jahres 1621 läßt sich mit der am Simon- und Judas-Tag eingeführten Pferdesegnung im nahen St. Willibald erklären, denn just in diesem Jahr stiegen die dortigen Einnahmen um etwa 20 fl an[214].

Die gestifteten Jahrtage wurden teilweise vom Jesenwanger Pfarrer und teilweise vom Prior des Klosters Fürstenfeld verrichtet, der mehrmals im Jahr zur Marienkirche kam[215]; dies war zumindest am Ostermontag seit alters her Brauch[216]. An diesem Tag wurde der Mairsche-Pfaffenhofersche Jahrtag[217] gefeiert, der aus vier von Konventualen zu haltenden Messen und einem vom Jesenwanger Pfarrer zu singenden Amt bestand[218]; deshalb nahm der Prior mehrere Konventualen zur Zelebration mit. An diesem Tag kam nach Bergkirchen auch viel Volk, an das etliche Almosen verteilt wurden[219]. Über eine regionale Bedeutung kam die Marienwallfahrt aber nie hinaus; statt dessen bezeugen die Votivtafeln aus dem 18. und 19. Jahrhundert Bergkirchen als ein verstecktes Idyll Altbayerns[220].

---

[207] Rechnungsbuch von 1614, Buchstabe »M«. BHStAM. KL Fasc. 957/60. – Der Maler Rupprecht erhielt dafür 3 fl, 3 ß, 25 dl.

[208] Beschreibung der Jahrtage in Bergkirchen, 7. August 1667 (Konzept). BHStAM. KL Fürstenfeld 388, prod. 10.

[209] Rechnungsbuch von 1600, »Stockgeld«. BHStAM. KL Fürstenfeld 317 1/90. – Zusammen mit St. Willibald wurden an Ostern 1600 10 fl eingenommen; mehr als 3–4 fl dürften aber nicht auf Bergkirchen entfallen sein.

[210] Rechnungsbuch von 1613, »Stockgeld«. BHStAM. KL Fasc. 957/60. – Genau wurden eingenommen 7 fl, 4 ß, 16 dl, 2 hl; die Stöcke wurden am Willibaldstag und an Simon und Juda geleert.

[211] Rechnungsbuch von 1619, »Kirchengefälle«. BHStAM. KL Fürstenfeld 217 1/3. – Die Summe betrug 13 fl, 5 ß, 24 dl.

[212] Rechnungsbuch von 1620, »Kirchengefälle«. BHStAM. KL Fürstenfeld 217 1/3. – Die Summe betrug 14 fl, 2 ß, 5 dl.

[213] Rechnungsbuch von 1621, »Kirchengefälle«. BHStAM. KL Fürstenfeld 217 1/6. – Die Summe betrug 10 fl, 1 ß, 11 dl.

[214] Vgl. dazu in diesem Teil Kap. 3.2.3.

3.2.6 Die Leonhardskapelle in Bruck und die Heilig-Kreuz-Reliquie in Hollenbach

An der großen Bedeutung der Leonhardsverehrung im späten Mittelalter[221] hatte das Kloster Fürstenfeld nicht nur in Inchenhofen Anteil; im Klosterhof München konsekrierte man eine Leonhardskapelle[222], und auch in Bruck wurde unmittelbar an der Amper eine Kapelle zu Ehren des Heiligen errichtet. 1440 weihte der Freisinger Fürstbischof Nicodemus della Scala (1422 bis 1443) das Gotteshaus[223], das fortan als Filiale zur Pfarrei Pfaffing galt[224].

Aufgrund ihrer vertauschten Proportionen in Lang- und Querhaus ist anzunehmen, daß die Kirche hauptsächlich für den Durchritt und die Pferdesegnung bestimmt war[225]; eigene Wallfahrten dorthin sind nicht nachweisbar, wie überhaupt die Aktenlage zur Leonhardskapelle überaus dürftig ist. Den Visitatoren des Jahres 1560 war sie nicht einmal eine eigene Notiz wert[226], weiterhin wird lediglich von der Reparatur der Turmuhr berichtet[227]. Dennoch besuchten zu Beginn des 17. Jahrhunderts Wallfahrer die Kapelle zumindest im Herbst in gewissem Maß, da die Stockgefälle von 1613 am 8. Oktober über 7 fl, und am 9. November über 8 fl betrugen[228]. 1619 lagen in

---

[215] Rechnungsbuch von 1566, »Zehrung und Botenlohn«. BHStAM. KL Fürstenfeld 317 1/10.

[216] Rechnungsbuch von 1567. BHStAM. KL Fürstenfeld 216 1/3, fol. 22v. – Rechnungsbuch von 1573, »Gemeine Ausgaben«. BHStAM. KL Fasc. 957/60.

[217] Margret Mair stiftet der Kirche zu Bergkirchen zu einem ewigen Jahrtag ein Gut und eine Hube: Repertorium Fürstenfeld, unter dem 8. November 1462. BHStAM. KL Fürstenfeld 364, fol. 108v, littera P 9. – Repertorium Fürstenfeld, undatiert. BHStAM. KL Fürstenfeld 369, pagg. 572–573, L 117, bezeichnet die beiden Geschlechter als verwandt.

[218] Repertorium Fürstenfeld, undatiert. BHStAM. KL Fürstenfeld 369, pagg. 572–573, L 117.

[219] Eintrag im Tagebuch Treuttweins, unter dem 6. April 1592. BStB. Cgm 1771, fol 138r. – Am 6. April 1592 fuhren neben dem Prior drei weitere Fratres nach Bergkirchen zum Jahrtag.

[220] Drei Votivtafeln aus Bergkirchen siehe TE I 224–226, H. II.35–H. II.37.

[221] Dazu: Höllhuber/Kaul, Wallfahrt 137; Clemens Böhne, Das Kloster Fürstenfeld und die St. Leonhard-Verehrung, in: Amperland 1 (1965) 8–10.

[222] Führer, Chronik § 194; Machilek, Niederkirchenbesitz 407; Krausen, Wallfahrtskulte 118, Anm. 2. – Ob die Pfleghofskapelle in Esslingen ebenfalls dem hl. Leonhard geweiht war, ist umstritten: Schlichting, Wallfahrten 283; Machilek, Niederkirchenbesitz (1970) 165; Krausen, Wallfahrtskulte 118, Anm. 2 sind dieser Meinung; Machilek, Niederkirchenbesitz 408, berichtet von einem Heilig-Geist-, Marien- und Allerheiligenpatrozinium.

[223] Führer, Chronik § 126; Schlichting, Wallfahrten 283.

[224] Sunderndorferische Matrikel von 1524, in: Deutinger, Matrikeln III 318. – Vgl. Krausen, Wallfahrtskulte 118.

[225] Grundriß der Kapelle in: KDB OB II 450–451.

[226] Vgl. Landersdorfer, Visitation 343. – Dort läuft St. Leonhard/Bruck unter »andern filialcapelln«, die nicht gesondert erwähnt werden.

[227] Rechnungsbuch von 1554, »Besoldungen«. BHStAM. KL Fasc. 957/60. – Für 2 fl wurde 1554 die Turmuhr repariert.

[228] Rechnungsbuch von 1613, »Kirchengefälle«. BHStAM. KL Fasc. 957/60. – Insgesamt kam man für St. Leonhard in Bruck in diesem Jahr auf ein Gefälle von 16 fl, 15 dl, 1 hl.

den Stöcken über 12 fl[229], 1620 über 10 fl[230] und 1621 über 26 fl[231]. Gleichwohl trat die Brucker Leonhardskapelle aus dem Inchenhofener Schatten nie heraus: Die Barockisierung geschah Mitte des 17. Jahrhunderts nur halbherzig, und eine Feier des Leonhardsfestes ist erst seit 1743 belegt[232].
Erwähnt werden soll endlich auch die kleine Wallfahrt zum hl. Kreuz in Hollenbach. 1521 kam in die dem Kloster Fürstenfeld inkorporierte Pfarrkirche ein von der Gemeinde gestiftetes Kreuz, dessen Anrufung erstmals 1561 ein Wunder bewirkte[233]. Wenngleich das Kreuz von Hollenbach daraufhin zum Ziel einer Wallfahrt wurde, so blieb diese doch überaus bescheiden, denn die Pfarrbeschreibung Hollenbachs von 1594 erwähnt sie überhaupt nicht[234]; erst nach dem Dreißigjährigen Krieg, in dem das Kreuz unversehrt blieb, stieg seine Verehrung weiter an[235]. Seitens des Klosters wurde diese Wallfahrt allerdings nie gefördert, da man die Konkurrenz zur im Pfarrgebiet gelegenen Klosterwallfahrt Inchenhofen nicht sonderlich schätzte.

---

229 Rechnungsbuch von 1619, »Kirchengefälle«. BHStAM. KL Fürstenfeld 217 1/3. – Die Summe betrug 12 fl, 5 ß, 4 dl.
230 Rechnungsbuch von 1620, »Kirchengefälle«. BHStAM. KL Fürstenfeld 217 1/3. – Die Summe betrug 10 fl, 1 ß, 19 dl.
231 Rechnungsbuch von 1621, »Kirchengefälle«. BHStAM. KL Fürstenfeld 217 1/6. – Die Summe betrug 26 fl, 6 ß, 15 dl, 5 hl.
232 Vgl. Schlichting, Wallfahrten 283.
233 Vgl. Krausen, Wallfahrtskulte 123.
234 Beschreibung der Pfarrei durch Pfr. Burckhard Riffelmann, 1594. KL Thierhaupten 126 1/3, foll. 7–8.
235 Vgl. Schlichting, Wallfahrten 296. – Darin schlug sich die zweite Blüte der Kreuzwallfahrten im 17. Jahrhundert auch auf Hollenbach nieder; vgl. Höllhuber/Kaul, Wallfahrt 173.

3.3 Die Pfarreien Fürstenfelds

Das zunächst strikte Verbot des Zisterzienserordens, aus den Einkünften der Pfarrseelsorge zu leben[236], mußte unter dem Druck der Lebensumstände und der wachsenden Konkurrenz durch die Seelsorgsorden von den Generalkapiteln seit dem 13. Jahrhundert schrittweise gelockert werden[237]; so bekamen auch die bayerischen Zisterzen vor der offiziellen Genehmigung durch den Orden bereits teilweise Pfarreien inkorporiert, Raitenhaslach etwa 1203 die Pfarrei Halsbach[238], nachdem vorher schon einige Kapellen an das Kloster gekommen waren. Somit war es selbstverständlich und für das wirtschaftliche Überleben des neu gegründeten Klosters Fürstenfeld notwendig, daß es Pfarreien samt deren Einkünften übertragen bekam, wie dies von Beginn an mit der Pfarrei Hollenbach geschah. Die rechtshistorischen Aspekte dieser Erwerbungen von Niederkirchen durch das Kloster Fürstenfeld sind bereits umfassend erforscht worden[239], so daß eine ausführliche Darstellung hier verzichtbar ist. Stattdessen sollen die Zustände der Pfarreien und deren Beziehungen zum Kloster Fürstenfeld im 16. und beginnenden 17. Jahrhundert dargestellt werden.

3.3.1 Die Pfarrei Hollenbach

3.3.1.1 Pfarrbeschreibung

Mit der Schenkungsurkunde Herzog Ludwigs des Strengen vom 9. April 1259 ging die Kirche von Hollenbach samt Patronatsrecht und niederer Gerichtsbarkeit in den Besitz des Klosters Thal-Olching-Fürstenfeld über[240]; 1283 wurde sie vom Augsburger Bischof Hartmann von Dillingen (1248–1286) samt Zugehörungen dem Kloster mit der Auflage inkorporiert[241], dem Bischof einen geeigneten Weltpriester als Vikar für die Pfarrei zu präsentieren und diesen ausreichend zu versorgen[242]. Dementsprechend erhielt der Pfarrvikar mehrere kleine Zehnte aus Hollenbach und den umliegenden Filialdör-

---

[236] So Exord. cist. XXIII, in: Lekai/Schneider, Weiße Mönche 46.
[237] Vgl. ebd. 201.
[238] Vgl. Krausen, Raitenhaslach 115.
[239] Vgl. Machilek, Niederkirchenbesitz (1970); ders., Niederkirchenbesitz (Literaturliste).
[240] Schenkungsurkunde Ludwigs II., 9. April 1259. BHStAM. KU Fürstenfeld 2/3. – Bestätigt wurde die Schenkung in der Stiftungsurkunde Fürstenfelds, 22. Februar 1266. BHStAM. KU Fürstenfeld 4.
[241] Inkorporationsurkunde durch den Augsburger Bischof Hartmann von Dillingen, 20. Dezember 1283. BHStAM. KU Fürstenfeld 12.
[242] Die Streitigkeiten um die Pfarrei Hollenbach mit den Teilherzögen von Bayern-Ingolstadt schildert Machilek, Niederkirchenbesitz 388–390.

fern, die ihm im 16. Jahrhundert etwa 50 fl Einkommen sicherten[243]. Neben der Pfarrkirche gehörten zur Pfarrei Hollenbach noch die beiden Filialkirchen St. Leonhard in Inchenhofen und Ainertshofen[244], sowie die als »sacellum« bezeichneten Kapellen in Mainbach und Schönbach. Zur Pfarrei zählten 1594 etwa 1200 Kommunikanten[245]; insgesamt galt sie als vermögend[246]. Außer kleineren Besitzstreitigkeiten zwischen dem Kloster Fürstenfeld und der Pfarrei zu Beginn des Jahrhunderts[247] sind zwei Vorgänge im Hinblick auf die Erneuerungen durch die katholische Reform bemerkenswert: Die Vereidigung der Pfarrvikare auf Katholizität und der Streit um die Gottesdienste in Mainbach.

3.3.1.2 Der nachreformatorische »Diensteid«

Nachdem am 2. März 1556 der bisherige Hollenbacher Pfarrer Johannes Recher resigniert hatte[248], wurde der Weltpriester Magnus Schatz gegen den Widerstand des Inchenhofener Kaplans Fr. Eisenberger, der dessen mangelnde wirtschaftliche Fähigkeiten kritisierte[249], vom Abt auf die Pfarrei Hollenbach präsentiert und vom Augsburger Bischof installiert. In einem Installationsrevers versprach Magnus Schatz gegenüber dem Abt sowohl, die althergebrachten Rechte Inchenhofens zu respektieren, was dem Kloster besonders wichtig war, als auch, daß er die Pfarrei »nach alter Lannghergebrachter Orthodoxischer Cristennlicher gegrundter lere mit allem vleis versehen, an der Canntzl nichts Sectisch, noch in der Kirchen wider alt herkhomen, und adprobierte Ceremonien predigen, leren, oder einfüeren, noch auch iemant annder, soliches Zethun gestatten, sonnder auf das (wie mer dann meinem

---

[243] Beschreibung der Pfarrei durch Pfr. Burckhard Riffelmann, 1594. KL Thierhaupten 126 1/3, fol. 7.

[244] Filialkirche mit Marienpatrozinium und im 16. Jh. drei Altären, ohne Benefizium und Taufe, aber mit Begräbnis; vgl. Anneser, Sainbach 572–577.

[245] Beschreibung der Pfarrei Hollenbach durch Pfr. Burckhard Riffelmann, 1594. KL Thierhaupten 126 1/3, foll. 7–8.

[246] Wilhelm V. an Wolf Christoph Lung, Pfleger zu Aichach, 28. März 1596 (Kopie). BHStAM. KBGR 18, fol. 480r.

[247] Vergleichsvertrag, 20. Mai 1518 (Kopie). BHStAM. KU Fürstenfeld 1590. – Nach Streitigkeiten zwischen Abt Caspar Harder von Fürstenfeld und dem Hollenbacher Pfarrer German Groß einigen sich beide Seiten auf folgende Regelungen:
  1. Der Abt von Fürstenfeld reicht an den Pfarrer jährlich 15 Sack Roggen, 15 Sack Hafer.
  2. Der Pfarrer erhält zu Pfingsten jährlich 2 lb dl, ebenso an Leonhardi für alle Offertoria, »ausgenommen am Karfreytag das opffer auff dem Creuz unnd an aller Selen tag«.
  3. An den Äckern der Pfarrei hat laut Briefen der Kaplan zu Inchenhofen den großen Zehnten und der Pfarrer zu Hollenbach den kleinen Zehnten; dafür bekommt der Pfarrer jährlich je 2 Schebern Roggen und Hafer.

[248] Resignationsurkunde Pfr. Johannes Rechers, 2. März 1556. BHStAM. KU Fürstenfeld 1843.

[249] Kpl. Fr. Sigismund Eisenberger an Abt Leonhard Baumann, 6. Dezember 1556. BHStAM. KL Fürstenfeld 199, prod. 3.

ambt unnd stanndt nach geburn will) guet aufmerkhen und spech haben, desgleichen auch alle Exequien, Septimas, tricesimos unnd anniuersarien iederzit mit vorwissen aines ieden zu Sand Lienhard wesenden Caplans willen und vorwissen ansezen unnd halten« wolle[250]. In diesem Diensteid kamen, erstmals im Fürstenfelder Einflußbereich, klare antireformatorische Weisungen für die Pfarrvikare zum Ausdruck, zu einer Zeit, als in Bruck noch der protestantenfreundliche Pfarrer Weichsner residieren konnte; auf diese Weise versuchten die landesherrlichen Kirchenbehörden, durch entsprechende Auswahl der Pfarrer die lutherischen Tendenzen in der Bevölkerung zu bekämpfen. Urheber dieses Diensteides war sicherlich nicht der Fürstenfelder Abt Leonhard Baumann, sondern die herzogliche Regierung, deren 1556 ins Leben gerufener Geistlicher Lehenrat die Pfarrkandidaten möglichst umfassend zu examinieren suchte[251]. Dabei wollte man die Pfarrer möglichst flächendeckend erfassen: Für die Pfarrei Höfen liegt ein fast gleicher Diensteid – unter Auslassung der Inchenhofener Sonderrechte – aus dem Jahr 1558 vor[252].

Zwischen den Pfarrern von Hollenbach und dem Kloster Fürstenfeld gab es während der gesamten Reformationszeit kaum Differenzen; lediglich nach 1580 war das Verhältnis zur Kaplanei Inchenhofen gespannt: Als der – namentlich nicht bekannte – Hollenbacher Pfarrer drei Klafter Buchenholz als Reichnis forderte, wandte sich der Inchenhofener Kaplan Fr. Johannes Puel mit deftigen Worten dagegen, daß er »diesem huoren pfaffen, der nichts anders khan, wider die Münch spottlich auszurichten und all ubl, was ime müglich begertt anzurichten« Holz liefern soll; überhaupt würde dieser Pfarrer das Klostergut »verfressen und versaupfen«[253]. Dessen Nachfolger dagegen, den damals bereits zwanzig Jahre amtierenden Pfarrer Burkhard Riffelmann, bezeichnete 1614 Abt Sebastian Thoma als »exemplarisch berimbd«[254] in seiner priesterlichen Lebensweise.

---

[250] Installationsrevers Magnus Schatz', 6. November 1557. BHStAM. KU Fürstenfeld 1859.

[251] Vgl. Heyl, Lehenrat 22–25. – Die Reformstatuten der Salzburger Kirchenprovinz, die 1573 veröffentlicht wurden, umfaßten auch ein Weiheexamen, in dem der Kandidat hinsichtlich der kanonischen Weiheerfordernisse und der theologischen Befähigung geprüft wurde. Angesichts des herrschenden Priestermangels hatte dieses Examen aber nur geringe praktische Bedeutung; vgl. Pfeilschifter, Weihezulassung 365–370, 378–384.

[252] Revers Balthasar Müllers, 5. Dezember 1558. BHStAM. KU Fürstenfeld 1891. – Zum Unterschied gegenüber Hollenbach unterzeichnete Müller diesen Eid bereits vor der Präsentation.

[253] Kpl. Fr. Johannes Puel an Abt Leonhard Treuttwein, 28. März 1589. BHStAM. KL Fürstenfeld 199, prod. 13.

[254] Abt Sebastian Thoma an den Pfleger Joachim von Donrsperg zu Marquartstein, 16. Juli 1614. BHStAM. KL Fürstenfeld 199, prod. 17.

3.3.1.3   *Der Streit um die Gottesdienste in Mainbach*

Beinahe ein Dauerthema waren im 16. Jahrhundert die Streitigkeiten um die Gottesdienste im Hollenbacher Filialkirchlein Mainbach. 1511 beschwerten sich die Mainbacher Bürger erstmals bei Herzog Wilhelm IV. über die zu geringe Zahl der bei ihnen gelesenen Messen und über das abweisende Verhalten Abt Johannes Scharbs[255]. Vom Landesherrn zur Rede gestellt, verteidigte sich der Abt: In Mainbach seien jährlich fünf Messen zu lesen; dies werde getan, und wer mehr Messen hören wolle, solle in die nahe gelegene Pfarrkirche gehen. Gegen die Behauptung, daß die Mainbacher ihren Zehnt nach Fürstenfeld zahlen müßten, erwiderte der Abt, man habe von dort seit zwanzig Jahren kein Geld mehr erhalten. So bat Scharb darum, die bisherigen Regelungen zu belassen[256]. Doch die Mainbacher ließen sich nicht beirren und führten aus, sie hätten sogar früher einen eigenen Priester samt Widdumsgut besessen, das Abt Scharb nur anderweitig vergeben habe. Die früher üblichen Sonn- und Feiertagsmessen seien weggefallen, und jetzt habe man nur noch vier Messen im Jahr. So sei es nicht verwunderlich, daß die Jungen ohne rechte Christenlehre aufwachsen und die Alten ohne Trost sterben würden[257]; deutlich zeigt sich hier das offensichtlich nicht erkannte seelsorgerliche Bedürfnis der Menschen in der Zeit vor der Reformation. Der Abt setzte sich durch, und so wurden in der Mainbacher Kapelle weiterhin nur vier Gottesdienste im Jahr gelesen, bis 1580 die Dorfbewohner mit dem gleichen Thema und den gleichen Argumenten wieder in die Offensive gingen[258].

In gleicher Weise wie sein Vorgänger Abt Scharb lehnte Abt Leonhard Treuttwein das Ansinnen mit dem Hinweis ab, daß ein eigener Priester Mainbachs nicht nachzuweisen sei, daß ein Widdum nichts beweise und der Zehnt kein geistliches Gut gewesen sei[259]. Auch einen letzten Versuch der Mainbacher, mehr Gottesdienste zu bekommen, konnte der Prälat abwehren und besonders darauf hinweisen, daß schon zu Zeiten der Großeltern nur vier Gottesdienste in Mainbach waren[260]. Bemerkenswert ist an diesem Streit, daß Abt Treuttwein noch über zwanzig Jahre nach dem Konzil von Trient die pastorale Dimension der sonntäglichen Eucharistiefeier überhaupt nicht beachtete und nur auf die pfründenrechtliche Basis Bezug nahm[261].

---

255   Hanns Sigl und andere Einwohner zu Mainbach an Wilhelm IV., undatiert (1511). BHStAM. KBÄA 4095, fol. 168. – Bereits im 15. Jh. waren die Herzöge Appellationsinstanzen in Streitsachen bezüglich der Seelsorge; vgl. Rankl, Kirchenregiment 266.

256   Abt Johannes Scharb an Wilhelm IV., Fürstenfeld, 30. März 1511. BHStAM. KBÄA 4095, fol. 170r.

257   Einwohner von Mainbach an Wilhelm IV., undatiert (Konzept). BHStAM. KBÄA 4095, foll. 171–172.

258   Gde. Mainbach an den Aichacher Pfleger Wolff Christoph Lung, undatiert (1580). BHStAM. KL Fürstenfeld 199, prod. 6. – Aichacher Pfleger Wolff Christoph Lung an Abt Leonhard Treuttwein mit der Bitte um Stellungnahme zu prod. 6, 7. September 1580. Ebd. prod. 5.

3.3.2 Die Pfarrei Pfaffing-Bruck

3.3.2.1 Pfarrbeschreibung

Das Kloster Fürstenfeld wurde auf das Gebiet der alten Pfarrei Pfaffing, einer bischöflichen Eigenkirche, gestiftet. Durch Vermittlung Herzog Ludwigs des Strengen inkorporierte der dem Landesherrn verwandte Bischof Konrad von Freising 1271 die Pfarrei Pfaffing dem Kloster im Tausch gegen die bisher herzoglichen Präsentationsrechte auf die Pfarrkirche Straußdorf[262]. Seit 1286 ist in Bruck eine Magdalenenkirche bekannt[263], die in den Konradinischen Matrikeln von 1315 als Filiale von Pfaffing erscheint[264], aber seit dem 15. Jahrhundert teilweise als Sitz des Pfarrvikars von Pfaffing genannt wird, da der Markt Bruck den alten Pfarrweiler an Bedeutung längst überholt hat[265].

In der Sunderndorferischen Matrikel von 1524 erschien die Pfarrei Pfaffing-Bruck mit fünf Filialkirchen zur Pfarrkirche St. Stephanus und Egidius in Pfaffing: St. Peter und Paul und St. Magdalena in Bruck, St. Johann Baptist in Geising, St. Veit in Zell, Beata Maria Virgo in Biburg ohne Begräbnis und die Leonhardskapelle in Bruck. Die Pfarrei umfaßte 800 Kommunikanten, hatte etwa fünfzehn Jahrtage und zwei Meßbenefizien in St. Magdalena, eine Frühmesse und eine Tagmesse[266]. Der Versuch einer formellen Erhebung der

---

[259] Abt Leonhard Treuttwein an den Aichacher Pfleger Wolff Christoph Lung, Fürstenfeld, 9. September 1580. BHStAM. KL Fürstenfeld 199, prod. 7.

[260] Gde. Mainbach an Wilhelm V., undatiert. BHStAM. KL Fürstenfeld 199, prod. 9. – Wilhelm V. an Abt Leonhard Treuttwein, 13. November 1580. Ebd., prod. 8.– Abt Leonhard Treuttwein an Wilhelm V., 1. Dezember 1580. Ebd., prod. 10.

[261] Vgl. Conc. Trid. Sess. XXII, De observandis, in: COD 736–737.

[262] Vgl. Machilek, Niederkirchenbesitz 376–377; Klemenz, Taufstein 383. – Allgemein dazu: Peter Pfister, Die Anfänge der Pfarrei St. Magdalena in Bruck, in: Amperland 23 (1987) 403 bis 410, 442–446.

[263] Vgl. Pfister, St. Magdalena 14. – Ausführlich zur Verhältnisbestimmung der beiden Kirchen Bruck und Pfaffing ebd. 21–33.

[264] Deutinger, Matrikeln III 218.

[265] Vgl. Pfister, St. Magdalena 27–28; Klemenz, Taufstein 383; Clemens Böhne, Die alte Pfarrkirche von Pfaffing, in: Amperland 11 (1975) 73–75.

[266] Deutinger, Matrikeln III 318. – Zu den beiden Meßbenefizien vgl. Pfister, St. Magdalena 26 bis 27. Zur Frühmesse existiert im Repertorium Fürstenfeld. BHStAM. KL Fürstenfeld 369, pagg. 290–291, L 99 eine Beschreibung der Frühmesse, die hier wiedergegeben sei: »Vermög ainer abschrifft der Fundation der frühemeß zu Prugg auf St. Barbara altar alda so gestüfftet hat hanns waiß pfleger zu Grünewaldt und Elspet sein hausfrau 1425 daß das Ius patronatus hat er ihme außgenommen, daß soliches bei seinem mannlichen Erben verbleiben solle (das halbs hernach der Churfürst dem Closster aufewig [...] überlassen, doch daß ds fruwen hauß von neuem erbauet werde vorzusehen, in ainem schreiben vom hl bischofen Vait Adam signiert mit L 100) darzue haben sie folgende stückh unnd güetter hergeben: alß in aiblinger Landtgericht ain hueb zu holzhausen, so gültet 20 ß münchner dl, ain schwaig zu hagenberg, gültet 5 lb 30 dl unnd allzeit im dritten iahr ain schlagreidt oder 6 ß münchner dl, mehr ein hueb daselbst, gültet iährl 19 ß münchner dl, ain lehen zu Schwa-

Magdalenenkirche in Bruck zur Pfarrkirche durch Abt Johann Albrecht Pistorius im Jahr 1550 scheiterte und trug zur Absetzung des Abtes bei[267]; dennoch begegnet sie in den Protokollen der Visitation von 1560 als Pfarrkirche und die Pfaffinger Kirche als ehemalige Pfarrkirche[268], womit die Translation des Pfarrsitzes faktisch vollzogen war[269].

benhaim, gültet 12 münchner dl, ain hof zu obernhaßlach, gültet alle iahr 3 lb münchner dl, ain vogtei zu Wendlgering, gültet 10 ß münchner dl,, item im Landtsperger Gericht ain Vogtei auß dem widem zu luttenwang, gültet 2 lb münchner dl P 6 säckh roggen Landsperger maß, ain hub zu dürggefeldt, gültet iehrl 1 sack gemischtes khorn und 2 säckh habern; mehr geben wir ihn hauß, hofstat unnd garten mit aller Zugehörung zu Prugg gelegen underhalb der kürchen zu nechst auf der amber lenndwarts alle dise stückh mit allen ihren Zugehörigen, nuzen unnd rechten so in ainer suma machen 25 lb 30 dl oder daß traidt daß ds d früegemesser alle tag in ieder wochen ainen außgenommen, auf bemeltem altar ain meß lese, unnd so er ohne ehehafft aineaußlast, mueß er zu prenn der heiligen vorermeintens altars 1 lb wachs geben; item er soll an ieglichem sambstag ain meß auf unnser Lieben frauen altar lesen unnd alle montag sich bei dem altar umbkheren, dem volkh verkhünden, ihrer unnd khonfftiger guetthätten diser gestifften meß, auch allen gläubigen selen mit ainem pater noster unnd Ave Maria eingedenckh zu sein; item solle der mesner alle sambstäg abent 3 Ruhe leitt allen gläubigen selen bitten, darfür geben sie ihm 7 tagw wismat in dem moß hinder dem Taugerholz auf den schuben unnd da der früemesser soliches beiden abgehen ließ, sole er zum prenn 1 lb wachs geben sambt der dispensation de 1676 daß man an Son: feyer: unnd festtägen die frühemeß auf dem hochen altar, an werchtägen aber auf den seitenaltar lesen derffte.«

267 Ausführlich zu den Ereignissen siehe Teil I, Kap. 2.1.4.3. Dort auch die Einzelbelege.
268 Vgl. Landersdorfer, Visitation 340, 343.
269 Beschreibung der Pfarrei Fürstenfeld von Abt Sebastian Thoma an den Landrichter Alexander Pränntl zu Dachau, 16. April 1614 (Konzept). BHStAM. KL Fürstenfeld 380, prod. 1:
»Bruckh
Was die Kürch zue Bruck, so in honorem S. Mariae Magdalena, als dero Patronin erpauet, anlangen tueth, Ob dise gleichwol allainig ein Filial- oder Pfarrkürchen Pfäffing, Starnberger Landtgericht uniert, so würt doch der weniger gottsdienst zue erstermeltem Pfäffing, unnd derselb allainig maler dem Jar statis diebus, dermaist aber bey ernant H. Magdalena Gottsgauß per integrum anni circulum durch die Priesterschafft peragiert. Bemelte Kürch, unnd ganze Pfarr würt ain gezuehme Zeit hero durch einen Conueltualem vom Closter Fürstenuel auß als vicarium mit allen Pfärrlichen Rechten verwaltet, hatt auch als dero stiffter die collatur ius presentandi ad ordinarium Frisingensem ausser ainichen annderm Geistlich: oder weltlichen Lehensherrens unnd bey der achten Pfarrkürchen die possession tam in spiritualibus quam in temporalibus zuegeben, Bey diser Kürchen sinnd noch zway, ain frie: und ain tagmeß, auf des Friemessers altar rastet St: Barbara, ihr erster Stiffter hatt hanns Faist gehaissen, die haben volgendts die Knebl am einkhommen verbessert, aber bey dem altar zur tagmeß gehörig, ist Unnser Libe frawn genedig, dise hat ain gewester dechant unnd Pfarrer zue Ginzlhouen namens herr Winhardus Dürnpacher seeliger gestifftet, das ius patronatus unnd einem dem Ordinario zue Freising zue presentiern hatt ain Prelat zue Fürstenueldt.
Sonsten hatt es diß orths noch zwai ainschichtig Capell, die ain in Bruckher Markt Sant Leonhardten, die annder auf dem Closter anger, an Minchner straß gelegen, Sant Wolfgangen zue ehren, beide monasterii impensis aufferiant, wan denne sie auch, mit aller nottufft (weil sie sonsten ainiches intrad unnd einkhomen nit haben) unnd zue gelegner Zeit von Closter auß mit meß lesen versehen werden.«

3.3.2.2 Die Pfarrei Bruck als Spiegelbild der Reformationszeit

Die Sunderndorferische Matrikel aus dem Jahr 1524 vermeldete einen starken Rückgang der kirchlich-religiösen Praxis der Bevölkerung während der Reformationszeit, der sich vor allem in den gesunkenen Einnahmen des Brucker Pfarrers äußerte: An »remedia« nahm er mit 1 fl nur noch ein Viertel der früheren Summe ein, die Oblationen waren von 40 fl auf 8 fl und die Gesamteinnahmen von einst 100 fl auf 30 fl zurückgegangen[270]. Parallel dazu beklagte sich die Gemeinde in Bruck über eine Vernachlässigung seitens ihrer Seelsorger; um 1530 richtete sie ein Beschwerdeschreiben wegen der Pflichtvergessenheit der Brucker Priester an die landesherrliche Behörde: Die beiden Kapläne würden zwar noch die Messe lesen, sonntags aber nicht mehr predigen; der Pfarrer Zacharias Weichsner indes wollte überhaupt nicht mehr zelebrieren, warum, das wisse man nicht. Auf bereits ergangene Beschwerden an den Fürstenfelder Abt Georg Menhart habe dieser überhaupt nicht reagiert; als die Bürger deswegen die Opfer schmälerten, hätten sich die Priester beklagt. Zumindest vom Pfarrer verlangte man, daß er die Messen las und predigte[271]. Bei aller Kritik an den kirchlichen Zuständen wurden die traditionellen Formen der Frömmigkeit dennoch nicht ganz aufgegeben; noch 1538 wurden auf die Tagmesse in der Pfarrkirche 20 fl gestiftet[272].

Mit der Visitation des Jahres 1560 rückte der seit 1518 belegbare Brucker Pfarrer Zacharias Weichsner[273] in den Mittelpunkt des Interesses. Unverhohlen war seine Sympathie zu den reformatorischen Äußerungen, offen seine Freundschaft mit protestantischen Denkern wie Mathesius oder dem zum liberalen Humanismus neigenden Abt Pistorius[274]. So war er den entschieden katholischen Visitatoren ein Dorn im Auge: Er las unkatholische Bücher, allerdings mit Verstand, wie man zugab; er gebrauchte neue Psalmenübersetzungen; glaubte, daß die Eucharistie auch nach der Konsekration die Substanz des Brotes hätte, und daß man im Notfall auch außerhalb der Messe konsekrieren könne[275]. So fand man im Pfarrhof »etliche verdechtliche buecher«[276]. Auch an dieser Stelle beklagte sich Pfarrer Weichsner über die mangelnde Spendenfreudigkeit seiner Pfarrkinder[277]. Bald nach der Visitation der

---

[270] Deutinger, Matrikeln III 319.

[271] Beschwerdebrief der Gemeinde Bruck, undatiert (laut neuerem Dorsalvermerk 1530). BHStAM. KL Fürstenfeld 601, prod. 5. – Der Adressat kann nicht genau bestimmt werden. Die Anrede »Eur aller gnaden und herligkhaitt« läßt mehrere Möglichkeiten zu.

[272] Stiftungsurkunde von Wolfgang Schleum auf die Tagmesse, Landsbergried, 1538. BHStAM. KU Fürstenfeld 1739.

[273] Deutinger, Matrikeln III 440. – Zu Zacharias Weichsner ausführlicher: Roth, Bruck 120–131 (aus protestantischer Sicht); Führer, Chronik § 170 (aus katholischer Sicht des 19. Jh.).

[274] Zu beiden siehe Teil I, Kap. 2.1.3.1.

[275] Visitationsbericht, 1560. Landersdorfer, Visitation 340–341.

[276] Ebd. 343.

[277] Ebd. 341.

Pfarrei amtierte er nicht mehr als Pfarrer, denn er mußte resignieren[278]. 1561 wurde der Weltpriester Michael Trieb als Pfarrer installiert; er reichte an Weichsner eine Pensionszahlung von 85 fl und ein jährliches Reservat von 50 fl[279]. Offensichtlich verblieben Weichsner noch nach seiner Resignation gewisse Rechte an der Pfarrei, die diese Pensionszahlung rechtfertigten[280]. Nach Weichsners Abtritt schickte man zur »Rekatholisierung« der Gläubigen den Kontroverstheologen Johann Nas[281], der kräftig zugunsten der alten Kirche predigte[282]; aus dem Kloster Fürstenfeld war dazu niemand in der Lage. Michael Trieb blieb bis 1577 Pfarrer in Bruck und verstarb im Amt; danach stellte das Kloster die Pfarrvikare. Am 20. März 1577 wurde Fr. Johann Puel auf Präsentation Abt Treuttweins hin vom Freisinger Fürstbischof Ernst auf die Pfarrei Bruck investiert[283]. Der Abt von Fürstenfeld besaß somit Ende des 16. Jahrhunderts zwar das Präsentationsrecht auf die Pfarrei, mußte den Kandidaten aber vom Freisinger Bischof investieren lassen.

Die Pfarrvikare aus dem Kloster Fürstenfeld wohnten zunächst im Pfarrhaus von Bruck; daneben wurden auch die Benefizialmessen teilweise von Konventualen versehen, allerdings gegen den Widerstand der Brucker Bürger[284]. Die ungewohnte Freiheit bekam jedoch nicht allen Pfarrvikaren: So wurde Abt Treuttwein 1591 angemahnt, seinen Vikar Fr. Leonhard Rueshamer ins Kloster zurückzunehmen, da dieser sich »gannz ergerlich und ungebirlich verhalte, den ganzen tag im Markht von aim haus in d[a]s andere lauffe, dem trunckh ergeben und d[er] leichtförttigkhait in grossem verdacht sei«[285]. Deshalb erging die Anordnung, daß die Vikare künftig im Kloster wohnen

---

278 Roth, Bruck 131, vermutet, daß Weichsner bis zu seinem Tod zwischen 1567 und 1570 im Amt geblieben ist, führt aber keine Quellen, sondern das Erscheinungsdatum eines Buches von Nas an; die unten genannte Quelle spricht eindeutig dagegen.

279 Rentenrevers Michael Triebs, 2. Oktober 1561. BHStAM. KU Fürstenfeld 1928. – Es gab also, anders als bislang vermutet, nach Weichsner noch einen weiteren Weltpriester als Pfarrvikar Brucks. Da Trieb in keiner Konventliste begegnet, war er Weltpriester.

280 Die Rechtslage dazu ist einigermaßen kompliziert: Eigentlicher Pfarrer der Pfarrei war der Abt von Fürstenfeld; dieser installierte selbst oder präsentierte dem Bischof von Freising zur Installation einen Vikar, der die pfarrlichen Aufgaben wahrnahm. Trotz der Bezeichnung »Pfarrer« war Weichsner streng genommen nur Vikar, ebenso Trieb. Die einzige Erklärung für die Zahlungsverpflichtung Triebs ist die, daß Weichsner tatsächlich als Pfarrer mit allen zugehörigen Rechten galt, Trieb als Pfarrvikar anstellte (oder anstellen mußte), und zu seiner Versorgung Pensionsansprüche erheben konnte.

281 Johann Nas OFM (* 1534, 1570 Priester, 1580 WB von Brixen, † 1590). – Vgl. dazu: v. Zeißberg, Art. Johannes Nas, in: ADB 23 (Nachdruck 1970) 257–261; Gerold Fussenegger, Art. Nas, in: LThK² VII (1962) 796.

282 Vgl. Roth, Bruck 130–131.

283 Investitururkunde durch Fürstbischof Ernst von Bayern in Freising, 20. März 1577. BHStAM. KU Fürstenfeld 1577 März 20. – In dieser Urkunde ist auch erwähnt, daß die Pfarrei »per obitum quondam Michaelis Drieben illius ultimi et immediati possessoris, nuper uacauerit«.

284 Repertorium Fürstenfeld, undatiert. BHStAM. KL Fürstenfeld 369, pag. 132, Nr. 306.

285 Wilhelm V. an Abt Leonhard Treuttwein, 1591 (Kopie). BHStAM. KBGR 13, fol. 136.

und essen sollten; für seelsorgerliche Notfälle gebe es die Kapläne. Diese Regelung wurde in die Hausordnung von 1596 aufgenommen[286]; fortan wohnten die Brucker Pfarrvikare im Kloster.

Über die seelsorgerlichen Aktivitäten im Markt Bruck gibt es kaum Quellen; die Vikare dürften ihre Pflichten erledigt haben, da keine Beschwerden über Vernachlässigungen der Aufgaben mehr bekannt sind. Nach einigen Auseinandersetzungen bezüglich der Finanzierung wurde 1623 das Frühmesserhaus in Bruck renoviert und verkleinert, nachdem der alte Benefiziat Stuber nach einundvierzig Jahren im Dienst verstorben war und der neue Benefiziat Melchior Roming eine Renovierung dringend wünschte[287]. Probleme gab es mit der Filialkirche in Geising: Die Wochenmesse, die dort am Freitag hätte verrichtet werden müssen, fand schon 1567 seit längerer Zeit nicht mehr statt, worüber sich Herzog Albrecht V. sehr ungnädig äußerte und den Abt zur Rechenschaft zog[288]. Die Versorgung der Filiale wurde dennoch nicht verbessert, denn 1591 forderte der Geistliche Rat von Abt Treuttwein einen erneuten Bericht darüber, warum der Gottesdienst nicht ordentlich versehen würde[289]; ebenso wie in Mainbach erachtete der Prälat die Versorgung der Gläubigen mit Meßfeiern nicht als seine Aufgabe.

Die lutherischen Tendenzen, die sich vor allem in Gestalt der Täuferbewegung im Ampertal verbreitet hatten[290], konnten sich aufgrund der massiven, durch den Landesherrn initiierten und geförderten Gegenmaßnahmen nicht lange halten; zur »Überzeugung« der Bevölkerung benutzte man sowohl Zwangsmaßnahmen als auch Rekatholisierungsprediger. Bemerkenswert ist dabei, daß das Kloster in dieser Angelegenheit keine Rolle spielte. Einerseits war es mit Abt Pistorius selbst zu stark in die verdächtige Ecke geraten, andererseits hatte der Konvent zur Zeit der lutherischen Umtriebe keine zur katholischen Agitation fähigen Köpfe zu bieten.

---

[286] Repertorium Fürstenfeld, undatiert. BHStAM. KL Fürstenfeld 369, pag. 582, Nr. 442.

[287] Maximilian an Abt Sebastian Thoma mit dem Beschwerdebrief und der Aufforderung zur Stellungnahme, 18. August 1623. BHStAM. KL Fürstenfeld 601, prod. 6. – Melchior Roming, Benefiziat der Frühmesse in Bruck, an Maximilian mit der Mitteilung der Baufälligkeit des alten Benefiziatenhauses und der Supplikation um hzl. Eingreifen, undatiert. Ebd., prod. 7. – Abt Sebastian Thoma an Maximilian mit dem Vorschlag eines von 52×36 Schuh auf 37×30 Schuh verkleinerten Benefiziatenhauses, 31. August 1623 (Kopie). Ebd., prod. 8.

[288] Richter Ludwig Wenig an Abt Leonhard Treuttwein, 10. Juli 1567. BHStAM. KL Fürstenfeld 392, prod. 1.

[289] GR an Wilhelm V., 28. August 1591. BHStAM. KBÄA 4095, fol. 178r.

[290] Vgl. Kink, Täufer 97–106.

3.3.3   Die Pfarrei Jesenwang

3.3.3.1   Pfarrbeschreibung

Die Pfarrei Jesenwang ging im Jahr 1314 als Schenkung Bischof Gottfrieds von Freising mit allen Einkünften, Rechten und Zugehörungen unter der Auflage an Fürstenfeld, nach seinem Tod einen Jahrtag mit Vigil und Totenmesse zu begehen und den beiden Geistlichen an der Katharinenkapelle im Freisinger Dom alljährlich 8 Pfund Münchner Pfennige auszubezahlen[291]. Die beinahe zeitgleiche Konradinische Matrikel verzeichnet zur Pfarrkirche St. Michael zwei Filialen mit Begräbnisrecht – St. Michael in Puch mit der Edignawallfahrt und St. Johann in Babenried – und zwei Filialen ohne Begräbnisrecht: St. Peter in Aich und Unsere Liebe Frau in Bergkirchen mit der Marienwallfahrt[292]; im 15. Jahrhundert kam noch die Willibaldskapelle dazu. Das Präsentationsrecht auf die Pfarrei stand dem Abt von Fürstenfeld, das Kollationsrecht dem Freisinger Bischof zu. Die Pfarrei Jesenwang umfaßte 350 Kommunikanten und erbrachte im Jahr 1524 dem Pfarrer etwa 40 fl Einnahmen[293]. Von größerer Bedeutung als die Pfarrkirche waren in der Pfarrei die drei Wallfahrten zur seligen Edigna nach Puch, zu Unserer Lieben Frau nach Bergkirchen, und – durch das Kloster errichtet und am meisten gefördert – die Willibaldswallfahrt[294].

3.3.3.2   Die Pfarrei im 16. und beginnenden 17. Jahrhundert

Zu Beginn des 16. Jahrhunderts war die Pfarrei Jesenwang[295] relativ arm, da Pfarrer Mang Segenschmid im Jahr 1502 von Abt Petrus von Fürstenfeld 50 ß dl leihen mußte[296]. Auch sein Nachfolger Adam Herman klagte zwan-

---

[291] Schenkungsurkunde Bischof Gottfrieds von Freising, 11. Juli 1314. BHStAM. KU Fürstenfeld 107a; Repertorium Fürstenfeld, undatiert. BHStAM. KL Fürstenfeld 364, fol. 111r, littera J 10. – Vgl. Machilek, Niederkirchenbesitz 379–380.

[292] Deutinger, Matrikeln III 218.

[293] Ebd. 316.

[294] Siehe die Kap. 3.2.3–3.2.5 in diesem Teil.

[295] An Pfarrern kann man für den Bearbeitungszeitraum nachweisen:

Jahr	Name	Beleg
1502	Mang Segenschmid	BHStAM. KL Fürstenfeld 182½, prod. 2.
1518, 1524	Adam Herman	Deutinger, Matrikeln III 316.
1545	Peter Schnell	BHStAM. KU Fürstenfeld 1785.
1545–1594	Johannes Schäffler	Landersdorfer, Visitation 346. BHStAM. KL Fürstenfeld 182½, prod. 6.
1594–1598	unbesetzt	
1598	Georg Röckel	BHStAM. KL Fürstenfeld 182½, prod. 30.

[296] Leihschein des Pfr. Mang Segenschmid und des Kirchpropstes Hanns Schmid, 13. November 1502. BHStAM. KL Fürstenfeld 182½, prod. 2.

zig Jahre später über die schlechte Lage der Pfarrei und die sinkenden Einnahmen: An Oblationen hatte er vor Jahren noch 6 fl jährlich, 1524 waren es nur noch 2 fl[297]. Wie schon im Hollenbacher Filialweiler Mainbach, ist auch in der Jesenwanger Filiale Aich ein Streit um die Verrichtung der Gottesdienste entbrannt: Die Gemeinden Jesenwang und Mammendorf beschwerten sich 1523 bei den Herzögen Wilhelm IV. und Ludwig X., daß in Aich nur noch zwei Messen pro Jahr gelesen würden, während früher eine Messe an einem Wochentag und jeden vierten Sonntag ein weiterer Gottesdienst gehalten worden seien; viele Aicher gingen deshalb »auß lassigkeit« nicht mehr zur Kirche[298]. Da sich Abt Georg Menhart auch in diesem Fall nicht zu den Vorwürfen äußerte, wiederholten die Aicher ihre Anschuldigungen[299]. Schließlich schickte der Prälat ein Schreiben, dem zufolge die Filiale Aich genauso wie seit achtzig Jahren mit Gottesdiensten versorgt würde, und die dortigen Zehnterträge nicht ausreichend seien, um weitere Gottesdienste zu finanzieren[300]; der dafür in Frage kommende Zehnte erbrachte für das Kloster nicht mehr als 10 fl im Jahr[301].

Trotz dieser Schwierigkeiten überstand die Pfarrei Jesenwang die Reformationswirren gut, denn die Visitationsprotokolle von 1560 zeichnen ein glänzendes Bild. Pfarrer Johannes Scheffler hielt sich in allen Dingen an Lehre und Liturgie der katholischen Kirche, hatte keine verdächtigen Bücher, predigte sonn- und feiertags, kümmerte sich um die Spendung der Sakramente, hielt Kirche und Pfarrhof in Ordnung und hatte – eher ungewöhnlich – nicht einmal Kinder. Die Zahl der Einwohner war seit 1524 von 350 auf 500 gestiegen, und damit auch das Einkommen des Pfarrers auf 100 fl[302]. Fünfzig Jahre lang war Johannes Scheffler Pfarrer in Jesenwang, ehe er 1594 verstarb[303]. Bis auf einen Streit mit dem Mesner von Bergkirchen, Melchior Schweighart[304],

---

[297] Deutinger, Matrikeln III 316.
[298] Gden. Jesenwang und Mammendorf an Wilhelm IV. und Ludwig X., 12. November 1523. BHStAM. KL Fürstenfeld 179, prod. 1, fol. 1. – Wilhelm IV. und Ludwig X. an Abt Georg Menhart mit der Zustellung des Beschwerdebriefs prod. 1, 24. September 1523. Ebd., fol. 1v.
[299] Kirchpropst zu Aich an Wilhelm IV. und Ludwig X. mit der Wiederholung seiner Vorstellung und der Drohung, künftig dem Gottesdienst fern zu bleiben, undatiert. BHStAM. KL Fürstenfeld 179, prod. 1, fol. 2. – Hzl. Kanzlei an Abt Georg Menhart mit der Weitergabe des Schreibens prod. 1, undatiert. Ebd., fol. 2v.
[300] Abt Georg Menhart an Wilhelm IV. und Ludwig X., 17. April 1523. BHStAM. KL Fürstenfeld 179, prod. 1, foll. 2v–3r.
[301] Repertorium Fürstenfeld, undatiert. BHStAM. KL Fürstenfeld 369, pag. 78, L 121.
[302] Visitationsbericht, 1560. Landersdorfer, Visitation 346–348.
[303] Bewerbung Andreas Scherers bei Fürstbischof Ernst von Bayern in Freising, 8. September 1594. BHStAM. KL Fürstenfeld 182½, prod. 6.
[304] Schweighart klagte gegen den Pfr. von Jesenwang wegen der Gilt auf einen Acker, den Schweighart nicht zahlen wolle, da er dafür Mesner in Bergkirchen sei, 1567–1568. BHStAM. KL Fürstenfeld 182½, prodd. 52–56.

und einem Zehntstreit mit der Gemeinde Landsbergried[305] ist aus seiner Amtszeit nichts Nennenswertes überliefert.

Inzwischen hatte sich eine rechtliche Veränderung in Bezug auf die Bestellung des Jesenwanger Pfarrers ergeben: 1575 stellte Pfarrer Scheffler noch fest, daß die Präsentation durch den Abt und die Kollation durch den Freisinger Fürstbischof vorgenommen werde[306]. Die Bewerbung des designierten Nachfolgers Andreas Scherer erging aber an den Freisinger Fürstbischof Herzog Ernst (1566–1612)[307], der prompt Abt Treuttwein anzuweisen versuchte, Scherer auf die Pfarrei zu präsentieren[308]. Das – nicht erhaltene – Antwortschreiben Abt Treuttweins muß ablehnend gelautet haben, denn der Freisinger Ordinarius schlug als nächsten Kandidaten für Jesenwang seinen Vikar Ludwig Schrennkh vor, den er damit zu versorgen gedachte[309]. Als Abt Treuttwein auch dieses Ansinnen zurückwies, forderte der Fürstbischof eine besondere Visitation für Jesenwang; doch der Prälat ging darauf nicht ein, versicherte sich bei seinem Vaterabt Dietmair in Aldersbach[310], und verbat sich unter Berufung auf die Privilegien des Ordens und die Konzilsdekrete von Basel und Trient eine Einflußnahme des Fürstbischofs auf seine Angelegenheiten[311]. Anstelle Ludwig Schrennks wurde Georg Röckel präsentiert und installiert, allerdings nach längeren Auseinandersetzungen erst 1598[312].

Mit Georg Röckel hatte Abt Leonhard Treuttwein einen unerwartet unbequemen Pfarrvikar auf die Pfarrei Jesenwang geholt, denn Streitigkeiten zwischen beiden Parteien wegen zweier ehemaliger Widdumsäcker aus dem Pfarrgut, die unter Pfarrer Röckels Vorgänger gegen einen Klosteracker vertauscht worden sind, welcher nach Aussagen Röckels aber nicht einmal die

305 Gde. Landsbergried an Wilhelm V. mit der Bitte, den vom Pfr. zurückbehaltenen Zehnten der Gde. zuzusprechen, undatiert. BHStAM. KL Fürstenfeld 388, prod. 6. – Wilhelm V. an Abt Leonhard Treuttwein mit der Aufforderung zur Stellungnahme, 13. Juli 1585. Ebd., prod. 5. – Abt Leonhard Treuttwein an Wilhelm V. mit der Erklärung, daß der Zehnte zwar den Landsbergriedern zugesprochen worden sei, diese aber ihre Zahlungen dafür nicht geleistet hätten, 16. Juli 1585 (Konzept). Ebd., prod. 7.
306 Deutinger, Matrikeln III 573.
307 Bewerbung Andreas Scherers bei Fürstbischof Ernst von Bayern in Freising, 8. September 1594. BHStAM. KL Fürstenfeld 182 ½, prod. 6.
308 Fürstbischof Ernst von Bayern in Freising an Abt Leonhard Treuttwein, Freising, 10. September 1594. BHStAM. KL Fürstenfeld 182 ½, prod. 5. – Andreas Scherer an Abt Leonhard Treuttwein mit der Bewerbung um die Pfarrstelle, Landsberg am Lech, 22. September 1594. Ebd., prod. 7.
309 Fürstbischof Ernst von Bayern in Freising an Abt Leonhard Treuttwein, Freising, 22. Oktober 1594. BHStAM. KL Fürstenfeld 182 ½, prod. 8.
310 Abt Johannes Dietmair von Aldersbach an Abt Leonhard Treuttwein, München, 10. November 1594. BHStAM. KL Fürstenfeld 182 ½, prod. 10.
311 Abt Leonhard Treuttwein an Fürstbischof Ernst von Bayern in Freising, Fürstenfeld, 20. November 1594. BHStAM. KL Fürstenfeld 182 ½, prod. 9. – Abt Leonhard Treuttwein an Ludwig Schrennkh mit der Ablehnung seiner Bewerbung, Fürstenfeld, 11. November 1594. Ebd., prod. 11.
312 Pfr. Georg Röckel an GR, 2. November 1602. BHStAM. KL Fürstenfeld 182 ½, prod. 30.

Hälfte der beiden Äcker wert sei, zogen sich über Jahre hin. Beide Seiten wandten sich an den Herzoglich Geistlichen Rat und an die Bischöfliche Kanzlei in Freising. Schließlich einigte man sich nach vier Jahren Streit darauf, die Äcker wieder zurückzutauschen; zudem mußte der Pfarrer die drei Jahre lang einbehaltenen Absentenzahlungen an den Abt nachleisten[313].

---

[313] Pfr. Georg Röckel an Abt Johann Puel mit dem Einwand gegen den für die Pfarrei Jesenwang ungünstigen Tausch und der Bitte um Außerkraftsetzung des Tauschs, Jesenwang, 1. Juli 1599. BHStAM. KL Fürstenfeld 182 ½, prod. 13. – Pfr. Georg Röckel an den GR mit der Bitte um Eingreifen, undatiert. Ebd., prod. 18. – Abt Johann Puel an den GR mit der Zurückweisung des Vorwurfs unrechtmäßiger Aneignung des Pfarrwiddums, 22. März 1601. Ebd., prod. 19. – Abt Johann Puel an den GR mit der abermaligen Verteidigung der Rechtmäßigkeit des Tausches, Fürstenfeld, 20. Juli 1601. Ebd., prod. 23. – Abt Johann Puel an den GR mit der Bitte, ihm sein zustehendes Einkommen zu verschaffen, 16. September 1602. Ebd., prod. 28. – Pfr. Georg Röckel an den GR mit der Behauptung, er habe keinen Absent zu zahlen, 2. November 1602. Ebd., prod. 30. – Abt Johann Puel an Maximilian mit der Bitte um ein Gutachten, 22. November 1602. Ebd., prod. 31. – Bartholomäus Schell, Hochstiftskanzlei Freising, an Abt Johann Puel mit der Bitte um Zusendung weiterer Akten, 2. Dezember 1602. Ebd., prod. 32. – Pfr. Georg Röckel an den GR mit einer Wiederholung seiner Position, 15. Dezember 1602. Ebd., prodd. 34, 35. – Hochstiftskanzlei Freising an Abt Johann Puel mit einer Nachfrage, Freising, 16. Dezember 1602. Ebd., prod. 36. – Pfr. Georg Röckel an die Freisinger Hochstiftskanzlei mit dem Vorwurf, er sei entgegen den Bestimmungen des Tridentinums nicht sofort in die Güter der Pfarrei eingeführt worden, der Pfarrhof sei in einem desolaten Zustand gewesen, und er hätte ihn ohne Zuschuß des Abtes renovieren müssen, 16. Januar 1603. Ebd., prod. 37. – Abt Johann Puel an Maximilian mit einer Verteidigung gegen die Vorwürfe Röckels wegen des Pfarrhofes, 20. Februar 1603. Ebd., prod. 39. – Freisinger Hochstiftskanzlei an Maximilian mit dem Gutachten, daß der Pfarrer den Absent zu zahlen habe, 18. März 1603. Ebd., prod. 40. – Freisinger Hochstiftskanzlei an die Streitparteien mit dem vorläufigen Urteil, daß der Abt die Äcker wieder zurückgeben und der Pfarrer den Absent zahlen müsse, 17. März 1603 (Kopie). Ebd., prod. 41. – Notiz Pfr. Georg Röckels des Inhalts, daß er sich dem Urteil unterwerfen wolle, undatiert. Ebd., prod. 42. – Abt Johann Puel an die Freisinger Hochstiftskanzlei mit der Bitte an die Kanzlei, den Pfr. zur Absentenzahlung zu verurteilen, 7. Juni 1603. Ebd., prod. 44. – Freisinger Hochstiftskanzlei mit dem Urteil, daß der Pfr. die Absenten zu zahlen habe, 12. Juni 1603. Ebd., prod. 45. – Pfr. Georg Röckel an Abt Johann Puel mit der Annahme des Urteils und der Bitte um Stundung der angelaufenen Absentenbeträge, 15. November 1603. Ebd., prod. 48. – Pfr. Georg Röckel mit der Aufstellung der Boten- und Kanzleikosten in Höhe von 8 fl, 43 kr, undatiert (Konzept). Ebd., prod. 49. – Pfr. Georg Röckel an Abt Johann Puel mit der Bitte, die Schulden mit dem Bauschilling zu verrechnen, undatiert. Ebd., prod. 51.

3.3.4   Die Pfarrei Gilching

3.3.4.1   Pfarreibeschreibung

Als zweite bischöfliche Kirchenschenkung des 14. Jahrhunderts wurde die Pfarrei Gilching am 29. November 1356 vom Freisinger Bischof Albrecht von Hohenberg mit allen Zugehörungen und Rechten dem Kloster Fürstenfeld inkorporiert[314]; als Gegenleistung sollte dafür das Kloster das Korbiniansfest alljährlich in feierlicher Weise begehen. Nach der Konradinischen Matrikel gehörten zur Pfarrei neben der Pfarrkirche St. Vitus noch die Filiale zum Hl. Kreuz in Holzhausen mit Begräbnis[315] und eine Filiale in Argelsried[316]. Das Präsentationsrecht für einen Mönch oder Weltpriester als Ewigvikar der Pfarrei kam an den Abt, die Institution verblieb beim Freisinger Bischof[317]. Im Jahr 1524 umfaßte die Pfarrei neben der Pfarrkirche drei Filialen – dazugekommen war die Kirche St. Ägidius in Sparrenfluck – und etwa 350 Katholiken; der Großzehnt mit etwa 40 fl ging an das Kloster, der kleine Zehnt mit 4 fl verblieb beim Pfarrvikar, der zu dieser Zeit ein Gesamteinkommen von ungefähr 30 fl erreichte[318].

3.3.4.2   Die Pfarrei im 16. Jahrhundert

Zu Beginn des 16. Jahrhunderts wurden Chorraum und Turm der alten romanischen Pfarrkirche St. Vitus erneuert, die bereits recht baufällig geworden war; Pläne und Rechnungen davon sind noch erhalten[319]. Weitere Nachrichten aus der Pfarrei Gilching sind für diese Zeit eher spärlich gesät, da es weder größere Streitereien mit dem Kloster noch andere für die damalige Zeit berichtenswerte Ereignisse gab; erwähnt wird lediglich, daß 1517 Papst Leo X. die Pfarrei dem Kloster inkorporierte[320]. Als Kriegskontribution mußte Prior Johannes Pistorius 1536 aus dem Zehnten der Pfarrei Gilching 15 fl Jahresgeld oder den Wiederkauf von 300 fl an den Landesherrn abführen[321].

---

[314] Inkorporationsurkunde Bischof Albrechts von Hohenburg von Freising, 29. November 1356. BHStAM. KU Fürstenfeld 426; gedruckt in: RegBoic VIII 361. – Vgl. Machilek, Niederkirchenbesitz 380–381.

[315] In Holzhausen las ein Brucker Kooperator jeden dritten Sonntag im Monat Messe und erhielt dafür 15 fl: Repertorium Fürstenfeld, undatiert. BHStAM. KL Fürstenfeld 369, pag. 529, L 102.

[316] Deutinger, Matrikeln III 217.

[317] Ebd. 460. – Machilek, Niederkirchenbesitz 381.

[318] Deutinger, Matrikeln III 342.

[319] Vgl. Iohn, Kiltoahing 130–131, 363–366 (Pläne und Rechnungen).

[320] Inkorporationsurkunde Papst Leos X., 5. Mai 1517. BHStAM. KU Fürstenfeld 1583. – Repertorium Fürstenfeld, undatiert. BHStAM. KL Fürstenfeld 364, fol. 81v, littera G 40, erwähnt ebenfalls die Inkorporation, bezeichnet aber fälschlicherweise Papst Julius II. als Aussteller.

Bemerkenswert ist der häufige Pfarrerwechsel in der Pfarrei[322]: 1518 war Johannes Weichsner Pfarrer[323], wohl ein Verwandter des Brucker Pfarrers Zacharias Weichsner[324]. Die Sunderndorferische Matrikel von 1524 erwähnt Johannes Fünsinger als Pfarrprovisor[325]. 1551 war Fr. Sigismund Röhrl Pfarrvikar in Gilching[326], danach soll kurze Zeit Fr. Leonhard Treuttwein die Pfarrei versehen haben[327]; 1558 wurde Hans Khopp[328] als Pfarrer auf zehn Jahre genannt[329], der auch 1560 amtierte[330]. 1571 war Fr. Georg Kain Pfarrvikar in Gilching[331], doch da er »auß jugennt und unverstannt ain khöchin angenommen und drey khinder mit Ir erzeugt«[332] hatte, wurde er auf Lichtmeß 1578 wieder ins Kloster zurückbeordert[333], was aber nicht erfolgte, da er noch bis 1588 als Pfarrvikar belegt ist[334]. Danach wurde die Pfarrei erst Mitte des 17. Jahrhunderts wieder an einen Konventualen vergeben, da Herzog Albrecht V. 1577 verboten hatte, daß Ordensleute aus Prälatenorden auf exponierten Pfarreien wohnten[335]; Abt Treuttwein hätte lieber wieder einen Konventualen auf die Pfarrei präsentiert[336].

---

[321] Wilhelm IV. und Ludwig X. an Administrator Fr. Johannes Pistorius, 18. März 1536. BHStAM. KU Fürstenfeld 1729; gedruckt in: Streichhahn, Urkundenbeiträge II 150.

[322] Streichhahn, Urkundenbeiträge I, 57 liefert eine im Vergleich zum Folgenden etwas abweichende Liste der Seelsorger, die aber für die Bearbeitungszeit wiedergegeben sein soll. 1517: Vikar Fr. Modernus; 1518: Pfr. Johann Weichsner; 1524: Provisor Johannes Fünsinger; 1544: Pfr. Johann Camerlocher; 1546: Pfr. Johann Nott; 1560: Pfr. Johann Rapp; 1561: Pfr. Johann Knopp; 1575–1588: Pfr. Jörg Kain; 1605: Kpl. Georg Schändle; 1609–1610: Kpl. Georg Schänerle. Einige kurz aufeinander folgende, von Streichhahn verschieden gedeutete Namen muten in der Kombination aus graphischer und phonetischer Namenserschließung zu ähnlich an, als daß damit verschiedene Personen gemeint sein können. Deshalb kann diese Liste nur mit einigen Änderungen übernommen werden.

[323] Deutinger, Matrikeln III 440.

[324] Vgl. Roth, Bruck 122, Anm. 3.

[325] Deutinger, Matrikeln III 342.

[326] Aussage Fr. Sigismund Röhrls im Visitationsprotokoll, 13. Oktober 1551. BHStAM. KBÄA 4096, fol. 62.

[327] So zumindest das spätere Repertorium Fürstenfeld, undatiert. BHStAM. KL Fürstenfeld 369, pag. 584, L 135. Keine andere Quelle berichtet aber davon.

[328] Iohn, Kiltoahing 145, bezeichnet ihn als Johann Rapp.

[329] Repertorium Fürstenfeld, undatiert. BHStAM. KL Fürstenfeld 369, pag. 584, L 135.

[330] Visitationsbericht, 1560. Landersdorfer, Visitation 421. – Repertorium Fürstenfeld, unter 1558. BHStAM. KL Fürstenfeld 369, pag. 584, L 135.

[331] Repertorium Fürstenfeld, unter 1571. BHStAM. KL Fürstenfeld 369, pag. 584, L 135.

[332] Abt Leonhard Treuttwein an Wilhelm V., Fürstenfeld, 15. Juni 1577. BHStAM. KBÄA 4096, fol. 252v.

[333] Anordnung des GR an Abt Leonhard Treuttwein, 3. Februar 1577 (Kopie). BHStAM. KBGR 5, fol. 93.

[334] Stiftungsnotiz Fr. Georg Kains, 12. September 1588; gedruckt in: Streichhahn, Urkundenbeiträge II 192. – 4. November 1588 wird Kain als ehemaliger Pfarrer bezeichnet. BHStAM. KU Fürstenfeld 2300; Streichhahn, Urkundenbeiträge II 193–194.

[335] Albrecht V. an Abt Leonhard Treuttwein, 14. Mai 1577 (Kopie). BHStAM. KL Fürstenfeld 373.

[336] Deutinger, Matrikeln III 569.

In der Visitation des Jahres 1560 wurde die Pfarrei Gilching gut beurteilt: Pfarrer Khopp predigte katholisch, mahnte zum Empfang der Sakramente und hielt Kirchen und Pfarrhof in Ordnung. Mehr als die Tatsache, daß er eine »Köchin« und mit ihr zwei Kinder hatte, störte die Visitatoren allerdings, daß seine »weibsperson« im laufenden Jahr weder gebeichtet noch kommuniziert hatte[337]. Auch in den weiteren Jahrzehnten wird nichts von Mißständen in der Pfarrei, von Vernachlässigung der pfarrlichen Pflichten durch die Vikare und auch kaum von Besitzstreitigkeiten berichtet. Irritationen, die sich aber nicht länger hinzogen, entstanden lediglich 1579 wegen eines Waldtausches zwischen dem Kloster und der Pfarrei[338]. Zur Jahrhundertwende besaß das Kloster in Gilching drei Vollhöfe und sechs Sölden[339]. Als Vikar fungierte 1605 Georg Schänndle[340], 1616 wurde Johannes Kopp als sein Nachfolger genannt; die Pfarrei hatte damals 400 Kommunikanten und erbrachte 40 fl Einkommen[341].

3.3.5 Die Pfarreien Rieden und Adelzhausen

Am 24. November 1387 übergab Herzog Stephan III. von Bayern-Ingolstadt dem Kloster Fürstenfeld die Kirchensätze der benachbart im Bistum Augsburg liegenden Pfarreien St. Vitus in Rieden und St. Elisabeth in Adelzhausen[342]; aufgrund längerer Streitigkeiten um die Pfarreien zu Beginn des 15. Jahrhunderts[343] wurden sie 1425 im Auftrag Papst Martins V. erneut in das Kloster inkorporiert[344]. Nachrichten sind aus dieser Pfarrei spärlich gesät, lediglich zwischen Abt Michael II. und dem dortigen Pfarrer Ulrich Zächerlin herrschte ein längerer Streit um ein Fischwasser[345]. In einer Pfarrbeschreibung von 1594 sind die finanzielle und rechtliche Ordnung der Kirche beschrieben: Das Patronatsrecht hatte der Abt von Fürstenfeld, die Zehnten verblieben in der Pfarrei, die etwa 180 Kommunikanten zählte; die Einnahme des Pfarrers betrug etwa 30 fl. Der Zustand der Kirche war im Jahr 1594 nicht sonderlich gut, da von den drei Altären die beiden Seitenaltäre als »ruinosa« galten und außer Funktion waren[346].

---

337 Visitationsbericht, 1560. Landersdorfer, Visitation 421–422.
338 Repertorium Fürstenfeld, unter 1579. BHStAM. KL Fürstenfeld 369, pag. 338, Nr. 59.
339 Vgl. Iohn, Kiltoahing 152.
340 Kpl. Georg Schänndle an Abt Johann Puel, 28. Juni 1605. BHStAM. KU Fürstenfeld 2454.
341 Vgl. Iohn, Kiltoahing 158–159.
342 Schenkungsurkunde Stephans III., 24. November 1387. BHStAM. KU Fürstenfeld 589. – Vgl. Machilek, Niederkirchenbesitz 382.
343 Vgl. Machilek, Niederkirchenbesitz 384–386.
344 Inkorporationsauftrag Papst Martins V., Rom, 19. November 1425. BHStAM. KU Fürstenfeld 841.
345 Abt Michael II. an Albrecht IV., 30. April o. J. BHStAM. KBÄA 4095, fol. 124r.
346 Beschreibung der Pfarrei, undatiert (um 1594). KL Thierhaupten 126 1/3, prod. fol. 5.

Für die Pfarrei Adelzhausen, die ungefähr 350 Kommunikanten umfaßte, hatte der Fürstenfelder Abt das Patronatsrecht; neben der Pfarrkirche St. Elisabeth gehörte zur Pfarrei die Filialkirche St. Sebastian in Landmersdorf, deren beide Altäre als »ruinosa & defecta« bezeichnet wurden[347]. Unstimmigkeiten ergaben sich zwischen 1531 und 1544 wegen des angeblich verpfändeten Präsentationsrechts an den Besitzer der Pfarrei, den Propst der Eichstätter Frauenkirche, in deren Folge das Kloster Fürstenfeld suspendiert wurde[348]. Später kam das Präsentationsrecht jedoch wieder an Fürstenfeld zurück.

3.3.6 Die Pfarrei Höfen-Kottalting

Zur Pfarrei wurde der Ort Höfen zwischen 1465 und 1487 erhoben; bis dahin war er Teil des Pfarrgebietes von Emmering[349]. Im Jahr 1524 gehörten zur Pfarrei neben der Pfarrkirche in Höfen mit einem Marienpatrozinium die Mauritiuskirche in Kottalting und die Valentinskirche in (Kott)geisering mit Begräbnis, die Nikolauskapelle in Wildenroth und St. Georg in Mauern ohne Begräbnis, mit zusammen etwa 250 Kommunikanten. In der Pfarrkirche gab es ein auf 32 fl gestiftetes Frühmeßbenefizium; der Großzehnt ging zu 83 % an Abt und Konvent, den Rest erhielt der Pfarrer, der auf insgesamt 50 fl Einkommen kam[350]. Zu Beginn des 17. Jahrhunderts war dieses Benefizium längere Zeit vakant; 1610 präsentierte Abt Johann Puel beim Bischöflichen Geistlichen Rat in Freising Mathias Metzger als Benefiziaten. Metzger wurde unter der Auflage der Examination in Freising auf das Benefizium investiert[351].
Im Jahr 1518 war Augustinus Veicht Pfarrer mit einem Einkommen von 52 fl[352], auf ihn folgte Michael Knab. 1545 übernahm Georg Zacherl die Pfarrei[353], die er nach einigen Jahren an Fr. Sigismund Röhrl aus dem Fürstenfelder Konvent abgab. 1558 wurde Balthasar Miller auf die Pfarrei installiert[354] und mußte einen Diensteid ähnlich dem des Hollenbacher Pfarrers Magnus Schatz[355] leisten. Durch die Visitatoren von 1560 erhielt Pfarrer Miller kein sonderlich gutes Zeugnis ausgestellt. Er galt zwar als katholisch, aber als

---

[347] Ebd., prod. fol. 25.
[348] Zum Streit siehe ausführlich Teil I, Kap. 2.1.2.2.
[349] Vgl. dazu und zur Geschichte bis dahin: Machilek, Niederkirchenbesitz 397–398.
[350] Deutinger, Matrikeln III 320–321.
[351] Sitzungsprotokoll des BGR, 14. Januar 1610. AEM. GR. PR. 31, fol. 132r.
[352] Deutinger, Matrikeln III 440.
[353] Investiturkunde durch Bischof-Administrator Heinrich von Freising, 6. März 1545. BHStAM. KU Fürstenfeld 1835.
[354] Diensteid Balthasar Millers, 5. Dezember 1558. BHStAM. KU Fürstenfeld 1891.
[355] Siehe dazu in diesem Teil Kap. 3.3.1.2.

reichlich ungebildet: Miller wußte weder, was »Kyrie eleison« bedeutet,
noch kannte er sich im Brevier aus; Sakramententheologie war ihm völlig
fremd; auch die Absolutionsformel mußte er von einem Zettel ablesen. Die
Pfarrkirche war in einem guten Zustand, in der Filiale Kottalting war aber der
Kirchturm dem Einsturz nahe[356]. Weitere nennenswerte Nachrichten, Konflikte oder besonderer Reformeifer seitens der Höfener Pfarrherren sind nicht
überliefert. 1550 scheiterte der Versuch Abt Johannes Pistorius', unter anderem auch die Pfarrei Höfen-Kottalting samt der Benefiziumsmesse dem Kloster »pleno iure« zu inkorporieren[357]. So präsentierte der Abt dem Fürstbischof von Freising weiterhin einen Kandidaten zur Investitur.

3.3.7 Die Pfarrei Emmering

In unmittelbarer Nähe des Klosters liegt die Pfarrei Emmering. Seit dem Aussterben der auf diesem Gebiet beheimateten Gegenpointer[358] kamen deren
Besitztümer und Gerechtigkeiten Zug um Zug an das Kloster Fürstenfeld[359];
in diesem Zusammenhang konnte das Kloster im Jahr 1474 auch die Pfarrei
Emmering im Tausch gegen das Patronat der Pfarrei Welshofen erwerben[360].
Zu Beginn des 16. Jahrhunderts wechselten in Emmering häufig die Pfarrvikare: Nach der Resignation des bisherigen Amtsinhabers Anton Hofer nomi-
nierte Abt Michael II. zunächst den Emmeringer Weltpriester Johannes Faber
auf die Pfarrei[361], dann aber den »plebanus« Johannes Zimmermann[362], der
schließlich installiert wurde. 1503 wurde erneut ein neuer Pfarrer eingesetzt:
der ehemalige Einsbacher Vikar Johannes Weinker[363]; dieser mußte sich verpflichten, das Gegenpointer Nikolauskirchlein neu aufzubauen. 1518 war
Achatius Vechinger Pfarrer von Emmering[364]. Laut Freisinger Matrikel von
1524 bestand die Pfarrei Emmering aus der Johann-Baptist-Pfarrkirche und
den Filialkirchen St. Stephan in Esting, St. Peter und Paul in Olching mit
Begräbnissen und den Kapellen St. Nikolaus in Gegenpoint und St. Margaretha in Roggenstein mit zusammen etwa 350 Katholiken; die Einnahmen des

---

[356] Visitationsbericht, 1560. Landersdorfer, Visitation 355–357.
[357] Dazu siehe Teil I, Kap. 2.1.4.3.
[358] Vgl. Clemens Böhne, Aufstieg und Untergang der Gegenpointer als Herren des Marktes
Bruck, in: Amperland 13 (1977) 225–227.
[359] Vgl. Machilek, Niederkirchenbesitz 401–402.
[360] Notariatsinstrument, Freising, 24. April 1474. BHStAM. KU Fürstenfeld 1269.
[361] Nominationsurkunde Anton Hofers, 16. Februar 1499. BHStAM. KU Fürstenfeld 1510.
[362] Nominationsurkunde Johannes Zimmermanns, 24. Januar 1500. BHStAM. KU Fürstenfeld
1511.
[363] Nominationsurkunde Johannes Weinkers, 27. Oktober 1503. BHStAM. KU Fürstenfeld
1527.
[364] Deutinger, Matrikeln III 440.

Pfarrers betrugen etwa 80 fl[365], womit Emmering eine ausgesprochen gut dotierte Pfarrei war. Im Jahr 1535 forderte der Emmeringer Pfarrer Sebastian Schettrer vom Kloster die üblichen Einnahmen von 32 Klaftern Holz und 18 ß dl aus dem Zehnten von Roggenstein, da er die dortige Nikolauskapelle mit Gottesdienst versehen müsse; Administrator Pistorius wurde angewiesen, den Zehnten weiterhin an Schettrer zu reichen und 16 fl nachzuzahlen[366].

Im Jahr 1556 folgte Georg Schänderl dem verstorbenen Sebastian Schettrer als Emmeringer Pfarrer nach[367]. Bemerkenswert dabei ist, daß Herzog Albrecht V. die Präsentation Schänderls vorgenommen hat, obwohl wenige Monate zuvor der Fürstenfelder Administrator Fr. Leonhard Baumann zum Abt gewählt worden war; die eigentlich klösterlichen Rechte wurden kurzerhand vom Landesherrn übernommen. Sonderlich gebildet war Schänderl wiederum nicht, da der Geistliche Rat sein Examen als »mediocriter« einstufte[368]. Die Visitation des Jahres 1560 ergab dennoch ein zufriedenstellendes Bild der Pfarrei Emmering, die mitterweile 500 Katholiken umfaßte: Pfarrer Schänderl antwortete den Visitatoren katholisch, verrichtete den Gottesdienst nach althergebrachter Weise und pflegte die regelmäßige Sakramentenspendung; bekümmert zeigte er sich allerdings über die geringen Oblationen seiner Pfarrkinder. Pfarrer Schänderl fühlte sich wie viele Weltpriester nicht an den Zölibat gebunden; bezeichnend sagte der Emmeringer Kirchpropst über seinen Pfarrer aus: »Wirt durch die Nachbarschafft seer gelobt seines wandels halber. Hat ain köchin, dabei zwai kindt«[369]. Die Pfarrkirche präsentierte sich in gutem Zustand, baufällig war jedoch der Pfarrhof.

1570 wurde Joachim Wirtenberger als neuer Pfarrer nach Emmering installiert[370], nachdem Mathias Bruschnaeger resigniert hatte[371]; keiner von bei-

---

[365] Ebd. 319.

[366] Gerichtsurteil des Richters Augustin Resch, 21. August 1535 (Kopie). BHStAM. KU Fürstenfeld 1725; BHStAM. KL Fürstenfeld 187, prod. 2, fol. 1v (weitere Kopie); Repertorium Fürstenfeld, unter dem 21. August 1535. BHStAM. KL Fürstenfeld 364, fol. 72r, littera A 33.

[367] Possessurkunde durch Fürstbischof Leo Lösch von Hilkertshausen von Freising, 28. Juli 1556. BHStAM. KU Fürstenfeld 1846.

[368] Notiz, 21. Juli 1556. BHStAM. KBGR 1, fol 9v. – Etwas verwirrend ist die Aktenlage im Jahr 1558: In diesem Jahr wird Emmeram Schmid als neu examinierter Pfarrvikar für Emmering bezeichnet, der präsentiert worden sei, obwohl von einem Rücktritt Schänderls nichts bekannt ist (Notiz, 14. Februar 1558. BHStAM. KBGR 1, fol. 63). Zugleich wird die Resignation des bisherigen Pfarrers Ulrich Schelßhorn angezeigt, der die Pfarrei 12 Jahre lang innegehabt habe, was aber weiter nicht belegt und durch andere Quellen widerlegt ist (Präsentation Albrechts V. an den Freisinger Fürstbischof Leo Lösch von Hilkertshausen, 14. Februar 1558 [Kopie]. BHStAM. KBGR 1, fol. 64v).

[369] Aussage des Emmeringer Kirchpropstes im Visitationsprotokoll, 1560. Landersdorfer, Visitation 359–361, hier 360.

[370] Diensteid Joachim Wirtenbergers, 8. August 1570. BHStAM. KU Fürstenfeld 2071. – Investiturkunde Joachim Wirtenbergers, 1570 (Kopie). BHStAM. KL Fürstenfeld 187, prod. 1, fol. 1r. – Auch Wirtenberger mußte den Treueid zur katholischen Kirche unterzeichnen.

den sorgte für außergewöhnliche Irritationen. Aufhorchen läßt wiederum die Besetzung der Pfarrstelle im Jahr 1595: Nach dem Tod des Amtsinhabers Nikolaus Kopp hatte Abt Treuttwein den Weltpriester Georg Schinagl auf die Pfarrei präsentiert und vom Freisinger Fürstbischof Herzog Ernst die Investitur erhalten. Anläßlich der Bitte des Abtes an den Herzog, Schinagl die Possess zu erteilen, hatte dieser festgestellt, daß er als Landesherr zu den päpstlichen Sterbemonaten das Präsentationsrecht habe. Deshalb erlegte Herzog Wilhelm V. dem Abt auf, beglaubigte Abschriften aller Rechtsbriefe und Privilegien bezüglich der Pfarrei zu schicken, um die Rechtmäßigkeit der Besetzung festzustellen[372]. Somit wurde Georg Schinagl nur vorläufig in die Pfarrei eingewiesen; erst nach dem durch das Kloster geführten Nachweis der Rechtmäßigkeit der Präsentation Schinagls erhielt dieser endgültig die Pfarrei[373]. Problemloser erfolgte die Einsetzung von Schinagls Nachfolger Christoph Asam[374]; dieser amtierte bis mindestens 1621 in Emmering[375]. Schwierigkeiten ergaben sich allerdings, als nach dem Ableben Asams der Klosterrichter die Inventur im Emmeringer Pfarrhof vornahm, die eigentlich dem Dachauer Landrichter zugestanden hätte; daraufhin wurde dem Klosterrichter solches künftig untersagt[376]. Auch bezüglich der Pfarreien übernahmen die Landesherren immer mehr Rechte, besonders was die Präsentation der Pfarrvikare anlangt[377]. Die Sunderndorferische Matrikel von 1524 erwähnt keinerlei herzogliche Präsentationsrechte für die päpstlichen Monate[378]; 1530 erwarb sie Herzog Wilhelm IV. vom Papst[379]. Der Visitationsbericht von 1560 vermerkt dementsprechend eine wechselweise Präsentation des Pfarrers zwischen Abt und Herzog[380]; Herzog Wilhelm V. schrieb 1595 von einer Notiz in seinem Lehensbuch, daß er in den päpstlichen Sterbemonaten das Präsentationsrecht habe[381].

---

371 Präsentationsurkunde Joachim Wirtenbergers, 1570 (Kopie). BHStAM. KL Fürstenfeld 187, prod. 2, fol. 2v.

372 Wilhelm V. an Abt Leonhard Treuttwein, 6. Juni 1595 (Kopie). BHStAM. KBGR 17, fol. 100.

373 Wilhelm V. an den Dachauer Richter Adam Gepeckh, 6. Juni 1595 (Kopie). BHStAM. KBGR 17, fol. 100v. – Die endgültige Einführung ist allerdings mit anderer Handschrift zugefügt.

374 Kollationsurkunde durch Fürstbischof Ernst von Bayern in Freising, 14. Dezember 1605. BHStAM. KU Fürstenfeld 2460. – Notiz der Possesserteilung an Asam, 20. Dezember 1605. BHStAM. KBGR 29, fol. 333r.

375 Rechnungsbuch von 1621. BHStAM. KL Fürstenfeld 217 1/6, fol. 85v.

376 Repertorium Fürstenfeld, unter dem falschen Jahr 1604. BHStAM. KL Fürstenfeld 369, pag. 247, L 122.

377 Eine Tendenz der Annektion von Präsentationsrechten durch den Landesherrn läßt sich schon während der ersten Periode des Geistlichen Lehenrates feststellen; vgl. Heyl, Lehenrat 20–22.

378 Deutinger, Matrikeln III 319.

379 Vgl. Doeberl, Entwicklungsgeschichte I 402 469; Heyl, Lehenrat 20, Anm. 67.

380 Visitationsbericht, 1560. Landersdorfer, Visitation 359. – Vgl. Machilek, Niederkirchenbesitz 416.

381 Wilhelm V. an Abt Leonhard Treuttwein, 6. Juni 1595 (Kopie). BHStAM. KBGR 17, fol. 100.

3.3.8 Die Pfarrei Neukirchen

Als letztes Patronatsrecht erwarb das Kloster Fürstenfeld im Jahr 1545 das über die Pfarrei St. Vitus in Neukirchen in der Diözese Augsburg; im Gegenzug gingen an das Kloster Thierhaupten, den vorhergehenden Besitzer der Pfarrei, der große und kleine Zehnt in Walbrunn, dazu Zehnte in Hölzarn, Ober- und Unterbaar[382]. Dem resignierenden Pfarrer Sebastian Ernst verschrieb das Kloster eine Jahresrente von 60 fl aus dem Kasten in Inchenhofen[383], von wo auch die Pfarrbesetzung verwaltet wurde. Trotz der relativ kurzen Zugehörigkeit der Pfarrei Neukirchen zum Kloster Fürstenfeld sind vielfältige Vorgänge belegt, hauptsächlich Schwierigkeiten mit den Pfarrern.

Nach der Resignation des alten Pfarrers Sebastian Ernst im Jahr 1545 wurde Hans Kaldeneckher gegen einen jährlichen Absent Pfarrvikar von Neukirchen und blieb dort zehn Jahre, bevor er nach Aindling wechselte. Sein Nachfolger wurde Fr. Sigismund Röhrl[384], der bis 1568 als Pfarrvikar amtierte und im Amt verstarb[385]. Kurz darauf bewarb sich Michael Müller um die Pfarrei, von dem aber unbekannt ist, ob er installiert wurde[386]. Schwierigkeiten ergaben sich hier mit der Inventarisierung des Pfarrhofs nach dem Tod Fr. Röhrls. Der herbeigeeilte Gerichtsschreiber aus dem Landgericht Rain wurde von einem Inchenhofener Konventualen freundlich des Pfarrhofes verwiesen, und der Prälat betonte gegenüber dem Landesherrn die diesbezüglichen Ordensprivilegien[387]. 1572 wurde Neukirchen erneut vergeben, an einen Weltpriester namens Hans[388], auf den 1586 der Fürstenfelder Konventuale Fr. Achatius Einspeckh als Pfarrvikar folgte[389]. Drei Jahre später wurde

---

[382] Tauschurkunde zwischen den Klöstern Fürstenfeld und Thierhaupten, 21. Februar 1545. BHStAM. KU Fürstenfeld 1769. – Vgl. Machilek, Niederkirchenbesitz 405–406.

[383] Bestätigung der Resignation und Rentenverschreibung durch Abt Johannes Pistorius, 26. Februar 1545. BHStAM. KU Fürstenfeld 1770. – 30 fl sollte Ernst zu Johann Baptist und 30 fl zu Johann Evangelist erhalten.

[384] Abt Leonhard Treuttwein an Albrecht V., 2. September 1568 (Konzept). BHStAM. KL Fürstenfeld 210½, fasc. 2, prod. 2.

[385] Schuldenverzeichnis nach dem Tod Fr. Röhrls, 19. Juli 1568. BHStAM. KL Fürstenfeld 210 1/3, prod. 2.

[386] Michael Müller an Abt Leonhard Treuttwein, undatiert (Dorsalvermerk 1568). BHStAM. KL Fürstenfeld 210 1/3, prod. 1.

[387] Abt Leonhard Treuttwein an Albrecht V., 2. September 1568 (Konzept). BHStAM. KL Fürstenfeld 210½, fasc. 2, prod. 2. – Tatsächlich bestätigte erst das Konkordat 1583 die Teilnahme weltlicher Gewalt an der Inventarisierung eines Pfarrhofes (vgl. Wittmütz, Gravamina 30); dennoch handelte Abt Treuttwein gegen geltendes Gewohnheitsrecht, da die Teilnahme eines weltlichen Kommissars bei der Nachlaßfeststellung in einem Pfarrhof bereits seit der Reformationszeit üblich war (vgl. Rankl, Kirchenregiment 254–256).

[388] Abt Leonhard Treuttwein an Kaplan Fr. Melchior Betz in Inchenhofen, Fürstenfeld, 17. Juni 1572. BHStAM. KL Fürstenfeld 210 1/3, prod. 5.

[389] Georg Creutzamer an Abt Leonhard Treuttwein, 25. November 1586. BHStAM. KL Fürstenfeld 210½, fasc. 1, prod. 5.

Fr. Achatius wieder ins Kloster gerufen und zum Gotteszeller Administrator
ernannt; auf die Pfarrei bewarb sich der bisherige Neukirchener Kooperator
Leonhard Christel[390], der die Vikarsstelle schließlich auch erhielt, allerdings
mit der Auflage, den maroden Pfarrhof zu renovieren: Wenn er sanieren würde, müßte er nur 34 fl Absent zahlen, wenn nicht, seien es 50 fl Absent[391]. In
der Folge blieb dieser ruinöse Pfarrhof Dauerstreitpunkt zwischen Abt und
Pfarrvikar.

Pfarrvikar Christel renovierte nicht, erst sein Nachfolger Leonhard Burckhardt nahm einige Ausbesserungen vor und sandte 1594 an Abt Treuttwein
eine Rechnung über die Sanierungskosten[392]. Burckhardt wurde 1601 jedoch
seines Amtes »priviert«, da ihn der Augsburger Bischof wegen einer Konkubine für nicht mehr tragbar hielt und Abt Puel bat, einen tauglichen Priester
nach Neukirchen zu präsentieren; er selbst würde den Allinger Pfarrer Abra-
ham Kundther dazu vorschlagen[393]. Gegen den Protest des Prälaten[394] und
des Pfarrers beharrte das Augsburger Generalvikariat auf seiner Entscheidung[395]: Burckhardt wurde wegen hartnäckigen und fortgesetzten Konkubi-
nats seiner Stelle enthoben[396], woran auch die »amovirung« seiner Konkubine nichts änderte[397]. Als neuer Pfarrer wurde Joachim Heel installiert; der
Pfarrhof galt selbst nach dem Urteil des Inchenhofener Kaplans weiterhin als
ein »summum periculum in mora und höchst gefahr deß lebens zugewart-
ten«[398].

Acht Jahre lang, von 1602 bis 1610, versah Joachim Heel die Pfarrei, und während dieser Zeit häufte er eine solche Unmenge an Schulden an, daß nach seinem Tod die Nachlaßverwalter höchst erstaunt waren, als ihnen die Gläubiger die Forderungen an den verblichenen Pfarrherrn präsentierten. Bei der

---

[390] Leonhard Christel an Abt Leonhard Treuttwein, 29. Juni 1588. BHStAM. KL Fürstenfeld
210½, fasc. 1, prod. 6.

[391] Eintrag im Tagebuch Treuttweins, unter dem 22. Februar 1589. BStB. Cgm 1771, fol. 57r.

[392] Pfr. Leonhard Burckhardt an Abt Leonhard Treuttwein, 1594. BHStAM. KL Fürstenfeld
210½, fasc. 1, prod. 7.

[393] Michael Schmidtner, Bischöflich Augsburgischer Siegler, an Abt Johann Puel, 19. Oktober
1601. BHStAM. KL Fürstenfeld 210½, fasc. 2, prod. 3.

[394] Johann Hueber, Bischöflicher Legat, an Abt Johann Puel, Augsburg, 24. Oktober 1601.
BHStAM. KL Fürstenfeld 210½, fasc. 2, prod. 4. – Abt Johann Puel an Maximilian mit der
Bitte um Supplikation, undatiert (Kopie). BHStAM. KL Fürstenfeld 210½, fasc. 2, prod. 8. –
Pfr. Leonhard Burckhardt an Abt Johann Puel mit der Mitteilung einer neuen Interzession
beim Augsburger Bischof, Inchenhofen, 16. Januar 1602. BHStAM. KL Fürstenfeld 210½,
prod. 2, fasc. 9.

[395] Bischöflich Augsburgischer Rat an Pfr. Leonhard Burckhardt, Dillingen, 22. Dezember 1601
(Kopie). BHStAM. KL Fürstenfeld 210½, fasc. 2, prod. 6.

[396] Fürstbischof Heinrich von Knöringen von Augsburg an Abt Johann Puel, Dillingen,
22. Januar 1602. BHStAM. KL Fürstenfeld 210½, fasc. 2, prod. 12.

[397] Leonhard Burckhardt an Abt Johann Puel mit der Bitte um Hilfe bei der Suche nach einer
neuen Stelle, undatiert. BHStAM. KL Fürstenfeld 210½, fasc. 2, prod. 13.

[398] Johann Winkl, Aichacher Stadtpfarrer, an Abt Johann Puel, Aichach, 14. Juli 1606.
BHStAM. KL Fürstenfeld 210½, fasc. 1, prod. 8.

Regelung dieses Nachlasses wurde der Abt von Fürstenfeld allerdings gegen geltendes Recht umgangen: Der Pfleger von Rain, Paulus Hartmann von Gumppenberg, teilte nur dem Herzog den Stand der Dinge mit, nämlich daß von 878 fl Schulden 438 fl durch den Verkauf der Habe des Pfarrers getilgt seien, und die restlichen 440 fl an Inchenhofen und den Amtsnachfolger Heels zu gleichen Teilen zu tragen weitergegeben würden[399]. Abt Sebastian Thoma, erst seit kurzem im Amt, reagierte äußerst unfreundlich darauf, daß man ihn zwei Monate lang nicht informiert hatte, und beschuldigte den Rainer Pfleger der Güterverschleuderung: Der Wert des Inventars sei viel zu niedrig angesetzt worden, Pfarrer Heel hätte viel mehr Bücher besessen als gemeldet; außerdem seien die Schulden durch nichts belegt als durch die Forderungen der Gläubiger. Schließlich wandte sich der Prälat dagegen, daß die Schulden allein dem Kloster aufgebürdet würden[400]; anstelle des Vorschlags des Pflegers erbat sich Abt Thoma vom Münchner Stadtschreiber Georg Locher ein Sanierungskonzept für die Pfarrei[401]. Erst allmählich drang nach Fürstenfeld durch, daß die Schulden durch den überfälligen Neubau des Pfarrhofs entstanden waren[402]; 1609, kurz vor seinem Tod, hatte sich Pfarrer Heel massiv beim Fürstenfelder Abt über die mangelnde Unterstützung für sein Bauprojekt beschwert, allerdings ohne Erfolg[403]. Auch Abt Caspar Bschorn von Thierhaupten (1597–1619) berichtete, daß Pfarrer Heel ihn um Unterstützung für den Pfarrhofneubau gebeten habe, welcher im übrigen sehr stattlich sei[404]. Nach weiteren Streitigkeiten und Untersuchungen[405], in deren Verlauf der Prälat den neuen Pfarrer Johann Vielnpacher befragte[406], wurde 1614 ein Ortstermin in Neukirchen anberaumt[407]; der endgültige Ausgang des Streits ist nicht mehr überliefert.

---

[399] Paulus Hartmann zu Gumppenberg an Maximilian, Rain, 22. August 1610. BHStAM. KL Fürstenfeld 210½, fasc. 2, prod. 16. – Gemäß dem Konkordat 1583 hätte die Inventarisierung des Pfarrhofes gemeinsam von geistlicher und weltlicher Obrigkeit vorgenommen werden müssen; dies ist offensichtlich nicht geschehen (vgl. Wittmütz, Gravamina 30).

[400] Abt Sebastian Thoma vermutlich an den Pfleger Sebolt Seyring zu Rain, 27. Oktober 1610. BHStAM. KL Fürstenfeld 210½, fasc. 2, prod. 18.

[401] Abt Sebastian Thoma an Georg Locher, 28. Oktober 1610. BHStAM. KL Fürstenfeld 210½, fasc. 2, prod. 19.

[402] Hans Schwaiger und andere Gläubiger an Maximilian, 19. November 1610. BHStAM. KL Fürstenfeld 210½, fasc. 2, prod. 20. – Schwaiger berichtete von der Ahnungslosigkeit der Handwerker, daß Pfr. Heel nicht zahlen könnte.

[403] Pfr. Joachim Heel an Abt Sebastian Thoma mit der Bitte um Unterstützung, undatiert (Konzept). BHStAM. KL Fürstenfeld 210½, fasc. 2, prod. 50.

[404] Abt Caspar Bschorn von Thierhaupten an Abt Johann Puel, Thierhaupten, 26. November 1609. BHStAM. KL Fürstenfeld 210½, fasc. 2, prod. 23.

[405] Sebolt Seyring, Pfleger zu Rain, an Maximilian mit der Mitteilung, daß der Verkauf seines Vorgängers korrekt war, und der Bitte, die restlichen Schulden von 326 fl dem Abt aufzubürden, Rain, 6. Februar 1611 (Kopie). BHStAM. KL Fürstenfeld 210½, fasc. 2, prod. 26. – Hans Mayr, Buchbinder zu Augsburg, an Abt Sebastian Thoma mit der Mitteilung, daß Pfr. Heel 100 fl Schulden gemacht und seit längerem keine Zinsen mehr bezahlt hätte, Augsburg, 9. April 1611. BHStAM. KL Fürstenfeld 210½, fasc. 2, prod. 32. – Abt Sebastian Thoma an

3.3.9   Die – verlorengegangene – Pfarrei Aindling

Im Zusammenhang mit der Annektierung klösterlicher Rechte durch die Landesherren ist schließlich die Pfarrei Aindling im Bistum Augsburg zu erwähnen, wenngleich das Kloster Fürstenfeld zu Beginn der Reformationszeit keine Rechte mehr daran hatte. Den Kirchensatz der Pfarrei bekam Fürstenfeld 1388 von den Wittelsbacher Herzögen geschenkt[408]; 1390 wurde sie von Papst Bonifaz IX.[409] und 1425 von Papst Martin V. dem Kloster inkorporiert[410]. Die Possesseinweisung blieb dabei allerdings immer Reservat des Landesherrn. Dieses Recht erweiterten die Herzöge schon zu Beginn des 15. Jahrhunderts dahingehend, daß sie dem Augsburger Bischof Kandidaten auf die Pfarrei Aindling präsentierten. Nach und nach wurden die Fürstenfelder Äbte aus ihrem Präsentationsrecht verdrängt und hatten nicht einmal mehr mit einer Appellation an den Papst 1451 Erfolg[411]. Fürstenfeld konnte sich gegen die Herzöge nicht mehr erwehren, und so gelten seit Beginn des 16. Jahrhunderts die Fürstenfelder Rechte auf die Pfarrei Aindling als faktisch erloschen[412].

einen unbekannten Adressaten mit der Beschuldigung an den Rainer Dechanten, die Bücher Pfr. Heels zu Schleuderpreisen an sich genommen zu haben, Fürstenfeld, 20. Mai 1611. BHStAM. KL Fürstenfeld 210½, fasc. 2, prod. 34. – Abt Sebastian Thoma an Maximilian mit der Zurückweisung der Geldforderung und dem Vorwurf an die Gläubiger, sie hätten nicht unbesehen so viel Geld verleihen dürfen, Fürstenfeld, 12. Februar 1612. BHStAM. KL Fürstenfeld 210½, fasc. 2, prod. 39.

[406] Interrogatorium des Rainer Dechanten und Antworten des Neukirchener Pfarrers, undatiert. BHStAM. KL Fürstenfeld 210½, fasc. 2, prodd. 30, 31.

[407] Wolf Christoph Lung und Jacob Pollinger, Pfleger und Richter in Aichach, an Kpl. Fr. Adam Holzwarth, Aichach, 20. August 1614. BHStAM. KL Fürstenfeld 210½, fasc. 2, prod. 40.

[408] Vgl. Machilek, Niederkirchenbesitz 382.

[409] Inkorporationsurkunde durch Papst Bonifaz IX., 24. Juni 1390. BHStAM. KU Fürstenfeld 616; gedruckt in: RegBoic X 271. – Inkorporationsurkunde durch Bischof Burkhard von Augsburg, 4. Juli 1391. BHStAM. KU Fürstenfeld 621; gedruckt in: RegBoic X 291.

[410] Inkorporationsauftrag Papst Martins V., Rom, 29. November 1425. BHStAM. KU Fürstenfeld 841; gedruckt in: MB IX, Nr. 146; RegBoic XIII 65.

[411] Appellation an Papst Nikolaus V., 5. Oktober 1451. BHStAM. KU Fürstenfeld 1084.

[412] Vgl. Machilek, Niederkirchenbesitz 388–389.

Teil III
Reformen und Reformbeziehungen

1. Das Verhältnis zu den Herzögen und dessen Wandlungen

1.1 Die Kirchen- und Klosterpolitik der bayerischen Herzöge in der Reformationszeit

Vor der Darstellung von Reformen und Reformbeziehungen zwischen dem Kloster Fürstenfeld und den bayerischen Herzögen ist ein kurzer Abriß der allgemeinen Kirchen- und Klösterpolitik der Landesherren seit dem ausgehenden Mittelalter hilfreich, um die landesherrlichen Verfügungen über Fürstenfeld als Teil eines gewandelten Selbstverständnisses seitens der Herzöge besser einordnen und verstehen zu können.

1.1.1 Das vorreformatorische Kirchenregiment

Das Engagement der bayerischen Herzöge in kirchlichen Angelegenheiten ermöglicht es, schon vor der eigentlichen Reformationszeit von einem landesherrlichen Kirchenregiment zu sprechen. Teilweise in Zusammenarbeit mit den Freisinger Fürstbischöfen, teilweise in Konkurrenz zu ihnen übten die Landesherren auf Kirchen und Klöster ein mitunter intensives Aufsichtsrecht aus und griffen bei vermeintlichen Mißständen ohne zu zögern ein[1]. Herzog Albrecht IV. von Oberbayern-München war eigentlich für die geistliche Laufbahn bestimmt gewesen, erlangte aufgrund familiärer Umstände dennoch die Würde des Landesherrn; seine kirchlich-religiösen Ambitionen konnte er nie mehr verleugnen. So wurde die Kirche teils aus echtem religiösem Eifer, teils aus Machtinteresse zunehmend zum Objekt landesherrlicher Politik[2].

1479 schilderte Albrecht IV. an der päpstlichen Kurie den Zustand der bayerischen Kirche in dunklen Farben und erhielt daraufhin von Papst Sixtus IV. (1471–1484) die Genehmigung zur Visitation[3]; der reformeifrige Freisinger

---

[1] Zum gesamten Thema grundlegend: Rankl, Kirchenregiment, bes. 153–269.
[2] Vgl. Maß, Mittelalter 334.
[3] Vgl. Rankl, Kirchenregiment 61 207–208.

Fürstbischof Sixtus von Tannberg (1474–1495) war ebenso dagegen machtlos wie gegen die eigenmächtige Errichtung des Münchner Kollegiatskapitels durch den Landesherrn. Papst Innozenz VIII. (1484–1492) erlaubte Albrecht IV. die Aufhebung zweier augenscheinlich gesunkener Kollegiatsstifte, um deren Güter zur Einrichtung eines Stiftskapitels bei der neuerbauten Münchener Frauenkirche umzuwidmen. Auch ein Prozeß seitens des Freisinger Fürstbischofs beim Apostolischen Stuhl konnte die Auflösung der Stifte Ilmmünster und Schliersee nicht verhindern; der Freisinger Fürstbischof Philipp Pfalzgraf bei Rhein (1498–1541) bekam sogar ein Schweigegebot in dieser Angelegenheit auferlegt[4]. Nachdem Albrecht IV. auch noch die Präsentationsrechte für die beiden Münchner Pfarreien St. Peter und Unsere Liebe Frau annektiert hatte[5], stand seinem weitgehend unbeschränkten Kirchenregiment kaum jemand mehr im Weg. Die Furcht des Freisinger Fürstbischofs vor der Entstehung eines Münchner Stadtbistums oder eines Landesbistums nach österreichischen Vorbildern war nicht unbegründet[6].

Zielstrebig und mit Hilfe der Kurie hatten die bayerischen Herzöge, besonders Albrecht IV., bereits vor der eigentlichen Reformationszeit ein strukturiertes und organisiertes Landeskirchensystem geschaffen, das ihnen erheblichen Einfluß auf die Kirche gewährte[7]. Ein bedeutender Schritt zum Aufbau einer staatskirchlichen Verwaltungseinheit war dabei die Errichtung des Kollegiatskapitels an der Münchener Frauenkirche mit vierzehn Kanonikern. Davon sollten fünf Stellen mit Doktoren oder Lizentiaten der Theologie, fünf mit Adeligen und vier mit Söhnen aus dem Münchener Stadtpatriziat besetzt werden. Mit diesem Kapitel besaß der Landesherr ein Kollegium zur Beratung geistlicher Angelegenheiten, das unabhängig von den Bischöfen agieren konnte[8]. Auch gegenüber den Klöstern übte Albrecht IV. hoheitliche Aufgaben aus[9]. 1480 visitierte er das Münchener Franziskanerkloster, dessen Brüder die strengere Observantenregel nicht annehmen wollten; an das Klarissenkloster am Anger wies der Landesherr drei Schwestern aus Nürnberg an, die dem Konvent die gewünschte Disziplin vermitteln sollten. Aus dem Münchener Augustinerkloster traten nach einer herzoglichen Visitation schließlich alle Mönche aus, so daß es völlig neu besiedelt werden mußte[10].

---

[4] Vgl. Pfister, Ilmmünster 113–124; ders., München 317–320; Rankl, Kirchenregiment 104 bis 107. – Zur Rolle der Bischöfe im vorreformatorischen Kirchenregiment: Rankl, Kirchenregiment 84–139.

[5] Vgl. Maß, Mittelalter 334.

[6] Vgl. Rankl, Kirchenregiment 95.

[7] Vgl. ebd. 81–82.

[8] Vgl. Pfister, München 355–357; Maß, Mittelalter 334. – Bei Pfister auch eine Aufstellung der Verfassung und der Aufgaben im einzelnen.

[9] Vgl. Rankl, Kirchenregiment 207–221.

[10] Vgl. Maß, Mittelalter 336–337.

1.1.2 Landesherrliche Kirchenpolitik in der Reformationszeit

Eine bislang ungekannte Herausforderung an alle Kräfte in Staat und Kirche war die Reformation, die mit den Thesen Luthers ihren Anfang nahm und sich bald im ganzen Reich ausbreitete[11]. Im bayerischen Episkopat war die Mehrheit der Mitglieder aufgrund ihres Selbstverständnisses, ihrer Bildung und ihrer Interessen nicht in der Lage, den reformatorischen Tendenzen etwas entgegenzusetzen. Der Freisinger Bischof, Philipp Pfalzgraf bei Rhein, entschied sich wie die meisten anderen Bischöfe für Zeitgewinn und Verzögerung in der Meinung, die Reformationsbewegung werde sich bald wieder beruhigen; dennoch nahm auch er, wie die anderen Ordinarien und etliche Prälaten der Salzburger Kirchenprovinz am von den Landesherren erwirkten Mühldorfer Reformkonvent von 1522 teil[12], ebenso wie Abt Wolfgang Mayr von Aldersbach, den der Passauer Bischof-Administrator Herzog Ernst geladen hatte[13]. Die Hauptrolle in der Bekämpfung der Reformation übernahmen – nach anfänglichem Zögern – seit ihrer Entscheidung in der Grünwalder Konferenz von 1522[14] aus vielerlei Motiven heraus[15] die bayerischen Herzöge und griffen damit konsequent immer weiter in die kirchlichen Belange ein. Auf dem Mühldorfer Reformkonvent von 1522 wurden zusammen mit den maßgeblichen geistlichen Herren zwar weitreichende Beschlüsse zu Kirchenreform und Visitation gefaßt[16], eine auf seiten der geistlichen

---

[11] Zur Ausbreitung der Reformation im Herzogtum: Jesse, Religionsmandate 254–256; Roepke, Bewegung 102–109.

[12] Siehe dazu ausführlich: Hoppe, Reformation 59–71; hier 62–63; Bauerreiss, Kirchengeschichte VI 28–30; Pfeilschifter, Weihezulassung 357–359; Roepke, Bewegung 101. – Eine prägnante Zusammenfassung der herzoglichen Kirchenpolitik in der Reformationszeit bietet: Georg Schwaiger, Kontinuität im Umbruch der Zeit. Beobachtungen zu kritischen Punkten der bayerischen Kirchengeschichte, in: BGBR 18 (1984) 367–378; ebenso: Anton Landersdorfer, Reformation, Gegenreformation und Katholische Reform in Altbayern, in: Nehlsen/Wollenberg, Zentralisierung 397–427.

[13] Vgl. Oswald, Marius 363.

[14] Pfeilschifter, Acta I 2–3, bezeichnet die Grünwalder Absprache als bestimmend für die bayerische Religionspolitik der folgenden eineinhalb Jahrhunderte.

[15] Vgl. HBG II 311–312. Anstelle einer monokausalen Erklärung für diese Entscheidung nimmt man eine Mischung aus politischen und religiösen Gründen an, die die bayerischen Landesherren zu ihrer aktiven Rolle in der Bekämpfung der Reformation bewegt hat. – Anders dagegen: Kaff, Volksreligion 381–382; hier wird das Engagement der Herzöge in der Religionsfrage weitestgehend machtpolitischen und dynastischen Motiven zugeschrieben. Fraglich ist aber, ob man damit der untrennbaren Verbindung von Religion und Politik im 16. Jahrhundert gerecht wird.

[16] Anwesend waren auf der Konferenz neben den Vertretern der Münchener Herzöge Wilhelm IV. und Ludwig X. der Erzbischof von Salzburg, die Bischöfe von Freising, Chiemsee und Passau, ein Vertreter des Bischofs von Brixen, die Abgesandten der Domkapitel in Salzburg, Freising, Passau und Brixen sowie des Propstes von Berchtesgaden, dazu zahlreiche Äbte oder deren Vertreter. Vgl. Hoppe, Reformation 63.

Fürsten verbreitete Unentschlossenheit verhinderte aber deren rasche Durchsetzung, so daß die Landesherren eigene Wege gingen. Am 5. März des gleichen Jahres erging das erste bayerische Religionsmandat, das die Abwehr der lutherischen Lehre zum Ziel hatte[17].

Dr. Johann Eck, bayerischer Gesandter in Rom[18], erwirkte in den Jahren 1523/24 bei den Päpsten Hadrian VI. (1522–1523) und Clemens VII. (1523 bis 1534) mehrere Privilegien für die bayerischen Herzöge, unter anderem die Besteuerung des Klerus und die Ermächtigung zur Klostervisitation; zu einem späteren Zeitpunkt kam noch das Privileg der Pfründenbesetzung in den sechs päpstlichen Monaten dazu[19]; dennoch verfestigten die kurialen Zugeständnisse dieser Jahre lediglich das bayerische Kirchenregiment, trugen aber nicht zu dessen Errichtung bei[20]. Die Visitationen geistlicher Korporationen durch herzogliche Vertreter wurden zu einem kontinuierlichen Aufsichtsinstrument über Disziplin, Vermögensverwaltung, Glauben und Amtsführung der Kleriker und Mönche, besonders in den Klöstern und Stiften[21]; in den Pfarreien des Bistums Freising gelang eine flächendeckende Visitation erst 1558 bis 1560[22]; zudem erhielten Prälatenwahlen nur durch die landesherrliche Bestätigung Rechtskraft. Nicht zuletzt bedeutete das Besteuerungsrecht über den Klerus für den Herzog ein eminent wichtiges Privileg angesichts Inflation und Kriegskosten[23].

Die gegenreformatorischen Aktionen im engeren Sinn gingen ebenfalls von den Landesherren aus. Zwei »Wellen« reformatorischer Bewegungen überspülten Altbayern: Zwischen 1520 und 1530 keimten zwinglianische und täuferische Strömungen stark auf; mit unnachgiebiger Hand wurden beide von den Landesherren verfolgt und beseitigt[24]. Von 1550 bis 1565 erhoben Adel und Bürgertum lautstarke Forderungen nach dem Laienkelch, wobei die Grenzen zwischen Altgläubigkeit und reformatorischem Bewußtsein auf ihrer Seite durchaus fließend waren; Albrecht V. sandte 1555 seinen Sekretär Heinrich Schweicker nach Rom, um heimlich Laienkelch und Priesterehe zu erbitten, erhielt aber von Papst Paul IV. (1555–1559) eine deutliche Absage[25].

---

17 Vgl. Pfeilschifter, Acta I 2; Jesse, Religionsmandate 256.
18 Zur Tätigkeit Ecks in Rom: Pfeilschifter, Acta I 102–109.
19 Vgl. Pfeilschifter, Acta I 102–150; Bauerreiss, Kirchengeschichte VI 31–32; HBG II 313, bes. Anm. 2; Jesse, Religionsmandate 257; Kaff, Volksreligion 376–377.
20 Vgl. Rankl, Kirchenregiment 81–82.
21 Vgl. Pfister, Generalabt 444–451.
22 Vgl. Landersdorfer, Trient 94–101. Ausführliche Darstellung und Druck der Visitationsprotokolle in: ders., Visitation (Literaturverzeichnis).
23 Vgl. Pfeilschifter, Acta I 156 (Anm. 4) 159–160.
24 Dazu siehe Kink, Täufer 51–57; Albrecht, Gegenreformation 14–15; Rankl, Rumor 524–569; Rößler, Bewegung 17–36 77–83; Roepke, Bewegung 101–102; Joachim Lauchs, Bayern und die deutschen Protestanten 1534–1546. Deutsche Fürstenpolitik zwischen Konfession und Libertät (= Einzelarbeiten aus der Kirchengeschichte Bayerns; 56), Neustadt a. d. Aisch 1978.

Als sich daraufhin die Berichte über die Kelchpraxis vermehrten, vollzog der Herzog eine Wende hin zur römischen Position und verfolgte jede »utraquistische« Praxis verdächtiger Kleriker und Laien[26]. Eine weitere Verschärfung der streng katholischen Religionspolitik durch die bayerischen Herzöge bewirkte die »Adelsfronde« von 1563 und 1564[27]. Die Grafen von Ortenburg und die Herren von Maxlrain-Hohenwaldeck waren reichsunmittelbare Anführer des protestantischen bayerischen Adels und ergriffen offen Partei für die lutherische Seite. Im Winter 1563/64 ließ Herzog Albrecht V. das Ortenburger Territorium besetzen und den katholischen Gottesdienst wieder einführen[28]; die Rekatholisierung von Hohenwaldeck-Maxlrain geschah 1581 auf Weisung Wilhelms V.[29], die Grafschaft Haag war bereits 1566 wieder rekatholisiert worden[30].

Als religionspolitisches Instrument zur Erhaltung des alten Glaubens richtete Albrecht V. auf Vorschlag von Wiguläus Hundt 1556 den Religions- und Geistlichen Lehenrat ein, der 1559 aufgrund innerer Differenzen zwar aufgelöst, 1570 mit derselben Verfassung aber wiedererrichtet wurde. Seine Aufgabe bestand in der Ausübung der landesherrlichen Aufsichts- und Visitationsrechte über Kirchen und Klöster, die sich seit der Reformationszeit aus dem Amt des fürstlichen Landesherrn legitimierten, sowie im Vollzug der jeweils einzelne Pfarreien betreffenden Präsentations- und Possesserteilungsrechte. Damit gewann der Lehenrat Einblick in den Zustand des Klerus und konnte an seiner Reform, einem der ersten angestrebten Ziele, mitwirken[31]. Der einzige Geistliche des Gremiums war zunächst der Dekan von

---

[25] Vgl. Lutz, Laienkelch 206–212; Jesse, Religionsmandate 264–266; Schwarz, Antrag 155, dort abgedruckt die Instruktion Papst Pauls IV. für Bayern; Roepke, Bewegung 105–106. – Schwarz, Antrag 146, unterstreicht die Heimlichkeit, mit der diese Mission durchgeführt wurde.

[26] Vgl. Landersdorfer, Trient 105–110; Albrecht, Gegenreformation 15–16; HBG II 338–339; Rößler, Bewegung 46–51.

[27] Dazu vgl. Schwaiger, Religionspolitik 42–45; Greindl, Ständeversammlung 272–277; Jesse, Religionsmandate 267; Roepke, Bewegung 107–109. – Ausführlicher: Walter Goetz/Leonhard Theobald, Beiträge zur Geschichte Herzog Albrechts V. und der sog. Adelsverschwörung von 1563 (= Briefe und Akten zur Geschichte des 16. Jahrhunderts; 6), Leipzig 1913; Karl Hartmann, Der Prozeß gegen die protestantischen Landstände in Bayern unter Herzog Albrecht V. 1564, München 1904.

[28] Vgl. Albrecht, Gegenreformation 15; HBG II 342–343; Greindl, Ständeversammlung 281. – Zu den Ortenburgern: Kaff, Volksreligion 142–181; Eberhard Graf zu Ortenburg-Tambach, Geschichte des reichsständischen, herzoglichen und gräflichen Gesamthauses Ortenburg, II. Das gräfliche Haus in Bayern, Vilshofen 1932.

[29] Vgl. Albrecht, Gegenreformation 15; HBG II 359.

[30] Vgl. Albrecht, Gegenreformation 15; zur Grafschaft Haag im 16. Jahrhundert: Rößler, Bewegung 116–132; Wilhelm Geyer, Graf Ladislaus von Fraunberg und die Einführung der Reformation in seiner Grafschaft Haag, in: BBKG 1 (1895) 193–215; Walter Goetz, Ladislaus von Fraunberg, der letzte Graf von Haag, in: OA 46 (1889/90) 108–165.

[31] Dazu: Heyl, Lehenrat 10–21.

St. Peter zu München, später kam ein weiterer Geistlicher hinzu, so daß es aus drei weltlichen und zwei geistlichen Mitgliedern bestand[32].

Zugleich mit der politischen Gegenreformation mußte eine Neubelebung des katholischen Glaubens erfolgen, wollte die herzogliche Strategie erfolgreich sein. Nachdem die theologische Fakultät der Landesuniversität Ingolstadt seit 1546 teilweise verwaist war, kamen 1549 zum ersten Mal Väter der Gesellschaft Jesu nach Ingolstadt[33]. Mit den Jesuiten hielt ein neuer Stil an Frömmigkeit, Theologie und Disziplin Einzug; maßgebend für ihre Berufung und Förderung waren die bayerischen Herzöge, zunächst Wilhelm IV., nach dessen Tod Albrecht V. Von den Bischöfen kam zu dieser Zeit keine nennenswerte Initiative zur Kirchenreform[34]; durch die Besetzung des Freisinger Bischofsstuhles 1565 mit dem erst elfjährigen Sohn Albrechts V., Herzog Ernst, bestand auch keine Möglichkeit dazu. Umso mehr aber bewirkten die Jesuitenpatres, die schrittweise Ordenskollegien im Land errichteten und so einen prägenden Einfluß auf Bildung und Geistigkeit im Herzogtum und darüber hinaus gewannen wie keine zweite Kraft[35]. Mit ihnen nahm die Katholische Reform ihren eigentlichen Aufschwung, ganz entsprechend der Absicht der Landesherren; ausgehend vom jesuitischen Ideal in Disziplin, Theologie und Spiritualität wurde die Kirche in Bayern neu aufgebaut und strukturiert, wobei kein Kloster und kein Stift von den Reformmaßnahmen verschont blieb.

Im Verhältnis der Landesherren zu den Bischöfen ergaben sich im Lauf der Zeit immer mehr Mißtöne, da diese die herzoglichen Eingriffe nicht länger unwidersprochen lassen wollten[36]. Dennoch rückte die landesherrliche Kirchenobrigkeit von ihrem Grundsatz der Unabhängigkeit gegenüber den Bischöfen nicht ab, ließ sich von Nuntius Felician Ninguarda Rückendeckung in ihrem Vorgehen geben und stellte dieses im – allerdings immer wieder umstrittenen – Konkordat von 1583 mit den Bischöfen der Salzburger Kirchenprovinz auf eine staatskirchenrechtliche Grundlage; die aufgrund einseitiger Gesetzgebung ausgeübte Aufsicht über die klösterliche Ökonomie und andere Kompetenzen wurden damit kirchlicherseits legalisiert[37]. Gegen Ende des 16. Jahrhunderts war Bayern die katholische Vormacht im

---

[32] Vgl. Pfister, Generalabt 438–440.

[33] Dazu, zu den Umständen und Problemen siehe: Weitlauff, Anfänge 43–54, hier 45.

[34] Vgl. Landersdorfer, Trient 95; Hausberger, Träger 119–120.

[35] Vgl. Weitlauff, Anfänge 56; Schade, Jesuiten 214–217 225–228; Hausberger, Träger 118–119; Jesse, Religionsmandate 268–270. – Die Jesuiten errichteten Niederlassungen 1559 in München, 1563 in Dillingen, 1567 in Würzburg, 1574 in Luzern, 1578 in Landsberg, 1581/82 in Augsburg, 1586/89 in Regensburg, 1593 in Altötting und weitere im 17. Jahrhundert.

[36] Vgl. Bauerreiss, Kirchengeschichte VI 161–162.

[37] Text des Konkordates in: Ziegler, Altbayern 490–495. – Dazu: Weber, Reform 229; ders., Gepeckh 419–420; Albrecht, Gegenreformation 17; Bauerreiss, Kirchengeschichte VI 288 bis 290; Pfeilschifter, Weihezulassung 359; Pfister, Generalabt 441.

Reich schlechthin, begründet im kompromißlosen Festhalten der bayerischen Herzöge gegenüber allen protestantischen Einflüssen. Herzog Maximilian setzte grundsätzlich die Religionspolitik seiner Vorgänger fort, wandte zu ihrer Durchführung aber stärkere Mittel an; er war fromm und gefühlsbetont, ließ aber keinen Zweifel an seinem Willen zur Macht, seinem Verständnis vom konfessionellen Staatsabsolutismus und seiner Treue zu den Prinzipien seiner Vorfahren. Ungeteilte Förderung erfuhren durch ihn die Reformorden der Jesuiten, Franziskaner, Kapuziner und Karmeliten mit ihren südeuropäischen Frömmigkeitsformen; verdrängt wurden dadurch allerdings die spätmittelalterlichen Charakteristika der bayerischen Frömmigkeit[38].

---

[38] Vgl. Albrecht, Gegenreformation 18–19; HBG II 643–648.

1.2   Die Beziehungen des Klosters Fürstenfeld zu den bayerischen Herzögen

1.2.1   In der Zeit vor der Reformation

Die genannten herzoglichen Aufsichtsrechte über geistliche Korporationen betrafen auch das Kloster Fürstenfeld, wobei es als Hauskloster der Wittelsbacher Dynastie bereits seit seiner Gründung in einem wesentlich engeren Verhältnis zum bayerischen Herrscherhaus stand als andere Klöster[39]. Die bislang vorliegende Literatur nimmt an, daß das Verhältnis des Klosters zu seinem Landesherrn insgesamt positiv geprägt war und durch die einsetzenden staatlichen Reglementierungen kaum getrübt wurde[40]. Tatsächlich war im Jahr 1480 Herzog Sigmund in die Confraternität Fürstenfelds eingetreten, ohne sich förmlich dem Kloster anzuschließen[41]; von Abt Leonhard Eggenhofer wird berichtet, er sei als herzoglicher Rat angesprochen worden, ohne daß sich dafür aber ein Beleg finden ließe[42]. Weiterhin wird in der Regel die Errichtung des Stiftergrabmals unter Abt Johannes Scharb als Zeichen der besonderen Verbundenheit des Klosters mit dem Herrscherhaus gewertet[43], wenngleich die besonderen Umstände der Entstehung erste Zweifel an der angenommenen Motivation wecken[44]. Gerade das Stiftergrabmal und seine Entstehung werfen die Frage auf, ob das Verhältnis zwischen Landesherr und Kloster tatsächlich so positiv war wie bislang angenommen.

1.2.1.1   Herzogliche Kommissare und Visitatoren im Kloster

Im Jahr 1479 hatte Albrecht IV. von Papst Sixtus IV. die Genehmigung zur Klostervisitation erhalten[45] und damit die päpstliche Erlaubnis, in der Klosterpolitik eine aktivere Rolle einzunehmen als bisher; 1483 erweiterte Sixtus IV. das Privileg dahingehend, daß die herzoglichen Visitatoren die Männer- und Frauenklöster aller Orden beliebig häufig visitieren und im erforderlichen Fall deren Obere ab- und geeignete neue Obere einsetzen

---

[39] Zu Wesen und Stellung der Hausklöster: Störmer, Hausklöster 146–149 und Einleitung in diese Arbeit.

[40] Vgl. Schmid, Cenobium 265–266. – Schmid berichtet auch von einer besonderen Verbundenheit Albrechts IV. mit dem Kloster.

[41] Vgl. Führer, Chronik § 152; Fugger, Fürstenfeld 61. – Mehrere Schenkungen Sigmunds gedruckt in: MB IX, Nr. 163–166.

[42] Vgl. Schmid, Cenobium 266. Ausführlich dazu: Heinz Lieberich, Die gelehrten Räte. Staat und Juristen in der Frühzeit der Rezeption, in: ZBLG 27 (1964) 120–189; auch hier findet sich Abt Eggenhofer nicht verzeichnet.

[43] Vgl. Schmid, Cenobium 266; Böhne, Grabmal 42. – Siehe dazu Teil I, Kap. 1.3.3.

[44] Vgl. Ehrmann, Gotisches Kloster 182.

[45] Vgl. Rankl, Kirchenregiment 61. 207–208.

konnten[46]. Inwieweit sich die herzogliche Visitationspolitik zu dieser Zeit auf das Kloster Fürstenfeld auswirkte, ist nicht mehr zu belegen, da jegliche diesbezüglichen Quellen aus der Zeit der Wende vom 15. zum 16. Jahrhundert fehlen; so bleiben nur Vermutungen und Vergleiche. In Raitenhaslach ließ mit Genehmigung des Generalabtes 1474 Herzog Georg der Reiche von Bayern-Landshut eine Visitation durchführen, die mit der Postulation des Fürstenfelder Konventualen Fr. Johann Holczner zum Abt des Klosters an der Salzach endete[47]; herzogliche Wahlkommissare lassen sich dort erstmals bei der Abtwahl von 1498 nachweisen. Schwierigkeiten wegen deren Anwesenheit werden dabei nicht berichtet[48].

Da bei Abtwahlen im gesamten Herzogtum seit Beginn des 16. Jahrhunderts herzogliche Kommissare präsent waren[49], galten für Fürstenfeld wohl dieselben Verhältnisse. Vermutlich visitierten bei der Wahl Abt Michaels II. herzogliche Vertreter das Kloster, besonders hinsichtlich seiner finanziellen Lage. Einziger Hinweis auf herzogliche Visitationen und Kommissariate ist die Wahl Abt Georg Menharts am 10. April 1522; aufgrund der noch anfanghaften Durchsetzung der Grünwalder Beschlüsse vom Februar des gleichen Jahres ist die Wahl Menharts wohl noch unter die vorreformatorischen Beziehungen einzuordnen. Zwar erwähnt dieses – erste erhaltene – Wahlinstrument nichts von einer Anwesenheit der herzoglichen Kommissare[50], aber Herzog Wilhelm IV. erließ wenige Tage vor der Wahl Anweisungen an sie und teilte ihnen drei Aufgaben zu: die Festsetzung eines Wahltages, die Inventarisierung des Besitzes und die Überantwortung des Inventars an den neuen Abt[51]. Da diese Anweisungen den Eindruck einer gewissen Routine erwekken, können folgende Annahmen als gesichert gelten: Zum einen wohnten auch in Fürstenfeld schon seit einiger Zeit herzogliche Kommissare der Abtwahl bei; zum anderen war diese Übung rechtlich nicht mehr umstritten, da sich gegen die Teilnahme der Kommissare an der Wahl nicht der geringste Widerspruch regte[52]. Übergriffe und Willküraakte der Kommissare, wie sie

---

46 Vgl. ebd. 212–213. – Diese Vollmacht wurde besonders in der Diözese Regensburg, aber auch in den Klöstern Raitenhaslach, Rottenbuch und Beyharting angewandt.
47 Vgl. Krausen, Raitenhaslach 104 285–286.
48 Vgl. ebd. 104–105.
49 Vgl. Koch, Klöster 260. – Aldersbachs Abt Wolfgang Mayr vermerkt in seinen Annales über die Anwesenheit eines herzoglichen Wahlkommissars bei seiner eigenen Wahl 1514: »praesidente etiam nobili homine henrico ex Seyberstorff apud vilshoium ducali praefecto electionis actum in manus suscepit. Vir tamen nobilis nullum fratrem inter eligendum impedimentum fecit.« Annales Cap. LXII, in: Hartig, Annales 63.
50 Wahlinstrument Abt Georg Menharts durch Abt Wolfgang Mayr von Aldersbach, Fürstenfeld, 10. April 1522. BHStAM. KU Fürstenfeld 1612.
51 Wilhelm IV. an die hzl. Kommissare, 3. April 1522 (Konzept). BHStAM. KBÄA 4095, fol. 181r.
52 Dies galt für die Klöster insgesamt; vgl. Wittmütz, Gravamina 31.

aus anderen Klöstern berichtet wurden, lassen sich für Fürstenfeld nicht belegen[53]. Herzogliche Visitationen außerhalb eines Wahlakts, ähnlich der genannten Raitenhaslacher Visitation, sind für Fürstenfeld nicht überliefert. Auszuschließen sind sie aber gerade deshalb nicht, weil die Umstände ungeklärt bleiben, unter denen die Äbte Michael II. und Petrus resigniert haben[54]. Durchaus vorstellbar ist daher, daß sich gelegentlich herzogliche Visitatoren in Fürstenfeld aufgehalten haben. Ein Güterverzeichnis des Klosters Fürstenfeld aus der zweiten Hälfte des 15. Jahrhunderts zeigt das landesherrliche Interesse an den Besitzungen des Klosters bereits für die gesamte Zeit vor der Reformation; der Verfasser bleibt unbekannt, adressiert ist das Verzeichnis an den Landesherrn[55]. Das Kloster war somit verpflichtet, dem Herzog die Besitzverhältnisse zu offenbaren[56], denn freiwillig übersandte der Prälat die Aufstellung sicherlich nicht.

1.2.1.2   *Streitigkeiten um klösterliche Privilegien und Rechte*

Neben den gelegentlichen Visitationen wurde das Verhältnis des Klosters Fürstenfeld zu den Herzögen vor allem durch die alltäglichen Kontakte der Äbte als Grund- und Gerichtsherren und ihrer Vertreter mit den entsprechenden landesherrlichen Institutionen und Organen bestimmt – ein Verhältnis, das selten ganz spannungsfrei war. Aus der kurzen Regierungszeit Abt Michaels II. 1496 bis 1502 sind Schwierigkeiten vor allem mit den Beamten überliefert: Dauerstreitpunkt waren die herzoglichen Jäger und ihre vom Kloster als Zumutung empfundenen Forderungen nach Unterkunft und Verpflegung; alle Vorstellungen dagegen bei Herzog Albrecht IV. wurden abgelehnt[57]. Schwerwiegender war das gespannte Verhältnis des Klosters zu den herzoglichen Gerichtsbeamten, die immer wieder versuchten, klösterliche Gerechtigkeiten zu umgehen und an sich zu ziehen; deutlich wird dies in einem undatierten Schreiben vom Ende des 15. Jahrhunderts an Herzog Albrecht IV.: Der Abt, wohl Leonhard Eggenhofer oder Michael II., zählte auf Anfrage Herzog Sigmunds die klösterlichen Gerechtigkeiten auf und beklagte sich zugleich, daß die »neuen« herzoglichen Amtsleute diese Rechte nicht mehr beachten würden[58]. Weitere undatierte Notizen aus dieser Zeit zeigen

---

[53] Vgl. Heyl, Lehenrat 28.
[54] Siehe dazu Teil I, Kap. 1.1.2 und 1.2.1.
[55] Güterverzeichnis des Klosters Fürstenfeld, undatiert. BHStAM. KBÄA 4095, fol. 44. – Daneben existiert ein ausführlicheres Güterverzeichnis, undatiert. Ebd., foll. 46r–47r.
[56] Dies galt für alle Klöster; vgl. Wittmütz, Gravamina 31.
[57] Vgl. Führer, Chronik § 153. – Probleme mit der herzoglichen Jagd gibt es bereits während des ganzen 15. Jahrhunderts; siehe dazu Teil I, Kap. 1.1.1.
[58] Abt Leonhard Eggenhofer oder Abt Michael II. an Albrecht IV, undatiert. BHStAM. KBÄA 4095, fol. 58r.

den wachsenden Druck, der von den herzoglichen Amtsleuten und damit von der staatlichen Macht auf die klösterlichen Gerichtsrechte und Privilegien ausgeübt wurde[59], und gegen den sich das Kloster zu verteidigen suchte. Die von Albrecht IV. kurz vor seinem Tod an das Kloster ausgestellte Privilegienkonfirmation konnte die Entwicklung hin zu einer Verstaatlichung auch der klösterlichen Rechte nicht verhindern[60]; während der Regentschaftsregierung nach seinem Tod trachteten die Landrichter bereits wieder nach Möglichkeiten zu deren Umgehung.

1.2.1.3 Der Landesherr als geistliche Appellationsinstanz

Noch weit vor der Gründung eines herzoglichen Geistlichen Ratsgremiums bildete der Münchener herzogliche Hofrat die Appellationsinstanz bei Beschwerden gegen den Abt und seine geistliche Regierung; der Freisinger Fürstbischof hatte keine ausreichenden Rechtsbefugnisse über das Kloster, und Ordensvisitatoren unterstanden ebenfalls der herzoglichen Aufsicht[61]. Beispielhaft stand dafür der Streit um den Gottesdienst in der Hollenbacher Filialkirche Mainbach. Im Jahr 1511 beschwerte sich die dortige Einwohnerschaft bei der herzoglichen Regierung über die geringe Anzahl der bei ihnen gelesenen Messen und über die mangelnde Bereitschaft des Abtes, diesen Mißstand zu ändern[62]. Abt Johannes Scharb wurde daraufhin zur Rechenschaft gezogen und mußte seine Argumente darlegen; schließlich bat er den Herzog, ihn nicht zur Abhaltung weiterer Gottesdienste zu verpflichten, da dies schwere finanzielle Belastungen mit sich brächte[63]. Ein ähnlicher Vorfall ereignete sich wenige Jahre später, 1523, in der Jesenwanger Filiale Aich; auch hier forderten die Einwohner unter Berufung auf ihre Abgaben die Abhaltung von mehr Gottesdiensten, und auch hier wurde Abt Georg Menhart vom Landesherrn zur Rechenschaft gezogen[64]. Diese Verfahrensweisen

---

[59] Auflistung der klösterlichen Rechtsfreiheiten, undatiert (Konzept Ende 15./Anfang 16. Jh.). BHStAM. KBÄA 4095, fol. 53r. – Beschwerde, daß hzl. Beamte dem klösterlichen Hintersassen Jörg Unpaw widerrechtlich 32 lb dl gepfändet hätten, undatiert (Konzept). BHStAM. KBÄA 4095, fol. 54r. – Auflistung der klösterlichen Rechtsfreiheiten, undatiert (Konzept). BHStAM. KBÄA 4095, fol. 55.

[60] Privilegienkonfirmation Albrechts IV., München, 8. Februar 1508. BHStAM. KU Fürstenfeld 1545; BHStAM. KBÄA 4095, foll. 19–20 23–24 (Kopien). – Dafür mußte das Kloster einige Gründe und ein Fischrecht abgeben (Führer, Chronik § 157) und versichern, keine weiterreichenden Rechte in Anspruch nehmen zu wollen (Konzept, 8. Februar 1508. BHStAM. KBÄA 4095, fol. 30).

[61] Vgl. Rankl, Kirchenregiment 266.

[62] Hanns Sigl und andere Mainbacher Einwohner an Wilhelm IV., Mainbach, undatiert. BHStAM. KBÄA 4095, fol. 168.

[63] Abt Johannes Scharb an Wilhelm IV., Fürstenfeld, 30. März 1511. BHStAM. KBÄA 4095, fol. 170r.

[64] Ausführlicher geschildert und belegt in Teil II, Kap. 3.3.3.2.

dokumentieren die bereits vor der Reformationszeit unbestrittene Zuständigkeit der Herzöge auch in Fragen der Kirchenhoheit. Verständlich ist, daß die Einwohner der Filialen an den Landesherrn appellierten, um ihre Interessen durchzusetzen. Überaus aussagekräftig sind dagegen Form und Inhalt der Antwortschreiben der Äbte. Mit keinem Wort wurde die Kompetenz der Herzöge für die geistlichen Angelegenheiten in Frage gestellt; darüber hinaus bat Abt Johannes Scharb Herzog Wilhelm IV., ihn nicht zu mehr Gottesdiensten zu verpflichten; auch diese Befugnis des Landesherrn war unangefochten.

1.2.1.4   Das Stiftergrabmal als Ausdruck der Bindung an das Haus Bayern

Wittelsbachische Klostergründungen besitzen im Regelfall als Zeichen des immerwährenden Gedenkens und Gebetes ein Stiftergrab für die verstorbenen Gründer und Wohltäter; unter Abt Johannes Scharb entstand auch in Fürstenfeld ein solches Stiftergrabmal, das neben dem Gedenken auch die geschichtlich-dynastische Verbundenheit zum Hause Bayern dokumentieren sollte[65]. Mehrere Details aus der Entstehungsgeschichte lassen dennoch das Bild einer vorbehaltlosen Verehrung des Herrscherhauses durch die Fürstenfelder Mönche als eher unwahrscheinlich vermuten.

Auffällig ist zum ersten die Entstehungszeit: Während die meisten anderen wittelsbachischen Stiftergräber aus dem 14. Jahrhundert stammen, etwa in Scheyern[66], oder aus der Mitte des 15. Jahrhunderts wie in Seligenthal[67], wurde das Fürstenfelder Stiftergrab zu Beginn des 16. Jahrhunderts und damit extrem spät errichtet. Eine weitere Besonderheit ist die künstlerisch eher zweitrangige Ausgestaltung des Grabes, sowohl was das Material – es bestand aus Holz und nicht, wie andernorts aus Stein – als auch was die Qualität der Figuren anbetrifft[68]. Offensichtlich bemühte man sich um einen möglichst großen Effekt mit möglichst wenigen Mitteln; ob eine vorgeblich schlechte Wirtschaftslage des Klosters in diesen Jahren der einzige Grund für die minderwertige Ausführung war[69], ist zu bezweifeln. Zwar sind aus diesen Jahren keinerlei Rechnungsbücher vorhanden; aber einige Käufe von Immobilien[70] und die Tradition, daß Abt Scharb die Klosterkirche mit silber-

---

[65] Zur Entstehungsgeschichte siehe Teil I, Kap. 1.3.3.

[66] Vgl. List, Grablegen 524.

[67] Vgl. ebd. 535.

[68] Vgl. Ehrmann, Gotisches Kloster 183.

[69] So ebd.

[70] Kaufurkunde über einen Acker zu Geising, 24. Juli 1508. BHStAM. KU Fürstenfeld 1547. – Kaufurkunde über eine Hofstatt mit etlichen Wiesen und Äckern, 17. Juni 1509. BHStAM. KU Fürstenfeld 1554. – Kaufurkunde über ein Haus zu Freising, 28. Juni 1511. BHStAM. KU Fürstenfeld 1562.

nen und goldenen Reliquiaren ausgestattet und Paramente zugekauft habe[71], lassen die Finanznöte in einem anderen Licht erscheinen. Vermutlich hätte Abt Scharb mehr Geld für das Stiftergrab ausgeben können, wenn er gewollt hätte. Der Hintergrund für die Sparsamkeit des Prälaten läßt sich vielleicht aus einer dritten Merkwürdigkeit heraus erklären. Das Haus Bayern steuerte zur Finanzierung des Stiftergrabmals nichts bei, was deshalb als ungewöhnlich erscheint, weil einige Jahrzehnte zuvor Herzog Sigmund das Kloster bei der Errichtung des neuen Hochaltars kräftig gefördert hatte. Ob der einzige Grund der war, daß das Bauvorhaben in die Jahre der Regentschaftsregierung nach dem Tod Albrechts IV. gefallen war, und die Regenten sich nicht zur Förderung des Projektes durchringen konnten[72], muß bezweifelt werden. Ausschlaggebend dürfte vielmehr die Entscheidung zugunsten der Grablege in der Münchener Frauenkirche gewesen sein, die kurz zuvor gefallen war[73]; damit trat das Fürstenfelder Stiftergrab in den Hintergrund und verlor an dynastisch-politischer Bedeutung, ehe es noch errichtet war. Vorstellbar ist, wenngleich durch Quellen nicht zu beweisen, daß dem vorausgehenden Desinteresse seitens des Herzogshauses auch ein zunehmendes Desinteresse des Abtes Scharb folgte, der sich daraufhin zu einem möglichst kostengünstigen Bau entschied, welcher schließlich auch entstand. Ausgehend von diesen Umständen sind einige Rückschlüsse auf das Verhältnis zwischen Herrscherhaus und Kloster Fürstenfeld zu ziehen. Die Pflege der dynastischen Traditionen des Hauses Bayern konnte und wollte man im Kloster nicht ganz aufgeben, beschränkte sich dabei jedoch auf ein Mindestmaß; dementsprechend mutet das Stiftergrab eher als Pflichtübung denn als enthusiastische Verehrung der Herrscherfamilie an. Somit war das Verhältnis des Klosters zum Haus Bayern doch distanzierter als bislang angenommen.

1.2.2 Die Beziehungen während der Jahre der Reformation bis zum Augsburger Religionsfrieden 1555

Wie bereits mehrfach erwähnt, begann mit der Grünwalder Vereinbarung der Herzöge Wilhelm IV. und Ludwig X. eine neue Epoche bayerischer Kirchenpolitik, die dezidiert katholisch geprägt war und Bayern zum konfessionellen Staat machte. Im Zuge der nunmehr aktiveren und systematisierten Kirchenpolitik der Herzöge wurde auch Fürstenfeld immer stärker in das entstehende Staatskirchensystem eingebunden; dabei ergeben sich sowohl quantitative als auch qualitative Unterschiede im Vergleich zum vorreformatorischen Kirchenregiment.

---

[71] So Führer, Chronik § 156; Röckl, Beschreibung 25; Fugger, Fürstenfeld 68.
[72] Diese Vermutung äußert Ehrmann, Gotisches Kloster 183.
[73] Vgl. List, Grablegen 533–534.

1.2.2.1 Die Klosteraufsicht

Mit den drei 1523 und 1524 erwirkten päpstlichen Privilegien der Klerusbe-steuerung, der »Türkenquint«, der Ermächtigung zur Klostervisitation und dem Privileg konkurrierender Strafgerichtsbarkeit über den Klerus[74] konn-ten die bayerischen Landesherren mit päpstlicher Genehmigung eine wesentlich aktivere Rolle in der Klosterpolitik als bisher spielen und übten ihre Befugnisse auch in Fürstenfeld konsequent aus.

1.2.2.1.1 Landesherrliche Visitationen im Kloster

In den Jahren bis 1555 wurden in Fürstenfeld unter Beteiligung der Landes-herren mindestens drei Visitationen abgehalten, von denen Akten erhalten sind. Die erste größere Visitation fand 1529 statt und mußte fünfzehn Ankla-gepunkte gegen Abt Georg Menhart behandeln[75]; die Namen der Visitatoren sind zwar nicht mehr festzustellen, sicher ist aber, daß herzogliche Kommis-sare beteiligt waren, da von ihnen der Visitationsrezeß ausgeht. Er legt in zwei Teilen, einem geistlich-disziplinarischen und einem weltlich-wirt-schaftlichen Teil, zwanzig Punkte fest, an die sich Abt Menhart zu halten hatte[76]. Von einer weiteren ausführlichen Visitation vom 20. Mai 1549 ist nur noch eine Rezeßabschrift des visitierenden Abtes Johann Zankher von Aldersbach erhalten[77]; Herzog Wilhelm IV. war an dieser Visitation insofern beteiligt, als er am 4. Mai desselben Jahres den Aldersbacher Vaterabt dazu aufgefordert hatte[78] und schließlich auch den Visitationsrezeß erhielt, so daß er sich genau über die Zustände in Fürstenfeld informieren konnte[79]. Weit-aus am besten gibt aber die Visitation vom Oktober 1551 Einblick in die Ver-hältnisse des Klosters: Nachdem sich die Nachrichten über die unwürdige Klosterleitung durch den Administrator Michael Kain gehäuft hatten, befahl Herzog Albrecht V. am 12. September 1551 dem Aldersbacher Abt Zankher und dem Dekan zu St. Peter in München, Anton Aresinger, am 12. Oktober desselben Jahres eine Visitation in Fürstenfeld durchzuführen[80]. Unter dem

---

[74] Vgl. Pfeilschifter, Acta I 102–150; HBG II 313.
[75] Klagen gegen Abt Georg Menhart, 1529. BHStAM. Aldersbach Archiv Schublade 107, fasc. 3, prod. 5. – Zusammengefaßt in Teil I, Kap. 1.5.4.
[76] Visitationsrezeß Wilhelms IV., 1529. BHStAM. Aldersbach Archiv Schublade 107, fasc. 3, prod. 1. – Eine Zusammenfassung des Rezesses in Teil I, Kap. 1.5.4.
[77] Visitationsrezeß Abt Johann Zankhers von Aldersbach, 20. Mai 1549 (Kopie). BHStAM. KBÄA 4096, foll. 34r–36v.
[78] Repertorium Aldersbach, unter dem 4. Mai 1549. BHStAM. KL Aldersbach 73, fol. 16r.
[79] Der Visitationsrezeß ist zwar nicht adressiert; aufgrund der Bestandszugehörigkeit zu BHStAM. KBÄA 4096 dürfte er aber an den Hz. gerichtet sein.
[80] Repertorium Aldersbach, unter dem 15. September 1551. BHStAM. KL Aldersbach 73, fol. 16r.

13. Oktober erging ein ausführlicher Bericht der beiden Visitatoren an den Landesherrn, in dem diese dringend eine personelle Neuordnung des Klosters empfahlen und, zumindest bis auf weitere herzogliche Verfügungen hin[81], bereits vorläufig vorgenommen hatten; zudem wurde ein ausführliches Inventar erstellt[82]. Erhalten sind darüber hinaus die Protokolle von vierundvierzig Personenbefragungen, angefangen von Prior Roppach bis hin zu den Milchmägden, die ein umfassendes Bild vom Zustand des Klosters abgeben[83].

Diese drei Visitationen dokumentieren das Ausmaß der landesherrlichen Aufsicht über Fürstenfeld sehr deutlich: Zu allen drei Visitationen ging die Initiative vom Herzog aus; an mindestens zwei Visitationskommissionen waren dessen Beamte beteiligt, bei der Visitation von 1549 kann ihre Anwesenheit zumindest nicht ausgeschlossen werden. Die Berichte der Visitationen wurden sämtlich dem Landesherrn zugestellt, fällige Konsequenzen daraus – im Regelfall personeller Art – ihm anheimgestellt. Auch Abt Johann Zankher von Aldersbach, dem den Ordensstatuten zufolge das Visitationenwesen über Fürstenfeld eigentlich zugestanden hätte, war zu dieser Zeit vollkommen dem landesherrlichen Regiment unterworfen.

1.2.2.1.2 Die Absetzung und Einsetzung von Klostervorständen

Im Ergebnis gravierender als die Durchführung von Visitationen, wenngleich meistens mit ihnen verbunden, war die landesherrliche Kompetenz, Klostervorstände abzusetzen und einzusetzen, wenn es für nötig gehalten wurde; Proteste seitens kirchlicher Autoritäten dagegen waren nutzlos[84]. Erster Fürstenfelder Abt aus der Reformationszeit, der zurücktreten mußte, war Georg Menhart. Unklar sind die Hintergründe seines Rücktritts; ob er nun auf Druck seiner Mitbrüder der Ausübung des Amtes entsagte[85], ein Opfer von Verleumdungen geworden war[86] oder aufgrund der Duldung lutherischer Umtriebe vom Landesherrn entfernt wurde[87], ist mangels Quellen nicht mehr feststellbar. Am wahrscheinlichsten hängt sein Rücktritt mit der

---

[81] Visitationsbericht von Abt Johann Zankher von Aldersbach und Dekan Anton Aresinger von St. Peter zu München an Albrecht V., Fürstenfeld, 13. Oktober 1551. BHStAM. KBÄA 4096, foll. 43r–45v.

[82] Inventar, 13. Oktober 1551. BHStAM. KBÄA 4096, foll. 47r–51r.

[83] Befragungsprotokolle der Visitation, 13. Oktober 1551. BHStAM. KBÄA 4096, foll. 57r–86r.

[84] Wilhelm IV. und Ludwig X. an die Bischöfe von Freising, Regensburg und Passau mit der Verteidigung gegen deren Vorwürfe ungerechtfertigter Einflußnahme in die Prälatenwahlen bayerischer Klöster, München, 11. Januar 1536 (Kopie). BHStAM. KBÄA 4228, fol. 108v.

[85] Vgl. Egon Johannes Greipl, Krisenzeiten und Blüte des Klosters, in: TE I 110, I. – Falsch abgedruckt ist dort allerdings das Jahr des Rücktritts.

[86] So vermuten Fugger, Fürstenfeld 74; Röckl, Beschreibung 26.

[87] Führer, Chronik § 164.

durch die Visitation von 1529 gewonnenen Erkenntnis zusammen, daß sich unter ihm die Dinge nicht mehr zum Besseren wandeln würden; zudem war der Prälat früher schon wegen unlauterer Finanzgeschäfte zum Thema in der Landschaftssitzung geworden[88]. Zum Administrator wurde, wohl ebenfalls vom Landesherrn, Fr. Johannes Pistorius ernannt, wenngleich seine förmliche Erhebung nicht mehr belegbar ist; seit dem 17. Mai 1531 siegelte Pistorius mit dem Abtssiegel Menharts[89].

Auch an den Vorgängen um die Neubesetzung der Administratur Fürstenfelds nach dem Rücktrittsangebot Abt Johannes Pistorius' von 1547 war Herzog Wilhelm IV. beteiligt: Er befahl Abt Johann Zankher von Aldersbach, einen tauglichen Administrator für die Zeit nach der Resignation des Abtes Pistorius aufzustellen[90]; die Personalknappheit in Fürstenfeld führte dazu, den einzigen verbliebenen Priestermönch, Fr. Michael Kain, zum Administrator zu erheben[91]. Auch am Betrugsprozeß gegen Abt Pistorius war der Landesherr beteiligt[92]: Zu Beginn des Prozesses ließ Albrecht V. auf Antrag des Nuntius Sebastian Pighino den Prälaten verhaften[93], wogegen dieser seine Unschuld beteuerte[94]; auch der Untersuchungsrichter Heinrich Schweickher war ein herzoglicher Beamter[95]. Die bereits mehrfach genannte Visitation im Oktober 1551 war schließlich der Ansatzpunkt zur Amtsenthebung des Administrators Kain: Die personelle Neubesetzung der Administration wurde ebenso dem Ermessen Albrechts V. überlassen[96] wie die Durchführung weiterer Reformen[97]. Tatsächlich überging der Herzog die vorläufige Einsetzung Fr. Sigismund Röhrls als Administrator durch die Visitatoren, die sowohl vom Konvent als auch von den Visitatoren befürwortet worden war[98], und nahm mit der Ernennung Stephan Dorfpecks einen bis dahin in

---

[88] Nachtrag von anderer Hand im Visitationsrezeß Wilhelms IV., 1529. BHStAM. Aldersbach Archiv Schublade 107, fasc. 3, prod. 1.

[89] Verpfändungsurkunde Administrator Fr. Johannes Pistorius' an Johann Prieler, Propst der Eichstätter Frauenkirche, Fürstenfeld, 17. Mai 1531. BHStAM. KU Fürstenfeld 1698/1.

[90] Repertorium Aldersbach, unter dem 17. April 1547. BHStAM. KL Aldersbach 73, fol. 16r.

[91] Repertorium Aldersbach, unter dem 18. Juni 1549. BHStAM. KL Aldersbach 73, fol. 16r. – Zu dieser Zeit war Fr. Kain aber bereits über ein Jahr Administrator.

[92] Ausführlich dazu siehe Teil I, Kap. 2.1.4.3.

[93] Albrecht V. an Nuntius Sebastian Pighino, München, 10. März 1551. BHStAM. KBÄA 4096, fol. 4r.

[94] Abt Johannes Pistorius an Albrecht V., Aichach, 13. März 1551. BHStAM. KBÄA 4096, foll. 5v–9r.

[95] Albrecht V. an Nuntius Sebastian Pighino, München, 15. März 1551. BHStAM. KBÄA 4096, fol. 12r.

[96] Visitationsbericht von Abt Johann Zankher von Aldersbach und Dekan Anton Aresinger von St. Peter zu München an Albrecht V., Fürstenfeld, 13. Oktober 1551. BHStAM. KBÄA 4096, fol. 43r.

[97] Ebd., fol. 45v.

[98] Visitationsbericht von Abt Johann Zankher von Aldersbach und Dekan Anton Aresinger von St. Peter zu München an Albrecht V., undatiert (Konzept). BHStAM. KBÄA 4096, fol. 88r.

Fürstenfeld beispiellosen Eingriff vor. Doch der Landesherr achtete die klösterlichen Rechte insofern, als er sich auf die Suche nach einem neuen Zisterzienser als Vorsteher für das Kloster machte, die mit der Postulation des Oberschönenfelder Beichtvaters Fr. Leonhard Baumann endete[99]. Die Fäden dieser Berufung liefen in der herzoglichen Kanzlei zusammen: Herzog Albrecht V. schickte seinen Sekretär Heinrich Schweickher nach Kaisheim[100] und verhandelte mit dem dortigen Abt[101]; auch die Postulation Fr. Baumanns im Jahr 1556 wurde vom Landesherrn betrieben: »demnach ist von uns verordnung beschehen, daß d[er] Actus Electionis vel postulationis et prouisionis nach gemainem geistlichen Rechten auf das besstest verrichtet soll werden«[102]. Reaktionen aus Fürstenfeld sind nur insoweit bekannt, als der abgesetzte und in Aldersbach inhaftierte Administrator Fr. Michael Kain versuchte, sich den Administrator Leonhard Baumann günstig zu stimmen, in der Hoffnung, nicht in neue Schwierigkeiten zu geraten[103].

In den fünfundzwanzig Jahren zwischen dem Rücktritt Abt Georg Menharts 1531 und der Postulation Abt Leonhard Baumanns 1556 übten die Herzöge Wilhelm IV. und Albrecht V. über das Kloster Fürstenfeld und seine Vorsteher ein alle klösterlichen Bereiche umfassendes Kirchenregiment aus; den deutlichsten Ausdruck fand diese Kompetenz in der konsequenten Auswechselung der Klostervorstände durch die Herzöge, wenn es ihnen angezeigt schien. Andere Machtfaktoren wurden dabei je nach den Umständen mit einbezogen oder übergangen: Der Zisterzienserorden, in diesen Jahren lediglich vertreten durch den Aldersbacher Vaterabt, wurde in das Landeskirchensystem integriert und so ebenfalls dem Herzog unterstellt; zu berücksichtigen ist dabei freilich, daß die Verbindungen zur Ordenszentrale nach Cîteaux zu dieser Zeit unterbrochen waren und die Ordensstruktur sich in einer Phase der Desolation befand[104]. Außer in der einmaligen Zusammenarbeit mit dem Nuntius Sebastian Pighino im Prozeß gegen Abt Pistorius hatte der Landesherr in allen Klosterangelegenheiten freie Hand und nutzte während dieser Jahrzehnte seine Kompetenzen besonders intensiv.

---

[99] Ausführlich siehe dazu Teil I, Kap. 3.1.1

[100] Albrecht V. an Abt Johann Sauer von Kaisheim, München, 8. Dezember 1554 (Kopie). BHStAM. KL Fürstenfeld 318 ½, prod. 3.

[101] Abt Johann Sauer von Kaisheim an Albrecht V. mit der Annahme des hzl. Gesuchs um Postulation Baumanns, Kaisheim, 13. Dezember 1554. BHStAM. KL Fürstenfeld 318 ½, prod. 4. – Abt Johann Sauer von Kaisheim an Albrecht V. mit der Übermittlung des Einverständnisses Fr. Baumanns, Kaisheim, 26. Dezember 1554. BHStAM. KL Fürstenfeld 318 ½, prod. 6.

[102] Albrecht V. an Abt Johann Sauer von Kaisheim mit der Mitteilung der Ansetzung des Postulationsaktes Baumanns zum Abt, München, 4. Februar 1556 (Kopie). BHStAM. KU Fürstenfeld 1842.

[103] Fr. Michael Kain an Fr. Leonhard Baumann, Beichtvater in Oberschönenfeld, 15. Dezember 1554. BHStAM. KL Fürstenfeld 318 ½, prod. 5.

[104] Siehe dazu in diesem Teil Kap. 2.2.2.

1.2.2.2 Die landesherrliche Wirtschaftsaufsicht

Schon länger als die geistliche und disziplinäre Aufsicht über das Kloster bestand die herzogliche Hoheit über dessen Wirtschaftsangelegenheiten; sie intensivierte sich seit Beginn der Reformationszeit erheblich, was an der nunmehr notwendigen herzoglichen Erlaubnis zu Immobiliengeschäften und an der verstärkten Kontrolle der Klosterfinanzen deutlich wird. Die zahlreichen, seit 1525 einsetzenden Kriegshandlungen belasteten die herzoglichen Kassen so schwer, daß die Landesherren sich bald gezwungen sahen, auch die Stände und damit die Klöster zur Kriegssteuer zu veranschlagen; das päpstliche Privileg zur Einhebung der »Türkenquint« vom Klerus aus dem Jahr 1524 gab die staatskirchenrechtliche Grundlage dafür[105]. Für Fürstenfeld bedeutete dies, daß das Kloster von den Herzögen die »Erlaubnis« erhielt, aufgrund »Irer mercklichen notturfft« und der zusätzlichen Belastung durch die Landesverteidigung liegende Güter zu verkaufen oder zu versetzen[106]. In den folgenden Jahren sind Verpfändungen im Wert von 2581 fl belegt, deren Erlös an die Kriegskasse ging[107]; die letzte derartige Versetzung aufgrund herzoglicher Anordnung datiert vom 14. März 1531[108].

Da jedoch die Äbte der Klöster versucht waren, jeden nur möglichen Gulden am Fiskus vorbeizuleiten – 1528 wurde ein Hinterziehungsversuch Abt Georg Menharts offenbar[109] – mußte zugleich mit den Verpfändungsanweisungen die Wirtschaftsaufsicht über die Klöster verstärkt werden. Die Visitation in Fürstenfeld von 1529 beschäftigte sich ausführlich mit der Wirtschaftslage des Klosters und stellte gravierende Mängel fest; Abt Georg Menhart wurde beschuldigt, das Getreide viel zu billig zu verkaufen, Reichungen an den Konvent aber zu hoch abzurechnen; darüber hinaus galt er als in ökonomischen Dingen unzuverlässig und unberechenbar[110]. Die Konzepte für den Visitationsrezeß sahen als Konsequenz aus den Zuständen vor, daß die Prälaten von Aldersbach und Kaisheim zusammen mit fünf dazu verordneten herzoglichen Räten dem Fürstenfelder Prälaten einen geeigneten Wirt-

---

[105] Pfeilschifter, Acta I 156, Anm. 4; HBG II 313.

[106] Verkaufserlaubnis durch Wilhelm IV. und Ludwig X., München, 12. Juli 1525. BHStAM. KU Fürstenfeld 1633.

[107] Genaue Darstellung und Auflistung der Vorgänge, auch der damit verbundenen Hinterziehungsversuche durch Abt Menhart siehe Teil I, Kap. 1.5.3.

[108] Genehmigung Wilhelms IV. an das Kloster Fürstenfeld, dem Melchior Klingenschmid in München einen Hof zu Wegleisriedt zu verpfänden, 14. März 1531. BHStAM. KU Fürstenfeld 1696.

[109] Wilhelm IV. und Ludwig X. an Abt Georg Menhart, 13. November 1528. BHStAM. KL Fürstenfeld 389, prod. 3: Darin beschweren sich die Hzz. aufs heftigste, daß nach einer durch sie ergangenen Aufforderung der Abt eine vollkommen nichtssagende Stellungnahme eingesandt habe, und forderten eine restlose Aufklärung der Verkäufe.

[110] Klagen gegen Abt Georg Menhart, 1529. BHStAM. Aldersbach Archiv Schublade 107, fasc. 3, prod. 5. – Ausführlich dazu Teil I, Kap. 1.5.4.

schaftsberater zur Seite stellen sollten, dem er sich zu fügen habe[111]; tatsächlich wurde dem Abt zur Aufsicht ein Küchenmeister beigesellt. Verboten wurden ferner unter massiver Strafandrohung Verkauf, Verpfändung oder Versetzung von Klostergütern; am Ende eines jeden Jahres sollten schließlich Abt, Prior, Subprior, Bursar, Küchenmeister und zwei weitere geeignete Konventualen eine Rechnung abschließen[112]. Ein Rechnungsheft des laufenden Jahres wurde schließlich an den Landesherrn übersandt[113]. Mit diesen Maßnahmen, besonders der Zuordnung von fünf herzoglichen Räten zur Finanzverwaltung, gliederte man Fürstenfeld ebenso wie auch andere Klöster in die landesherrliche Wirtschaftsaufsicht ein[114]. Da sich die ökonomische Lage in Fürstenfeld weder unter Abt Pistorius noch unter Administrator Kain verbesserte, war 1552 die Berufung des Richters Stephan Dorfpeck eine konsequente Fortführung dieser Politik[115]; nur indem er in der Wirtschaftsführung sämtliche Konventualen umging, konnte der Herzog erstmals einen korrekten Einblick in die Fürstenfelder Finanzen bekommen und sicher sein, daß seine Anweisungen ausgeführt wurden.

1.2.3 Die Einflüsse der Herzöge Albrecht V., Wilhelm V. und Maximilian in den Jahren 1556 bis 1623

Mit dem Beschluß der bayerischen Herzöge zur Bekämpfung der Reformation mußte notwendig der Anstoß zu einer offensiven katholischen Reform einhergehen, allein, um die staatspolitische Einheit zu wahren[116]. Zur Durchführung dieser Reformen suchten Wilhelm IV. und Albrecht V. einen geeigneten Partner und fanden ihn eher zufällig als gezielt im aufstrebenden Jesuitenorden; als landesherrliches Organ zur Durchführung der Kirchen- und Reformpolitik wurde 1556 der Religions- und Geistliche Lehensrat gegründet, nachdem auf dem Landtag desselben Jahres massive Beschwerden gegen die Lebensführung der Kleriker laut wurden[117].

[111] Konzepte für den Visitationsrezeß, 1529. BHStAM. Aldersbach Archiv Schublade 107, fasc. 3, prodd. 3 6.
[112] Visitationsrezeß Wilhelms IV., 1529. BHStAM. Aldersbach Archiv Schublade 107, fasc. 3, prod. 1.
[113] Rechnungsheft, 1529. BHStAM. Aldersbach Archiv Schublade 107, fasc. 4, prod. 4.
[114] Konzept für den Visitationsrezeß, 1529. BHStAM. Aldersbach Archiv Schublade 107, fasc. 3, prod. 3.
[115] Das von Stephan Dorfpeck angefertigte, nach damaligen Maßstäben vorbildliche Rechnungsbuch von 1554 bestätigte die Absichten Albrechts V. voll und ganz: Rechnungsbuch von 1554. BHStAM. KL Fasc. 957/60.
[116] Vgl. Pfeilschifter, Acta I 2.
[117] Vgl. Heyl, Lehenrat 10; Greindl, Ständeversammlung 272.

1.2.3.1   Der Geistliche Rat und das Kloster Fürstenfeld

Seit seiner Gründung und Neugründung war der Geistliche Rat die für jedes Kloster zuständige landesherrliche Behörde; bei ihr liefen die Korrespondenzen zusammen, von ihr gingen die Anweisungen an die Klöster aus, und an sie mußten die Schreiben der Prälaten gerichtet werden.

1.2.3.1.1   Anwesenheit beim Wahlakt

Die erste, reguläre Aufgabe des Ratsgremiums war die Anwesenheit einiger Mitglieder bei der Neuwahl eines Abtes, die Inventarisierung der Güter und die Investierung des Neugewählten[118]. Bei der Postulation Fr. Leonhard Baumanns am 16. April 1556 war die neue Behörde gerade zwei Wochen lang eingerichtet, aber noch nicht in Aktion, so daß als herzoglicher Kommissar Georg Tauffkirchen zur Inventarisierung des Besitzes und zur Investitur Fr. Baumanns an die Amper reiste[119]. Als zehn Jahre später Leonhard Treuttwein zum Abt gewählt wurde, war der erste Geistliche Rat bereits wieder aufgelöst; wer als herzoglicher Kommissar zur Wahl kam, ist nicht bekannt. Erst 1595, bei der Wahl Abt Johann Puels, sind zwei Ratsmitglieder belegbar: Sebastian Franz, Dekan der Münchener Frauenkirche, und Sigmund Wagnereck inventarisierten den Besitz[120], zudem war der Geistliche Ratssekretär Martin Rieger nach Fürstenfeld verordnet[121]. Auch bei der Neuwahl nach dem Tode Abt Puels sandte der Landesherr zwei Geistliche Räte zur Inventarisierung und Investierung: den Dekan der Münchener Frauenkirche Pangratz Motschenbach und den Kastner Albrecht Lerchenfelder[122]. Diese verfaßten ein Inventar und händigten dem neuen Prälaten eine Abschrift ein[123].

Zur Inventarisierung kam für die Geistlichen Räte bei einer Neuwahl zumindest zeitweise die Aufgabe einer Visitation der Wirtschaftsführung und auch der geistlichen Disziplin[124]. Die beiden Wahlkommissare von 1595 übersandten an Herzog Maximilian einen Visitationsbericht: In ihm wurde der Zustand der Rechnungs- und Stiftsbücher aufgenommen und für schlecht befunden, die Schulden wurden ebenso verzeichnet wie einzelne Mängel in

---

[118] Vgl. Heyl, Lehenrat 28–29; Pfister, Generalabt 444–446.

[119] Postulationsinstrument Leonhard Baumanns durch Abt Johann Sauer von Kaisheim, Fürstenfeld, 16. April 1556. BHStAM. KU Fürstenfeld 1844.

[120] Inventar, gefertigt von den hzl. Kommissaren, den GR Sebastian Franz und Sigmund Wagnereck, 6. Oktober 1595. BHStAM. KBÄA 4095, foll. 186r–197v.

[121] Wilhelm V. an den GR, München, 2. Oktober 1595 (Kopie). BHStAM. KBÄA 4095, fol. 184.

[122] Maximilian an die GR Pangratz Motschenbach und Albrecht Lerchenfelder, München, 11. Juni 1610 (Kopie). BHStAM. KBGR 34, foll. 207v–208r.

[123] Inventar, 16. Juni 1610. BHStAM. KL Fürstenfeld 318, fasc. 1, prod. unnumeriert.

[124] Vgl. Pfister, Generalabt 444–447.

den verschiedenen Wirtschaftsbereichen; zudem beklagte man, daß im Kloster zu viel Personal angestellt sei, daß der Konventuale, der in Bruck die Pfarradministratur versehe, zu viele Freiheiten habe, und daß in der Bibliothek nur wenige neue Bücher stünden[125]; dieser Visitationsbericht wurde zugleich als Grundlage für Anweisungen an den neuen Abt seitens des Geistlichen Rates genommen. Dazu fungierten die Räte auch als Berichterstatter an den Herzog, wenn dieser ein persönliches Interesse an einer Wahl zeigte. So erläuterte Pangratz Motschenbach nach der Wahl 1610 dem Landesherrn die Personalsituation Fürstenfelds, Namen und Tätigkeit der potentiellen Kandidaten sowie deren Unbedenklichkeit, schließlich die Meinung des Vaterabts von Aldersbach; danach fügte er einen Bericht über den Ablauf der Wahl an[126].

An einen neugewählten Abt richtete der Geistliche Rat ein Instrumentarium mit Instruktionen, die hauptsächlich den wirtschaftlichen Bereich des Klosters betrafen, dort aber durchaus ins Detail gingen, was wiederum bedeutet, daß sich die Räte einen genauen Überblick über die Situation im Kloster verschaffen konnten. Zwei Monate nach seiner Wahl erhielt Abt Johann Puel vom Geistlichen Rat ein Schreiben mit genauen Anweisungen für die Wirtschaftsführung[127]. Auch an Abt Sebastian Thoma erging nach seiner Wahl ein ausführliches Schreiben, das zehn Folioblätter umfaßte[128] und ihm besondere Sorge um die Wirtschaft nahelegte. Sogar Herzog Maximilian persönlich forderte Abt Thoma zu Sorgfalt in der Amtsführung auf[129].

1.2.3.1.2 Weisungen des Geistlichen Rates an das Kloster

Neben den regulären Aufgaben im Zusammenhang mit der Neuwahl eines Abtes war der Geistliche Rat als staatliches Aufsichts- und Weisungsorgan für alle Bereiche zuständig, die nach Ansicht des Landesherrn einer Korrektur bedurften; die Bandbreite dieser Aufgaben wird an den Korrespondenzen deutlich, die der Geistliche Rat mit den Fürstenfelder Äbten führte. Häufigster Ermahnungspunkt an das Kloster war die als mangelhaft betrachtete Disziplin mancher Mönche, die zu öffentlichem Ärgernis führte. In diesen

[125] Visitationsbericht des GR Sebastian Franz an Maximilian, 31. Oktober 1595. BHStAM. KL Fürstenfeld 1, foll. 1r–4v.
[126] GR Pangratz Motschenbach an Maximilian, München, 20. Juni 1610. BHStAM. KL Fürstenfeld 1, foll. 150r–153r.
[127] Instruktion Maximilians durch den GR an Abt Johann Puel, München, 16. Dezember 1595 (Kopie). BHStAM. KBGR 17, foll. 664v–669v.
[128] Instruktion des GR an Abt Sebastian Thoma, 20. Juni 1610. BHStAM. KL Fürstenfeld 1, foll. 154r–164r.
[129] Maximilian an Abt Sebastian Thoma, München, 15. Oktober 1610 (Kopie). BHStAM. KBGR 34, foll. 412v–413r.

Dingen war der Abt gegenüber dem Rat zudem meldepflichtig: 1575 ermahnte der Geistliche Rat Abt Leonhard Treuttwein wegen eines Mönches, der
sich zu vertraulich mit »Weibspersonen« abgab, und forderte ihn auf, jede
künftige Verfehlung von Mönchen unverzüglich mitzuteilen[130]. Eine weitere Beschwerde erreichte 1591 den Prälaten: Der Geistliche Rat hatte erfahren, daß der Brucker Pfarradministrator, ein Konventuale, ein ungebührli-
ches Leben führe, und forderte den Abt auf, ihn ins Kloster zurückzurufen[131].
Bei schwereren, straffälligen Vergehen, wie beim Unzuchtsskandal von
1586[132] ging die Aufsichtskompetenz des Geistlichen Rats an die landesherrliche Gerichtsbarkeit über.
Der Geistliche Rat war auch für die Durchführung der durch Albrecht V.
ergangenen Weisung verantwortlich, der zufolge alle Ordensleute ihre Pfarreien zu verlassen und ins Kloster zurückzukehren hätten[133]. Die Räte
erlaubten dem Fr. Johannes Rembold aufgrund seiner guten Lebensführung,
weiter auf seiner Pfarrei wohnen zu bleiben, beorderten aber den Gilchinger
Pfarrer Fr. Georg Kain zurück ins Kloster[134]. Eingeschaltet wurden die Geistlichen Ratsherren auch, als aufgrund der zunehmenden Gebrechlichkeit Abt
Leonhard Treuttweins die Disziplin im Kloster zu leiden drohte: Der Geistliche Rat Martin Rieger informierte den Landesherrn über die »immerwehren-
de leibskrankheit« des Abtes[135]. Daraufhin ersuchte Wilhelm V. den Aldersbacher Abt Dietmair, dem alternden Fürstenfelder Prälaten einen Koadjutor
zur Seite zu stellen[136]; als Abt Dietmair sich weigerte, sollte der Propst der
Münchener Frauenkirche Lauther den störrischen Abt Treuttwein selbst zur
Annahme eines Koadjutors bewegen[137]. Die Mühe war vergebens, denn Abt
Treuttwein beharrte auf seiner Weigerung und hielt an seinem Amt fest.
Schließlich war der Geistliche Rat auch für die Ökonomie zuständig und
behielt in Finanzangelegenheiten die Oberaufsicht. Abt Leonhard Treutt-
wein suchte 1593 um die Genehmigung nach, 1200 fl Schulden aufnehmen
zu dürfen, weil er ein Haus zurückkaufen wolle[138]. Nach Rücksprache mit
Abt Dietmair in Aldersbach[139] genehmigte Wilhelm V. über den Geistlichen

---

130 GR an Abt Leonhard Treuttwein, undatiert (Kopie). BHStAM. KBGR 3, fol. 201. – Revers
   Abt Leonhard Treuttweins an den GR, 1. Februar 1575 (Kopie). BHStAM. KBGR 3, fol. 204r.
131 GR an Abt Leonhard Treuttwein, 1591 (Kopie). BHStAM. KBGR 13, fol. 136.
132 Siehe dazu Teil I, Kap. 3.2.2.3.2.
133 Albrecht V. an Abt Leonhard Treuttwein, undatiert (Kopie vom 4. Mai 1577). BHStAM. KL
   Fürstenfeld 373.
134 GR an Abt Leonhard Treuttwein, 3. Februar 1577 (Kopie). BHStAM. KBGR 5, fol. 93.
135 GR Martin Rieger an Wilhelm V., 29. Oktober 1593. BHStAM. KBÄA 4096, foll. 150–151r.
136 Wilhelm V. an Abt Johannes Dietmair von Aldersbach, 1593 (Kopie). BHStAM. KBGR 15,
   foll. 391v–392r.
137 Wilhelm V. an Propst Georg Lauther, Juni 1594 (Kopie). BHStAM. KBGR 16, fol. 552.
138 GR Martin Rieger an Wilhelm V., 29. Oktober 1593. BHStAM. KBÄA 4096, foll. 150–151r.
139 Wilhelm V. an Abt Johannes Dietmair von Aldersbach, 1593 (Kopie). BHStAM. KBGR 15,
   foll. 391v–392r.

Rat die Schuldenaufnahme, verbunden mit der Ermahnung baldiger Rückzahlung[140]. Als Abt Johann Puel um den Nachlaß einer Dezimation in Höhe von 50 fl bat, wurde ihm diese vom Geistlichen Rat in Anerkennung seiner eifrigen Bemühungen um die Klosterfinanzen gewährt[141]; abgelehnt wurde dagegen der Verkauf zweier Häuser aus Klosterbesitz[142].

Im wesentlichen übernahm der Geistliche Rat in institutionalisierter Form die Kompetenzen, die zuvor die Herzöge mit ihren Kammerräten und Sekretären persönlich ausgeübt hatten. Die Form der Machtausübung wurde dabei verfeinert, denn der Landesherr hatte auf den wiedererstarkten Orden und seine Organe Rücksicht zu nehmen und wies somit die Räte zur Zusammenarbeit mit dem Aldersbacher Vaterabt an. Inhaltlich aber waren die Herzöge bestrebt, das landesherrliche Regiment wie in den Jahren der Reformation fortzuführen; dies gelang allerdings nur teilweise, wie die unten geschilderten Auseinandersetzungen um die Visitation des Jacob Golla zeigen.

1.2.3.2   Die Zusammenarbeit von Landesherr und Ordensvisitatoren

Als im Jahr 1573 mit Nicolaus I. Boucherat zum ersten Mal seit der Reformation wieder ein Generalabt die bayerischen Klöster visitierte, tat er dies im Zusammenwirken mit Herzog Albrecht V., in dem er eine verläßliche katholische Kraft wußte. Nach seiner Visitationsreise, die er mit Wissen und Genehmigung des Herzogs durchgeführt hatte, sandte Generalabt Boucherat an diesen einen ausführlichen Bericht über den Zustand in den bayerischen Zisterzen[143]. Auffälligerweise färbte der Generalabt diesen Bericht negativer ein als den, welchen er für den Orden schrieb: Während Fürstenfeld dort als »perelegans et amoenum«[144] bezeichnet wird, erwähnt der Generalabt dies gegenüber dem Herzog nicht. Gravierender sind die Unterschiede allerdings bei anderen Klöstern; zu Raitenhaslach notierte Boucherat für sich, daß Abt Wolfgang Manhauser »vir satis bonus«[145] wäre, dem Herzog schrieb er: »Abbas iste est omnino ignarus«[146]. Viele weitere im Detail unbedeutend scheinende, insgesamt das Bild über den Zustand der Klöster aber verdüsternde Unterschiede finden sich im an den Herzog gerichteten Visitations-

---

[140] Wilhelm V. an Abt Leonhard Treuttwein, München, 1. November 1593 (Kopie). BHStAM. KBGR 15, fol. 392v.

[141] GR an Maximilian, 1597 (Kopie). BHStAM. KBGR 19, fol. 115.

[142] Notiz des GR, 1597 (Kopie). BHStAM. KBGR 19, fol. 117v.

[143] Visitationsbericht des Generalabts Nicolaus I. Boucherat an Albrecht V., undatiert (17. September 1573). BHStAM. KBÄA 4080, foll. 18r–20; s. im Anhang 4.3: Visitationsbericht.

[144] Visitationsbericht des Generalabts Nicolaus I. Boucherat, 1573; in: Postina, Deutschland 234, Nr. 28.

[145] Ebd., Nr. 30.

[146] Visitationsbericht des Generalabts Nicolaus I. Boucherat an Albrecht V., undatiert (17. September 1573). BHStAM. KBÄA 4080, fol. 18v.

bericht; ganz offensichtlich wollte Generalabt Boucherat damit eine eifrigere Überwachung der Klöster durch den Landesherrn erreichen, da die Ordens-strukturen nicht die Voraussetzungen dazu boten. Dies kommt auch in einem Breve Papst Gregors XIII. (1572–1585) an Albrecht V. zum Ausdruck: Darin ermächtigte der Papst den Landesherrn auf Bitten des Generalabts Boucherat hin – und wohl auch aufgrund herzoglicher Initiative – die bayeri-schen Zisterzienserklöster hinsichtlich der Einhaltung der von Generalabt Boucherat vorgegebenen Reformen zu überwachen[147]. Der Generalabt bedankte sich 1574 bei Albrecht V. für seine bisherigen Bemühungen um die Klosterreformen[148] und erhielt dafür postwendend die Erklärung des Her-zogs, weiter deren Durchführung beaufsichtigen zu wollen[149]. Die Reform-bemühungen Generalabt Boucherats wurden in den »Acta Reformationis« konkretisiert, die er an Albrecht V. richtete: Besonderes Augenmerk sei wegen »difformationem et morum depravationem quae sunt in illis mona-steriis« auf die jährliche Visitation der Klöster durch den Generalabt oder den Abt von Kaisheim zu richten; außerdem sollten diejenigen bayerischen Klö-ster, welche keinen fähigen Kandidaten zur Abtwahl stellen könnten, sich aus Salem oder Kaisheim einen Abt postulieren[150].

Mit ziemlicher Sicherheit sah Generalabt Boucherat in den Jahren nach 1573 in einer Zusammenarbeit mit dem Landesherrn die einzige Möglichkeit, sei-ne Reformvorstellungen effizient durchzusetzen. 1577 zeigte er dem Herzog eine erneute Visitationsreise durch Bayern an und versicherte, die landes-herrlichen Kompetenzen nicht beschneiden zu wollen; zustande kam diese Visitationsreise aber nicht[151]. In den folgenden Jahren nahmen allerdings die Spannungen zwischen Orden und Landesherr kontinuierlich zu.

1.2.3.3 *Widerstände gegen das landesherrliche Kirchenregiment*

Das seit Beginn des 17. Jahrhunderts neugewonnene Selbstbewußtsein von Orden und Bischöfen erschwerte die Ausübung der landesherrlichen Kir-chenhoheit immer mehr, wie die Schwierigkeiten bezüglich der Visitationen von 1616 und 1617 zeigen. Herzog Maximilian schickte in diesem Jahr Jacob Golla, Dekan des Münchener Frauenstiftes und einer der führenden Geistli-

---

[147] Breve Papst Gregors XIII. an Albrecht V., Rom, 20. März 1574. BHStAM. Kurbaiern U 36.

[148] Generalabt Nicolaus I. Boucherat an Albrecht V., Cîteaux, 16. April 1574. BHStAM. KBÄA 4080, fol. 25.

[149] Albrecht V. an Generalabt Nicolaus I. Boucherat, Starnberg, 6. Juni 1574 (Kopie). BHStAM. KBÄA 4080, fol. 27r.

[150] »Acta Reformationis« des Generalabts Nicolaus I. Boucherat an Albrecht V., undatiert (1573). BHStAM. KBÄA 4080, foll. 12r–15r, Zitat 12v.

[151] Generalabt Nicolaus I. Boucherat an Albrecht V., 22. August 1577. BHStAM. KBÄA 4080, fol. 28r.

chen Räte, als Sonderlegaten mit apostolischer Visitationsvollmacht durch das Bistum Freising[152]. Fürstbischof Stephan von Seiboldsdorf (1612–1618), ein eifriger Reformbischof, sah in dieser staatskirchlichen Aktion einen Affront gegen sich und forderte die Klöster auf, sich möglichst gegen die staatlichen Übergriffe zu wehren, zumindest aber Einspruch zu erheben und sich juristische Schritte vorzubehalten[153]. Auch die Zisterzienserklöster gerieten in Unruhe. Abt Michael Kirchberger von Aldersbach schrieb nach der Ankündigung des Besuchs von Jacob Golla[154] an den Generalabt Nicolaus II. Boucherat, daß diese »visitatio nec modo nec necessaria sed plane superuacuanea sit, plenaq[ue] scandali«, erbat sich Einspruch der Ordensoberen dagegen und die Information des Papstes über dieses eigenmächtige Vorgehen. Überhaupt sei die Visitation sinnlos, denn Golla sei Weltpriester und könne daher von Leben, Liturgie und Statuten der Zisterzienser keine Ahnung haben[155]. Der Generalabt bestätigte die Privilegien und Freiheiten des Ordens und gebot den Äbten der von Gollas Visitationen betroffenen Klöster unter Ordensstrafen, die unerwünschten Visitatoren zurückzuweisen, »sed modestis et oportunis ac decentibus excusationibus erga illos«[156]; auch der Aldersbacher Vaterabt aus Ebrach signalisierte Unterstützung[157]. Abt Sebastian Thoma, der in Fürstenfeld täglich mit dem Erscheinen Jacob Gollas rechnete, bat seinen Vaterabt Kirchberger, möglichst schnell nach Fürstenfeld zu kommen, damit er – in seiner Eigenschaft als Provinzialvikar und dadurch mit einer Autorität des Gesamtordens ausgestattet – gegen den Visitator auftreten könne[158]. Sehr deutlich äußerte Abt Kirchberger wiederum seine Bedenken gegen die Visitation Gollas: Unbestritten seien zwar die Rechte einer Wirtschaftsprüfung, dazu hätte Golla aber keine päpstliche Genehmigung gebraucht, ungeheuerlich erschien ihm aber die Tatsache, daß ein Weltpriester sich zum Visitator über ein Zisterzienserkloster erheben wollte. Abt Kirchberger forderte Abt Thoma auf, sich beim Geistlichen Rat nach der Richtigkeit der Visitationserlaubnis zu erkundigen, und kündigte binnen zwanzig Stunden sein Erscheinen an, wenn es notwendig sein sollte.

---

[152] Vgl. Weber, Reform 229.

[153] Vgl. ebd. 246–247.

[154] Jacob Golla an Abt Michael Kirchberger von Aldersbach mit der Mitteilung seines baldigen Eintreffens, Passau, 30. 4. 1616. BHStAM. Aldersbach Archiv Schublade 104, fasc. 8/I, prod. 3.

[155] Abt Michael Kirchberger von Aldersbach wohl an Generalabt Nicolaus II. Boucherat, Aldersbach, 15. Juli 1616 (Konzept). BHStAM. KL Fürstenfeld 330, prod. 8.

[156] Generalabt Nicolaus II. Boucherat an die Zisterzienseräbte in der Oberdeutschen Provinz, 7. September 1616 (Kopien). BHStAM. KL Raitenhaslach 142, fasc. 2, prodd. 1–3; BHStAM. Aldersbach Archiv Schublade 104, fasc. 8/I, prod. 9. – Generalabt Nicolaus II. Boucherat an Abt Michael Kirchberger von Aldersbach, 8. Oktober 1616. BHStAM. Aldersbach Archiv Schublade 104, fasc. 8/I, prod. 4.

[157] Abt Caspar von Ebrach an Abt Michael Kirchberger von Aldersbach, Ebrach, 20. November 1616. BHStAM. Aldersbach Archiv Schublade 104, fasc. 8/I, prod. 18.

[158] Abt Sebastian Thoma an Abt Michael Kirchberger von Aldersbach, Fürstenfeld, 27. Juni 1616 (Konzept). BHStAM. KL Fürstenfeld 330, prod. 9.

Dazu stellte er Bericht und Beschwerde beim Generalabt in Aussicht[159], der ohnehin zu dieser Zeit in Bayern war und Oberschönenfeld visitierte[160]. Darüber hinaus verschickte Abt Kirchberger an die Klöster seiner Provinz einen Auszug aus einem nicht näher bekannten Aldersbacher »Protokoll«. Darin stellte er fest, daß ein Visitator, der nicht zum Orden gehöre und nicht vom Orden anerkannt sei, nur als Gast, nicht aber als Visitator in ein Kloster aufgenommen werden dürfe. Dazu sollen Generalabt und Apostolischer Stuhl über die Visitationsversuche informiert werden; den Religiosen soll verboten werden, einem solchen Visitator zu antworten. Als Anhang fügte Abt Kirchberger zwei Musterbriefe bei, die als Protest an den Landesherrn zu schicken seien, falls Jacob Golla Visitationsvollmachten in Anspruch nehmen würde[161].

Jacob Golla suchte seinerseits Unterstützung beim päpstlichen Legaten Dominicus Spinola und erhielt eine Vollmacht, die Zisterzienserklöster zu visitieren[162]. Der Raitenhaslacher Abt Perzel verwahrte sich abermals bei Herzog Maximilian gegen die Visitation durch Golla[163]; aus Aldersbach schrieb am 31. März 1617 Abt Kirchberger nach Raitenhaslach, daß bis zum Eintreffen einer endgültigen Antwort des Generalabtes Abt Perzel sich, falls »was aufgetragen werden solle ausser meines vorwissens nichten einlassen« solle[164]. Bis dahin hatte es Golla trotz aller Vollmachten nicht gewagt, das Salzachkloster zu visitieren. Am 20. April traf erneut Nachricht aus Cîteaux ein: Generalabt Boucherat hatte sich vom römischen Ordensprotektor Rückendeckung geholt und bestätigte den bayerischen Klöstern, daß die Vollmacht des Legaten Spinola für die Zisterzienserklöster ungültig sei[165]. Währenddessen forcierte Maximilian, für den sich die Frage der Visitation zu einer Machtprobe entwickelte, die Angelegenheit: Im Februar 1617 befahl er, »den Anfang mit dem Closter Schönfeldt zu machen« und wies Abt Kirchberger an, Jacob Golla Visitationsassistenz zu leisten – eine größere Demütigung ließ sich für den Provinzialvikar kaum vorstellen[166]. Abt Kirchberger schrieb zurück, daß die Klöster bereits durch den Generalabt visitiert seien

---

[159] Abt Michael Kirchberger von Aldersbach an Abt Sebastian Thoma, Aldersbach, 2. Juli 1616. BHStAM. KL Fürstenfeld 334, fasc. 1, prod. 11.

[160] Vgl. Klaus, Oberschönenfeld 486.

[161] »Extract aus dem Alderspachischen Prothocoll«, 1617 (Kopie). BHStAM. KL Raitenhaslach 112, foll. 224–228; BHStAM. Aldersbach Archiv Schublade 104, fasc. 8/I, prod. 1.

[162] Visitationsvollmacht des Apostolischen Legaten Dominicus Spinola an Jacob Golla, Passau, 19. Februar 1617. BHStAM. KL Raitenhaslach 142, fasc. 2, prod. 4 (Kopie); BHStAM. KL Fürstenfeld 330, prodd. 11–13 (Kopien).

[163] Abt Philipp Perzel von Raitenhaslach an Maximilian, Raitenhaslach, undatiert. BHStAM. KL Raitenhaslach 142, fasc. 2, prod. 5.

[164] Abt Michael Kirchberger von Aldersbach an Abt Philipp Perzel von Raitenhaslach, Aldersbach, 31. März 1617. BHStAM. KL Raitenhaslach 142, fasc. 2, prod. 6.

[165] Generalabt Nicolaus II. Boucherat an Abt Michael Kirchberger von Aldersbach, Cîteaux, 20. April 1617. BHStAM. KL Raitenhaslach 142, fasc. 2, prod. 7.

[166] Maximilian an Abt Michael Kirchberger von Aldersbach, 6. Februar 1617 (Kopien). BHStAM. Aldersbach Archiv Schublade 104, fasc. 8/II, prodd. 2, 3, 4.

und »ohne ruemb zu melden in hundert und mer Jahrn tam in temporalibus quam spiritualibus so nit florirt haben«[167]; im gleichen Schreiben verwies er auf die päpstlichen Privilegien und lehnte eine Assistenz für Golla ab[168]. So kündigte Golla am 16. März 1617 zwar sein Erscheinen in Aldersbach auf ein »Collationsmahl« an, kam aber offensichtlich nicht oder wagte zumindest keine Visitation[169]; zwei Tage darauf visitierte er die Prämonstratenser in Osterhofen[170]. Einen erneuten Versuch unternahm der Landesherr schließlich, indem er sich auf die Visitation der beiden Frauenklöster Seligenthal und Oberschönenfeld verlegte: Trotz einer Aufforderung durch den Generalabt persönlich, aufgrund der Immunitäten des Ordens die Visitationen zu unterlassen[171], befahl er Abt Kirchberger, am 1. August bei der Visitation in Oberschönenfeld zu assistieren: »Darauf wöllen wir uns ... verstehen, Ir werdet dem Inhalt desselben gehorsamlich nachkommen ...«[172]; eine erhaltene »Charta visitationis« zeigt, daß Golla tatsächlich bei den Zisterzienserinnen in Oberschönenfeld visitierte[173]. Aber auch nach Seligenthal kam er, denn Maximilian wies Abt Kirchberger an, nachdem die Visitation dort »verricht und wol abgangen« sei, die Verordnungen des »Bäpstlichen Delegati« Golla durchzusetzen[174], wohl wissend, daß er sich kaum an diese Anordnun-

---

[167] Abt Michael Kirchberger von Aldersbach an Maximilian, undatiert (Kopien). BHStAM. Aldersbach Archiv Schublade 104, fasc. 8/II, prod. 6, 7, 10, 12. – Die Tatsache, daß so viele Kopien gefertigt wurden, läßt vermuten, daß die Briefe als Propagandamaterial in andere Klöster geschickt werden sollten, um deren Widerstand gegen den Landesherrn zu stärken.

[168] Maximilian an Abt Michael Kirchberger von Aldersbach mit dem Befehl, ein vom Generalprokurator des Ordens erhaltenes Schreiben nach München zu übersenden, München, 17. Februar 1617 (Kopien). BHStAM. Aldersbach Archiv Schublade 104, fasc. 8/II, prodd. 13, 14. – Maximilian an Abt Michael Kirchberger von Aldersbach mit dem erneuten Visitationsbefehl, München, 2. März 1617 (Kopien). BHStAM. Aldersbach Archiv Schublade 104, fasc. 8/II, prodd. 19–21. – Abt Michael Kirchberger von Aldersbach an Maximilian mit der Erwiderung, daß eine Visitation unnötig sei, Aldersbach, undatiert. BHStAM. Aldersbach Archiv Schublade 104, fasc. 8/II, prodd. 22, 23.

[169] Jacob Golla an Abt Michael Kirchberger von Aldersbach, St. Salvator, 16. März 1617. BHStAM. Aldersbach Archiv Schublade 104, fasc. 8/II, prod. 25.

[170] »Charta visitationis« von Osterhofen, 18. März 1617. BHStAM. Aldersbach Archiv Schublade 104, fasc. 8/II, prod. 26.

[171] Generalabt Nicolaus II. Boucherat an Maximilian, Cîteaux, 19. April 1617. BHStAM. Aldersbach Archiv Schublade 104, fasc. 8/II, prod. 28.

[172] Maximilian an Abt Michael Kirchberger von Aldersbach, München, 30. Juni 1617. BHStAM. Aldersbach Archiv Schublade 104, fasc. 8/II, prod. 32. – Jacob Golla an Abt Michael Kirchberger von Aldersbach mit der Ankündigung der Visitation für Oberschönenfeld, München, 7. Juli 1617. BHStAM. Aldersbach Archiv Schublade 104, fasc. 8/II, prod. 33. – Maximilian an Abt Michael Kirchberger von Aldersbach mit dem Befehl, in München vom GR Weisungen abzuholen, München, 18. Juli 1617. BHStAM. Aldersbach Archiv Schublade 104, fasc. 8/II, prod. 35.

[173] »Charta visitationis« von Oberschönenfeld, undatiert. BHStAM. Aldersbach Archiv Schublade 104, fasc. 8/II, prod. 38.

[174] Maximilian an Abt Michael Kirchberger von Aldersbach, undatiert. BHStAM. Aldersbach Archiv Schublade 104, fasc. 8/II, prod. 37.

gen halten würde. Im Gegensatz zu den Frauenklöstern wagte sich Golla nicht an die Visitation der Männerklöster; zunächst atmete man auf. Im Oktober 1618 aber wuchs die Gefahr einer Visitation durch ihn wieder. Abt Kirchberger von Aldersbach schrieb an seinen besorgten Amtsbruder von Raitenhaslach, falls die Visitatoren »wider verhoffen solicher mainung zue Euch khommen und sich dergleichen underwinden wolten, Seyen weder E.G. noch Ir Conuent, ausser meines wissens willens und beyseins ainiche Antwortten zegeben schuldig, sondern Sy wellen sollemniter das dem ganzen he:[iligen] orden hieran Gewalt und eingriff beschehe, darwider protestiern«[175]. Was Fürstenfeld anlangt, so ist die weitere Entwicklung nicht dokumentiert, doch vermutlich unterließ Golla seine Visitation, da ansonsten Aktenmaterial oder wenigstens ein Hinweis darauf in den Klosterarchiven überliefert wäre; auch für die anderen Männerklöster sind Akten einer eventuellen Visitation nicht nachweisbar. Wahrscheinlich bestand Maximilian auf eine Visitation der Frauenklöster, um sein Gesicht zu wahren, verzichtete ansonsten aber auf eine weitere Konfrontation mit dem Orden. Entscheidend an diesem gesamten Vorgang um die Visitationsabsichten Jacob Gollas ist die Haltung des Ordens, dessen Position wieder erstarkt war. Keinesfalls wollte man sich mehr unwidersprochen der staatlichen Klosteraufsicht beugen; im Rückgriff auf Statuten und Privilegien des Ordens bestand man auf dem Recht, sich nur von Ordensoberen visitieren zu lassen. Dieser Standpunkt mußte notwendig eine neue Kluft zwischen Landesherrn und Orden und damit auch zum Kloster Fürstenfeld entstehen lassen.

---

[175] Abt Michael Kirchberger von Aldersbach an Abt Philipp Perzel von Raitenhaslach, Aldersbach, 9. Oktober 1618. BHStAM. KL Raitenhaslach 142, fasc. 2, prod. 8.

2. Die Beziehungen zum Zisterzienserorden, seinen Klöstern und Organen und deren Wandlungen

2.1 Die Beziehungen Fürstenfelds zu anderen Zisterzienserklöstern

2.1.1 Das Mutterkloster Aldersbach

Der Zisterzienserorden trat für Fürstenfeld zunächst in Gestalt der anderen Klöster und deren Äbte in Erscheinung, weswegen die Bedeutung der umliegenden Zisterzen noch vorrangig vor Generalabt und Generalkapitel anzusehen ist. Geschichtlich und rechtlich gesehen war Aldersbach[1] für Fürstenfeld das bedeutendste Kloster, so daß im Vergleich zu den anderen Klöstern die Beziehungen ins Vilstal die weitaus intensivsten waren. Von Aldersbach aus wurde Thal 1256/58 und Fürstenfeld 1263 besiedelt, aus Aldersbach kamen auch die ersten beiden Äbte Anselm (1262–1270) und Albert (1270 bis 1274)[2]. Aufgrund des Filiationssystems übte der Aldersbacher Abt Rechte und Pflichten des »Pater immediatus« über das Amperkloster aus, schließlich wurden die Aldersbacher Äbte seit 1581 mit Titel und Kompetenz des bayerischen Provinzialvikars ausgestattet[3], was ihre Rechtsstellung über die eigene Filiation hinaus erweiterte.

2.1.1.1 Visitationen Aldersbacher Äbte in Fürstenfeld

Im Laufe der Geschichte Fürstenfelds wurden die Rechte Aldersbachs als Mutterkloster ununterbrochen ausgeübt, wenn auch der Quellenbeweis oft

---

[1] Zu Aldersbach, für das eine wissenschaftliche Darstellung entsprechend heutigen Anforderungen fehlt, weiterhin grundlegend: Krausen, Klöster 26–29; Hartig, Niederbayerische Stifte 146–160; Festschrift 850 Jahre Kloster Aldersbach (Literaturverzeichnis).
[2] Vgl. Pfister, Gründung 88.
[3] Ernennung Abt Andreas Haydekers von Aldersbach zum Generalvikar der bayerischen Zisterzen durch Abt Edmund de la Croix von Chatillon, München, 18. Oktober 1581. BHStAM. KU Aldersbach 1454.

nur dürftig ist[4]. Die Visitationen Fürstenfelds gingen im Regelfall von
Aldersbach aus, sei es nun ordensintern oder auf landesherrliche Veranlassung hin. Eine jährliche förmliche Visitation Fürstenfelds durch Aldersbach
ist nicht nachweisbar; belegbar sind Visitationen durch Aldersbacher Äbte
für die Jahre 1518[5], 1522 anläßlich der Neuwahl Abt Georg Menharts[6], wohl
1529 im Zusammenhang mit den Vorwürfen gegen Abt Menhart[7], 1549 nach
dem Rücktritt des Abtes Johannes Pistorius[8], 1551 aufgrund der Klagen
gegen Administrator Michael Kain[9], 1566 im Zusammenhang mit der Neuwahl Abt Leonhard Treuttweins[10], 1581[11], 1587[12], 1588[13], 1610 anläßlich
der Neuwahl Abt Sebastian Thomas[14], 1616[15] und 1618[16]. Weitere förmliche
Visitationen durch Aldersbacher Äbte sind nicht nachweisbar, dennoch hielten sich die Prälaten des Mutterklosters häufiger an der Amper auf, wie das
Tagebuch Abt Leonhard Treuttweins zeigt[17]; besonders als Zwischenstation
auf dem Weg nach Westen wurde die günstige Lage Fürstenfelds gerne angenommen.

---

[4] Im 15. Jahrh. fanden dennoch häufig Visitationen Aldersbacher Äbte in Fürstenfeld statt,
wie eine Sammelhandschrift zeigt; diese endet aber um 1450: BHStAM. KL Aldersbach 12.

[5] Abt Wolfgang Mayr von Aldersbach an Abt Caspar Harder mit der Ankündigung einer Visitation, Aldersbach, 25. Januar 1518 (Kopie in Formelbuch). BHStAM. KL Aldersbach 72a,
fol. 69v. – Urkunde Abt Wolfgang Mayrs von Aldersbach über die von ihm in Fürstenfeld vorgenommene Visitation, 22. Februar 1518. BHStAM. KU Aldersbach 1290.

[6] Wahlinstrument Abt Georg Menharts durch Abt Wolfgang Mayr von Aldersbach, Fürstenfeld, 10. April 1522. BHStAM. KU Fürstenfeld 1612. – Visitationsbericht Abt Wolfgang
Mayrs von Aldersbach, Fürstenfeld, 12. April 1522. BHStAM. KBÄA 4096, fol. 32.

[7] Sechs Produkte über die Visitation in BHStAM. Aldersbach Archiv Schublade 107, fasc. 3. –
Abt Mayr von Aldersbach wird darin zwar nicht als Visitator genannt, da die Visitationsunterlagen aber im alten Aldersbacher Archiv gelagert wurden, gilt die Beteiligung Aldersbachs als sicher.

[8] Visitationsbericht Abt Johann Zankhers von Aldersbach, Fürstenfeld, 20. Mai 1549.
BHStAM. KBÄA 4096, foll. 34r–36v.

[9] Ausführliche Unterlagen in BHStAM. KBÄA 4096, foll. 43r–144.

[10] Wahlinstrument Abt Leonhard Treuttweins durch Abt Bartholomäus Mädauer von Aldersbach, Fürstenfeld, 21. Januar 1566. BHStAM. KU Fürstenfeld 2018.

[11] Visitationsrezeß durch Abt Edmund de la Croix von Chatillon, Fürstenfeld, 12. Oktober
1581. BHStAM. KU Aldersbach 1453. – Die außergewöhnliche Tatsache, daß der Visitationsrezeß im Aldersbacher Archiv lagerte, läßt eine Beteiligung des Aldersbacher Vaterabtes bei
der Visitation vermuten.

[12] Visitationsbericht Abt Johannes Dietmairs von Aldersbach, Fürstenfeld, 17. September
1587. BHStAM. KL Fürstenfeld 330½, foll. 3r–16v.

[13] Eintrag im Tagebuch Treuttweins, unter dem 7. April 1588. BStB. Cgm 1771, foll. 33v–34r.

[14] Wahlinstrument Abt Sebastian Thomas durch Abt Johannes Dietmair von Aldersbach, Fürstenfeld, 20. Juni 1610. BHStAM. KU Fürstenfeld 2481.

[15] Visitationsbericht Abt Michael Kirchbergers von Aldersbach, Fürstenfeld, 22. November
1616. BHStAM. Aldersbach Archiv Schublade 107, fasc. 5, prod. 1.

[16] Visitationsbericht Abt Michael Kirchbergers von Aldersbach, Fürstenfeld, 8. Juli 1618.
BHStAM. Aldersbach Archiv Schublade 107, fasc. 5, prod. 2.

[17] Tagebucheintragungen Treuttweins 22.–28. Mai 1591 belegen eine längere Anwesenheit Abt
Dietmairs von Aldersbach, der als »der her visitator« bezeichnet wird, wenngleich Hinweise
auf eine förmliche Visitation fehlen. BStB. Cgm 1771, fol. 115.

2.1.1.2 Aufsichtsrecht über Fürstenfeld

Auch außerhalb der Visitationen übte das Kloster Aldersbach das Aufsichtsrecht über Fürstenfeld aus und war zugleich Appellationsinstanz für Fürstenfelder Mönche, die über ihre Oberen klagten. Der Aldersbacher Abt Wolfgang
Mayr schrieb anläßlich der disziplinären Schwierigkeiten zwischen Abt Harder und seinem Konvent in den Jahren 1517 und 1518 mehrmals an den Prälaten, um die Probleme lösen zu helfen, was letztlich aber nicht gelang[18]. Im
Zusammenhang mit dem Eindringen der lutherischen Lehren nach Altbayern warnte Abt Mayr 1526 seinen Fürstenfelder Amtsbruder Menhart vor allzu großer Leichtfertigkeit[19].

Zunehmend gelangte auch das Aufsichtsrecht Aldersbachs unter den Einfluß
des landesherrlichen Kirchenregiments. Herzog Wilhelm IV. war es, der den
Aldersbacher Abt Zankher 1547 aufforderte, einen Administrator anstelle
des resignationswilligen Abtes Pistorius zu benennen, und 1548 forderte,
einen Prior nach Fürstenfeld zu schicken, um die Novizen besser unterrichten zu können[20]. Als 1586 der große Unzuchtsskandal in Fürstenfeld ruchbar
wurde, verlangte Wilhelm V. sofort vom Aldersbacher Prälaten Haydeker, die
Dinge in einer Visitation zu untersuchen und Konsequenzen zu ziehen,
allein Abt Haydeker widerstand mit bemerkenswerter Zähigkeit allen herzoglichen Anweisungen[21]; auch gegenüber dem landesherrlichen Ansinnen
an Abt Haydeker, Abt Leonhard Treuttwein zum Rücktritt und zur Annahme eines Koadjutors zu bewegen, zeigte sich der Aldersbacher Prälat – der
selbst zu dieser Zeit dem Grab wesentlich näher stand als Abt Treuttwein, er
starb 1588 – unempfänglich[22]. Aber auch von Seiten der Mönche war der Landesherr als Aufsichtsinstanz längst anerkannt: Als sich die Zustände unter

---

[18] Abt Wolfgang Mayr von Aldersbach (?) an Abt Caspar Harder mit der Aufforderung, die
Schwierigkeiten mit dem Konvent zu beseitigen, Aldersbach, 12. April 1517 (Kopie in Formelbuch). BHStAM. KL Aldersbach 72a, fol. 66r. – Abt Wolfgang Mayr von Aldersbach an
den Konvent von Fürstenfeld mit der Aufforderung zu mehr Gehorsam gegenüber dem Abt,
undatiert (Kopie in Formelbuch). BHStAM. KL Aldersbach 72a, fol. 68. – Abt Wolfgang Mayr
von Aldersbach (?) an Abt Caspar Harder mit der Mitteilung, daß der Fürstenfelder Konventuale Fr. Johannes Pistorius nach Aldersbach geflohen sei, und der Ankündigung, die Klagen
des Konvents in der nächsten Visitation anzuhören, Aldersbach, 8. Januar 1518 (Kopie in Formelbuch). BHStAM. KL Aldersbach 72a, foll. 68r–69v.

[19] Abt Wolfgang Mayr von Aldersbach an Abt Georg Menhart, Aldersbach, 20. Februar 1526
(Kopie in Formelbuch). BHStAM. KL Aldersbach 72a, foll. 84v–85r.

[20] Wilhelm IV. an Abt Johann Zankher von Aldersbach, Einträge vom 17. April 1547 und
2. März 1548 (Kopie). BHStAM. KL Aldersbach 73, fol. 16r.

[21] Dazu ausführlich Teil I, Kap. 3.2.2.3.2. Dort auch die Belegstellen für die Vorgänge und das
Verhalten Abt Haydekers.

[22] Wilhelm V. an Abt Andreas Haydeker von Aldersbach mit der Aufforderung, Abt Treuttwein
zur Annahme eines Administrators zu bewegen, München, 20. März 1586. BHStAM. KBÄA
4096, foll. 186–187. – In keinem einzigen seiner Antwortschreiben an den Herzog ging Abt
Haydeker auf diese Forderung ein.

Administrator Michael Kain verschlimmerten, wandten sich die Fürstenfelder Konventualen in ihrem Anliegen um Abhilfe nicht nur an den Aldersbacher Abt, sondern auch an die bayerischen Herzöge, die sich tatsächlich der Klagen annahmen[23].

2.1.1.3 Wahlleitung durch Aldersbacher Äbte

Ein weiteres Vorrecht des Vaterabtes ist das des Vorsitzes bei einer Abtwahl im Tochterkloster[24]. Für Fürstenfeld wurde dieses Recht seitens des Aldersbacher Abtes wohl kontinuierlich ausgeübt, wenngleich Wahlinstrumente erst seit der Wahl Abt Georg Menharts 1522 erhalten sind. In diesem Jahr stand Aldersbachs Abt Wolfgang Mayr dem Wahlakt in Fürstenfeld vor, begleitet vom Gotteszeller Administrator Michael[25]; 1566 war es Abt Bartholomäus Mädauer[26] und 1610 Abt Johannes Dietmair[27]. Die Wahl Johannes Pistorius' geschah dagegen auf abenteuerliche Weise ohne Zustimmung und Bestätigung durch den Vaterabt[28]. Nicht nur der Wahlleiter, sondern auch die genaue »consuetudo« des Wahlvorgangs stammte aus Aldersbach. Von 1522 datiert ein Riten- und Anweisungsbuch für die Wahl eines neuen Abtes in mehreren Kapiteln[29]; die Aldersbacher Äbte hielten sich bei den Wahlverfahren im wesentlichen an diese Anweisungen, wenngleich die Abläufe der einzelnen Wahlen durchaus unterschiedlich waren[30].

Zwei Wahlakte in Fürstenfeld wurden von auswärtigen Äbten geleitet. Der Postulation Fr. Leonhard Baumanns stand 1556 sein eigener Abt, der Kaisheimer Prälat Johann Sauer vor, wobei eine Genehmigung durch den Aldersbacher Abt ausdrücklich erwähnt wird[31]. Gründe für das Fernbleiben Abt Mädauers sind nicht überliefert; Gebrechlichkeit kann jedenfalls keine Ursache gewesen sein, denn der Prälat war erst vier Jahre im Amt und regierte noch bis 1577. Möglicherweise war er verstimmt darüber, daß Herzog Albrecht V. direkt mit dem Kaisheimer Prälaten verhandelt und ihn damit

---

[23] Prior Hans Roppach an Albrecht V., Fürstenfeld, undatiert. BHStAM. KBÄA 4096, foll. 123r bis 124v.

[24] Exord. cist. V, in: Lekai/Schneider, Weiße Mönche 42–43; Molitor, Rechtsgeschichte I 173.

[25] Wahlinstrument Abt Georg Menharts durch Abt Wolfgang Mayr von Aldersbach, Fürstenfeld, 10. April 1522. BHStAM. KU Fürstenfeld 1612.

[26] Wahlinstrument Abt Leonhard Treutweins durch Abt Bartholomäus Mädauer von Aldersbach, Fürstenfeld, 21. Januar 1566. BHStAM. KU Fürstenfeld 2018.

[27] Wahlinstrument Abt Sebastian Thomas durch Abt Johannes Dietmair von Aldersbach, Fürstenfeld, 20. Juni 1610. BHStAM. KU Fürstenfeld 2481.

[28] Siehe Teil I, Kap. 2.1.2.3.

[29] »Liber Alderspacensis«, 1522. BHStAM. Aldersbach Archiv Schublade 105, fasc. 3.

[30] Dazu siehe ausführlich Teil II, Kap. 1.1.2.3.

[31] Postulationsinstrument Abt Leonhard Baumanns durch Abt Johann Sauer von Kaisheim, Fürstenfeld, 16. April 1556. BHStAM. KU Fürstenfeld 1844.

übergangen hatte. 1595 war Aldersbachs Abt Johannes Dietmair zwar beim Wahlakt Abt Johann Puels anwesend, mußte aber dem Generalabt Edmund de la Croix den Vortritt lassen, der zum Provinzialkapitel in Fürstenfeld weilte und somit der Wahl präsidierte; immerhin durfte Abt Dietmair den neuen Prälaten zur Benediktion präsentieren[32]. Im Gegenzug zu den Aldersbacher Wahlleitern in Fürstenfeld fungierten gelegentlich auch Fürstenfelder Äbte als Wahlassessoren in Aldersbach; 1578 assistierte etwa Abt Leonhard Treuttwein dem Ebracher Abt Leonhard beim Postulationsakt des Kaisheimer Bursars Fr. Andreas Haydeker zum neuen Aldersbacher Abt[33].

2.1.1.4 Weitere Beziehungen in Ordensfragen

Aufgrund der ordensrechtlichen Stellung Aldersbachs blieben die genannten Rechte und Pflichten gegenüber Fürstenfeld während des gesamten Zeitraums des Bestehens beider Klöster erhalten. Eine zusätzliche Aufgabe bekamen die Aldersbacher Äbte Andreas Haydeker (1578–1586), Johannes Dietmair (1586–1612) und Michael Kirchberger (1612–1635), die von den Generaläbten zu Provinzialvikaren und Visitatoren über alle bayerischen Zisterzienserklöster ernannt wurden[34], womit schrittweise das Filiations- durch das Territorialprinzip abgelöst wurde. Bei Abt Wolfgang Mayr liefen auch in der Diskussion um die Errichtung eines Ordensstudiums in Wien die Fäden des Widerstands gegen die geplante Verlegung zusammen; er richtete Schreiben an etliche bayerische Äbte, dies zu verhindern[35]. In Aldersbach wurde schließlich die Entsendung von Äbten oder Gesandten der bayerischen Zisterzen zu den Generalkapiteln koordiniert[36].

---

[32] Wahlinstrument Abt Johann Puels durch Generalabt Edmund de la Croix, Fürstenfeld, 17. September 1595. BHStAM. KU Fürstenfeld 2388.

[33] Wahlinstrument Abt Andreas Haydekers durch Abt Leonhard von Ebrach, 14. April 1578. BHStAM. KU Aldersbach 1444.

[34] Abt Edmund de la Croix von Chatillon ernennt im Auftrag von Generalabt und Generalkapitel Abt Andreas Haydeker von Aldersbach zum Generalvikar und Visitator der bayerischen Zisterzienserklöster, München, 18. Oktober 1581. BHStAM. KU Aldersbach 1454. – Konfirmation der Generalvikars- und Visitationsrechte des Aldersbacher Abtes durch Generalabt Edmund de la Croix, Cîteaux, 27. Juli 1602. BHStAM. KU Aldersbach 1495. – Ernennung Abt Michael Kirchbergers von Aldersbach zum Generalvikar für Bayern durch Generalabt Nicolaus II. Boucherat, Cîteaux, 8. Oktober 1612. BHStAM. KU Aldersbach 1517. – Vgl. Hartig, Niederbayerische Stifte 154.

[35] Abt Wolfgang Mayr von Aldersbach an Abt Georg von Walderbach, Aldersbach, 9. März 1519 (Kopie in Formelbuch). BHStAM. KL Aldersbach 72a, fol. 72v. – Abt Wolfgang Mayr von Aldersbach an Abt Caspar Harder, Landshut, 21. März 1519 (Kopie in Formelbuch). BHStAM. KL Aldersbach 72a, fol. 73r. – Abt Wolfgang Mayr von Aldersbach an Abt Georg von Walderbach, Aldersbach, 25. April 1519 (Kopie in Formelbuch). BHStAM. KL Aldersbach 72a, fol. 74. – Abt Wolfgang Mayr von Aldersbach an Fr. Johannes Nebling in Ebrach, Aldersbach, 13. 9. 1519 (Kopie in Formelbuch). BHStAM. KL Aldersbach 72a, fol. 73v.

[36] Ausführlicher dazu in diesem Teil Kap. 2.2.2.1.2; dort auch Belegstellen.

Mit der Vorrangstellung Aldersbachs in der bayerischen Zisterzienserland-
schaft war nach der Reformationszeit die Aufgabe verbunden, die Ordenskontributionen der bayerischen Klöster zu sammeln und nach Cîteaux weiterzuleiten. In der Zeit vor der Reformation war Fürstenfelds Abt Harder
beauftragt, die Beiträge der Klöster Aldersbach, Raitenhaslach, Fürstenzell,
Gotteszell, Walderbach, Waldsassen, Stams und Fürstenfeld zu erheben[37].
Mit dem Neuaufbau der Kontakte zur französischen Ordenszentrale nach
den Reformationswirren ging dieser Dienst an Aldersbach über; von dort aus
wurden die Gelder über Kaisheim nach Cîteaux geleitet[38]. 1602 wurde
Aldersbach durch Generalabt Edmund de la Croix förmlich ermächtigt
»requirendi, exigendi, colligendi et recipiendi« der Kontributionen alle vier
Jahre für diesen Zeitraum[39].

2.1.1.5 *Persönliche Kontakte nach Aldersbach*

Die Beziehungen zwischen Aldersbach und Fürstenfeld waren weitaus vielfältiger als nur auf die Erledigung der Ordensangelegenheiten beschränkt.
Die beiden Klöster informierten sich gegenseitig und unterhielten regen Aus-
tausch in wichtigen und weniger wichtigen Fragen; auch persönliche Kontakte bestanden zwischen beiden Konventen, besonders durch den Aus-
tausch von Mönchen, war er nun erlaubt oder unerlaubt: 1517 floh der junge
Fr. Johannes Pistorius von Fürstenfeld nach Aldersbach, wo er sich bessere
Zustände erhoffte[40], und etliche weitere Mönche folgten ihm in beide Rich-
tungen nach. Im Jahr darauf kam ein nicht näher bekannter Fr. Marcus aus

---

[37] Generalabt Blasius Légier de Ponthémery an Abt Caspar Harder mit der Anweisung für
Fürstenzell, Gotteszell, Fürstenfeld, Raitenhaslach, Walderbach und Aldersbach, Cîteaux,
20. Mai 1517. BHStAM. KU Fürstenfeld 1584. – Generalabt Wilhelm V. du Boisset an Abt
Caspar Harder mit der Anweisung für dieselben Klöster, Cîteaux, 12. Mai 1520. BHStAM.
KU Fürstenfeld 1598. – Generalabt Wilhelm V. du Boisset an Abt Caspar Harder mit der
Anweisung für Fürstenzell, Gotteszell, Fürstenfeld, Raitenhaslach, Walderbach, Waldsas-
sen, Stams und Aldersbach, 1520. BHStAM. KU Fürstenfeld 1601. – Generalabt Wilhelm VI.
an Abt Caspar Harder mit der Anweisung für Fürstenzell, Gotteszell, Fürstenfeld, Raiten-
haslach, Walderbach, Waldsassen, Stams und Aldersbach, Cîteaux, 31. August 1521.
BHStAM. KU Fürstenfeld 1608.

[38] Quittung Abt Leonhard Treuttweins über nach Aldersbach bezahlte Kontributionen,
28. Januar 1595. BHStAM. KL Fürstenfeld 334a, prod. 10. – Quittung Abt Johannes Dietmairs von Aldersbach über aus Fürstenfeld empfangene Kontributionen, 5. Februar 1595.
BHStAM. KL Fürstenfeld 334a, prod. 11. – Abt Sebastian Faber von Kaisheim an Abt Johannes Dietmair von Aldersbach mit einer Quittung über durch Aldersbach aus mehreren Klöstern erhaltene Kontributionen, Kaisheim, 29. März 1596. BHStAM. KL Fürstenfeld 334a,
prod. 13.

[39] Generalabt Edmund de la Croix an Abt Johannes Dietmair von Aldersbach, Cîteaux, 28. Juli
1602. BHStAM. KL Fürstenfeld 334, fasc. 1, prod. 7.

[40] Abt Wolfgang Mayr von Aldersbach an Abt Caspar Harder, Aldersbach, 8. Januar 1518 (Kopie
in Formelbuch). BHStAM. KL Aldersbach 72a, foll. 68r–69v.

Fürstenfeld mit seinem Vater nach Aldersbach und wollte nicht mehr zurück[41]; im Gegenzug entliefen 1519 zwei Aldersbacher Konventualen, die man in Fürstenfeld vermutete[42]. Fr. Martin Schmurlitz floh 1559 – nach der Reformationszeit – von Fürstenfeld nach Aldersbach und blieb von nun an dauerhaft dort[43]. Auch 1566 waren zwei Fürstenfelder Konventualen zusammen mit einem Aldersbacher Mönch entlaufen, dann wieder ins Kloster heimgekehrt, von wo aus sie an die Amper zurückgeschickt wurden[44].

Neben den flüchtigen Mönchen wechselten andere Konventualen die Klöster aus gegebenen Umständen erlaubter Weise: Während der personellen Notzeit 1548/49 erhielt Fürstenfeld einen Prior aus Aldersbach[45]; als dafür 1572 Aldersbach in großen personellen Schwierigkeiten war und neben dem Abt Mädauer nur noch ein Mönch im Kloster wohnte, entlieh Abt Leonhard Treuttwein einen Konventualen an die Vils[46]. 1522 schickte der Aldersbacher Prälat den französischen Zisterzienser Fr. Leonhard aus Aubens, der auf Bildungsreise war, nach Fürstenfeld weiter, »etiam aliorum monasteriorum experiri conuersationes«[47]. Ebenso wurden die Mönche zur »recollectio« gegenseitig ausgetauscht, wenn es notwendig war: 1529 sandte Abt Mayr den Fr. Mathias, der sich zur Wiedererlangung der »tranquillitas« der Seele längere Zeit in Aldersbach aufgehalten hatte, nach Fürstenfeld zurück[48]. Auch in der zweiten Hälfte des 16. Jahrhunderts war der persönliche Kontakt zwischen Fürstenfeld und Aldersbach rege, wie die Tagebucheintragungen Abt Treuttweins belegen: 1587 sind mindestens zweimal Fürstenfelder Mönche nach Aldersbach gereist[49], ebenso 1588[50]. Dazu kam der weitgehend kontinuierliche Briefwechsel zwischen beiden Klöstern.

Die Kontakte erstreckten sich darüber hinausgehend auf profane gegenseitige Hilfe: Um 1510 lieh Abt Johannes Scharb seinem Aldersbacher Amtsbru-

---

[41] Abt Wolfgang Mayr von Aldersbach an Abt Caspar Harder, Aldersbach, 10. August 1518 (Kopie in Formelbuch). BHStAM. KL Aldersbach 72a, fol. 71r.

[42] Abt Wolfgang Mayr von Aldersbach an Abt Caspar Harder, Aldersbach, 24. August 1519 (Kopie in Formelbuch). BHStAM. KL Aldersbach 72a, fol. 78.

[43] Repertorium Aldersbach, unter 14. Mai 1559, 9. März 1561, 5. Februar 1563. BHStAM. KL Aldersbach 73, fol. 16v.

[44] Repertorium Aldersbach, unter 29. Mai, 11. Juni und 31. Juli 1566. BHStAM. KL Aldersbach 73, fol. 16v.

[45] Repertorium Aldersbach, unter dem 14. Oktober 1549. BHStAM. KL Aldersbach 73, fol. 16r.

[46] Repertorium Aldersbach, unter 23. März und 30. März 1572. BHStAM. KL Aldersbach 73, fol. 17r.

[47] Abt Wolfgang Mayr von Aldersbach an Abt Georg Menhart, Aldersbach, 1. Mai 1522 (Kopie in Formelbuch). BHStAM. KL Aldersbach 72a, fol. 113v.

[48] Abt Wolfgang Mayr von Aldersbach an Abt Georg Menhart, Aldersbach, 5. Oktober 1529 (Kopie in Formelbuch). BHStAM. KL Aldersbach 72a, fol. 86v.

[49] Einträge im Tagebuch Treuttweins, unter 6. Mai, 1. und 6. Juni 1587. BStB. Cgm 1771, foll. 10r, 12r.

[50] Einträge im Tagebuch Treuttweins, unter 28. Mai und 2. Juni 1588. BStB. Cgm 1771, foll. 37v–38r.

der 100 lb dl[51]. 1596 lagerte der Aldersbacher Abt Dietmair wegen drohender Kriegsgefahr und des um sein Kloster lagernden Kriegsvolkes 4000 fl in sein Heimatkloster Fürstenfeld aus, um es dort in Sicherheit zu bringen; die Hälfte dieser Summe wurde 1601 nach Aldersbach zurückgebracht[52], und 1610 fanden sich in einer Truhe gar 13 000 fl, die Abt Dietmair nach Aldersbach zurücktransferierte[53]. Auch zwei größere Marderfallen fanden den Weg von Fürstenfeld nach Aldersbach[54]. Während der gesamten Reformationszeit waren die Kontakte zwischen Fürstenfeld und Aldersbach überaus freundlich und erstreckten sich auf viele Bereiche des klösterlichen Lebens; über Schwierigkeiten und Streitereien sind keine Nachrichten überliefert.

2.1.2 Raitenhaslach

Aufgrund des fehlenden direkten Rechtsverhältnisses bestanden die Beziehungen Fürstenfelds nach Raitenhaslach nur sporadisch. 1474 wurde Fr. Johann Holczner nach Raitenhaslach als Abt postuliert, wo er bis 1482 regierte[55]. In den Jahren 1517 bis 1521 ergingen an Abt Caspar Harder mindestens zwei Aufträge, das Salzachkloster zu visitieren[56]; ob er ihnen nachkam, ist mangels Quellen nicht mehr feststellbar. 1526 visitierte Abt Georg Menhart Raitenhaslach und bewegte den dortigen Abt Georg Wankhauser zur Resignation[57]; Abt Menhart zog sich nach seinem eigenen Rücktritt an die Salzach zurück und verstarb dort am 30. Dezember 1538[58]. Engere Kontakte Fürstenfelds mit Raitenhaslach ergaben sich in den vierziger und fünfziger Jahren des 16. Jahrhunderts. Administrator Michael Kain erbat 1548 vom

51 Quittung Abt Caspar Harders über die zurückerstatteten 100 lb dl, die sein Vorgänger Abt Scharb an Abt Johann Riemer von Aldersbach vergeben hatte, 28. Februar 1518. BHStAM. KU Aldersbach 1291.
52 Bestätigung Abt Johannes Dietmairs von Aldersbach, Aldersbach, 17. März 1596 (Dorsalvermerk vom 13. Mai 1601 mit anderer Hand). BHStAM. Aldersbach Archiv Schublade 107, fasc. 1, prod. 1.
53 Pangratz Motschenbach, Delegat des Abtes von Aldersbach, an Maximilian, München, 20. Juni 1610. BHStAM. KL Fürstenfeld 1, foll. 150–152v.
54 Repertorium Aldersbach, unter dem 27. Juli 1556. BHStAM. KL Aldersbach 73, fol. 16v.
55 Vgl. Krausen, Raitenhaslach 285. – Krausen nennt den 13. November 1483 als Todestag Holczners, das Fürstenfelder Necrol. BStB. Clm 1057, fol. 46v, dagegen den 12. November.
56 Generalabt Blasius Légier de Ponthémery mit einem Visitationsauftrag an Abt Caspar Harder, Cîteaux, 20. Mai 1517. BHStAM. KU Fürstenfeld 1584. – Generalabt Wilhelm VI. mit einem Visitationsauftrag an Abt Caspar Harder, Cîteaux, 31. August 1521. BHStAM. KU Fürstenfeld 1608.
57 Bestätigung der Inventur des Klosters durch Abt Georg Menhart, 26. Februar 1526. BHStAM. KU Raitenhaslach 969. – Wahlinstrument Abt Christoph Fürlaufs von Raitenhaslach durch Abt Georg Menhart, 26. Februar 1526. BHStAM. KU Raitenhaslach 971. – Vgl. Krausen, Raitenhaslach 85, 292.
58 Necrol. BStB. Clm 1057, fol. 52v. – Führer, Chronik § 164; Fugger, Fürstenfeld 76; Krausen, Raitenhaslach 86.

dortigen Abt Christoph Fürlauf einen als Prior geeigneten Konventualen, erhielt aber eine Absage wegen Personalmangels[59]. Auf der Suche nach einem zum Administrator tauglichen Mönch fragte Herzog Wilhelm V. im Oktober 1554 – ebenfalls erfolglos – bei Abt Sebastian Harbeck nach dem dortigen Konventualen Fr. Wolfgang Rabenester an[60].

Gelegentlich hielten sich auch Fürstenfelder Konventualen in Raitenhaslach auf, so im Frühjahr 1570 Fr. Matthias Breimelber, der nach einer Visitation in Seligenthal mit dem Raitenhaslacher Abt in dessen Kloster weitergereist war; dort bereitete er eine Visitation des Klosters durch den Fürstenfelder Abt Treuttwein vor. Anläßlich ihrer fällte er ein ziemlich ungünstiges Urteil über die Bewohner des Salzachgaues, wo es »ain grobs, unverständigs, stolz volkh hie hatt, gott welle mir auch von ime helffen«[61]. Im Gegenzug erschienen die Raitenhaslacher Prälaten zuweilen in Fürstenfeld. Abt Matthias Stoßberger übernachtete am 26. Mai 1591 einmal an der Amper[62], ein andermal am 9. November 1593 auf der Reise zum Provinzialkapitel nach Salem[63]. 1595 war Abt Stoßberger aufgrund des Fürstenfelder Provinzialkapitels wiederum im Kloster an der Amper und präsentierte neben dem Aldersbacher Abt Dietmair den neugewählten Fürstenfelder Prälaten Puel dem Generalabt de la Croix zur Benediktion[64].

2.1.3 Kaisheim

Die intensivste Beziehung mit einer Zisterze außerhalb des Herzogtums Bayern hatte Fürstenfeld mit dem bei Donauwörth gelegenen Kloster Kaisheim[65]. Von hier kam Abt Leonhard Baumann, der als Beichtvater der Oberschönenfelder Zisterzienserinnen aus dem Kloster exponiert war. Auch nach seiner Wahl zum Fürstenfelder Abt hielt Baumann regen Kontakt zu seinem

---

[59] Abt Christoph Fürlauf von Raitenhaslach an Administrator Michael Kain, Raitenhaslach, 10. März 1548. BHStAM. KL Fürstenfeld 318 ½, prod. 1.

[60] Albrecht V. an Abt Sebastian Harbeck von Raitenhaslach mit der Aufforderung, Fr. Wolfgang Rabenester zum GR zu schicken, München, 30. Oktober 1554. BHStAM. KL Raitenhaslach 112, prod. 208. – Vgl. Krausen, Raitenhaslach 86.

[61] Fr. Matthias Breimelber an Abt Leonhard Treuttwein, Raitenhaslach, 12. März 1570. BHStAM. KL Fürstenfeld 318 ½, prod. 8.

[62] Eintrag im Tagebuch Treuttweins, unter dem 26. Mai 1591. BStB. Cgm 1771, fol. 115v.

[63] Eintrag im Tagebuch Treuttweins, unter dem 9. November 1593. BStB. Cgm 1771, fol. 178v.

[64] Wahlinstrument Abt Johann Puels durch Generalabt Edmund de la Croix, Fürstenfeld, 17. September 1595. BHStAM. KU Fürstenfeld 2388.

[65] Zum Kloster Kaisheim: Johann Lang, 850 Jahre Klostergründung Kaisheim 1134–1984, Festschrift zur 850-Jahr-Feier, Kaisheim 1984; ders., Ehemalige Klosterkirche der Zisterzienser in Kaisheim, Kaisheim 1987; Reinhard Maria Libor, 850 Jahre Zisterzienserkloster und Reichsstift Kaisheim, in: CC 91 (1984) 17–22; Luitpold Reindl, Geschichte des Klosters Kaisheim, Dillingen ²1926.

Profeßkloster[66]. Über die persönlichen Bindungen hinaus wurde Kaisheim immer stärker in das Verwaltungs- und Aufsichtswesen der bayerischen Klöster mit einbezogen. 1570 etwa visitierte der Kaisheimer Abt zusammen mit seinen Amtsbrüdern aus Fürstenfeld und Raitenhaslach das in Schwierigkeiten geratene Seligenthal[67].

In der zweiten Hälfte des 16. Jahrhunderts entwickelte sich Kaisheim vorübergehend zu einem Bindeglied zwischen der burgundischen Ordenszentrale und den bayerischen Klöstern. 1572 schickte Generalabt Boucherat die Mahnung an die oberdeutschen und schweizerischen Klöster[68], wieder zu den Generalkapiteln zu erscheinen, über Kaisheim, von wo aus das Schreiben weitergeleitet wurde[69]; postwendend erging auch das Entschuldigungsschreiben der bayerischen Klöster über Kaisheim[70]. Für das Generalkapitel 1578 versandte der Kaisheimer Abt die Einladungen an die Äbte in Bayern, Österreich und Kärnten[71]; von Aldersbach aus gingen die Schreiben schließlich in die einzelnen bayerischen Klöster[72]. Seit 1608 verlor Kaisheim diese Funktion jedoch an das größere Salem[73]. Auch die Sammlung der Ordensbeiträge lief gegen Ende des 16. Jahrhunderts über Kaisheim. Unverzüglich nachdem Generalabt Boucherat dem neugewählten Kaisheimer Prälaten die Erhebung der Kontributionen zugeteilt hatte[74], forderte dieser die Gelder ein, die gerade aus Bayern nur spärlich geflossen waren[75]. Auch hier gingen die Beiträge im Regelfall zuerst nach Aldersbach, von wo aus sie nach Kaisheim

---

66 Gelegentlich fuhr Baumann nach Kaisheim: Rechnungsbuch von 1556, »Zehrung« und »Gemeine Ausgaben«. BHStAM. KL Fürstenfeld 317 1/86.

67 Albrecht V. an Abt Leonhard Treuttwein, Landshut, 26. Januar 1570. BHStAM. KL Fürstenfeld 318 ½, prod. 7.

68 Generalabt Nicolaus I. Boucherat an die Äbte in Deutschland und der Schweiz, Cîteaux, 1. Dezember 1572. BHStAM. Aldersbach Archiv Schublade 105, fasc. 10, prod. 1.

69 Abt Johann Sauer von Kaisheim an Abt Bartholomäus Mädauer von Aldersbach, Kaisheim, 1. Februar 1573. BHStAM. Aldersbach Archiv Schublade 105, fasc. 10, prod. 2.

70 Abt Bartholomäus Mädauer von Aldersbach an Albrecht V. mit der Bitte, die bayerischen Prälaten beim Kaisheimer Abt zu entschuldigen, Aldersbach, März 1573 (Kopie). BHStAM. Aldersbach Archiv Schublade 105, fasc. 10, prod. 9. – Albrecht V. an Abt Wolfgang Manhauser von Raitenhaslach mit der Mitteilung, er habe beim Abt von Kaisheim die bayerischen Äbte für das Generalkapitel entschuldigen lassen, München, 13. März 1573. BHStAM. KBÄA 4096, fol. 156r. (Ebd. 156v die gleiche Mitteilung Albrechts an Abt Leonhard Treuttwein, undatiert). – Albrecht V. an Abt Bartholomäus Mädauer von Aldersbach mit einer verständnisvollen Äußerung über das Vorgehen Mädauers, 21. September 1573. BHStAM. Aldersbach Archiv Schublade 105, fasc. 10, prod. 10.

71 Generalabt Nicolaus I. Boucherat an die oberdeutschen Äbte, Cîteaux, 12. Februar 1578. BHStAM. Aldersbach Archiv Schublade 105, fasc. 11, prod. 1.

72 Abt Ulrich Kölin von Kaisheim an Administrator Andreas Haydeker von Aldersbach, Kaisheim, 28. März 1578. BHStAM. Aldersbach Archiv Schublade 105, fasc. 11, prod. 2.

73 Generalabt Nicolaus II. Boucherat an die oberdeutschen Äbte mit dem Hinweis, daß der Abt von Salem für die Verbindung nach Cîteaux zuständig sei, Cîteaux, 29. November 1608. BHStAM. Aldersbach Archiv Schublade 105, fasc. 17, prod. 1.

74 Generalabt Nicolaus I. Boucherat an Abt Ulrich Kölin von Kaisheim, Cîteaux, 13. März 1576. BHStAM. KL Fürstenfeld 334a, prod. 3.

und Cîteaux weitergeleitet wurden[76]. Somit waren die Kontakte Fürsten-felds nach Kaisheim eher indirekter Art: Die Vorgänge bezüglich des Ordens und der Beiträge wurden meist über Aldersbach abgewickelt, Besuche Kais-heimer Äbte in Fürstenfeld sind außer dem Postulationsverfahren Abt Leon-hard Baumanns nicht überliefert, lediglich beim Provinzialkapitel 1595 erschien der Kaisheimer Abt Sebastian Faber in Fürstenfeld[77].

2.1.4 Beziehungen zu anderen bayerischen Zisterzienserklöstern

Zu den anderen altbayerischen Klöstern des Zisterzienserordens bestanden im wesentlichen nur punktuelle Kontakte; dementsprechend wenig Quel-lenmaterial ist dazu überliefert. Die Beziehungen zum nahe bei Passau gele-genen Fürstenzell[78] waren weitgehend durch die Angelegenheiten des Ordens geprägt. Der Visitationsauftrag Abt Caspar Harders von 1517 betraf auch Fürstenzell[79]; Fürstenzeller Äbte übernachteten auf der Durchreise nach Westen an der Amper, wie etwa Abt Willibald Schißler im November 1593; warum dieser aber nicht zum Provinzialkapitel nach Salem, sondern zurück nach Hause gefahren ist, bleibt ungeklärt[80]. Beim Provinzialkapitel 1595 war Fürstenzell aufgrund der Resignation Abt Schißlers und der Amts-übergabe an den Administrator Stephan Metzger wohl nicht vertreten[81]. Gelegentliche weitere Kontakte dürften in Form von Briefwechseln bestan-den haben[82].

[75] Abt Ulrich Kölin von Kaisheim an Abt Leonhard Treuttwein, Kaisheim, 25. April 1576. BHStAM. KL Fürstenfeld 334a, prod. 9.

[76] Quittung Abt Sebastian Fabers von Kaisheim an Abt Johannes Dietmair von Aldersbach über die Kontributionen mehrerer Klöster, Kaisheim, 29. März 1596. BHStAM. KL Fürsten-feld 334a, prod. 13.

[77] Äbteverzeichnis des Provinzialkapitels, 1595. BHStAM. KL Fürstenfeld 1, fol. 145r.

[78] Zu Fürstenzell ist die Literaturlage eher dürftig: Norbert Lieb/Josef Sagmeister, Fürstenzell (= Schnell Kunstführer 690), Regensburg ⁴1994; Fürstenzell. 900 Jahre Pfarrei – 700 Jahre Klo-ster. Festschrift, Furth bei Landshut 1974; Hartig, Niederbayerische Stifte 160–168; Krausen, Klöster 43–45.

[79] Generalabt Blasius Légier de Ponthémery an Abt Caspar Harder, Cîteaux, 20. Mai 1517. BHStAM. KU Fürstenfeld 1584. – Generalabt Wilhelm VI. an Abt Caspar Harder, Cîteaux, 31. August 1521. BHStAM. KU Fürstenfeld 1608.

[80] Einträge im Tagebuch Treuttweins, unter 9. und 11. November 1593. BStB. Cgm 1771, fol. 178v.

[81] Lobendanz, Reformstatuten 543–545, erwähnt in seiner kritisch erarbeiteten Teilnehmer-liste keinen Fürstenzeller Vertreter. Im zeitgenössischen Verzeichnis der Äbte auf dem Provinzialkapitel (BHStAM. KL Fürstenfeld 1, fol. 145r) ist dagegen der Fürstenzeller Abt verzeichnet und nicht als abwesend vermerkt. Dennoch ist der Version von Lobendanz der Vorzug zu geben, zumal die Verhältnisse in Fürstenzell zu dieser Zeit alles andere als geord-net erscheinen; vgl. Hartig, Niederbayerische Stifte 162.

[82] Eintrag im Rechnungsbuch von 1567 an Fr. Remboldt, der für einen Botengang nach Fürsten-zell 1 fl, 2 ß, 10 dl erhielt. BHStAM. KL Fürstenfeld 216 1/3, fol. 15r.

Ende des 16. Jahrhunderts hatte Fürstenfeld in das kleine Bayerwaldkloster Gotteszell[83] aufgrund der Entsendung von Administratoren häufigeren Kontakt. Dessen Abt Michael hatte 1522 als Assistenzabt Mayrs bei der Wahl Georg Menharts fungiert[84]. Im Jahr 1566 schickte Abt Treuttwein einen ungenannten jungen Konventualen nach Gotteszell, da dieser nicht mehr in Fürstenfeld bleiben wollte[85]. Eine nähere Verbindung bekamen die beiden Klöster, als am 13. Dezember 1570 Fr. Matthias Breimelber zum Administrator des Klosters Gotteszell ernannt wurde[86]; in der Nacht auf den 25. März 1576 verstarb Fr. Breimelber[87], nachdem er »bei dem Closter woll gehausst, den Schuldenlasst bis an ein klaine Summa abgelöst und darzue ain zimliche parschafft auch Wein Traidt unnd annderm was zu gueter haußwirtschafft gehörig, verlassen« hatte[88]. Als dessen Nachfolger sah der Fürstenfelder Abt Treuttwein seinen Prior Fr. Jacob Bachmair vor, den er wegen seines schlechten Rufes für eine gewisse Zeit aus den Augen haben wollte[89]; aufgrund seiner »Schwachheit« konnte dieser das Amt aber nicht antreten[90]. An seiner Stelle kam der ebenfalls kränkliche Fr. Matthäus Priglmair als Administrator, welcher bis 1579 diese Aufgabe versehen konnte[91]. Der nächste Administrator in Gotteszell war der Raitenhaslacher Konventuale Fr. Matthias Stoßberger[92]; nach seiner Wahl zum Raitenhaslacher Abt 1590 folgte auf diesen wiederum ein Fürstenfelder Mönch: Fr. Achatius Einspeckh[93]. Am 27. Mai 1596 wurde Einspeckh auf Initiative des Aldersbacher Vaterabtes Dietmair zum Abt gewählt und erhielt von Papst Clemens VIII. (1592–1605) 1600 das

---

83 Zu Gotteszell: Hartig, Niederbayerische Stifte 168–177; Krausen, Klöster 45–48.
84 Wahlinstrument Abt Georg Menharts durch Abt Wolfgang Mayr von Aldersbach, Fürstenfeld, 10. April 1522. BHStAM. KU Fürstenfeld 1612.
85 Rechnungsbuch von 1566, »Konvent«. BHStAM. KL Fürstenfeld 317 1/10.
86 Repertorium Aldersbach, unter 1576. BHStAM. KL Aldersbach 74, fol. 239v.
87 Richter Lucas Stocker an Graf Christoph von Schwarzenberg, Gotteszell, 25. März 1576. BHStAM. KBÄA 4100, fol. 32r.
88 Oberrichter Jörg Pranndt, Rat zu Straubing, an Albrecht V., Straubing, 3. April 1576. BHStAM. KBÄA 4100, foll. 39–40. – Der Eintrag im Repertorium Aldersbach, unter 1576 (BHStAM. KL Aldersbach 74, fol. 239v) »coacte resignasse videtur circa festum S. Jacobi 1576« ist somit falsch.
89 Dazu siehe Teil I, Kap. 3.2.2.3.1.
90 Graf Christoph von Schwarzenberg an Albrecht V., 6. Juli 1576. BHStAM. KBÄA 4100, foll. 48–49. – Abt Leonhard Treuttwein an Albrecht V., Fürstenfeld, 16. Juli 1576. Ebd., foll. 51–52.
91 Repertorium Aldersbach, unter 1579. BHStAM. KL Aldersbach 74, fol. 239v. – Graf Christoph von Schwarzenberg an den hzl. Rat Hanns Preuer in Straubing mit der Mitteilung, man suche wieder nach einem Administrator für das Kloster Gotteszell, 13. Oktober 1579. BHStAM. KBÄA 4100, fol. 132. – Über das weitere Schicksal Fr. Priglmairs ist nichts bekannt.
92 Repertorium Aldersbach, undatiert. BHStAM. KL Aldersbach 74, fol. 239v. – Vgl. Krausen, Raitenhaslach 301.
93 Repertorium Aldersbach, unter 1592 (falsches Jahr, es muß 1590 heißen). BHStAM. KL Aldersbach 74, fol. 239v.

Infulrecht, womit Gotteszell den übrigen altbayerischen Zisterzienserklöstern gleichgestellt war[94]. Im Jahr zuvor war er zum Provinzialkapitel nach Fürstenfeld gereist[95]. Während der Regierungsjahre des Administrators Einspeckh 1590 bis 1611 war der Kontakt zwischen Fürstenfeld und Gotteszell enger, wie eine Besuchsnotiz Einspeckhs in Fürstenfeld zeigt; zum Abschied schenkte Abt Treuttwein dem Administrator 100 fl[96]. Allerdings hatte Abt Einspeckh im Bayerischen Wald keine leichte Aufgabe: Im Juli 1596 wurde er der Verschwendung angeklagt, 1611 ebenso, so daß Herzog Maximilian eine Visitation anordnete. »Semi-mortuus a Visitatore invenitur, et paulo post obiit nempe 10. Aprilis 1611.«[97]

Nähere persönliche oder geschäftliche Beziehungen zu anderen Zisterzienserklöstern wie Walderbach, Waldsassen, Ebrach oder den österreichischen Stiften sind so gut wie unbekannt, Archivalien fehlen fast gänzlich. Nach Waldsassen wurde 1519 ein junger Fürstenfelder Konventuale namens Fr. Marcus geschickt, der nicht länger in seinem Profeßkloster bleiben wollte[98]; in eine engere Beziehung zu Waldsassen trat Fürstenfeld mit der 1661 erfolgten Wiederbesiedelung des Oberpfalzklosters[99]. Der Mangel an schriftlichen Notizen bedeutet jedoch nicht, daß es keine Verbindungen zu anderen Klöstern gegeben hat; viele Nachrichten wurden durch in verschiedenen Angelegenheiten reisende Mönche – solche gab es trotz der gegenteiligen Bemühungen des Ordens immer – mündlich weitergegeben, so daß die Klöster untereinander wohl besser informiert waren als es die Quellenlage vermuten ließe.

---

[94] Repertorium Aldersbach, unter 1596 und 1600. BHStAM. KL Aldersbach 74, fol. 239v. – Vgl. Hartig, Niederbayerische Stifte 171–172; Gloning, Dietmair 329, datiert die Erhebung Einspeckhs zum Abt auf das Jahr 1604.

[95] Äbteverzeichnis des Provinzialkapitels, 1595. BHStAM. KL Fürstenfeld 1, fol. 145r. – Vgl. Lobendanz, Reformstatuten 545.

[96] Eintrag im Tagebuch Treuttweins, unter dem 31. Juli 1591. BStB. Cgm 1771, fol. 119v.

[97] Repertorium Aldersbach, unter 1611. BHStAM. KL Aldersbach 74, fol. 239v.

[98] Abt Wolfgang Mayr von Aldersbach an Abt Caspar Harder mit der Erörterung des Falles von Fr. Marcus, Aldersbach, 10. August 1518 (Kopie in Formelbuch). BHStAM. KL Aldersbach 72a, fol. 71r. – Geleitschreiben Abt Wolfgang Mayrs von Aldersbach für Fr. Marcus aus Fürstenfeld, Aldersbach, 13. März 1519 (Kopie in Formelbuch). BHStAM. KL Aldersbach 72a, fol. 113r.

[99] Dazu ausführlich Klemenz, Dallmayr 219–249.

2.2 Die Ordensstruktur und ihr Wandel

2.2.1 *Die zisterziensische Verfassung an der Schwelle zur Neuzeit*

Die Verfassung des Zisterzienserordens[100] blieb bis zum Vorabend der Reformation ihren Grundprinzipien nach unverändert, wenngleich sie durch viele Ausnahmeregelungen schrittweise ausgehöhlt wurde; mit der räumlichen und personellen »Explosion« des Ordens im 12. und 13. Jahrhundert wurde etwa das Instrumentarium des Generalkapitels zu ineffizient, so daß aufgrund der Bestimmungen der Reformbulle »Parvus fons« von 1265 ein aus fünfundzwanzig Äbten, darunter den Äbten der vier Primarabteien bestehendes »Definitorium« die eigentliche Ordensleitung übernahm und die Beratungen der Generalkapitel vorbereitete[101]. Einen entscheidenden Einschnitt erlebte die Verfassung des Ordens jedoch erst nach der Reformationszeit, die in dramatischer Weise die Unzulänglichkeit der alten Verfassung gegenüber den Ansprüchen einer gewandelten Welt aufzeigte.

2.2.2 *Die zunehmenden Probleme der alten Ordensstrukturen*

2.2.2.1 *Die Generalkapitel im 16. und 17. Jahrhundert*

2.2.2.1.1 Probleme mit den Generalkapiteln und Lösungsversuche

Die zahlenmäßige und territoriale Ausdehnung des Zisterzienserordens brachte für die Generalkapitel gravierende Schwierigkeiten mit sich, denn bereits gegen Ende des 13. Jahrhunderts waren an die siebenhundert Äbte teilnahmepflichtig und stimmberechtigt; schon bald hatte man den weiter entfernten Äbten aus Griechenland, Syrien, Palästina, Norwegen und Schottland zeitliche Dispensen erteilt, da die jährliche Reise nach Cîteaux zu einer Zumutung für sie geworden war[102]. Dieser unumgänglichen Auflockerung des genossenschaftlichen Systems entsprach die erwähnte Einrichtung des Definitoriums aus fünfundzwanzig Äbten zur Vorarbeit für die General-

---

100 Siehe dazu die Einleitung zu dieser Arbeit.

101 Vgl. Eicheler, Kongregationen 200; Molitor, Rechtsgeschichte I 188: Der Abt von Cîteaux wählte vier Definitoren aus seiner Generation; die Primaräbte ernannten jeweils fünf, von denen der Abt von Cîteaux vier auswählte. Dazu bildeten der Generalabt und die Primaräbte die Spitze des Definitoriums.

102 Vgl. Rösener, Salem 691. – Bereits 1157 mußten die schottischen, ab 1190 auch die irischen Äbte nur noch jedes vierte Jahr zum Generalkapitel erscheinen; diese Ausnahmeregelungen wurden schrittweise ausgedehnt; vgl. Lobendanz, Zisterzienserkongregation 79.

kapitel, da aufgrund der großen Teilnehmerzahl die eigentliche Arbeit binnen weniger Tage auf dem Generalkapitel nicht mehr zu leisten war[103]. Aufgrund dieser weiteren Aushöhlung des Genossenschaftsprinzips sank die Motivation der Äbte, zum Generalkapitel zu erscheinen, wiederum; einen eindrucksvollen Bericht über die diesbezüglichen Schwierigkeiten der bayerischen Äbte verfaßte der Aldersbacher Abt Johannes Dietmair, der 1601 zum Generalkapitel nach Cîteaux gereist war und im Anschluß daran seine Erfahrungen niederlegte.

»Ursachen dadurch man sich in Bayern entschuldigen mögt, hinfüran nit so offt ins Capittll gehn Cisterz zu reisen

1° Ist der weg wait, verursacht grossen Uncosten, sein der Closter zu Contribuirn wenig und gegen andern Clöstern eines kleines einkommens.

2° Wan man schon hienein kombt, so muß alles ubereilt, und kan in 3 oder 4 tagen nit vill gericht werden, der Mühe kaum werth.

3° Sein der Teutschen wenig gegen der frantzosen und darumb ihr Vota ring. geschweigen d[a]s selten ein quaestion generaliter durch die vota herumb gehet, man inserirt oft frantzosische wort ein, und wirt den mehrern theill mit frantzosen beschlossen, und oft das man nit waiß was. etc

4° Es erscheinen und kommen souiell Abbates alß sein kan ex omni terra, so werden allain ad quinq[e]m primos Gallos Viginti ad definitorium gelassen, die anderen all haben gar kain stim, und richten darumb die ubrige Abbates, sowoll die Priores und die andern gesanten, eben souiell als ein Bott, der brief hinein gibt und wider antwort herauß nimbt.

5° Wie woll erfahrens, so haben die Germani bei Vilen ein schlechten respect

6° Graui scandalizantur Germanii, welche heraussen Vill von Cisterz hören und halten.«[104]

Abt Johannes Dietmair beschreibt genau die üblichen Vorbehalte gegen die Generalkapitel: Der Weg war zu weit und zu teuer; auf dem Kapitel selbst wurden die vorgefaßten Beschlüsse nur noch bestätigt; die Äbte selbst hatten kein entscheidendes Stimmrecht mehr und fungierten nur noch als Boten; schließlich waren die deutschen Äbte in Frankreich nicht recht angesehen. Die letzte Aussage bestätigte im 17. Jahrhundert Abt Johann Martin von Char-lieu: »wirdt wenig auf die teuschen gehalten, weil sy nitt gallice reden kindten, derawegen ich a fratre clare vallensi gefragt ob ich germany sey ich

---

[103] Vgl. Lekai/Schneider, Weiße Mönche 35–36. – Molitor, Rechtsgeschichte I 183, beurteilt dagegen die Arbeit auch der stark besetzten Generalkapitel eher positiv.

[104] Reisebericht Abt Johannes Dietmairs von Aldersbach nach Cîteaux, 1601. BHStAM. Aldersbach Archiv Schublade 105, fasc. 15, prod. 1. – Der Text dieses Reiseberichts ist abgedruckt im Anhang 4.4: Reisebericht.

aber geantwurdt ia hat er gesagt cum sis germanus quare non loquis gallicis
respondi, cum sis gallus q^{a}re non loquis germanice.«[105]
Nicht zu unterschätzen waren zudem die praktischen Probleme der Anreise
nach Cîteaux; hierzu ist ein Erfahrungsbericht Abt Johann Martins von Char-
lieu erhalten, der für seine späteren Mitäbte einen nützlichen Reiseführer
nach Burgund mit vielen Ratschlägen verfaßte:

»Radtsam ist das sich einer zu den Schweizerischen Praelaten schlage auf der
rais welche Diener haben der franzesische sprach erfahren. Sonst mues einer
zu Burgunt Interpreten aufnemen ime taglich verzehren auch gelt darzu
geben. Interprete si utitur, trawe er ime nitt zu fast wan er mitt dem wirdt
raidt und abbricht [= abrechnet] in Burgund und franckhreich, dan sy bisweil-
en dem wirdt nichts abbrechen, so doch im land breichlich, oder selber mehr
von ihrem herren fordern und raitten als der wirdt geben, also dem wirdt das
er zu friden ist, das überig oder den abbruch stecken sy in ihre beudel wie ich
anno 1605 erfahren hab. Interpres soll der sprach und minz wol erfaren sein.
franckhreich und Burgund raitten nur die wirdtin mues wegen der zehrung
mitt inen abbrechen, wie mitt einem kramer, darf sich kheiner schemmen,
ist nichts newes wan schon ein klains grienen daraus entsteht.
Burgund und frankhreich fordern die diener im wirths haus trinckh gelt wie
ein schuld, seind nitt leicht bewiegt gibt einer nitt ehrlich, so stelen sy was sy
kindter, wie mier anno 1609 beschen. – Puellae offerunt floribus nimst du sy
an so schaue zum beittel, hast sonst khain möhr. – Beware ieder sein sach wol
ist alles in angesicht gestolen, trawe nitt zu vil. Cisterz zält niemand nichts:
Abbates in vertrend Generali billich etwas, Studiosi Parisienses, Disputates
p begerrend steür wie auch andere steheh iedem fray noch zu thun. Im weg
raisen will ieder trinckhgelt haben«.[106]

Abt Martin warnte somit vor den alltäglichen Gefahren, denen jeder Reisende, besonders aber ein Prälat ausgesetzt war, da man bei ihm mehr Geld vermutete als bei anderen Reisenden: Betrug, Diebstahl und Nepperei waren all-
gegenwärtig. So bemühten sich die Prälaten, möglichst zusammen und mit
einem erfahrenen Führer zu reisen. Aber auch körperliche Gefahren drohten
den reisenden Äbten, etwa in lutherisch gesinnten Städten; dafür lockte
manche Sehenswürdigkeit auch den Besucher im 17. Jahrhundert: »Basel,
alda so einer will, khan an der stat maur ausen umb reitten, das er nitt in die
stat khumbt, ist anno 1609 geistlichen nit wol gangen dan P[at]r[i] ordinis
S[ancti] Benedicti mitt stainen alda geworffen, doch die Janter umb 20 fl

---

[105] »Notata illis, qui Cistercium ad Capitula Generalia proficiuntur scitu perutilia« von Abt
      Johann Martin von Char-lieu, nach 1609. BHStAM. Aldersbach Archiv Schublade 105,
      fasc. 8.
[106] Ebd.

gestraft: Generalis Franciscani ist übel geschlagen und andere C[a]tholische iniuria afficiert, so es doch anno 1605 gar sicher gewest. – Dolae senatus supremus Burgundiae uidendus p et captiui. – Disenz, bey S Stephan auf dem berg celebrant Canonici omnes sub mitra uti Episcopi p privilegio. In diser kirchen wirdt aufbehalten Sindon darein Christi Iesu aromatibus conditus eingemacht, begraben worden, [...] In dem thor den berg hinauf send vil heidnische alte geschichten zu sehen in stein gehaut, solle vor zeiten alles gold gewesen sein.«[107]

2.2.2.1.2 Abhaltung und Bedeutung der Generalkapitel im 16./17. Jahrhundert

Zu einem weiteren Problem entwickelte sich für die Generalkapitel im 16. Jahrhundert deren unregelmäßige Abhaltung, die durch politische Umstände und die Reformationswirren bedingt war. Bis in die zwanziger Jahre des 16. Jahrhunderts wurden die Generalkapitel noch hinlänglich abgehalten, aus der gleichen Zeit stammen die letzten Schreiben aus Cîteaux nach Fürstenfeld[108], wobei man sich aufgrund der mangelnden Präsenz von Äbten – teilweise waren nur fünf Prozent anwesend[109] – keine übertriebene Vorstellung von der Repräsentanz der Kapitel machen darf. Nach den Stürmen der Reformation fanden im weiteren 16. Jahrhundert nur fünf Generalkapitel statt – 1565, 1567, 1573, 1578, 1584[110] –, im gesamten 17. Jahrhundert lediglich dreizehn Generalkapitel[111]. Aufgrund der Hugenotteneinfälle um 1589 stand zudem die französische Ordenszentrale Cîteaux vor dem Ruin, den sie »ohne finanzielle Unterstützung seitens anderer Zisterzienserklöster ... allein wohl nicht mehr«[112] aufhalten hätte können. Mit Genehmigung Papst Clemens' VIII.[113] bat Generalabt Edmund de la Croix die Klöster

---

[107] Ebd.

[108] Das letzte Schreiben vor der Unterbrechung richtete Generalabt Wilhelm VI. an Abt Georg Menhart, Cîteaux, 17. Mai 1522. BHStAM. KU Fürstenfeld 1616.

[109] Vgl. Rösener, Salem 691.

[110] Vgl. Lekai/Schneider, Weiße Mönche 104.

[111] Vgl. ebd. 111.

[112] Lobendanz, Reformstatuten 525.

[113] Das Breve »Perspecta est dilectionibus vestris« Papst Clemens' VIII. vom 17. Oktober 1592 erlaubte dem Generalabt Edmund de la Croix, zur Behebung des Schadens in Cîteaux die Klöster seines Ordens um ein »subsidium charitativum« zu bitten. Dieses Breve wurde ins Deutsche übersetzt, 1593 mit 15 foll. bei Johann Faber gedruckt und an die Zisterzienserklöster verschickt. Es ermahnt die Klöster, »auß kindtlicher liebe / guthertzigkeit und ehrerbietung / so ihr gegen disem Kloster [...] tragent / als ewers Ordens ursprung« Cîteaux finanziell zu unterstützen. Aus Fürstenfeld ist kein Druckexemplar bekannt, dafür fand sich im alten Aldersbacher Archiv ein Druck. BHStAM. Aldersbach Archiv Schublade 105, fasc. 4.

seines Ordens um Unterstützung beim Wiederaufbau der Mutterzisterze[114].
So beteiligten sich alle Klöster des Ordens mehr oder minder an der Errichtung eines neuen Cîteaux, und auch aus Fürstenfeld kamen 100 fl[115].

Die Generalkapitel hatten im 16. und 17. Jahrhundert ihre Kraft unwiederbringlich verloren; die häufigen Appelle zur Reform nutzten wenig, da sie kaum gehört wurden. Aufgrund der Veränderungen der politischen Landschaft Europas zugunsten der Territorialstaaten wurde den einzelnen Klöstern von ihren Landesherren, die jeden Einfluß von außen fürchteten, die – während der Reformationszeit ohnehin sehr lockere – Bindung an die Ordenszentrale zunehmend erschwert. Die bayerischen Klöster erhielten eine Ersatzstruktur von den Landesherren, denen das Machtvakuum im Orden durchaus gelegen kam; da sich die Klöster Mitte des 16. Jahrhunderts weitgehend mit den Herzögen arrangiert hatten, wurde das Fehlen von Generalkapiteln keinesfalls mehr als negativ empfunden. Dementsprechend unwillig zeigten sich die bayerischen Zisterzienseräbte, als sie im Jahr 1573 nach nahezu fünf Jahrzehnten wieder eine Ladung zum Generalkapitel erhielten[116]; zu den beiden vorhergehenden Kapiteln 1565 und 1567 waren sie offenbar nicht gerufen worden. Der Raitenhaslacher Abt Wolfgang Manhauser fragte vorsichtig nach den Verhandlungsgegenständen an, bezeichnete sich aber als zu alt, um nach Cîteaux zu reisen; zudem wollte er den Landesherrn informiert wissen, um nichts gegen dessen Genehmigung zu unternehmen[117]. Aus Fürstenfeld kam eine ähnlich lautende Absage; Abt Treuttwein konnte oder wollte aus »allerlei ungelegenheit« weder selbst reisen noch einen Konventualen entsenden[118]. Der Aldersbacher Prälat Mädauer teilte daraufhin seinen Amtsbrüdern mit, sie mögen sich von Herzog

---

114 Die »exhortatio« Edmunds de la Croix wurde 1593 ins Deutsche übersetzt und bei Martinus Boecklerus in Freiburg/Br. lat.-dt. gedruckt. In ihr drückt sich die theologische Bildung Edmunds aus, der seinen Hilferuf in der Weise der alttestamentlichen Prophetie formuliert und mit zahlreichen Zitaten untermauert; zugleich weitet er die Klage über den Zustand der Klöster auf die innere Verfassung aus und fordert neben der äußeren auch die innere Reform des gesamten Ordens. BHStAM. Aldersbach Archiv Schublade 105, fasc. 4.

115 Quittung Abt Leonhard Treuttweins mit der Bemerkung, zu diesem Zweck 100 fl nach Aldersbach weitergegeben zu haben, Fürstenfeld, 15. Mai 1594. BHStAM. Aldersbach Archiv Schublade 107, fasc. 4.

116 Generalabt Nicolaus I. Boucherat an die oberdeutschen und schweizerischen Äbte mit einer Einladung zum Generalkapitel 1573, Cîteaux, 1. Dezember 1572. BHStAM. Aldersbach Archiv Schublade 105, fasc. 10, prod. 1. – Abt Johann Sauer von Kaisheim an Abt Bartholomäus Mädauer von Aldersbach mit dem Auftrag der Weiterleitung des Schreibens prod. 1 an die bayerischen Prälaten, Kaisheim, 1. Februar 1573. BHStAM. Aldersbach Archiv Schublade 105, fasc. 10, prod. 2.

117 Abt Wolfgang Manhauser von Raitenhaslach an Abt Bartholomäus Mädauer von Aldersbach, Raitenhaslach, 25. Februar 1573. BHStAM. Aldersbach Archiv Schublade 105, fasc. 10, prod. 3.

118 Abt Leonhard Treuttwein an Abt Bartholomäus Mädauer von Aldersbach, Fürstenfeld, 15. Februar 1573. BHStAM. Aldersbach Archiv Schublade 105, fasc. 10, prod. 4.

Albrecht V. ein Entschuldigungsschreiben nach Kaisheim mitgeben lassen, das hoffentlich akzeptiert würde[119]. Auch Abt Mädauer selbst bat den Landesherrn um ein Entschuldigungsschreiben, da er mit über sechzig Jahren schon zu alt für eine solch beschwerliche Reise sei, und »Inbedennckhung d[a]s der gleichen ausschreiben ad capitulum generale in funffzigkh od vileicht noch mer Jaren nit beschehen ist«[120]. Tatsächlich entschuldigte Herzog Albrecht V. die bayerischen Prälaten beim Abt von Kaisheim, dem Mittelsmann nach Cîteaux, aufgrund ihrer Gebrechlichkeit von einer Reise nach Burgund[121]. Vermutlich sah auch der Landesherr den Sinn einer teuren und gefährlichen Reise zum Generalkapitel nicht recht ein, da erst im selben Jahr Generalabt Boucherat die bayerischen Klöster visitiert hatte und Albrecht V. die Einhaltung seiner Anweisungen befahl[122]; die fälligen Ordensreformen waren somit bereits auf den Weg gebracht. Zudem bestand bei einer Abwesenheit der bayerischen Prälaten keinerlei Gefahr, daß sie von dem Landesherrn nicht genehmen Reformideen beeinflußt werden könnten.

Wesentlich stärker war die bayerische Beteiligung auch bei den weiteren Generalkapiteln nicht. Für 1578 erhielt man zwar die Ladung nach Cîteaux[123], doch nur wenige Äbte reisten nach Burgund, aus Bayern keiner. Wenig Nutzen brachte die in scharfem Ton gehaltene Ermahnung Generalabt Boucherats, wenn 1584 wieder so wenige Äbte zum Kapitel erschienen, »ordinis nostri poenas et censuras maiores nostrorum procedemus«[124]. Die erste, ausführlicher festgehaltene Reise eines bayerischen Prälaten war die des Aldersbacher Abtes Johannes Dietmair 1601; in den oben erwähnten Berichten ließ er allerdings keinen Zweifel daran, daß er aus dem erlebten Generalkapitel mehr Verdruß als Nutzen zog und der Versammlung wenig Sinn beimaß. Als überaus zäh erwiesen sich die Verhandlungen über die Entsendungen zu den weiteren Generalkapiteln: 1605 stellte Abt Dietmair fest,

[119] Abt Bartholomäus Mädauer von Aldersbach an die Äbte in Fürstenfeld und Raitenhaslach, Aldersbach, 2. März 1573 (Konzept). BHStAM. Aldersbach Archiv Schublade 105, fasc. 10, prod. 5.

[120] Abt Bartholomäus Mädauer von Aldersbach an Albrecht V., Aldersbach, März 1573 (Kopie). BHStAM. Aldersbach Archiv Schublade 105, fasc. 10, prod. 9.

[121] Albrecht V. an Abt Wolfgang Manhauser von Raitenhaslach mit der Mitteilung, die Entschuldigung bereits vorgenommen zu haben, München, 13. März 1573. BHStAM. KBÄA 4096, fol. 156r. – Ähnliches Schreiben Albrechts V. an Abt Leonhard Treuttwein, undatiert. Ebd., fol. 156v.

[122] Albrecht V. an Abt Bartholomäus Mädauer von Aldersbach, 26. September 1573. BHStAM. Aldersbach Archiv Schublade 105, fasc. 10, prod. 11.

[123] Generalabt Nicolaus I. Boucherat an die oberdeutschen Äbte mit der Ladung zum Generalkapitel, Cîteaux, 12. Februar 1578. BHStAM. Aldersbach Archiv Schublade 105, fasc. 11, prod. 1. – Abt Ulrich Kölin von Kaisheim an Administrator Andreas Haydeker von Aldersbach mit der Weiterleitung von prod. 1, Kaisheim, 28. März 1578. BHStAM. Aldersbach Archiv Schublade 105, fasc. 11, prod. 2.

[124] Generalabt Nicolaus I. Boucherat an die Mitäbte des Ordens mit der Ladung zum Generalkapitel 1584, Paris, 10. November 1583. BHStAM. KL Fürstenfeld 334, fasc. 1, prod. 3.

daß wenigstens ein bayerischer Prälat reisen müsse, um dem neugewählten Generalabt Nicolaus II. Boucherat die Reverenz zu erweisen. Da die Äbte von Fürstenfeld und Gotteszell und er selbst wegen ihres Alters nicht reisen konnten, der Fürstenzeller Prälat gar verstorben war, bat er zunächst inständig Abt Perzel von Raitenhaslach um das Opfer der Reise, »der hatt sich aber dermassen entschuldiget, das ich ferner nit in ine dringen khan«[125]. Daraufhin entsandte man die Fratres Conrad Enckher aus Raitenhaslach und Sebastian Thoma aus Fürstenfeld und bat um ihre freundliche Aufnahme[126]. Zugunsten der Institution des Generalkapitels sprach sich zu Beginn des 17. Jahrhunderts überraschenderweise Herzog Maximilian aus; er befand, daß die Generalkapitel der Stärkung der klösterlichen Disziplin dienen würden, und wies den Aldersbacher Abt Michael Kirchberger an, im Namen seiner Mitäbte in der Provinz nach Cîteaux zu reisen[127]. Vermutlich trachtete Maximilian, der vom Generalkapitel inhaltlich nichts zu fürchten hatte, dabei vor allem nach Repräsentation des katholischen Bayern im Ausland. All diese Notizen über die Anberaumung und Entsendung zu Generalkapiteln zeugen von der Unbeliebtheit derartiger Äbteversammlungen bei den bayerischen Prälaten; die tatsächliche Reformpolitik wurde seit Mitte des 16. Jahrhunderts durch andere Organe betrieben: die Visitatoren des Ordens und der Landesherren. Die Beschlüsse der Generalkapitel stellten zwar ein gutgemeintes Programm zu den Ordensreformen dar[128], das jedoch ohne entsprechende Nachdrücklichkeit seitens der Visitatoren keinen Erfolg verbuchen konnte. So zeichnete sich bereits in der zweiten Hälfte des 16. Jahrhunderts, nach der Wiederaufnahme der Generalkapitel, klar ab, daß eine neue Struktur des Ordens geschaffen werden mußte, um die anstehenden Probleme lösen zu können. Freilich verging bis zur Einrichtung der Oberdeutschen Zisterzienserkongregation 1624 noch ein halbes Jahrhundert voller ordensinterner Kämpfe.

[125] Abt Johannes Dietmair von Aldersbach an Abt Philipp Perzel von Raitenhaslach, Aldersbach, 21. Januar 1605 (Konzept). BHStAM. Aldersbach Archiv Schublade 105, fasc. 16, prod. 5.

[126] Beglaubigungsschreiben Abt Johannes Dietmairs von Aldersbach, Aldersbach, 17. März 1605. BHStAM. Aldersbach Archiv Schublade 105, fasc. 16, prod. 7. – Abt Johannes Dietmair von Aldersbach an Abt Petrus Müller von Salem mit der Bitte, die beiden Mönche freundlich aufzunehmen und in der eigenen Gruppe mitreisen zu lassen, Aldersbach, 4. Februar 1605 (Konzept). BHStAM. Aldersbach Archiv Schublade 105, fasc. 16, prod. 6.

[127] Maximilian an Abt Michael Kirchberger von Aldersbach, 1. März 1613. BHStAM. Aldersbach Archiv Schublade 105, fasc. 18, prod. 10. – Generalabt Nicolaus II. Boucherat an Abt Michael Kirchberger von Aldersbach mit der Ladung zum Generalkapitel, Cîteaux, 2. November 1612. BHStAM. Aldersbach Archiv Schublade 105, fasc. 18, prod. 3 (unter dem 11. Januar 1613 nach Fürstenfeld gesandte Kopie). BHStAM. KL Fürstenfeld 334, fasc. 1, prod. 9.

[128] Ausführlich berichtet Eicheler, Kongregationen 321, 324–334, von den Reformanstrengungen der Generalkapitel.

2.2.2.2 Das Filiationssystem und seine Schwächen

Auch das hierarchische Prinzip der Ordensstruktur, das Filiationssystem, war in eine Krise geraten; zur Zeit seiner Entstehung war es ein höchst modernes Instrumentarium zur Aufsicht über neugegründete Klöster, die so trotz aller Selbständigkeit weiter in einer gewissen Abhängigkeit verblieben. Voraussetzungen zur reibungslosen Funktion dieses Systems waren einerseits ein solides Mutterkloster mit einem tüchtigen Abt an der Spitze, der seine Filiationen gemäß den Regeln des Ordens visitierte, und andererseits ein staatsrechtlicher Raum, der den Äbten der einzelnen Filiationen einen ungehinderten Reiseverkehr ermöglichte; zudem durften Mutterkloster und Filiation nicht zu weit voneinander entfernt liegen, da eine regelmäßige und häufige Visitation sonst nicht mehr möglich war.

2.2.2.2.1 Die wachsenden Entfernungen zwischen den Klöstern

Alle diese Voraussetzungen waren bei Gründung des Ordens und in seinen ersten Jahrzehnten gegeben: Die Klöster lagen verhältnismäßig nahe zusammen in einem geeinten Herrschaftsraum, die geistig-kulturelle Einheit des Ordens war ungebrochen. Mit der rasanten Ausbreitung des Ordens über ganz Europa hinweg nahmen naturgemäß die diesbezüglichen Schwierigkeiten zu: Die Klöster wurden nicht nur in Frankreich, sondern auch im Reich, in Spanien und Italien, auf den Britischen Inseln und im mittleren Osten gegründet. Die Primarabtei Morimond etwa begründete Filiationen im fränkischen Ebrach (1127), im österreichischen Heiligenkreuz (1135), im polnischen Andrejow (1149) oder im syrischen Belmont (1157), welches drei Tochterklöster auf Zypern besiedelte[129]. Unter Berücksichtigung der entstehenden Reisewege war es für einen Vaterabt teilweise schier unmöglich, den Ordensvorschriften bezüglich der jährlichen Visitation nachzukommen. Zusätzlich erschwerten in dichter mit Zisterzienserklöstern besiedelten Gegenden unterschiedliche Filiationsabhängigkeiten rationelle Visitationen. Anstatt durch einen einzigen Abt die Klöster einer Region visitieren zu können, waren die jeweiligen Vateräbte und damit mehrere Äbte mit der gleichen Aufgabe beschäftigt. Während Fürstenfeld, Gotteszell und Fürstenzell von Aldersbach aus visitiert werden konnten, war für Raitenhaslach eigentlich der Abt von Salem als »Pater immediatus« zuständig. Tatsächlich aber ist der Salemer Abt während der gesamten Reformationszeit nur zweimal in Raitenhaslach nachweisbar, 1505 und 1506; die Visitationen geschahen ansonsten von Aldersbach aus, 1526 visitierte Fürstenfelds Abt Menhart an der Salzach[130].

---

[129] Die Filiation Morimond ist in Pfister, Zisterzienserklöster 36–39 ausführlich dargestellt.
[130] Vgl. Krausen, Raitenhaslach 76–77.

2.2.2.2.2   Zunehmende staatliche Widerstände gegen ausländische Visitatoren

Zu einem immer größeren Problem für filiationsabhängige Visitationen wurden die in der Neuzeit erstarkenden Territorialstaaten und ihre Widerstände gegen das Auftreten »ausländischer« Visitatoren. So wurden schon im 15. Jahrhundert für Raitenhaslach von den Wittelsbacher Herzögen die Aldersbacher Äbte als Visitatoren aufgestellt, die auch die fälligen Abtwahlen leiteten, wobei in den Wahlinstrumenten immer die Delegation durch den Salemer Abt betont wurde[131]. Da nun in allen herzoglich bayerischen Klöstern der Aldersbacher Abt visitierte, ergaben sich Schwierigkeiten erst, als Generalabt Nicolaus I. Boucherat auf seiner Visitationsreise 1573 auch die bayerischen Klöster besuchen und reformieren wollte. Zunächst mußte der Verdacht Herzog Albrechts V. zerstreut werden, Generalabt Boucherat wolle finanzielle Forderungen stellen; erst danach erteilte er seine Genehmigung zur Visitation[132], unterstützte diese und wies die Klöster an, dessen Anweisungen einzuhalten[133]. Nachdem der Generalabt das Kloster Fürstenfeld verlassen hatte, schickte Abt Treuttwein einen Bericht an Herzog Albrecht V. und berichtete über den Verlauf der Visitation; der Abt unterstrich besonders, daß der Generalabt weder Geld noch Kontributionen verlangt oder mit sich genommen hatte, auch als Gastgeschenk habe er nur ein »eingemachtes pacem« erhalten, »so nit viel werth«[134]. Vermutlich mußten auch nach den folgenden Visitationen durch auswärtige Äbte, 1581, dem Versuch 1589 durch Abt Edmund de la Croix und 1608 durch Abt Johann Martin von Char-lieu, Berichte an den Landesherrn gesandt werden, die aber nicht mehr erhalten sind; eine herzogliche Genehmigung Wilhelms V. ist zur schließlich nicht durchgeführten Visitation 1589 überliefert[135]. Weniger kooperativ als die bayerischen zeigten sich andere Landesherren, etwa die österreichischen. Ein kaiserliches Schreiben aus Prag vom 8. August 1595 schränkte die Visitationstätigkeit des Generalabts de la Croix dahingehend ein, daß Visitationen nur in Begleitung landesherrlicher Kommissäre stattfinden und Neueinsetzungen von Äbten nur mit kaiserlicher Genehmigung vorgenommen werden dürften. Als der Generalabt dennoch ohne Begleitung durch den österreichischen Klosterrat seine Klöster visitierte, reagierten die

---

[131] Vgl. ebd. 83–85.

[132] Vgl. Krausen, Raitenhaslach 81.

[133] Albrecht V. an Abt Leonhard Treuttwein mit der Mahnung, Generalabt Boucherats Weisungen einzuhalten und nach seiner Abreise einen Bericht zu senden, vor allem darüber, ob der Generalabt Geldforderungen gestellt habe, München, 26. September 1573. BHStAM. KL Fürstenfeld 330, prod. 1.

[134] Abt Leonhard Treuttwein an Albrecht V., Fürstenfeld, 2. Oktober 1573 (Konzept). BHStAM. KL Fürstenfeld 330, prod. 2.

[135] Vgl. Pfister, Generalabt 456; Krausen, Visitatoren 439.

österreichischen Behörden mit einem Verbot an die Äbte, das Fürstenfelder Provinzialkapitel 1595 zu besuchen[136]. An filiationsgebundene Visitationen – Rein (Steiermark) hätte von Ebrach aus, Heiligenkreuz gar von Morimond visitiert werden müssen – war ohnehin kaum noch zu denken.

Eine weitere, nicht unbegründete Gefahr war die der eigenmächtigen Säkularisation vermeintlich, vorgeblich oder tatsächlich gesunkener Klöster durch die Landesherren. Unter protestantischen Herrschern war die Säkularisation und Umwandlung von Klöstern ohnehin die Regel[137], aber auch katholische Fürsten scheuten nicht vor Klosteraufhebungen zurück: Die bayerischen Herzöge Wilhelm V. und Maximilian lösten die reformunwilligen Klöster Biburg, Ebersberg und Münchsmünster auf und schlugen ihre Güter den Jesuitenkollegien zu[138]; das 1532 verlassene österreichische Kloster Pornó wurde später dem Jesuitenorden übergeben[139], das Wiener Zisterzienserinnenkloster St. Nicolas am Stubentor ging 1540 in das Eigentum der Stadt über[140]. Über diese Vorgänge waren die Klöster informiert, und sie dürften diese Entwicklungen nicht ohne Sorge auch für die eigenen Konvente beobachtet haben.

2.2.2.2.3 Innere Zusammenbrüche von Filiationen

Wenngleich sie für den bayerischen Raum ohne Bedeutung war, so ließ doch eine dritte Ursache das Filiationsprinzip während der Reformationszeit weiter an Gewicht verlieren: der innere Zusammenbruch von Filiationen aufgrund der Unfähigkeit von Vateräbten oder des miserablen Zustands einer Mutterabtei, sowie die Aufhebung von Klöstern während der Reformationszeit[141]. Da die Mutterabtei gemäß den Ordensvorschriften für die Funktion des Filiationssystems unabdingbare Voraussetzung war, konnte deren Ausfall den Niedergang einer ganzen »linea« bedeuten. So reagierte der Orden bereits im 13. und 14. Jahrhundert auf derartige Probleme mit der Ernennung von filiationsunabhängigen Regionalvisitatoren[142]; auch der Generalabt

---

[136] Vgl. Lobendanz, Reformstatuten 540.

[137] Die württembergischen Klöster Bebenhausen, Herrenalb, Maulbronn und Königsbronn wurden unter den Herzögen Ulrich und Christoph protestantische Klosterschulen; zu den Kämpfen um die Aufhebung des Klosters Bebenhausen: Sydow, Bebenhausen 61–69. – Zur Klosteraufhebung in der Reformationszeit: Ziegler, Klosterauflösung 585–614.

[138] Vgl. HBG II 644.

[139] Vgl. Pfister, Zisterzienserklöster 536.

[140] Vgl. ebd. 548.

[141] Vgl. Seibrich, Reform 222.

[142] Vgl. Rösener, Salem 695; Seibrich, Reform 223. – Der Visitator Stephen Lexington löste bereits 1228 die irische Filiation Mellifont auf und unterstellte deren 15 Klöster anderen Linien; aufgrund der Proteste wurde die Mellifonter Filiation allerdings 1274 wiedererrichtet. Dazu: Richter, Irland 160; Bruno Griesser, Registrum Epistolarum Stephani de Lexington, in: AC 2 (1946) 1–118.

erhielt bereits im 14. Jahrhundert vom Generalkapitel eine delegierbare Visitationsvollmacht über alle Zisterzienserklöster[143], wobei er darüber mit den Primaräbten in heftigen Streit geriet, da diese ihre Filiationsrechte beschnitten sahen[144]. Notwendig waren diese Regelungen für etliche südeuropäische, etwa in den italienischen Staaten gelegene Klöster: Aufgrund des Kommendewesens waren die meisten dortigen Abteien in der Hand von weltlichen Kommandataräbten, die sich im seltensten Fall für den Zustand ihrer Konvente interessierten; dementsprechend miserabel waren personelle und finanzielle Ausstattung der meisten Klöster, ebenso die Beobachtung der Regel. Vierunddreißig Klöster im Kirchenstaat sowie in den Reichen Neapel und Sizilien waren deshalb fast völlig ruiniert. Um diese gravierenden Mißstände zu beheben, fanden auf Anregung der Generaläbte mehrere Visitationen statt: 1561 im Kirchenstaat, in Neapel und Sizilien, 1564 und 1579 in den Klöstern der Lombardei und der Toskana[145]. Bereits vor Beginn des Tridentinums suchte Generalabt Johannes X. Loysier (1540–1559) beim Papst um eine Aufhebung des Kommendeunwesens nach, drang aber damit nicht durch[146]. Diese Eingriffe in die Filiationsstruktur durch den Generalabt waren notwendig und für viele italienische Klöster vermutlich lebensrettend; die eigenen Filiationen wären aufgrund des – oft unverschuldeten – desaströsen Zustandes der Mutterklöster dazu nicht mehr in der Lage gewesen.

Vor diesen Verhältnissen blieben die bayerischen Klöster verschont; einerseits war keine Mutterabtei eines bayerischen Klosters so weit zerrüttet, daß sie ihre Aufgaben dauerhaft hätte nicht mehr wahrnehmen können, andererseits besaß das Filiationssystem aufgrund des landesherrlichen Kirchenregiments ohnehin nur noch so wenig Bedeutung, daß der Ausfall eines Mutterklosters durch herzogliche Anweisung eines Visitators aus einem anderen Kloster hätte kompensiert werden können. Dennoch wurden auch für Deutschland filiationsunabhängige Visitationsvollmachten erteilt: Abt Harder von Fürstenfeld erhielt 1521 den Auftrag zur Visitation der Klöster Fürstenzell, Gotteszell, Raitenhaslach, Walderbach, Waldsassen, Aldersbach, Stams und Fürstenfeld[147]. 1601 stattete das Generalkapitel den Primarabt Claude Masson von Clairvaux mit der Visitationsvollmacht für alle Klöster in Deutschland aus[148], nachdem bereits 1595 der Abt von Salem durch den Generalabt de la Croix zum Generalvisitator für achtzehn oberdeutsche Klöster ernannt worden war[149].

---

[143] Vgl. Lobendanz, Zisterzienserkongregation 83.
[144] Vgl. Rösener, Salem 695–696.
[147] Generalabt Wilhelm VI. an Abt Caspar Harder, Cîteaux, 31. August 1521. BHStAM. KU Fürstenfeld 1608.
[148] Abschied des Generalkapitels, 1601 (Kopie). BHStAM. Aldersbach Archiv Schublade 105, fasc. 15, prod. 2. – Vgl. Rösener, Salem 695; Lobendanz, Zisterzienserkongregation 83.
[149] Vgl. Lobendanz, Reformstatuten 548; Rösener, Salem 696.

[145] Vgl. Postina, Italien 193–196.
[146] Vgl. Kurent, Konzil 462–463.

2.2.3 Kirchliche Reformeinflüsse seit dem Tridentinum

2.2.3.1 Die Reformbeschlüsse des Konzils von Trient

Vor der Darstellung der Strukturreform im Zisterzienserorden müssen die Einflüsse seit dem Konzil von Trient betrachtet werden, da sie an den Reformen ihren je eigenen Anteil haben. So sehr die Beschlüsse des Konzils von Trient zunächst den Charakter eines Programms hatten[150] und ihre Durchsetzung teilweise lange Zeit in Anspruch nahm, so lassen sich doch schon bald erste Auswirkungen auch auf den Zisterzienserorden feststellen, wenngleich dieser nicht von allen Erneuerungsregelungen betroffen war; die Forderungen nach einer Verstärkung der »vita communis« und den damit verbundenen Umstellungen trafen eher die Klöster des Benediktiner- als des Zisterzienserordens[151]. Die Konzilsbeschlüsse hatten alle Klöster, die weder Generalkapiteln noch Bischöfen unterstanden, zu einem Zusammenschluß zu Kongregationen binnen eines Jahres und regelmäßigen Treffen im dreijährigen Turnus verpflichtet[152]. Zwar waren die Zisterzienserklöster dieser Regelung nicht unterworfen, da sie dem eigenen Generalkapitel unterstanden, dennoch konnte bei ihnen ähnlich wie bei anderen Orden eine hohe Bereitschaft zu regionalen Zusammenschlüssen festgestellt werden, schon alleine um der drohenden Gefahr einer Aufhebung oder Umwidmung seitens der Landesherren zu entgehen; dazu kam ein allgemeiner Reformdruck auch im Zisterzienserorden, der die Bildung von Kongregationen als geeignetes Mittel zur Klosterreform ansah[153], wenngleich die Kongregationsidee in der Ordensverfassung nicht ausdrücklich enthalten war[154].

---

[150] Zu Beginn des Konzils waren die Erwartungen auch im Zisterzienserorden noch ganz andere; Abt Mayr aus Aldersbach schrieb in seinen Annales Cap. LXVII dazu: »Faxit deus optimus maximus, vt discordia, quae de religione christiana controvertitur, quandoque eliminetur. Mihi spes non est, vt concilium hoc legitime coeat«. In: Hartig, Annales 83.

[151] Besonders Conc. Trid. Sess. XXV, De regularibus et monialibus I II, in: COD 776–777. – Dazu Maier, Reformation 273.

[152] Conc. Trid. Sess. XXV, De regularibus et monialibus VIII: »Monasteria omnia, quae generalibus capitulis aut episcopis non subsunt, nec suos habent ordinarios regulares visitatores, sed sub immediata sedis apostolicae protectione ac directione regi consueverunt: teneantur, infra annum a fine praesentis concilii et deinde quolibet triennio sese in congregationes redigere...«, in: COD 779. – Besonders die Benediktiner waren davon betroffen; vgl. Reinhardt, Weingarten 192–214; Maier, Reformation 275–277.

[153] Vgl. Lobendanz, Reformstatuten 518.

[154] Vgl. Eicheler, Kongregationen 202.

2.2.3.2   Reformanstöße von den Generaläbten des Ordens

Das Reformprogramm von Trient wurde relativ rasch von den Generaläbten des Ordens aufgegriffen, von denen fünf als geladene Teilnehmer oder deren Sekretäre das Konzil besucht hatten: Johannes X. Loysier (1540–1559), Ludwig de Baisey (1560–1564), Hieronymus Souchier (1565–1571), Nicolaus I. Boucherat (1572–1584) nahmen am Konzil teil, Edmund de la Croix (1584 bis 1604) fungierte als Sekretär Souchiers[155]. Zwar wohnten von 1548 bis 1562 keine Generaläbte den Verhandlungen bei, danach aber engagierten sich de Baisey und Souchier nachhaltig und einflußreich in den Beratungen über den Primat des Papstes und das Weihesakrament[156]. Auf diese Weise wurden die Äbte von Cîteaux zu Promotoren der katholischen Erneuerung in ihrem Orden und begannen schon bald mit der Durchführung des Reformprogramms auf ausgedehnten Visitationsreisen.

Schon 1561, zu Beginn der Dritten Tagungsperiode von Trient, visitierte Abt Nicolaus I. Boucherat im Auftrag Papst Pius' IV. (1559–1565) die Klöster im Kirchenstaat, in Neapel und Sizilien[157]. Auf dem Generalkapitel 1565 wurde beschlossen, sämtliche Ordenshäuser beiderlei Geschlechts durch Kommissare des Generalkapitels visitieren zu lassen[158], was in den folgenden Jahren umgesetzt wurde: 1572 bis 1574 unternahm Generalabt Boucherat lange Visitationsreisen, von denen überaus wertvolle Berichte erhalten sind[159], durch die verbliebenen deutschsprachigen Klöster, darunter auch die bayerischen Zisterzen[160]. 1579 reiste der Abt von Morimond durch die Abteien der Toskana und der Lombardei[161], Generalabt Boucherat besuchte die böhmischen, Abt de la Croix die polnischen, schlesischen und mährischen Klöster und hielt 1580 im polnischen Wągrovice ein Provinzialkapitel ab[162], dessen Beschlüsse zum Vorbild für die Fürstenfelder Reformstatuten werden sollten. Auch als Generalabt, seit 1584, visitierte Edmund de la Croix unermüdlich seine Ordenshäuser, wobei er, wie im Fall Österreichs gesehen, den Konflikt mit den Landesherren nicht scheute. Trotz dieser umfassenden Visitationsfakultäten für die Generaläbte wurde die Ordensverfassung dennoch nicht geändert[163]. Als äußerst hinderlich erwies sich für diese Reformbemü-

---

[155] Vgl. Lobendanz, Reformstatuten 520, Anm. 7; Kurent, Konzil 461–472. – Dazu: Polykarp Zakar, Generaläbte der Zisterzienser auf dem Konzil von Trient. Zur Vorgeschichte der Fürstenfelder Äbteversammlung von 1595, in: Nehlsen/Wollenberg, Zentralisierung 89–112.

[156] Vgl. Kurent, Konzil 465–471.

[157] Vgl. Postina, Italien 194. – Lekai/Schneider, Weiße Mönche 105, benennen als Auftraggeber irrtümlicherweise Pius V., der aber erst 1566 zum Papst gewählt wurde.

[158] Vgl. Postina, Deutschland 225.

[159] Abgedruckt in: ebd. 228–237, 257–265. Dazu: Wellstein, Marienstatt 97–100.

[160] Siehe dazu Anhang 4.3: Visitationsbericht.

[161] Postina, Italien 195; Lekai/Schneider, Weiße Mönche 106.

[162] Vgl. Lobendanz, Reformstatuten 520.

[163] Vgl. Lobendanz, Zisterzienserkongregation 86.

hungen die Beschädigung des Klosters Cîteaux durch plündernde Hugenotten im Jahr 1589, die die Abhaltung von Generalkapiteln verhinderte.

An seine Grenzen stieß der Reformeifer der Generaläbte häufig durch Kompetenzstreitigkeiten mit den vier Primaräbten, die ihre angestammten Rechte durch die regionalen Visitationen beschnitten sahen und sich bis hin zur Bildung der Oberdeutschen Kongregation 1623 den Neuerungen der Ordensstrukturen widersetzten[164]; es galt also nicht nur äußere, sondern auch ebenso starke innere Schwierigkeiten zu überwinden. Tatsächlich bedeuteten die in Angriff genommenen Reformen einen Machtzuwachs zugunsten des Generalabtes und auf Kosten der Primaräbte; entsprechend der Verfassung der Mendikantenorden und der tridentinischen Reformorden tendierte auch die Verfassungsreform der Zisterzienser hin zu einer monistischen Leitungsstruktur, in der die Rolle der Primaräbte deutlich geringer bewertet wurde. Weiteren Zündstoff bargen die päpstlichen Breven zur Ordenserneuerung; diese waren in ihrer Rechtsdiktion oft nur ungenau umrissen und konnten so die Klöster des Ordens vermuten lassen, daß ihr Generalabt die Funktion eines Generals nach dem Vorbild zentralistischer Orden innehatte. Somit wurde der Machtzuwachs der Generaläbte durch die Päpste zumindest stillschweigend mitgetragen[165], teilweise auch offen gefördert[166].

2.2.3.3 Die Rolle der Reformpäpste

Die Reformideen der Generaläbte wurden seit dem Konzil von Trient maßgeblich durch Schreiben der Päpste unterstützt, in denen diese die Generaläbte zu Visitationen und Reformtätigkeit anspornten. Gregor XIII. erließ ein Breve und eine Bulle zur Zisterzienserreform; Clemens VIII. ernannte im Breve »Cum divinae maiestatis iram« vom 2. Oktober 1592 Generalabt Edmund de la Croix zum Apostolischen Visitator und forderte ihn zu Visitationen in Frankreich und Italien auf[167]. Vom 30. April 1593 datiert ein fast wortgleiches Breve, das die Visitationen auf den deutschsprachigen Raum ausdehnen sollte[168]; in einem weiteren Breve vom 24. Mai 1593 mahnte Clemens VIII. zur Abhaltung von Provinzialkapiteln[169]. Der Ordenshistoriker Gabriel

---

[164] Vgl. Rösener, Salem 695, 709.

[165] Vgl. Lobendanz, Reformstatuten 523–524.

[166] Vgl. Lobendanz, Zisterzienserkongregation 86.

[167] Eine Abschrift dieses Breves, ergänzt durch ein Schreiben Generalabt Edmunds de la Croix mit der Mahnung, dessen Inhalte zu beachten, gelangte auch nach Fürstenfeld; datiert ist diese Abschrift allerdings vom 24. Oktober 1592. BHStAM. KL Fürstenfeld 334, fasc. 1, prod. 4. – Vgl. Lobendanz, Zisterzienserkongregation 93.

[168] Gedruckt in: Lobendanz, Zisterzienserkongregation 204–206.

[169] Eine ausführlichere Darstellung dieser päpstlichen Erlasse bringt Lobendanz, Reformstatuten 521–524.

Lobendanz erkennt dieses päpstliche Insistieren auf Visitationen und Abhaltung von Provinzialkapiteln als eine der Hauptursachen der nachkonziliaren Erneuerungsbewegung des Zisterzienserordens und schreibt den Päpsten »die Funktion eines spirituellen Weckers im Dornröschenschlaf erstarrter Strukturen« zu[170].

Mit einiger Sicherheit bildeten Papst Clemens VIII. und Generalabt Edmund de la Croix die entscheidende Achse der Ordensreform, wobei beide Seiten erheblich voneinander profitierten. Der vom Reformgedanken durchdrungene Clemens VIII. erkannte in de la Croix einen französischen Verbündeten für die katholische Sache gegen das zum Hugenottentum hinneigende französische Königshaus[171] und einen Mitstreiter für die Durchführung der tridentinischen Erneuerung, der noch selbst Zeuge des Konzils war; Generalabt de la Croix konnte sich von den päpstlichen Unterstützungen einerseits eine autoritative Sicherung seiner Position gegen die Primaräbte, andererseits finanzielle Hilfeleistungen zum Wiederaufbau des zerstörten Cîteaux versprechen. Die Rolle der Nuntien als Vertreter des Papstes im Zusammenhang dieser Entwicklungen zu untersuchen, würde zu weit führen; bezogen auf Fürstenfeld war ihr direkter Einfluß relativ gering: zwar besuchte der Nuntius Portia das Amperkloster auf der Durchreise gelegentlich[172], Dokumente über seine Wirkung auf Abt Treuttwein und das Leben im Kloster sind aber nicht überliefert.

2.2.4   Der Aufbau neuer Ordensstrukturen – Vom Salemer Provinzialkapitel 1593 bis zur Bildung der Oberdeutschen Kongregation 1624

Im Verlauf der geschilderten Entwicklungen verdichtete sich immer mehr die Erkenntnis der Notwendigkeit regionaler Zusammenschlüsse der Ordenshäuser in Kongregationen[173]; erste derartige Verbindungen entstanden im 15. Jahrhundert auf der iberischen Halbinsel mit der kastilischen Kongregation, die ordensrechtlich lange umstritten war, und der portugiesischen Kongregation von 1567 – beide lösten sich aber im 17. Jahrhundert vom Zisterzienserorden, zu einer Zeit, da die meisten anderen Kongregationen

---

[170] Lobendanz, Reformstatuten 523.

[171] Vgl. Erwin Iserloh, Europa im Zeichen des Pluralismus der Konfessionen, in: HKG IV 313 bis 448, hier 411–413.

[172] Einträge im Tagebuch Treuttweins, unter 27./ 28. März, 2./ 3. April 1593. BStB. Cgm 1771, foll. 163–164. – Zu den Nuntien: Karl Schellhass, Der Dominikaner Felician Ninguarda und die Gegenreformation in Süddeutschland und Österreich 1560–1583, Rom 1930/1939; Hausberger, Träger 116–117.

[173] Zum Begriff der Kongregation, seiner Entwicklung und rechtlichen Beschreibung ausführlich: Eicheler, Kongregationen 64–91.

entstanden[174]. Dabei ging die Abhaltung von Provinzialkapiteln, die als Wegmarken gelten können[175], der Errichtung von Kongregationen voraus. Für den süddeutschen Raum gelten diese Vorgänge als wissenschaftlich aufgearbeitet, so daß die vorliegenden Ergebnisse – wo möglich – im Hinblick auf Fürstenfeld präzisiert werden können. Auch in benachbarten Regionen wurden Provinzialkapitel mit dem Ziel abgehalten, den Orden zu erneuern und zu stärken: 1580 im Zusammenhang mit der Gründung der polnischen Ordensprovinz in Wągrovice[176], 1616 mit der neuen Provinzorganisation der böhmischen Klöster[177]; die fränkischen Zisterzen wurden zu den Treffen der oberdeutschen Äbte geladen[178].

2.2.4.1 Das Salemer Provinzialkapitel 1593 als Wegmarke

Der erste bedeutende Schritt zur Bildung der Oberdeutschen Kongregation, wenn auch noch ohne Absicht zu ihrer Errichtung, war das Provinzialkapitel, das am 15. November 1593 in Salem begann; Ansporn dazu war vermutlich das bereits genannte Breve Papst Clemens' VIII. vom 24. Mai 1593, in dem dieser unter anderem zur Abhaltung von Provinzialkapiteln aufrief[179]. Kurz darauf lud Generalabt Edmund de la Croix zu einem »Capitulum Provinciale« nach Salem ein, da wegen der Kriegswirren in Frankreich kein Generalkapitel abgehalten werden konnte, und Provinzialkapitel sich bereits andernorts gut bewährt hatten[180]; man entschied sich für Salem als Tagungsort, weil das Kloster den größten Konvent und einen ausgezeichneten monastischen Ruf hatte[181].

Mangels erhaltener Quellen bleiben die meisten Einzelheiten dieses Äbtetreffens im Dunkeln. Die Ursache dafür, daß Generalabt de la Croix, der das

---

[174] Vgl. Eicheler, Kongregationen 56–60; Elm, Reformen 81.

[175] Erstmals wurden 1356 Provinzkapitel als Möglichkeit erwähnt, ohne daß damit eine strukturelle Neuorientierung der Ordensverfassung angestrebt worden wäre; vgl. Seibrich, Reformen 222.

[176] Dazu: Krzysztof Kaczmarek, Die Entstehung und Organisation der polnischen Zisterzienserprovinz im Lichte der »Statuten« aus dem Jahr 1580, in: Nehlsen/Wollenberg, Zentralisierung 139–154.

[177] Dazu: Franz Machilek, Die Zisterzienser in Böhmen und Mähren in den konfessionellen Auseinandersetzungen des 15. bis 17. Jahrhunderts, mit besonderer Berücksichtigung der Zeit des Umbruchs um 1600, in: Nehlsen/Wollenberg, Zentralisierung 113–138.

[178] Dazu: Leonhard Scherg, Die Erneuerung des Zisterzienserordens in Franken (1573–1601), in: Nehlsen/Wollenberg, Zentralisierung 243–336.

[179] Vgl. Lobendanz, Reformstatuten 522.

[180] Das Ladungsschreiben vom 25. Juli 1593 gedruckt in: Lobendanz, Zisterzienserkongregation 207–210.

[181] Damit entschied man sich gegen Kaisheim, wo de la Croix wegen der benachbarten protestantischen Reichsstadt Donauwörth keinen ruhigen Versammlungsverlauf erwartete. Vgl. Rösener, Salem 701–702.

Kapitel einberufen hatte, an ihm selbst nicht teilnahm, ist ebenso unbekannt
wie die genaue Teilnehmerliste des Treffens. Aus dem Tagebuch Abt Leonhard Treuttweins erhellt sich die Frage zumindest bezüglich der bayerischen
Äbte ein wenig: Am 9. November 1593 trafen in Fürstenfeld die Äbte Johannes Dietmair von Aldersbach, Matthias Stoßberger von Raitenhaslach und
Willibald Schißler von Fürstenzell ein, um nach Salem weiterzureisen[182].
Zwei Tage später notierte Abt Treuttwein: »die hern umb urn auffi Salmans-
weil gefarn, der vo Fürstenzell haim gefarn«[183]. Abt Schißler von Fürstenzell
reiste also nach einer Kontaktaufnahme in Fürstenfeld nicht mit nach Salem,
sondern zurück nach Hause; Administrator Achatius Einspeckh aus Gotteszell kam ebenfalls mit Sicherheit nicht nach Salem, weil er sonst die Gelegenheit zu einem Besuch in Fürstenfeld genutzt hätte; seine Anwesenheit
erwähnte Abt Treuttwein nicht. Entgegen aller bisheriger Vermutung blieb
aber auch der Fürstenfelder Prälat zuhause. Obwohl er zum dritten Provin-
zialassistenten ernannt wurde[184], war er nicht in Salem anwesend, denn er
führte seine Tagebuchaufzeichnungen ohne einen einzigen Hinweis auf
eine Reise an den Bodensee weiter; statt dessen findet sich der Wetterbericht
aus Fürstenfeld wie üblich. Als seinen Vertreter entsandte Abt Treuttwein
den Inchenhofener Kaplan Fr. Johann Puel, da »Corporis infirmitas penes
quam mihi continuo negotium cum medicis est a proposito itineris me retar-
daret«[185]. Bestätigt wird der schwache Besuch des Salemer Provinzialkapitels durch einen Brief des Generalabts Edmund de la Croix an Abt Dietmair;
darin beschwert sich der Generalabt, daß außer dem Aldersbacher und dem
Raitenhaslacher Prälaten kein bayerischer Abt gekommen sei, obwohl keine
Dispensen vorgelegen hätten[186]. Ursprünglich hatte nicht einmal Abt Dietmair am Provinzialkapitel teilnehmen wollen, denn es liegt ein von ihm an
den Generalabt adressiertes aber offensichtlich nicht abgeschicktes Schreiben vor. In ihm entschuldigt sich der Aldersbacher Abt, nicht am Kapitel teilnehmen zu können, da Herzog Wilhelm V. die bayerischen Äbte zur gleichen
Zeit nach Landshut geladen habe; als Vertreter wolle er den ihm vertrauten
Spiritual des Klosters Seligenthal schicken[187]. Anstatt zum geplanten Äbtetreffen fuhr Abt Dietmair schließlich doch nach Salem.
Die in Salem versammelten Äbte trafen schließlich folgende Entscheidun-

---

182 Eintrag im Tagebuch Treuttweins, unter dem 9. November 1593. BStB. Cgm 1771, fol. 178v.
183 Eintrag im Tagebuch Treuttweins, unter dem 11. November 1593. BStB. Cgm 1771,
     fol. 178v.
184 Vgl. Lobendanz, Reformstatuten 530; ders., Zisterzienserkongregation 96.
185 Beglaubigungsschreiben Abt Leonhard Treuttweins für Fr. Johann Puel, Fürstenfeld,
     9. November 1593. BHStA. KL Fürstenfeld 334, fasc. 1, prod. 5.
186 Generalabt Edmund de la Croix an Abt Johannes Dietmair von Aldersbach, 4. Februar 1594.
     BHStAM. Aldersbach Registratur Schublade 161, fasc. 10, prod. 5.
187 Abt Johannes Dietmair an Generalabt Edmund de la Croix, 6. November 1593. BHStAM.
     Aldersbach Registratur Schublade 161, fasc. 10, prod. 5.

gen: Abt Christian Fürst von Salem wurde einstimmig zum »Abbas Provincialis« gewählt und erhielt das Gehorsamsversprechen der anwesenden Äbte. Seine Aufgabe war die Visitation der Klöster seiner Provinz, die im wesentlichen den süddeutschen Raum mit Ausnahme Österreichs umfaßte. Zu seiner Unterstützung wurden vier Assistenten ernannt, darunter die Äbte von Fürstenfeld und Aldersbach, die als Prokuratoren dem »Abbas Provincialis« Mängel melden sollten. Schließlich wurde die Einrichtung eines Religiosenseminares in Salem beschlossen[188]. Weitgehend offen bleibt allerdings die Frage nach der Rezeption dieser Beschlüsse: Da möglicherweise ganze Regionen nicht vertreten waren – die Beteiligung schweizerischer, elsässischer und fränkischer Äbte außer dem Prälaten von Ebrach ist nicht nachgewiesen –, kann schwer nachvollzogen werden, welche Äbte sich an die Beschlüsse gebunden fühlten, welche auf ihre Rechte als »Patres immediati« verzichten wollten und welche nicht. Auch über die Grundsätze der zu leistenden Visitationen kann mangels Quellen nichts Endgültiges mehr festgestellt werden, so daß sich die Wirkung dieses Kapitels in engen Grenzen hielt. In die gleiche Richtung weist die Tatsache, daß die Fürstenfelder Archivalien keine Abschrift der Kapitelsbeschlüsse oder Stellungnahmen dazu enthalten; möglicherweise erreichten die Beschlüsse niemals die Amper. Abt Nikolaus Bachmann von Stams etwa hatte um eine Abschrift gebeten, mußte aber von seinem Kaisheimer Amtsbruder enttäuscht werden, da nicht einmal dieser im Besitz der Akten war[189].

Nach dem Salemer Äbtetreffen trat Generalabt de la Croix zwei Jahre lang im Zusammenhang mit den Strukturreformen nicht mehr in Erscheinung. Vermutlich verhinderten die Primaräbte, die durch die Initiativen des vorwärtsstrebenden Generalabts ihre althergebrachten Rechte dahinschwinden sahen, weitere Reformen. Als Ertrag des Salemer Kapitels kann gelten, daß eine gewisse Anzahl oberdeutscher Äbte zu einem engeren Zusammenschluß ihrer Klöster unter Aufgabe ihrer angestammten Rechte und Akzeptanz neuer Strukturen und Autoritäten bereit war[190]; zu weiteren Schritten waren die Voraussetzungen noch nicht geschaffen.

2.2.4.2 Das Fürstenfelder Provinzialkapitel 1595

Im Gegensatz zum nahezu unbekannten Salemer Äbtetreffen von 1593 hat die Forschung dem Fürstenfelder Provinzialkapitel von 1595 eine wesentlich größere Aufmerksamkeit geschenkt, unter anderem auch in einem wissenschaftlichen Kolloquium im Jubiläumsjahr 1995, so daß nun dieses Ereignis

[188] Vgl. Lobendanz, Zisterzienserkongregation 96–98.
[189] Vgl. Lobendanz, Reformstatuten 531–532.
[190] Vgl. ausführlich dazu ebd. 530–533.

in Detail und Ertrag im wesentlichen als aufgearbeitet gelten kann[191]. Am 22. Mai 1595 suchte Generalabt Edmund de la Croix bei Herzog Wilhelm V. um die Genehmigung zur Abhaltung eines Provinzialkapitels nach, das er auf den 14. September nach Fürstenfeld einberufen wolle, da dieses Kloster ziemlich zentral für die erwarteten Äbte aus Bayern, Österreich, Schwaben und dem Elsaß läge, und bat den Herzog, den Äbten den Diplomatenstatus zuzuerkennen[192]. Wilhelm V. genehmigte das Kapitel unter der Auflage, daß seinem Kloster keine zusätzlichen Kosten aufgebürdet würden[193], und forderte Informationen über die Beratungen in Fürstenfeld und ihre Gegenstände[194]. Abt Dietmair von Aldersbach erläuterte dem Landesherrn Sinn und Zweck des Kapitels und beruhigte ihn über die anfallenden Kosten, denn auch vor zwei Jahren in Salem habe »jeder herr Prelat fuetter Und Mahll in fl in seinem Seckhl bezalt«[195]. Dennoch blieben die praktischen Probleme für Fürstenfeld erheblich: Abt Leonhard Treuttwein hatte Mühe, die angereisten Prälaten »der gebühr nach« unterzubringen[196]; die herzoglichen Kommissare schließlich, die nach dem zu diesem Zeitpunkt doch überraschenden Tode des Prälaten die Inventarisierung hätten übernehmen sollen, konnten Eigentum des Klosters und geliehene Haushaltsgegenstände nicht unterscheiden, so daß die Inventarisierung verschoben werden mußte[197].
Als sich schließlich die achtzehn Äbte unter dem Vorsitz des Generalabtes Edmund de la Croix versammelt hatten[198], mußte zunächst für Fürstenfeld

---

[191] Die Beiträge des Kolloquiums in Kloster Fürstenfeld in: Hermann Nehlsen/Klaus Wollenberg (Hrg.), Zisterzienser zwischen Zentralisierung und Regionalisierung. 400 Jahre Fürstenfelder Äbtetreffen. Fürstenfelder Reformstatuten von 1595–1995, Frankfurt-Berlin-New York 1998.

[192] Generalabt Edmund de la Croix an Wilhelm V., Kaisheim, 22. Mai 1595 (Kopie). BHStAM. KBÄA 4096, fol. 157r. – Lobendanz, Reformstatuten 535, diskutiert die Wahl des Versammlungsortes und befindet keinerlei Quellen für hinreichend, diese Frage zu klären. Die vorliegende Abschrift dürfte dahingehend einige Klarheit bringen, daß für de la Croix die Lage des Klosters, sicherlich verbunden mit dessen gutem Ruf, ausschlaggebend für die Wahl des Versammlungsortes war.

[193] Wilhelm V. an Generalabt Edmund de la Croix, undatiert (Kopie). BHStAM. KBÄA 4096, fol. 159r. – Erlaubnis- und Schutzschreiben für das Provinzialkapitel durch Wilhelm V., München, 2. Juni 1595 (Konzept). BHStAM. KBÄA 4096, fol. 165r.

[194] Wilhelm V. an die Äbte Johannes Dietmair von Aldersbach und Leonhard Treuttwein von Fürstenfeld, undatierte Notiz (Kopie). BHStAM. KBÄA 4096, fol. 159v.

[195] Abt Johannes Dietmair von Aldersbach an Wilhelm V., Aldersbach, 29. Mai 1595. BHStAM. KBÄA 4096, fol. 161.

[196] Abt Leonhard Treuttwein an Wilhelm V., Fürstenfeld, 4. Juni 1595. BHStAM. KBÄA 4096, fol. 167.

[197] GR Sebastian Franz und Johann Baptist Fikler an Maximilian, München, 14. September 1595 (Kopie). BHStAM. KL Fürstenfeld 1, foll. 142r–144v. – Urkunde Wilhelms V., München, 2. Oktober 1595 (Kopie). BHStAM. KBÄA 4095, fol. 183.

[198] Eine kritische Aufstellung bringt Lobendanz, Reformstatuten 543–545. Entsprechend dazu die Aufstellung BHStAM. KL Fürstenfeld 1, fol. 145r, die Äbte aus 21 Abteien angibt, von denen drei als nicht erschienen bezeichnet werden; der anwesende Generalabt de la Croix wird hier aber nicht erwähnt. Zusätzlich verzeichnet die Klosterliteralie Abt Willibald

ein neuer Prälat gewählt werden, da der hochbetagte Abt Treuttwein vermutlich durch die Aufregungen über das Kapitel verschieden war[199]. Aufgrund
der Kürze des Treffens, das ebenso wie zwei Jahre zuvor in Salem wohl nicht
länger als fünf Tage dauerte, brachte Generalabt de la Croix die Reformstatuten im wesentlichen fertig mit und ließ die Äbte darüber befinden und im
Detail Änderungen anbringen; einige Abschnitte der Reformstatuten lassen
eine voraufgegangene Diskussion erkennen, die sich aber nur auf Nuancen
bezieht[200]. Als Grundlage der Fürstenfelder Statuten gelten heute zweifelsfrei die Polnischen Reformstatuten von 1580[201], die der Generalabt auf dem
dortigen Provinzialkapitel verabschieden konnte.

Am 16. September ernannte Generalabt Edmund de la Croix den Salemer Abt
Petrus Müller zum Generalvikar des Oberdeutschen Vikariates, am 20. September den abwesenden Abt Hackel von Zwettl zum Generalvikar für Österreich und Abt Freyseysen von Rein zum Generalvikar für Innerösterreich
und die angrenzenden Länder[202]. Inhaltlich stützen sich die Reformstatuten

Schißler von Fürstenzell als anwesend, der aber 1595 resigniert hat. Möglicherweise wurde
die Liste schon im voraus angefertigt, da man das Gründungsjahr des Klosters Tennenbach
nicht wußte; wäre ein Tennenbacher Konventuale oder Abt zum Kapitel nach Fürstenfeld
gekommen, hätte man ihn sicherlich gefragt, um die Teilnehmerliste nicht unvollendet zu
belassen. Im folgenden soll die Liste aus BHStAM. KL Fürstenfeld 1 abgedruckt sein:

Lucellensis	Lützel	Elsaß	1124	
Ebracensis	Ebrach	Franken	1127	
Salemitanus	Salmesswil	Schwaben	1128	
Novocastrensis	Neuburg		1130	non comparuit
Langkhaimensis		Franken	1133	
Caesariensis	Kaißheim	Schwaben	1134	
Placensis	Plaß	Böhmen	1145	
Brumbacensis	Prumbach	Franken	1155	
Bildhausensis	Pildhausen	Franken	1156	
Schöntalensis	Schönthal	Franken	1157	
De Maris Stella	Wettingen	Heluetia	1227	
De St. Urbano		Heluetia	1232	
Altovadensis	Hochenfurt			non comparuit
Allerspacensis	Aldersbach	Bavaria	1155	
Campi Principis	Fürstenfeld	Bavaria	1263	
Cella Principis	Fürstenzell	Bauaria	1256	
Stambs		Tirol	1274	non comparuit
De Aula Regali	Königssal	Böhmen	1279	
Rotenhaßlach		Bavaria	1128	
Cella Dei	Gottszell	Bavaria	1286	
Dennebacensis	Dennenbach	Elsaß		

[199] Dazu siehe Kap.3.3.1.1. in Teil I dieser Arbeit.

[200] Vgl. Schneider, Reformstatuten 78–79, dort auch Anm.64.

[201] Vgl. Rösener, Salem 703; Lobendanz, Reformstatuten 520, 546.

[202] Vgl. Lobendanz, Reformstatuten 548. – Ausführlich beschäftigt sich Lobendanz, ebd.540
bis 542, mit der Abwesenheit der österreichischen Äbte, die sich auf Schwierigkeiten des
Generalabtes mit der österreichischen Regierung zurückführen läßt. – Ernennungsschrei-
ben des Generalabts de la Croix an Abt Petrus Müller von Salem zum Oberdeutschen Generalvikar, 16. September 1595; gedruckt in: Lobendanz, Zisterzienserkongregation 223–225.

auf die Benediktsregel, die Definitionen der Generalkapitel, die »Constitutiones« und Privilegien der Päpste an den Zisterzienserorden sowie die Dekrete des Tridentinums als Grundlagen. In fünfunddreißig Kapiteln werden die wichtigsten Lebensbereiche eines Klosters erfaßt und in ihrem Idealbild dargestellt: Gottesdienst und Frömmigkeit, Struktur des Ordens und seiner Organe, Baulichkeiten, Personen und Ämter im Kloster werden ebenso einer Neuordnung unterworfen wie die Alltagsdisziplin im Konvent[203].

Entsprechend der großen Anzahl anwesender Äbte fanden die Reformstatuten eine weite Verbreitung in Oberdeutschland, so daß bis heute sechzehn Abschriften vom böhmischen Ossegg bis hinüber nach Luzern und Karlsruhe festgestellt werden konnten und weitere vermutete noch nicht entdeckt sind[204]. Im Vergleich zu den wenig verbindlichen Beschlüssen von Salem zeigten die Fürstenfelder Reformstatuten die ungleich größere Wirkung, vor allem auch aufgrund der Strukturreformen, die im 34. und 35. Kapitel der Statuten festgeschrieben und schrittweise umgesetzt wurden. Generalabt Edmund de la Croix war nun zum Handeln entschlossen, nachdem er offensichtlich die Widerstände seiner Primaräbte überwinden konnte.

2.2.4.3 Vorbereitung und Bildung der Oberdeutschen Zisterzienserkongregation

2.2.4.3.1 Kapitel 35 der Fürstenfelder Reformstatuten als erster Schritt

Eine entscheidende Voraussetzung auf dem Weg zur Bildung der Oberdeutschen Zisterzienserkongregation war das Kapitel 35 der Fürstenfelder Reformstatuten, das sich mit der Rechtsstruktur der Klöster im oberdeutschen Raum befaßte, wenngleich fraglich bleibt, ob die Bildung einer Kongregation bereits 1595 intendiert war; die Entwicklung ging freilich bald in diese Richtung[205]. Im Anschluß an das Äbtetreffen von Salem präzisierte das Kapitel 35 die regionale Aufteilung der oberdeutschen Zisterzen und gab ihnen eine gemeinsame Rechtsform: Die Klöster in Bayern, Tirol, Schwaben, Franken, Elsaß und der Schweiz wurden in ein Vikariat mit vier Provinzen zusammengefaßt, dem der Salemer Abt Peter Müller vorstand. Zusätzlich dazu fungierten vier Provinzialvikare zu seiner Unterstützung:

1. Schweiz, Schwaben und Elsaß: Abt Peter Müller von Salem;
2. Franken: Abt Hieronymus Holein von Ebrach;
3. Bayern: Abt Johannes Dietmair von Aldersbach;
4. Tirol: Abt Sebastian Faber von Kaisheim.

---

[203] Gedruckt in: FRST. – Näher zu ihrem Inhalt: Kap. 2.3 in diesem Teil.
[204] Vgl. Lobendanz, Reformstatuten 550–551.
[205] Vgl. ebd. 579–580.

Diese Neuregelungen bedeuteten eine Kompetenzverlagerung zu Ungunsten der Primaräbte, die zum Provinzialkapitel weder geladen noch gehört wurden. Um sich ihrer Zustimmung zur Strukturreform zu versichern, bestätigte der Generalabt den Primaräbten die ungeschmälerte Jurisdiktion über ihre Filiationen, bat sie aber zugleich, deren Ausübung soweit dem Generalvikar des Vikariates anheimzustellen, als sie selbst dazu nicht in der Lage waren. Wenn die alten Filiationsstrukturen noch funktionstüchtig seien, so sollte der Provinzialvikar nur einmal während seiner dreijährigen Amtszeit ein Kloster visitieren; jede Visitation sei vorher beim Generalabt oder dem entsprechenden Primarabt anzuzeigen, damit diese die Möglichkeit besäßen, die geplanten Visitationen selbst vorzunehmen[206]. Die Vorsicht des Generalabts in Formulierung und Inhalt der Neuregelung verrät seine Unsicherheit: Der Erkenntnis notwendiger Reformen standen weiterhin alte Vorrechte entgegen, die von deren Inhabern eifersüchtig verteidigt wurden. Schwierigkeiten ergaben sich auch bezüglich der Ernennung der General- und Provinzialvikare: Während das Generalkapitel von 1605 dieses Recht dem Abt von Cîteaux und den Primaräbten gemeinsam zusprach[207], war seit 1623 der Generalabt allein befugt, die Vikare zu ernennen[208]; die zunehmende Machtkonzentration in den Händen des Generalabtes konnten die Primaräbte nicht verhindern. Trotz aller Hindernisse haben die Fürstenfelder Reformstatuten eine »derartige Bedeutung erlangt und eine solch solide Grundlage sowie Ausgangsbasis für die Entstehung der Oberdeutschen Zisterzienserkongregation geschaffen«[209], daß die Neuordnung der Ordensverfassung, weg von der Filiation hin zu einer Regionalisierung der Struktur, nicht mehr aufgehalten werden konnte.

2.2.4.3.2 Die weitere Entwicklung bis zur Bildung der Kongregation

Generalabt de la Croix warb auch nach dem Fürstenfelder Äbtetreffen für den regionalen Zusammenschluß der oberdeutschen Zisterzienserklöster und hielt mit Abt Müller von Salem als seinem oberdeutschen Generalvikar diesbezüglichen Kontakt[210]. In einem Brief vom 29. Juli 1602, der in der ganzen

---

[206] Dazu ausführlicher Lobendanz, Reformstatuten 577–579; ders., Zisterzienserkongregation 104.

[207] Abschied des Generalkapitels, 1605 (Kopie). BHStAM. Aldersbach Archiv Schublade 105, fasc. 16, prod. 8.

[208] Vgl. Lobendanz, Reformstatuten 579.

[209] Ebd. 581.

[210] Zur Gründung der Oberdeutschen Zisterzienserkongregation: Karl Becker, Salem unter Thomas I. Wunn und die Gründung der oberdeutschen Cistercienser-Kongregation 1615 bis 1647, in: CC 48 (1936) 137–145, 161–179, 205–218, 230–239, 261–270, 294 bis 306, 328–337; Lobendanz, Zisterzienserkongregation 107–201; ders., Reformstatuten 587 bis 687.

Region Verbreitung fand, setzte er sich für den Zusammenschluß der oberdeutschen Klöster nach dem Vorbild der Lombardischen oder Spanischen
Kongregation ein; er ermunterte Abt Müller zu einer Erörterung der Frage
unter seinen Amtsbrüdern, mahnte aber zu Vorsicht gegenüber Außenste-
henden: »Si R[everenda].P[aternitas].V[estra]. de hoc ageret cum D[omino].
Abbate Ebracensi, Caesariensi, Aldersbacensi; et Alsativis et Helvetis lin-
guam suo proprio motu, possetis in unam congregationum convenire cum
conditionibus vobis non ingratis minimeque onerosus et una hac sola est
subesse tot capitulibus, cum sitis unique capitis membra et habere tot visitatores, ut Morimundensem Beluacensem, qui eam praetendunt, et Cisterciensem, cui haec potestas aufferri nequit, et ipsum vel vestrum Provincialem
Ordinarium, qui singulo quoque triennio eligeretur, vel continuaretur. Quid
de hoc instituendo iudicaveritis, mihi et praefato Procuratori cum significa-
veritis quae ad optatum a vobis effectum consequendum necessaria fuerint,
vobis suggererimus et procurabimus nulli alteri quam R[everenda].P[aterni-
tati].V[estra]. et D[omino]. Ebracensi id aperiam quia secretius quam fieri
poterit tractandum est, ne quid accidat quod ipsum interturbet et maiora dis-
sidia concitet ...«[211]. Nach dem Tod des überaus verdienten Generalabts
Edmund de la Croix 1604 kamen die Bestrebungen zu einer Kongregationenbildung zeitweise zum Erliegen, da sich sein Nachfolger Nicolaus II. Boucherat zunächst enger an die Primaräbte anschloß und die alte Struktur der
Generalkapitel als Instrument der Ordensreform bevorzugte.

Erneute Impulse zugunsten der Kongregationen kamen von zwei bislang
weniger in Erscheinung getretenen Seiten, den Schweizer Zisterzienserklöstern und Papst Paul V. (1605–1621). Offenbar unter dem Einfluß des von der
Kurie sehr geförderten Zusammenschlusses der Schweizer Benediktinerklö-

---

211 »Wenn Eure ehrwürdige Väterlichkeit darüber mit den Herren Äbten von Ebrach, Kaisheim
und Aldersbach verhandeln könnten; auch die elsässische und schweizerische Sprache mit
ihren Eigentümlichkeiten könnt Ihr in einer Kongregation vereinen, unter Bedingungen,
die Euch nicht unangenehm sein werden; es ist kaum belastend, und das einzige ist, solchen
Kapiteln untergeordnet zu sein, da ihr Glieder eines einzigen Hauptes seid, und solche Visitatoren wie den Abt von Morimond und Beluacensis, die ihm vorstehen, und den Abt von
Cîteaux zu haben, dem diese Vollmacht nie entzogen werden kann, und ihn oder Euren Pro-
vinzordinarius, der alle drei Jahre gewählt oder wiedergewählt wird. Was Ihr über seine Einsetzung entscheidet, möget Ihr mir und dem vorgesetzten Prokurator anzeigen; was für die
von Euch gewünschte Wirkung zu tun notwendig ist, werden wir Euch gewähren und besorgen; keinem anderen als Eurer ehrwürdigen Väterlichkeit und dem Herrn von Ebrach will
ich dies eröffnen, denn das Vorhaben soll so geheim als möglich vor sich gehen, damit
nichts eintritt, was es durcheinanderbringt und größere Unstimmigkeiten entfacht...«
Generalabt Edmund de la Croix an Abt Peter Müller von Salem, 29. Juli 1602 (Kopie).
BHStAM. KL Fürstenfeld 334, fasc. 1, prod. 8. – Da dieses Schreiben in Kopie nach Fürstenfeld gelangte und damit schon zu seiner Zeit ein besonderes Gewicht hatte, bedeutete es
eine weitere Wegmarke zur Bildung einer Kongregation; vgl. Lobendanz, Zisterzienserkongregation 110–111, 228–230.

ster im Jahr 1602[212], bemühten sich auch die Schweizer Zisterzienserklöster unter der Führung Wettingens[213] um die Errichtung einer Kongregation. Unterstützung erhielten sie indirekt durch Papst Paul V., der 1606 den Nuntius von Luzern, Giovanni della Torre, beauftragt hatte, alle Zisterzen innerhalb seines Nuntiatursprengels unbeschadet der Rechte des Generalabtes zu einer Kongregation zu vereinen[214]. Durch den Salemer Abt Peter Müller unterrichtet, der ebenfalls am Plan der Kongregation beteiligt war, erfuhr Generalabt Nicolaus II. Boucherat davon und äußerte sich nach einer Abstimmung mit den vier Primaräbten ablehnend dazu. Etliche Jahre später hatte der Generalabt aber seine Meinung geändert, und die Vorarbeiten zur Kongregationsbildung konnten voranschreiten. Ursache für diesen Gesinnungswandel waren wohl einerseits seine ausgedehnten Visitationsreisen 1615/16, auf denen er die Notwendigkeit einer neuen Struktur erkannte, und andererseits die Furcht vor übermäßig starken landesherrlichen Eingriffen in die Klöster seines Ordens, wie sie etwa das bayerische Kirchenregiment unter Herzog Maximilian praktizierte; Generalabt Boucherat votierte nun ebenfalls für die Errichtung straffer und überschaubarer regionaler Organisationseinheiten.

Die eigentliche Errichtung der Kongregation begann schließlich im Jahr 1617 mit einem Äbtetreffen der Prälaten von Salem, Wettingen, St. Urban, Tennenbach und Neuburg in Salem; dort wurden die ersten Statuten des Verbundes verabschiedet und später in Cîteaux gutgeheißen[215]. Schwierigkeiten entstanden wiederum mit den Primaräbten, die weiterhin Visitationsrechte beanspruchten, und dem Abt von Lützel, der sich nicht unter die Führung des Salemer Abtes als Vorsitzenden beugen wollte. Nach einem weiteren Äbtetreffen in Salem 1618[216] genehmigte Abt Nicolaus II. Boucherat am 22. Januar 1619 die Errichtung der Kongregation. Auf ein erneutes Äbtetreffen 1621 hin[217] wurde vom Generalkapitel 1623 trotz der Widerstände der Primaräbte und des Wettinger Abtes, der sich hinter den Salemer Prälaten zurückgesetzt

---

[212] Vgl. Rudolf Reinhardt, Die Schweizer Benediktiner in der Neuzeit, in: Helvetia Sacra III: Die Orden mit Benediktinerregel 1, Teil I, Bern 1986, 115–143. – Auch die oberschwäbischen Benediktiner hatten ihre Kongregation 1602/1603 neu konsolidiert. Vgl. Reinhardt, Weingarten 204–214.

[213] Zur Rolle Wettingens bei der Bildung der Kongregation: Dominikus Willi, Die oberdeutsche und schweizerische Zisterzienser-Kongregation. Ein Beitrag zur Geschichte des Klosters Wettingen, Mehrerau-Bregenz 1879.

[214] Dazu und insgesamt zur Schweizer Zisterzienserkongregation: Wilhelm Wostri, Die Schweizer Zisterzienserkongregation. Ihre Entstehung und Geschichte, in: AC 24 (1968) 161–301, hier besonders 250–251; auch Lobendanz, Zisterzienserkongregation 112–122.

[215] Vgl. Lobendanz, Zisterzienserkongregation 127–131.

[216] Die Statuten und das Resolutionsschreiben des Salemer Äbtetreffens vom 27. Dezember 1618 gedruckt in: ebd. 255–262.

[217] Die Statuten und Dekrete gedruckt in: ebd. 271–288.

fühlte, schließlich die Oberdeutsche Kongregation anerkannt und in ihre
Rechte eingesetzt[218]. Für das Funktionieren der Kongregation war nun von
entscheidender Bedeutung, daß sich ihr möglichst viele Klöster anschlossen;
so erschienen am 2. und 3. September 1624 zwölf Äbte aus Bayern, Schwaben
und Franken sowie sechs Delegaten weiterer Klöster zu einem großen Provinzialkapitel in Salem; die Klöster wurden, wie schon 1593, in vier Provinzen eingeteilt, die bayerische, schwäbische, fränkische und schweizerisch-
elsässische mit insgesamt sechsundzwanzig Männer- und sechsunddreißig
Frauenklöstern[219]. Nach langen, beinahe fünfzig Jahre währenden Auseinandersetzungen, hatte sich die Erkenntnis einer notwendigen Strukturreform
in die organisatorische Wirklichkeit des Ordens durchgesetzt.

2.2.4.3.3 Verfassung und Aufgabe der Oberdeutschen Zisterzienserkongregation

In der Verfassung der Oberdeutschen Zisterzienserkongregation schlägt sich
die Herausforderung des Ordens durch die Zeitumstände nieder, da sie ein
handlungsfähiges Instrumentarium gegen Eingriffe von außen bieten will;
ihre Darstellung soll hier kurz gehalten werden, da sie ihre – vorläufig – endgültige Fassung erst 1654 erhielt[220]. Leiter der Kongregation war der Präses,
der zunächst aus den Äbten des Kongregationskapitels gewählt – zu Beginn
des 17. Jahrhunderts versah dieses Amt jeweils der Abt von Salem[221] –, seit
1654 aber vom Generalkapitel oder Generalabt ernannt wurde; er übernahm
die Rechtsnachfolge des bisherigen Generalvikars mit allen seinen Vollmachten. Ihm assistierten für die ständigen Geschäfte und die Visitationsreisen ein Kommissar und ein Sekretär, die in seinem Verhinderungsfalle auch
alleine Visitationen durchführen durften[222]. Auch über die vier Provinzen
wurde je ein Präses bestellt. Verantwortlich war der Präses der Kongregation
dem Generalkapitel und dem Generalabt; darin unterschied sich die Oberdeutsche Kongregation von den frühen iberischen Kongregationen und ver-

---

[218] Dazu ausführlich: Rösener, Salem 705–709; Lobendanz, Zisterzienserkongregation 158 bis 181, 309. – Die relativ lange Frist zwischen der Genehmigung durch den Generalabt und der Bestätigung durch das Generalkapitel erklärt sich mit der weiterhin großen Skepsis der Generalkapitel gegenüber den Kongregationen, da sie in ihnen eine starke Konkurrenz vermuteten; vgl. Eicheler, Kongregationen 313.
[219] Eine Auflistung der Klöster und ihrer Provinzen bei: Lauterer, Wirkungsgeschichte 716 bis 717; Lobendanz, Zisterzienserkongregation 195. – Eicheler, Kongregationen 80, Anm. 1, unterscheidet dagegen in fünf Provinzen und trennt die schweizerische und elsässische. – Ausführlich zum Äbtetreffen 1624: Gabriel Lobendanz, Die Statuten des Salemer Provinzialkapitels 1624 und seine Vorgeschichte, in: AC 34 (1978) 148–173.
[220] Eine Übersicht der Verfassung von 1654 bei: Eicheler, Kongregationen 211–213.
[221] Vgl. Rösener, Salem 710.
[222] Vgl. Lekai/Schneider, Weiße Mönche 110.

blieb so vollständig im zisterziensischen Ordensverband[223]. Auch darüber hinaus blieb die Bindung der Oberdeutschen Kongregation an den Gesamtorden und seine Organe insgesamt sehr eng[224]. Entscheidendes Plenarorgan war das Kongregationskapitel, zu dem sich alle Äbte der Kongregation jeweils in den Jahren vor und nach einem Generalkapitel in Salem[225] versammeln sollten[226]. Auf dieser Versammlung wurden die anstehenden Fragen zu Disziplin, Visitation, Verhältnis zum Landesherrn und Reform behandelt und Beschlüsse gefaßt[227]; zudem bestimmte das Kongregationskapitel einen Abt und zwei Mönche, die die jährliche Visitation in Salem abhalten sollten[228].

Aufgabe des Präses war die jährliche Visitation der Männerklöster und die vierjährliche Visitation der Frauenzisterzen[229], wobei dieser Dienst auch vom Kongregationskommissar oder den Provinzialpräsides wahrgenommen werden konnte[230]; 1654 wurden genauere Regelungen dazu erlassen[231]. Zudem oblag dem Kongregationspräses der Vorsitz bei Abtwahl und Benediktion und die Aufnahme eines Klosters in die Kongregation[232]. Die Kongregation hatte die Durchführung regelmäßig stattfindender Visitationen zu überwachen; dazu kam das gemeinsame Auftreten der Klöster als sichtbarer Institution gegenüber den stärker werdenden Ansprüchen und Eingriffen der Bischöfe und Landesherren. Die Tendenz zur Konzentration der Kräfte und zur Vereinheitlichung zeigte sich auch im Beschluß zur Errichtung eines

---

[223] Vgl. Eicheler, Kongregationen 57–58, 90.

[224] Vgl. ebd. 211, 224. – Von manchen Kongregationen blieben dagegen sämtliche Äbte den Generalkapiteln fern; insgesamt entwickelte sich eine stärkere Polarität zwischen den beiden Organen des Ordens.

[225] Auch der dauerhafte Sitz der Kongregation in Salem verlieh dem Kloster eine zunehmende Bedeutung in der oberdeutschen Klosterlandschaft; vgl. Rösener, Salem 709. Anders dagegen wechselten die Oberschwäbischen Benediktiner ihren Versammlungsort zwischen den größeren Klöstern wie Weingarten, Ochsenhausen oder Zwiefalten ab; vgl. Reinhardt, Visitation 206.

[226] Nach 1654 wurde ein Kongregationskapitel nur noch alle drei Jahre für notwendig erachtet; vgl. Eicheler, Kongregationen 212.

[227] Vgl. Rösener, Salem 708.

[228] Vgl. Lekai/Schneider, Weiße Mönche 110.

[229] Vgl. ebd.

[230] Vgl. Rösener, Salem 709.

[231] Vgl. Eicheler, Kongregationen 212: Der Generalvikar, wie der Kongregationspräses jetzt genannt wurde, sollte jedes dritte Jahr die Klöster der vier Provinzialvikare visitieren, der Generalabt das Kloster des Generalvikars. Die Vateräbte sollten im ersten Triennium die Klöster ihrer Filiationen visitieren, die Provinzialvikare im zweiten Triennium innerhalb ihrer Provinz. Auf diese Weise wurde auch der überkommenen Filiationsstruktur Rechnung getragen.

[232] Vgl. Lekai/Schneider, Weiße Mönche 110. – Gemäß den Statuten von 1654 war aber zum Vorsitz bei der Abtwahl in erster Linie wieder der Vaterabt berechtigt; vgl. Eicheler, Kongregationen 212–213.

gemeinsamen Noviziatshauses der Kongregation[233], der aber nicht in die Wirklichkeit umgesetzt wurde[234].

Die Frage, wie die Errichtung von Kongregationen, die in der ursprünglichen Ordensverfassung sicherlich nicht grundgelegt war, zu werten ist, ist nicht unumstritten. Der Zisterzienser Idesbald Eicheler sah sie und die damit verbundene Ablösung des Generalkapitels als des einflußreichsten Organs des Ordens insgesamt negativ, da die Einheit des Ordens zerrissen und die Treue zur ursprünglichen Verfassung erschüttert worden sei[235]. Diesem Standpunkt gegenüber seien zwei Bedenken angebracht. Zum einen bedeutet Historizität zugleich Weiterentwicklung, so daß auch die Regeln eines Ordens immer in ihrer Zeit interpretiert werden müssen; von daher sind Begriffe wie »Ursprünglichkeit« und »Abfall« immer mit großer Vorsicht zu gebrauchen, und eine »Akkomodation der Regel an die Zeit«[236] den jeweils Verantwortlichen zuzugestehen. Zum anderen – und diese Überlegung sei auch in einem historischen Werk gestattet, das sich in seiner Methodik an Fakten hält – was wäre geschehen, wenn sich die Kongregationen nicht gebildet hätten? Gewiß bleiben Vermutungen immer spekulativ, aber nach den vorliegenden Quellen und Sachlagen wäre die Einheit des Ordens durch die unveränderte Beibehaltung der alten Strukturen sicherlich nicht größer geworden. Zu divergierend waren die regionalen Entwicklungen, zu vielfältig die Bedingungen für die Klöster in den entstehenden Territorialstaaten, als daß die bisherigen Strukturen das Auseinanderdriften der Klöster hätten aufhalten können. Vielmehr wären die Klöster wesentlich stärker den Vorgaben der Machtfaktoren ausgeliefert gewesen, die sie immer mehr zu beherrschen versuchten, den Landesherren und Bischöfen; das Ideal der Ordenseinheit wäre wohl massiver erschüttert worden als dies durch die Kongregationenbildung geschah.

[233] Vgl. Eicheler, Kongregationen 212.
[234] Klemenz, Dallmayr 57–93 berichtet zumindest nichts über Entsendungen von Fürstenfelder Novizen in ein gemeinsames Kongregationsnoviziat.
[235] Vgl. Eicheler, Kongregationen 223, 227.
[236] Reinhardt, Weingarten 3.

2.3 Reformen im Ordensleben: Die Fürstenfelder Reformstatuten von 1595

2.3.1 *Reformverständnis und Reformbereitschaft*

Neben das Problem einer Reform der Ordensstruktur trat mit gleicher Bedeutung die Notwendigkeit der Erneuerung des klösterlichen Alltagslebens angesichts einer gewandelten geistigen Welt. Im Unterschied zum Verständnis des Generalkapitels von 1494, das Reform als Rückführung des Lebens zum Ideal der Väter von Cîteaux verstand[237], sah sich der Orden durch die Reformation vor Fragen gestellt, die in der alleinigen Wendung hin zu den alten Idealen nicht beantwortet werden konnten, sondern nach einer schöpferischen Fortentwicklung verlangten. Eine solche Fortentwicklung wurde mit den Fürstenfelder Reformstatuten von 1595 vorgelegt, wenngleich diese zunächst ein Programm darstellten, dessen Durchführung noch Jahrzehnte in Anspruch nahm. In fünfunddreißig Kapiteln unterziehen die Reformstatuten das gesamte monastische Leben in den oberdeutschen Zisterzienserklöstern einer Kommentierung und Neuordnung mit dem ausdrücklichen Ziel, die bis dahin erreichte »gelungene Erneuerung zu festigen, unsere monastische Disziplin, wo sie verschwunden war, wiederherzustellen«[238]. Bewußt wurde dabei auf die – freilich zeitgenössisch interpretierten – Ordensregeln, päpstlichen Privilegien und Erlasse und die Tridentinischen Beschlüsse aufgebaut.

Deshalb überrascht eine erste Beobachtung an den Reformstatuten kaum: Die wenigsten ihrer Bestimmungen sind eigentlich neu. Neu war die Rezeption der für die Orden relevanten tridentinischen Dekrete für den deutschen Sprachraum, neu waren auch einige Anweisungen, die der damaligen Spiritualität entstammten; die meisten anderen Regelungen sind wesentlich älter. Ob die Reformstatuten, die nach Auffassung ihrer Zeit eine »accommodata renovatio« bedeuteten, deshalb nun Reform oder Restauration waren[239] – eine Frage, die zugleich mit einer Wertung verbunden wäre – muß anderen Untersuchungen überlassen werden. Die eigenständige Leistung der Fürstenfelder Reformstatuten liegt eher im formalen Bereich, und hier sind wohl zwei Faktoren für ihre Bedeutung ausschlaggebend, die Umstände der Entstehung und die strukturellen Möglichkeiten ihrer Durchführung.

Erstmals – ungeachtet des ersten Anlaufs in Salem 1593 – hatte sich in Fürstenfeld eine größere Anzahl oberdeutscher Äbte unter der Leitung des Gene-

---

[237] Vgl. Elm, Reformen 76.

[238] Promulgationsschreiben der Reformstatuten durch Generalabt Edmund de la Croix, 4. August 1596. Zit. in: Lobendanz, Edition 751.

[239] Diese Frage stellt Lauterer, Wirkungsgeschichte 715, beantwortet sie aber sogleich mit der Notwendigkeit noch vieler Einzeluntersuchungen.

ralabts Edmund de la Croix mit dem Willen zu Zusammenschluß und Reformtätigkeit versammelt[240]. Bei den meisten Äbten hatte sich zu dieser Zeit die Erkenntnis der Notwendigkeit einer engeren Zusammenarbeit durchgesetzt; die innere Autorität, welche die Statuten auf diese Weise bekamen, war ungleich größer als die einer von außen kommenden Weisung. Die andere Neuerung, die nunmehr gegebene Möglichkeit zur Durchführung der Reformen, hing eng mit dem genannten Willen dazu zusammen: Der Beginn der strukturellen Verbindung der oberdeutschen Klöster mit einer entsprechenden regionalen Aufsicht durch den Provinzialvikar ermöglichte eine wesentlich effektivere Umsetzung der Statuten, als dies durch die filiationsgebundenen Visitationen möglich gewesen wäre. Die strukturelle Sicherung ihrer Verwirklichung war für die Wirksamkeit der Statuten von entscheidender Bedeutung. Die inhaltlichen Veränderungen, welche die Reformstatuten einforderten, sind in zwei Bereichen am deutlichsten namhaft zu machen: an der Verfassung der Ämter im Kloster sowie am klösterlichen Leben und Gottesdienst.

2.3.2 Die Ämter im Kloster und Aufgaben der Mönche

Zu Beginn mahnen die Reformstatuten zur Einhaltung der Gelübde des Ordens, besonders von Gehorsam, Keuschheit und Armut[241], und darüber hinaus zur Führung eines Lebens in Disziplin, Nüchternheit und religiösen Tugenden[242]. Eine besondere Vorbildrolle, gerade in der Lebensführung, wird den Äbten zugesprochen, die »durch väterliche Liebe, durch Enthaltsamkeit, durch Bescheidenheit, durch Eifer zum Orden« glänzen sollen[243]. »Daher haben sie sich mit größtmöglichem Eifer davor zu hüten, den Eindruck zu erwecken, durch den Gebrauch jener Güter ... nicht Prälaten, sondern Stolze, nicht Hirten, sondern Mietlinge zu sein«[244]. Um ihn auf diese Ideale hinzuweisen, wird ein neugewählter Abt verpflichtet, das Glaubensbekenntnis in der Form von Trient abzulegen, bevor er die Abtsweihe empfängt[245], und dem Generalabt Treue, Gehorsam und Ehrfurcht zu versprechen[246] – was eine weitere Aufwertung des Generalabtes gegenüber dem Generalkapitel bedeutet. Äbte und Äbtissinnen, die »die pastorale Fürsorge vernachlässigen oder ihren Mitbrüdern bzw. ihren Mitschwestern Beispiele eines schlechten

---

[240] Vgl. Lobendanz, Reformstatuten 580.
[241] FRST 1,1.
[242] FRST 1,4 unter Bezug auf RB 7.
[243] FRST 18,1.
[244] FRST 18,12.
[245] FRST 18,6 unter Bezug auf Conc. Trid. Sess. XXIV, De reformatione Can. I, in: COD 759 bis 761.
[246] FRST 18,7.

Lebenswandels vorleben« müssen abgesetzt werden, ebenso im Falle von Vermögens- und Unsittlichkeitsdelikten[247]; zuständig ist dafür der Provinzialvikar nach Beratung mit dem Visitator und drei anderen Äbten des Ordens[248]. In gleicher Weise werden die Prioren zu einem Lebenswandel aufgefordert, der den Regeln des Ordens entspricht[249].

Die Anweisungen für in der Seelsorge tätige Mönche sind schon allein aufgrund ihrer Existenz bemerkenswert: Im Gegensatz zur ursprünglichen Ordensverfassung erkennen die Reformstatuten die Ausübung von Seelsorge, auch auf Pfarreien, als vollgültig an. Als Voraussetzung dafür wird eine gute Ausbildung der Ordenspfarrer und ihr tadelloser Lebenswandel angemahnt, zudem wird vor dem Eindringen von Häresien gewarnt; bei allzu großer Nachlässigkeit ihnen gegenüber würden die Pfarrvikare aus dem Orden der Exkommunikation verfallen. Die Äbte sollen deshalb ihre exponierten Pfarrer regelmäßig besuchen[250]. In den Bestimmungen über die Ämter und Dienste in den Klöstern verdeutlicht sich sowohl die Tendenz einer engeren Bindung der Äbte an den Generalabt als auch der Wille zur Durchsetzung der Trienter Konzilsbeschlüsse.

2.3.3 Gottesdienst und Leben im Kloster

Wohl am einschneidendsten wirkten die Reformstatuten in den Punkten, welche die Gottesdienste und das alltägliche Leben im Kloster betrafen; diese nehmen auch den ausführlichsten Raum im Text ein und verweisen auf die eigentliche Absicht der Statuten: das Leben in den Klöstern von innen her nach den neuen monastischen Idealen zu reformieren und zu vereinheitlichen[251]. Gemäß den zisterziensischen Regeln steht das Lob Gottes im Vordergrund des Tagesablaufs; so nehmen auch die Ermahnungen zur rechten Verrichtung des »opus Dei« den ersten Platz in den Statuten ein: Die Mönche sollen ohne Widerspenstigkeit am ganzen Chorgebet teilnehmen[252], aber auch die Äbte und Dienstämter werden aufs strengste zur Teilnahme am gemeinsamen Chorgebet verpflichtet[253]. Um eine möglichst große Einheitlichkeit zu erreichen, legen die Statuten die Weise der Verrichtung des Chorgebetes[254] fest, die Zeit des Beginns der Vigilien[255], die Zulassung der Orgel als des einzigen Musikinstruments[256] und die ausschließliche Benutzung

---

[247] FRST 18,18.
[248] FRST 18,19.
[249] FRST 19.
[250] FRST 20.
[251] Dabei standen die Zisterzienser vor geringeren Schwierigkeiten als die Benediktiner, deren ausgeprägte Individualverfassung eine einheitliche Lebensweise kaum gestattete; so waren die benediktinischen Reformen und Einheitsbestrebungen insgesamt wesentlich radikaler als die zisterziensischen. Dazu: Maier, Reformation 288–294; Reinhardt, Weingarten 110 bis 119 u. ö.
[252] FRST 2,3. 4. [253] FRST 2,5. [254] FRST 2,6. [255] FRST 2,11. [256] FRST 2,15.

der vom Gesamtorden genehmigten liturgischen Bücher, die bei Neuauflagen genau mit den alten Ritualien verglichen werden sollten[257].

Ebenso wie das Chorgebet wird die Feier der Eucharistie einer Vereinheitlichung unterzogen: Neben einer Konventmesse sollen zwei Privatmessen zu Ehren der Gottesmutter Maria und zum Gedächtnis der Verstorbenen gefeiert werden; dazu ergehen genaue Regelungen im Rahmen der zisterziensischen Eigenliturgie[258]. Als Ideal gilt die Feier der täglichen Messe, zumindest sollen aber die Priester zwei- bis dreimal wöchentlich zelebrieren[259]. Verlangt wird von jedem Priester zudem die genaue Kenntnis der Riten, die er keinesfalls auswendig verrichten darf, damit Fehler vermieden werden[260]. Weiter werden viele Kleinigkeiten der Zelebration geregelt: Größe und Material der Korporalien[261], der Altarschmuck, die Einrichtung eines festen Lavabo am Altar sowie die Anschaffung eines Glöckchens, mit dem bei der »elevatio« geläutet werden kann[262]. Überaus bemerkenswert, weil entschieden gegen die ursprünglichen Ordensregeln[263], ist die ausdrückliche Anweisung, eine Marien- oder Heiligenstatue über jedem Altar anzubringen, die nur im Notfall einem gemalten Bild weichen darf[264]. Die Eigenheiten der zisterziensischen Liturgie werden trotz aller Akkommodation an die Neuzeit wieder betont: die Abhaltung von Prozessionen bei bestimmten Anlässen[265], die Gebete besonderer Versikel und Psalmen an bestimmten Stellen der Meßfeier[266] oder die bereits erwähnten Meßintentionen.

Die Anweisungen zum geistlichen Leben leiten sich sowohl aus der ursprünglichen Ordensmystik als auch aus der zeitgenössischen Spiritualität her: Die Meditation wurde als besonders wichtig eingestuft, damit der Orden, »der im Bereich der geistlichen Übung einst zu den ersten zählte … nicht zu den letzten in der geistlichen Übung« würde[267] – offensichtlich spielte man damit auf die Vormachtstellung der jesuitischen Gebetsformen in der Zeit an. Neben der geistlichen Lesung wird auch das Bußsakrament aufgewertet, das zumindest am Sonntag, möglichst aber täglich vor der Hauptmesse und einmal im Jahr in Form einer Generalbeichte empfangen werden soll[268]. Zum Unterricht der Junioren soll jedes Kloster einen Professor aus dem Ordensstand haben, der täglich zwei Vorlesungen über Wissen-

---

[257] FRST 2,20. 21.

[258] FRST 3,1–4.

[259] FRST 3,8. 9.

[260] FRST 3,13–14.

[261] FRST 3,19.

[262] FRST 3,21–25.

[263] Exord. cist. XXVI: »Bildwerke dulden wir nirgends«, in: Lekai/Schneider, Weiße Mönche 46.

[264] FRST 3,20.

[265] FRST 5,1–4.

[266] FRST 3,2.

[267] FRST 5,6.

[268] FRST 6,4. – Das Konzil von Trient verpflichtet zum Empfang des Bußsakraments vor dem Empfang der Eucharistie, für Priester möglichst vor der Zelebration. Vgl. Conc. Trid. Sess. XIII, De eucharistia VII, in: COD 696.

schaft und Kunst zu halten hat[269]; um die lateinische Sprache zu erlernen, werden die jungen Mönche angehalten, sich lateinisch zu unterhalten[270]. Streng eingeschärft wird auch das Verbot, indizierte Bücher zu lesen[271]. Die Einrichtung eines Ordenskollegs in Rom, die das Generalkapitel beschlossen hatte, wird ebenfalls unterstützt[272] – auch hier zeigt sich die Übernahme einzelner tridentinischer Reformvorschriften. Ins Noviziat durfte man nicht vor dem zwölften Lebensjahr aufgenommen werden[273], zur Profeß erst mit sechzehn Jahren[274]. Vor Ablegung der Profeß darf das Gut des Novizen nicht den Klostergütern zugewendet werden[275]. Auch die Ausbildung und Prüfung der Novizen wird sehr genau beschrieben und geregelt.

---

[269] FRST 22,1. 2.   [270] FRST 22,6.   [271] FRST 22,7.

[272] FRST 23. – Conc. Trid. Sess. XXIII, De reformatione XVIII, in: COD 750–753, verordnete die Einrichtung von Seminarien zwar nur dem Weltklerus, aber auch die Orden konnten sich dieser Tendenz, die sich in Rom zuerst durchsetzte, nicht entziehen.

[273] FRST 25,2 im Anschluß an Conc. Trid. Sess. XXIII, De reformatione XVIII, in: COD 750 bis 753.

[274] FRST 25,11 im Anschluß an Conc. Trid. Sess. XXV, De regularibus et monialibus XV, in: COD 781.

[275] FRST 25,4 im Anschluß an Conc. Trid. Sess. XXV, De regularibus et monialibus XVI, in: COD 781.

2.4   Die Ordenskontributionen

Ein weiterer, nicht unwesentlicher Aspekt im Gefüge des Gesamtordens sind die Kontributionen, Beiträge, die jedes Kloster entsprechend seiner Größe und Finanzstärke an die Ordenszentrale in Cîteaux abzuführen hatte. Wesen und Aufgabe dieser Zahlungen charakterisierte 1576 der Kaisheimer Abt Ulrich Kölin in einem Brief an Abt Leonhard Treuttwein: »Solche contribution ist von wegen der gemainen des hailigen Ordens aufgaben beschehen. dann fürnemblich der orden ye und allewegen ainen protectorn Zu Rom ex cardinalibus (welcher diser Zeit der Cardinalis Moronus ist) auch ain generalem procuratorem gehabt, dene Järlich ain grosse Summa gelts gegeben wierdt. Zudem geet dem Orden in gemain wann die generalia capitula gehallten werden und sonnst in annd weg vil auf. welches alles den gemainen Ordens und alle Gotzheuser und Clösster desselben betrifft. dahin dann gemellte contributiones ... angelegt und verweendet worden«[276]. Mit den Geldern wurden somit die den Gesamtorden betreffenden Aufwendungen finanziert, der römische Kardinalprotektor, die Generalkapitel und deren weitere Aufgaben. Zusätzlich wurden aber auch notleidende Klöster unterstützt.

Aus dem Kloster Fürstenfeld stammen für die Reformationszeit verhältnismäßig wenige Nachrichten über die Ordenskontributionen, da sie in den Rechnungsbüchern kaum verzeichnet sind[277]; dennoch finden sich vereinzelte Notizen: Ende des 15. Jahrhunderts wurden die Beiträge Altbayerns in Fürstenfeld gesammelt[278], seit 1503 war ein nicht näher bekannter Fr. Georg aus Fürstenfeld beauftragt »In alta bassaque Bavaria« die Ordenskontributio-

---

[276]   Abt Ulrich Kölin von Kaisheim an Abt Leonhard Treuttwein, Kaisheim, 25. April 1576. BHStAM. KL Fürstenfeld 334a, prod. 9.

[277]   Die bekannten Kontributionen:

Jahr	Beleg	Summe	Zeitraum
1575	BHStAM. KL Fürstenfeld 334a, prod. 6.	5 fl	1575
1587	BHStAM. KL Fürstenfeld 334a, prod. 8.	15 fl	1587–1589
1595	BHStAM. KL Fürstenfeld 334a, prodd. 10, 11.	15 fl	1592–1594
1611	BHStAM. KL Fürstenfeld 334a, prod. 15.	20 ducaten	? aus Fürstenfeld und Aldersbach
1612	BHStAM. KL Fürstenfeld 334a, prod. 16.	20 ducaten	? aus Fürstenfeld und Aldersbach
1614	BHStAM. KL Fürstenfeld 334a, prod. 17.	4 ducaten	1614
1621	BHStAM. KL Fürstenfeld 217 1/6; 334a, prodd. 18, 19, 20.	48 fl	1619–1621
1623	BHStAM. KL Fürstenfeld 334a, prod. 21.	4 ducaten	1623

Eine vollständige Aufstellung sämtlicher erhaltenen Kontributionen von 1351 bis 1718 findet sich bei Wollenberg, Eigenwirtschaft 464.

nen zu erheben, und er bestätigte nach Raitenhaslach den Empfang von 5 fl[279]; auch unter Abt Caspar Harder zog Fürstenfeld die Beiträge ein[280]. Die erhaltenen Beitragssummen weisen eine hohe Stabilität über Jahre hinweg auf und bleiben von der aktuellen wirtschaftlichen Situation unberührt; mit einem Jahresschnitt von 5 fl auch für Fürstenfeld nehmen sie sich aber vergleichsweise bescheiden aus. Bis zum Jahr 1621 war der Beitrag allerdings auf 16 fl im Jahr angestiegen; alle drei Jahre wurden 48 fl nach Salem gezahlt[281].

»Taxa contributionum monasteriorum quae sunt

in Superiori Germania		In Ducatu Bauariae	
Caesarea	17 fl	Campo principum	5 fl
Salem	12 fl	Ratenshlagh	5 fl
Eberaco	7 fl	Alderspach	5 fl
Lanckheim	6 fl	Cella principum	3 fl
Bildenhusen	5 fl	Cella Dei	1 fl
Speciosa valle	6 fl	S. Joanne in Stamps	10 fl«[282]
Brombach	5 fl		

[278] Quittung Abt Leonhard Eggenhofers an Abt Simon Kastner von Aldersbach über die Einnahme von 20 fl Kontributionen, Fürstenfeld, 31. Dezember 1487. BHStAM. KU Aldersbach 1198. – Quittung Abt Leonhard Eggenhofers an Abt Simon Kastner von Aldersbach über die Einnahme von 29 fl Kontributionen, Fürstenfeld, 24. Februar 1490. BHStAM. KL Aldersbach 1204. – Quittung Prior Gerhards von Fürstenfeld an Abt Georg Lindmair von Raitenhaslach über die Einnahme von 12 fl Kontributionen, 6. Oktober 1494. BHStAM. KU Raitenhaslach 892. – Quittung Prior Johanns von Fürstenfeld an Abt Johann Guotgeld von Raitenhaslach über die Einnahme von 22 fl Kontributionen, Raitenhaslach, 2. August 1498. BHStAM. KU Raitenhaslach 903. – Quittung Prior Johanns von Fürstenfeld an Abt Johann Guotgeld von Raitenhaslach über die Einnahme von 11 fl Kontributionen, Raitenhaslach, 21. Juli 1499. BHStAM. KU Raitenhaslach 908. – Quittung Prior Johanns von Fürstenfeld an Abt Johann Guotgeld von Raitenhaslach über die Einnahme von 20 fl Sondersteuer zur Bestreitung des Heiligen Jahres in Rom, Raitenhaslach, 23. April 1500. BHStAM. KU Raitenhaslach 913. – Quittung Fr. Georgs von Fürstenfeld an Abt Ulrich Molczner von Raitenhaslach über die Einnahme von 11 fl Kontributionen, Raitenhaslach, 1. April 1503. BHStAM. KU Raitenhaslach 921. – Quittung Fr. Georgs von Fürstenfeld an Abt Ulrich Molczner von Raitenhaslach über die Einnahme von 35 fl Kontributionen, Raitenhaslach, 12. September 1506. BHStAM. KU Raitenhaslach 932.
[279] Quittung Fr. Georgs über 5 fl, Fürstenfeld, 3. April 1509. BHStAM. KL Raitenhaslach 141, prod. 2.
[280] Quittungen des Priors Fr. Johannes über 5 fl, Raitenhaslach, 1515 und 1517. BHStAM. KL Raitenhaslach 141, prodd. 3, 4. – Quittung Abt Caspar Harders an Abt Georg Wankhauser von Raitenhaslach über die Einnahme von 5 fl Kontributionen und 25 fl »subsidium charitativum«, Fürstenfeld, 23. Juni 1521. BHStAM. KU Raitenhaslach 961. – Quittung Fr. Georg Menharts von Fürstenfeld an Abt Georg Wankhauser von Raitenhaslach über die Einnahme von 5 fl Kontributionen, 23. März 1522. BHStAM. KU Raitenhaslach 962.
[281] Rechnungsbuch von 1621, »Konvent«. BHStAM. KL Fürstenfeld 217 1/6.
[282] Ordenskontributionen, 1575. BHStAM. KL Fürstenfeld 334a, prod. 6.

Während Fürstenfeld im Vergleich mit den oberdeutschen Klöstern eher gering veranschlagt wurde, hielt es sich bei den bayerischen Zisterzen im Mittelfeld: Stams wurde mit 10 fl doppelt so hoch herangezogen, Gotteszell mit 1 fl kaum; Aldersbach, Raitenhaslach und Fürstenfeld wurden gleich eingestuft. Im Jahr 1580 zog wiederum Fürstenfeld die Kontributionen ein[283]. Später wurden die Beiträge jährlich oder dreijährlich dem Abt von Aldersbach übergeben, der sie seinerseits über Kaisheim nach Cîteaux weiterleitete[284]. 1602 beschloß schließlich das Generalkapitel, daß die Beiträge jeweils für vier Jahre vom Abt von Aldersbach als Provinzvisitator einzuheben seien[285]. Eine Zusatzkontribution wurde 1605 für den römischen Generalprokurator des Ordens erhoben; aus Bayern wurden insgesamt 40 fl dafür abgeführt[286].

---

[283] Quittung Abt Leonhard Treuttweins nach Raitenhaslach über 15 fl Kontribution für die Jahre 1579–1581, Fürstenfeld, 3. März 1580. BHStAM. KL Raitenhaslach 141, prod. 5.

[284] Abt Leonhard Treuttwein mit der Bestätigung, die Ordenskontributionen nach Aldersbach weitergeleitet zu haben, 28. Januar 1595. BHStAM. KL Fürstenfeld 334a, prod. 10. – Quittung Abt Johannes Dietmairs von Aldersbach an Abt Matthias Stoßberger von Raitenhaslach über 20 fl Kontribution für die Jahre 1591–1594, Aldersbach, April 1595. BHStAM. KL Raitenhaslach 141, prod. 8. – Abt Sebastian Faber von Kaisheim an Abt Johannes Dietmair von Aldersbach mit einer Quittung über erhaltene Kontributionen, Kaisheim, 29. März 1596. BHStAM. KL Fürstenfeld 334a, prod. 13.

[285] Generalabt Edmund de la Croix an Abt Johannes Dietmair von Aldersbach, Cîteaux, 28. Juli 1602. BHStAM. KL Fürstenfeld 334, fasc. 1, prod. 7.

[286] Quittung des Generalprokurators Fr. Vincenz Longuosper, Cîteaux, 11. Mai 1605. BHStAM. KL Fürstenfeld 334a, prod. 14.

3. Beziehungen zu den Freisinger Fürstbischöfen

3.1 Benediktionen und Konsekrationen

Da die beiden wichtigsten Beziehungen Fürstenfelds den Landesherren sowie dem Gesamtorden und seinen Organen galten, stellen die Kontakte zu den Freisinger Fürstbischöfen nicht mehr als eine Randerscheinung dar. Im wesentlichen beschränkten sie sich auf Pontifikalhandlungen an Fürstenfelder Mönchen oder an zu konsekrierenden Kapellen. Bis ins 16. Jahrhundert hinein wurden die Fürstenfelder Äbte in Freising von den Fürstbischöfen benediziert, zum letzten Mal 1566, als Abt Leonhard Treuttwein in Freising durch Fürstbischof Moritz von Sandizell zum Abt geweiht wurde[1]. Abt Johann Puel wurde 1595 vom Generalabt Edmund de la Croix in der Fürstenfelder Klosterkirche benediziert[2]; die Fürstenfelder Reformstatuten legten schließlich mit päpstlicher Bestätigung fest, daß die Benediktion der Äbte vom Generalabt oder dem Provinzialvikar vorzunehmen sei[3]. Auch die Äbte Thoma und Lechner erhielten ihre Benediktionen durch die Aldersbacher Vateräbte[4]. Wenngleich der Freisinger Bischöfliche Geistliche Rat gegen die ordensinternen Benediktionen massive Einwände erhob[5], so konnte er nicht verhindern, daß die Benediktionsfakultät mit päpstlicher Unterstützung auf die übergeordneten Äbte überging.

Die Fürstenfelder Mönche empfingen ihre Weihen dagegen weiterhin in Freising. Aus den Rechnungsbüchern geht kontinuierlich hervor, daß die Weihekandidaten aus dem Konvent zusammen mit Prior oder Subprior nach Frei-

---

[1] Sitzungsprotokoll des BGR, 8. Juli 1610. AEM. GR. PR. 32, fol. 29v.
[2] Wahlinstrument Abt Johann Puels durch Generalabt Edmund de la Croix, Fürstenfeld, 17. September 1595. BHStAM. KU Fürstenfeld 2388.
[3] FRST 18,7 unter Berufung auf ein Breve Papst Clemens' VIII. vom 24. Juli 1595; abgedruckt in: Lobendanz, Edition 800–801.
[4] Sitzungsprotokoll des BGR, 8. Juli 1610. AEM. GR. PR. 32, foll. 29v–30v. – Sitzungsprotokoll des BGR, 28. Februar 1624. AEM. GR. PR. 61, fol. 30v.
[5] Sitzungsprotokoll des BGR, 16. September 1595. AEM. GR. PR. 13, fol. 163v. – Sitzungsprotokoll des BGR, 8. Juli 1610. AEM. GR. PR. 32, foll. 29v–30v. – Sitzungsprotokoll des BGR, 24. Februar 1624. AEM. GR. PR. 61, fol. 30v.

sing geschickt wurden[6]. Die Behauptung Abt Thomas, die meisten Weihen
fänden dagegen in Augsburg statt, kann dagegen nicht für richtig befunden
werden[7]. Zu diesen regelmäßigen Terminen kamen weitere Gelegenheiten,
bei denen Freisinger Fürstbischöfe oder deren Weihbischöfe Pontifikalhandlungen im Bereich des Klosters Fürstenfeld vorzunehmen hatten. Am
31. Mai 1613 konsekrierte der Freisinger Weihbischof Bartholomäus Scholl
die neuerbaute Kapelle im Münchener Pfleghaus[8]; zwei Jahre später, am
25. November 1615, benedizierte Weihbischof Scholl die nach einem Blitzschlag zerschmolzenen und neu gegossenen Glocken der Inchenhofener
Leonhardskirche[9].

[6] Rechnungsbuch von 1558, »Konvent«. BHStAM. KL Fürstenfeld 317 1/88: Vier Junioren
zogen zur Weihe nach Freising. – Rechnungsbuch von 1573, »Konvent«. BHStAM. KL Fasc.
957/60: Fr. Johann Puel wird zweimal in diesem Jahr zur Weihe nach Freising geschickt. –
Rechnungsbuch von 1596, »Zehrung«. BHStAM. KL Fürstenfeld 317 1/89: Junioren reisen
zusammen mit dem Magister nach Freising.
[7] »Puncten: Sich der contribution oder subsidii charitatiui nach Freysing zuentschlagen« Abt
Sebastian Thomas, undatiert. BHStAM. Aldersbach Archiv Schublade 107, fasc. 6, prod. 6. – In
einem fünften Punkt führt Thoma an, daß die meisten Weihekandidaten in Augsburg geweiht
werden; aus den Rechnungsbüchern des Klosters geht kein einziger Anhaltspunkt dazu hervor.
[8] Führer, Chronik § 194.
[9] Ebd. § 196.

3.2 Der Subsidienstreit von 1619

Zu einem näheren, wenngleich weniger erfreulichen Kontakt zwischen Abt Sebastian Thoma und dem Freisinger Fürstbischof Veit Adam von Gepeckh (1618–1651) kam es wegen eines Subsidiums im Jahr 1619. Fürstbischof Veit Adam schrieb an Abt Johannes Dietmair von Aldersbach, daß er bei seiner Amtsübernahme große Schulden geerbt habe; alleine nach Rom seien 26 000 fl ausständig. So habe er den Landesherrn ersucht, das alte Instrument des »subsidium charitativum« aktivieren und die Prälaten seines Bistums um Unterstützung ersuchen zu dürfen; deshalb erbitte er von Abt Dietmair und seiner Kongregation einen angemessenen Beitrag zur Tilgung der Schulden[10]. Abt Dietmair bedauerte die schlechte Finanzlage des Freisinger Hochstifts und erklärte sich gerne zur Hilfe bereit. Doch leider würden auch von Seiten des Ordens viele Abgaben nach Rom zu entrichten sein; zudem bestünde keinerlei Rechtsanspruch, da die Zisterzienser an keinen Bischof Kontributionen schuldig seien. Wenn dennoch früher Zahlungen geleistet wurden, dann nur als »res facti«, nicht als »res iuris«. So bat er seinerseits um die Verschonung von Kontributionsforderungen um ein Jahr[11].
Fürstbischof Veit Adam mußte diese Antwort hinnehmen, verwies aber noch einmal auf die von anderen Prälaten geübte Praxis und die Zustimmung des Landesherrn. Zustehen würden ihm aber zumindest Kontributionen aus den dem Kloster Fürstenfeld inkorporierten Freisinger Pfarreien, von denen er seinen Beitrag einforderte[12]. Abt Dietmair lehnte ein weiteres Mal ab und verwies auf den Parallelfall, in dem der Regensburger Bischof von den in seinem Sprengel gelegenen Klöstern ebenfalls eine Kontribution zwar gefordert, niemals aber erhalten habe; nochmals betonte der Prälat die Unabhängigkeit des Ordens gegenüber den Bistümern. Einzig die Pfarrei Bruck könnte kontributionspflichtig sein; diesbezüglich wollte er in Fürstenfeld nachfragen[13]. Auf eine – nicht mehr erhaltene – Anfrage Abt Dietmairs hin verwies Abt Sebastian Thoma auf einen ähnlichen Vorgang, in dem Fürstbischof Stephan von Seiboldsdorf eine Infulsteuer auf die Pfarrei gelegt habe. Auf seinen eigenen Protest hin habe man schließlich keinen Heller nach Freising bezahlt; so bat der Prälat seinen Provinzialvikar, sich auch in diesem Fall wieder auf die

---

[10] Fürstbischof Veit Adam von Gepeckh von Freising an Abt Johannes Dietmair von Aldersbach, Freising, 21. Februar 1619. BHStAM. Aldersbach Archiv Schublade 107, fasc. 6, prod. 1.
[11] Abt Johannes Dietmair von Aldersbach an Fürstbischof Veit Adam von Gepeckh von Freising, Aldersbach, 25. Februar 1619 (Kopie). BHStAM. Aldersbach Archiv Schublade 107, fasc. 6, prod. 2.
[12] Fürstbischof Veit Adam von Gepeckh von Freising an Abt Johannes Dietmair von Aldersbach, Freising, 6. März 1619. BHStAM. Aldersbach Archiv Schublade 107, fasc. 6, prod. 3.
[13] Abt Johannes Dietmair von Aldersbach an Fürstbischof Veit Adam von Gepeckh von Freising, Aldersbach, 11. März 1619 (Konzept). BHStAM. Aldersbach Archiv Schublade 107, fasc. 6, prod. 4.

Seite des Klosters zu schlagen. Um seine ablehnende Haltung zu unterstrei-
chen, verfaßte Abt Thoma einige »Puncten: Sich der contribution oder subsidii nach Freising zuentschlagen«[14], mit deren Hilfe die Freisinger Ansprüche
zurückgewiesen werden sollten. Weitere Details aus dem Streit sind ebensowenig bekannt wie vom Kloster Fürstenfeld geleistete Zahlungen nach
Freising.

[14] »Puncten: Sich der contribution oder subsidii charitatiui nach Freysing zuentschlagen«,
undatiert. BHStAM. Aldersbach Archiv Schublade 107, fasc. 6, prod. 6.
Zusammengefaßt führte Thoma folgende Argumente an:
1. Es kann sich im Kloster niemand an eine Zahlung erinnern; auch in den Ausgabenbü-
   chern steht dazu nichts. Wenn also ein »subsidium« geleistet worden sein sollte, so ist
   dies gewiß außerhalb der regulären Ordnung geschehen.
2. Inchenhofen, zu Augsburg gehörig, sei seit Menschengedenken nie mit einer derartigen
   Forderung beschwert worden; also sei eine solche überhaupt nicht üblich.
3. Beim letzten Mal habe man 4 ducaten zahlen sollen, jetzt seien es schon 16 dct. Was die
   Pfarrei Bruck betreffe, so werde sie von einem Religiosen versehen, und so habe man keine Veranlassung etwas zu zahlen.
4. Wenn man einmal ein solches »subsidium« zahle, würde man immer wieder herangezogen, und das wolle man nicht. Schließlich habe der Orden seine Privilegien, die zu respektieren seien.
5. Es sei auch nicht richtig, daß die Ordensbrüder meistens zu Freising geweiht würden, und
   deshalb ein Zahlungsanspruch bestehe. Was sein Kloster betreffe, so sei ohnehin Augsburg näher, und man würde meistens dort weihen lassen.
6. Die Pfarreien draußen zahlen ohnehin; deshalb sei es unnötig, das Kloster dazu heranzu-
   ziehen, da dann doppelt zu zahlen sei.
7. Prinzipiell würde man den Anweisungen des Abtes von Aldersbach folgen; nur was die
   Infulsteuer betreffe, könne man sich von vornherein nicht damit anfreunden.

Schlußbemerkungen

In dieser Darstellung wurde versucht, über 120 Jahre der Klostergeschichte Fürstenfelds in ihren Entwicklungslinien nachzuzeichnen, mehr als ein Jahrhundert, in dem sich nicht nur für das Kloster, sondern für die ganze abendländische Welt erstmals seit annähernd tausend Jahren Entscheidendes verändert hat. Die mittelalterliche Einheit von Glaube, Geist und Herrschaft war zerbrochen und durch das Nebeneinander von Konfessionen, Ideen und Staaten abgelöst worden; der heraufziehende Dreißigjährige Krieg sollte zum schrecklichen Höhepunkt und Finale der Religionskämpfe werden. Der Verlauf der Dinge im Kloster Fürstenfeld entsprach diesen Zeitumständen; gleichsam wie mit einem Seismograph wurden die Ereignisse – manchmal stärker, manchmal schwächer – bei den Zisterziensern im Ampertal nachvollziehbar.

Am Vorabend der Reformationszeit präsentierte sich Fürstenfeld als humanistisch geprägtes Kloster, das sich in besonderer Weise der Pflege von altbayerischer Geschichte und Überlieferung verpflichtet wußte. Das Haus Bayern galt immer noch als ideeller Mittelpunkt, symbolisiert durch die Grablege des Klostergründers Ludwigs des Strengen. Mit der Errichtung des Stiftergrabs und den damit verbundenen Umständen lassen sich die ersten Veränderungen zum Haus Bayern feststellen: Aus der religiös-dynastischen Beziehung, in der das Herrscherhaus im ausgehenden Mittelalter als Förderer des Klosters aufgetreten war, wurde ein rein wirtschaftlich-politisches Verhältnis. Zwar blieb der äußere Kontakt in Form von Rechts- und Geschäftsbeziehungen weiterhin eng, die innere Distanz zwischen Kloster und Herzögen war aber stetig größer geworden. Somit kann eine der Fragestellungen als beantwortet angesehen werden: Das Miteinander von Landesherr und Kloster war kein romantisches altbayerisches Idyll, sondern eine Rechtsbeziehung, in der die landesherrliche Macht gegenüber dem Kloster immer deutlicher in Erscheinung trat, und die so in einen gewissen Dualismus mündete; im Rahmen ihrer bescheidenen, nach der Reformationszeit verbliebenen Kompetenzen versuchten die Äbte, sich dem landesherrlichen Kirchensystem zu entziehen. Am deutlichsten kam dieses gewandelte Verhältnis in den Jahrzehnten 1525 bis 1555 zum Ausdruck: Die eigene Kraft des Klosters war zeitweise so schwach geworden, daß die Landesherren ohne jedes Hindernis im Kloster wirtschaften und regieren konnten; unübersehbar wird dies in der Bestellung des Administrators Dorfpeck. Aber auch in den folgenden Jahren gehörten herzogliche Kommissare mit zum Erscheinungsbild Fürstenfelds. In die Jahre um 1550 fällt ein fast vollständiger Personalwechsel des Klosters Fürstenfeld im Konvent; mit Abt Leonhard Baumann begann daher auch unter dieser Hinsicht eine völlige Neuorientierung des Klosters.

Ein weiterer Machtfaktor im Gefüge des Klosters neben dem Herrscherhaus war der Zisterzienserorden; auch die Fragerücksicht nach seiner Entwicklung stand immer wieder im Vordergrund der Darstellung. Der Orden trat für Fürstenfeld hauptsächlich in zweierlei Gestalt auf, der des Vaterabtes und der des Generalabtes oder seiner Kommissare. Der Abt von Aldersbach war als Vaterabt über die gesamten 120 Jahre der Reformationszeit hin mehr oder minder kontinuierlich präsent und vertrat den Orden gegenüber dem Kloster; über lange Zeit hinweg, vom Ausbruch der Reformation bis zehn Jahre nach dem Abschluß des Konzils von Trient, blieb die Verbindung nach Aldersbach und zu anderen Klöstern in der Region der einzige ordensinterne Kontakt. Der Gesamtorden, repräsentiert durch Generalabt und Generalkapitel, trat fünf Jahrzehnte lang für Fürstenfeld und die bayerischen Klöster nicht in Erscheinung. Einen Neuanfang in dieser Hinsicht markierte erst die Visitationsreise Generalabt Boucherats 1573; von da ab versuchte der Orden wieder mehr Einfluß auf die bayerischen Klöster zu gewinnen und trat damit in Konkurrenz zu den Landesherren, welche ihr Kirchenregiment bis dahin unbestritten immer weiter ausgebaut hatten.

So lagen seit dem dritten Viertel des 16. Jahrhunderts zwei konkurrierende Reformvorstellungen im Wettstreit um die Erneuerungen im Kloster: Die Landesherren propagierten ihre jesuitisch geprägte Katholische Reform und suchten, alle kirchlichen Institutionen in diesem Sinn anzugleichen. Der Orden setzte dem ein erwachtes Selbstbewußtsein entgegen und besann sich auf »zisterziensische Tradition«, wohl wissend, daß sich das Ideal der Väter von Cîteaux nicht mehr einholen ließ; die Zeiten hatten sich gewandelt. Erschwerend kam für den Orden ein gänzlich neuer Strukturfindungsprozeß hinzu, der in die Gründung von Kongregationen mündete; die Zisterzienser hatten ein anderes, regionaler geprägtes Gesicht bekommen. Die Äbte von Fürstenfeld, die sich diesen Einflüssen ausgesetzt sahen – Baumann, Treuttwein, Puel und Thoma –, konnten hier nur leicht steuernd wirken, entfalteten selbst aber keine Initiativen zu Erneuerungen; dazu waren sie nicht originell und mächtig genug. So setzte sich aufs ganze gesehen langsam die landesherrliche Katholische Reform auch in Fürstenfeld durch; besonders die Äbte Puel und Thoma waren durch die neue Frömmigkeit geprägt worden und gaben sie an ihren Konvent weiter. Die Ordensreformen konnten demgegenüber nur leicht korrigierend wirken und paßten sich der neuen Zeit an.

Der einzige größere Sieg des Ordens über das Landeskirchentum war die Verhinderung der Visitationen durch den landesherrlichen Visitator Jacob Golla.

Kloster Fürstenfeld 1496 bis 1623 – die Kontinuität jener Jahre erweist sich im beständigen Wandel. Die Frage, ob Wille zu Reform oder Restauration hinter den Veränderungen stand, ist auf dem Hintergrund der Fakten letztlich müßig. Das Wollen des Menschen – auch der Kirchenreformer – zeigt sich im Vergleich zum Werden der Geschichte immer als bruchstückhaft und uneinsichtig; entscheidend ist vielmehr das unbeugsame Vertrauen auf den Sinn der Geschichte, dessen Entsiegelung noch bevorsteht.

Anhang

1. Personalteil

1.1 *Konventlisten*

Konventliste von 1522[1]
1. Abt Georg Menhart
2. Symon (Senior)
3. Ulricus Kulbinger
4. Ulricus (Cantor)
5. Petrus (Bursarius)
6. Joannes Merte
7. Steffanus (Subprior)
8. Wolfgang Plesel
9. Petrus Pistorius
10. Joannes Zolner
11. Christoff Faber
12. Joannes de petmis[2]
13. Leonardus Peham
14. Sigismund Schmuckh
15. Joannes Pistor

Konventliste von 1551[3]
1. Abt Johann Pistorius, »gewesener Abt« [abgesetzt, nicht resigniert]
2. Michael Kain [Administrator]
3. Johann Roppach [Prior]
4. Johannes Pradtner [Superior in St. Leonhard zu Inchenhofen]
5. Sigismundus Roerl [Pfarrer in Gilching]
6. Sigismundus Eysenperger [Kaplan in St. Leonhard zu Inchenhofen]
7. Johannes Traintl
8. Leonardus Keller
9. Johannes Neumair
10. Lienhard Trautwein
11. Jeremias Herman
12. Christopherus Bader

Konventliste von 1556[4]
1. Abt Leonhard Baumann
2. Sigismund Rörl
3. Sigismund Eysenberger
4. Leonhard Keller
5. Leonhard Treuttwein
6. Johannes Neumair
7. Matthäus Brimelber
8. Martin Saule

[1] Wahlinstrument Abt Georg Menharts durch Abt Wolfgang Mayr von Aldersbach, Fürstenfeld, 10. April 1522. BHStAM. KU Fürstenfeld 1612.
[2] »de petmis« = aus Pöttmes.
[3] Visitationsprotokoll, Fürstenfeld, 13. Oktober 1551. BHStAM. KBÄA 4096, foll. 57v–86r.
[4] Es sind nur die wahlberechtigten Mönche bekannt: Postulationsinstrument Abt Leonhard Baumanns durch Abt Johann Sauer von Kaisheim, 16.4.1556. BHStAM. KU Fürstenfeld 1844.

Konventliste von 1560[5]
1. Abt Leonhardus Paumann
2. Sigmund Eisenberger [Superior in St. Leonhard zu Inchenhofen]
3. Johannes Schmuckh [Kaplan in St. Leonhard zu Inchenhofen]
4. Sigmund Röhrl [Pfarrer in Neukirchen][6]
5. Mathias Primelber [Prior]
6. Christofferus Artolphus
7. Sebastianus Taschneckher
8. Martinus Saurle
9. Leonhardus Treutwein
10. Melchior Petzer
11. Gallus Widman
12. Andreas Stier
13. Udalricus Morlitzen
14. Joannes Gistl
15. Johannes Ybler

Konventliste von 1589[7]
1. »1 Der Her [Abt Leonhard Treuttwein]
2. 2 her pfarrer leon: Ruescham [Leonhard Rueshammer (Pfarrer in Bruck)]
3. 3 pr prior Bachmair [Jacob Bachmair]
4. 4 fr. bern: andere [Andreas Bernhard]
5. 5 suprior Bartolo: liechenpr [Bartholomäus Lichtenberger]
6. 6 fr. johes zanger [Johannes Zanger]
7. 7 fr. jeorgius wagner
8. 8 fr. jeorgius eirel
9. 9 fr. jeorgius weber
10. 10 fr. achazius einspeckh
11. 11 fr johannes rötel
12. 12 fr. walthasar pertel
13. 13 fr. christopherus schönher

omnes sacerdotes 13 briester

junger
14. 1 fr. leon haiglmair [Leonhard Helgemayr]
15. 2 fr. jeorgius vogel
16. 3 fr. jeorgius stainhel [Steinheel]
17. 4 fr. sebastianus thoma
18. 5 fr. jacobus arnolt zu Ingolstat

9 [sic] junger«

---

[5] Visitationsprotokoll, 1560. Landersdorfer, Visitation 331–334.
[6] Erscheint nicht namentlich in den Visitationsakten, kann aber aus anderen Quellen erschlossen werden; siehe Anhang 1.3 Katalog der Mönche.
[7] Eintrag im Tagebuch Treuttweins, nach dem 31. Dezember 1589. BStB. Cgm 1771, fol. 78v.

Konventliste von 1591[8]

1. der her [Abt Leonhard Treuttwein]
2. hr prior [Jacob Bachmair?]
3. hr suprior
   [Bartholomäus Lichtenberger?]
4. her kuchenmaister
   [Andreas Bernhard?]
5. her pfarer [Leonhard Hirschauer]
6. her castner
7. fr joha[nnes] rötel
8. fr jeorgius weber
9. fr walthasar bertl
10. fr leon.[hard] hailgemair [Helgemayr]
11. fr christopherus schönher
12. fr jeorgius stainhel
13. fr jeorgius vogler
14. fr thoma [Andreas Thomas]
    [Junioren]
15. fr jacobus arnolt
16. fr sebastianus thoma
17. fr johannes hegemiller

Konventliste von 1593[9]

1. »Der her [Abt Leonhard Treuttwein]
2. hr prior [Jacob Bachmair?]
3. subprior
   [Bartholomäus Lichtenberger?]
4. hr kuchemaister [Andreas Bernhard?]
5. hr pfarrer [Leonhard Hirschauer]
6. hr castner
7. fr ertzel
8. fr joha[nnes] rötel
9. fr wal:[thasar] pertl
10. fr cri:[stoph] schönher
11. fr stainhel
12. fr leo hailgenmair [Helgemayr]
13. fr thomas ander [Andreas Thomas]
14. fr vogler
    juniores:
15. fr jacob arnolt
16. fr seba:[stian] thoma
17. fr joha:[nnes] hegenhuber [Hegemiller]«

Konventliste von 1595[10]

1. Abt Mgr. Johannes Puel
2. P. Johannes Riederauer
3. P. Bernhard Andre (Küchenmeister)
4. P. Jacobus Pachmair (Prior)
5. P. Bartholomeus Lichtnperger
   (Subprior)
6. P. Georgius Peerweber
7. P. Johannes Zanger (Kastner)
8. P. Leonhardus Hirschauer
   (Pfarrer in Bruck)
9. P. Johannes Rottl
10. P. Balthasar Barttl
11. P. Johannes Märkhl
12. P. Johannes Vogler
13. P. Leonhardus Helgemair
14. P. Adamus Holzwarth
15. P. Jacobus Arnolt
16. Fr. Thomas Andreas
    »die jungen«
17. Fr. Sebastianus Thoma (in Ingolstadt)
18. Fr. Johannes Hegelmüller
19. Fr. Michael Krauss
20. Fr. Johannes Marx
21. Fr. Vitus Krez

[8] Eintrag im Tagebuch Treuttweins, Randnotiz nach dem 31. Dezember 1591. BStB. Cgm 1771, fol. 129v.
[9] Eintrag im Tagebuch Treuttweins, nach dem 25. Dezember 1593. BStB. Cgm 1771, fol. 155v.
[10] Konventliste, 1595. KL Fürstenfeld 1, fol. 146r.

1.2 Die Konventstärken

Anzahl der
Professen

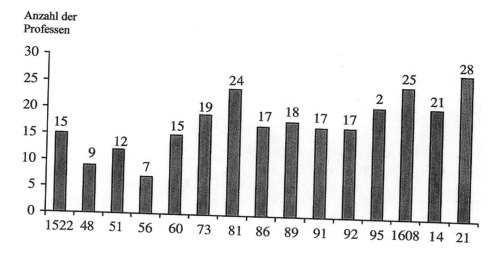

Jahr	Konventstärke	Beleg
1522	28 Professen 4 Novizen	BHStAM. Aldersbach Archiv Schublade 107, fasc. 2, prod. 2.
	15 Wahlberechtigte	BHStAM. KU Fürstenfeld 1612.
1548	1 Professe im Kloster 1 außerhalb 7 Junioren	BHStAM. KL Raitenhaslach 112, prod. 3.
1551	12 Professen[11]	BHStAM. KBÄA 4096, foll. 57r–86r.
1556	7 Wahlberechtigte	BHStAM. KU Fürstenfeld 1844.
1560	15 Professen[12]	Landersdorfer, Visitation 331–334.
1573	19 Professen 4 Novizen[13]	BHStAM. KU Fürstenfeld 2115.
1581	24 Professen im Kloster 1 Novize	BHStAM. KU Aldersbach 1453.
1586	17 Professen im Kloster 1 Novize	BHStAM. KBÄA 4096, fol. 183r

[11] Davon 8 im Kloster: außerhalb wohnen Abt Johannes Pistorius, Johannes Pradtner, Sigismund Eisenberger und Sigismund Röhrl.
[12] Davon 12 im Kloster: außerhalb wohnen Sigismund Eisenberger, Sigismund Röhrl und Johannes Schmuck.
[13] Davon 15 im Kloster: zwei wohnen außerdem in St. Leonhard zu Inchenhofen, einer in einer Pfarrei.

Jahr	Konventstärke	Beleg
1589	18 Professen im Kloster [4 Novizen][14]	BStB. Cgm 1771, fol. 78v.
1591	17 Professen im Kloster[15]	BStB. Cgm 1771, fol. 129v.
1592	17 Professen im Kloster[16]	BStB. Cgm 1771, fol. 155v.
1595	21 Professen im Kloster[17]	BHStAM. KL Fürstenfeld 1, fol. 146r.
1608	25 Professen im Kloster[18]	BHStAM. Aldersbach Archiv Schublade 107, fasc. 3, prod. 12.
1614	21 Professen im Kloster 5 Professen in St. Leonhard	BHStAM. KL Fasc. 957/60.
1621	28 Professen im Kloster[19]	BHStAM. KL Fürstenfeld 217 1/6.

[14] Die vier Novizen sind nur aufgrund einer anders nicht deutbaren Eintragung Treuttweins erklärbar; zu den 18 Profeßmönchen im Kloster kommen noch mindestens zwei in St. Leonhard in Inchenhofen.

[15-18] Dazu kommen noch mindestens zwei in St. Leonhard und eventuell Novizen.

[19] Dazu kommen noch mindestens fünf in St. Leonhard und eventuell Novizen.

1.3 Katalog der Mönche in Fürstenfeld

1.   Mönche, von denen lediglich die Vornamen bekannt sind

Andreas	*Vorkommnisse*	Primiz in Aldersbach
	Ämter	ab 11. April 1553 Kaplan in St. Leonhard
	Todesdatum	verm. 19. Januar 1590
	Quellen und Lit.	Necrol. Clm 1057, fol. 3v; KL Aldersbach 73, fol. 16r; Lindner, Beiträge 232, 389
Andreas	*Vorkommnisse*	Collator einer theologischen Sammelhandschrift mit Bibliothekskatalog 1535
	Quellen und Lit.	Clm 6914, fol. 118
Augustinus	*Eintritt*	nach 1595
	Vorkommnisse	Wird 1616 eingekerkert und bittet, als Converse im Kloster bleiben zu können; 1618 soll er in einem anderen Kloster stabilisiert werden
	Quellen und Lit.	KL Aldersbach 73, fol. 18v
Bernhard	*Ämter*	verm. in St. Leonhard
	Todesdatum	verm. 26. Januar 1577
	Quellen und Lit.	Necrol. Clm 1057, fol. 4v; Lindner, Beiträge 232, 384
Konrad	*Todesdatum*	26. März 1522
	Quellen und Lit.	Necrol. Clm 1057, fol. 13v
Leonhard	*Ämter*	1506 Prior
	Quellen und Lit.	KL Fürstenfeld 210 ½, fasc. 2, prod. 1
Marcus	*Vorkommnisse*	Flieht 1518 nach Aldersbach, wird nach Waldsassen weitergeschickt
	Quellen und Lit.	KL Aldersbach 72a, fol. 71r
Mathias	*Vorkommnisse*	1529 nach Aldersbach entlaufen und zurückgeschickt
	Quellen und Lit.	KL Aldersbach 72a, fol. 86v
Michael (II.)	*Ämter*	1496–1502 Abt
	Todesdatum	11. Mai 1503
	Quellen und Lit.	Necrol. Clm 1057, fol. 20r; Führer, Chronik § 153; Lindner, Beiträge 197, 19; Fugger, Fürstenfeld 66–67; Röckl, Beschreibung 25

Petrus	*Ämter*	1502–1505 Abt
	Todesdatum	2. Dezember 1511
	Quellen und Lit.	Necrol. Clm 1057, fol. 48v; Führer, Chronik § 154; KU Fürstenfeld 1524; Lindner, Beiträge 197, 20 (allerdings mit falschem Todesdatum); Fugger, Fürstenfeld 67; Röckl, Beschreibung 25

| **Petrus** | *Ämter* | 1522 Bursarius |
| | *Quellen und Lit.* | KU Fürstenfeld 1612 |

| **Sebastian**[1] | *Todesdatum* | verm. 6. Februar 1596 |
| | *Quellen und Lit.* | Necrol. Clm 1057, fol. 6v; Lindner, Beiträge 232, 391 |

| **Stephan** | *Ämter* | 1522 Subprior |
| | *Quellen und Lit.* | KU Fürstenfeld 1612 |

| **Symon** | *Ämter* | 1522 Senior |
| | *Quellen und Lit.* | KU Fürstenfeld 1612 |

2.   Mit vollem Namen bekannte Mönche

Agricola, Thomas[2]	*Weihe*	Diakonat
	Todesdatum	11. Juli 1603
	Quellen und Lit.	Lindner, Beiträge 232, 395

Arnold, Jacob	*Eintritt*	1588
	Studium	1589 in Ingolstadt
	Ämter	Organist; in St. Leonhard; Kooperator in Ainertshofen; Subprior
	Todesdatum	9. September 1629
	Quellen und Lit.	Necrol. Clm 1057, fol. 36v; Treuttwein Cgm 1771, fol. 78v; Lindner, Beiträge 233, 410

Artolph (Arnold), **Christoph**	*Herkunft*	Mühldorf
	Eintritt	1552
	Weihe	1560
	Quellen und Lit.	KL Fürstenfeld 317 1/88; Landersdorfer, Visitation 332

---

[1] Sebastian könnte eventuell mit Sebastian Taschneckher identisch sein, wenn dieser nicht mit dem ausgetretenen Fr. Taschinger identisch ist. Belege dazu finden sich nicht.

[2] Fraglich ist, ob Thomas Agricola wirklich dem Konvent angehört hat oder nur in die Confraternität des Klosters eingetreten ist; die einzige auf ihn bezugnehmende Quelle, das Nekrolog, bezeichnet ihn nur als »Confrater«. Lindner stützt sich darauf.

Bachmair (Pachmair), **Jacob**

Ämter	1576 Administrator in Gotteszell; 29 Jahre Prior, auch 1589, 1595 und 1597
Vorkommnisse	in den Unzuchtsskandal 1586 verwickelt
Todesdatum	11. Juni 1602
Quellen und Lit.	Necrol. Clm 1057, fol. 24; Treuttwein Cgm 1771, fol. 78v; KBÄA 4080, foll. 48–51; KBÄA 4096, foll. 172–247; KL Fürstenfeld 1, fol. 146r; Lindner, Beiträge 232, 393

Bader (Baider, Haider), **Christoph**

Geboren	1528
Eintritt	1546
Ämter	in St. Leonhard
Todesdatum	St. Leonhard, 13. März 1553
Quellen und Lit.	Necrol. Clm 1057, fol. 11v; KBÄA 4096, fol. 72; Lindner, Beiträge 232, 378

Bardt, Sigismund

Studium	16. Januar 1610 immatr. in Ingolstadt, bis 1614
Ämter	Pfarrer in Bruck
Todesdatum	17. Mai 1632 beim Schwedeneinfall
Quellen und Lit.	Necrol. Clm 1057, fol. 20v; KL Fasc. 957/60; Matrikel Ingolstadt II/1 187, 28; Lindner, Beiträge 233, 413

Baumann, Leonhard

Herkunft	Eichstätt
Studium	1521 immatr. in Ingolstadt, dort Baccalaureat
Eintritt	1532 in Kaisheim
Weihe	1536
Ämter	Confessarius in Oberschönenfeld; 1555–16. April 1556 Administrator in Fürstenfeld; 16. April 1556–15. Dezember 1565 Abt
Todesdatum	15. Dezember 1565
Quellen und Lit.	Führer, Chronik §§ 173–176; Necrol. Clm 1057, fol. 51r; KL Fürstenfeld 318 1/3; KU Fürstenfeld 1844; Matr. Ingolstadt I 450, 30; Lindner, Beiträge 197, 26; Landersdorfer, Visitation 331

Bernhard, Andreas

Ämter	Kaplan in St. Leonhard; 1578–1587, 1595 Küchenmeister
Todesdatum	St. Leonhard, 10. Oktober 1606
Quellen und Lit.	Necrol. Clm 1057, fol. 41v; Treuttwein Cgm 1771, fol. 78v; KL Fürstenfeld 1, foll. 146r 163; KU Fürstenfeld 2102; Lindner, Beiträge 232, 396

Betnesser, Johannes	*Herkunft*	Pöttmes (?)
	Studium	1514 immatr. in Heidelberg
	Quellen und Lit.	KU Fürstenfeld 1612 (?), Matrikel Heidelberg I 495

Betz (Petzer), **Melchior**	*Herkunft*	Diessen
	Eintritt	1554
	Weihe	1559/1560
	Ämter	1567 in St. Leonhard; 1572–1581 Kaplan in St. Leonhard
	Todesdatum	13. (Treuttwein) / 15. (Necrol.) Januar 1587
	Quellen und Lit.	Necrol. Clm 1057, fol. 3v; Treuttwein Cgm 1771, fol. 2r; KL Fürstenfeld 199, prod. 12; KU Fürstenfeld 2141; Lindner, Beiträge 232, 388 (dort: Michael Betz), Landersdorfer, Visitation 333

Breimelber (Primelber), **Mathias**	*Geboren*	1533
	Herkunft	Überlingen
	Eintritt	1549
	Weihen	(niedere) 1554, 1558
	Ämter	1560 Prior; 1570 Delegat Fürstenfelds bei Visitationen; 13. Dezember 1570 bis 25. März 1576 Administrator in Gotteszell
	Quellen und Lit.	KL Fürstenfeld 318 ½, prod. 8; KU Fürstenfeld 2142; KL Aldersbach 74, fol. 239v; KBÄA 4100, fol. 32r; Landersdorfer, Visitation 332

Bruckmann (Pruggman), **Georg**	*Studium*	12. September 1600 immatr. in Ingolstadt
	Ämter	Pfarrer in Bruck
	Todesdatum	30. Juni 1617
	Quellen und Lit.	Necrol. Clm 1057, fol. 26v; Matrikel Ingolstadt II/1 7, 9; Lindner, Beiträge 233, 404

Dachhler, Martin		Konverse
	Todesdatum	20. April 1550
	Quellen und Lit.	Necrol. Clm 1057, fol. 16v; Lindner, Beiträge 232, 377

| **Daubenschmidt, Michael** | *Todesdatum* | 6. Februar 1646 |
| | *Quellen und Lit.* | Lindner, Beiträge 233, 420 |

Dietmair, Johannes

Geboren	um 1555
Herkunft	Diessen
Studium	13. April 1574 immatr. in Ingolstadt; 1576 Magisterabschluß; 1579 Baccalaureat der Theologie
Ämter	1583 Rekatholisierungsprediger; 1584 bis 1586 Prediger in Aichach; 1586–1588 Administrator in Aldersbach; 1588 bis 1612 Abt in Aldersbach; 1593 Provinzialassistent; 1595 Provinzvikar; Generalvisitator in Bayern
Todesdatum	München, 23. Januar 1612
Quellen und Lit.	Führer, Chronik §§ 179–180; Necrol. Clm 1057, fol. 4v; KL Fürstenfeld 321, 588; Matrikel Ingolstadt I 996, 13; Lindner, Beiträge 232, 399; Gloning, Dietmair (Literaturverzeichnis)

Eggenhofer (Eggendorfer), Leonhard

Studium	7. April 1459 immatr. in Heidelberg
Ämter	Prior und Professor; 1480–22. September 1496 Abt; 1483 und 1484 Visitator in Heidelberg und den bayerischen Zisterzienserklöstern
Todesdatum	22. September 1496
Quellen und Lit.	Necrol. Clm 1057, fol. 38v; Matrikel Heidelberg I 297; TE I 300, L. III.1 (Lit.)

Einspeckh, Achatius

Ämter	1586–1589 Pfarrer in Neukirchen; 1590–1596 Administrator in Gotteszell; 27. Mai 1596–1611 Abt in Gotteszell
Todesdatum	10. April 1611
Quellen und Lit.	Führer, Chronik § 191; Necrol. Clm 1057, fol. 29v (mit falschem Todesdatum 20. Juli 1611); KL Fürstenfeld 210 ½, fasc. 1; KL Aldersbach 74, fol. 239v; Lindner, Beiträge 232, 398

Eisenberger, Sigismund

Geboren	1514
Eintritt	1535
Studium	18. Juni 1555 immatr. in Ingolstadt
Ämter	verm. 1535–1545 Cellerar; seit 1548 Kaplan in St. Leonhard
Todesdatum	31. März (nach 1566)
Quellen und Lit.	Necrol. Clm 1057, fol. 13v; KL Fürstenfeld 204 ½, prod. 3, 4; KBÄA 4096, foll. 63–64; Matrikel Ingolstadt I 729, 28; Lindner, Beiträge 230, 296

Ertzel, Georg	*Herkunft*	Welden (?)
	Eintritt	vor 10. Juni 1590
	Ämter	meist in St. Leonhard in Inchenhofen (?), nur 1593 im Kloster nachweisbar
	Quellen und Lit.	Treuttwein Cgm 1771, foll. 90v, 155v
Eyrel, Georg	*Herkunft*	Hohenwart (?)
	Eintritt	vor 1573
	Quellen und Lit.	Treuttwein Cgm 1771, fol. 78v
Faber, Christoph	*Eintritt*	vor 1522
	Quellen und Lit.	KU Fürstenfeld 1612
Faber, Christoph	*Studium*	14. September 1598 immatr. in Ingolstadt, dort bis 1600
	Todesdatum	München, 23. April 1616
	Quellen und Lit.	Necrol. Clm 1057, fol. 17v; Matrikel Ingolstadt I 1383, 23; Lindner, Beiträge 233, 403
Fuerler, Georg	*Studium*	1515 immatr. in Heidelberg
	Quellen und Lit.	Matrikel Heidelberg I 503
Gistel, Johann	*Geboren*	1545
	Herkunft	Weilheim
	Eintritt	1557/1558
	Ämter	Belaunus in Aldersbach
	Todesdatum	Aldersbach, 2. September 1571 an der Pest
	Quellen und Lit.	Necrol. Clm 1057, fol. 35v; Landersdorfer, Visitation 334; Lindner, Beiträge 232, 381
Harder, Caspar	*Studium*	1503 immatr. in Heidelberg
	Ämter	1513–1522 Abt
	Todesdatum	26. März 1522, wohl ermordet
	Quellen und Lit.	Führer, Chronik §§ 160–161; KL Aldersbach 72a, foll. 66–71; Lindner, Beiträge 197, 22; Matrikel Heidelberg I 450; Fugger, Fürstenfeld 71–74; Röckl, Beschreibung 26
Hegemiller (Hegenhuber, Hegelmüller, Högelmiller), **Johannes**	*Eintritt*	1590/1591
	Ämter	15 Jahre Subprior
	Todesdatum	20. Mai 1626
	Quellen und Lit.	Necrol. Clm 1057, fol. 20v; Treuttwein Cgm 1771, foll. 129v, 155v; KL Fürstenfeld 1, fol. 146r; Lindner, Beiträge 233, 408

Helgemayr, Leonhard	*Weihe*	(niedere) 12. März 1587
	Todesdatum	11. Dezember 1635
	Quellen und Lit.	Necrol. Clm 1057, fol. 50v; Treuttwein Cgm 1771, fol. 6v

Herman, Jeremias	*Geboren*	1531
	Eintritt	1547
	Weihe	vor 1551
	Vorkommnisse	Tod oder Austritt vor 1560
	Quellen und Lit.	KBÄA 4096, foll. 70–72

Herzog, Johannes	*Ämter*	Subprior
	Todesdatum	8. August 1547
	Quellen und Lit.	Necrol. Clm 1057, fol. 32v; Lindner, Beiträge 232, 374

Hirschauer, Leonhard	*Studium*	9. November 1584 immatr. in Ingolstadt
	Ämter	1591–1600 Pfarrer in Bruck
	Todesdatum	4. Oktober 1600
	Quellen und Lit.	Necrol. Clm 1057, fol. 40v; KL Fürstenfeld 1, fol. 146r; Matrikel Ingolstadt I 1146, 16; Lindner, Beiträge 232, 392

Holzwarth, Adam Christoph	*Herkunft*	Wettenhausen
	Studium	7. Oktober 1588 immatr. in Ingolstadt
	Weihe	(niedere) 21./22. Dezember 1590
	Ämter	Pfarrer in Bruck; 1609 Kaplan in St. Leonhard
	Todesdatum	St. Leonhard, 24. Februar 1630
	Quellen und Lit.	Necrol. Clm 1057, fol. 8v; Treuttwein Cgm 1771, fol. 103; Matrikel Ingolstadt I 1202, 8; Lindner, Beiträge 233, 411

| **Jacob, Hanns** | *Vorkommnisse* | wechselt 1567 in ein anderes Kloster |
| | *Quellen und Lit.* | KL Fürstenfeld 216 1/3, fol. 15r |

Kain, Michael	*Geboren*	um 1508
	Herkunft	Alling
	Studium	im Kloster
	Weihe	um 1530
	Ämter	bis 1547 in St. Leonhard in Inchenhofen; 1547–13. Oktober 1551 Administrator, danach in Aldersbach gefangen; 1558 Administrator in Kößlarn
	Todesdatum	Aldersbach, 1563
	Quellen und Lit.	Führer, Chronik §§ 171–172; KL Fürstenfeld 318 1/3; Lindner, Beiträge 197, 25; Roth, Bruck 26, 264; Fugger, Fürstenfeld 79–80; Röckl, Beschreibung 27–28

Keller, Leonhard	*Geboren*	1514 (?)
	Herkunft	Überlingen
	Eintritt	1531
	Todesdatum	26. Juli 1579[3]
	Quellen und Lit.	Necrol. Clm 1057, fol. 30v; KBÄA 4096, foll. 66–67; Lindner, Beiträge 232, 386
Khain, Georg	*Ämter*	1571–1588 Pfarrer in Gilching
	Vorkommnisse	Aufenthalt bis zu seinem Tod außerhalb des Klosters
	Todesdatum	23. Februar 1613
	Quellen und Lit.	Necrol. Clm 1057, fol. 8v; Treuttwein Cgm 1771, fol. 12v; KBÄA 4096, fol. 252v; Lindner, Beiträge 232, 400 (dort: Kham)
Krauss, Michael	*Eintritt*	zwischen 1592 und 1595
	Quellen und Lit.	KL Fürstenfeld 1, fol. 146r
Krotz (Krez), Vitus	*Eintritt*	zwischen 1592 und 1595
	Ämter	Kaplan in St. Leonhard
	Todesdatum	25. März 1631
	Quellen und Lit.	Necrol. Clm 1057, fol. 12v; KL Fürstenfeld 1, fol. 146r; Lindner, Beiträge 233, 412
Krueger, Matthias	*Studium*	15. Oktober 1610 immatr. in Ingolstadt, dort bis 1614
	Todesdatum	19. August 1648
	Quellen und Lit.	Necrol. Clm 1057, fol. 33v; KL Fasc. 957/60; Matrikel Ingolstadt II/1 196, 14; Lindner, Beiträge 233, 422 (dort: Kluger)
Kulbinger, Ulrich	*Eintritt*	weit vor 1522
	Ämter	1531 Senior
	Todesdatum	3. Mai
	Quellen und Lit.	KU Fürstenfeld 1612 1698/1; Lindner, Beiträge 231, 345
Lachmayr, Johannes	*Eintritt*	nach 1595
	Todesdatum	8. Oktober 1634
	Quellen und Lit.	Necrol. Clm 1057, fol. 41v; Lindner, Beiträge 233, 416

---

[3] Ob Keller bis zu seinem Tod zum Konvent gehörte, ist nicht gesichert, da er nach 1560 in keiner Notiz außer dem Eintrag im Nekrolog mehr erscheint.

Lechner, Leonhard

Studium	14. September 1615 immatr. in Ingolstadt; dort bis 1620
Ämter	11. Februar 1624–28. Juli 1632 Abt
Todesdatum	28. Juli 1632
Quellen und Lit.	Necrol. Clm 1057, fol. 30v; KU Fürstenfeld 2551; KL Fürstenfeld 217 1/3; Matrikel Ingolstadt II/1 293, 8

Lichtenberger, Bartholomäus

Vorkommnisse	in den Unzuchtsskandal 1586 verwickelt
Ämter	1586 Kastner; 1589 und 1595 Subprior; 1610 Prior
Todesdatum	13. August 1615
Quellen und Lit.	Necrol. Clm 1057, fol. 33v; Treuttwein Cgm 1771, fol. 78v; KBÄA 4096, foll. 172–247; KL Fürstenfeld 1, fol. 146r; KU Fürstenfeld 2481; Lindner, Beiträge 232, 401

Lindermann, Leonhard

Studium	1520 immatr. in Heidelberg
Quellen und Lit.	Matrikel Heidelberg I 524

Lindinger, Michael

Todesdatum	9. August 1639
Quellen und Lit.	Necrol. Clm 1057, fol. 32v; Lindner, Beiträge 233, 417

Magolt, Blasius

Studium	17. Oktober 1601 immatr. in Ingolstadt
Vorkommnisse	1610 als Abtskandidat gehandelt
Ämter	Prior in Zwettl
Todesdatum	11. August
Quellen und Lit.	Necrol. Clm 1057, fol. 32v; KL Fürstenfeld 1, fol. 150r; Matrikel Ingolstadt II/1 26, 2

Marcus, Johannes

Ämter	Pfarrer in Österreich
Todesdatum	16. April 1642 in Österreich
Quellen und Lit.	Lindner, Beiträge 233, 418

Märkl, Johannes

Ämter	Kaplan in St. Leonhard; 20 Jahre Pfarrprovisor in Ainertshofen
Todesdatum	22. April 1607
Quellen und Lit.	Necrol. Clm 1057, fol. 16v; KL Fürstenfeld 1, fol. 146r; Lindner, Beiträge 232, 397

Marx, Johannes

Eintritt	zwischen 1592 und 1595
Quellen und Lit.	KL Fürstenfeld 1, fol. 146r

Maurer, Johannes

Vorkommnisse	vor 1560 nach Aldersbach gewechselt
Quellen und Lit.	Landersdorfer, Visitation 331

Mayr, Georg

Todesdatum	Ingolstadt, 29. Dezember 1580
Quellen und Lit.	Necrol. Clm 1057, fol. 52v; Lindner, Beiträge 232, 387

Meixner, Sigismund	*Weihe*	Subdiakon
	Todesdatum	Kaisheim, 29. Januar 1543
	Quellen und Lit.	Necrol. Clm 1057, fol. 5v; Lindner, Beiträge 232, 370
Melbler, Sigismund	*Herkunft*	Ingolstadt
	Weihe	Akolythat
	Todesdatum	20. April 1545
	Quellen und Lit.	Necrol. Clm 1057, fol. 16v; Lindner, Beiträge 232, 373
Menhart, Georg	*Studium*	1500 immatr. in Heidelberg
	Ämter	1503 und 1506 (?) sowie 1522 Prior; 10. April 1522–(spätestens 17. Mai) 1531 Abt, danach abgesetzt
	Todesdatum	Raitenhaslach, 30. Dezember 1538
	Quellen und Lit.	Führer, Chronik §§ 162–164; Necrol. Clm 1057, fol. 53r; KU Fürstenfeld 1612; KU Raitenhaslach 921, 932; Lindner, Beiträge 197, 23; Matrikel Heidelberg I 436
Mertel, Johannes	*Eintritt*	vor 1522
	Quellen und Lit.	KU Fürstenfeld 1612
Molitor, Georg	*Todesdatum*	27. Januar 1633
	Quellen und Lit.	Lindner, Beiträge 233, 415
Morlitzen, Ulrich	*Herkunft*	Diessen
	Eintritt	1559
	Quellen und Lit.	Landersdorfer, Visitation 333
Nagl, Johannes[4]	*Studium*	28. Februar 1584 immatr. in Ingolstadt
	Quellen und Lit.	Matrikel Ingolstadt I 1137, 5
Neumair, Johannes	*Geboren*	1529
	Eintritt	1543
	Ämter	1566 Prior; Frumentarier
	Todesdatum	22. April 1578
	Quellen und Lit.	Necrol. Clm 1057, fol. 16v; KU Fürstenfeld 2018 2102; KBÄA 4096, foll. 67–68; Lindner, Beiträge 232, 385 (dort: Neumann)
Neydhart, Jacob	*Vorkommnisse*	hospitiert 1580 in Aldersbach
	Quellen und Lit.	KL Aldersbach 73, fol. 17v

---

[4] Eventuell identisch mit Johann Nobl.

Nobl, Johann[5] *Vorkommnisse* in den Unzuchtsskandal 1586 verwickelt; Tod oder Austritt zwischen
12. November 1587 und 1589
Quellen und Lit. KBÄA 4096, foll. 172–247; Treuttwein
Cgm 1771, fol. 22v

Pärdtl (Barttl), *Vorkommnisse* in den Unzuchtsskandal 1586 verwickelt
Balthasar *Todesdatum* 12. April 1621
Quellen und Lit. Necrol. Clm 1057, fol. 15v; Treuttwein
Cgm 1771, foll. 71, 72, 78; KBÄA 4096,
foll. 172–247; Lindner, Beiträge 233, 406

Paungartner *Ämter* Prior
(Baumgartner), *Todesdatum* 22. Februar 1625
Johannes *Quellen und Lit.* Necrol. Clm 1057, fol. 8v; Lindner, Bei-
träge 233, 407

Piscator (Fischer), *Ämter* Prior
Leonhard *Todesdatum* 18. August 1547
Quellen und Lit. Necrol. Clm 1057, fol. 33v; Lindner, Bei-
träge 232, 376

Pistorius (Peck), *Geboren* um 1490
Johannes Albrecht *Eintritt* um 1509/1510
Studium 1510 immatr. in Heidelberg, 1523 Magi-
sterabschluß
Ämter 1527 Prior; seit 1531 Administrator;
April 1539–16. Juli 1552 Abt, 1547 der
Amtsausübung enthoben; Prediger in
Aichach
Todesdatum Aichach, 14. Februar 1554
Quellen und Lit. Führer, Chronik §§ 165–169; Necrol.
Clm 1057, fol. 41v (mit wohl falschem
Todesdatum 13. Oktober 1552); KL
Aldersbach 72a, fol. 68r; KBÄA 4096,
foll. 1–23, 128–132; KU Fürstenfeld
1844; Lindner, Beiträge 197, 24; Matri-
kel Heidelberg I 473; Fugger, Fürstenfeld
77–79; Röckl, Beiträge 27

Pistorius, Petrus *Eintritt* vor 1522
Ämter 1534 Prior (?)
Quellen und Lit. KU Fürstenfeld 1612; KBÄA 4095,
fol. 274r

Plesch (Plesel), *Eintritt* vor 1522
Wolfgang *Todesdatum* 21. Dezember 1527
Quellen und Lit. Necrol. Clm 1057, fol. 51v; KU Fürsten-
feld 1612; Lindner, Beiträge 231, 367

---

[5] Eventuell identisch mit Johannes Nagl.

Pradtner, Johannes
Geboren	um 1501
Eintritt	um 1519
Ämter	seit 1549 in St. Leonhard
Tod oder Austritt	vor 1560
Quellen und Lit.	KBÄA 4096, fol. 61

Prändtl, Johannes
Ämter	Confessarier
Todesdatum	17. Mai 1632 beim Schwedeneinfall
Quellen und Lit.	Necrol. Clm 1057, fol. 20v; Lindner, Beiträge 233, 414 (Todesdatum 18. Mai 1632)

Prigklmair, Martin (Matthäus)
Herkunft	St. Leonhard
Eintritt	vor 1573
Ämter	1576–1579 Administrator in Gotteszell
Quellen und Lit.	KL Fasc. 957/60; KL Aldersbach 74, fol. 239v; KBÄA 4100, fol. 48

Puel, Johann
Geboren	um 1540
Herkunft	Waldsee-Michelwinden
Studium	20. Oktober 1556 immatr. in Dillingen; 11. Februar 1563 Baccalaureus der Philosophie; 16. Februar 1563 Magisterabschluß
Weihe	1573
Ämter	1573 in Inchenhofen; 1577–1585 Pfarrer in Bruck; 1585–1595 Kaplan in St. Leonhard; 1593 Gesandter auf dem Provinzialkapitel in Salem; 13. September 1595–25. Mai 1610 Abt
Todesdatum	25. Mai 1610
Quellen und Lit.	Führer, Chronik §§ 187–190; Necrol. Clm 1057, fol. 21v; KU Fürstenfeld 2388 1577 März 20; Matrikel Dillingen I 19, 42; Lindner, Beiträge 197, 28

Puzius, Johannes
Todesdatum	17. April 1619
Quellen und Lit.	Necrol. Clm 1057, fol. 16v; Lindner, Beiträge 233, 405

Reichel, Johann
Ämter	1518 Prior
Quellen und Lit.	KU Fürstenfeld 1586/1

Rembold (Rempoldt), **Johannes**
Eintritt	vor 1567
Studium	13. April 1574 immatr. in Ingolstadt
Ämter	Pfarrer in Neukirchen
Todesdatum	27. Februar
Quellen und Lit.	Necrol. Clm 1057, fol. 9v; KL Fürstenfeld 216 1/3; Matrikel Ingolstadt I 996, 20

Riederauer, Johannes

Eintritt	vor 1595
Quellen und Lit.	KL Fürstenfeld 1, fol. 146r

Röhrl, Sigismund
(Simon)

Geboren	um 1510/1511
Eintritt	um 1528
Ämter	bis 1551 Pfarrer in Gilching; Oktober 1551 Administrator in Fürstenfeld; bis Dezember 1558 Pfarrer in Höfen; bis Juli 1568 Pfarrer in Neukirchen
Todesdatum	Juli 1568
Quellen und Lit.	Necrol. Clm 1057, fol. 34r; KU Fürstenfeld 1813 1891; KL Fürstenfeld 210 1/3, prod. 2; KBÄA 4096, fol. 62

Roppach (Rottbach), **Hans**

Geboren	1496
Eintritt	1516
Ämter	1551 Prior
Todesdatum	26. Juli 1555
Quellen und Lit.	Necrol. Clm 1057, fol. 30v; KBÄA 4096, foll. 59, 60; Lindner, Beiträge 232, 380 (Todesdatum 26. Juli 1556)

Rotel (Rottel, Rötl), **Johann**

Herkunft	St. Leonhard (?)
Eintritt	weit vor 1589
Quellen und Lit.	Treuttwein Cgm 1771, foll. 78v, 129v 155v; KL Fürstenfeld 1, fol. 146r

Rueshammer, Leonhard

Ämter	1589–1591 Pfarrer in Bruck
Quellen und Lit.	Treuttwein Cgm 1771, fol. 78v; KBGR 13, fol. 136

Sartorius, Leonhard

Ämter	1531 Prior
Quellen und Lit.	KU Fürstenfeld 1698/1

Saurle, Martin

Herkunft	Steinbach
Eintritt	1552
Weihe	1559/1560
Quellen und Lit.	KU Fürstenfeld 1844; Landersdorfer, Visitation 333

Scharb, Johannes

Studium	1493 vermutlich in Heidelberg
Ämter	1498 (?)–1505 Prior; 1505–1513 Abt
Todesdatum	22. August 1513
Quellen und Lit.	Necrol. Clm 1057, fol. 34v; Führer, Chronik §§ 156–158; KU Raitenhaslach 903, 908, 913; Lindner, Beiträge 197, 21 (Todesdatum 27. August 1513); Fugger, Fürstenfeld 67; Röckl, Beschreibung 25–26

Schatzmiller, Georg	*Ämter*	tätig in Grein (Oberösterreich)
	Todesdatum	Grein, 10. August 1642
	Quellen und Lit.	Necrol. Clm 1057, fol. 32v; Lindner, Beiträge 233, 419
Scheiderer, Georg	*Ämter*	verm. in St. Leonhard
	Todesdatum	17. Januar 1544
	Quellen und Lit.	Necrol. Clm 1057, fol. 3v
Schenherr (Schönherr, Schenherz), **Christoph**	*Studium*	28. Februar 1584 immatr. in Ingolstadt
	Todesdatum	10. Juli 1594
	Quellen und Lit.	Necrol. Clm 1057, fol. 28v; Treuttwein Cgm 1771, fol. 155v; Matrikel Ingolstadt I 1137, 11; Lindner, Beiträge 232, 390
Schiechell, Balthasar	*Studium*	1. August 1619 immatr. in Dillingen
	Quellen und Lit.	Matrikel Dillingen 508, 46
Schmucker, Johannes	*Ämter*	1560 in St. Leonhard
	Quellen und Lit.	KL Fürstenfeld 317 1/88; Landersdorfer, Visitation 331
Schmucker, Sigismund	*Eintritt*	vor 1522
	Ämter	Prior
	Todesdatum	verm. 8. Januar 1536
	Quellen und Lit.	Necrol. Clm 1057, fol. 2v; KU Fürstenfeld 1612; Lindner, Beiträge 232, 369
Schmurlitz, Martin	*Eintritt*	vor 1559
	Vorkommnisse	1560 Flucht nach Aldersbach; stabilisiert sich 1563 dort
	Quellen und Lit.	KL Aldersbach 73, fol. 16v; Landersdorfer, Visitation 331
Schmurlitz, Ulrich	*Todesdatum*	27. Februar 1555
	Quellen und Lit.	Necrol. Clm 1057, fol. 9v; Lindner, Beiträge 232, 379
Schneider, Georg	*Todesdatum*	St. Leonhard, 17. Januar 1544
	Quellen und Lit.	Lindner, Beiträge 232, 372
Spatz, Johannes	*Todesdatum*	17. September 1543
	Quellen und Lit.	Necrol. Clm 1057, fol. 38v; Lindner, Beiträge 232, 371
Stängel, Wolfgang		Konverse
	Todesdatum	14. August 1547
	Quellen und Lit.	Necrol. Clm 1057, fol. 33v; Lindner, Beiträge 232, 375
Steinheel, Georg	*Weihe*	(niedere) 31. März 1588
	Vorkommnisse	Januar 1589 zur Kur auswärts
	Quellen und Lit.	Treuttwein Cgm 1771, foll. 33v, 57r, 78v, 129v, 155v

Stier, Andreas

Geboren	1544
Herkunft	Diessen
Eintritt	1558
Todesdatum	25. November 1571 (?)
Quellen und Lit.	Landersdorfer, Visitation 333; Lindner, Beiträge 232, 382.

Strobl, Michael

Ämter	Subprior, Senior, Kantor
Todesdatum	Raitenhaslach, 10. Februar 1647
Quellen und Lit.	Lindner, Beiträge 233, 421

Taschneckher (Taschinger), Sebastian

Herkunft	St. Leonhard
Eintritt	1559
Studium	im Kloster
Vorkommnisse	Austritt 1567
Quellen und Lit.	KL Fürstenfeld 216 1/3; Landersdorfer, Visitation 333

Textor (Weber, Peerweber), Georg

Eintritt	vor 1587
Ämter	1600 Küchenmeister
Todesdatum	17. März 1616
Quellen und Lit.	Necrol. Clm 1057, fol. 11v; Treuttwein Cgm 1771, fol. 11v; KL Fürstenfeld 317 1/90; Lindner, Beiträge 233, 402

Thoma, Sebastian

Geboren	1572
Herkunft	Puch bei Bruck
Eintritt	1593
Studium	1595–1601 immatr. in Ingolstadt
Ämter	1605 Subprior, Reise zum Generalkapitel nach Cîteaux; 1607–1610 Pfarrvikar in Bruck; 14. Juni 1610–3. November 1623 Abt
Todesdatum	3. November 1623
Quellen und Lit.	Führer, Chronik §§ 192–196; Necrol. Clm 1057, fol. 44v; Treuttwein Cgm 1771, fol. 78v; KL Fürstenfeld 1, fol. 151r; KU Fürstenfeld 2481; Lindner, Beiträge 198, 29; Fugger, Fürstenfeld 89–90; Röckl, Beschreibung 32–34

Thomas, Andreas

Eintritt	1591/1592
Weihe	nach 1595
Quellen und Lit.	Treuttwein Cgm 1771, foll. 154–155; KL Fürstenfeld 1, fol. 146r

Traintl, Johannes

Geboren	1524
Eintritt	1539
Vorkommnisse	hospitiert 1552 in Aldersbach
Quellen und Lit.	KBÄA 4096, foll. 64–65; KL Aldersbach 73, fol. 16r

Treuttwein, Leonhard	*Geboren*	1524
	Herkunft	Jettingen
	Eintritt	1543/1544
	Weihe	1551/1552
	Ämter	Cellerar; 1565 Prior; 21. Januar 1566 bis 7. Juli 1595 Abt
	Todesdatum	7. Juli 1595
	Quellen und Lit.	Führer, Chronik §§ 177–186 (mit falschem Todesdatum 9. Juni 1595); Necrol. Clm 1057, fol. 27v; KL Fürstenfeld 588, prod. 1; KU Fürstenfeld 2018; KBÄA 4096, foll. 68–70, 112–114; Lindner, Beiträge 197, 27 (Todesdatum 17. Juli 1595); Fugger, Fürstenfeld 83–87; Röckl, Beschreibung 29–32
Vogel, Georg	*Weihe*	(niedere) 12. März 1587
	Quellen und Lit.	Treuttwein Cgm 1771, foll. 6v, 78v, 129v
Vogler, Johannes	*Eintritt*	zwischen 1592 und 1595
	Ämter	Kastner
	Todesdatum	20. März 1627
	Quellen und Lit.	Necrol. Clm 1057, fol. 12v; Lindner, Beiträge 233, 409
Wagner, Georg	*Eintritt*	weit vor 1589
	Quellen und Lit.	Treuttwein Cgm 1771, fol. 78v
Weber, Michael	*Todesdatum*	25. Mai 1572
	Quellen und Lit.	Necrol. Clm 1057, fol. 21v; Lindner, Beiträge 232, 383
Weidt, Jacob[6]	*Vorkommnisse*	1588 nach Oberschönenfeld gefahren
	Quellen und Lit.	Treuttwein Cgm 1771, fol. 43v
Weinberger, Georg	*Studium*	28. Oktober 1618 immatr. in Dillingen
	Quellen und Lit.	Matrikel Dillingen 500, 146
Widmann, Gallus	*Herkunft*	Großaitingen
	Eintritt	1557
	Quellen und Lit.	Landersdorfer, Visitation 333
Wolgemut, Stephan	*Studium*	1511 immatr. in Heidelberg
	Quellen und Lit.	Matrikel Heidelberg I 484
Wundhart, Jacob	*Ämter*	1580–1588 Confessarius in Lichtenthal
	Quellen und Lit.	KL Fürstenfeld 588, prod. 19

---

[6] Jacob Weidt ist möglicherweise mit Jacob Wundhart identisch; leider fehlen weitere Quellen.

Wurm, Paulus

Todesdatum	20. Oktober 1535
Quellen und Lit.	Necrol. Clm 1057, fol. 42v; Lindner, Beiträge 232, 368

Ybler, Johannes

Geboren	1544
Herkunft	Weilheim
Eintritt	1557
Quellen und Lit.	Landersdorfer, Visitation 334

Zanger, Johannes

Ämter	verm. 1585–1602 Granarius
Todesdatum	18. September 1602
Quellen und Lit.	Necrol. Clm 1057, fol. 38v; Treuttwein Cgm 1771, fol. 78v; KL Fürstenfeld 1, fol. 146r; Lindner, Beiträge 232, 394

Ziegler, Petrus

Ämter	1518 Bursar; 1522 Cellerar
Todesdatum	23. Juni 1527
Quellen und Lit.	Necrol. Clm 1057, fol. 25v; KU Fürstenfeld 1590, 1612; Lindner, Beiträge 231, 366

Zolner, Johannes

Eintritt	vor 1522
Quellen und Lit.	Necrol. Clm 1057, fol. 34v; KU Fürstenfeld 1612

1.4   Katalog der Ämter

Angegeben sind nur die gesicherten Daten; die eigentlichen Dienstjahre der
Ämter gehen deshalb im Regelfall darüber hinaus.

Prioren

1498–1505	Johannes Scharb
1506	Leonhard
1517–1518	Johann Reichel
1522	Georg Menhart
1527	Johannes Albrecht Pistorius
1531	Leonhard Sartorius
1533–1534	Petrus Pistorius
vor 1536	Sigismund Schmucker
um 1540–1547	Leonhard Piscator
1549	Christoph (aus Aldersbach)
1551	Johannes Roppach
1560	Mathias Breimelber
1565	Leonhard Treuttwein
1566	Johannes Neumair
1569	Andreas Stier
1586, 1589–1597	Jacob Bachmair
1610	Bartholomäus Lichtenberger
um 1615	Johannes Paungartner

Subprioren

1522	Stephan Wolgemut
um 1540	Johannes Herzog
1589 und 1595	Bartholomäus Lichtenberger
1605	Sebastian Thoma
um 1610	Johannes Hegemiller
um 1620	Jacob Arnold
um 1630	Michael Strobl

Cellerare/Bursare

1518–1522	Petrus Ziegler
1535–1545	Sigismund Eisenberger
1566	Leonhard Treuttwein

Cantor

1522	Ulricus

Senioren

1522	Symon
1531	Ulrich Kulbinger
um 1640	Michael Strobl

Küchenmeister

1551	Matthäus Reisgannger (Laie)
1578–1587, 1595	Andreas Bernhard
1600	Georg Weber

Kastner (Granarius)

1551	Christoph Posch (Laie)
um 1560 (Frumentarius)	Johannes Neumair
1586	Bartholomäus Lichtenberger
1591–1595	Johannes Zanger
um 1615	Johannes Vogler

Confessarier

um 1620	Johannes Prändtl

1.5 Immatrikulationslisten Fürstenfelder Studenten

1. Universität Wien (1445–1512)

Matrikeln Wien

Beleg	Eintrag
I 242 100	Frater Zacharias de Fürstenueld ordinis Cisterciensis 5 gr. [14. April 1445]
I 264 92	Frater Leonardus Fabri de Fuerstenfeld 4 gr. [13. Oktober 1448]
II 392 2	Frater Joannes professus monasterii Furstfeldt 60 den [13. Oktober 1512]

2. Universität Heidelberg (1458–1520)

Matrikeln Heidelberg

Beleg	Eintrag
I 292	Fr. Mathias Molitoris Fr. Johannes Eslinger Conradus Rudel _ professi in Campoprincipum Frisinnensis dioc. mensis eiusdem [Aprilis] XIX [1458]
I 297	Fr. Leonardus de Egenhofer professus in Campo principum VII Aprilis [1459]
I 308	Fr. Johannes Ortulani professus in Campo principum XIII Maij [1463]
I 315	Fr. Paulus de Monaco eiusdem Ordinis [cisterciensis], professus in Campo principum, antepenultima Septembris [1465]
I 324	Johannes Weringer de Landtsperg, professus in Campo principum, dyaconus Frisingensis dyo., prima Octobris [1468]
I 436	Fr. Jeorgius Manhart professus in Campo principum Prixellensis[1] dioc. XII Aprilis [1500]
I 450	Fr. Caspar Hartter de Campo principum Frisingensis dioc. prima die Octobris [1503]
I 473	Fr. Johannes Pistoris ex Campo principum ord. Cisterc. dyoc. Frysing. VII Januarij [1510]
I 484	Fr. Stephanus Wolgemut conuentus Campi principis Frisingens. dioc. octaua Januarii [1511]
I 495	Fr. Joannes Betnesser professus in Campo principum ord. Cisterciensi dioc. Frisingensis secunda die May [1514]
I 503	Jeorius Fuerler de Campo principum Frisingensis dioc. 9 Octobris [1515]
I 524	Fr. Leonhardus Linderman de Campo principum Frising. dioc. vltima Junii [1520]

---

[1] Der Schreiber der Matrikeln ordnete das Kloster Fürstenfeld versehentlich der Diözese Brixen zu.

3. *Universität Ingolstadt (1555–1615)*

Matrikeln Ingolstadt

Beleg	Datum	Eintrag
I 729 28	18. 6. 1555	Sigismundus Eisenberger sacellanus Divi Leonhardi in Fürstenfeld ordinis Cisterciensis (1 fl.)
I 996 13	13. 4. 1574	Joannes Diethmaier professus irdinis Cisterciensis monasterii Fürstenfeldensis studiosus Theologiae abbas Alderspacensis sacrosanctae theologiae doctor (64 n.)
I 996 20	13. 4. 1574	Ioannes Reimbold studiosus theologiae
I 1137 5	28. 2. 1584	Frater Joannes Nagl ex Fürstenfeld
I 1137 11	28. 2. 1584	Frater Christophorus Schenherz ex Fürstenfeld
I 1146 16	9. 11. 1584	Leonhardus Hirshauer Bauarus religiosus monasterii Furstenfeldensis (solvit 24 kr)
I 1202 8	7. 10. 1588	Fr. Adamus Holzwartt ex Wettenhausen monasterii Furstenfeldensis professus (soluit 15 kr)
I 1383 23	14. 9. 1598	Christophorus Faber ex Fürstenfeld, auditor humanitatis
II/1 7 9	12. 9. 1600	Fr. Georgius Bruckman ordinis Cisterciensis in Furstenfeld syntaxeos studiosus (Dedit 1 fl)
II/1 26 2	17. 10. 1601	Frater Blasius Magolt Fürstenfeldensis monasterii syntaxeos
II/1 187 28	16. 1. 1610	Fr. Sigismund Barth Monacensis nobilis ex monasterio Furstenfeldt maioris syntaxeos
II/1 196 14	15. 10. 1610	Reverendus Frater Matthias Krueger ex monasterio Fürstenfeldensi, minoris syntaxeos
II/1 293 8	14. 9. 1615	Frater Leonardus Lechner ex monasterio Fürstenfeld eiusdem ordinis syntaticus

Dazu kommen Notizen über Zahlungen für Studenten, die nicht in den Matrikeln erscheinen:

Beleg BHStAM.	Jahr	Studenten
KL Fürstenfeld 1, fol. 146.	1595	Fr. Sebastian Thoma
KL Fürstenfeld 317 1/90.	WiSe1599	Fr. Sebastian Thoma, Fr. Christoph
KL Fürstenfeld 317 1/90.	SoSe 1599	3 Fratres
KL Fasc. 957/60.	WiSe 1613	Fr. Sigismund Bardt, Fr. Matthias Krueger
KL Fasc. 957/60.	SoSe 1614	Fr. Sigismund Bardt, Fr. Matthias Krueger

4. *Universität Dillingen (1556–1619)*

Matrikeln Dillingen

Beleg	Datum	Eintrag
I 19 48	20. 10. 1556	Johannes Buel de Waldsee
I 42 86	Oktober 1563	Joannes Buol Michelwinadius
I 500 146	28. 10. 1618	Fr. Georgius Weinberger ex Fürstenfeldt Boius ad log.
I 508 46	1. 8. 1619	F. Balthasarus Schiechell Fürstenueldensis ad hum. adm.

2. Zur Wirtschaftsgeschichte

2.1 Die Rechnungsbücher der Jahre 1529 bis 1619

Für folgende Jahre liegen Rechnungsbücher der Fürstenfelder Klosterhaushalte vor.

Aufgrund der beschriebenen teilweise beabsichtigten Fehlerhaftigkeit geben die Bücher nur sehr eingeschränkt die tatsächliche Haushaltslage wieder, jedoch so, wie sie der landesherrlichen Finanzaufsicht vorgelegt wurden. Weitere hier nicht aufgenommene Rechnungsbücher sind so rudimentär geführt, daß nicht einmal eine annähernde Saldierung möglich und der Aussagewert der Bücher äußerst gering ist.

Angaben in eckigen Klammern bedeuten eine nachträglich vorgenommene Summierung.

Jahr	Einnahmen	Ausgaben	Saldo	Beleg BHStAM.
1529	2879 fl 23 dl	[3269 fl 1 ß]	[– 390 fl 7 dl]	Ald. Arch. Schubl. 107, fasc. 3, prod. 4.
1531	4000 fl 2 ß 13 dl 1 hl	4044 fl 5 ß 6 dl 1 hl	– 44 fl 2 ß 2 dl 3 hl	KL Fürstenf. 317 1/84.
1532	3539 fl 3 ß 14 dl	3573 fl 5 ß 15 dl 1 hl	19 fl 4 ß 29 dl	KL Fürstenf. 317 1/84.
1533	3215 fl 1 ß 9 dl	3208 fl 2 ß 28 dl 1 hl	6 fl 6 ß 11 dl	KL Fürstenf. 317 1/84.
1534	3164 fl 6 ß 4 dl	3101 fl 6 ß 25 dl 1 hl	62 fl 6 ß 9 dl	KL Fürstenf. 317 1/84.
1535	3183 fl 2 ß 19 dl	3095 fl 6 ß 18 dl 1 hl	87 fl 3 ß 1 dl	KL Fürstenf. 317 1/84.
1536	3170 fl 1 ß 23 dl	3214 fl 5 ß 12 dl 1 hl	44 fl 3 ß 19 dl 1 hl	KL Fürstenf. 317 1/84.
1537	3344 fl 3 ß 21 dl 1 hl	3356 fl 15 dl 1 hl	– 11 fl 3 ß 24 dl	KL Fürstenf. 317 1/84.
1538	3242 fl 4 ß 11 dl 1 hl	3252 fl 1 ß 21 dl	– 13 fl 4 ß 9 dl 1 hl	KL Fürstenf. 317 1/84.

Jahr	Einnahmen	Ausgaben	Saldo	Beleg BHStAM.
1539	3168 fl 3 ß 8 dl 1 hl	3239 fl 11 dl	– 70 fl 4 ß 2 dl 1 hl	KL Fürstenf. 317 1/84.
1540	2872 fl 6 ß 24 dl 1 hl	2977 fl 6 ß 2 dl	– 89 fl 6 ß 7 dl	KL Fürstenf. 317 1/84.
1541/42	3133 fl 5 ß 29 dl	3798 fl 1 ß 9 dl	– 664 fl 2 ß 10 dl	KL Fürstenf. 317 1/84.
1542/43	664 fl 1 ß 25 dl 1 hl	1261 fl 27 dl 1 hl	– 596 fl 6 ß 2 dl	KL Fürstenf. 317 1/84.
1543/44	1475 fl 6 ß 2 dl	1573 fl 2 ß 6 dl 1 dl	– 97 fl 2 ß 14 dl 1 hl	KL Fürstenf. 317 1/84.
1544/45	3588 fl 2 ß 8 dl	4217 fl 2 ß 22 dl	– 629 fl 14 dl	KL Fürstenf. 317 1/84.
1554	5142 fl 4 ß 13 dl	4390 fl 6 ß dl	751 fl 5 ß 13 dl	KL Fasc. 957/60.
1555	4569 fl 1 ß 6 dl 1 hl	4164 fl 4 ß 6 dl 1 hl	404 fl 4 ß	KL Fürstenf. 317 1/11.
1556	7461 fl 4 ß 6 dl 1 hl	6835 fl 2 ß 4 dl 1 hl	626 fl 2 ß 4 dl	KL Fürstenf. 317 1/86.
1558	5145 fl 1 ß 7 dl	5952 fl 5 ß 12 dl	– 807 fl 4 ß 5 dl	KL Fürstenf. 317 1/88.
1566	8321 fl 2 ß 11 dl 1 hl	8152 fl 4 ß 16 dl 1 hl	168 fl 4 ß 25 dl	KL Fürstenf. 317 1/10.
1573	4834 fl 5 ß 6 dl	5585 fl 4 ß 7 dl 1 hl	– 750 fl 6 ß 6 dl 1 hl	KL Fasc. 957/60.
1596	7325 fl 2 ß 6 dl 1 hl	11460 fl 3 ß 24 dl 1 hl	– 4135 fl 1 ß 19 dl	KL Fürstenf. 317 1/89.
1600	6153 fl 3 ß 21 dl 1 hl	8057 fl 3 ß 13 dl 1 hl	– 956 fl 1 ß 1 hl	KL Fürstenf. 317 1/90.
1613	35950 fl 5 ß 4 dl 1 hl	20505 fl 3 ß 25 dl 1 hl	15445 fl 1 ß 9 dl	KL Fasc. 957/60.
1614	29461 fl 4 ß 28 dl	11413 fl 4 ß 12 dl	17048 fl 16 dl	KL Fasc. 957/60.
1619	32866 fl 28 dl	13230 fl 9 dl	19636 fl 19 dl	KL Fürstenf. 217 1/3.

Einnahmen der Klosterhaushalte in fl

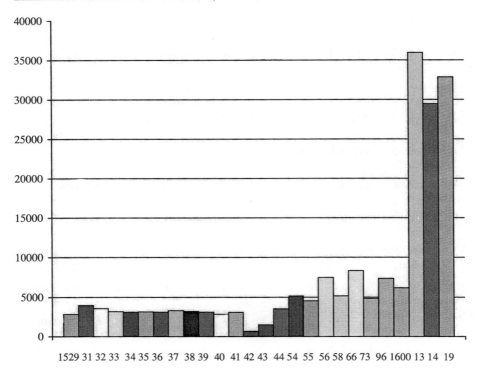

Ausgaben der Klosterhaushalte in fl

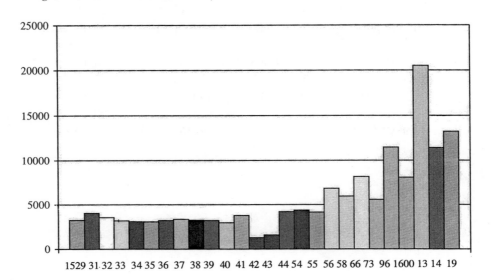

Saldi der Klosterhaushalte in fl

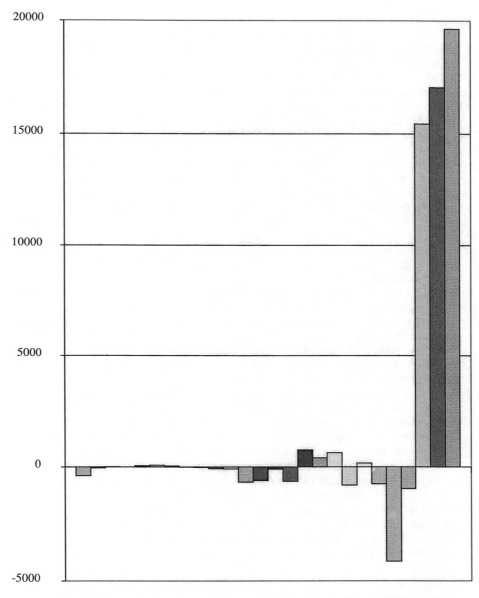

2.2 Kaufurkunden aus den Jahren 1567–1595

1. Sixtus Walch von Moorenweis verkauft an Abt Leonhard und den Konvent seine eigenen Gütl, Stücke und Gründe an verschiedenen Orten um 370 fl, 8. April 1567. BHStAM. KU Fürstenfeld 2035.
2. Ulrich Mayer verkauft an Abt Leonhard und den Konvent mehrere Äcker, 28. September 1567. BHStAM. KU Fürstenfeld 2040.
3. Hans Huber von Mammendorf verkauft an Abt Leonhard und den Konvent mehrere Äcker bei Bruck, 9. Oktober 1567. BHStAM. KU Fürstenfeld 2042.
4. Jörg Albl von Mittelstetten verkauft an Abt Leonhard und den Konvent sein eigenes Gut zu Mittelstetten, 29. Oktober 1567. BHStAM. KU Fürstenfeld 2044.
5. Vastl Lipp von Jesenwang verkauft an Abt Leonhard und den Konvent zwei Häuser, Hofstätten, Gärten und Äcker in Jesenwang um 65 fl, 10. November 1568. BHStAM. KU Fürstenfeld 2049.
6. Hanns Mair von Esting verkauft an Abt Leonhard und den Konvent sein eigenes Gut zu Esting, anrainend an den Klostergrund, mit Grund, Boden, Acker und Wiese, 16. November 1568. BHStAM. KU Fürstenfeld 2050.
7. Wolfgang Widmann von Hausen verkauft an Abt Leonhard und den Konvent seinen Hof und eine Wiese zu Walleshausen, 27. November 1568. BHStAM. KU Fürstenfeld 2051.
8. Abt und Konvent lösen zwei Höfe zu Haimperg und Pozenperg zurück, die Administrator Johann 1531 um 10 fl Ewiggeld an Propst und Kirche von Weyarn versetzt hat, und gibt sie weiter an seinen Propst im Münchner Stadthaus, Leonhard Kueschamer. Die Hauptsumme bleibt bei 200 fl, die Gilt ist an Mariae Himmelfahrt zu zahlen, 24. Juni 1569. BHStAM. KU Fürstenfeld 2056.
9. Georg Reischl von Aich verkauft an Abt Leonhard und den Konvent Sölde und Gut zu Aich, 25. November 1569. BHStAM. KU Fürstenfeld 2059.
10. Marx Kräler zu Krailling verkauft an Abt Leonhard und den Konvent sein Gut zu Lengmoos, 28. November 1569. BHStAM. KU Fürstenfeld 2060.
11. Pfr. Johann Schäffler von Jesenwang verkauft an Abt Leonhard und den Konvent einen Acker zu Bergkirchen, 1569. BHStAM. KU Fürstenfeld 2062/1.
12. Gastel Wiener verkauft an Abt Leonhard und den Konvent einen Acker, 13. Februar 1570. BHStAM. KU Fürstenfeld 2064.
13. Caspar Zehentmair verkauft an Abt Leonhard und den Konvent Holz und Wiese, 17. April 1570. BHStAM. KU Fürstenfeld 2067.
14. Abt und Konvent kaufen von Susanna Gartnerin und den Püttrichschwestern in München zwei Höfe zu Mauern, Hofmk. Seefeld. Da man aber derzeit nicht bar bezahlen kann, gibt man die beiden Höfe und einen dritten eigenen Hof zu Mauern um 10 fl Ewiggeld an das Püttrichkloster. Die Hauptsumme verbleibt als Bezahlung beim Kloster, 9. Mai 1570. BHStAM. KU Fürstenfeld 2068.
15. Die Püttrichschwestern von München verkaufen an Abt Leonhard und den Konvent zwei Äcker zu Mauern, 9. Mai 1570. BHStAM. KU Fürstenfeld 2069.
16. Hans Roming verkauft an Abt Leonhard und den Konvent seine Güter, 9. November 1571. BHStAM. KU Fürstenfeld 2080.
17. Gastl Lennz zu Mittelstetten verkauft an Abt Leonhard und den Konvent Haus und Gut zu Mittelstetten, 19. November 1571. BHStAM. KU Fürstenfeld 2082.
18. Hans Schmid von Olching verkauft an Abt Leonhard und den Konvent eigene Äcker zu Olching, 26. März 1572. BHStAM. KU Fürstenfeld 2092.

19. Christoph Jörg von Geisering verkauft an Abt Leonhard und den Konvent Haus, Hofstatt und Garten zu Geisering, 21. November 1572. BHStAM. KU Fürstenfeld 2105/1.
20. Michael Raglmair von Mittelstetten verkauft an Abt Leonhard und den Konvent einen Acker, 27. Januar 1573. BHStAM. KU Fürstenfeld 2107.
21. Lorenz und Wolf von Jesenwang verkaufen an Abt Leonhard und den Konvent einen Garten daselbst, 6. März 1573. BHStAM. KU Fürstenfeld 2108.
22. Hans Denngkh von Herrsching verkauft an Abt Leonhard und den Konvent Acker und Wiese daselbst, 25. November 1573. BHStAM. KU Fürstenfeld 2119.
23. Stephan Hueber von Germansberg verkauft an Abt Leonhard und den Konvent Haus, Äcker und Wiese, 1. März 1574. BHStAM. KU Fürstenfeld 2121.
24. Caspar und Balthasar die Panholzer verkaufen an Abt Leonhard und den Konvent ihr Gut zu Oberlauterbach, 18. Mai 1574. BHStAM. KU Fürstenfeld 2127.
25. Andre Rauschenthaler verkauft an Abt Leonhard und den Konvent einen Acker, 1. August 1574. BHStAM. KU Fürstenfeld 2130.
26. Zacharias Brankl verkauft an Abt Leonhard und den Konvent seinen Acker, 29. Oktober 1574. BHStAM. KU Fürstenfeld 2133.
27. Abt und Konvent kaufen von Michel Straiffer aus Geisering sein eigenes Haus, Hofstatt und Garten, neben der Pfarrkirche zu Höfen gelegen um 30 fl und einige Naturalien, 11. Dezember 1574. BHStAM. KU Fürstenfeld 2136.
28. Georg Graf zu Mammendorf verkauft an Abt Leonhard und den Konvent Haus und Gut daselbst, 21. Dezember 1574. BHStAM. KU Fürstenfeld 2137.
29. Fr. Melchior Betz, Kaplan zu Inchenhofen, kauft von Wolfgang Güetl, Sainbach, ein Juchert Acker um 36 fl, 25. Mai 1575. BHStAM. KU Fürstenfeld 2141.
30. Caspar Panholtzer verkauft an Abt Leonhard und den Konvent Wiese und Holz, 7. November 1575. BHStAM. KU Fürstenfeld 2146.
31. Melchior Frank von Jesenwang verkauft an Abt Leonhard und den Konvent Haus, Hof und Garten daselbst, 22. Februar 1576. BHStAM. KU Fürstenfeld 2149.
32. Leonhard Scherl von Jesenwang verkauft an Abt Leonhard und den Konvent Haus und Hof daselbst, 18. Juni 1577. BHStAM. KU Fürstenfeld 2157.
33. Hans Denngkh von Herrsching verkauft an Abt Leonhard und den Konvent Hofstatt und Garten, 29. Oktober 1577. BHStAM. KU Fürstenfeld 2158.
34. Hans Lüdel zu Erling verkauft an Abt Leonhard und den Konvent Haus und Hof zu Erling, 1. Februar 1578. BHStAM. KU Fürstenfeld 2160.
35. Georg Paur von Auing verkauft an Abt Leonhard und den Konvent eine Wiese, 16. Oktober 1578. BHStAM. KU Fürstenfeld 2167.
36. Hans Lidl von Emmering verkauft an Abt Leonhard und den Konvent Haus und Garten daselbst, 21. April 1579. BHStAM. KU Fürstenfeld 2171.
37. Georg Prottkorb von Etterschlag verkauft an Abt Leonhard und den Konvent sein Eigengut daselbst mit Garten, 20. April 1580. BHStAM. KU Fürstenfeld 2184.
38. Hans Martin von Jesenwang verkauft an Abt Leonhard und den Konvent eine Wiese, 6. Dezember 1580. BHStAM. KU Fürstenfeld 2194.
39. Leonhard Mangkh von Herrnzell verkauft an Abt Leonhard und den Konvent einen Acker zu Schweinbach, 3. Juni 1583. BHStAM. KU Fürstenfeld 2220.
40. Stephan Steinpacher von Jesenwang verkauft an Abt Leonhard und den Konvent einen Garten daselbst, 19. Februar 1584. BHStAM. KU Fürstenfeld 2224.
41. Hans Vischer verkauft an Abt Leonhard und den Konvent ein Eigengut zu Mammendorf, 19. Februar 1584. BHStAM. KU Fürstenfeld 2225.

42. Michael Hueber von Geisering verkauft an Abt Leonhard und den Konvent Haus, Hof, Garten und Wiese daselbst, 9. Juni 1584. BHStAM. KU Fürstenfeld 2228.
43. Thomas Kraisser von Pleitmannswang verkauft an Abt Leonhard und den Konvent Hofstatt und Baumgarten, 6. November 1584. BHStAM. KU Fürstenfeld 2232.
44. Georg Hueber von Geisering verkauft an Abt Leonhard und den Konvent Haus, Hofstatt, Garten und Äcker, 12. März 1585. BHStAM. KU Fürstenfeld 2238.
45. Mathias Niedermair von Landsberied verkauft an Abt Leonhard und den Konvent einen Acker daselbst, 13. Dezember 1585. BHStAM. KU Fürstenfeld 2255.
46. Georg Greiff von Hausen bei Geltendorf verkauft an Abt Leonhard und den Konvent eigene Gründe, 4. Januar 1586. BHStAM. KU Fürstenfeld 2258.
47. Adam Schäffler von Hohenzell verkauft an Abt Leonhard und den Konvent mehrere Äcker, 1. Mai 1587. BHStAM. KU Fürstenfeld 2270.
48. Gallus Landmann von Irschenhofen verkauft an Abt Leonhard und den Konvent einen Acker daselbst, 1. Mai 1587. BHStAM. KU Fürstenfeld 2271.
49. Georg Heigl von Lengmoos verkauft an Abt Leonhard und den Konvent einen Hausgrund daselbst, 2. Juni 1587. BHStAM. KU Fürstenfeld 2272.
50. Hans Krötz von Tegernbach verkauft an Abt Leonhard und den Konvent eine Behausung, 5. Juni 1587. BHStAM. KU Fürstenfeld 2274.
51. Martin Hueber zu Sirchenried verkauft an Abt Leonhard und den Konvent eine Behausung daselbst, 10. Juli 1587. BHStAM. KU Fürstenfeld 2276.
52. Leonhard Diegold verkauft an Abt Leonhard und den Konvent einen Hof zu Mammendorf, 8. August 1587. BHStAM. KU Fürstenfeld 2277.
53. Leonhard Diettenpreiß verkauft an Abt Leonhard und den Konvent einen Acker zu Schmarnzell, 6. November 1587. BHStAM. KU Fürstenfeld 2282.
54. Caspar Bader von Moorenweis verkauft an Abt Leonhard und den Konvent Haus und Hof, 8. Januar 1588. BHStAM. KU Fürstenfeld 2284.
55. Carl Miller von Irschenhofen verkauft an Abt Leonhard und den Konvent einen Acker in Kralach, 13. Februar 1588. BHStAM. KU Fürstenfeld 2287.
56. Hans Schmidt von Oberndorf verkauft an Abt Leonhard und den Konvent einen Acker in Edenhof, 8. März 1588. BHStAM. KU Fürstenfeld 2288.
57. Caspar Sedlpaur zu Hochdorf verkauft an Abt Leonhard und den Konvent einen Acker in Lindach, 16. Mai 1588. BHStAM. KU Fürstenfeld 2289.
58. Michael Khalchschmidt von Geisering verkauft an Abt Leonhard und den Konvent Hofstatt und Gründe, 1. Juli 1588. BHStAM. KU Fürstenfeld 2292.
59. Georg Schmadl zu Geisering verkauft an Abt Leonhard und den Konvent einen Acker, 1. Juli 1588. BHStAM. KU Fürstenfeld 2293.
60. Georg Wärle von Geisering verkauft an Abt Leonhard und den Konvent einen Acker, 2. Juli 1588. BHStAM. KU Fürstenfeld 2294.
61. Hans Schlenfelder von Geisering verkauft an Abt Leonhard und den Konvent einen Hof mit Zubehör, 2. Juli 1588. BHStAM. KU Fürstenfeld 2295.
62. Hans Wolfgang von Geisering verkauft an Abt Leonhard und den Konvent Haus, Hof und Garten daselbst, 9. Juli 1588. BHStAM. KU Fürstenfeld 2296.
63. Jacob Sedlmair von Geisering verkauft an Abt Leonhard und den Konvent einen Anger, 27. Juli 1588. BHStAM. KU Fürstenfeld 2297.
64. Georg Rottenfuesser von Mittelstetten verkauft an Abt Leonhard und den Konvent mehrere Äcker, Wiesen und Holzmarken, 12. August 1588. BHStAM. KU Fürstenfeld 2298.

65. Wilhelm Schmid von St. Gilgen verkauft an Abt Leonhard und den Konvent Sölde und Hofstatt, 4. November 1588. BHStAM. KU Fürstenfeld 2300.

66. Caspar Dilger von Purk verkauft an Abt Leonhard und den Konvent ein Haus, 11. November 1588. BHStAM. KU Fürstenfeld 2301.

67. Veit Metzger von Purk verkauft an Abt Leonhard und den Konvent Haus, Hof, Garten und einen halben Schöpfbrunnen, 12. November 1588.

68. Hanns Dollinger zu Geisering verkauft an Abt Leonhard und den Konvent Acker und Wiesen, 16. November 1588. BHStAM. KU Fürstenfeld 2303.

69. Jacob Albrecht von Landsberied verkauft an Abt Leonhard und den Konvent Haus und Garten, 17. November 1588. BHStAM. KU Fürstenfeld 2304.

70. Georg Schrautt von Egling verkauft an Abt Leonhard und den Konvent Haus und Hofstatt, 17. Dezember 1588. BHStAM. KU Fürstenfeld 2307.

71. Michael Vörkh von Moorenweis verkauft an Abt Leonhard und den Konvent Haus und Garten, 28. Mai 1589. BHStAM. KU Fürstenfeld 2318.

72. Wolf Widmann von Moorenweis verkauft an Abt Leonhard und den Konvent Haus und Hofstatt daselbst, 12. November 1589. BHStAM. KU Fürstenfeld 2323.

73. Hanns Pangartner von Hausen verkauft an Abt Leonhard und den Konvent Haus und Hofstatt daselbst, 20. November 1589. BHStAM. KU Fürstenfeld 2325.

74. Clement Metzger von Geisering verkauft an Abt Leonhard und den Konvent Haus und Zubehör daselbst, 23. November 1589. BHStAM. KU Fürstenfeld 2326.

75. Hanns Stäckhl zu Hochdorf verkauft an Abt Leonhard und den Konvent einen Acker, 20. Dezember 1589. BHStAM. KU Fürstenfeld 2327.

76. Leonhard Märkl von Geisering verkauft an Abt Leonhard und den Konvent einen Acker, 14. April 1590. BHStAM. KU Fürstenfeld 2330.

77. Georg Reinhart von Pleinmannswang verkauft an Abt Leonhard und den Konvent eine Hofstatt daselbst, 20. Juni 1590. BHStAM. KU Fürstenfeld 2333.

78. Hanns Schmid von Kotalting verkauft an Abt Leonhard und den Konvent einen Acker daselbst, 28. Dezember 1590. BHStAM. KU Fürstenfeld 2336.

79. Michael Nesl von Oberdorf verkauft an Abt Leonhard und den Konvent einen Acker, 28. Januar 1591. BHStAM. KU Fürstenfeld 2337.

80. Hanns Nainman von Geisenhofen verkauft an Abt Leonhard und den Konvent ein Gut daselbst, 7. Februar 1591. BHStAM. KU Fürstenfeld 2339.

81. Georg Schaffler von Oberdorf verkauft an Abt Leonhard und den Konvent das Oberhaus daselbst, 5. November 1591. BHStAM. KU Fürstenfeld 2346.

82. Stephan Hagner von Tegernbach verkauft an Abt Leonhard und den Konvent Haus und Hof daselbst, 2. März 1592. BHStAM. KU Fürstenfeld 2352.

83. Caspar Sedlpaur von Oberdorf verkauft an Abt Leonhard und den Konvent drei Äcker, 26. April 1592. BHStAM. KU Fürstenfeld 2353.

84. Stephan Hagner von Tegernbach verkauft an Abt Leonhard und den Konvent einen Garten, 20. Juni 1592. BHStAM. KU Fürstenfeld 2355.

85. Wolf Häfel von Rohedorf verkauft an Abt Leonhard und den Konvent ein halbes Lehen, 23. August 1592. BHStAM. KU Fürstenfeld 2356.

86. Hans Kheller zu Stainach verkauft an Abt Leonhard und den Konvent Acker und Wiese daselbst: 10. Dezember 1592. BHStAM. KU Fürstenfeld 2360.

87. Mathias Müller zu Gilching verkauft an Abt Leonhard und den Konvent ein Söldenhaus mit Hof und Garten, 16. Dezember 1592. BHStAM. KU Fürstenfeld 2361

88. Veit Mötzger von Purk verkauft an Abt Leonhard und den Konvent einige Äcker, 6. März 1593. BHStAM. KU Fürstenfeld 2365.

89. Wolfgang Teufelhart von Mammendorf verkauft an Abt Leonhard und den Konvent eine Wiese daselbst, 15. Juni 1593. BHStAM. KU Fürstenfeld 2367.

90. Georg Müller zu Hochdorf verkauft an Abt Leonhard und den Konvent Wirtshaus samt Hofstatt, 10. Januar 1594. BHStAM. KU Fürstenfeld 2372.

91. Ulrich Scherer zu Stainach verkauft an Abt Leonhard und den Konvent Haus, Hof und Baumgarten daselbst, 14. August 1594. BHStAM. KU Fürstenfeld 2379.

92. Melchior Lyndenmüller zu Hochdorf verkauft an Abt Leonhard und den Konvent Haus und Hof, 15. Dezember 1594. BHStAM. KU Fürstenfeld 2381.

93. Andre Obermeier zu Edelshausen verkauft an Abt Leonhard und den Konvent eine Wiese, 21. Dezember 1594. BHStAM. KU Fürstenfeld 2383.

94. Hanns Gilg von Sonderham verkauft an Abt Leonhard und den Konvent eine halbe Hube daselbst, 28. April 1595. BHStAM. KU Fürstenfeld 2386.

3. Quellen zu Frömmigkeit und Gottesdienst im Kloster Fürstenfeld

3.1 Das Reliquienverzeichnis von 1602

Unter dem 31. Januar 1602 sandte Abt Johann Puel auf Anforderung Herzog Maximilians ein Reliquienverzeichnis des Klosters Fürstenfeld nach München. BHStAM. KL Fasc. 239/51.

LITTERA A

Verzaichnus, was an Reliquien und hailthumben bey dem Gotshauß unnser lieben Frawen zu Fürstenfeld yeziger Zeit vorhannden ist in disem Extract zesehen

In sacristia maiori

I. Crux argentea maxima, a fronte has habet reliquias Santcorum

Ad manum dexteram Crucis de vestibus Sancti Bernhardi et S. Urbanu
Ad sinistram, de Sancto Mattheo Euangelista et Jacobo minore, et S. Egidio
Ad caput de S. Margaretha
Ad pedes de S. Apollinare. Pauli discipulo

A tergo Crucis
Ad dexteram de S. Blasio
Ad sinistram de S. Martino
Ad caput de sepulchro Christi, etiam S. Paulo Aplo, et Sanct. Hilario
Ad pedes de S. Marco Evangelista
Item in eiusdem C. Crucis medietate notabilis pars de Sanctissima Cruce Salvatoris nostri, etiam per modum Crucis confecta

II. Imago S. Mariae Magdalenae tota argentea. has tenet reliquias iuxta schaedulas	S. MariaMagdalena S. Monte Caluariae. & lapide supro quem Sancta Katharina fuit decollata Lignea sede B. Mariae V quae fuit in Egiptum S. Andrea Apostolo S. Laurentio, S. Chrisogono, S. Damiano martiribus S. Benedicto, S. Anthonio Eremit, S. Paterniano, S. Blasio de pacella Confess. S. Dionisio Ep. & mart. SS. Hilaria & Clara Virginibus
III. Capsula argentea R. D. Abbatis Harders iuxta Schedas Reliquias de	S. Stephano prothomartire S. Cornel. Cipriano S. Seuero Episcopo Virga Aronis
IIII. Tabella argentea rotunda tenet reliquias de	S. Anthonio Abbatis S. Vito Martire Ligno Sanctae Crucis
	Sepulchro B. Virginis Item von dem Erdreich, da unser lieben Frauen die Millich ist ausgeflossen Mehr von einem Tuech, darauf unser Frauen Schlair darauf gelegen
V. Parvula Monstrantia argentea deaurata ad numerum schedularum has inclusas tenet reliquias de	Sepulchro Domini Saluatoris Ligno S. Crucis Loco montis Caluariae Petra in quo fixa Crux Christi Manna filiorum Israel
	de S. Jacobo maiore S. Paulo S. Matheo Euang __ Aplo S. Thoma S. Stephano S. Laurentio S. Georgio S. Juliano S. Domiciano S. Achatio & S. Benigno S. Curino S. Crisanto S. Crescentiano __ Martire S. Nicolao S. Aniano S. Paterniano

S. Philippo
S. Vdalrico Epo
S. Corbiniano Epo
S. Egidio Abbate
S. Blasio Epo
S. Vrbano
S. Vdalrico Epo
S. Valentino __ Confessores
S. Margaretha & S. Hilaria & sociabus. Virginibus

VI. Altare ligneum de An 1519 sibi reseruat S. Reliquias von

der Saül daran unser Herr gegaißlet worden
dem Stain da ds hailige Creyz gelegen
unnser lieben frauen Mantl
Gulden Portten Salomonis
S. Khatarine grab
S. Martin grab
S. Cornely grab und desselb Puluer
ainem Stückhlein da unsers Herrn Rockh gelegen
ainen Pfennig mit unsers herrn Naegl durchstochen

VII. Monstrantia argentea satis alta ad litteram occultas ueneratur S. Reliquias

Terza Acheldemach
Vndecim milibus Virginum
S. Simone sene
S. Quirino martire

VIII. Imago B. Virginis argentea retinet inclusas S. Reliquias de

Fractione panis in Coena domini
Capillo ubi crux Christi fuit infixus
Vndecim milibus Virginum
Ossibus S. Leonhardi confessoris
Dente S. Clarae Virginis
Liquore S. Clarae Virginis
Scapula S. Georgii
Juliano & Quirino __ martyr
S. Gregorio papa

VIIII. Monstrantia tota argentea cum corallo pie ueneratur inclusa reliq. de

Ossibus S. Hilarie Virginis
S. Margarethae Virginis
St. Martino
S. Valentino
S. Martino & Valentino simul __ Epo
S. Pantaleone martyre

X. Capsula argentea ad modum Iuris ibi sequentes seruantur reliq de

Barba Domino Jesu Christi crucis vnus
S. Mauritii
S. Purchardi
S. M. Magdalena __ ossibus
S. Sebastiano mart.
S. Nicolao

XI. Imago S. Bernhardi argentea cum baculo pastorali, sibi has reseruat schedulas de	Panis Angelorum Fractione panis Ligno sanctae Crucis Linteo quo procumbit se & lauit pedes St. Matheo Euang S. Joan Baptista S. Paulo __ aplo S. 11 milibus Virginum S. Achatio S. Mauritio SS. Benigno & Juliano S. Ambrosio S. Nicolao S. Blasio __ Epo S. Petro Archiepo Thartasiensi & S. Leonhardo
Imago dicta Saculum sibi reseruat inclusum cum reliquiis de	Fractione panis Mattheo Euangelista Undecim milibus Virginum S. Sebastiano S. Achatio S. Vrbano pp S. Juliano S. Magno S. Gregorii Scapula S. Martino S. Blasio __ epo S. Nicolao
XII. Imago S. Leonhardi argentea cum captiuis et reliquiis sequentibus	S. Leonardo Confessore S. Crisanto S. Erasmo __ martyr
XIII. Capsula argentea rotunda seu Agnus Dei sibi asseruat de	Manna filiorum S. Leopoldo S. Catharina S. Margaretha __ Virgine S. Agnete Superapposito Agnus Dei
	Deo Opt. Max. Beataeque Mariae semper Virginis & omnibus Sanctis laus honor & gloria

3.2 Neues Reliquienverzeichnis (Fragment)

Die Archivalie KL Fasc. 239/51 enthält neben dem Reliquienverzeichnis 3.1 eine weitere Auflistung von Reliquien, die allesamt jüngeren Datums sind als die unter 3.1 genannten Heiltümer. Dieses zweite Verzeichnis umfaßt zehn Seiten und führt jedes Heiltum mit den darin befindlichen Reliquien auf; es beginnt abrupt mit einem nicht bezeichneten Reliquiar und fährt dann mit der Ordnungsnummer 51 fort. Die Auflistung der ersten 50 Heiltümer ist verloren.

[50]	De ossibus S. Emerami Episcopi et Mar. De lapide supra quo Martyrium subyt
51 Turris	Reliquiae S. Lamberti Episcopi et Mar. De Pollice S. Virgily De digito S. Nestoris De Corporali S. Adalberti De Costa S. Heracly S. Patuli S. Cyrilli et S. Vemamty
52 Monstrantia	Reliquiae S. Bonafacy Episcopi et Mar: S. Narcissi Episcopi et Mar: S. Polycarpi et Mart: et Episcopi De costis et ossibus S. Appollinari Epi et Mart:
53 Imago	De ossibus S. Dionysy Episcopi et Mar. Samctorum Rustici et Pleuthery et sociorum eius
54 Monstrantia	De Costa S. Laurenty digito et cineribus. Item dens S. Laurenty Ittem tres partes de corpore eius
55 Monstrantia	De costa S. Stephani Prtothomar: De loco et lapidibus cum quibus lapidatus fuit
56 Monstrantia	S. Faelicis Papa et Mart: De corpore S. Beatricis Virginis fratrumque eius Simplicius et faustini S. Sacerdotis Martisi
57 Imago	De Costa S. Gregory Papae Sixti Papae et Mart: De corpore S. Vrbani Papae & Mar. De Vestibus S. Caelestini Papae S. Fabiani Papae et Martyris S. Alexandri Papae sociorumque eius Guenty Theodoly Prebyterorum et Mar:
58 Imago	De costa et sepulchro SS. Innocentum

59 De Euangelistis Liber	Reliquiae S. Mathaei, Marci, Lucae et Joannis
60 De Apostolis Monstrantia	De ossibus S. Petri et dens molaris De casula, caterna, mensa et Imagine S. Petris Apostoli De ossibus S. Pauli De Corpore S. Andreae Dens S. Andreae Apostoli De ligno crucis S. Andreae S. Jacobi Apostoli Maioris S. Bartholomaei Apostoli
61 Monstrantia	De ossibus S. Philippi Apostoli De ossibus S. Simonis et Juda De Corpore et digito S. Thomae Apostoli Dens S. Thadei Apli De ossibus S. Mathia Apostoli De ossibus S. Mathaei Apostoli et Euan. De ossibus S. Marci et Euangelistae De ossibus S. Lucae Euangelistae
62 De Patriarchis Monstrantia	De loco ubi natus est S. Joannes Baptista; De ossibus eius. De sanguine eius. De tunica et cingulo eius De fonte in quo baptizauit
[63] De Prophetis Beriniolum	De petra ubi coruus Eliam pauit De uirga Aaronis De petra ubi ieiunauit Moyses quadraginta dies et accepit legem De loco ubi confregit tabulas De Monte Synai. De monte Syon.
64 Crux	Reliquiae trium Regum
65 De Angelis Crux	De loco ubi apparuit S. Michael in Monte Gargano
66 De beata virgine Maria Imago	De lacte B. Mariae Virginis De Cingulo et Vestibus eius et alia reliquae de B. Virgine
67 Imago	De Crinibus B. Mariae Virginis
68 Monstrantia	De loco ubi beata virgo nata est De Vestibus eius De peplo eius De Vestibus eius et de filo De loco ubi eam saluauit Archan. Gabriel De loco ubi mortua est De sepulchro eius
	De oleo ad illuminandum Ecclesiam B Mariae Virginis

69 Tabula de Saluatore nro
    De loco ubi Christus conceptus fuit
    De loco in quo fuit conceptus
    De panno primo in quo Christus inuolutus fuit
    De fascia Domini
    De Crippa et praesepio Domini
    De cuneis Domini oistri J. Chr.
    De auro, thure et Myrrha Domini

70 Duae imagines
    De Vestimentis et Corrigia Domini nri
    De praesepio eius
    De loco ubi Christus natus est

71 Monstrantia
    De deserto ubi Christus a diabolo tentatus fuit
    De Monte ubi Christus quinque millia hominum satiauit de quinque panibus
    Petra de flumines Jordanis
    De Petra ubi Christus cum Matre sedebat
    De lapide ubi Christus lauit pedes discipulorum
    Ibidem etiam duae continentur partes

72 Crux
    De deserto ubi Chruistus ieiuniauit quadraginta dies
    De loco ubi fleuit super Jerusalem
    De Mensa Domini

73 Imago
    De Spelunca ubi Christus ieiuniauit per Quadragesimam Ibidem etiam continentur dua pertes reliquiarum

74 Imago
    De deserto Domini ubi a Diablo fuit tentatus
    De monte ubi quinque millia hominum saciauit
    De Agro Acheldemach

75 Monstrantia
    De monte Thabor ubi Christus transfiguratus fuit
    De loco ubi Christus captus fuit
    De loco ubi Christus ter orauit cum sudore sanguineo
    De sudario Domini
    De statua in qua flagellatus fuit
    De Virgis cum quibus percussus fuit
    De spinea Corona
    De Arundine cum qua percussus fuit
    Lapis de Porta aurea per quam Christus Crucem portauit
    De monte Caluariae ubi Christus crufixus fuit
    De spongia Domini
    De loco ubi sancta crux stetit
    De lapide sub Cruce Domini perfusus sanguine suo
    De Sepulchro Domini
    De syndone in quo inuolutum fuit corpus Domini
    Caera de Sepulchro Domini
    De Agro Acheldemach
    De loco ubi sancta crux iuncta fuit

De lapide in quo Christus post resurrectionem cum discipulis suis comedit fauum mellis et piscem assum
De loco ubi Christus stetit quando ascendit in Caelum
De lapide Ecclesiae quam Christus fecit
De Candela super quam uenit ignis de coelo in caena Domini Hierosolymis in Ecclesia Syon

76 Duae imagines   In illis duabus Imaginibus continentur multae reliquiae quarum nomina uetustate abolita ignorantur

77 Crux   Tres partes de ligno S. Crucis. Ibidem continentia sex partes

Omnia ad Maiorem Dei gloriam cui debitur honor et cultus in omne aeuum

3.3 *Verzeichnis der Altäre und ihrer Patrozinien und Weihefeste*

Mit gleichem Schreiben wie 3.1 übersandte Abt Johann Puel dem Herzog auch ein Verzeichnis der Altäre im gesamten Klosterbereich samt deren Patrozinien und Weihefeste. BHStAM. KL Fasc. 239/51.

LITTERA B

Verzaichnus

Was für hayligen Gottes auf dem hoch: und annderen Alltären bey dem Gotshauß Fürsstenfelldt Fesst Gottesdienst und Khürchweich gehallten werden Ist in disem nachvolgenden Auszug zuvernemmen

S. Altaria & omnia Sanctorum patronorum quae ex omno loco summi templi pie uenerantur ordine alphabetico sequuntur

Summum Altare ibidem

B^ma Virgo Maria S. Benedictus et S. Bernhardus imagines deauratae tam Altaris, quam sacre Cistercien ordinis patroni sanctissimi perferuntur
Dedicatio Altaris solenniter peragitur Dominica secunda Misericordiae post pascha
Notandum quod ex vtraque parte seu cornu summi Altari in duabus Cistulis ligneis pie reseruantur hae sequentes reliquiae S. iuxta schedulas de

S. Johannes Baptista
S. Christophoro __ martirib
S. Eustachio
S. Cypriano
SS. Specusippo, Eleusippo & Melippo
S. Nonnoso Confessore
S. Baptista vxore Juliani martyris
Item de Brachys & ossibus plurimis sanctarum vndecim milium Virginum cuiusdam Litterulae testimoniae satis comprobatur

Sequuntur altaria priuata per totam ecclesiam ordinata vt patet ex A.B.C.

A

In Altari Ambitus Monasterii cum Littera A pie ueneratur S. Udalricus, S. Georgius & S. Margaretha Virgo
Dedicatio illius peragitur in Die S. Seruaty

B

In Capella Abbatis cum lra B commemoratur Saluatoris Domini Spinarum & Coronae Dni.
Dedicatio eiusdem in Vigilia S. Lucae Euangelistae

C   In illo Altari cum signo C. Est Patronus S. Joannes
Euangelista. SS. Agnes et Agatha

D   In illo Altari cum notula D. religiose honorantur
S. Martinus & S. Dionysius & S. Nicolaus Epus

E   In Altari cum E commemoratio laudabilis est de
Spiritu Sancto. S. Michaele S. Innocentibus & Epi-
phania Dny

                     Not^m. Indictorum Altarium C. D. et E. Dedicatio-
nes celebrantur Feria secunda post secundam
Dominicam paschatis vt sup^ra

F   In Altari cum F sunt patroni S. Hieronimus,
S. Ambrosius & S. Catharinae martyris

G   In Altari cum G celebris habetur memoria
S. Andreae Apli & S. Catharinae martyris

                     Not^m Altarium cum F et G dictorum dedicationem
translata esse, in feriam tertiam post dominicam
Misericordiae ut sup^ra

H   In Altari cum H sancta celebratur memoria
SS. Petri & Pauli & S. Achaty

I   In Altari cuius I littera signum, sancte peragitur
Veneratio Sanctorum Jacobi maioris, S. Barnabae,
Jodoci, Luciae & Dorotheae virginum

                     Altarium praedictorum cum litteris H et I dedica-
tio annuatim peragitur Feria quarta eiusdem septi-
manae vt supra

K   In altari cum K littera cultu debito ueneratur
S. Stephanus. S. Laurentius martyres & undecim
milia Virginum

L   In Capella Nouitiorum cum L signum est
S. Benedictus & S. Bernhardus patronus

                     Horum Altarium cum K et L dedicatio Transponi-
tur in feriam quintam eiusdem septimanae Misericordiae sup^rae

M   Altare cum M littera annotatum dedicatum est in
honorem perpetuum Sanctorum Phillippi & Jacobi
minoris apostolorum

N   Altare cum littera N signatum ibidem peragitur
memoria sanctorum Symonis & Juda Apostolorum

                     Commemorat. Altarium cum M et N dedicatio
transferitur in feriam sextam eiusdem Hebdomadis
vt sup^ra

O	Altare cum O littera appropriatum est S. Bartholomeo & S. Augustino
P	Altare cum P ad venerationem S. Johis Baptistae & S. Mathei Euangelistae dicatum est
Q	Altare cum Q littera ibi pio more venerantur S. Leonhardus confessor Sanct. Ruffus & Sanct Pangratius Martires
	Trium iam positorum Altarium cum O, P & Q dedicatio transposita est in diem Sabbatum illius septimanae vt sup^{ra}
R	In Altari cum R consecrato more venerantur S. Gregorius pp^a & S. Maria Magdalena
S	In Altari cum S sunt Patroni S. Marcus & S. Lucas Euangelistae
T	In choro Conuersorum Altare cum T consecratum est Sanctae cruci & sancto Matthiae Apostolo
X	In porticu summi Templi Altare hoc cum X littera signatum est ad honorem Sanctae Annae Matris B^{mae} Virginis Mariae
	Istorum Altarium R, S, T & X dedicatio in Dnca prima quod est Jubilate
Z	Altare in Capitulo cum Z littera signatur S. Sebastianus & S. Vitus martyres ibi pie honorantur
	Dedicatio illius est in festo Symonis & Judae Apostolorum Ex introducta consuetudine omnia feria quarta a fratribus cantatur ibidem Missa pro peste epidimiae
	Capella una Monasterii in porta extra templi consecrata est in honorem omnium Sanctorum. Dedicatio inibi proxima dominica ante diem S. Laurentii Martyris
	Quod haec ecclesia cum omnibus iam dictis Altaribus consecrata est a Rmo ... Paulo Epo Ecclesiae frisingen. Ano 1365 dominica proxima post Octavam paschae Deo Opt°. Max°. Beataeque Mariae Virginis & omnibus sanctus laus & honor

3.4   Verzeichnis der liturgischen Eigenfeiern des Klosters Fürstenfeld

Ein drittes, am 31. Januar 1602 an den Herzog geschicktes Verzeichnis, umfaßt die Festtage, die im Kloster Fürstenfeld abweichend von den Gedächtnisfeiern im Martyrologium Romanum begangen werden. BHStAM. KL Fasc. 239/51.

Catalogus SS. de quorum festiuitatibus Romanum Martyrologium non meminit, quae tamen in Monasterio nostro Benedicto purano peculiari ratione concelebrantur

Januarius	Primum locum sibi uendicat Btissimus Maurus Abbas nrae Religionis clarissimum lumen cuius festum 15 January officio duplici cohonestatum agitamus, habentur omnia de Communi Confess: praeter Antiphonas et lectiones, ex ipsius uita a Faustino Monacho conscripta, depromptas. De hoc S. Patre consule Martyrologium Romanum eod die.
	Festiuitas S Anastasiae Virginis et Maryris trina vice quotannis apud nos celebratur. Prima 19 huius Mensis eius ueneramur memoriam: Officium duplex, totumque de comuni Virgi: In Matutinis lectionum loco eiusdem Virg: uitam a Surio compliatum legimus. Secunda eius festiuitas incidit in 7 diem September et ibi dicta S. Anastasiae Translationis recolimus, et est Translatio apud nos summa, totumque officium peculiaria et propria quaedam complectitur habetur suam octauam. Est etiam illa S. Anastasia singularis Monastery nostri Patrona a cuius reliquias non exiguus hominum numerus confluit, y potissimum quos Lunaticos, areptatios, Phreneticos Latinorum consuetudo uocat uel etiam a Daemonibus obsessos, quorum semper aliqua pars, aut salua incolumisque ad penetes suos reuertitur, aut certe transacto nonnullorum dierum interuallo sanitati restituitur. Tandem tertia uice 27 Decembris eius Sacratum passionem qua cum in Natalem Domini uenerit. Commemoratione duntaxat concelebramus.
Februarius	Nono February Festum D: Apolloniae Virginis ac Marty, habet duodecim lectio: ex Sermonibus S. Augustini, Caetera de Communi. Decimum huius mensis Diem S. Scholasticae virginis sacrum sacrationi ritu, ut Caenoby nostri singularis Patronae peragimus. Lectiones et Antiphonae ex rdo libro dial. D. Gregory sunt desumptae. De cuius vita uide Surium
Martius	Festum almi Sctissimus Patris et Patroni nostri Benedicti bina solennitate singulis annis religiose celebramus, quarum prima 21 Marty, uti etiam in Romano positur Calendario emergit. Secunda uera 11 July quo eius recolimus commemorationem. Vtraque solennitas toto ducat octiduo, et omnia ex proprys hausta fontibus desumuntur.

Junius	15 Juni celebratur festum Bonifacy Episcopi cum socys Duplex: lectiones Matutinales D. Augustini, caetera de Communi De hoc Scto Martyrolo: Roman: et Surius 22 festum Achaty et Sociorum eius: Dplex. Lectiones ex D. Augusti: Caetera de Commu: De hoc Martyrologium Romanum
Julius	4 July Officium S Vdalrici Episcopi. Augustani rdplex, omnia de communi, lectiones nobis eius uita suppeditat, uide Martyrologium Romanu: et Surium 12 festum S. Margarethae Virginis et Martyris habet 12 lectio, quae sunt ex D. Ambrosio, Caetera de Communy 18 Diuisio Apostolorum, Duplex Officium de Apostolis, lectiones ex D. Augustino
Augustus	7 Augusti festum S. Afrae Martyris, 12 lectio: quae sunt ex Surio desumptae, Catera de Communi 12 Hilariae et Sociarum eius 12 lectio: quas ipsae nobis ministrarunt. Caetera de Communi de his Martyrologium Romanum
September	6 Festum S. Magni 12 lectio: quas S. Fulgentius Episcopus descripsit, Caetera de communi
October	5 festum S. Placidi et Sociorum eius duplex. Lectiones D. Maximi Episcopi huius quoque meminit Martyo: Romanum 10 D. Gereonis et Sociorum eius, 12 lectio: Authore S. Augus, Reliqua de Communi. De hoc Marty; Roman: et Surium 21 Dies festus S. Ursulae nostri Monastery Patronae omniumque vndecim millium, est festum primae classis. Officium totum de propris, de his Martyrolo: Romanum 29 S. Narcissi Episcopi et Martyris 12 lectio: quas D. Augustinus scripsit, caetera de Communi. De hoc Martyrolo. et Surius
Nouember	6 S Leonhardi 12 lectio: D. Gregory Papae Reliqua de Communi. Martyrolo: Roman: et Surius. 19 S Eliasbethae Viduae. Semiduplex. lectiones sunt ex Gregorio; Caetera de communi Martyro: et Surius.
December	4 D. Barbarae Virginis et Mar: 12 lectiones ex D. Ambrosio. Caetera de Communo Martyrologium et Surius. Haec igitur festa sunt quae extra Martyrologium Romanum in nro Monasterio pio nra pietate celebramus & ueneramur Omnia ad Maiorem dei gloriam

3.5   Liturgischer Kalender des Klosters

Zusammen mit dem Reliquienverzeichnis übersandte Abt Johann Puel an
Herzog Maximilian am 31. Januar 1602 auch eine Abschrift des liturgischen
Kalenders des Klosters Fürstenfeld. Dieser orientiert sich bereits am Calen-
darium Romanum, weist aber doch einige Abweichungen auf. BHStAM. KL
Fasc. 239/51.

Januarius

A	1	Circumcisio dnj: dplx maius. Basili 2° Martinae Vir: et M 3°
b	2	Octava S. Stephani 3 l
c	3	Octava S. Joannis Evangelistae 3 l
d	4	Octava SS. Innocentum 3 lec Semiduplicia
e	5	
f	6	Epiphania dnj dplex maius
g	7	
A	8	
b	9	
c	10	Pauli primi Eremitae 2°
d	11	
e	12	
f	13	Octava Epiphaniae Semiduplex Hilarii Epi 2°
g	14	Faelicis in Princis Prbii et Mar 3 l
A	15	Mauri Abbas dplex minus
b	16	Marcelli Papa et Mart: 3 l
c	17	Anthony Abbatis 12 l
d	18	Prisca Virginis et Marty 3 l
e	19	
f	20	Fabianae pape et Sebastiani mrs 12 l
g	21	Agnetis Virginis et Mar semidplex
A	22	Vincenty et Anastasy 12 l
b	23	Emerantianae Virginis et Mar 2°
c	24	
d	25	Conuersio s. Pauli apli dplex minus
e	26	
f	27	
g	28	Agnetis secundo 3 l
A	29	Memoria S. Anastasiae Virg. et Mar 2plexminus
b	30	
c	31	

Februarius

d	1	Ignati Episcopi et Mar: 3 lec: Brigittae Vir 3°
e	2	Purificatio B. Mariae dux maius
f	3	Blasy Episcopi et Martyris 3 l 1^{m}
g	4	
A	5	Agathae virginis et Martyris semid: 12 l
b	6	Dorotheae Virginis et Martyris 3 l
c	7	

d   8
e   9   Appolloniae Virginis et Martyris 12 l
f 10   Scholasticae Virginis   duplex maius
g 11
A 12
b 13
c 14   Valentini Presbyteri et Martyris 3 l
d 15
e 16   Juliana Virginis et Mris 2°
f 17
g 18
A 19
b 20
c 21
d 22   Cathedra S. Petri Apostoli dúx: minus
e 23
f 24   Mathiae Apostoli duplex minus xii l
g 25   Walpurgae Virginis 3 l
A 26
b 27
c 28

Martius

d   1
e   2
f   3   Kunigundis Virginis 3 l
g   4
A   5
b   6
c   7   Perpetuae et Felicitatis Martyrum 3 l
d   8
e   9   Quadraginta Martyrum 3 l
f 10
g 11
A 12   Gregory Papae dupx: maius XII l
b 13
c 14
d 15
e 16
f 17   Gertrudis Virginis 3 l
g 18
A 19
b 20
c 21   Benedicti Abbatis duplex maius
d 22
e 23
f 24   Quirini Regis et Martyris 3 l
g 25   Annunciatio B: Mariae virginis dux: maius
A 26
b 27

c 28 Octava P. Benedicti dux: minus
d 29
e 30
f 31

Aprilis

g 1
A 2
b 3
c 4
d 5
e 6
f 7
g 8
A 9
b 10
c 11
d 12
e 13
f 14 Tyburty Valeriani et Maximi 3 l
g 15
A 16
b 17
c 18
d 19
e 20
f 21
g 22
A 23
b 24 Georgy mris xii l
c 25 Marci Euangelistae dux minus
d 26 Cleti Papae et Marcellini marty 2°
e 27
f 28 Vitalis Martyris 3 l
g 29
A 30

Maius

b 1 Philippi et Iacobi dux minus
c 2 Athanasii Episcopi
d 3 Inuentio S. Crucis dux maius   Alexandris Valio 2°
e 4 Floriani Martyris 3 l
f 5 Gotthardi Episcopi 3 l
g 6 Ioannis ante portum latinam   dux: minus
A 7
b 8
c 9
d 10 Gordiani et Epimachi Marty: 3 l
e 11
f 12 Nerei Achillei et Pancraty Marty 3 l
g 13 Seruacy Episcopi 3 l

A 14
b 15
c 16
d 17
e 18
f 19   Potentianae Virginis   3 l
g 20
A 21
b 22   Romani Abbatis   XII l
c 23
d 24
e 25   Vrbani Papae et Martyris   3 l
f 26
g 27
A 28
b 29
c 30
d 31   Petronella Virginis   3 l
         Junius
e 1
f 2   Marcelli et Petri   2°
g 3   Erasmi Episcopi et Martyris   3 l
A 4
b 5   Bonifacy Episcopi et Martyris et sociorum eius   dux: minus
c 6
d 7
e 8
f 9   Primi et Feliciani Martyrum   2°
g 10   Barnabae Apostoli   dux minus   Onofrii   2°
A 11
b 12
c 13
d 14
e 15   Viti Modesti et Crescentiae mrm   XII l
f 16
g 17
A 18   Marci et Marcelliani Martyrum   3 l
b 19   Geruasy et Prothasy Martyrum   3 l
c 20
d 21   Albani Martyris   3°
e 22   Achaty et sociorum eius   dux: minus   Paulini epi   3°
f 23
g 24   Joannis baptistae   dux: maius   vigilia   xii l
A 25
b 26   Joannis et Pauli mrm   semidux: 12 l
c 27
d 28   Leonis Papae   2°
e 29   Petri et Pauli Apostolorum   dux: maius   12 l
f 30   Commemoratio S. Pauli Apostoli   dux: minus   12 l

Julius

g	1	Octava S. Joannis Baptistae semidux 12 l
A	2	Visitatio b. virginis Mariae dux: maius Processi et Marteniani 2°
b	3	
c	4	Vdalrici Epi dux: minus
d	5	
e	6	
f	7	Octava Apostolorum dux: minus
g	8	Willibaldi Episcopi et Confeßoris 3 l
A	9	Kiliani et sociorum eius Martyrum 3 l
b	10	7 fratrum mrm
c	11	Commemoratio S. Benedicti Ab: dx: maius
d	12	Margaretha v et mris XII l
e	13	Henrici Confessoris
f	14	
g	15	Diuisio Apostolorum dux: minus
A	16	
b	17	Alexy Confeßoris 3 l
c	18	Octava S. Benedicti Abbatis dux: minus
d	19	
e	20	
f	21	
g	22	Mariae Magdalenae dupplex minus 12 l
A	23	Apollinaris Episcopi et Martyris 3 l
b	24	Christinae Vir: et Mar. 2°
c	25	Iacobi Apostoli dupplex minus 12 l Christophori 2°
d	26	Anna matris Mariae Virginis 12 l
e	27	
f	28	Panthaleonus Nazary Celsi et aliorum Marty: 3 l
g	29	Marthae Virginis 3 l
A	30	Abdon et Sennen Marty 2°
b	31	Tertulini presbyteri et mris 3 l

Augustus

c	1	Ad vincula S. Petri dux minus 7 Machabaeorum 2°
d	2	Stephani Papae et Martyris 2°
e	3	Inuentio S. Stephani Protomartyris 12 l
f	4	
g	5	Osbaldi Regis et Martyris 3 l Dominici Confesso: 2°
A	6	Sixti Papae, Falicissimi et Agapiti Mrm 3 l
b	7	Attrae martyris 12 l
c	8	Cyriaci et sociorum eius 3 l
d	9	Romani marytris 2°
e	10	Laurenty Archidiaconi et mris dux: maius
f	11	Tyburty et Susannae Mart: 2°
g	12	Hilariae et sociarum eius 12 l
A	13	Hyppoliti et Sociorum Marty: 3 l
b	14	Euseby Confessoris 2° Vigilia
c	15	Assumptio S. Mariae virginis dux maius

```
d  16
e  17    Octava S. Laurenty Mar: semiduplex  12 l
f  18    Agapiti Mart:  2°
g  19
A  20    Bernhardi Abbatis  12 l
b  21
c  22    Octava S: Mariae Virginis  dux: minus   Timothei et Sympho: 2°
d  23        Vigilia
e  24    Bartholomaei Apostoli dux: minus
f  25
g  26
A  27
b  28    Augustini Episcopi   dux: minus   Hermetis Mar: 2°
c  29    Decollatio S. Joannis Baptistae   semiduplex
d  30    Faelicis et Audacti Martyres  2°
e  31
```

September

```
f   1    Agydy Abbatis  3 l          Verene Virg  2°
g   2
A   3
b   4
c   5
d   6    Magni Abbatis  12 l
e   7    Translatio S. Anastasiae v et m:  dux: maius
f   8    Nativitatis S. Mariae vir: dux: maius   Ardia: Mar 2°  Corbinia: E: 2°
g   9
A  10
b  11    Prothi et Hyacinthi Mart  2°
c  12
d  13    Octava S Anastasiae Virginis et Mar:  semidx: 12 l
e  14    Exaltatio S Crucis  dux: minus   Cornely Pa: et Cyp: Eps: et M  2°
f  15    Octava S Mariae Virginis  semidx  Nicomedis Mai: 2°
g  16
A  17    Lamperti Episcopi et Mart  3 l
b  18
c  19
d  20    Eustachy et sociorum eius Marty  3 l       Vigilia
e  21    Matthaei Apostoli et Evangelistae  dux: minus
f  22    Mauritii et Sociorum eius  Mart:  12 l
g  23
A  24
b  25
c  26
d  27    Cosmae et Damiani Marty:  3 l
e  28    Dedicatio eccliye maioris Augustensis   dux minus
f  29    Michaelis archangeli  dux: maius
g  30    Hieronymi Presbyteri  duplex minus
```

October

A	1	Remigy Episcopi et Con: 3 l	
b	2	Leodegary Episcopi et Mar 2°	
c	3		
d	4	Francisci Confesso 3 l	
e	5	Placidi et sociorum eius Marty: duplex minus 12 l	
f	6		
g	7		
A	8		
b	9	Dionysy Episcopi et sociorum eius 12 l	
c	10	Gereonis et sociorum eius 12 l	
d	11		
e	12		
f	13	Colomanni Martyris 2°	
g	14	Calixti Papae et Martyris 3 l	
A	15		
b	16		
c	17	Lucae Evangelistae dux: minus 12 l	
d	18		
e	19		
f	20		
g	21	Vrsula et soci: eius dx. maius	Hilarionis Abb: 2°
A	22		
b	23		
c	24		
d	25	Crispini et Crispiniani Mar: 2°	
e	26		
f	27	Vigilia	
g	28	Simonis et Judae aplor dx: minus	
A	29	Narcissi epi et mris 12 l	
b	30		
c	31	Wolfgangi Episcopi 3 l	Vigilia

November

d	1	Festiuitas omnium sanctorum dux: maius	Caesa: mar: 2°
e	2	Commemoratio omnium fidelium defunctorum	
f	3		
g	4	Vitalis et Agricolae Marty 3 l	
A	5		
b	6	Leonhardi Abbatis 12 l	
c	7		
d	8	Quatuor Coronatorum Marytum 3 l	
e	9	Theodori Martyris 2°	
f	10		
g	11	Martini episcopi et con dx. maius	Mennae Mar: 2°
A	12		
b	13	Briccy Episcopi et 3 l	
c	14		
d	15		

e 16 Othmari Abbatis 3 l
f 17
g 18
A 19 Elisabeth uiduae semid: 12 l
b 20
c 21 Praesentatio Sanctae Mariae Vir dx: minus 12 l
d 22 Ceciliae Virginis et Mart: semi dx: 12 l
e 23 Clementis Papae et Marty: 12 l
f 24 Chrysogoni Martyris 12 l
g 25 Catharinae Virginis et mris duplex minus
A 26 Lini Papae et martyris 2°
b 27
c 28
d 29 Saturini et aliorum Mar: 2° Vigilia
e 30 Andreae apostoli duplex minus 12 l

December

f 1
g 2
A 3
b 4
c 5 Barbarae Virginis et Mart: 12 l
d 6 Nicolai epi et confes: semidx 12 l
e 7 Ambrosy Episcopi et Confessoris dx minus
f 8 Conceptio S. Mariae Virginis dup: maius
g 9
A 10
b 11 Damasi Papae 3 l
c 12
d 13 Luciae Virginis et Martyris 12 l Ottiliae Vir 2° semiduplex
e 14
f 15
g 16
A 17
b 18
c 19
d 20 Vigilia
e 21 Thomae Apostoli
f 22
g 23
A 24 Vigilia
b 25 Nativitas domini duplex maius Anastasia V.et M 2°
c 26 Stephani protomart: duplex maius
d 27 Johannis apli et Euangelistae dx maius
e 28 Sanctorum innocentium semiduplex
f 29 Thomae epi et martyris
g 30
A 31 Siluestri papae. duplex minus

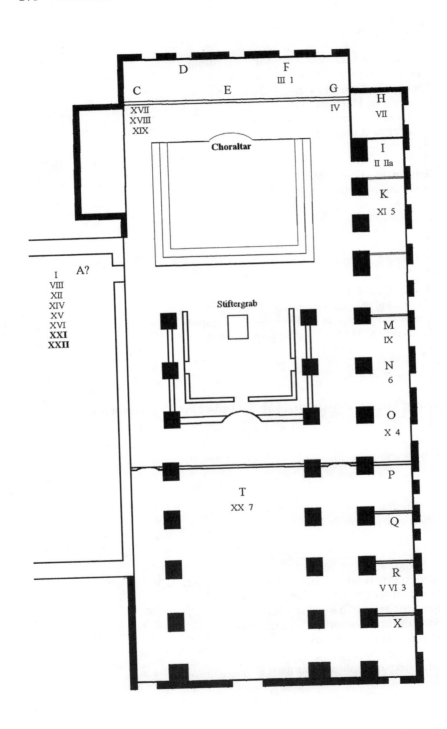

Bestimmbare Altäre in der Klosterkirche
gemäß dem Reliquienverzeichnis Abt Johann Puels von 1602 (KL Fasc. 239/51)

Buchstaben im Verzeichnis nach Anhang 3.5	*Patrone*
A im Kreuzgang	Ulrich, Georg und Margaretha
C	Johannes Evangelist, Agnes und Agatha
D	[Anna][1], Martin, Dionysius, Nikolaus
E	Hl. Geist, Michael, Innozenz, [Heinrich?]
F	Hieronymus, Ambrosius, Korbinian
G	Andreas und Catharina
H	Petrus und Paulus, Achatius
I	Jacobus maior, Barnabas, Lucia und Dorothea, Jodok
K	Stehanus, Laurentius, Ursula und ihre Gefährtinnen
M	Philippus und Jacobus, [Nativitas Domini]
N	Simon und Judas
O	Bartholomäus und Augustinus, [Allerheiligen]
Q	Leonhard, Rufus, Pankratius
R	Gregor und Maria Magdalena
T im eigentlichen Chor der Konversen	Heilig Kreuz, Matthias, [B. Maria V.]
X	Mutter Anna, [Sebastian]

Die Ewig-Licht-Stiftungen in der Klosterkirche
1 Arnoldus Miles – Februar 26
2 Chonradus decanus Monacensis – März 15
3 Margaretha et Elizabetha vxores Pergeri – März 19
4 Ulricus Protonotarius – Juni 24
5 Kunigund vxor Ottonis de Reusenbach – Juli 9
6 Ulricus Notarius – September 13
7 Ulrich Dachauer – Oktober 15

---

[1] Die in eckigen Klammern stehenden Patrozinien sind nicht im Reliquienverzeichnis Puels von 1602 aufgeführt, sondern auf dem Grundriß der gotischen Klosterkirche vor 1661 vermerkt (Pls 609a). Sie dürften somit zwischen 1602 und 1661 eingeführt worden sein.

Begräbnisse in Klosterkirche und Kreuzgang
Zusätzlich zu den unten genannten Begräbnissen kommt die Grabstätte des Hauses
Bayern im Stiftergrab. Die Numerierung dient nur der Wiederauffindung der Grabstätte im Grundriß der Klosterkirche, entspricht aber nicht der Anzahl der beigesetz-
ten Personen; gerade unter Nr. XXII und XXIII können mehrere Personen beigesetzt
sein, da es sich um Familiengrabstätten handelt. Nicht lokalisiert werden können die
Begräbnisse Nr. XIII und XXIII.

I	Joannes Haspel de Newburgk – Januar 7
II–IIa	Chunradus Hübschwirt et vxor eius – Januar 9
III	Arnoldus Miles – Februar 26
IV	Elizabeth Bairbrunerin – März 4
V–VI	Margaretha et Elizabetha vxores Pergeri – März 19
VII	Kunigund de Ebenhausen – Mai 17
VIII	Joannes Plaudorffer – Mai 21
IX	Wernherus Protonotarius – Juni 13
X	Ulricus Protonotarius – Juni 24
XI	Kunigund vxor Ottonis de Reusenbach – Juli 9
XII	Georgius Ersinger – August 7
XIII	Ioannes Ertel commensalis – September 10
XIV	Mgr. Cunradus Toemtinger – Oktober 18
XV	Hainricus Saldorffer de Güntzhoue – Oktober 21
XVI	Hilprant Ernsinger – Oktober 31
XVII–XVIII–XIX	Hainricus de Eysolzried; Anna, vxor; Leonardus, filius – November 11
XX	Ulrich Dachauer – Oktober 15
XXI (mehrere Grabstätten)	Kemnater
XXII	Machtild Pfludorff [= Mechtild Pflaumdorfer]
XXIII	Friedrich miles de Guntzelhoue – September 29

4. Quellen zur Geschichte des Klosters Fürstenfeld

4.1 Aus der Chronik Abt Gerard Führers über die Jahre 1501 bis 1623

Der letzte Abt des Klosters Fürstenfeld, Gerard Führer (1745–1839), verfaßte um das Jahr 1808 eine Chronik über die Ereignisse seines Klosters von der Gründung bis zur Aufhebung im Jahr 1803. Dieses »Chronikon Fürstenfeldense« befindet sich heute unter der Signatur Cgm 3920 in der Handschriftenabteilung der Bayerischen Staatsbibliothek in München. Trotz aller Unzulänglichkeiten im Detail gilt das Werk als eine der wertvollsten Quellen zur Klostergeschichte.

Die Handschrift Führers umfaßt 330 Seiten, die mit zahlreichen Anmerkungen versehen sind, welche auch nach 1808 nachgetragen wurden[1]. Hier sind die Seiten 92 bis 121 aufgenommen, die sich mit den Jahren 1501 bis 1623 beschäftigen. Die Zeichensetzung orientiert sich so getreu als möglich an der Handschrift Führers, wobei seine Abkürzungen ausgeschrieben sind, das überpunktete »y« wurde in ein einfaches »y« umgewandelt. Einzelheiten betreffende Anmerkungen geschehen im laufenden Text, Ergänzungen werden *[in eckigen Klammern kursiv]* gesetzt.

92 Jahr 1501 § 152

Herzog Sigmund ist der erste Herzog, wie hiesiges Necrolog schreibt, mit dem Freisalz. Sohin Ordinis confrater qui valde benefecit nostro loco, gestorben unverehelicht wie sein Bruder Johann, mit dem er gemäß der Verordnung ihres Herrn Vaters Albrecht III. drei Jahre insgesamt, und was desto Eltern aber auch iährlicher, in ununterbrochen bester Harmonie die Regierung verwaltete. Sein Leichnam ist in U. L. Frauenkirche in München, wozu er den ersten Stein gelegt, und die im Jahr 1494 den 14. April ist eingeweicht worden, in franciskanern Ordenskleid beerdiget worden.
[…]

---

[1] Ausführlicher zum »Chronikon Fürstenfeldense« siehe Klemenz, Dallmayr 310–313.

93   **§ 153 Michael II.**

Michael der II., erwählter Abt so wohl in hinsicht seiner Gelehrtheit, als Religiosität dises Amtes sowohl als bessres Schicksal würdig. Abt Michael sammlete
die nach verlohrnen Chronikon Volkmarii zerstreuten Materielien des bairischen Stammhauses und hat sie ordentlich angereicht, nach denen noch vorrä-
thigen genealogischen tabelln. Dise seine Arbeit hat er in 5 Jahrn seiner Regierung vollübt. Alias tabulas setzet Caramuel in seinen Vorreden ad arborem Bau-
aricam bei / successorum addidit diligentia. Seine Regierung war mit vielen und
schweren Verdrüßlichkeiten durchwebet. Am meisten gaben ihme die Jäger
zuschaffen mit ihrn lästigen Gefolg und übertribenen ihren eigenthümlich groben fordrungen / § 112 /.

Alle Vorstellungen von Seiten des Abtes waren fruchtlos, und es bewährte sich
der Satz des Hern von Eckartshausen in seinem Landbeamten, nämlich man solle ja sich mit keinen Soldaten und Jägern in einen Proceß einlassen, denn man
hat allzeit verlohrnen handl. diß zeigte sich auch an Abt Michael, denn der Haß,
und dessen Gefährtin, die Verläumdung, bewirkte seine Absetzung: Ein andres
MSS sagt zwar, er habe ein Jahr vor seinem Tod frey resigniert, doch diß läßt sich
beids mit Absetzung combiniern, nämlich daß die resignation sponte coacte
geschehen seye. Im 6ten Jahr seiner unruhigen Regierung ist er in die ewige Ruhe
eingegangen.

   AnDni 1496   Cistercii 398   Camp princ 236

   Vir bene doctus erat selectus. Michael Abbas,
    Ad prestanda sibi munera, resque vigil.
    Sed venatorum prauo lauore coactus,
    Cessit sexto anno, depositusque fuit.
      Stephanus

94   **Jahr 1502 § 154**

Abt Peter, ein frommer kluger Wirtschafter: stende nur 3 Jahre dem Closter vor,
auch welcher er freimütig sich dises Amts entlediget hat. Von ihme find ich
nichts merkwürdiges hinterlassen.

AnDo 1502   Cisterc 404   C princ 240

   Praefuit et Petrus virtutis laude conisus
   Sed post tres annos liber honore cedit
        P. Steph Burgmair

Jahr 1505 § 155

Hieher ist zu zihen, was oben § 152 vom Herzog Sigmund aufgezeichnet worden.
Ich muß nochmal eine Bemerkung machen über das Jahr, in welchem sich diser
Herzog soll in das Privat-Leben zurückgezogen haben. Nach der Chronologie des
Herrn Westenriederns ist Herzog Johann im Jahr 1463 zu Haidhausen nächst
München gestorben. Hübner in seiner genealogischen Tabelle setzt deßen Tod
auf das Jahr 1473. Die Fürstenfeldische Tabelle, und Monumenta boica führen
noch von Herzog Sigmund ausgestellte Urkunden an, bis auf das Jahr 1480 inet-
wa. Worin die confirmation über freyheiten und Gerechtsamen des Closters enthalten sind, welche Bestättigung ja wohl nicht zu vermuthen ist, daß sie von
einem Privatmann da Herzog Sigmund nach Abtrettung der Regierung noch lebte hergekommen und rechtlich geltend sollte gewesen seyn. doch diß seye nur
angemerkt salvo meliori rem clarius scientium iudicio.

95   **Jahr 1505 § 156 Abt Johann IV.**

Mit dem Zunahme Scharb: deßen ausgebreitete Kenntniß in göttlichen Schriften und Wissenschaften ihne vor andern herausgehebt haben. Unter seiner Direction blühte die clösterliche Disciplin wohlrüchender auf. Er zierte das Haus des Herrn mit Reliquien der Heiligen, mit denen, in Silber und Gold gefaßt, die Altäre geschmückt waren. Er vermehrte anbei unter Gottes Segen die zeitlichen Einkünften.

Jahr 1508 § 157

Das Closter hatte Kraft ihres Stiftungs- und mehrern Confirmationsbüchern über all ihr Unterthanen, welche inner einen Landgericht selbe angesiedelt waren, die Gerichtsbarkeit. Allein wie es die Zeitfolge mit sich bringt, ist diese durch mache Landbeamten beeinträchtiget und verletzet worden. Aus gewester Vorstellung von seiten des Stiftes hat Herzog Albrecht dise Gerichtsbarkeit dem Closter wieder zugestanden und confirmiert, doch mit der Einschränkung, nemblich nur in dem Gericht dachauer Bezirks. Wogegen das Closter dem Herzog einige Gründe vom Zözelhof bei Rottbach und das Fischrecht im Graben zu Herheim überlassen hat. In spetern Zeiten hat sich dise eingeschränkte Jurisdiction über die Clösterlichen Unterthanen im Landgericht Dachau auch verlohren. Verbeleibe nun über jene der zu hießigen Hofmarken als Rottbach, Einspach sich befindenden Grundunterthanen.
Durch nemlichen Herzog Albrecht sind auch die Streittigkeiten mit der Stadt Fridberg, mit der Herrschaft Odelzhausen, und Dachau wegen der Straßbefahrung von München nacher Augsburg und Retour der Clösterlichen Salzfuhren beigelegt, auch mit Begünstigung und gleichförmig ausgestellten freiheitsbriefe der Herrn von Auer, Inhaber der Hofmark Odelzhausen, dahin reguliert worden, daß das Closter ihre drei Salzfuhren von München nacher Augsburg gemäß ihrer Freyheitsbriefen, alle Wochen ungehindert machen, auch in Augsburg Wein, Getraid und Mehl, doch alle andern güter ausgenommen laden auf dem Rückwege von der Landspergs wegfahren, und im Closter, oder nächsten Ort übernachten künen; doch seyen dise Klosterfuhrer gehalten zu Fridberg und Schweinbach Mauth und Zoll zu entrichten. Im fall aber, daß dise 3 Retourfuhren andere Ladungen, außer denen obbemelten, nacher München spedirten, seyen sie verpflicht, bei der Landstraße über Odelzhausen nacher München zu bleiben und die gebührenden Mauth- und Zollgelder zu bezahlen.

96   **Jahr 1508**
[…]
Die obbemelten Differenzen zwischen Fridberg und Fürstenfeld im betref des Pflasterzolls sind durch Herzog Wolfgang auf gütlichem Weg beigelegt worden. Im nemlichen Jahr hatte Albrecht IV, genannt Sapiens, seine mit so vielen Stürmen betrübte, selbst von ipsius natis Brüdern befehdete Regierung durch seinen gottseligen Tod vollbracht. Durch den vom Kaiser Maximilian hergestellten Frieden zwischen den bairischen Herzogen, wobei er an Geld und bairischen Ländern sich wohl bezahlen liesse, ist die neue, sogenannte Neuburgerpfalz entstanden, welche den Mündeln des Herzogs Ruppert zugefallen ist.

§ 158

Die abteiliche Verwaltung des Abtes Johann IV. erstreckte sich bis in das 13te
Jahr. In dem alten oben 56 nota B angezognen Necrolog heißt es: 6 Kal Septembris
in octaua Bernardi obiit Rendus in Xro P ac Dnus Johes Scharb Abbas nri mnstri
in früstenfeldt, qui fidelissime ac saluberrime rexit annis octo M DXIII²

§ 159

Kaiser Maximilian hat auf Bitte dieses Abtes jede vorher erliehenen Freyheiten,
Examtionen und Gerechtsamen des Closters, auch aus dem Beweggrunde bestättiget, weil die ordensgeistlichen in freude und Lust dem göttlichen Dienste
emsiglichen anhangen [...] sollen

An Ch 1505   Cisterc 407   Camp Princ 245
          Elegit vobis fratrum pia turba Joannem
            Abbatem magna relligione virum
          Auxit prouentus et disciplina vigebat;
        Iam sibi parcus erat. Splendida luxque suis
        Ahh heu! praesidii fluxit iam septimus annus
        Depositoque viam corpore morbis adit.

97 **Jahr 1513 § 160 Abt Caspar**

Harder mit Beinahme, welcher durch seine große Statur, noch mehr aber durch
Veredlung einder Geistesgaben vor anderen sich hervorgenohmen hatte. Sowohl
Rom, als Cisterz erkannten deßen religiöse und wissenschaftlichen Vorzüge.
Leo X. hatte ihne aufgestellt, die Ordensklöster durch ganz Baiern zu untersuchen, so wohl Manns- als Frauenklöster.
Eben dise clösterliche Heiligkeit haben die vom Bischof zu Freysing im Jahre
1356 ertheilte Einverleibung der Pfarr Gilching mit dem Stift Fürstenfeld dahin
bestätiget, daß jeweiliger Abt einen seiner Religiosen auf selbige als Vikar anzu-
stellen berechtiget seye / § 89 /.

Jahr 1517 Ein gleiche Commission ist ihme auch aufgetragen worden von
Ordensgeneral Blasius abbt zu Cisterz, die Ordensklöster Fürstenzell, Raittenhaßlach, Walderbach und Alderspach zu visitieren und wo es nötig zu reformieren.

Jahr 1518 § 161

Abbt Caspar hat die nächst an der Münchenerstraßen gegen den Markt Bruck
gelegene Capelln genannt Gimpelspach, oder das Süchkirchl erbauet. Außenher
gegen die Straßen hin ist zu lesen: Anno salutis 1518 constructum est hoc in loco
Gimpelspach dicto praesens sacellum per Rdum in christo Patrem ac Dnum
Casparum Monasterii Fürstenfeldensis perdignum abbatem, dedicatumque in
Honorem S. Wolfgangi, Leonardi et Willibaldi Confessorum ᵇ

[Folgt auf der Seite unten unter der Anmerkung ᵇ]
Vormals stand auf disem Platz nur ein Siechen- oder Leprosenhaus, wozu das
Kloster zwar den grund hergegeben, weiters aber keine Verbündlichkeit auf sich

---

² Das stimmt nicht mit dem vorliegenden Nekrolog Clm 1057 überein.

genohmen hat, als das Schatz- oder Vogteienrecht. Anfangs lebten dise Leute kümerlich beisammen. Erst im Jahr 1486 findet sich eine Notic von einer Urkund vor, worinn H. Heinrich, Pfarrer zu Cell, für sein Seelgerät und Bessrung [dem Siechhaus] den Hof zu Alling hergepracht, welche Donation die Herzoge Ernst und Wilhelm von aller Steur, Kommende etc ist freygesprochen worden. Doch wie gesagt, hatte das Closter die Obsorg und Aufsicht über dises Haus gutwillig übernohmen, wie oben dieser Donationsbrief sich anbemerkt, daß nemlich diser dem Kloster zur Verwahrung seye extrahiert worden [...].

[Weiter im Haupttext]
Die Kirchen St. Leonhard hat disem Abt ihr Verbesserung und Vestigkeit zu verdanken, indem er selbe mit einem dauerhaften Gewölbe versehen, auch mehrere Gebäude im Kloster aufgeführt hat. Er stunde dem Kloster 9 Jahre nutzlich und rühmlich vor. Allein sein Tod war kläglich. Wie aber? – – findt sich nichts angezeigt. Ich lese nur: Proh Deum! miserabili fato concidit ᶜ

[Folgt auf der Seite unten unter der Anmerkung ᶜ]
In einem MSS ist zu lesen: So vil bewußt, ist Abt Caspar Harder von seinem aignen Kämerling umgebracht worden.

[Weiter im Haupttext]
An D 1513   Cisterc 415   C. P. 253
            Caspar fit praesul, Praesul venerandus ubique:
            Corpore dum grandis, menteque grandis erat.
                Templa Leonardi renovato fornice firmat.
                Structuras plures coenobiis fauit.
            Aest ubi iam nono Pesul noua conderet anno
            Per miserum casam conditus est tumulo

98 **Jahr 1522 § 162 Georg Menhart**
der 23ᵗᵉ Abt. Ein Mann von sonderheitlicher Frömmigkeit, deßen Tugenden und kenntnissen ihn dises Amts würdig machten.
Damals hatten Luthers falsche, denen Sinnen schmeichelnde Lehren vieler Köpfe und Herzen in Baiern an sich gerissen. War auch wirklich an deme, daß man diesem reißenden Strom recht eilends ein Damm gesetzt werde, ganz Baiern von denen Wassern dieser leidenschaftlichen Irrthümern überschwemmet und in Abgrund gestüzt wäre worden.
Schon im Jahr 1497 hatte Ludwig der Reiche von Landshut päbstliche Bullen bewirkt, Recht verlihen dem Bischof in Freysing und denen Abten zu Tegernsee und Ebersberg, der Auftrege gemacht werden, die Zucht der Klöster zu prüfen und auf regulärem Weg zurückzuleiten. Auch Herzog Albrecht IV. im Jahr 1480 hat sich so einer Reformation der Klöster sehr angelegen seyn lassen.
So ist oben §§ 146 und 160 gemeldet worden, daß dergleichen Untersuchungen und Verbesserungen so wohl von Rom als vom Orden aus unter anderen, auch hiesigen Abten seyen anbefohlen, und von disen ausgeführt worden, um die wahre Religion in ihrer Integrität in allen Ständen zu befestigen.
Herzogs Wilhelms und deßen Brüder Eifer für die Ehr Gottes und als heil ihrer Unterthanen hatten sich vor allen ausgezeichnet. Wilhelm und Ludwig haben den Professen zu Ingolstadt Johann Eck nacher Rom abgeordnet, um die gefahr zu

schildern, in welcher die katholische Religion in Baiern sich wirklich befinde. Pabst Adrian VI. hat also gleich einer Commission von 6 bairischen Äbten darunter auch unser Abt Georg sich befand, neben dem Universitätskanzler in Ingolstadt aufgestellt, vermög welcher dise Commissarien sämtliche Klöster in Baiern beiderlei geschlechts, ohne vorläufige Dioecesanerlaubniß einzuholln, zu untersuchen, zu verbessern, eingeschlichene Irrlehren und Zuchtverfall auszurotten, und die klösterliche Regularität in integrum herzustellen sind befelliget worden.

Jahr 1526
sind einige Klostergüter zu Wall zu der fürstbischöfl. Hofmark Eisenhofen durch kauf gekommen. Meichelböck, Freysing 167 *[…]*.

99 **Jahr 1532 § 164**
Auch in hiesigem Kloster muß der neue Lehr-genius gespuckt und seinen freyheitsinn denen Brüdern eingehaucht haben. Wenigstens ist gewiß, daß Parteilichkeiten sich äußerten, welche bald in öffentlichen Spaltungen ausgebrochen sind. Der gute gottselige Abt Georg war vorzüglich die zihlscheibe, gegen welche die Pfeile der Verläumdung, der falschen Bezüchtigungen los gezückt wurden. Dise[r] Glutt brachte es auch dahin, daß er vom abteilichen Amt, welches er 9 Jahre und 8 Monate rühmlichst verwalltete, verdrängt wurde. Begab sich so den nacher Raittenhaßlach, wo er im Jahre 1538 gestorben ist.

[Einfügung]
Das oben § 51 Seite 36 angemerkte Monument hatte disen Abt, wo nicht zum Urheber, gewiß zum Wiederhersteller. Denn es zeigt sich am Ende der 6ten tabelle deßen Wappen mit deren Anfangsbuchstaben seines Namens G. M. Georg Menhard.[3]

Jahr 1530 § 163
Den 15. Jun haben hier auf der Reise nacher Augsburg übernachtet Kaiser Karl V. und Ferdinand König in Ungarn und Böhmen.

> Ano Dni 1522 Cisterc 424 C. Princip 262
> Vota Georg faciunt Abbatem: spirat amorem
> Erga omnes, Abbas sedulus atque pius.
> At anno novo, maculatur crimine falso
> Insors damnatur, deiuturque loco.

Steph. Burgmair

---

[3] S.36, § 51: »Dem durchlauchtesten Stifter und seiner hier begrabenen Familie wurde ein Monument in der Klosterkirche aufgerichtet, von welchem noch die Abbildung in dem sogenannten Rottlbuch *[…]* zu sehen ist. vid. taf. VI.
Ludwig der Stifter präsentiert sich stehend mit dem Schwerdt in der Hand, neben ihm stehet, den Commandostab in der Hand Ludwig der Kaiser: Hinter dem Haupt des Stifters ragen die Häupter seiner 3 Frauen hervor *[…]*.
Zu Füßen liegt Ludwigs Sohn des Stifters aus der 2ten Ehe, in der rechten Hand eine Lanze haltend *[…]*.

§ 165

Nach der Verstoßung des Abts Georg ist das Kloster in die Administration versetzt worden. Der ausgestellte Verwalter war ein hiesiger Religios, P. Johann, welcher erst im Jahre 1538 nem[lich] nach dem Hinscheiden des Abts Georg zur abteilichen Würde ist erhoben worden. Das Stift war also 7 Jahre ohne Oberhaupt.

Dieser P. Johannes ist zuverläßig der nemliche gewesen, welcher unter Abt Caspar das Priorat versehen und die Entstehung hiesigen Klosters in Versen, worinn er eine besondere Fertigkeit besitzt, beschrieben hat, welche verdienen, hier eingeschalltet zu werden.

Carmen
De Fundatore nostri Monasterii Campi Principum
& de Ducibus Bauariae ibidem sepultis

Caenobii nostri quis sit Fundator, amice
Si lector, quaeris: rerum primordio verbis
Absoluam paucis: attento pectore saltem
Duos tibi: concipies claros narrabius ortus
Magnanima Princeps insigni natus Ottone
En Ludouicus erat, patriis, qui strenuus armis
Menlegue conspicuus, multa virtute probatus
Magnificus pariter nostras has concidit aedes
Principis et Campum de claro nomine dixit.
Non caementa dedit solum, Caterum recordos.
Non tantum habuit molem, non saxa columba
Non calicem tribuit, quae rebus moenia sacri
Coenobii floren: imo pio munera, Census
Diuite concessit largos et predia cornu.
Haec fundatori Ludovico filia Regis
Sarmatici parit haec cognominis Anna paterni
Egregium natum. Invenis dum ludit in Castra
Traxinen, moritur fatalis, culpide hostus.
Norinberga volet, processum quoque curia moleret.
Exanimum corpus recipit locus iste saceratus
Quem sibi delegit genitor Ludovicus: ubi nunc
Fundator felix aeternae pace quiescit.
Tertia successit Mechtildis Regis Rudolphi
Filia, quae genuit Ludovicum female dignam
Bavarico fabolem. Cuius primordia vitae
Clara fuere quidem, sed laudem fortior aetas
Viribus auita magis, magis an exercita magnis
Usibus armorum Bois spem probuit altam
Hic iustus princeps, animotus nobilis, acer
Dum patriae fines tutatur, et hostica tela
Cum Ducis austriaci propellit, nobile factum
Comparat auctori. Laudem famemque celebrem.
Post haec Romulcidum defuncto caesare, sacrum
Imperis sceptrum recipit, diademaque fulgens

Imponit capiti. superatis alpibus ingens
Exoritur rumor de caesare rite creato.
Italia proceres adeunt. Regemque salutant
Concurrunt cives, ac cessat mobile vulgus
Magnanimam specare virum: dein Romula tecta
Ingreditur, laeturgue videt spectabile culmen
Arcis Tarpeiae: Tunc maximus ille Sacerdos
Cardineo septus coetu veneranda coronat
Tempora Romani Regis, paecemque precatur
Inde suos repetens Germanos Numine laeuo
Aurea sceptra gerens aliquot per lustra gubernans
Imperi salem et tandem katholica pulchris
In pratis aconita bibitus moriturque fidelis
Caesar et inuictus: Cuius lacrymabile corpus
Turba monacensis rapiet et sub marmore condit.
Exequiasque pias et iusta piacula soluit
Semine de canto Proecarum de felmate canto
Prodicit Albertus Dux praeclarissimus olim,
Et genere austriacus Friderici, cuius habentes
Dextera Tarpei regni bene rexit in orbe
Teutonico; meritis Albertum laudibus omnis
Bauarus extollit: cuius sapientia multis
Profuit, et patriae claros generavit honores.
Hic trinam sobolem generoso sanguine cretam
Produxit Genitor: Guiellmus primus in auram
Vitalem prodit, qui Duce virtute paterna
Confilioque valet, qui mansuetudine morum
Subdita colla regit Ludovicus nempe secundus
Ordine naturae frater, quem gloria magna
Expectat fauorem, cuius de pectore manavit
Soluens consilium, prouidentia claraque virtus.
Ernesti probitas, studiorum maximus ardor,
Ingenuique vigor praeconia docta meretur.
Horam nunc genitrix regali sanguine nata
Inter Vestales annos deuota sorores
Concessos peragit defuncto coniuge. Lector –
optime! sicque tenes, quae sunt fundamina nostri
Coenobii: monumenta Ducum veneranda perire
Hac Abbas voluit Caspar, Prior coleque nove ait
Joannes. Rati sit gratia grata benigno.
Dei musas celebres in templa sacrata vocauit.
Anno millesimo quingentesimo Decimo
septimo.
Renouatum est sub R. D. Sebastiano Thoma
Abbate Descriptumque a. R. P. Matthia
Ryger. Anno M DCXVI

100 **Jahr 1538 § 166 Joannes V**

bisheriger Administrator, nun Abt, bekannt unter dem Namen Joannes Pistorius, zwar gelehrt und berühmt als artium Magister, doch von keinem gesetzten
Charakter, flaißig, schlau und unredlich in seinen Handlungen. Als im Jahr
1540 den 2. Christmonats der Blitzstrahl die Kirchenthürme zu St. Leonhart in
Ruin schändete, das Brennbare daran verzöhrte oder schmelzte, hat disen fall in
folgenden Versen beschriben worin sich zeigt, daß er schon in diesen Jahren sein
Werk de fato et fortuna begonnen oder schon zum Theile ausgearbeitet, wo
nicht gar vollendet hatte.

Turris templi D. Leonardi fulminante
2da Decembris 1540

Cui cupis instabilem variae disce discernere sortis
Effigiem, et volueris trifica fata Deus
Humanes quantum ridens res fallere consiliat:
Quae nullo constans tempore stare solet.
En tibi pro certo turris sum perdita signo,
Fulmine caelesti fortius vita cadens.
Heu! Decus omne meam periit per sulptura sacra.
Clara fui quondam, quae modo fraude tuo.
Heu! quibus ante tuli quondam stans gaudia templi
Limina dum peteret plurima turba mei.
Fracta manu demum summi Jouis aliquis pecusta.
Aspecta cus cunctis moestus et aeger ero.
Caemento fabricata steti firmo, nimis alta
At nunc in cineres versa sub igne premor.
Sed quid multar querar. cum celsae funditus vibes
Euersa faerint, castraque pulina simul.
Exemplo mihi sunt Phryges, Persaeque plures
Romuli Reges Argolinique Duces.

Die Schrift, welche diser Abt angearbeitet hat, hat die Aufschrift
Dialogus de fato & fortuna cui nomen Paraclitus, vere pius et doctus.
Er hat diß Werk nicht selbst zum Druck befördert, sondern überschickte das
Manuskript seinem Freund in Augsburg Hyeronimus Ziegler

101 Ziegler hat auch die Beforderung des Drucks von sich, aus nicht entdeckten
Ursachen, wie es aus dem Schreiben erhellt, abgesondert, sondern dises
Geschrift dem damaligen Pfarrer zu Pruck Zacharias Weixner empfolhen,
deßen Schreiben also lautet

*[Es folgt das lat. Schreiben des Hieronymus Ziegler vom V. Kal Septembris
1544 an Zacharias Weichsner. Gedruckt in: Anhang 4.2]*

102 Ob genannter Pfarrer zu Pruck das MSS dem Druck übergeben habe, findet sich
zwar nicht, doch ist es wohl wahrscheinlich, indem er noch in eadem Jahre
1544 im Publicum erschinen ist, dem gleich darauf eine deutsche Übersetzung
gefolget.

Vorerwähntes Schreiben ist der ersten lateinischen Edition vorgedruckt, mit disen darauf folgenden Versen.

[Es folgt das Vorwort zur Druckausgabe. Gedruckt in: Anhang 4.2]

103   Am Titelblatt der lateinischen Ausgabe zeigt sich in einem Holzstich das fatum mit zwiefachem Gesicht beiderlei Geschlechtes, wie selbes neben dem Glücksrad sitzend, welches einige Männer stillzuhalten sich bemühen, Menschen herabwirft; die entsetzliche abscheuliche Thiere mittels einer ausgespannten Hand und weiter unten Männer mit ausgebreittetem Tuch aufzufangen bereit stehen. In dieser Ausgabe stehet nur auf dem Titelblatt M D XLIIII

Titel der deutschen Ausgabe
Ein Gespräch vom Glück und ewiger Ordnung oder Schickung, das man fatum nennt, alleding. Erstlich durch den Erwirdigen Herrn Johann Abt zu Fürstenfeld in latein beschriben, herauf von ainen anderem inns Teutsch transferirt.
In dieser Ausgabe zeigt sich das nemliche Bild. Hingegen auf der Kehrseite des Titelblatts, wo in der lateinischen obige Verse zu lesen sind, kommt ein anderer Holzstich vor; nemlich das Glücksrad; neben disem stehet eine weibliche Figur mit verbundenen Augen und fliegenden langen Haaren, welche sich mit dem Flaschenzug des Rades beschäftiget. An beiden Seiten des Rades greifen ein zu linken ein Mann, deßen unterer Leib ein Pferdgestalt hat; zur rechten ein anderer mit einem Eselskopf, deßen unterer Leib eben in einer Eselsgestalt auslässt: oben an auf dem Rad sitzt ein Esel mit Kronen und Szepter.
Diese deutsche Ausgabe ist in nemlichem Jahr herausgekommen, nemlich 1544. Steht auch der diesen am Ende das Druckort und Drucker nemlich gedruckt zu Augsburg durch Heinrich Steiner im M D XL IIII
Abt Johann hatte zwar ein aufgewecktes genie, ist auch in Hinsicht seiner wissenschaftlichen Kenntnißen unter denen Litteratorn bekannt. Von ihme schribe Aubertus Abbas Jongelinus in seiner Notitia abbatum des cistercium vis tertium. Visitet in bibliotheca scriptorum ord. cisterc. Doch darinnen ihr letzter, da er nemlicher Abt Johann habe seiner Schrift de fato et fortuna selbst durch den Druck publik gemacht.

104   **Jahr 1541 § 167**
Abt Johann hat vom Orden aus das Commissorium erhalten, die bairischen Cistercienser Klöster zu untersuchen, und die Ordenscontributionsgelder überall zu erheben
Was er sonst Nutzbares dem Kloster geleistet hat, findet sich nichts. Nur zeigt sich, daß er das abgebrannte Pfleghaus in der Reichsstadt Esslingen wieder aufgebaut habe. Damals waren keine hiesige Religiosen als Pfleger und Verwalter der dortigen Weingüter sondern weltliche aufgestellet. Durch eine höchst sträfliche Unachtsam- und Nachlässigkeit geschah es, daß dieses Haus vom Feuer ergriffen und verzehrt wurde.

[Einschub:] Was hiebei irreparabel war, ist ein Kind des damaligen weltlichen Pflegers, nebst einigen der merkwürdigsten Dokumenten eine Beutte der Flammen geworden. Nach 4 Jahren ist dieses Haus / die untere Etage ist gerettet wor-

den, eben so ungeschickt, schreibt P. Simon Nusser repariert worden, wie es zu vor gewesen: bis auf den zweiten Brand i. A. 1701 Abt Balduin Helm *[...]*.

[Haupttext] So ist auch durch untreue Verwaltung derlei weltlichen herauf lutherischen Beamten, mehr als die Hälfte der Weingütter und anderen ligenden Gründen dem Kloster zu Verlust gegangen.

§ 168

Das Patronatsrecht auf die Pfarr Neukirchen, welches Herzog Albrecht V. dem Kloster Thierhaupten zugegeben hatte, ist ao 1545 von diesem Kloster gegen Auslösung einiger Zehenten hiesigem Stift überlassen worden.

Jahr 1551 § 169

Uibrigens war die Verwaltung dieses Abtes minder löblich. Der Abt von Aldersbach als hiesiger Pater immediatus wurde von Herzog Albrecht beruffen, das Kloster und das Betragen den Abtes zu untersuchen. Das Resultat hivon war, daß Abt Johann auf Befehl des Herzogs eingekerkert nacher Esslingen und zu letzt nacher Aichach, und P. Michael als Administrator aufgestellet wurde. Nach der hand begab sich dieser Abt nacher Aichach, wo er Stadtprediger wurde und auch alda i. J. 1552 gestorben ist

      An Dni   Cisterc 440   Camp P 278

Abbas novo anno parva cum laude praeesset
Officio Abbatis defuit atque patris
Esslingam inde abiit, postremo dixit in Aichach
E et cathedra, donec fata subiret ibi.
(Verius conscripsit bellum librum) [4]
Evidit in luvem librum de forte caduca,
cuius perfidiam senserat ipse satis

105   Haec pertinet ad Abbatem Leonardum Paumann / infra § 173

Jahr 1559 § 170

In Baiern wurde ohngefähr in diesem Jahre eine Inquisition wider die lutherische Lehr aufgerichtet. Diese legte denen in fede suspectum gewiße Fragen vor, die die Examinandi zu beantworten hatten. Diesen Fragen sind Articuli bavariae inquisitionis genannt worden.
Bei diesem Gericht wurden als Examinatores aufgestellt:
Ioannes Cesarienius Monachus & concionator alienus
Leonardus Abbas Fürstenfeldensis
N. Schweickart Secretarius Bauaricus
Stephanus Thrainer Consiliarius
Ioan. Einkirn quaestor Landishutanus
Wider diese Artickl hat Melanchthon nachher geschriben

---

[4] Nachträglich eingefügt.

Anmerkung über Zach Weixner, oben § 101

Zacharias Weixner kömt im Jahre 1525 als Pfarrer in Pruck vor. Damals schon hat er sich mit den Lehrsätzen Luthers bekannt gemacht, von denen er ganz eingenohmen, seine Pfarr, wie die Tradition sagt, verletzte und zum Lutherthum sich gewandt hat. Auf ihm ist die Pfarr Pruck von hiesigen Religiosen immerhin administriert worden. Der neugewählte Abt wurde nach geschehener Insinuation bei dem Ordinariat gegen bestimmte Geldtaxe für die iura cancellariae et primis fructibus, als wirklicher Pfarrer anerkannt, der sodan einen Vicarium ex gremio, ohne hierüber das Ordinariat anzugehen, aufzustellen Befugnis hatte. Nun von Zach. Weixner schreibt Johannes Mathesius, welcher aus Ruhlitz in Meissen geboren, zu Ingolstadt studiert, nun als Hofmeister bei denen Kindern der Frau Sabina Aurinn, gebohrene Vetter, zu Odelzhausen mit diesem Pfarrer bekannt wurde, auch von ihm die ersten Bücher Luthers in J. 1525 erhalten hatte, dem er dies als eine große Wohltat verdankte. Seine Worte lauten also: »Da mich mein lieber Freund hl Zachar. Weixner, Pfarrer zu Pruk an der Amer bei Fürstenfeld, bei sich mit Tisch und sehr guten Büchern ein ganzes Jahr aufhielt, bis die Universität von Jene gen Wittenberg kam, bin ich im 29 Jahr / 1529/ erstlich dahin gekommen p. p. dort genoßen Luthers Tisch, Unterweiß und Vertraulichkeit: wurde Pastor im Joachimsthale, wo er Luthers Leben in Predigten abhandelte.
Obiges § 110 und diese Anmerkung hab ich meinem Freunde Herrn Max Zuber, Pfarrer zu Rottbach zu danken, der leider im Jahre 1800 von einem franz. chaseur in seinem Pfarrhof ist erschossen worden.

106   Jahr 1547 § 171 Michael III.

Die damaligen Zeiten waren für hiesiges Stift, so wohl in Hinsicht der klösterlichen Disziplin als Ökonomie sehr traurig. Der nach der Absetzung des Johannes Pistorius angestellte Administrator, P. Michael Kain, war zwar ein guter Mann, doch zu nachläßig in seiner Amtsführung.
Ob dieser Michael nachher wirklicher Abt geworden, widersprechen einige alte Schriften, die ihn nur Abbate in pulatitium nennen, doch dieses Prädikat kann er sich in Hinsicht seiner schlechten Verwaltung zugezogen haben. Die hiesigen annales zählen ihn doch unter die abbates. In dem von ihm einem hiesigen Religiosen ausgestellten dimissionalen nacher Kloster Walderbach eiusdem ordinis nennet er sich Fr. Michael Administrator in Furstenfeld. Im Text an überschickten Religiosen charissimum filium am Schluß: »Datum etc sub abbatiali nostro sigillo.« [...]
Zu deßen Erhebung soll der Wille des Herzogs Albrecht den Ausschlag gegeben haben. Allein nach eingehollter Erfahrung über dessen schlechte Domestication habe er einige seiner Hofräthe hierher abgeordnet, den statum des Klosters zu untersuchen: diese fanden grobe Unrichtigkeiten und überhaupt eine nachläßig-sträfliche Verwaltung. Es erging himit vom Herzog das Urteil, nicht nur der Absetzung, sondern auch der Verweisung nach dem Kloster Alderspach, wohin er als gefangener ist abgeführt worden.

Jahr 1552 § 172

Herzog Albert habe so dann / vielleicht habe er keinen hierzu fähigen Religiosen vorgefunden / einen weltlichen Administrator dem Kloster in temporalibus aufgestellet in der Person des Stefan Dorfbeck, damals Landrichter zu Abensberg.

Aus dem noch vorhandenen Spruchbrief des Herzogs Albert vom 3. Horn. 1555 ergibt sich, daß Stefan Dorfbeck die temporalien des Klosters verwaltete in denen Jahren 1552, 53, 54 und 1555. Sein jährliches Salarium, das über ihm vom Kloster eingedachten Schuldentilgungen, niemals bezahlt wurde, hat sich bis auf 1000 fl angehäuft. Herzog Albert hat also die Sache in Kraft gemelten Briefes dahin verglichen, daß Stefan Dorfbeck die 1000 fl als Capital in 5 p. c. verzinslich beim Kloster ligen gelassen – hieran der Herzog ihm im Fall der stockenden Zahlungen eine sichere Hypothek, nämlich die Zehenten von Maurn und Freising ihm und seinen Erben ausgestellt habe. In diesem Brief kommt Leonhard Pauman noch als Verweser in Spiritualibus vor: Muß also im 1555igsten Jahr vom Herzog, von Kaiserheim als kinftiger Prälat herberuffen seyn worden.
[a] In Necrologio heißt es: Stephanus Dorfpeck iussu Principis nostri Alberti per annos quatuor administrator. Praesentes in Abensperg obiit 1561–10 Jul

107   Von diesem Michael Abt schreibt P. Stefan Burgmair

Ann Dni 1547   Cist 449   C Princip 287
    Quem natura bonum fecit, fit Michael Abbas
      Alberti haec bauari iussa fuere Ducis.
    Ast ubi non posset rationes reddere deses
    Captus in Alderspach fat sibi missus erat

Jahr 1555 § 173 Abt Leonhard Paumann

Herzog Albert, um die Emporhebung des zerrütteten Klosterstandes eifrigst besorgt, hat dem Stift einen Abt gegeben aus dem Kloster Kaisersheim, Leonhard Paumann, deßen erste Sorgen und Bemühung war, die klösterliche disciplin durch eigene vorleuchtende Beispiele und geeignete Vorkehrungen in vorigem flor herzustellen. Nebst diesem ersten und vorzüglichsten Geschäfte halftete er durch kluge Hauswirtschaft, Vermehrung der Einkünfte die angetragene Schuldenlast ab.

Abt Leonhard hatte von Kaisersheim eine beträchtliche Büchersammlung hieher gebracht, die er mit denen schon vorfindigen in einen hierzu hergerichteten Platz in form einer Bibliothek, in Fächer eingetheilet, aufgestellet und diesen neuen Büchersaal mit passenden Gemälden hat auszieren lassen.

Jahr 1558 § 174

In denen Klöstern Alderspach, Osterhofen und St. Nicola müssen Ausartungen sich geäußert haben / Luthers Lockgenüße könnten wohl auch sonst gute Mägen verdorben haben, denn Herzog Albert, der Eiferer für unsere Religion, hat einige seiner Räthe mit dem Hofprediger und hiesigen Abt dahin abgeordnet, welche zu folgen ihm commissoriums die Excessen ab- und die vorige Regularität wieder hergestellet hatten. vid. pag. 105

108   ### Jahr 1559 § 175

Uibrigens sagen hiesige MSS, daß Kaiser Ferdinand I. alle Freyheiten dem Stift durch eine in Wien ausgefertigte Urkunde bestättiget, anbei dem abt und convent erlaubt hat, 1561 sich in Signieren des rothen Siglwachs zu bedienen. Soll auch in nemlichem Jahr, in welchem zu Augsburg ein Reichstag ist gehalten worden, seinem Gefolge allen Zutritt zu hiesigem Kloster verbothen haben, welche keine Specialerlaubnis vom Herzog vorweisen konnten

Jahr 1565

Item habe Herzog Albert von diesem Abt den seitmaligen hl. Prior als Beichtvater für die Truchsessen und Edelknaben erlanget. Vide supra pag 105 de hoc abbate

§ 176

Leonhard Paumann ist i. J. 1565 gestorben, nachdem er 10 Jahre sein Amt vor Gott und den Menschen verdienstlich versehen hatte.

AnDni 1555   Cisterc 156   C. P. 255

Ille Leonardus fuerat cognomine Paumann
Religionis amans, amplificansque domum
Auersito ex Kaisersheim mandata ferabat
Albertus princeps invigilare loco
Allatis multis implevit fecinia libris
Facta his fas diues Bibliothecae fuit
Ast anno Undecimo[5] Patri post multa laboram
Taedia postremus coepit adesse Dies

109   **Jahr 1566 § 177 Leonhard Treuttwein**

wird vom Keller- und Küchenamt zur abteilichen Würde erhoben den 21. Jän. Wenn je ein Abt die erforderlichen Eigenschaften und zwar in auszeichnenden Grad in sich vereinigt hatte, kann diß sicher vom Abt Leonhard gerühmt werden. Die ächte From- und Gottesfürchtigkeit, die Liebe, so wie deßen Eigenschaften der hl. Paulus 1 Cor 13 entwirft, mit der er seine Söhne und Unterthanen an sich feßelte, die Anhänglich- und Dienstwilligkeit gegen den Landssfürsten und deßen Verordnungen, wodurch er auch die Beschützung der Klosters-Gerechtsamen und Freyheiten erhalten hat im Jahr 1580, die ausspendende Gütte unter die Dürftigkeit, gemeiniglich der Armen Pater genant, die besondere Geschicklichkeit und behende Entschlossenheit in welch immer vorkommenden Fällen, haben ihme allgemeine Liebe und Hochschätzung erworben. Weil er nun durch diese seine Tugenden Gott angenehm war, wurde der gute Abt auch geprüft und bewehrt gefunden; nämlich er war die meiste Zeit nicht nur kränklich, sondern schmerzhafte Leibgebrächen erduldete er großmüthig, dennoch in diesem unermüht arbeitsam, nicht nur in Handhabung der klösterlichen Gerechtsamen, sondern auch in Wissenschaftlichen: die von Abt Leonhard Paumann errichtete Bibliothek § 173 hat er in vollkommenen Stand gesetzt. Er hat sich ein diarium gehalten, worinn er tägliche Vorfallenheiten aufgezeichnet hat, und in dieses auch seine täglichen meteorologischen Beobachtungen eingerückt hatte.
ᵃ Von ihm, wie P. Simon Nusser schreibt, ist ein Beschreibung der Jahrtage und Begräbnißen verfaßt worden

---

⁵ Im Original-Epigramm »undecimo«, von Führer zu »decimo« ausgebessert.

[Anmerkung a), die die ganze restliche Seite ausfüllt]
Abt Leonhard benützte hiezu die damals in folio herausgekommenen Kalender mit Schreibpapier unterschossen. Ich habe zum Glück vorläufig eine Abschrift von diesen Witterungsaufzeichnungen genohmen, nemlich von denen 1587 bis 1591 inehat. Diese sämtlich[en Blätter] in ein dickes Buch in Samt gebunden, sind mir von der kurfürstl. Bibliothekskommission nebst vielem auch Werdten abgenohmen worden.

110 Unter seinen Ordens- und häußlichen Geschäften war dieses Abtes Bemühen vorzüglich auf die Aufblühung der Wissenschaften gewendet. Er sandte die jungen fähigen Religiosen nacher Ingolstadt ad studia. Zu Haus hat er den von der Universität zurückgekommenen Fr. Johann Dietmair als Professor aufgestellt, welcher durch seine Vorlesungen die Zöglinge zu solchen Gelehrten gebildet hat, wodurch die klösterliche Religiosität desto mehr gegründet wurde.[b]

[Anmerkung [b]]
So eine wissenschaftliche Beschäftigung ist das einzige wirksame Mittel, die Ordenssatzungen in ihrer Integrität zu erhalten. Hätten alle Klöstervorsteher diese Wege eingeschlagen, hätten sie die Epistulam D. Muratori ad Superiores religiosorum eoramque Professores mit anhaltendem Eifer befolgt, man würde nicht so gräuliche Zustände, Ausschweifungen etc. sehen müssen.

[Weiter im Haupttext]
In dieser klösterlichen Pflanzschul sowohl als zu Ingolstadt haben sich Männer ausgebildet, welche der Religion und dem Staat die wesentlichsten Dienste geleistet hatten; folgende Missionen hiesiger Religiosen hab ich schon mehrere Jahre vor der Auflösung aus den Original-briefen, die sich in hiesiger Registratur befanden, abcopiert.
Luthers Lehre war auch ins Tirol eingeschlichen: auf Bitte der Gemeinde Nauders an hiesigen Abt sind 2 Religiosen dahin abgeschickt worden, um diese guten Leuthe wider diese Seuche in ihrer wahren Religion zu befestigen; wogegen ein Dankschreiben an den Abt von obiger Gemeinde nacher ist erlassen worden ao 1571.
Im Jahr 1593 hat der Ordensgeneral von Cisterz, Edmundus a Croce, welcher so wie sein Vorfahr Nicolaus Boucherat i. J. 1573 eine reguläre Visitation hier vorgenommen hatte, den P. Georg Engelbrecht nacher Liechtenthall im Bistum Speyer als Beichtvater der dortigen Ordensmonialen überschickt, mit der Verordnung, daß er ohne vorläufige Anzeige und Einwilligung des besagten Ordensgenerals von diesem Posten nicht könne zurückberufen werden. Hingegen ist P. Jacob Neuhard hiesiger Conventual, welcher alda gegen 8 Jahre Beichtvater war, nacher Haus beruffen worden.
Der damalige Abt Quirin zu Tegernsee hatte den Abt Leonhard zu sich gebethen, um wegen Errichthung eines Seminariums sich zu berathschlagen.
Die fürstliche Regierung zu Straubing hat i. J. 1576 den P. Jacob Pachmair als Vorsteher, nicht als Abt, des Klosters Gottszell ord. cist. abgefordert.

Jahr 1572

Abt Leonhard Treuttwein hat das Kirchlein zu Ried gestiftet, ein Haus dazu als ein Tusculum, für sich und sein Convent erbauet: ein eigenes Choralbuch auf Pergament, um das Lob Gottes unter dem Gottesdienst durch gemeinschaftlichen Gesang der Religiosen zu erheben, dazu gewidmet. Dazu hat sich in 2 Abtheilungen jährlich im Herbst auf 4 Tage, nämlich von Mondtag bis Donnerstages abends das Convent begeben. War also eigentlich des Erlustigens ort. Am Fest des hl. Erzengels Michael war Amt und Predigt, wobei sich die umliegenden Ortschaften processionaliter eingefunden haben. Denn die erste Abtheilung verfügte sich dahin in der Michaels-Woche, die zweite in der folgenden.

Die Dedicationsurkunde hierherzusetzen finde ich für die Geschichte nothwendig, sie lautet so:

[Inhalt: am 29. September 1572 wurden die Kapelle und der Altar in Ried vom Augsburger Weihbischof Michael Dornvogel zu Ehren der allerseligsten Jungfrau geweiht.
Reliquien im Altar: Brot vom Letzten Abendmahl, ein Partikel des Kalvarienberges.
Anwesend waren: Abt Leonhard von Fürstenfeld mit vier Konventualen, Abt Joachim von Andechs, Propst von Diessen, die Pfr. von Bruck, Jesenwang, Utting, Inning, Kothalting und viele andere ehrenwerte Gäste.]

111 **Jahr 1576 § 179**

Unter allen zuvor erwähnten Männern hat sich aber der vorzügliche ausgezeichnete Johann Dietmair, deßen Biographie sowohl verdiente eben so dem gelehrten Publikum bekannt zu machen, wie des P. Stephan Wiests sein Marius [6] allein es fehlt an Dokumenten, theils vernichtet von einheimischer Dummheit / § 40 / theils bei Aufhebung des Klosters veräußert.

Johann Dietmair hat eben auch seine Studien in Ingolstadt vollendet, wo er den gradum als A. A. L.L. Magister Philosophiae und Theologiae Doctor mit größtem Ruhm erhalten hat. Der gelehrte damalige Procancellarius Albertus Hunger und P. Gregor de Valencia S. J. stellten von selben das herrlichste Zeugniß aus. Auch erschienen manche Elogen in druck von seinen Mitschülern zu Ingolstadt. Ein und anderes will uns denen weitläuffigen Lobversen ausheben

Congratulatio inscripta Rdo doctissimo Viro fratri Joanni Dithmaro Ingolstadt
A. A. L.L. ac Philos. Doctori
ab
M. Joanne Engerso P. L. & Koes Profess
M. Bartholomeo Hubero P. L.
M. Hadriano Wengero

[Es folgt ein zweiseitiges Lobgedicht auf Dietmair in lat. Sprache]

---

6 Anmerkung im Text: »De Wolfgango Mario Abbate Alderspacensi etc. Programa a d P. Stephano Wiest. Ingolst. 1789.«

113 Ein anderer hat diesen Dietmair besungen mit 24 Disticha, in denen alle Wörter mit D anfangen, auch so die letzten 2 [...] Disticha.
Sie fangen sich so an

[Es folgen 24 Disticha auf Dietmair mit Lobeshymnen über seine Gelehrtheit und Gottesliebe]

Da mir dieses Buch, weis nicht wie, aus Händen gekommen, und ich all das nur aus meinen vorläufigen Excerptis copieret habe, kann ich hierüber keine nähere Auskunft geben

Jahr 1577 f § 180

Aus bisherigem ist abzusehen, daß Johann Dietmair durch seine religiösen und wissenschaftlichen Eigenschaften sich sehr berühmt, sohin zu Gelehrten- und Kirchenkanzeln fähig gemacht habe.
Gleich nach vollendeten Studien i. J. 1577 hat ihn Herr Rudolph Glenk doctor zu Ingolstadt mit sich nacher Braunschweig genohmen.[7] Im Jahr 1581 ist ihm von dem fürstlichen Stift Ellwangen die Praedikatur alda angetragen worden, welchen Ruf der Abt Leonhard, vermutlich aus wichtigen Gründen, auf höfliche Art abzulehnen wußte. Wurde aber doch in nemlichem Jahr von dem Nuncius apostolicus und Herzog Wilhelm zu dem Seminarium Religiosorum deputiert.
Mehrere Städte, als Aichach, Straubing, die Herrschaft Waldeck, Miesbach haben diesen Dietmair zu ihren ordentlichen Prediger verlanget. Herzog Wilhelm hat ihn endlich 1586 zu sich nacher München beruffen,[8]

114 wo aber deßen Aufenthalt ganz kurz gewesen ist; denn da der Abt zu Alderspach Andreas im Jahre 1586 resigniert hatte, ist Johann Dietmair dahin postuliert, und unter dem Namen Johann VI. als Abt eingesetzet worden. Im Jahr 1587 den 15. September hat er hier als Pater domus eine Visitation vorgenommen. Haben auch über die Laxität einiger Indirection sich sehr entsetzt, wogegen aber er scharfe Mittel angeordnet hat. Er stunde dem Kloster Alderspach vor 26 Jahre.

[Anmerkung]
Wie nutz- und rühmlich Dietmair diesem Kloster als Abt vorgestanden, beweist der noch existierende Originalbrief des Abtes Gerard an Abt Martin dato 20. September 1651, worin diese Stelle vorkommt: »Dietmairum – nobis dedisti diesciplinae regularis sicut vindicem, ita Restaurationem Monasterii nostri quasi alterum Fundatorem, ut non Filius filiae, Matri filius, sed Pater fuerit.«

Jahr 1573 § 181

Nun wieder auf unseren Abt Leonhard zu kommen, zeigt sich aus der Charta visitationis, welche der Ordensgeneral Nicolaus Boucherat, als er im hiesigen Kloster eine reguläre Untersuchung vorgenommen hatte, daß damals die Zahl der Professen mit Einschluß des Abtes nur aus 18 und 4 Novizen bestanden habe. Herr General hat aber die Zahlvermehrung aus diesem Grund anbefohlen,

---

[7] Anmerkung [a]: »annal. stud. Ingolst. tom. II pag. 50«
[8] Anmerkung [*]: »aus oben § 178 angezognen Originalbriefen und bisheriges.«

damit die Ehre und Dienst Gottes hiedurch desto mehr befördert werde. In nemlichem Jahr hat belobeter Ordensgeneral ein gleiche Visitation zu St. Leonhard vorgenommen.

§ 182

Da in dortmaligen Zeiten noch keine landesherrliche Erlaubnis für auswärtige Ordensprälaten nothwendig uns gewesen seye, wenn diese in Baiern ihre Ordensklöster untersuchen, hat doch Herzog Albrecht auf die Nachricht einer hier vorgenommenen Visitation dem Abt aufgetragen, eine vollständige Abschrift von allem, was hierin ist abgehandelt worden, einzuschicken.

Jahr 1577 § 183

Einige Herrn Räthe von Friedberg und Amberg hatten vom Abt Leonhard Abschriften sich ausgebethen von den Grabschriften der hier ligenden baierischen Herzogen und der Familie.

Jahr 1591 § 184

Die nemliche Abforderung dieser Grabschriften und Wappen, ist auch vom Herzog Wilhelm an Abt Leonhard geschehen, welcher alles an damaligen geheimen Kanzler, wie es der Herzog in seinem Schreiben befohlen hatte, mit untenstehendem Brief an ihn eingeschickt hatte. [9]

[Es folgt das Schreiben an den hzl. Kanzler vom 15. Februar 1591. In diesem nimmt Vf. Abt Treuttwein auf ein an ihn ergangenes Schreiben Hz. Wilhelms vom 13. Januar 1591 Bezug, in dem ihm aufgetragen wird, zur Ausschmückung der Annalen Aventins, sämtliche Grabsprüche der in Fürstenfeld begrabenen Mitglieder des Hauses Baiern mit Schildern, Wappen und Hauben aufzuzeichnen. Treuttwein überschickt die Aufzeichnung, spricht aber von beschädigten 6 »frag-stück«, wohl von nur noch erhaltenen Fragmenten.]

115 § 185

Auf Anbefehlung der Herzogen Albert und Wilhelm sind unter Abt Leonhard alle Gründe und Gütter zum hiesigen Stift gehörig, mittels einer förmlichen Commission, beschriben worden. Von Seite des Klosters waren dabei P. Melchior Petz – Caplan, P. Leonhard Enzhamer Kastner zu St. Leonhard und P. Georg Ertzle.
Michael Ubisenus Silesius P. L. hat seine carmina heroica encomiastica in Laudem SS. Benedicti et Bernardi diesem verdienstvollen Abt dediciert.

---

[9] Statt »hatte« muß es »worden« heißen.

§ 186

Dieser verdienstvolle Abt, der in jeder Hinsicht seine Vorfahren rühmlichst übertroffen hatte, stunde dem Stift vor beinahe 30 Jahre. Er wurde erwählt den 21. Januar 1566 und starb den 9. Juli 1595. Von ihm schreibt P. Stephan:

An Dni 1566   Cist 468   Cprinc 306
Cella Leonardum tenacit, sed postea fratres
Abbatem faciunt, praeficiuntque loco.
Hic peius erga Deum fratrum siniens amator:
Cunctis subiectis pauperibusque Pater.
Continuo pressus morbo, pressusque dolore
Pectore conflauti; presit utrumque silens.
Dum reditus nostros curat, tulatur et auget.
Insignis studio et dexteritate fuit.
Per cunctis Abbas fuerat, nullique fecundus.
Nec studiis velis nec pietate minor.
Ah! vir fer lustris praeerat, iam morte quieuit.
Abbatum Princeps, optimus atque Pater.

116 Jahr 1595 § 187 Johann VI.

Den 14. Herbstmonat ist zur abteilichen Würde gelangt Johann Puel. Er absolvierte seine Studien in Dillingen, wo er, als noch Scholar, das Magisterium im Jahr 1569 erhalten hatte. Als Religios hatte er sich durch Fleiß und reguläres Betragen sehr gut ausgezeichnet. Er war 10 Jahre Pfarrvikar in Pruck und ebensoviele Jahre Superior in St. Leonhard. Im Jahr 1593 wurde er vom Abt Leonhard auf das zu Salmansweille gehaltene Ordenskapitel abgeordnet.
Merkwürdig ist deßen Wahl hiedurch geworden, daß eben der Ordensgeneral Edmundus a Cruce, Abt zu Cisterz, dabei präsidirte: auch andere bairische Äbte hier zusammengekommen sind, indem den 14. Herbstmonat das Provinzialkapitl hier ihren Anfang genohmen hat.

Jahr 1603 § 188

In diesem Jahr wurde vom Abt Johann eine neue Bestättigung aller Privilegien, Gerechtsame etc. des Klosters bei höchster Stelle nachgesucht, welche auch Herzog Maximilian ohne Anstand mittels einer ausgestellten Urkund hat ausfolgen lassen.
Monum. boic. No 179.

Jahr 1605 § 189

Martin Abt zu char-lieu / caroli loci / dioecesis silvaneclensis in gallia / hatte hier eine klösterliche Visitation vorgenohmen: Aus diesen Akten zeigte sich der Personalstand von 36 Priestern mit Einschluß des Abtes, wovon 3 in St. Leonhard waren, 8 Clerici und 4 Novizen.
Dergleichen Visitationen waren, besonders in damaligen für die Religion gefährlichen Zeiten, sehr frequent, aber auch von nutzbarsten Folgen, und erhielten sich freilich nicht mehr so oft, indeme denen auswärtigen so wohl als inländischen Visitatoren die privatierte Untersuchung nicht mehr wollte zugestanden werden; bis über die Mitte des 18 Sec. Im Jahr 1766 war hier die letzte durch unsern Pater immediatus, Abt zu Alderspach vorgenohmen worden.

Jahr 1610 § 190

Uibrigens findet sich vom Abt Johann nichts Merkwürdiges, weder in Hinsicht seiner Handlungen noch der Freigeißter zur Zeit seiner abteilichen Verwaltung.

[Einschub]

Nur diß ist noch einzurücken, daß er auf Ansuchen des Herzogs Wilhelm im Jahre 1604 aus hiesigem hl. Reliquienschatz einige in der Urkunde specificierte Gebeine er Heiligen habe ausfolgen lassen.

[Weiterer Einschub]

Dieser Abt war nebst vielen anderen Prälaten und Pröbsten auch gegenwärtig bei der feyrlichen Einweihung der Jesuitenkirche in München veranstalltet durch den Herzog Willheln V. im Jahre 1597 den 6 Julius, durch den Weihbischof in Freysing, Bartholomä Scholl. Lipowsy Geschichte der Jesuiten S. 295

[Weiter im Haupttext]

Was von ihm noch zurückgeblieben ist, ist ein Rituale, welches er zusamm geschrieben hatte, unter den Titl: Ritus conferendi Ordines minores.
Abt Johann war 15 Jahre Abt, beförderte das geistliche und zeitliche Wohl seines Stiftes. Hat an paaren Geld hinterlaßen 19284 fl. Dieß unten Jahr 1620. Starb den 25. Mai 1610

> AnDni 1595   Cisterc 497   CP 335
> Conueniunt fratrum pia vota, Ioanque fit Abbas.
> Dilingae in studiis ante. Magister erat.
> Praefuit egregie, vir annis quinque decemque,
> Ac Pure sub lege mors vocat alta suas.

117   ### Jahr 1601 § 191 Nachtrag zu obigem Johann Dietmair als Abt zu Alderspach

In diesem Jahre hat Abt Johann zu Aldersbach in dem Kloster Gottszell einen eigenen Abten aufgestellt, da von der Zeit der Stiftung an, nemlich vom Jahr 1285 bis 1604, also gegen 319 Jahre dieses Kloster ohne eigenen Abt, nur von Religiosen aus Alderspach ist besetzet und verwalltet worden. Belobter Abt Johann hat einen hiesigen Religiosen mit Name Achatius hiezu ausersehen, und diesen vom hiesigen Abt erlanget. Achatius ist ohne Anstand von hier entlassen und als erster Abt zu Gottszell eingeführt worden, dem Abt Michael ex monasterio Alderspach folgte. In folgenden Zeiten sind beide Kloster, Alderspach und Gotteszell, abermal unter einem Abt gestanden; denn in der charta visitationis dieses Klosters de ao 1653 hat sich Abt Gerard unterschrieben: F. Gerardus alderspachien. et cellae Dei Abbas.

118   ### Jahr 1610 § 192 Abt Sebastian Thoma

erwählet den 14. Jun, war eben Pfarrvikar in Pruck.
Es läßt sich leicht auf deßen religiösen, wissenschaft- und wirtschaftlichen Charakter schlüßen, wenn man seine Geschäfte und Handlungen durchschaut. Im Jahr 1605 wurde er – als damaliger Subprior, in Begleitung eines Religiosen vom Kloster Raittenhaßlach im Namen der baierischen Ordensprovinz auf das Generalkapitel zu Cisterz abgeordnet.
Als Abt hat er in der damaligen Klosterkirche die 2 Kapellen SS. Marci & Lucae erweitert und verzieret: Einen neuen Altar zu Ehren seines Namenspatrons des hl. Sebastian errichtet: mehrere Gebäude als z.B. das Krankenhaus, die Gast-

zimmer mit hierzu geeigneten Pferdestallungen: die Bibliothek etc. theils ergänz, theils ganz neu aufgeführt.

So hat er auch einige Gütter in der Grafschaft Meringen um 8000 fl dem Kloster zugekaufft, nebst noch anderen, die eine Summe von 1556 fl abwarffen. Sonderheitlich war der Anfang eines jedem vom Abt Sebastian an die kurfürstlichen Räthe erlaßenen Schreibens. Nemlich: »Durchleuchtigster Fürst E. F. G. seine mein andächtig Gebett und dimithiglicher gehorsamister Dienst yeder Zeit höchstens Pfleiß zu vorn...«

Jahr 1612 § 193

Der durchlauchteste Herzog Maximilian hat dem Abt aufgetragen, daß die jungen Clerici ad studia sollen angehalten und die Klosterpfarreien mit gelehrten Religiosen versehen werden. Eine ebenso rühmliche als nützliche Verordnung. Abt Sebastian unterhält im Jahr 1620 vier Conventualen theils zu Dilligen theils zu Ingolstadt, so wie es seine Vorfahren gethan haben.

Jahr 1613 § 194

Die Capelle in dem Pfleghaus zu München ist in diesem Jahr consecriert worden. Wie dieses zu lesen ist, auf der ad cornu Evangelii in der Capelle aufgehenkten Tafel.

[Es folgt der Wortlaut dieser Inschrift, die besagt, daß der Freisinger Weihbischof Bartholomäus Scholl am 31. Mai 1613 die Kapelle geweiht und Reliquien der hll. Ursula, Hilarius, Quirinus, Apollinarius eingelegt habe.]

119 **§ 195**

Dieses so genannte Pfleghaus ist bald nach der Stiftung an das Kloster gekommen; denn aus der Urkunde, die hier in Urschrift aufbewahrt ist gewesen, hat der Rath und die Gemeinde der Stadt München schon im Jahr 1289 dem Abt Volkmar und seinem Conuent, vielmehr diesem Haus einige Freyheiten ertheilt.

[Anmerkung b]

Und sonderlich dem Hof und Hofmark zu St. Bernhard, der da leit an den niedern Grüben bey Sendlinger Thor in St. Peterspfarr. Siehe H. Mich von Bergman Beurkundete Geschichte der Stadt München, S. 7, wo dieser gelehrte Herr Stadtoberrichter die Entstehung des hiesigen Klosters auf das Jahr 1266 hinaussetzet: da doch dieses ihre Existenz schon im Jahr 1258 erlanget hat. § 14 C./ müßte nur H. v. Bergmann unter das Wort eigentlich entstanden das Jahr 1266 aus der Ursache angenommen haben, weil in diesem Jahr Ludwig der Strenge den Stiftungsbrief ausgestellt hat / § 18 /. Allein dies war ja mehr Bestättigung als Entstehung, doch gewiß wird H. v. Bergmann dem Abt Jorgelin in sua notitia Abbatum cisterciensium gefolgt seyn, welcher eben auch die Existenz dieses Klosters auf das Jahr 1266 ansetzet.

Was übrigens das oben § 92 angezeigte Locale, gelegen an Stadtgraben zwischen dem Sendling- und Neuhauserthor betrift ist bekannt, daß damals die Stadt München einen engern Bezirk durch die nachstehenden 4 Thürmen eingeschränkt war:

[Es folgt die Aufzählung der vier Tore]

[Weiter im Haupttext]
Dieses Haus muß eben selbes seyn, welches die Frau Diemuthin, die Nothhaf-
tin, für ihr Seelenheil dem Kloster gewidmet hat / § 92 / Im Necrologium auf
den 25. Nov. ist zu lesen: Item Dymudt Mater Episcopi Frisingensis Conradi
legauit nobis 100 fl et domum Monachi.
Ob Conrad I. oder der II. Sohn dieser Diemuthin gewesen, kann ich nicht
bestimmen: Einer von beiden ist doch gewiß. Der erste war erwählt 1230 und ist
gestorben den 18. Jän 1258. Der zweite erwählt 1258 und gestorben i. J. 1279
oder 80. Meichelb. etc. Chronic Frising.

120 **§ 196**
In des Abtes Sebastian Verwaltung hatten sich viele und große Unglücksfälle
eingeschaltet, die den rechtschaffenen Mann zwar erschüttern, ihn aber nicht
aus der Fassung verrücken konnten.
Ein schröckliches meteorologisches Phenomen: yähliche Einstürze der Gebäu-
den durch Blitzstrahlen zerschmetterten Kirchthürmen und Schmelzung der
Glocken und endlich der alles verherende Krieg stürmten auf das Herz dieses
Abtes, der doch von höherern Macht sich aufrecht erhalten, und alles unter
Gottes Beistand, so viel möglich war, wieder ergänzet hat.

Jahr 1615
Von dem schaudervollen Donnerwetter will ich die Beschreibung hersetzen, die
eine gleichzeitige Hand auf Pergament in einer noch vorfindigen Tafel ad
memoriam posterorum aufgezeichnet hat.
Anno 1615, die 19 Juli qui sacer fuit diei dominica presidente Adm. Reverendo
Abbate Sebastiano circa horam noctis nonam tanta tonituum eorta est tempestas, ut 7 vel 8 horis continuis ingenti omnium cum timore ac tremore nonnisi
perpetuus fuerint audita tonitrae, visa falsura et plurima etiam in loca iactata
falmica. Haec eadem tempestas cum tam foena perduraret, turrim nostri monasterii tunc [10] temporis in medio chori sitam, fratribus pulsantibus homibili ful-
minis ictu, illaesis tamen campanis, disiecit, maximo cum timore, ac clamore
et quorum etiam fratrum, sine vitae tamen caesione in terram Deiectione.
Visus est globus ille ligneus in templo mirabili modo discurrens, tandem sine
alia adustione disparens. Farit Deus, ne posteri tam horrenda patiantur.
Das Gottshaus zu St. Leonhard, welches jählings eingestürzt ist, hat er nicht
nur in vorigen Stand erhoben, sondern auch mit Gipsarbeit ausgezieret: 2 Altäre
alda zu Ehrn des hl. Leonhard und hl. Martin gesetzet und die übrigen in schönen Standt hergestellet.
Diese Reparation nach Zeugniß eigener Handschrift dieses Abtes hat 10,000 fl
gekostet.
Im nemlichen Jahr hat Abt Sebastian statt des geschmetterten Kirchthurmes
wieder einen neuen erbauet, die Glocken umgüssen und durch den freysingi-
schen Suffragan Bartholomeo Scholl den 25 November consecrieren lassen.

[10] Anmerkung [d]: »Diß tunc temporis sagt vielmehr, daß diese Beschreibung von einer späteren
Hand müsse verfaßt oder erst nach einiger Zeit auf Pergament durch eine palyographische
Hand aufgezeichnet worden seyn, so wie das carmen de Fundatore nostri Monasterii pag 121
unter Abt Sebastian ist erneuert worden.«

Jahr 1620

Den 24ten Mai wurde er von höchster Stelle aus durch ein Schreiben ersucht, den bei der Abtei liegenden Geldvorrath, so auch alle Gold- und Silbergeschirr, außer jenen, die zum Dienst Gottes in der Kirche gehören, nacher München zur Landsdefension gegen das landläuffige Interesse zu liefern. Aus dem noch vorfindigen Aufsatz der eingereichten Antwort zeigt sich, daß Abt Sebastian dieser Forderung aus nachgeschriebenen Gründen nicht vollkommen genugthun konnte, weil er nicht nur den hinterlassenen Rest seines Vorfahren a 19284 fl, sondern auch seine, seit der abteilichen Verwaltung errungene Barschaft a 18659 fl, damit, wie er schreibt, diese Summe nicht gar abique ullo Monasterii emolumento ligen bleibe, auf Zinsen angelegt habe. Seye hingegen bereittwilligst, den wenigen Abteirest zu 3000 fl sofern dieser soll abverlangt werden, obgleich höchst nöthig zu Hausreparationen und höchst nothwendigen Ausgaben, nebst dem wenigen Oeconomiesilber gehorsamst einzuschicken. [11] Aus dem an den Abt ergangenen Schreiben dto 30 April ergibt sich die dortmalige sehr mißliche Lage; nämlich Geldmangel und die nahe der Religion drohende Gefahr.

[Es folgt in kaum noch leserlicher Schrift unten an den Rand gequetscht die Notiz, daß man Gold- und Silbergeschirr abgeben mußte.]

121 Brandschatzungen etc dem klösterlichen Aerarium, *[haben]* eine große, wo nicht totale, evacuation verursacht.

Nur in deme war er glücklich zu nennen, daß er die Zerstörung des Klosters nicht erlebt hat, denn er starb im Jahr 1623 den 3^t November.

> AnnDni 1610 Cist 512 Cprincip 350
> Antea qui fuerat Parochus Prukensis et Abbas
> Eligitur Sebast, sane profana sciens
> Tunc ingens tonitus fulgur, fulmenque furebant
> ut sit postremus visus adesse dies.
> Disiecto est etiam furioso hoc fulmine turris
> Ac omnes clamor possidet atque tremor.
> Mox turrim reparat Sebast campanaque fusa
> Et baptizata est, utraque suave sonans.
> Hospitibus libris, infirmis lecta parabat:
> Atque Leonardi sicuta templa struit.
> Ampliat exstructis aris quoque templa, novisque
> Picturis, aurit reddititurque domum –
> Morte licet duro pressus, post terque decemque
> Annos tandem animam reddidit ille Deo.

Abts Sebastian marmorener Grabstein, deßen Person in Lebensgröße vorstellend, ist an der äußeren Seite der großen Sakristei gegen Süd eingemauert, noch zu sehen.

Derlei marmorne Grabsteine hiesiger Abten sind aber gleich denen hölzernen tabellen, auf welchen ihre Portraits und seligzierte Biographie entworffen waren, verschleudert und vernichtet worden, ohne daß man nur Abschriften

---

[11] Anmerkung ^q : »Auf abermalige Forderung schickt er die verlangten 1000 fl ein.«

davon genommen hätte, wenigst war seiner noch vorfindig. Mit einigen der Ersten ist hiesige Brücken belegt und bepflastert worden. Jener marmorne des Abts Martin I. ist also aufgericht in hiesigem Kirchenthurme noch zu sehen. Was nicht Dummheit für Unheil erzeugt!!!

Von denen unter Abt Sebastian schön auf Pergament in 2 oblongen Tafeln aufgestellten und renovierten Versen von Entstehung des Klosters ist oben § 164 gemeldt worden.

[Es folgt Abt Leonhard Lechner]

4.2 Der »Dialogus de fato et fortuna« des Abtes Johannes Pistorius

In der Bayerischen Staatsbibliohek München wird unter der Signatur Res. 4°
Ph. sp. 214 10m ein Druckexemplar des »Dialogus« Pistors aufbewahrt, das
hier wiedergegeben werden soll. Zu Form und Inhalt siehe Teil I, Kap. 2.1.3.2.
Der Text wird hier buchstabengetreu entsprechend dem Druck wiedergegeben, lediglich die Abkürzungen werden in eckigen Klammern aufgelöst. Seite
28 des Druckes enthält das Gedicht Pistorius' über den Blitzschlag in der Kirche St. Leonhard in Inchenhofen vom 2. Dezember 1540; es ist in dieser
Arbeit abgedruckt im Anhang 4.1 unter § 166.

1

DIALOGVS DE FA
TO ET FORTUNA; CVI NO-
MEN PARACLITUS; VERE
pius, & doctus.
M. D. XLIIII.

2

HIERONYMI SERMET TII HISP
Argumentum.
Quid fortuna minax, possint quid fata nocere,
Hic docet, & solum uoluere cuncta Deum.
Pro Reuerendissimi & incomparabilis D. Ioannis
Pistorij sacri in Campo principum Collegij
Abbatis dignissimi, Dialogo, cui titulus
Paraclitus.
Vnius aeterno q[uantu]m nutu cuncta regantur,
Arbitrioque dei singula iussa cadant:
Mortales miseros q[uos] nulla potentia fati
Cogat: q[uod] fatum nil nisi inane sophos:
Cur bona multa malis, mala contra pulrima cernas
Vsq[e] uenire bonis: impare forte: uiris.
Cur illum celsa daemon fortuna locarit
Sede nimis, cur hunc sub pede dura premat?
Ecce paracletus meliori numine ductus
Verius Empedocle, Democritoque docet.
M. Simon Mineruius

3 VENERANDO VI-
RO, SACRARVMQVE LITERA-
rum perito, domino Zachariae Weichsner,
Parocho in Pruck, Domino suo

Qvem Reuerndus pater, et dominus, Abbas Campi principum, Zacharia uenerande, a que tuus ac meus fautor singularis, de fato & fortuna hunc conscripisisset
dialogum, noluit sibi ob hoc aliquid uel laudis, uel authoritatis parare, & et eundem mihi dono dedit. Quod quidem munus non leuidense, tam grato animo accepi, quam sciebam ab homine uerae religioni, & pietati dedito proficisci. Itaque

tanto magis lectione publica hunc dignum iudicaui, quanto plus ipse Abbas, bonis
studijs natus est, & nunquam ociatur. Denique eo pietatis studio, & ueritatis ober-
suantia conscriptus est, ut quo suis dubios, in ueram cognitionem ipsius fati dedu-
cere, & certiores reddere possit. Quid uero id laudem, quod propria lectione nemi-
ni non probari poterit? Igitur nulla etiam hedera opus habet, quod alioquin empto-
ri gratissimum exponitur. Sic et in hoc fieri, nihil quicquam dubitabis. Verum
cum subinde cogitabam qua ratione commodius in publicum prodiret haec de fato
disputatio, (nam meo nomine id fieri non licuit) incidisti tu Zacharia uenerande in
mentem, neque immerito: & quia me tibi iamdudum multis beneficijs, singulari-
que beneuolentia deuinctis. reddideris, & ipsi Abbati charus sis. Igitur ex alieno
liberalis nouum genus liberalitatis instituens, hunc eundem dialogum tuo nomine editum, tibi commendans trans mitto. Nec dubito quin sit tibi propter Abbatem, & me acceptissimus. Qui alias pietatem amas, & fouere nunquam desistis.
Accipe itaque eo animo, quo ego tibi gratificari uolui. Atque hoc munus nostrum
ex alieno thesauro desumptum, ne spernas. Vale, & me habe commendatum.
Datum Augustae V. Kalendas Septembris Anno M. D. XLIIII.

    Tuus dedistis   A ij
       Hieronymus Ziegler

4 IN EVNDEM DIALOGVM HIE-
ronymi Ziegleri decastichon.

Omnes scire putant fati se numina quanta
    Sint, tamen hic nodus uertitur assidue.
Hoc rerum est series, & ineuitabilis ordo.
    Vt Perhibent Sophiae dogmata certa scholae.
At si quid dubitas, hoc te semone diserto
    Abbas instituet, relligionis [!] amans.
Non equidem dicit scriptis contraria sacris,
    Attamen oraclo consona uerba Dei,
Quare si cura solerti perlegis ista,
    Nunque te fati poenituisse potest.

5 COLLOQVIVM

DE FATO ET FORTUNA, RE-
uerendi Patris, fratris Iohannis Pistoris, Abba
tis Campi principum, ordinis Cisterciensis in Bauaria

Collocutores:

Theomachus.   Didymus.   Paracletus

THEOMACHVS. Heu q[ua] peruerso ordine atque preposteo mundus hic noster
regitur. Cenimus eos, qui Deo nullatenus inseruiunt, pacifice quiescere: quiq[ue]
in labore hominum non sunt, minime flagellari. Eos autem, qui diu, noctuq[ue]
Dei omnipotentis insistunt famulatui, uarijs, dirisq[ue] cruciari & affligi molestijs. Vbinam illa est (quam dicunt) superum cura? Vbi prouidentia? Quid tu ais
Didyme?
Didymus. Ego quoque idipsum conqueror, eoq[ue] ualde perturbor, atq[ue] mole-

stor. Theo. Credo equidem. Didy. Video enim quamplurimos in malicia, summisque flagiciis persistentes, honore perfrui, thronum conscendere, diademate coronari, indui purpura, demum uniuerso orbi imperare. Bonos uero, deoq[ue] iugiter
seruientes, econtra despici, paupertate premi, quaeq[ue] aduersa, & tristia sustinere. Theo. Sed haec queso unde prouenire autumes, manifesta. Didy. Egon? ignoro
profecto. Theo. Ignoraberis ergo & tu.

6   Vis autem serio istiusmodi edoceri? Didy. Maxime, nil enim aliud mihi gratius
audiri poterit? Theo. Vniuersa haec mundi, non solum inanimata, & ipsa irratio-
nalia cuncta, uerum etiam humanos quoscunque actus, ab ipsis fatis, fortunaq[ue]
gubernari, regi, atq[ue] disponi minime dubites. Didy. Nisi optimis rationibus hoc
ipsum intuear, nullatenus credam. Theo. Non credis? Quis unusq[ue] regum aut
ducum, talem actantam suis in regnis aut principatibus rerum indignitatem deor-
dinationemq[ue] sufferet? Si igitur Dijs superis de nobis, rebusq[ue] nostris esset
cura, malos utiq[ue] me rito pro culpa punirent, bonos uero aequa lance praemia-
rent. Didi. Haec quidem tam mira, tamque rara res, ea est, quae me quoque de
superum cura facit ambigere. Sed eccum Paracletum, ipsum audiamus. Paraclete
huc ad nos concede, tuis nanq[ue] & doctrina, & solamine nunc plurimum indige-
mus. Para. Quid istuc rei est? Theo. Ego ueri nihil opus habeo quod docear, aut
quod abs te soler, in his praesertim, cum nil certius sit, quam fati fortunaeque
dispositione mortalia isthaec cuncta gubernari. Para. Quid autem tu de his mi
Didyme sentis? Didy. Dubius reddor, ideoque Didymus. Para. O q[uam] pestiquera
haec est sententia, quae de Deo id dicere persuadet hominibus, quod nec demo-
num quisquam ausus esset, sine maximo tremore mussitare. Confunditur (proh
hominum fidem) hacce uestra blasphema opinione tota mortalium uita, nubecu-
lis atque ambagibus replentur omnia, suffocantur, dissoluuntur, & superuacanea
ostenduntur.

7   Ea sc[ili]z[et], que uel a Deo, uel a natura, uel a prophetis, ad emendandos insti-
tuendosq[ue] mores inuecta sunt. An non ita per emphasim loquitur fatum, Nemo
utilia admoneat, admonentes audiat quoque nemo? Ego ego cuncta uoluo, reuo-
luoq[ue]. Sic frustra sunt leges, & iudices, frustra disciplinae, & admonitiones, frustra supplicitij timor, frustra dignitates & honores, & premia bene operantibus
constituta. Neuqe si laboraueris proderit, neque si neglexeris oberit. Quid afferre
poterit labor? Ecce quid consilij ex fato sumere potestis, placet ne illud stulte, &
impudice sequi, nec uelle prudentius sanctiusq[ue] erudiri? Theo. Ego uero quae
certa fide teneo, nullatenus infirmari posse aperta fronte assero, & uiua uoce con-
firmo. Para. Tu Didyme quid? Didy. Ego quoq[ue] haud facile, ut aliter credam, per-
suadebor. Para. Fit ergo de nobis perinde ac si eger quis corpore, medicina indigens,
persuadere medicis pharmaca disponentibus, niteretur, ea sibi nullatenus esse
necessaria, malletq[ue] morbo tabescere, miserrimumq[ue] exitum per socordiam
in libertate praestolari, q[uo]d medicinae salubribus obtemperare praeceptis. Siue
si nauis remigio carens, nauticis et nauarcho destituta, ingruente tempestate, in
Syrtes scopulosque tranijcitur, sic profecto sanae doctrinae aplustri relicto, mens
humana in periculosissima saxa, diuersorum scilicet errorum colliditur. Velletis
ne uos obsecro iam dictis supra petulantibus, epicureisq[ue] fati assertionibus per-
suasi, quod ac uitam hanc attineat corporalem, (taceo nunc de animis) nos nihil
penitus operari? Fatiq[ue] ipsius tam

8   stolida praecepta concedere. Theo. Concedi fas est, & aequum. Ergo neq[ue] delin-
quentes famulos corripiemus, neq[ue] intemperantie deditos admonebimus,
neq[ue] ad tribunal reos pertrahemus, nullasque omnino leges audiemus? Theo.

Immo omnia necesse est fieri, ut fert fatu[m], siue dormiamus, siue laboremus, siue etiam ocio quiescamus. Para. Ergo agricola, neque ad aratrum pertrahendum boues adiugabit, in sulcos tellurem minime secabit, nec sparget semina, anniq[ue] uarias neuquaq[ue] obseruabit cum studio partes. Quid gelu, imbres, aliasue totius anni molestias perferat? Quid falces acuit? Non metat fruges, no[n] terat aristas, non plantet, neq[ue] fructiferas arbores, neq[ue] putet palmites. Postremum uniuersi telluri cultus abigat ratione[m]. Domi sedeat semper omni ocio, stertat, uel cantet: omnia enim quae a fato decreta sunt, ultronea aduolabunt, domumq[ue] replebunt. Ecce q[uam] belle de hoc uestro fato. Didy. Rides? at nihilominus uerum est. Nam quemadmodum Parcis in diuersum fila retorquentibus, fusosq[ue] uertentibus, quantumuis laboretur, laborum sudorumque nullus erit fructus. Sic de fatis quidem nostris omnino sentiendum. Para. O infoelices nimium, ac Morione ipso longe stultiores, uultis ostendam uobis quid fatum possit? Didy. Volo, atq[ue] etiam cupio. Theo. Si tamen sciueris, uerum ut cerno, te fatum ignorare fateris, cum obsistas, & adeo inueharis. Sed dic. Para. Tollite agriculturam, auferte nauigationem, reijcite sellularia illa opificia, nullus sic faber lignarius, nullus caementarius, nullus textor

9 neq[ue] alius quis uitae nostrae utilis artifex, tum que sint fati opera, quae immutabilitas, satius cognoscetis. Sed quid dico de artificijs uitae necessarijs? Sunto opificia, neque ullum penitus summoueamus, suo ordine cuncta permaneant. Nemo tamen mortaliu[m] pro se sit solicitus, nemo domestica[m] gerat curam. Permittantur fato omnia gubernari, tunc tunc, eius uere deprehendetur utilitas. Is deniq[ue] qui sic de fato confidet, tum experimentum capiet, cum ad tributa, censusq[ue] pendendos accersietur: tum cum soluendo non sit, ad fatum confugiat, ipsum Patronum aduocet, at illi nemo respondebit. Sed ex musis neisthaec audire mauultis? Didy. Potiurs, & libentius. Para.

Si secus esse nihil ualeat, q[uod] Iupiter ipse
    Instituit, retinens secula cuncta manu
Nil infelices nos consultare iuuabit,
    Et pia sacratis ponere thura focis.
Si probus ex fatis animum uirtutibus ornat,
    Tunc illi immerito lausq[ue], decusq[ue] uenit.
Mercurius furti est author, fraudis quoq[ue], quare
    Predonis coruos pensile corpus alit.
Quis tamen impune probet euasisse latronem?
    Quis merito iustum munere fraudet opus?
Cuncta sciunt superi, sed nos inscitia uexat,
    Quos propriae mentis uis generosa fugit.

Theo. Nihil autem propterea fatis subtrahitur. Para. Vach quamdiu pueri sensibus, q[uam]diu perigitis delirando, q[uam]diu communem omnium Dominum non cognoscitis? Si bonos & impios facit fatum, Quare eruditis

10 pueros? Quare admonetis? Frustra & incassum erunt omnia. Si diuites & pauperes agit fatu[m], ne eos in scholas mittatis, neq[ue] eis opes relinquatis, neq[ue] aliquid eorum faciatis, per quae crescunt opes, sed finite eos fato. At neminem sanae mentis, hoc facturum scio. Didy. Non sat edepol, ut arbitraris, nosti. Para. Imo equidem scio. Na[m] si in minoribus nulli eius potentiae creditur, & quomodo in maioribus credetur? Si enim fatum ipsum ita est, ut arbitramini, sinite pueros cum peruersis accumbere, & corruptis eoru[m] moribus immisceri. Si fatum illis aliquid decreuerit, si Parcem quicq[uam] de eis statuerint, iuuabit. Si fatum igitur

tam constanter asseruatis, cur erga uos aliena, uestraque erga alios officia exercen-
tur. Quid uero de pueris loquor, cu[m] nec id in famulis iam adultis ullo pacto per-
mittatis? Nam eis minamini, & a uicijs modis omnibus absterrere fatagitis, nihil-
q[ue] natiuitati fidentes, ut boni fiant estis omnino anxij. Cur autem malum casti-
gatis, cum non tam suum, q[uo]d natiuitatis peccatum sit: aut cur laudatis, q[uod]
quis bonus euadat, cum no[n] illius, sed natiuitatis bonu[m] illud esse arbitremini,
quod nactus est opus? Immo eo pacto, neq[ue] bonus quispiam, neq[ue] malus dici
poterit, aut debebit. Sed ecce cu[m] mathematicorum etia[m] aliquis nummatis
fatua haec fata uendiderit, mox ut oculosa tabellis eburneis ad domus suae mode-
ramen, solicitudinemq[ue] reuocauerit, non solum uocibus, sed & plagis uxorem
corripit, non dic petulantibus ioculantem, sed immoderatius fenestris insisten-
te[m], quae si ei dicat, quid me cedis? Uenere[m] cede, si potis es, quae me isthaec
agere

11 fato compellit. Non curat ille q[uo]d uana uerba fallendis extraneis astutia mulie-
bris componat, sed q[uo]d iusta suis corrigendis uerbera zelotypus imponat. Sic
enim solent, cum increpantur hi, qui in crimine deprehensi sunt, in fatum causam
absq[ue] ulla uerecundia contorquere, se fato ad id, quod perpretrarunt, compul-
sos, coactosue fuisse asserentes. Cernitis ne adhuc in quantam absurditatem uos
huiusmodi sermo fati perduxerit, ut scilicet nemo sit continens, nemo inconti-
nens, auarus nemo, iustus nemo, nemo laudabilis ut bonus, nemo uituperabilis ut
malus, e medioq[ue] uirtus, uiciumq[ue] tollantur? Qui enim iuxta sententiam
vestram, nihil a seipso facit, sed aliunde se ipso ignorante accipit, is neq[ue] bonus
esse, neque malus potest. Sicque frustra hanc orbis lucem ingressus est, frustra
rationalem animam a Deo omnipotente suscepit, tanta excellentia praeditam, ut
cunctis, quae in hoc mundo procrantur, imperet. Nec solum frustra dixerim, sed
potius in maximum malu[m] damnum, perniciemq[ue] suam. Didy. Quid dicturus
hic sit, quidq[ue] sibi uelit, auidius auscultabo. Theoma. Mihi autem pro minimo
est, quicquid iste dixerit. Pa. Qui habet aures audiendi, audiat. Didy. Dixtin
magno nos dispensio, nostraque uitam hanc ingredi pernicie. Para. Dixi equidem, & id manifestius ostendere sum paratus. Didy. Ego uero id audiendi auribus
auscultare. Para. Audi obsecro. Num ob absurdum id omnino est, in tantum
malum quempiam natiuitatis necessitate urgeri, iterumq[ue] eadem uiolentia in
extrema supplicia coartari? Didy. Nisi hoc

12 manifestibus ostenderis, ambiguus ut antea remanebo. Para. Didymus merito
diceris. Sed ecce, mentemq[ue] huc optime aduerte. Exosi sumus, & plectimur.
Nonne absurdum est eum, qui iniuria afficitur, et uim patitur digniorem supplicio
dicere, q[uo]d honore? Nobis autem si ita agit fatum, ut asseritis, & iniuria fit, &
tamen penam sustinemus. Quid irrationabilius excogitari posset, ut ab ijsde[m]
supplicio tradamur, a quibus male affecti, in malum intrusi sumus? Fecit homici-
dam fatum & nunc anima[m] petit, eo quod sibi obeditum sit. Quasi si aliquis ali-
que[m] praecipitet in profundum, & postea ea de causa illum denuo puniat. An
possit aliquid esse uel absurdius, uel miserius, q[uo]d hoc, si ita se habet. Didy.
Fateri profecto opus est, miserandam omnino rem esse hanc. Para. Quippe & plurimum detestandam. Ignoscunt enim hostes hostibus, quando aliquid (quamuis
graue) iniuti & coacti fecerint. Fatum autem ueniam dare etiam obedientibus, ac
per omnia auscultantibus, imo coactis nescit, uerum ad supplicia eos postulat,
quos ad ea pauloante cogebat. Didy. Vtinam uel hominu[m] iudicando aequitatem
imitarentur Fatum. Theo. Quid Didyme? uis ne de fati etiam ratione dubitare,
atq[ue] recedere? Didy. Nisi uidero latus eius, & manus, non accredam, neq[ue]

hinc ullatenus abscedam. Para. Cernes quidem breui, coepta autem obiter prose-
quere. Didy. Solent equidem homines mansuetudine & iustitia sua, inter uolunta-
ria & inuoluntaria dijudicare. Fatum autem (ut uideo) eum etiam punit, qui serui-
tuti eius, & captiuitati est addictus.

13 Para. Ego humana dispensando omnia confundit Erynnis, & peruersus ille Daemon infernalis. Nam si Deus non sit, quae isthaec curet, alia quaedam esseratio
conuincetur. Neque enim possibile est in tanta ordinatione deesse prouidentiam?
Theo. Vah, prudens homo Paraclete, dicas mihi uelim, cuiusnam isthanc autumes
esse prouidentiam. Para. Summi quidem Dei, contra quem tu inaniter militas, et
pugnas. Nam si Deus ipse non est, quomodo possunt haec omnia consistere. Si est,
qui putas ab eo despiciantur a se condita? Si uero fatum omnia gubernare creditis,
non accusetis mulierem adulteram, neq[ue] furem parietes perfodientem appre-
henditis, nec poenam exposcatis, siquide[m] hoc non ultro fecit, ut dicitis. Theo.
Et uerum dicimus. Para. Negligite igitur uestra omnia, quia si a fato decreta sunt,
omnino succederent. Abijcite quidquid habetis auri. Ne curate domum, seruos,
forum, nihil inde nocumenti ocianti sic facti continget. Theo. Rides ne adeo nos?
Para. Quis o bone deus tanta[m] ac talem dementiam non rideret. opere enim ipso
tuo tu ipse Theomache contemnes decreta fati, nihil namq[ue], quae dixi, feres.
Theo. Quid effutias, penitus ignoro. Para. Ignoras? Nescis ne, si natiuitas. uel
fatu[m] esset, neq[ue] iudicium, neq[ue] fides, neq[ue] Deus ipse foret. Si fato
omnia contingant, omnia temere facimus, ac sine discretione toleramus, non laus,
non pudor adest, confusio, leges, iudicia cuncta tolluntur. Vidistin Didyme latus,
manusq[ue] huiusce fati, cuius imperium carnificium, & cuius potentia est mus-
ciplua? Didy. Et

14 uidi, & tetigi, deceptumq[ue] me hactenus fuisse credo. Para. Laus Deo, Sed tu
Theomache contra illum scio pugnare non desistes, quem nunqu[am], tu expugna-
re poteris. Theo. Vt fatum & fortuna dederint. Para. Dabunt, at nimis sero. Verum
ne Didyme id? Didy. Verissimum. Sed quoniam mi Paraclete, Deus & sapiens, &
bonus est, cunctaq[ue] exactissima prudentia gubernat, miror, cur sic bonos quandoq[ue] affligit, malis aute clementius parcere uideatur. Para. O Didyme Didyme,
si sobrie tu quoq[ue] saperes, isthaec non tam quidem anxie rogitares, eorum enim
quorum ratio intellectui nostro nulla apparet, ignorantes maneamus necesse est,
ne errori temere cuipiam innitamur. Didy. Bene igitur ignorare, q[uo]d perperam
scire, satius esse arbitrandum est. Para. Ita profecto est, nam ut illud reprehensio-
ne caret, ita hoc ueniam non meretur, uerum idipsum aliquantulum tibi Dei gratia
cooperante demonstrabo. Cur uidelicet huic parcat, cu[m] illum, ut pauloante
dixeras, affligat. Didy. Fiat ocius obsecro. Para. Audistin aliquando psallere? Didy.
Omni die. Para. Recte, & quid, quod canit Psalmus, cum dicit, Beatus homo quem
tu erudieris Domine, & de lege tua docueris eum, ut mitiges ei a diebus malis,
donec fodiatur peccatori fouea. Num non consilium Dei habes, quare parcat malis,
donec fodiatur fouea peccatori, tu iam uis illum sepelire, adhuc illi fouea foditur,
noli festinare. Didy. Sed quid est mi Paraclete, donec fodiatur peccatori fouea.
Quem nam peccatorem hic esse censet, unum ne hominem

15 duntaxat? Para. Minime, uerum omne genus hominum, peccatorum scilicet, &
superborum, ideo premissit. Redde retributionem superbis. Didy. Quid uero sibi
uult quod dicit, Mitiges ei a diebus malis? Qui dies isti sunt maligni? Para. In quibus florere uidentur peccatores, & laborare iusti. Sed labor iustorum, flagellum est
peccatoris: & felicitas peccatoru[m] fouea ipsorum est. Sed nolim mi Didyme,
quia iustos a malignis diebus mitigat, donec peccatori fodiatur fouea, ideo angelos,

uel quospiam alios spiritus, fabulosa imaginatione putares tridentibus, ligonibus, uel quibus suis alij instrumentis, alicubi ingentem praeparare cauernam, unde ridiculo argumento, inpecta peccantium multitudine dicas, quae haec tam magna erit fouea, ut tantam iniquorum turbam continere ualeat. hincq[ue] concludas propterea Deum sontibus cogi, ut quandoq[ue] parcat. Noli sic tecum o Didyme mussitare. Nonne peccatorum fossa impiorum scilicet ipsa est felicitas? In illam quidem tamq[ue] in teterrimum puteum quandoq[ue] cadent. Didy. Mira res Paraclete, ut felicitas fouea dicatur. Para. Recto certe nomine, Parcit enim illi Deus occulta suae iusticie prouidentia, quem impium peccatoremue cognoscit, hinc reus ipse elatior fit, quae quidem altitudo, atq[ue] superbia, licet peccanti sursum tendere uideatur, recto tamen si iudicio examinatur, ad ima profundissima demergit. Quare faelicitatem malorum, foueam Psaltes commodissime nuncupauit. Didy. De superbis & peccatoribus sat superq: de humilibus autem, & patientibus

16 quid mi paraclete asseris? Para. E contra, quasi in terram se deprimunt, sed denique sydera conscendunt. Didy. Et illis, qui flagellantur, quid agendum dicis? Para. Consolati mitescere debent, & eruditi in lege Dei corda figere in firmamtento coeli. Quemadmodum enim magna luminaria cernis cursus suos omni constantia perficere, neq[ue] quidquid proteruiant homines curare, sic illi quod in eos humana caro perpetrarit, debent penitus floccipendere. Didy. Vnde autem consolati idipsum facitare possunt? Para. Vnde? Cum onmis homo caro, et sanguis sit, qui flagellantur his, a quibus comprimi uidentur, minime deteriores sunt, pro utrisq[ue] ille enim suscepit carnem, qui & hos & illos ad suum quondam est perducturus examen. Didy. Ecce quid si Deus tanta praerogauit iniquis fidelibus seruabit. Para. Hinc ergo qui flagellaris mitesce, quemadmodum dici solet, sic equidem Deus ipse uult: Hinc est mi Didyme, quid mali plerumque florent, & boni, ut diximus corriguntur: ipse enim quonam modo sibi de unoquoq[ue] iudicandum sit, & nouit, & iam antea decreuit. Didy. Immitis ergo ille homo est admodum, qui bonitati Domini, & potentiae, aut potestati, & iustitiae iudicis contra ire praesumit. Para. Optime censes. Sed mirum queso audi iudicium. Didy. Quale mi Paraclete? Para. Quantum quisq[ue] superbus in Deum erigitur, tantum Deus illum a se elongat, cadentemq[ue] in profundu horribile demergit. Humilis autem, quantum se deprimit, tantum Deo ad summa eleuatus appropinquat. Didy.

17 Certe altus est Deus, super omnes uidelicet coelos: Omnes etiam angelorum choros superat, & transcendit, quis ipsum igitur adire mortalium poterit? Para. O stolidum caput, siccine ais? Nolo te extendendo frangas, ut illius celsitudinem attingas, tibi autem saluberrime consulo, ne in huiusmodi extensione per superbiam rumparis, humilia te, & patere cu[m] bona spe, & ipse ad te descendet. Intellexistin nunc cur malis parcat? Didy. Nondum omnino sat. Para. Quia hocipsum illoru[m] fouea est. Didy. Hoc iam no[n] sine grandi quidem admiratione teneo. Para. Curam seclude, Deus nanq[ue] tibi dicit, Quomodo illis, & quare foditur, tuum non est cognoscere. Hoc tantum ex lege mea disce, ut tolerans sis, donec peccatori fodiatur fouea. Didy. Probe admonemur, uerum, quia fidum te noui semper hominem, ad cor tuum quoddam libet effari secretum. Para. Loquere quod placet, omni metu reiecto, & ut alteri tibi. Didy. Nonnulli (proh hominum fidem) de quorum bona mente haud parum presumebam in quos etiam beneficia contuli non pauca, ita mihi ingrati extitere, ut non solum de se benemerito rependere non studeant, uerumetiam iniurijs, & uarijs molestijs inimice ualde afficere non desistant. Vnde mi Paraclete id asseres scaturire? Para. O Didyme Didyme, humi adhuc serpis, ad

alitora uero si erectus esses, haud isthaec leuissima tanquam stolidus postulares.
Didy. O fortunatum me, qui erigi & informari aliquando possim. Para. Cur o Didyme me unicus haud possis? Egoipse meo fungens

18 munere, ut erigaris, informerisq[ue] ad consolatione[m], et eruditione[m], uiam
tibi uerissima[m] demonstrabo. Didy. Facies ut nome[n] decet tu[um]. Para. Esto
mi Didyme, q[uod] eorum ingratitudo, de quoru[m] uitae honestate tantum pre-
sumpsimus, quicq[ue] nobiscu[m] cibo et consuetudine familiarissime usi sunt,
nobis adeo, ut dixi, omnia amissa charitate sit infesta, cu[m] potius obnoxij existant, ne terrearis obsecro, plus e[ni]m ad uirtutis lucru[m] conferunt, q[uo]d sen-
sualitati noceant. Didy. Et hoc in choro de pulpito sonare audiui. Vnu[m] aut[em]
absque te quaero. An a deo benigno & optimo hec quecumq[ue] patior mala, permittantur, et ad quem finem. Para. Nonne iam dixi te friuolis nimium postulatio-
nibus inniti? Nescis ne, que hic fiunt, cuncta a deo nobis obtingere? Malum Deus
no[n] creauit, sed permisit. Didy. Sed cur sic permittit, mi Paraclete? Para. Malo
Deus utitur ad probandu[m] iustu[m], ueluti Diabolo quondam, ut Iob tentaret.
Didy. Est ne in hac uita, quod agatur de malis? Para. Est utiq[ue] locus eoru[m] hic,
quem ad modum in aurificis camino stramina, seu carbones exuruntur, ut purgati-
us auru[m] extrahatur: sic impios deus, ut iusti probentur, in eos saeuire permittit.
De malis flagellu[m] facit, dans eis honore[m], dans potestate[m], inde pij castigari,
ac corrigi possunt, ni pertinaces fuerint, cuncte sic disponuntur humanae res.
Qua[m]obrem consolare mi Didyme, nam obseruabit peccator iustum, & stridebit
in eum dentibus. D[omi]n[u]s autem irridebit eum. Didy. Hem, quid audio? Dic mi
Paraclete, dic que[m] et quona[m] modo irridebit. Para. Irridebit D[omi]n[u]s, quoniam prospicit quod ueniat dies eius. Didy. Quis

19 dies? Para. Quo reddet unicuiq[ue] iuxta opera sua. Peccatore[m] itaq[ue] irridebit,
cui hic parcit ad tempus. Quid aut[em] dicis, Didyme? An tibi iniquoru[m] iniusti-
tia noceat, ipsis non? Didy. Non estimo. Haud e[ni]m fieri potest, ut iniquitas,
quae per indignatione[m], & odiu[m] ad me laede[m] du[m] procedit, non prius
illum intues uexet, qui me foris audeat tentare. Para. Egregie sentis. Tuu[m] e[ni]m
corpus premit aduersitas, illius anima[m] sauciat iniquitas. Et quicquid in te pro-
fert, in illu[m] redit. Didy. Hoc idem quoque sapio. Para. Quid uis ergo amplius?
Didy. Isthac de re paru[m]. Iam enim noui persecutione[m] ab iniquo mihi illa-
ta[m], me quide[m] purgatu[m], illum aut reum, & denique confusum efficere.
Para. Cui ergo plus nocere concludis? Infidus ille se[r]uiens te rebus spoliauit tuis.
Vter damno grauiore p[er]cutitur? qui pecunia[m] amiserit, an qui fide[m]? Huius
fidei amissionis damnu[m] dolere, ij duntaxat norunt, qui interiores habent oculos
patentes. Auru[m] quippe se multis fulget, fides aute[m] paucis. Quibus e[ni]m
auru[m] cernant, gestant oculos; quibus aute[m] fide[m], omnino carent. Na[m] si
haberent, intuerenturq[ue], plus utiq[ue] diligerent. Per fidi uero cu[m] sint fides si
eisnon seruatur, clamitant: o fides, ubi fides? Exercent inuidia[m]. Fidem deni-
q[ue] amant, ut exigant, no[n] ut exhibeant. Didy. Ergo qui iustos persequuntur,
grauiore damno, grauiorique afflictentur pernicie, quod in eis animi deuastentur.
Para. Recte quide[m] conclusis: secundu[m] e[ni]m eoru[m] malicia[m] disperdet
eos D[omi]n[u]s. Didy. Magnum est, ut a malorum uexationibus tantum nobis
commodi prestetur, nec tamen eorum beneficium dicatur, sed sola pugna. Para.
Certe per malos

20 exercet nos Deus, flagellat nos, utiq[ue] ad regnum coelorum: flagelleat enim sic,
quemcunq[ue] in filium recepit, & castigat. Didy. Caedit itaque, ut uideo, malis in
maiorem condemnationem maior foelicitas: & bonis, angustiae, persecutio, &

afflictio, coronarum maius augmentum sunt. Para. Bonus est Deus, qui si huic temporariae foelicitati amaritudinem plerumq[ue] non insereret, nos suae bonitatis oblitos, tanquam ingratos deniq[ue] condemnare teneretur. Didy. Siccine per malos homines exercet deus bonos, & per eorum persecutiones erudit eos. Para. Immo solum id, quod eis deus ipse permiserit, faciunt peruersi homines, quibus ad tempus parcit. Cur autem hoc fiat forsan rogitas. Didy. Enixim. Para. Nempe ut quis dicere queat: Factus est mihi dominus in refugium. Ecce non quereres tale refugium, si non periclitareris, sed ideo periclitatus es, ut quereres auxilium. Nonne clamare iuste potes, Facta est mihi malitia iniquorum tribulatio, tribulatione autem stimulatus, cepi refugium querere, quod in terrena ille foelicitate contempsi. Didy. Idcirco, ut autumas, non facile dei memor est, qui semper foelix presentium spe, & consolatione gaudet. Para. Verissimum certe. Didy. Ergo spes seculi recedat, ut ea, quae dei est, accedat. Para. Oportet utiq[ue], de hoc enim dolebas, ut tibi fieret dominus in refugium, & deus in auxilium spei tuae. Et ne deficeres in spe, adest promissor, erigenste, & temperans, breuitate atq[ue] dulcedine, mala ipsa, quae sustines, universa. Didy. Fateri opus est. Musam enim me aliquando audisse, sicq[ue] intonuisse recordor.

21   Non ita te fortuna gradu deturbat ab alto
     Vt loca non iterum tangere celsa queas.
  Sis ne uir attentat, deductam uellicat aurem,
     Admonet, & memorem te iubet esse tui.
  Tristia ferre docet, duro te posse flagello.
     Dum fauet, & fida est, non inimica tibi,

Para. Et huic tuae sententiae ex sacris literis dictum ualde quadrat: Fidelis Deus, inquit Paulus, qui non permittit uos tentari ultra id, quod possitis ferre. Sed facit cum tentatione etiam exitum, ut possitis sustinere. Didy. Rursum dicti alterius reminiscor.

  Sperenere fortunam, dubieq[ue] resistere forit,
     Praecipua haec uirtus, hoc sapientis opus.

Para. Sancte dictum, sic enim intrat in fornacem tribulationis, ut coquatur uas, non ut frangatur. Didy. Et huic dicto consonum ex Musis habeo.

    Disce reluctantes rerum suffere procellas,
       Quod fers, perpetuum non erit ille onus,
    Quodq[ue] per aduersum uadas patientius aequor,
       Crede aliquem multo deteriora pati.

Para. Et nunc, Didyme, qui tibi quasi iniustus uidebatur, quod malis parcat, nonne dulce[m], fidele[m]que, iam tibi sentis, sum spei tuae refugium, auxiliumq[ue] sit factus? Num ob inde tibi maxima soluent scaturire solatia? Didy. Mirum in modum. Para. Idcirco cum uides hominem nequam hilari animo exaltari, dominari, in magna ueneratione haberi, atq[ue] etiam abundare diu itijs, tecum uero contrario agi, teq[ue] inuadi, iniurias pati: caue queso, ne propterea abiectum relictum

22 ue ab omnipotente putes, sed in arcem tuae mentis conscendens, cogitatuum tuorum ulgo impera, ne te mestitia uexet, ac deijciat: ad eos respice semper, qui longe maiora sustinuere discrimina, ut paulo ante tu ipse attestatus es, atque etiam sustinent, quibus nec tu sanctior es, ne melior. Quot hodie in carceribus habitantes, longe gratiores sunt illis, qui nulla re indigent, & prorsus secure uiuunt? Quot hodie filiorum, patrem flagellantem, non solum diligunt, sed et uehementer amant? Didy. Et merito, si scripturis credimus: quem enim pater diligit filium, castigat. Para. Nihil uerius. Immo si filius fidi patris esse desideras, corrigentem

ama, si redamabis amantem. Hic est, quod multi probi aequo animo omnipotentis Dei flagella sustinent, gratiasq[ue] agentes nullatenus deficiunt. didy. At mihi illud admirationi maxime est, quod me si diligit, sic non solum ab ingratis exagitari permittat, uerum etiam iampridem me horribili quada[m] coelorum indignatione, igne, & (ut aiunt) sulphure sacro, rebus meis adeo incommodauit, ut sim stupor, terroreque factus uniuersis. Para. O Didyme, Didyme, quam malus error te in extremam quasi dementiam induxit. O q[uam] durus es atq[ue] difficilis ad credendum. Vis ne uoluntati Dei, eiusue nutui limites ad credendum. Vis ne uoluntati Dei, eiusue nutui limites perscribere? An no[n] uides etiam homines in filijs suis id agere, ut desperatos, et indomitos, et de quorum uite p[ro]bitate ambigant, sinant quemadmodum libuerit uiuere: eos aute[m] quos bone indolis esse p[er]spexerint, corripiant, atq[ue] etiam uerberibus afficia[n]t. Didy. Ergo que[m] pater, ut libuerit agere, p[ro]miserit filium, ad pa

23 ternam hereditatem nullatenus admittetur? Para. Certum hoc quidem est: eum enim castigat, cui haereditatem praeparat tribuendam: ad haereditate[m] cum flagellat, admittit, non repellit. Didy. Patienti igitur animo tam fidi parentis uerbera sunt ferenda. Para. Maxime. Igitur, mi Didyme, non esse tam uario, ac puerili sensu uellem, ut tecum ipse submurmurans dicas, plus fratrem meum diligit pater, eo quia eum agere sinit, quicquid optat: me autem si iussionem suam uel paululu[m] trangressus fuero, afficit uerberibus. Tibi potius sub flagro gaudendum est, quod sic ad haereditatem, patris diligentia, excitaris. Ad tempus corrigit, ne in aeternum damnet. Quibus autem a tempus parcit, eos deniq[ue] damnatos distituet in aeternum. Quod Deus flagellet bonos, temporale est: quod parcat malis, itidem temporale est: elige ergo an temporalem mauis laborem, an aeternam punitionem: siue temporalem foelicitatem, an uitam perpetuo duraturam. Didy. Quis tam rationis est inops, ut non quod stabile, perpetuumque bonum est, malit eligere? Sed mi Paraclete, cu[m] te fidum amicorum amicum, et credam, et conspiciam, rursum tibi cordis mei arcanum reserare minime uerebor. Para. Quod obsecro? Didy. Credebam me iam bona fide, ac seruenti desiderio animae, ad Deum formasse, totamqu[e] uita[m] ad meliores subinde mores instituisse, interim aute[m], heu Dei flagella acrius p[rae]sentio, et multum angor, ruboreq[ue] suffundor nimo, ex temerario uulgi iudicio, q[uo]d mihi p[ro]pter peccata mea tot mala accidisse affirmat, et p[ro]clamat. Pa. O Didyme Didyme, nondu[m]

24 ad sobrietatem sapis, unum dicas uelim. Didy. Quid? Para. Tristaris ne ob huiusmodi uulgi susurra? Didy. Vt humanum est. Para. Consolare potius in Domino, sciens eos omnes, qui pie uolunt uiuere in Christo, persecutionem patri. Nec attendas, queso, petulantiis uulgi iudicium, quod ab omnipotentis Dei iudiciis alienum est, & admodum fallax. Ille certe beatus est, qui hic peccata deponit, eorumq[ue] pena[m] patienter luit, probatus q[uo]d emigrat, mundus & insons. Didy. Quid si peccata Deus hic temporaliter puniret, mundus immundus, & in maligno positus, posset ne ante eius iratum conspectum perdurare? Minime estimas scio. Para. Et recte scis. Deus enim idipsum non bis iudicat. Et si Deus hic peccata animaduerteret, in futuro iusticia eius quid esset actura? Quid tu igitur mortaliu[m] iudicia reformidas? Audistin quid Satyricus luserit.

    Ignouisse putas, quia cum tonat, ocius ilex

    Sulphure discutitur sacro, q[uo]d tuq[ue] domusq[ue].

Quicunq[ue] enim de proximi damno laetantur, suum prae foribus esse debent intelligere. Didy. Euax. O plaudite. Iam Dei, & Domini mei, & latus tetigi, & clauorum fixura in ipsis manibus uidi, iam credo, ac diligentem flagellantemq[ue]

me diligo. Etenim meam mutilans ultionem, & tanq[ue] fraeno quodam impetum cohibens, omnia facit, & tractat, tam per suauia, q[uam] per tristia. Sic ab altioribus ad inferiora decursu me deprimens, ad se reducit, & a malitia, quae omni gehenna peior est, clementissime soluit. Iam solatus ergo, et eruditus credo, Corde credo, & ore confiteor, Deum ut patrem

25 clementissimum, pro salute filiorum cuncta regere, moderari, ac permittere. Para. Ergo cum malum locupletari uides, ne titubes: cum bonum mala patientem cernis, ne tumultueris: illic enim poenae, hic coronae. Didy. Nec id quidem silentio pertransibo, quod ex musi olim puer accepi

Insidet instabili fortuna uolubilis orbi,
   Et nigra tectum sindone lumen habet.
Passibus incertis & in haec, & in illa uagatur,
   Nec minimum constans temprois esse potest.
Tam fouet indignos, q[uam] dignos deprimit: errat,
   Non uidet, errorem quo tueatur habet.
Deicit elatos, deiectos tollit in altum:
   Pessima saepe bonis, optima saepe malis

Para. Militantes idcirco, & triumphantes illic coronat: gaudentes autem, & uictos illic Deus reprobat, & depellit. Non enim potest malus, tam malus esse, quin aliquid etiam boni in se habeat: neq[ue] bonus inuenitur, nulla penitus, peccata habens. Quare, cum malus pro speris fruitur, ad capitis sui perniciem id fit, ut paucorum retributionem hic capiens bonorum, illic denique puniatur: bonus autem, hic aduersis premitur, in paucorum uidelicet delictorum poenam, ut demum perpetua consolatione fruatur. Didy. Ideo nullus athleta generosus, in balneo, aut mensa, cibis, uinoq[ue], referta, uires exercet suas, sed in stadio, uel phalange. Para. Probe censes: id enom non athletae, sed deliciosi hominis proprium est. Nam uerus athleta, in puluere, oleo, solis ardore, sudore largo, tribulatione, & angu

26 stia pugnat. Didy. Hoc certe opus certaminis, & pugnae, & ideo uulnerum, cruoris & doloris. Para. Et hanc pugnant ij pugnam, quibus pro minimo est, ut ab humano die iudicentur, quibus huius temprois uexationem, leue onus arbitrantur, bonaq[ue] cuncta reputant, ut stercora. Didy. Et huic, quo q[ui]d sententiae quadrat, quod a sacris sororibus, Phebo sic dicente didicimus.

Ridebat modici cultor Democritus horti,
   Tam bona, q[uam] uolucris tristitia facta Deae,
Mens generosa polos ultra uolat, ultima mundi,
   Transilit, ex ista dicitur orta domo.
Semine coelesti sata mens, coelestia quaerit
   Semina. terrenum cogitat illa nihil.
Haec res humanas pereunti comparat umbrae,
   Et bullae, scopulos, percutientis aquae.
Despicit & scopulos, miseraeq[ue] pericula uitae,
   Pertinuit fati nullius illa minas.
Pendet ab aeterno cunctarum principe rerum,
   Et quoties laedunt infima, summa petit.

Para. Ausculta & tu, quod ex tuo ipsius musaeo depromptum est. Didy. Audiam. Para.

Parce queri, non ergo tibi Fortuna maligna est,
   Si uerso ostendens pectore terga, uenit.

Sperandum est, bona si speras, meliora dabuntur.

Desperet stolidus, qui negat esse Deum.

Plura pro tui consolatione, atq[ue] adhortatione, mi Didyme proferrem, ni tempus nos ad alia rei familiaris negocia reuocaret. Didy. Sed non ante abeun

27 dum, q[uam] Deum in auxilium imploremus. Para. Potissimum est, dicamus.

Vt fretum nautas tumidum profundit,
 Heu graues casus Borea minante,
 Equor inconstans tremula carinas
  Obruit unda.
Pyrrhus hoc sensi properans Tarentum
 Proximis credens dare opem periclis.
 Quae fides uelis sit habenda certa,
  Syderibusque.
Sensit insani maris ipse Vlisses
 Impetum, Troia rediens, uagansq[ue],
 Dum per anfractus socios reliquit
  Naufraga puppis.
Haud secus nudi, fragiles egeni,
 Fluctibus nati quatimur marinis,
 Scilicet mundi patimur maligni.
  Dira flagella.
In quibus semper, Deus o precemur
Fac tui uincant mala cuncta, tandem
 Fac triumphales mereantur omnes
  Ferre coronas.

28 *[Im Anschluß folgt das Gedicht über den 1540 abgebrannten Turm von St. Leonhard. Gedruckt in Anhang 4.1, § 166]*

Auguste Vindelicorum excudebat Henricus Stayner
Anno M.D. XLIIII.

4.3 Visitationsbericht Generalabt Nicolaus I. Boucherats an Herzog Albrecht V.

Generalabt Nicolaus I. Boucherat sandte an Herzog Albrecht V. einen Bericht über die Visitation, die er in den herzoglich bayerischen Zisterzienserklöstern abgehalten hatte; der in der handschriftlichen Quelle (BHStAM. KBÄA 4080, foll. 18r–20v) undatierte Text stammt vom 17. September 1573. Die Textgestalt wurde möglichst getreu der Handschrift angeglichen.

fol. Serenissime Dux,
18r

Dei celsissimi gratia, et favore, & auxilio. S. sere.^me cel.^dinis fietur. ego visitaui omnia monasteria nostri ordinis Cisterciensis in eius ducatu Bauariae sita, quae sunt numero septem, quinquie videlicet virorum, et duo mulierum, quorum statum illi breviter expona[nt].

Primum visitavi monasterium de campo Principum, in quo reperi decem et octo monachos professos, quorum tres resident extra monasterium unus videlicet in parochia, et alii duo in sacello Sancti Leonardi. Abbas est vir satis bonus, et simplex ac religiosus, neque omnino indoctus, sed pusiliaminis, et remissus in coercendis et repuimendis suis monachis. Est eorundem delictis coeripendis; monitus tamen a me promisit se in futurum seuere animadverturum in definguentes, et transgressores constituonum reformationis quod etiam spero ipsum facturum. Multa deerat in eorum monasterio quae spectant ad disciplinam monasticam, et regularem obseruentiam, sed reliqui constitutiones aliquot pro ipsis in praefato monasterio restituendis, quas ipsi monachi polliciti sunt exequi. Et utinam stent pollicitis.

Secundum visitavi monasterium Rayttenhaslach in quo sunt duodecim monachi expressi professi, septem scilicet sacerdotes, & quinque non sacerdotes: Sed ex sacerdotibus quinque resident extra monasterium in parochiis, adeo quot sunt tantum duo sacerdotes in monasterio residentes. Et sic non celebratur quotidie nisi una missa. Et in hoc S. Sere.^ma Cel.^do maximum recipit damnum spirituale, quoniam ex primaria singulos monasteriorum ordinis nostri fundatione, atque institutione tenentur abbates, et monachi celebrare singulis diebus tres missas, videlicet conventualem in choro, quam summum officium in Germania vocat; Conventualis autem dicta est propterea quod totus conuentus eidem missae debet interesse; Et alias duas privatas unam de beata Virgine Maria, et alteram pro defunctis, Et hoc pro remedio animarum fundatoris, et suorum successorum. Hoc monasterium fuit aliquando, atque etiam autem aliquot annos

18v reformatissimum; Quod ex eo coniicere licet, quod predecessoris mei semper dederunt commissiones visitandi monasterium monialium in suburbio Lanndshuti· abbatibus de Rayttenhaslach istud etiam apparet ex multis Libros quos ego comperi in eodem monasterio. Quinetiam abbas dixit mihi se in illo vidisse trigin tos monachos. Abbas iste est omnino ignarus, sed simplex, dorilis, & bone voluntatis, habet pravos monachos, rebelles, inobedientes, qui relicto regulario sui ordinis, & sanctissimi patris nostri Bernhardi habitu, peregrino

utandum; adeo ut relictis tunicis, albis vestantur, nigris neque caputium defe-
riant: Et tantum abest ut velut vitam mutare. Quod dixerint se quidem me pre-
sentes constitutiones meas executioni demandaturos, ubi vero a provincia Bavariae discessero, se nihil monino facturos, sed Abbas promisit mihi se ad execu-
tionem praefuturum constitutionum illos coacturum. Et credo quod faciet, quod
in se est, sed sine auxilio S. ser.^{me} Celsi.^{mis} nihil poterit.

Tertium a me visitatum monasterium est Alderspacense, Cuius Abbas est
egregius architectus, Bonus oeconomus, Et ut ferunt, magnus astronomus, sed
parum religiosus, parumque devotus, et qui nullam habet curiam cultis divini,
et officii. – Ipse construxit permagnificos aedes abbatiales vel monasteriales.
Humiles vel saltem mediocres construendae erant. Et cum illis templa dei unia
aedificanda citius quam tam superbam aedificare, et non habere monachorum
sufficientem numerum Deo dii & noctu inseruientium. Poterat enim congregare
triginta monachos et euocare praeceptores tam philosophos quam theologos, Et
illos curare eruditis in bonis Literis, & moribus, sed hoc neglecto ac reliquis,
quae ad cultum divinum pertinent, ad nihil aliud animum intendit nisi ad aedifi-
cationem praefatarum aedium, et ipse quidem interim quinque tantum habet
monachos, quorum duo sunt sacerdotes, et alii tres non sacerdotes. Adeo quod
unica

19r tantum quottidie in eo monasterio potest celebrari missa. Et utinam fiat. Hoc
tamen scio quod nullae preces dicuntur matutinae. Nullum in ecclesia ipsius
monasterii est sacrarium siue ciborium in quo reseruantur hostiae consecratae
pro viatico. Abbas autem excusat se quod iusserit defectum ciborium in ecclesiam parochialem extra monasterium interim dum reparetur ecclesia, sed a duobus annis perfectus est chorus ecclesiae, et sic poterat referiri dictum Ciborium,
et propterea non valet huiusmodi excusatio, praesentim cum posset praefatum
ciborium reponi in quodam sacello quousque esset reparatus chorus. Sed ego credo quod non reperietur quod delatum fuerit ad parochiam. Praeterea in eadem
ecclesia nullum est altare paratum pro augustissimo missae sacrificio celebran-
do praeter summum altare. At mappe super illud superpositae sunt adeo sordide,
quod Abbas dedignaretur cum illis (quod cum reuerentia dixerim) non modo os,
sed etiam manus detergere. Et quo mihi maximam dedit suspicionem, quod ipse
sit haereticus, est quod ante quinque annos cum fieret visitatio authoritate sue
sere.^{me} cel.^{nis} in eius bibliotheca inuenti sunt libri Lutherani, & haeretici per
R.^{du} decanum Sancti Martini Landshuti. Aliud est quod a duobus annis non cele-
bravit missa. Si dignetur sua Sere.^{ma} cel.^{do} vocare ad se fratrem Mathias monachum de campo principum plura dicet de statu eius monasterii, quoniam dictus
frater Matthias moratus est in illo monasterio per biennium. Idem abbas se excusat quod non potest inuenire adolescentes, qui velint esse monachos. Sed certum
est quo etiam non potest inuenire, quia non vult. Nam omnes abbates qui sunt
bonae voluntatis sue sere.^{me} celsi.^{nis} plures reperiunt adolescentes qui volunt
profiteri religionem, quam possint recipere, vel alere. Ego precipi illi, ut decem
reciperet infra annum sub poena depositionis, et ad hoc mihi videtur modis
omnibus cogeretur, alioqui censabit in illo monasterio diuinum officium.

19v Quartum monasterium quod visitavi est de cella principum. Quod est pene
totum ruinosum. Huius administrator est indoctus, sed vir simplex et ut opinor
bonus, & prudens dispensator; habet quatuor monachos, quorum tres sunt sacer-

dotes, & unum non sacerdos. Ex sacerdotibus duo loquuntur ut cumque facint, sed apud illos nulla regularis obseruatur, neque monastica disciplina et de ceremoniis ordinis nulla etiam apud eos cognitio. Ego monui illos, & verbo, & scripto, Et ipsi promiserunt, quod iussi, obseruare, Et administrator pollicitus est quoque eos ad id compellere.

Quintum monasterium est cella Dei. Cuius administrator est vir satis doctus, prudens, & sagax. Et qui iam coepit restituere disciplinam monasticam in eo monasterio. multa sui praedecessores debita persoluit, qui ingressus est . Monasterium unum tantum reperit monachum, nunc autem habet quatuor. Monasterium est pauper, potest tamen alere decem monachos. Et ut tot acciperet praecepi; Ac ipse promisit non modum se hoc facturum sed etiam reliquas nostras constitutiones adimpleturum.

Superest Serenissime dux, ut cum bona uenia S. Ser.^me cel.^mis unum illi dicam: Hoc enim ut dicam & conscientia & iniunctum mihi officium pastorale cogunt: Illud autem quod est in monasteriis de cella principum et de cella Dei nulla est legitima potestas spiritualis et ecclesiastica, quoniam electus non confirmatus nullam habet potestatem uel absoluendi in foro conscientiae uel exercitandi, uel etiam sacramenta administrandi. Nam electio nullam dat authoritatem et iurisdictionem electo, sed quicquid iurisdictionis, & authoritatis potest habere electus Abbas accipit a superiori confirmante, qui electionem confirmando electum pariter instituit Abbate, et ei dat omnem authoritatem et iurisdictionem ad dignitatem abbatialem

20r pertinentem. Adeo quod si electus non confirmatus est iurisdictionem spiritualem exercet, secundum sacros canones est intrusus, & ipso facto excommunicatus, atque inhabilis ad quaecumque officia ecclesiastica. Quid administratori possit dispensare, et administrare bona temporalia monasterii potest quidem, sed tamen non quatenus electus non confirmatus nam si sit etiam esset intrusus; Sed quatenus a sua sere.^ma celsi^ne deputatus administrator: Nam vacante monasterio potest ipsa deputare, administratione qui curet, & dispenset bona monasterii temporalia qui ad usque fuerit ni eo Abbas legitime institurus ne monasterium ducante vacantive in temporalibus acciperet detrimentum. Sed non potest electus aut quiuis alius accipere potestatem spiritualem nisi a magistratu ecclesiastico unde evenit quod administrator de cella dei non parium commisit errorem. Nam recepit tres nouitios ad professionem, et eosdem benedixit et consecravit. Et tamen electus abbas confirmatus non tamen consecratus non potest benedicere, & consecrare nouitios, neque eos ad professionem recipere; tantominus electus neque confirmatus neque consecratus est & alius quod sequitur, quando fuit electus in abbatem administrator de cella principum, non fuit vocatus abbas alterspacensis qui est pater visitator immediatus dicti monasterii, et tamen debuit vocari, ut praeesset electioni. Nam vacante quocumque monasterio ex decreto Benedictine et aliis constitutionibus apostolicis primus et visitator immediatus eiusdem monasterii debet vocari ut praesit electioni futuri abbatis, ut quem legitime electum confirmet, & in possessionem inducat. Alioqui eligentes sunt ipso facto excommunicati & priuati pro hac vice, potestate eligendi tam actiuem quam passivem. Est provisio de futuro abbate spectant pro eadem vicem ad superiorem et propterea melius esset mea quidem sententia, ut vacantibus monasteriis vocarentur patres & visitatores monasteriorum vacantum, ut praeessent electionem et electi statim ab illis confirmarentur, ac in possessionem inducerentur. Neque tamen possum nisi laudare piam s. sere.^{me} celsi.^{nis} intentionem qui administratores deputat vacantibus monasteriis, ut praebet si facti Abbates erint fideles, et prudentes dispensatores. Sed tam facile est priuare

20v abbatem dignitate abbatiali propter malam administrationem quam administratorem remouere ab administratione propter eamdem causam: Quoniam mala administratio secundum Benedictinam est unus ex causibus propter quos abbates possent deponi. Et praeterea certum est administratores semper fore nimium indulgentes et remissos in corripiendis monachorum suorum definctis. Nam timent ne a suis monachis deferantur, et sic priventur administratione. Quamobrem conuinent monachorum erroribus, & delictis. Caeterum facile erit in ducatu S. Sere.^{me} Celsi.^{nis} supradicta exsequi quoniam Alderspacensis abbas est pater visitatori immediatus de campo principum, de cella principi, & de cella Dei qui his monasteriis vacantibus praesto aderit, ut electionem futuri abbatis praesit, et eamdem confirmet. Superior autem, & visitator immeditaus monasterii de alderspaco est abbas monasterii Eberacensi in Herbipolensis dioecesie non multum distans a Norimberga, et visitator monasterii de Rayttenhaslach est abbas in salem, quit ut vocat fuerint subito venient, vel mittent vicariatum alicui Abbati Bauariae; Et sic patres legitime vocati per istium in onile ingrederentur, et abbates legitime instituentur secundum apostolicas sanctiones, et secundum nostrum ordinis Cisterciensis iura & privilegia, quae omnia confirmata sunt per sacrum concilium Tridentinum sessione vicesima quinta capite 20. quod incipit Abbates qui sunt ordinum capita. Rego cum ea, qua decet humilitate ut sua serenissima ceslitudo aequi bonique consulat, si haec illi libere & ingenue exposuerim: Hoc enim feci pro exoneratione conscientiae meae, & animae mihi commissare salute.

N Boucherat Abbas cistercii generalis.

4.4 Reisebericht zum Generalkapitel 1601

Johannes Dietmair, Abt von Aldersbach, reiste zum Generalkapitel 1601 und hinterließ hiervon einen ausführlichen Bericht. Darin formulierte er die verbreiteten Vorbehalte gegen die Generalkapitel und ihre Umstände, welche mehr Lasten und Gefahren als Nutzen brächten. BHStAM. Aldersbach Archiv Schublade 105, fasc. 15, prod. 1.

Ursachen dadurch man sich in Bayern entschuldigen mögt, hinfüran nit so offt ins Capittll gehn Cisterz zu reisen
1° Ist der weg wait, verursacht grossen Uncosten, sein der Closter zu Contribuirn wenig und gegen andern Clöstern eines kleines einkommens.
2° Wan man schon hienein kombt, so muß alles ubereilt, und kan in 3 oder 4 tagen nit vill gericht werden, der Mühe kaum werth.
3° Sein der Teutschen wenig gegen der frantzosen und darumb ihr Vota ring. geschweigen ds selten ein quaestion generaliter durch die vota herumb gehet, man inserirt oft frantzosische wort ein, und wirt den mehrern theill mit frantzosen beschlossen, und oft das man nit waiß was. etc
4° Es erscheinen und kommen souiell Abbates alß sein kan ex omni terra, so werden allain ad quinqm primos Gallos Viginti ad definitorium gelassen, die anderen all haben gar kain stim, und richten darumb die ubrige Abbates, sowoll die Priores und die andern gesanten, eben souiell als ein Bott, der brief hinein gibt und wider antwort herauß nimbt.
5° Wie woll erfahrens, so haben die Germani bei Vilen ein schlechten respect
6° Graui scandalizantur Germanii, welche heraussen Vill von Cisterz hören und halten ./.

In definitorio ipso ist proxime kain grauiter nach ordnung gehalten worden, noch respect gegen den Obristen etc.
In Capitulo were vonnotten, das die Abbates et religiosi Platz geben den Leishen die begeren Beim anfang und End zu sein alles zu hörn und zu wissen, alß auch in Vor der Kirchen.
Propterea libentissime scirem quomodo Carthusiani, Franciscani, Patres Societatis Iesu und andere ihr Capitula hielten, Ob auch stäts under ihnen souiell Laici weren, Und ohn Underschidt in ställen, in Cämern, in Capitulo und refectorio zugelassen würden. Nobis accidit, das der Knecht woll in einer stunt kein stall bekommen mögen, sonder auf dem Hof mit den Roßen halten müssen. Wan procurator Zu Rom mir nit aus seinem Peth gewichen, und bei seinem Capellan gelegen, so hett ich kain herberg bekommen, sonder waiß nit wo in einem Winckell liegen müssen.
Auß dem grossen refectorio haben Unser 8 Germani non sine magna confusione Vom Essen gehen müssen, das wier nit zusitzen bekhommen mögen. Ego & quatour ex Francia Orientalis & alii tres haben gleichwoll extra kain mangll gelitten. Aber was fur ein ordnung uel confusio Vorhanden, das erkennt man dadurch.
In summa qui plus potest plus facit. Man mueß die teutsche hofzucht ablegen, flux zur sachen thon, Schembt sich kainer expertum e quod habeant. Religiosi Cistercii propria pecunias & quod parum obseruent silentium. etc.

Wan man aber Noch einmall schicken müßet, so khönt Einer nach dieser folgenden
Zettl und beschreibung den weg fur sich nemmen. /.
Erstlichen auf Munchen, von Munchen gehn Furstenfelt 4. stund. Danach fortahn
gehn Landtsperg 5. stunt. Widergelting ein dorf 3. stunt. Sunthaim ein dorf 5. Stunt.
Von dannen wan man will, gehn Itenpeirn ein schön Closter 2. stunt. Von dannen fur
Memmingen auf Wurtza ein statlen mit 6 ½ stunt, alßdan gen Waingarten ain statlich
Closter und Marcht darbei in 4 ½ stund. Darnach gehn Salem Unsers Ordens Closters
6 ½ stund. Von Salem fur Vberling ain reichstat uber den Podense, auf Zell am Vnder-
se ain stat, alles bei 8 stunt.
Diß der Nähent nach, sonst mag man Zihen auf Costnitz und darnach den Rhain ab
auf Schafhausen.
Von Zell gehn Schafhausen ein stat 5. stunt Von dannen gehn Dinngen ein stat 6.
stunt. gehn haufenburg ein stat 4 ½ stunt. gehn Rainfelden ein stat 4 stunt. gehn
Basell ein stat uber 2 stunt. Nota. Von Basell mögt man ein wenig abwegs zihen auf
Lutzell Unsres Ordens ein Closter und darnach auf Lantrut. Den sonsten Von Basell
recta via auf ein dorf so Vltring haißt in 3 ½ stunt Zu Mittag, und darnach in 5. stunt
gehn Lantrut ain stat, darin der Bischof Von Basell haußt, Und anfangt frantzosisch
reden, alda sein auch Patres Jesuitae, bei denen mögt einer ein gutten man erfragen,
der baide Sprach khönt, und einen den weg hinein auf Diuion wiste Und dolmetscht
etc. desgleichen weill Uonnotten wegen des gellts, das sich oft Vrändert Vnd Zerung
od rechnung der betrogenen frantzosischen wirth.
Von Lantrut auf Ponteroy ain dorf in 5 stunt. darnach auf Vewa ein stath 4 ½ stunt.
gehn käm ein stat 3 stunt. gehn Lisantz ein stat 6 stunt. gehn Orphan ain dorf 5 stunt.
gehn Dola ein stat 3 ½ stunt. gehn Aron ein stat 3 stunt. gehn Diuion ein stat in 6
stunten. gehn Cisterz bei 4 stunten. Also sein wir beilaufig nach Unsrer Uhr geritten.
am Herauß Ziehen etwan geschwindter, etwan Lengern.

Nota. Wan ich noch einmall hinein raisen solt, so wolt ich mich dermassen Verspat-
ten, das ich weder gehn Aron noch Diuion am hienein reisen khäme, sondern wolt
von Dola auß recta via fur ein statlen S. Johannes auf Cisterz zu zichen, also das ich
am Montags morgen Umb 7 Uhr Vor andren ins Closter ankhäme. Dises tauget zu
sparung der Zerung, zu bessrer Underkhommung in Zimmern und Ställ, Und das sich
einer Under den Frantzosen nit schir Zu todt ritte. /.

Am Mitwoch oder Pfinztag nach dem Mittagessen bricht man wider mit gemainem
haufen auf, Undt raißt gehn Diuion da beschleußt man erst das Capittll gar. Welt ich
auch nit mit dem gantzen haufen reitten, sonder vernacher Zihen Und mir woll der-
waill nemmen. Aber dannoch ein herberg bestellen lassen, man khombt frue genug.
hett ich ds gethon Anno 1601 so were mein gaull nit umbgefallen.

Nota. Item man will, mag man im heraussen Zihen, Vom Stätll Pteroa woll nit auf
Lantrut raisen sondern auf Mempffgart Und danach auf Basell, ist Lustiger, besserer
Und Näherer weg, ist woll Caluinisch alda, aber Unangesehen were des habitum
getragen, ist Uns Umb Unser gelt alle Ehr erzaigt worden, bei der Nacht kan man
auch den Mehrer thaill in stätten ligenm die Mittag reisen waitter oder Nähere
anstellen.
Man sehe woll auf das gelt, wirt oft Verandert, Und nimbts danach nit mehr, darumb
behalt kainer zuuiell, oder kainers ein Wexl.

[Nachschrift mit Dietmairs Hand]
Haec Abbas Joannes Dietmair propria consignavit manu.

Quellen und Literatur

Ungedruckte Quellen

Bayerische Staatsbibliothek München (BStB)

1. Codex latinus monacensis (Clm):
   1057 1772 2691 2874 6914 6915 6942
   6969 7070 7080 7081 7144 7685
   18148 23932 27332 27420 27422
   27507

2. Codex germanicus monacensis
   (Cgm): 1771 2267 3920 4304

3. Weitere
   Cbm cat. 3
   4° Cod. ms. 177
   4° Ph. sp. 214 (10m)
   2 Geneal. 84c (4
   Bavar. 3000 XII 15 3000 XII 17
   4° Bavar. 1190

Bayerisches Hauptstaatsarchiv München (BHStAM)

1. Kurbaiern Äußeres Archiv (KBÄA)
   4080 4095 4096 4100 4106 4228

2. Kurbaiern Urkunden (Kurbaiern U)
   36 418 423 425 12965 12985 12987
   13747 20541

3. Kurbaiern Geistlicher Rat (KBGR)
   1 3 5 13 15 16 17 18 19 29 34

4. Plansammlung (Pls)
   609a 609b 19389

5. Klosterurkunden Fürstenfeld
   (KU Fürstenfeld)
   2/2 2/3 3 3/1 4 7 9 12 13 22/1 107a 140/1

157a 203 225 241 253 266 288 361 426
438 579/1 589 616 621 661 664 668 752
755 774 841 1001 1017 1084 1269 1362
1500/2 1510 1511 1514 1524 1527 1528
1540 1541 1542 1543 1545 1547 1554
1559 1562 1583 1584 1590 1594 1598
1601 1602 1608 1610 1612 1613 1616
1631 1633 1634 1636 1638 1639 1649
1652 1653 1660 1672 1687 1696 1698/1
1698 1709 1722 1729 1731 1734 1739
1753 1755 1763 1769 1770 1785 1793
1800 1801 1815 1816 1828 1835 1842
1843 1844 1846 1859 1891 1909 1942
1996 2007 2018 2035 2040 2042 2044
2049 2050 2051 2056 2057 2059 2060
2062/1 2064 2067 2068 2069 2070 2071
2080 2082 2092 2102 2105/1 2107 2108
2115 2119 2121 2127 2130 2133 2136
2142 2146 2147 2149 2157 2158 2160
2167 2170 2171 2184 2194 2212 2220
2221 2224 2225 2228 2232 2238 2255
2258 2270 2271 2272 2274 2276 2277
2282 2284 2285 2287 2288 2289 2293
2294 2295 2296 2297 2298 2300 2301
2302 2303 2304 2307 2318 2323 2325
2326 2327 2330 2333 2335 2336 2337
2339 2343 2346 2349 2352 2353 2355
2356 2360 2361 2365 2367 2369 2372
2377 2379 2381 2383 2386 2388 2445
2449 2454 2460 2481 2515 2522 2551
2653
1312 Juli 9 1315 Februar 22 1315 März 9
1330 Oktober 4 1332 Mai 17 1367 Januar 5
1395 Juni 18 1425 Oktober 5 1472 April
27 1475 Februar 10 1577 März 20

6. Klosterliteralien Fürstenfeld
(KL Fürstenfeld)
1 2 ½ 3h 6 7 8 9 17 18 19 55 ½ 56 70
181 ½ 182 ½ 185 ½ 187 199 202 204 ½
210 ½ 210 1/3 216 ½ 216 1/2a 216 1/3
217 ½ 217 1/6 221 1/5 224 225 ½ 261 1/
12a 317 1/8 317 1/10 317 1/11 317 1/84
317 1/85 317 1/86 317 1/87 317 1/88 317
1/90 318 318 ½ 320 321 322 330 330 ½
331 ½ 334 334a 334c 362 364 369 373
380 381 388 389 392 393 396 407 494
532 536 546 582 588 592 593 601

7. Klosterliteralien Aldersbach
(KL Aldersbach)
12 72a 73 64 74

8. Klosterurkunden Aldersbach
(KU Aldersbach)
1198 1204 1269 1290 1291 1444 1453
1454 1466 1495 1517 1519

9. Aldersbach Archiv Schublade
[vorläufige Signatur]
104 (fasc. 8/I 8/II) 105 (fasc. 1 3 4 7/I 7/II
8 10 11 15 16 17 18) 107 (fasc. 1 2 3 4 5 6
20)

10. Aldersbach Registratur Schublade
[vorläufige Signatur]
161 (fasc. 9 10)

11. Klosterliteralien Raitenhaslach
(KL Raitenhaslach)
112 141 142

12. Klosterurkunden Raitenhaslach
(KU Raitenhaslach)
892 903 908 913 921 932 961 962 969
971 1070 1080 1092

13. Klosterliteralien Thierhaupten
(KL Thierhaupten)
126 1/3

14. Allgemeine Klosterliteralien
(KL Fasc.)
228/2 228/4 229/6$^{1/3}$ 230/7 233/21 239/
51 957/60

*Archiv des Erzbistums München und
Freising (AEM)*

Sitzungsprotokolle des Bischöflichen
Geistlichen Rates (GR. PR.)
13 31 32 61

Gedruckte Quellen und Literatur

Abele, Thomas: Die Erteilung der Subdiakonats- und Diakonatsweihen durch den Abt von Cîteaux und die Primaräbte, in: CC 37 (1925) 169–171.

Albrecht, Dieter: Bayern und die Gegenreformation, in: Hubert Glaser (Hrg.), Um Glauben und Reich. Kurfürst Maximilian I. Beiträge zur Bayerischen Geschichte und Kunst 1573–1651 (= Wittelsbach und Bayern II/1), München-Zürich 1980, 13–23.

1250 Jahre Aldersbach, Festschrift zur zwölfhundertfünfzig Jahrfeier von Aldersbach 735–1985, Aldersbach 1985.

850 Jahre Kloster Aldersbach, 1146–1996, Festschrift zur Feier der 850. Wiederkehr des Gründungstages des Zisterzienserklosters Aldersbach am 2. Juli 1996, Aldersbach 1996.

Andechs. Der Schatz vom Heiligen Berg Andechs. Erschienen zur Ausstellung im Bayerischen Nationalmuseum München. 12. Mai–15. Oktober 1967, München-Andechs 1967.

Andritsch, Johann: Die Matrikel der Universität Graz (= Publikationen aus dem Archiv der Universität Graz 6), Graz 1980.

Anneser, Max: Sainbach, Ainertshofen, Ried und Arnhofen, in: Wilhelm Liebhart (Hrg.): Inchenhofen. Wallfahrt, Zisterzienser und Markt, Sigmaringen 1992, 555 bis 586.

Aumiller, August: Kirche und Kloster Fürstenfeld. Zur Jahrhundertfeier der Erhebung der ehemaligen Klosterkirche zur Königlichen Hofkirche 13.–15. August 1916, München 1916.

Bartmann, Roland: Emmering. Pfarrei und Pfarrkirche St. Johannes der Täufer, Emmering 1978.

Bauer, Otto (Hrg.): Chronik von Fürstenfeldbruck von Jakob Groß bis 1878, Fürstenfeldbruck 1984.

Bauerreiss, Romuald: Kirchengeschichte Bayerns, V. Das fünfzehnte Jahrhundert, St. Ottilien 1955; VI. Das sechzehnte Jahrhundert, Augsburg 1965.

Bezold, Gustav von; Riehl, Berthold (Bearb.): Die Kunstdenkmale des Regierungsbezirkes Oberbayern.
I: Stadt und Bezirksamt Ingolstadt. Bezirksämter Pfaffenhofen. Schrobenhausen. Aichach. Friedberg. Dachau, (München 1895) Nachdruck München-Wien 1982.
II: Stadt und Bezirksamt Freising. Bezirksamt Bruck. Stadt und Bezirksamt Landsberg. Bezirksämter Schongau. Garmisch. Tölz, (München 1895) Nachdruck München-Wien 1982.
V: Bezirksamt Ebersberg. Bezirksamt Miesbach. Stadt und Bezirksamt Rosenheim, (München 1902) Nachdruck München-Wien 1982.

Bickel, Ilse: Die Bedeutung der süddeutschen Zisterzienserbauten, München 1956.

Bigelmair, Andreas: Zur Geschichte der Gegenreformation in Süddeutschland, in: ZBLG 13 (1941/1942) 101–111.

Boehm, Laetitia; Müller, Winfried u. a. (Hrg.): Biographisches Lexikon der Ludwig-Maximilians-Universität München I: Ingolstadt-Landshut 1472–1826 (= Ludovico Maximilianea. Universität Ingolstadt-Landshut-München. Forschungen und Quellen 18), Berlin 1998.

Böhne, Clemens: Die Legendenbildung um den Tod der Maria von Brabant, in: Amperland 5 (1969) 53–55.

Ders.: Das Grabmal Herzog Ludwigs des Strengen in der Fürstenfelder Klosterkirche, in: Amperland 2 (1966) 36–37; 10 (1974) 456–458.

Ders.: Das Siechenhaus St. Wolfgang bei Fürstenfeld, in: Amperland 5 (1969) 17–19.

Ders.: Das frühgotische Kloster in Fürstenfeld, in: Amperland 10 (1974) 427–432.

Ders.: Die gotische Madonnenstatue von Fürstenfeld, in: Amperland 12 (1976) 148 bis 150.

Ders.: Die Geschichte der Brucker Apotheke, in: Amperland 12 (1976) 177–179.

Ders.: Die Bibliothek des Klosters Fürstenfeld, in: Amperland 4 (1968) 14–16, 33–35.

Ders.: Das Kloster Fürstenfeld in spätgotischer Zeit, in: Amperland 13 (1977) 269 bis 273.

Bosl, Karl: Die Geschichte der Repräsentation in Bayern. Landständische Bewegung, Landständische Verfassung, Landesausschuß und altständische Gesellschaft, München 1974.

Conciliorum Oecumenicorum Decreta, hrg. von Joseph Alberigo u. a., Bologna ³1973 [= COD].

Dafelmair, Elisabeth: Die Mirakelbücher, in: Wilhelm Liebhart (Hrg.): Inchenhofen. Wallfahrt, Zisterzienser und Markt, Sigmaringen 1992, 65–82.

Dammertz, Viktor: Das Verfassungsrecht der benediktinischen Mönchskongregationen in Geschichte und Gegenwart (= Kirchengeschichtliche Quellen und Studien; 6), St. Ottilien 1963.

Deisböck, Joseph: Das Kloster Fürstenfeld, historisch, statistisch und topographisch beschrieben, in: Heinrich Joachim Jaeck (Hrg.): Gallerie der vorzüglichsten Klöster Deutschlands, historisch, statistisch und topographisch von Vielen beschrieben, Bd. 1, Abt. 1, Nürnberg 1831.

Denzler, Georg: Kardinal Guglielmo Sirleto (1514–1585). Leben und Werk. Ein Beitrag zur nachtridentinischen Reform (= Münchener Theologische Studien I. Historische Abteilung; XVII), München 1964.

Deutinger, Martin: Die älteren Matrikeln des Bisthums Freysing III, München 1850.

Dietrich, Adolf: Cistercienser an der Universität Dillingen, in: CC 45 (1933) 129–132.

Doeberl, Michael: Entwickelungsgeschichte Bayerns I. Von den ältesten Zeiten bis zum Westfälischen Frieden, München ²1908.

Dolberg, Ludwig: Die Cistercienser beim Mahle. Servitien und Pitantien, in: StMBO 17 (1896) 609–629.

Ders.: Die Cistercienser-Mönche und Conversen als Landwirte und Arbeiter, in: StMBO 13 (1892) 216–228, 360–367, 503–512.

Duhr, Bernhard: Geschichte der Jesuiten in den Ländern deutscher Zunge, 4 Bde., Freiburg/Br. 1907–1928.

Dünninger, Josef: Das Viehhelferpatronat des hl. Leonhard, in: MThZ 1/3 (1950) 51 bis 54.

Ebersberger, Roswitha: Das Freisinger Domkapitel im Zeitalter der Glaubenskämpfe, in: Georg Schwaiger (Hrg.), Das Bistum Freising in der Neuzeit (= Geschichte des Erzbistums München und Freising; II), München 1989, 153–211.

Edigna zu Puch, hrg. vom Edigna-Verein Puch e. V., Fürstenfeldbruck-Puch 1989.

Ehrmann, Angelika; Pfister, Peter; Wollenberg, Klaus (Hrg.): In Tal und Einsamkeit. 725 Jahre Kloster Fürstenfeld. Die Zisterzienser im alten Bayern, I. Katalog, München 1988; II. Aufsätze, München 1988 [= TE I, TE II].

Ehrmann, Angelika: Das gotische Kloster Fürstenfeld, in: dies./Peter Pfister/Klaus Wollenberg (Hrg.): In Tal und Einsamkeit. 725 Jahre Kloster Fürstenfeld. Die Zisterzienser im alten Bayern, München 1988, II 165–190.

Eicheler, Idesbald: Die Kongregationen des Zisterzienserordens, in: StMBO 49 (1931) 55–91, 188–227, 308–340.

Elm, Kaspar: Reformbemühungen und Reformen im Zisterzienserorden, in: Hermann Nehlsen; Klaus Wollenberg (Hrg.), Zisterzienser zwischen Zentralisierung und Regionalisierung. 400 Jahre Fürstenfelder Äbtetreffen. Fürstenfelder Reformstatuten von 1595–1995, Frankfurt-Berlin-New York 1998, 71–87.

1250 Jahre Emmering, 740–1990, Emmering 1990.

Ferchl, Georg: Bayerische Behörden und Beamte 1550–1804, in: OA 53 (1908) 1–914.

Fiala, Virgil: Humanistische Frömmigkeit in der Abtei Neresheim, in: StMBO 86 (1975) 109–129.

Fischer, Joseph Anton: Über die Anfänge der Fronleichnamsfeier im alten Bistum Freising, in: Adolph Wilhelm Ziegler (Hrg.): Festgabe zum Eucharistischen Weltkongreß 1960 (= BzAbKG 21/3 [1960]), München 1960, 72–88.

Frech, Walter: Das Beichtrecht im Zisterzienserorden, in: AC 20 (1964) 3–48.

Fried, Pankraz: Die Landgerichte Dachau und Kranzberg, HAB Altbayern, Heft 11/12, München 1958.

Fried, Pankraz; Hiereth, Sebastian: Landgericht Landsberg und Pfleggericht Rauhenlechsberg, HAB Altbayern, Heft 22, München 1971.

Fugger, Eberhard von: Kloster Fürstenfeld, eine Wittelsbacher Stiftung und deren Schicksale von 1258–1803, München 1884.

Führer, Thomas: 500 Jahre St. Willibald in Jesenwang (1478–1978), in: Amperland 14 (1978) 354–356.

Geiss, Ernest: Heinrich Bischof zu Kiew und die Wallfahrt St. Leonhard in Inchenhofen, Gerichts Aichach, in: OA 21 (1859–1861) 76–96.

Gloning, Marian: Verzeichnis der deutschen Zisterzienserabteien und Priorate, in: StMBO 36 (1915) 1–42.

Ders.: Die Gründung des Klosters Fürstenfeld. Ein Beitrag zur legendären Geschichtsschreibung, in: StMBO 32 (1911) 132–139.

Grabmann, Martin: Bernhard von Waging († 1472), Prior von Tegernsee, ein bayrischer Benediktinermystiker des 15. Jahrhunderts, in: StMBO 60 (1946) 82–98.

Greindl, Gabriele: Untersuchungen zur bayerischen Ständeversammlung im 16. Jahrhundert. Organisation, Aufgaben und die Rolle der adeligen Korporation (= Miscellanea Bavarica Monacensia; 121), München 1983.

Greipl, Egon Johannes: Jahre der Krise: Fürstenfeld im Zeitalter der Glaubenskämpfe (1500–1650), in: Angelika Ehrmann; Peter Pfister; Klaus Wollenberg (Hrg.): In Tal und Einsamkeit. 725 Jahre Kloster Fürstenfeld. Die Zisterzienser im alten Bayern, München 1988, II 91–108.

Haertl, Michael: Zur Geschichte des Klosters Aldersbach, in: VHVN 15 (1870) 85 bis 104.

Hanke, Gerhard: Die landesherrliche Jagd im Amperland in der ersten Hälfte des 17. Jahrhunderts, in: Amperland 31 (1995) 100–110.

Hartig, Michael: Die niederbayerischen Stifte. Mächtige Förderer deutscher Kunst, München 1939.

Ders.: Die Annales ecclesiae Alderspacensis des Abtes Wolfgang Marius (1514–1544), in: VHVN 42 (1906) 1–112; 43 (1907) 1–113.

Hausberger, Karl: Die kirchlichen Träger der Katholischen Reform in Bayern, in: Hubert Glaser (Hrg.): Um Glauben und Reich. Kurfürst Maximilian I. Beiträge zur Bayerischen Geschichte und Kunst 1573–1651 (= Wittelsbach und Bayern II/1), München-Zürich 1980, 115–124.

Hegglin, Benno: Der Benediktinische Abt in rechtsgeschichtlicher Entwicklung und geltendem Kirchenrecht (= Kirchengeschichtliche Quellen und Studien; 5), St. Ottilien 1961.

Heindl, Emmeram: Schloß Ried am Ammersee, Dießen 1910.

Heutger, Nicolaus: Zisterzienserklöster in der Zeit der Reformation, in: Kaspar Elm; Hermann Joseph Roth (Hrg.): Die Zisterzienser. Ordensleben zwischen Ideal und Wirklichkeit. Eine Ausstellung des Landschaftsverbandes Rheinland. Rheinisches Museumsamt Brauweiler, Köln 1980, 255–266.

Heydenreuther, Reinhard: Der Markt Bruck und sein Verhältnis zum Kloster Fürstenfeld, in: Angelika Ehrmann; Peter Pfister; Klaus Wollenberg (Hrg.): In Tal und Einsamkeit. 725 Jahre Kloster Fürstenfeld. Die Zisterzienser im alten Bayern, München 1988, II 319–334.

Ders.: Marktrecht und Verfassung in alter Zeit, in: Wilhelm Liebhart (Hrg.): Inchenhofen. Wallfahrt, Zisterzienser und Markt, Sigmaringen 1992, 213–226.

Ders.: Der landesherrliche Hofrat unter Herzog und Kurfürst Maximilian I. von Bayern 1595–1651, (= Schriften zur bayerischen Landesgeschichte; 72) München 1981.

Heyl, Gerhard: Der Religions- und Geistliche Lehenrat (1556–1559), in: Bayern. Staat und Kirche, Land und Reich. Forschungen zur bayerischen Geschichte, vornehmlich im 19. Jahrhundert. Wilhelm Winkler zum Gedächtnis, hrg. von den staatlichen Archiven Bayerns, München o. J. (1960), 9–34.

Höllhuber, Dietrich; Kaul, Wolfgang: Wallfahrt und Volksfrömmigkeit in Bayern. Formen religiösen Brauchtums im heutigen Bayern: Wallfahrtsorte, Wallfahrtskirchen, Lourdesgrotten und Fatimaaltäre zwischen Altötting und Vierzehnheiligen, Wigratzbad und Konnersreuth, Nürnberg 1987.

Hoppe, Bernhard M.: In den Stürmen der Reformation. Die Regierung Bischof Philipps Pfalzgrafen bei Rhein (1499–1541), in: Georg Schwaiger (Hrg.), Das Bistum Freising in der Neuzeit (= Geschichte des Erzbistums München und Freising; II), München 1989, 54–92.

Ignatius von Loyola: Die Exerzitien. Übertragen von Hans Urs von Balthasar (= Christliche Meister; 45), Einsiedeln-Freiburg [11]1993.

Institut für Österreichische Geschichtsforschung (Hrg.): Die Matrikel der Universität Wien (= Publikationen des Instituts für Österreichische Geschichtsforschung VI/1), I. 1377–1450, Graz-Köln 1956; II. 1451–1518, Graz-Köln 1959.

Iohn, Peter: Kiltoahing & Arniesesriet. Landschafts- und Dorfgeschichte der Gemeinde Gilching und Umgebung, München 1975.

Jedin, Hubert (Hrg.): Handbuch der Kirchengeschichte IV: Reformation, Katholische Reform und Gegenreformation, Freiburg-Basel-Wien 1967.

Jesse, Horst: Die Religionsmandate der bayerischen Herzöge und die Kelchbewegung während der Reformation 1522–1580, in: JABG 28 (1994) 252–273.

Jungmann, Josef Andreas: Missarum sollemnia. Eine genetische Erklärung der römischen Messe, 2 Bde., Freiburg [3]1952.

Kaff, Brigitte: Volksreligion und Landeskirche. Die evangelische Bewegung im bayerischen Teil der Diözese Passau (= Miscellanea Bavarica Monacensia; 69), München 1977.

Kausch, Winfried: Geschichte der Theologischen Fakultät Ingolstadt im 15. und 16. Jahrhundert (1472–1605) (= Ludovico Maximilianea. Universität Ingolstadt-Landshut-München. Forschungen und Quellen; 9), Berlin 1977.

Kink, Barbara: Die Täufer im Landgericht Landsberg 1527/28 (= Forschungen zur Landes- und Regionalgeschichte; 3), St. Ottilien 1997.

Klaus, Regina: Visitationen der Generaläbte im 16. und frühen 17. Jahrhundert im Kloster Oberschönenfeld, in: Hermann Nehlsen; Klaus Wollenberg (Hrg.): Zisterzienser zwischen Zentralisierung und Regionalisierung. 400 Jahre Fürstenfelder Äbtetreffen. Fürstenfelder Reformstatuten von 1595–1995, Frankfurt-Berlin-New York 1998, 481–488.

Klemenz, Birgitta: Das Zisterzienserkloster Fürstenfeld zur Zeit von Abt Martin Dallmayr (1640–1690), Weißenhorn 1997.

Dies.: Abt Gerard Führer und seine Chronik, in: Angelika Ehrmann; Peter Pfister; Klaus Wollenberg (Hrg.): In Tal und Einsamkeit. 725 Jahre Kloster Fürstenfeld. Die Zisterzienser im alten Bayern, München 1988, II 355–362.

Dies.: Die Zisterzienserniederlassung (Superiorat) St. Leonhard, in: Wilhelm Liebhart (Hrg.): Inchenhofen. Wallfahrt, Zisterzienser und Markt, Sigmaringen 1992, 107 bis 126.

Dies.: Das Wallfahrtsmuseum Inchenhofen. Die Verehrung des hl. Leonhard, in: Amperland 30 (1994) 221–226.

Dies.: Zur Geschichte des Taufsteins der Pfarrei St. Magdalena in Fürstenfeldbruck, in: Amperland 28 (1992) 383–388.

Dies. (Hrg.): St. Leonhard zu Ehren. 550 Jahre Leonhardikirche in Bruck, Fürstenfeldbruck 1990.

Koch, Laurentius: Die Landständischen Klöster im alten Bayern – ihre Stellung, Aufgabe und Bedeutung, in: StMBO 95 (1984) 254–265.

Kolb, Aegidius; Tüchle, Hermann (Hrg.): Ottobeuren. Festschrift zur 1200-Jahrfeier der Abtei, Augsburg 1964.

Krausen, Edgar: Die Klöster des Zisterzienserordens in Bayern (= Bayerische Heimatforschung, Heft 7), München-Pasing 1953.

Ders.: Der Zisterzienserorden in Bayern, in: Angelika Ehrmann; Peter Pfister; Klaus Wollenberg (Hrg.): In Tal und Einsamkeit. 725 Jahre Kloster Fürstenfeld. Die Zisterzienser im alten Bayern, München 1988, II 23–42.

Ders.: Die Pflege religiös-volksfrommen Brauchtums bei Benediktinern und Zisterziensern in Süddeutschland und Österreich, in: StMBO 83 (1972) 274 bis 290.

Ders.: Zisterziensertum und Wallfahrtskulte im bayerischen Raum, in: AC 12 (1956) 115–129.

Ders.: Morimund. Die Mutterabtei der bayerischen Zisterzen, in: AC 14 (1958) 334 bis 345.

Ders.: Thal bei Höhenrain. Zisterze – Wallfahrt – Klosterhofmark, in: Der Mangfallgau 3 (1958/59) 42–50.

Ders.: Die Zisterzienserabtei Raitenhaslach (= Germania Sacra NF; 11. Die Bistümer der Kirchenprovinz Salzburg; 1. Das Erzbistum Salzburg), Berlin-New York 1977.

Ders.: Die Wittelsbacher und die mittelalterlichen Reformorden, in: Hubert Glaser (Hrg.): Die Zeit der frühen Herzöge. Von Otto I. zu Ludwig dem Bayern. Beiträge zur bayerischen Geschichte und Kunst (= Wittelsbach und Bayern I/1), München-Zürich 1980, 349–358.

Ders.: Das Provinzkapitel der oberdeutschen Zisterzienser in Kloster Fürstenfeld im Jahre 1595, in: Amperland 20 (1984) 550–551.

Ders.: Französische Zisterzienseräbte als Visitatoren in Kloster Fürstenfeld, in: Amperland 23 (1987) 437–440.

Kriss, Rudolf: Volkskundliches aus altbayerischen Gnadenstätten. Beiträge zu einer Geographie des Wallfahrtsbrauchtums, Baden bei Wien 1930.

Kurent, Thomas: Die Zisterzienser auf dem Trienter Konzil, in: Georg Schreiber (Hrg.): Das Weltkonzil von Trient, 2 Bde., Freiburg 1951, II 461–472.

Landersdorfer, Anton: Das Bistum Freising in der bayerischen Visitation des Jahres 1560 (= Münchener Theologische Studien I. Historische Abteilung; XXVI), St. Ottilien 1986.

Ders.: Das Bistum in der Epoche des Konzils von Trient, in: Georg Schwaiger (Hrg.), Das Bistum Freising in der Neuzeit (= Geschichte des Erzbistums München und Freising; II), München 1989, 93–152.

Lang, Karl (Hrg.): Regesta rerum boicarum III–XIII, München 1822–1854.

Lanz, Georg: Servitien und Anniversarien der Cistercienser-Abtei Heiligenkreuz, in: StMBO 19 (1898) 189–210, 389–395, 562–569; 20 (1899) 36–52, 246–266.

Lanzinner, Maximilian: Fürst, Räte und Landstände. Die Entstehung der Zentralbehörden in Bayern 1511–1598 (= Veröffentlichungen des Max-Planck-Instituts für Geschichte; 61), Göttingen 1980.

Lauterer, Kassian: Zur Wirkungsgeschichte der Fürstenfelder Reformstatuten von 1595 bis zu den Zisterziensern des 20. Jahrhunderts, in: Hermann Nehlsen; Klaus Wollenberg (Hrg.): Zisterzienser zwischen Zentralisierung und Regionalisierung. 400 Jahre Fürstenfelder Äbtetreffen. Fürstenfelder Reformstatuten von 1595–1995, Frankfurt-Berlin-New York 1998, 713–727.

Legner, Anton (Hrg.): Reliquien. Verehrung und Verklärung, Köln 1989.

Leitschuh, Max: Die Matrikeln der Oberklassen des Wilhelmsgymnasiums München, Bd. 1 (1561/62–1679/80), München 1970.

Lekai, Ludwig; Schneider, Ambrosius: Geschichte und Wirken der Weissen Mönche. Der Orden der Zisterzienser, Köln 1958.

Liebhart, Wilhelm (Hrg.): Inchenhofen. Wallfahrt, Zisterzienser und Markt, Sigmaringen 1992.

Libor, Reinhard Maria: 850 Jahre Zisterzienserkloster und Reichsstift Kaisheim, in: CC 91 (1984) 17–22.

Lieb, Norbert; Sagmeister, Josef: Fürstenzell (= Schnell Kunstführer 690), Regensburg ⁴1994.

Lindner, Pirmin: Beiträge zur Geschichte der Abtei Fürstenfeld, in: CC 17 (1905) 193 bis 207, 225–243, 257–274.

Ders.: Monasticon Metropolis Salisburgensis antiquae, Salzburg 1908.

List, Claudia: Die mittelalterlichen Grablegen der Wittelsbacher in Altbayern, in: Hubert Glaser (Hrg.): Die Zeit der frühen Herzöge. Von Otto I. zu Ludwig dem Bayern. Beiträge zur bayerischen Geschichte und Kunst (= Wittelsbach und Bayern I/1), München-Zürich 1980, 521–540.

Lobendanz, Gabriel: Die »Fürstenfelder Reformstatuten« von 1595. Edition und Übersetzung, in: Hermann Nehlsen; Klaus Wollenberg (Hrg.): Zisterzienser zwischen Zentralisierung und Regionalisierung. 400 Jahre Fürstenfelder Äbtetreffen. Fürstenfelder Reformstatuten von 1595–1995, Frankfurt-Berlin-New York 1998, 747–859 [= FRST].

Ders.: Die Entstehung der Oberdeutschen Zisterzienserkongregation (1593–1625), in: AC 37 (1981) 66–342.

Ders.: Die Fürstenfelder Reformstatuten von 1595, in: Hermann Nehlsen; Klaus Wollenberg (Hrg.): Zisterzienser zwischen Zentralisierung und Regionalisierung. 400 Jahre Fürstenfelder Äbtetreffen. Fürstenfelder Reformstatuten von 1595 bis 1995, Frankfurt-Berlin-New York 1998, 517–687.

Lutz, Heinrich: Bayern und der Laienkelch 1548–1556, in: QFItA 34 (1954) 203–234.

Machilek, Franz: Der Niederkirchenbesitz des Zisterzienserklosters Fürstenfeld, in: Angelika Ehrmann; Peter Pfister; Klaus Wollenberg (Hrg.): In Tal und Einsamkeit. 725 Jahre Kloster Fürstenfeld. Die Zisterzienser im alten Bayern, München 1988, II 363–434
[= Niederkirchenbesitz].

Ders.: Der Niederkirchenbesitz des Zisterzienserklosters Fürstenfeld, in: Amperland 6 (1970) 21–25, 80–85, 111–116; 7 (1971) 133–136, 163–166, 183–189 [= Niederkirchenbesitz 1970].

Maier, Konstantin: Die Krise der Reformation und die Restauration der Ordensdisziplin im 16. und 17. Jahrhundert im Kloster Ochsenhausen, in: Max Herold (Hrg.): Ochsenhausen. Von der Benediktinerabtei zur oberschwäbischen Landstadt, Weißenhorn 1994, 269–297.

Maß, Josef: Das Bistum Freising im Mittelalter (= Geschichte des Erzbistums München und Freising; I), [2]1988.

Mayr, Martin: Zur Kritik der älteren Fürstenfelder Geschichtsquellen, in: OA 36 (1877) 75–151.

Miethke, Jürgen: Die Anfänge des Zisterzienserordens, in: Kaspar Elm; Hermann Joseph Roth (Hrg.): Die Zisterzienser. Ordensleben zwischen Ideal und Wirklichkeit. Eine Ausstellung des Landschaftsverbandes Rheinland. Rheinisches Museumsamt Brauweiler, Köln 1980, 41–46.

Miller, Josef von: Von Schloß Ried am Ammersee, ehem. Eigentum des Klosters Fürstenfeld, in: Lech-Isar-Land 11 (1935) 153–157.

Mohr, Klaus: Die Musikgeschichte des Klosters Fürstenfeld (= Schriftenreihe der Hochschule für Musik in München 8: Musik in bayerischen Klöstern II), Regensburg 1987.

Molitor, Raphael: Aus der Rechtsgeschichte benediktinischer Verbände. Untersuchungen und Skizzen, I. Verbände von Kloster zu Kloster, Münster 1928.

Moll, Anton: Schule und Bildung von den Anfängen bis 1968/1969, in: Wilhelm Liebhart (Hrg.): Inchenhofen. Wallfahrt, Zisterzienser und Markt, Sigmaringen 1992, 457–500.

Monumenta boica IX, 2. Monumenta Fürstenfeldensia, München 1767, 83–340.

Moßig, Christian: Verfassung des Zisterzienserordens und Organisation der Einzelklöster, in: Kaspar Elm; Hermann Joseph Roth (Hrg.): Die Zisterzienser. Ordensleben zwischen Ideal und Wirklichkeit. Eine Ausstellung des Landschaftsverbandes Rheinland. Rheinisches Museumsamt Brauweiler, Köln 1980, 115–123.

Mundorff, Angelika; Wedl-Bruognolo, Renate (Hrg.): Kaiser Ludwig der Bayer 1282 bis 1347. Katalog zur Ausstellung im Stadtmuseum Fürstenfeldbruck. 25. Juli bis 12. Oktober 1997, Fürstenfeldbruck 1997.

Oswald, Josef: Abt Wolfgang Marius von Aldersbach. Leben und geschichtliche Schriften, in: Clemens Bauer; Laetitia Boehm (Hrg.): Speculum historiale. Geschichte im Spiegel von Geschichtsschreibung und Geschichtsdeutung. Festschrift für Johannes Spörl, Freiburg-München 1965, 354–374.

Paula, Georg: Die Wallfahrtskirche St. Leonhard, in: Wilhelm Liebhart (Hrg.): Inchenhofen. Wallfahrt, Zisterzienser und Markt, Sigmaringen 1992, 391–440.

Paulus, N[ikolaus].: Wolfgang Mayer. Ein bayerischer Zisterzienserabt des 16. Jahrhunderts, in: HJb 15 (1894) 575–588.

Pfeilschifter, Georg (Hrg.): Acta Reformationis Catholicae. Ecclesiam Germaniae concernentia saeculi XVI. Die Reformverhandlungen des deutschen Episkopats von 1520 bis 1570, I. 1520 bis 1532, Regensburg 1959.

Pfeilschifter-Baumeister, Georg: Die Weihezulassung in den altbayerischen Diözesen des 16. Jahrhunderts, in: ZBLG 7 (1934) 357–422.

Pfister, Peter: Legende und Wirklichkeit – Gründung und frühe Jahre des Klosters Fürstenfeld, in: Angelika Ehrmann; Peter Pfister; Klaus Wollenberg (Hrg.): In Tal und Einsamkeit. 725 Jahre Kloster Fürstenfeld. Die Zisterzienser im alten Bayern, München 1988, II 69–90.

Ders.: Zwischen Generalabt und Geistlichem Rat – Das Kloster Fürstenfeld in der zweiten Hälfte des 16. Jahrhunderts, in: Hermann Nehlsen; Klaus Wollenberg (Hrg.): Zisterzienser zwischen Zentralisierung und Regionalisierung. 400 Jahre Fürstenfelder Äbtetreffen. Fürstenfelder Reformstatuten von 1595–1995, Frankfurt-Berlin-New York 1998, 429–468.

Ders.: Das Kollegiatsstift Ilmmünster, Pfaffenhofen 1981.

Ders.: Das Kollegiatstift zu Unserer Lieben Frau in München (1495–1803), in: Georg Schwaiger; Hans Ramisch (Hrg.): Monachium sacrum. Festschrift zur 500-Jahr-Feier der Metropolitankirche zu Unserer Lieben Frau in München, München 1994, I 291–473.

Ders.: Klosterführer aller Zisterzienserklöster im deutschsprachigen Raum, Straßburg 1997.

Ders.: Staatsfrömmigkeit und Privatfrömmigkeit Ludwigs des Bayern in seinem bayerischen Herrschaftsgebiet, in: Angelika Mundorff; Renate Wedl-Bruognolo (Hrg.): Kaiser Ludwig der Bayer 1282–1347. Kat. zur Ausstellung im Stadtmuseum Fürstenfeldbruck. 25. Juli bis 12. Oktober 1997, Fürstenfeldbruck 1997, 53–76.

Ders.: Die Anfänge der Pfarrei Bruck-St. Magdalena, in: ders. (Hrg.), St. Magdalena in Fürstenfeldbruck. 700 Jahre Patrozinium 1286–1986, Fürstenfeldbruck 1987, 13–36 [= St. Magdalena].

Ders.: Die Pfarrer der Pfarrei St. Magdalena, in: ders. (Hrg.), St. Magdalena in Fürstenfeldbruck. 700 Jahre Patrozinium 1286–1986, Fürstenfeldbruck 1987, 38–39 [= Pfarrer].

Pölnitz, Götz Freiherr von (Bearb.): Die Matrikel der Ludwig-Maximilians-Universität Ingolstadt-Landshut-München, I. 1472–1600, München 1937; II/1: 1600 bis 1650, München 1939.

Postina, Alois: Beiträge zur Geschichte der Cistercienser-Klöster des 16. Jh. in Deutschland, in: CC 13 (1901) 225–237, 257–266.

Ders.: Beiträge zur Geschichte der Cistercienser-Klöster des 16. Jh. in Italien, in: CC 13 (1901) 193–205.

Pöhlein, Hubert: Wolfgang Seidel (1492–1562). Benediktiner aus Tegernsee, Prediger zu München. Sein Leben und sein Werk (= Münchener Theologische Studien I. Historische Abteilung; II), München 1951.

Pötzl, Walter: Der Irseer Konvent und seine Äbte in der Neuzeit, in: Hans Frei (Hrg.): Das Reichsstift Irsee. Vom Benediktinerkloster zum Bildungszentrum. Beiträge zu Geschichte, Kunst und Kultur (= Beiträge zur Landeskunde von Schwaben; 7), Weißenhorn 1981, 17–75.

Prantl, Karl von: Geschichte der Ludwig-Maximilians-Universität in Ingolstadt, Landshut, München. Zur Festfeier ihres vierhundertjährigen Bestehens im Auftrage des akademischen Senats verfaßt, (München 1872) Nachdruck Aalen 1968.

Puchner, Karl (Bearb.): Die Urkunden des Klosters Oberschönenfeld (= Schwäbische Forschungsgemeinschaft bei der Kommission für Bayerische Landesgeschichte, Reihe 2: Urkunden und Regesten; 2), Augsburg 1953.

Rader, Matthaeus: Bavaria sancta, Bd. 2, Dillingen 1704.

Raitz von Frentz, Emmerich: Das Konzil von Trient und seine Ausstrahlung auf die Frömmigkeit, in: Georg Schreiber (Hrg.): Das Weltkonzil von Trient, 2 Bde., Freiburg 1951, II 337–347.

Rall, Hans; Rall, Marga: Die Wittelsbacher in Lebensbildern, Graz-Wien-Köln-Regensburg 1986.

Rankl, Helmut: Das vorreformatorische landesherrliche Kirchenregiment in Bayern (= Miscellanea Bavarica Monacensia; 34), München 1971.

Ders.: Gesellschaftlicher Ort und strafrichterliche Behandlung von »Rumor«, »Empörung«, »Aufruhr« und »Ketzerei« in Bayern um 1525, in: ZBLG 38 (1975) 524–569.

Rasmus, Claus; Steininger, Karl: St. Willibald Jesenwang. 500 Jahre Gotteshaus, Jesenwang 1981.

Die Regel des Hl. Benedikt, hrg. von der Salzburger Äbtekonferenz, Beuron [15]1990.

Reindl, Luitpold: Geschichte des Klosters Kaisheim, Dillingen [2]1926.

Reinhardt, Rudolf: Restauration, Visitation, Inspiration. Die Reformbestrebungen in der Benediktinerabtei Weingarten von 1567 bis 1627 (= Veröffentlichungen der Kommission für geschichtliche Landeskunde in Baden-Württemberg Reihe B, Forschungen; 11), Stuttgart 1960.

Richter, Michael: Irland im Mittelalter. Kultur und Geschichte, München 1996.

Riedl, Karl: Miscellen zur Geschichte von Fürstenfeld und seiner Umgebung, in: OA 17 (1857) 214–222.

Riezler, Sigmund von: Vatikanische Akten zur Deutschen Geschichte in der Zeit Kaiser Ludwigs des Bayern, (Innsbruck 1891) Nachdruck Aalen 1973.

Ders.: Geschichte Baierns, III. 1347–1508, IV. 1508–1597, (Gotha 1889/1899) Nachdruck Aalen 1964.

Röckl, Karl Adam: Beschreibung von Fürstenfeld, zuerst den Bewohnern von Bruck, dann jedem Freunde der Kunst, der Geschichte, der Religion und des Vaterlandes in Liebe zugeeignet, München 1840.

Roepke, Claus-Jürgen: Die evangelische Bewegung in Bayern im 16. Jahrhundert, in: Hubert Glaser (Hrg.): Um Glauben und Reich. Kurfürst Maximilian I. Beiträge zur Bayerischen Geschichte und Kunst 1573–1651 (= Wittelsbach und Bayern II/1), München-Zürich 1980, 101–114.

Rösener, Werner: Die Rolle der Abtei Salem bei der Bildung der Oberdeutschen Kongregation des Zisterzienserordens, in: Hermann Nehlsen; Klaus Wollenberg (Hrg.): Zisterzienser zwischen Zentralisierung und Regionalisierung. 400 Jahre Fürstenfelder Äbtetreffen. Fürstenfelder Reformstatuten von 1595–1995, Frankfurt-Berlin-New York 1998, 689–711.

Rosenthal, Eduard: Geschichte des Gerichtswesens und der Verwaltungsorganisation Baierns, (Würzburg 1889–1906) Nachdruck Aalen 1984.

Rößler, Hans: Geschichte und Strukturen der evangelischen Bewegung im Bistum Freising 1520–1571 (= Einzelarbeiten aus der Kirchengeschichte Bayerns; XLII), Nürnberg 1966.

Ders.: Wiedertäufer in den alten Landgerichten Landsberg und Dachau, in: Amperland 3 (1967) 42–45.

Ders.: Kontakte und Strukturen als Voraussetzung für die evangelische Bewegung des 16. Jahrhunderts im Herzogtum Bayern, in: ZBLG 32 (1969) 355–366.

Ders.: Warum Bayern katholisch blieb, in: BzAbKG 33 (1981) 91–109.

Roth, Friedrich: Zur Geschichte des Marktes Bruck an der Ammer und des Klosters Fürstenfeld im 16. Jahrhundert, in: ZBKG 22 (1916) 120–133, 164–171, 210–228, 264–271; 23 (1917) 9–27, 62–73.

Rummel, Peter: P. Julius Priscianensis S. J. (1542–1607). Ein Beitrag zur Geschichte der katholischen Restauration der Klöster im Einflußbereich der Universität Dillingen, (= Veröffentlichungen der Schwäbischen Forschungsgemeinschaft bei der Kommission für Bayerische Landesgeschichte Reihe 1; Studien zur Geschichte des Bayerischen Schwabens; 13) Augsburg 1968.

Schade, Herbert: Die Berufung der Jesuiten nach München und der Bau von St. Michael, in: Der Mönch im Wappen. Aus Geschichte und Gegenwart des katholischen München, München 1960, 209–258.

Schattenhofer, Michael: Landtage und Erbhuldigungen im Alten Rathaus zu München, in: ZBLG 33 (1970) 155–182.

Schellhass, Karl: Der Dominikaner Felician Ninguarda und die Gegenreformation in Süddeutschland und Österreich 1560–1583, 2 Bde., Rom 1930/1939.

Schinagl, Paul: Die Abtei Attel in der Neuzeit (1500–1803) (= Münchener Theologische Studien I. Historische Abteilung; XXXI), St. Ottilien 1990.

Schlichting, Esther: Die Wallfahrten und Gnadenbilder der inkorporierten Kirchen Fürstenfelds bis 1803, in: Angelika Ehrmann; Peter Pfister; Klaus Wollenberg (Hrg.): In Tal und Einsamkeit. 725 Jahre Kloster Fürstenfeld. Die Zisterzienser im alten Bayern, München 1988, II 275–296.

Schmid, Alois: Cenobium in campo principis – Das Zisterzienserkloster Fürstenfeld und die Wittelsbacher, in: Angelika Ehrmann; Peter Pfister; Klaus Wollenberg (Hrg.): In Tal und Einsamkeit. 725 Jahre Kloster Fürstenfeld. Die Zisterzienser im alten Bayern, München 1988, II 259–274.

Schmid, Hans: Inschrift und Lage der Stiftergräber zu Fürstenfeld, in: Amperland 25 (1989) 256–259.

Schneider, Hans Bruno: Die Fürstenfelder Reformstatuten 1595, in: AC 39 (1983) 63 bis 180.

Schneider, Irene: Die Teilhabe Seligenthals an den zisterziensischen Reformbestrebungen des ausgehenden 16. Jahrhunderts. Voraussetzungen, Visitationen, Statuten, in: Hermann Nehlsen; Klaus Wollenberg (Hrg.): Zisterzienser zwischen Zentralisierung und Regionalisierung. 400 Jahre Fürstenfelder Äbtetreffen. Fürstenfelder Reformstatuten von 1595–1995, Frankfurt-Berlin-New York 1998, 489–515.

Schneider, Reinhard: Studium und Zisterzienser mit besonderer Berücksichtigung des südwestdeutschen Raumes, in: RotJbKg 4 (1985) 103–117.

Schütz, Dieter: Die selige Edigna. Ihre Legende und Verehrung, in: BJbVk (1966/67) 48–71 [= Edigna 1966/67].

Ders.: Die selige Edigna von Puch († 1109?), in: Georg Schwaiger (Hrg.): Bavaria Sancta. Zeugen christlichen Glaubens I, Regensburg 1970, 249–271 [= Edigna 1970].

Schwaiger, Georg: Die Theologische Fakultät der Universität Ingolstadt (1472–1800), in: Die Ludwig-Maximilians-Universität in ihren Fakultäten I, Berlin 1973.

Ders.: Die Religionspolitik der bayerischen Herzöge im 16. Jahrhundert, in: ders. (Hrg.), Das Bistum Freising in der Neuzeit (= Geschichte des Erzbistums München und Freising; II), München 1989, 29–53 [= Schwaiger, Religionspolitik].

Ders.: Die Religionspolitik der bayerischen Herzöge im 16. Jahrhundert, in: Erwin Iserloh (Hrg.): Johannes Eck (1486–1543) im Streit der Jahrhunderte. Internationales Symposion der Gesellschaft zur Herausgabe des Corpus Catholicorum aus Anlaß des 500. Geburtstages des Johannes Eck vom 13. bis 16. November 1986 in Ingolstadt und Eichstätt (= Reformationsgeschichtliche Studien und Texte; 127), Münster 1988, 250–274 [= Schwaiger, Herzöge].

Ders. (Hrg.): Mönchtum, Orden, Klöster. Von den Anfängen bis zur Gegenwart. Ein Lexikon, München 1993.

Schwarz, W. E.: Der erste Antrag Albrechts V. von Baiern an den apostolischen Stuhl auf Bewilligung des Laienkelches, Zulassung der Priesterehe und Milderung des Fastengebotes (1555). Zwei Aktenstücke des Vatikanischen Archivs, in: HJb 13 (1892) 144–157.

Seibrich, Wolfgang: Monastische Restauration und Reform im deutschen Südwesten im 16. und 17. Jahrhundert unter besonderer Berücksichtigung der Zisterzienser, in: Hermann Nehlsen; Klaus Wollenberg (Hrg.): Zisterzienser zwischen Zentralisierung und Regionalisierung. 400 Jahre Fürstenfelder Äbtetreffen. Fürstenfelder Reformstatuten von 1595–1995, Frankfurt-Berlin-New York 1998, 221–336.

Simon, Matthias: Die evangelische Bewegung der Reformationszeit in Wasserburg und das Ketzergerichtsprivileg der baierischen Herzöge von 1526, in: ZBKG 30 (1961) 121–167.

Sommer-Ramer, Cécile: Einleitung: Die Zisterzienser, in: Helvetia Sacra Abteilung III, Die Orden mit Benediktinerregel, 3/1 Die Zisterzienser und Zisterzienserinnen, die Reformierten Bernhardinerinnen, die Trappisten und Trappistinnen und die Wilhelmiten in der Schweiz, Bern 1982, 27–86.

Specht, Thomas: Geschichte der ehemaligen Universität Dillingen (1549–1804) und der mit ihr verbundenen Lehr- und Erziehungsanstalten, (Freiburg 1902) Nachdruck Aalen 1987.

Ders. (Bearb.): Die Matrikel der Universität Dillingen, I. 1551–1645 (= Archiv für die Geschichte des Hochstifts Augsburg II), Dillingen 1909–1911.

Spindler, Max (Hrg.): Handbuch der Bayerischen Geschichte, 4 Bde., München 1967 bis 1975, II^2 1988 [= HBG].

Staber, Joseph: Volksfrömmigkeit und Wallfahrtswesen des Spätmittelalters im Bistum Freising (= BzAbKG 20 [1955] Heft 1), München 1955.

Ders.: Die Teilnahme des Volkes an der Karwochenliturgie im Bistum Freising während des 15. und 16. Jahrhunderts, in: BzAbKG 23/3 (1964) 48–85.

Stadtarchiv München (Hrg.): Häuserbuch der Stadt München, Bd. 3 Hackenviertel, München 1962.

Störmer, Wilhelm: Die Hausklöster der Wittelsbacher, in: Hubert Glaser (Hrg.): Die Zeit der frühen Herzöge. Von Otto I. zu Ludwig dem Bayern. Beiträge zur bayerischen Geschichte und Kunst (= Wittelsbach und Bayern I/1), München-Zürich 1980, 139–150.

Streichhahn, Horst: Urkundenbeiträge zur Geschichte des Landkreises Starnberg unter besonderer Berücksichtigung der Entwicklung des Ortes Gilching und Umgebung, 3 Bde., Prien 1976.

Stutzer, Dietmar: Der Wirtschaftsbesitz des Klosters Fürstenfeld zur Zeit der Säkularisation 1803, in: Amperland 13 (1977) 257–259.

Sydow, Jürgen: Die Zisterzienserabtei Bebenhausen (= Germania Sacra NF; 16. Die Bistümer der Kirchenprovinz Mainz; 1. Das Bistum Konstanz), Berlin-New York 1984.

Toepke, Gustav (Hrg.): Die Matrikel der Universität Heidelberg von 1386 bis 1662, I. Von 1386 bis 1553, Heidelberg 1884.

Treml, Lois (Hrg.): 700 Jahre Gotteszell, Gotteszell 1986.

Veit, Ludwig; Lenhart, Ludwig: Kirche und Volksfrömmigkeit im Zeitalter des Barock, Freiburg 1956.

Weber, Leo: Veit Adam von Gepeckh. Fürstbischof von Freising. 1618 bis 1651 (= Studien zur altbayerischen Kirchengeschichte 3–4), München 1972.

Ders.: Im Zeitalter der Katholischen Reform und des Dreißigjährigen Krieges, in: Georg Schwaiger (Hrg.): Das Bistum Freising in der Neuzeit (= Geschichte des Erzbistums München und Freising II), München 1989, 212–288.

Weitlauff, Manfred (Hrg.): Bischof Ulrich von Augsburg. 890–973. Seine Zeit – sein Leben – seine Verehrung. Festschrift aus Anlaß des tausendjährigen Jubiläums seiner Kanonisation im Jahre 993 (= JABG 26/27 [1992/1993]), Weißenhorn 1993.

Ders.: Die Gründung der Gesellschaft Jesu und ihre Anfänge in Süddeutschland, in: JHVD XCIV (1992) 15–66.

Ders.: Art. Zisterzienser, in: Georg Schwaiger (Hrg.): Mönchtum, Orden, Klöster. Von den Anfängen bis zur Gegenwart. Ein Lexikon, München 1993, 451–470.

Ders.: Die Anfänge der Ludwig-Maximilians-Universität München und ihrer Theologischen Fakultät in Ingolstadt (1472) und deren Schicksal im Reformationsjahrhundert, in: MThZ 48 (1997) 333–369 (= Theologie an der Universität. Zum 525. Stiftungsfest der Ludwig-Maximilians-Universität München).

Wellstein, Gilbert: Der Visitationsabschied des Abtes Nikolaus Boucherat v. Cîteaux für Marienstatt v. J. 1574, in: CC 29 (1917) 97–100.

Wieland, M.: Kloster Bildhausen zur Reformationszeit, in: CC 21 (1909) 170–172.

Wittmann, Franz Michael (Bearb.): Monumenta Wittelsbacensia I (= QE AF 5), (München 1857) Nachdruck Aalen 1969.

Wittmütz, Volkmar: Die Gravamina der bayerischen Stände im 16. und 17. Jahrhundert als Quelle für die wirtschaftliche Situation und Entwicklung Bayerns (= Miscellanea Bavarica Monacensia; 26), München 1970.

Wollenberg, Klaus: Die Entwicklung der Eigenwirtschaft des Zisterzienserklosters Fürstenfeld zwischen 1263 und 1632 unter besonderer Berücksichtigung des Auftretens moderner Aspekte (= Europäische Hochschulschriften Reihe III, Geschichte und ihre Hilfswissenschaften; 210), Frankfurt-Bern-New York 1984.

Ders. (Hrg.): Kolloquium »Die Zisterzienser in Bayern, Franken und den benachbarten Regionen Südostmitteleuropas. Ihre Verbandsbildung sowie soziale und politische Integration.« 29.8.– 2.9.1988, Fürstenfeldbruck 1990.

Ders.: Die Stadthäuser des Klosters Fürstenfeld, in: Amperland 20 (1984) 559–561.

Ders.: Vita interior et exterior. Klösterlicher Binnenbereich und klösterliche Außenwelt im Zisterzienserkloster Fürstenfeld, in: Amperland 25 (1989) 364–370.

Zeh, Alexander: Ein Rekonstruktionsversuch des alten Klosters Fürstenfeld, in: Amperland 28 (1992) 287–292.

Ziegler, Walter: Bayern, in: Anton Schindling; Walter Ziegler (Hrg.): Die Territorien des Reichs im Zeitalter der Reformation und Konfessionalisierung. Land und Konfession 1500–1650. I: Der Südosten, Münster 1989 (= Vereinsschriften der Gesellschaft zur Herausgabe des Corpus Catholicorum 49), 56–71.

Ders.: Reformation und Klosterauflösung. Ein ordensgeschichtlicher Vergleich, in: Kaspar Elm (Hrg.): Reformbemühungen und Observanzbestrebungen im spätmittelalterlichen Ordenswesen (= Berliner Historische Studien; 14), Berlin 1989, 585–614.

Ders. (Bearb.): Altbayern von 1550–1651 (= Dokumente zur Geschichte von Staat und Gesellschaft in Bayern, Abteilung I: Altbayern vom Frühmittelalter bis 1800, Band 3/1), München 1992.

Zoepfl, Friedrich: Das Bistum Augsburg und seine Bischöfe im Reformationsjahrhundert (= Geschichte des Bistums Augsburg und seiner Bischöfe; II), München-Augsburg 1969.

Ders.: Der Einfluß der bayerischen Herzöge auf die Augsburger Bischofswahlen im 15. und 16. Jahrhundert, in: BzAbKG 24/3 (1966) 29–45.

Abkürzungsverzeichnis

Allgemeine Abkürzungen

AEM	Archiv des Erzbistums München und Freising, München
BGR	Bischöflicher Geistlicher Rat
BStAA	Bayerisches Staatsarchiv Augsburg
BHStAM	Bayerisches Hauptstaatsarchiv München
Cap.	Kapitel
Conc. Trid. Sess.	Concilii Tridentini Sessio
ders./dies.	Derselbe/Dieselbe
Dial.	»Dialogus de fato et fortuna« von Abt Johannes Pistorius. BStB. Res. 4° Ph. sp. 214 10m.
dt.	deutsch
ebd.	ebenda
Exord. cist.	Exordium cisterciense
fol.	folio
FRST	Fürstenfelder Reformstatuten von 1595, siehe: Lobendanz, Die »Fürstenfelder Reformstatuten« (Literaturverzeichnis)
Gde.	Gemeinde
GR	Geistlicher Rat
Hfmk	Hofmark
Hz.	Herzog
hzl.	herzoglich
Kpl.	Kaplan
Ks.	Kaiser
lat.	lateinisch
lic.	Lizentiat
Mkgf.	Markgraf
Nr.	Nummer
pag.	pagina
Pfr.	Pfarrer
RB	Regula Benedicti, siehe: Regel des Hl. Benedikt (Literaturverzeichnis).
sel.	selige
theol.	theologisch
WW	Werke

Zeitschriften, Lexika, Nachschlagewerke

AC	Analecta Cisterciensia
ADB	Allgemeine Deutsche Biographie
BBKG	Beiträge zur bayerischen Kirchengeschichte
BBKL	Biographisch-Bibliographisches Kirchenlexikon
BGBR	Beiträge zur Geschichte des Bistums Regensburg
BJbVk	Bayerisches Jahrbuch für Volkskunde
BzAbKg	Beiträge zur Altbayerischen Kirchengeschichte
CC	Cistercienser-Chronik
COD	Conciliorum Oecumenicorum Decreta, (Literaturverzeichnis)
DH	Heinrich Denzinger, Enchiridion symbolorum, definitionum et declarationum, lat.-dt., hrg. von Peter Hünermann, Freiburg-Basel-Wien [37]1991.
HBG	Handbuch der bayerischen Geschichte, hrg. von Max Spindler (Literaturverzeichnis)
HJb	Historisches Jahrbuch
HKKR	Handbuch des Katholischen Kirchenrechts, hrg. von Joseph Listl; Hubert Müller; Heribert Schmitz, Regensburg 1983.
JABG	Jahrbuch des Vereins für Augsburger Bistumsgeschichte
JHVD	Jahrbuch des Historischen Vereins Dillingen
KDB OB	Die Kunstdenkmale des Regierungsbezirkes Oberbayern, hrg. von Gustav von Bezold (Literaturverzeichnis)
LexMA	Lexikon des Mittelalters
LThK	Lexikon für Theologie und Kirche
MB	Monumenta Boica (Literaturverzeichnis)
MThZ	Münchener Theologische Zeitschrift
MySal	Mysterium salutis. Grundriß heilsgeschichtlicher Dogmatik, hrg. von Johannes Feiner; Magnus Löhrer, Einsiedeln-Zürich-Köln 1965 ff.
NDB	Neue Deutsche Biographie
OA	Oberbayerisches Archiv
QE	Quellen und Erörterungen zur bayerischen und deutschen Geschichte
QFItA	Quellen und Forschungen aus italienischen Archiven
RegBoic	Regesta rerum boicarum, hrg. von Karl Lang (Lit.-Verzeichnis)
RotJbKg	Rottenburger Jahrbuch für Kirchengeschichte
StMBO	Studien und Mitteilungen zur Geschichte des Benediktiner-ordens und seiner Zweige
VHVN	Verhandlungen des Historischen Vereins für Niederbayern
ZBKG	Zeitschrift für bayerische Kirchengeschichte
ZBLG	Zeitschrift für Bayerische Landesgeschichte
ZKG	Zeitschrift für Kirchengeschichte

Münzbezeichnungen

dl	Pfennig	hl	Heller	lb	Pfund	ß	Schilling
fl	Gulden	kr	Kreuzer	rhein.	rheinisch		

Register der Personennamen

Abkürzungen

A	Abt	Hz	Herzog	Pfgf	Pfalzgraf
B	Bischof	Kg	König	P	Papst
Gf	Graf	Ks	Kaiser	WB	Weihbischof

Die kursiven Ziffern beziehen sich auf den Fürstenfelder Personalkatalog S. 527 ff.

Register der Ortsnamen

Bildnachweis

Rott am Inn

Beiträge zur Kunst und Geschichte
der ehemaligen Benediktinerabtei

Herausgegeben von Willi Birkmaier

Die Klosterkirche von Rott am Inn gilt bei allen Kunstfreunden als die ideale Verkörperung des »Gesamtkunstwerks« am Ende der Rokokozeit. Architektur und Stuck, Malerei und Skulptur zogen durch die Person des Bauherrn Abt Benedikt Lutz von Lutzenkirchen in den Jahren 1759 bis 1763 die vorzüglichsten Meister ihrer Zeit an: den Münchner Baumeister Johann Michael Fischer, der zwischen den stehengebliebenen romanischen Türmen gegen Westen zu einen genialen Oktogonraum aufrichtete; den Wessobrunner Jakob Rauch, der der Rokokostukkatur in einem feinsinnig erdachten Programm zu einem großen Triumph verhalf; den Freskanten Matthäus Günther aus Augsburg, der den einst von Johann Evangelist Holzer für Münsterschwarzach erdachten »benediktinischen Himmel« neu interpretierte und der zudem die für Rott reklamierten Patrone Marinus und Anianus gültig darstellte, den Hofbildhauer Ignaz Günther, der für Rott drei meisterhafte Altäre schuf und die anderen vermutlich entwarf, so daß einer Generation von lokalen Meistern – wie Joseph Götsch in Aibling – ein reiches Betätigungsfeld blieb. Zwar mußte der Bauherr schuldenhalber resignieren – er nahm allein bei der Schwesterabtei Oberaltaich 30000 Gulden auf –, und er mußte sich den Titel »Heiliger Verschwender« gefallen lassen, aber sein Werk in Rott am Inn wurde unsterblich.

Das Kloster war 1083 von Kuno von Rott und Vohburg und seiner Familie begründet worden. Sechs Jahre nach dem berühmten Gang des Kaisers Heinrich IV. nach Canossa entstand das Benediktinerstift, eine Frucht des Investiturstreits zwischen Kaiser und Papst. Später bildete Rott mit der Benediktinerabtei Attel und dem Dominikanerinnenstift Altenhohenau beidseits des Inns ein »Heiliges Dreieck«; für das Umland war das Benediktinerkloster Rott bis 1802 ein Quell kulturellen Lebens.

Autoren: Anton Bauer, Hermann Bauer, Willi Birkmaier, Günter Glauche, Edgar Krausen, Sixtus Lampl, Volker Liedke, Robert Münster, Elisabeth Noichl, Hans Pörnbacher, Bernhard Schütz, Gerhard Stalla, Robert Stalla, Dietmar Stutzer, Gerhard P. Woeckel

ISBN 3-87437-204-9   Leinenband mit 280 Textseiten und 155 Abbildungen

Anton H. Konrad Verlag   89264 Weißenhorn

Kloster Seeon
Beiträge zu Geschichte, Kunst und Kultur
der ehemaligen Benediktinerabtei

ISBN 3-87437-346-0 Leinenband mit 444 Seiten und 225 Abbildungen

Anton H. Konrad Verlag 89264 Weißenhorn

Birgitta Klemenz

Das Zisterzienserkloster Fürstenfeld zur Zeit von Abt Martin Dallmayr 1640–1690

In der mehr als 500jährigen Geschichte Fürstenfelds (1263–1802) nimmt die Regierungszeit von Abt Martin Dallmayr (1647–1690) nicht nur aufgrund ihrer Dauer von einem halben Jahrhundert eine besondere Stelle ein.

Noch unter dem Eindruck der miterlebten Schrecken des Dreißigjährigen Krieges ist mit Abt Dallmayr ein alle Bereiche des klösterlichen Lebens umfassender Aufschwung verbunden. Den finanziellen Grundstock zu dem späteren Neubau von Kirche und Kloster hat Abt Dallmayr gelegt.

Die barocke Pracht Fürstenfelds läßt dabei an die wirtschaftliche Basis der Abtei ebenso denken wie an das Selbstverständnis ihrer Auftraggeber: das Hauskloster der Wittelsbacher sollte nach dem Anspruch des Türkensiegers Kurfürst Max Emanuel ein bayerischer Escorial werden: Kloster und Schloß. Die Schlichtheit zisterziensischen Lebens und Bauens wird hier weit hinter sich gelassen.

Daß dabei kein Verfall des monastischen Lebens zu beklagen war und die Klostergemeinschaft auch »in spiritualibus« gefestigt war, dies ist das Erbe aus der Zeit des Abtes Martin Dallmayr.

Nach der Darstellung der Vorgeschichte bis zur Abtswahl Dallmayrs 1640 wird seine Regierungszeit in fünfzig Jahren bis 1690 untersucht. In »Leben im Kloster« stellt sich der Konvent vor: Zusammensetzung, Entwicklung des Konvents, Herkunft der Mönche, Ausbildung, Ämter, Aufgaben, geistliches Leben, wissenschaftliche und literarische Tätigkeit, Visitationen. Ein weiterer Abschnitt ist den Gebäuden gewidmet, nach Benedikt »die Werkstatt«, in der die Gemeinschaft arbeitet. Fürstenfelds religiöse Wirkung nach außen, die Reliquienverehrung und die hierfür vom Kloster erworbenen Ablässe bilden den Übergang zum Abschnitt »Leben in der Welt«.

Die Untersuchung des wirtschaftlichen Potentials der Abtei bleibt einem Wirtschaftshistoriker vorbehalten; hier erhellt die Autorin die Aufgaben der Mönche in den Bereichen des Klosters als Arbeitgeber, in Seelsorge und im Dienst am Nächsten.

Im dritten Kapitel wird die Wiederbesiedlung des in der Reformationszeit untergegangenen Zisterzienserklosters Waldsassen (Oberpfalz) dargestellt. Waldsassens Wiedererstehen war eines der zentralen Anliegen des großen Abtes. Erst nach Dallmayrs Tod wurde es mit einem eigenen Abt in die Unabhängigkeit entlassen.

Das vierte Kapitel handelt vom Verhältnis zum Landesherrn und von der Verbindung zum Orden, der Dallmayr immer wieder mit Leitungsaufgaben betraut hat.

ISBN 3-87437-398-3   Leinenband mit 439 Seiten und 25 Abbildungen, davon 17 in Farbe

Anton H. Konrad Verlag   89264 Weißenhorn